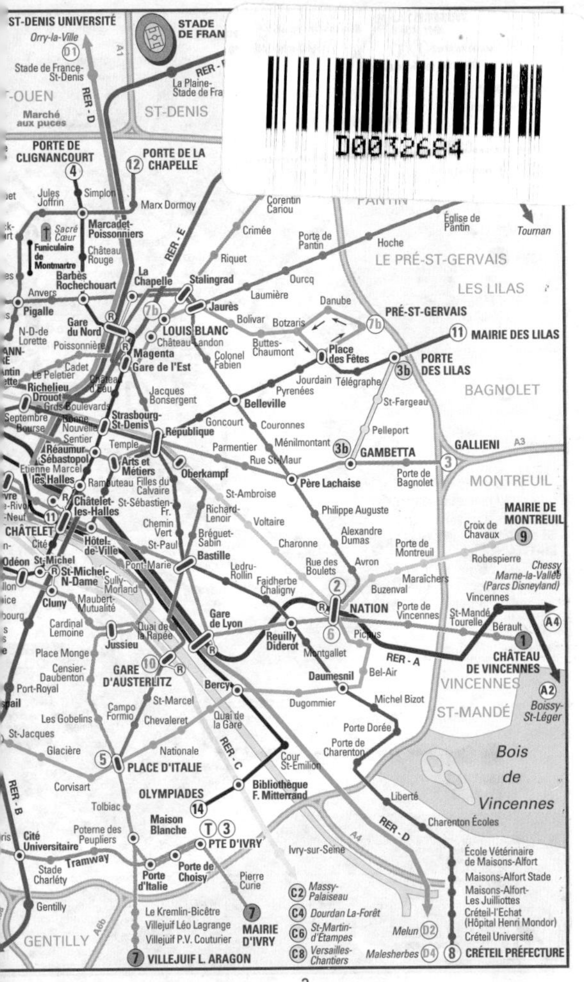
ST-DENIS UNIVERSITÉ
Orry-la-Ville
D1
STADE DE FRAN
Stade de France-St-Denis
RER - D
RER - B
La Plaine-Stade de Fra
ST-OUEN
Marché aux puces
ST-DENIS
A1
PORTE DE CLIGNANCOURT
4
PORTE DE LA CHAPELLE
12
Jules Joffrin
Simplon
Marx Dormoy
Marcadet-Poissonniers
Sacré Cœur
Funiculaire de Montmartre
Château Rouge
RER - E
Corentin Cariou
PANTIN
Église de Pantin
Tournan
Crimée
Porte de Pantin
Hoche
Riquet
LE PRÉ-ST-GERVAIS
Barbès Rochechouart
La Chapelle
Stalingrad
Ourcq
LES LILAS
Anvers
Pigalle
Laumière
Danube
Jaurès
7b
PRÉ-ST-GERVAIS
Gare du Nord
Bolivar
Botzaris
LOUIS BLANC
11
MAIRIE DES LILAS
N-D-de Lorette
Poissonnière
Château-Landon
Buttes-Chaumont
Place des Fêtes
Magenta
Gare de l'Est
Colonel Fabien
PORTE DES LILAS
3b
Cadet
Le Peletier
Château d'Eau
Jourdain
Télégraphe
Richelieu Drouot
Jacques Bonsergent
Pyrenées
BAGNOLET
Grds Boulevards
Belleville
St-Fargeau
Septembre
Bourse
Bonne Nouvelle
Strasbourg-St-Denis
République
Goncourt
Couronnes
Pelleport
Sentier
Temple
Parmentier
Ménilmontant
GAMBETTA
GALLIENI
A3
Réaumur-Sébastopol
Arts et Métiers
Rue St-Maur
3
Etienne Marcel
Oberkampf
Porte de Bagnolet
MONTREUIL
Les Halles
Rambuteau
Filles du Calvaire
Père Lachaise
Châtelet-les-Halles
St-Sébastien-Fr.
St-Ambroise
MAIRIE DE MONTREUIL
CHÂTELET
Richard-Lenoir
Philippe Auguste
Chemin Vert
Voltaire
Croix de Chavaux
9
Cité
Hôtel-de-Ville
St-Paul
Bréguet-Sabin
Alexandre Dumas
Porte de Montreuil
Odéon
St-Michel
Bastille
Charonne
Robespierre
St-Michel-N-Dame
Pont-Marie
Ledru-Rollin
Rue des Boulets
Avron
Chessy Marne-la-Vallée (Parcs Disneyland)
Sully-Morland
Faidherbe Chaligny
2
Maraîchers
Cluny
Maubert-Mutualité
Buzenval
Vincennes
NATION
Porte de Vincennes
St-Mandé Tourelle
A4
Cardinal Lemoine
Quai de la Rapée
Gare de Lyon
6
Bérault
Jussieu
Reuilly Diderot
Picpus
1
Place Monge
Montgallet
RER - A
CHÂTEAU DE VINCENNES
Censier-Daubenton
GARE D'AUSTERLITZ
10
Daumesnil
Bel-Air
VINCENNES
Port-Royal
Bercy
A2
Campo Formio
St-Marcel
Dugommier
Michel Bizot
Boissy-St-Léger
ST-MANDÉ
Les Gobelins
Chevaleret
Quai de la Gare
Porte Dorée
St-Jacques
RER - C
Porte de Charenton
Bois de Vincennes
Glacière
Nationale
5
PLACE D'ITALIE
Cour St-Emilion
Corvisart
OLYMPIADES
Bibliothèque F. Mitterrand
14
Liberté
Tolbiac
Maison Blanche
T 3
Charenton Écoles
RER - D
Cité Universitaire
Poterne des Peupliers
PTE D'IVRY
Ivry-sur-Seine
A4
École Vétérinaire de Maisons-Alfort
Tramway
Stade Charléty
Porte d'Italie
Porte de Choisy
Pierre Curie
Maisons-Alfort Stade
C2 Massy-Palaiseau
Maisons-Alfort-Les Juilliottes
Gentilly
7
Le Kremlin-Bicêtre
C4 Dourdan La-Forêt
Créteil-l'Echat (Hôpital Henri Mondor)
Villejuif Léo Lagrange
MAIRIE D'IVRY
C6 St-Martin-d'Etampes
Melun D2
Créteil Université
GENTILLY
A6b
Villejuif P.V. Couturier
C8 Versailles-Chantiers
Malesherbes D4
8 CRÉTEIL PRÉFECTURE
7 VILLEJUIF L. ARAGON

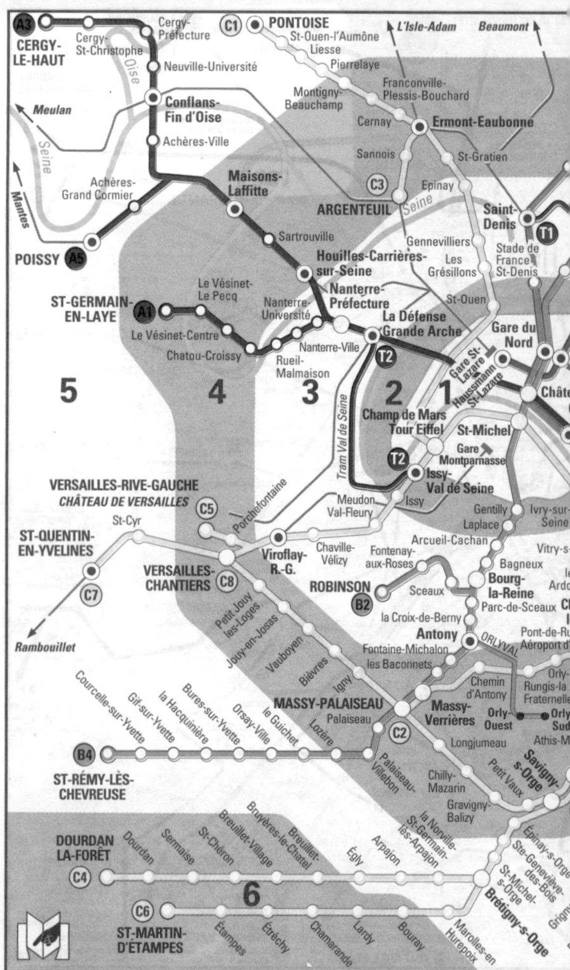

A3
CERGY-LE-HAUT
Cergy-St-Christophe
Cergy-Préfecture
Neuville-Université
Conflans-Fin d'Oise
Achères-Ville
Achères-Grand Cormier
Meulan
Mantes
Oise
Seine
POISSY
A5
Maisons-Laffitte
Sartrouville
Houilles-Carrières-sur-Seine
Nanterre-Préfecture
ST-GERMAIN-EN-LAYE
A1
Le Vésinet-Le Pecq
Le Vésinet-Centre
Chatou-Croissy
Nanterre-Université
Rueil-Malmaison
Nanterre-Ville
La Défense Grande Arche
C1
PONTOISE
St-Ouen-l'Aumône
Liesse
Pierrelaye
Montigny-Beauchamp
Franconville-Plessis-Bouchard
L'Isle-Adam
Beaumont
Cernay
Ermont-Eaubonne
Sannois
St-Gratien
C3
Epinay
ARGENTEUIL
Saint-Denis
T1
Gennevilliers
Les Grésillons
Stade de France St-Denis
St-Ouen
Gare du Nord
Gare St-Lazare
Haussmann St-Lazare
T2
5
4
3
2
1
Champ de Mars Tour Eiffel
St-Michel
Gare Montparnasse
Tram Val de Seine
Issy-Val de Seine
Issy
VERSAILLES-RIVE-GAUCHE
CHÂTEAU DE VERSAILLES
C5
Porchefontaine
Meudon Val-Fleury
St-Cyr
ST-QUENTIN-EN-YVELINES
C7
Rambouillet
Viroflay-R.-G.
Chaville-Vélizy
VERSAILLES-CHANTIERS
C8
Fontenay-aux-Roses
ROBINSON
B2
Sceaux
Gentilly
Laplace
Arcueil-Cachan
Bagneux
Bourg-la-Reine
Parc-de-Sceaux
la Croix-de-Berny
Antony
ORLYVAL
Fontaine-Michalon
les Baconnets
Ivry-sur-Seine
Petit Jouy les-Loges
Jouy-en-Josas
Vauboyen
Bièvres
Igny
MASSY-PALAISEAU
Palaiseau
Massy-Verrières
Chemin d'Antony
Rungis-la Fraternelle
Orly-Ouest
Orly-Sud
C2
Courcelle-sur-Yvette
Gif-sur-Yvette
la Hacquinière
Bures-sur-Yvette
Orsay-Ville
le Guichet
Lozère
Palaiseau-Villebon
Longjumeau
Petit Vaux
Savigny-s-Orge
Chilly-Mazarin
Gravigny-Balizy
B4
ST-RÉMY-LÈS-CHEVREUSE
DOURDAN LA-FORÊT
C4
Dourdan
Sermaise
St-Chéron
Breuillet-Village
Bruyères-le-Châtel
Breuillet-
Égly
Arpajon
la Norville-St-Germain-lès-Arpajon
Épinay-s-Orge
Ste-Geneviève-des-Bois
St-Michel-s-Orge
Brétigny-s-Orge
6
C6
ST-MARTIN-D'ÉTAMPES
Étampes
Étréchy
Chamarande
Lardy
Bouray
Marolles-en Hurepoix

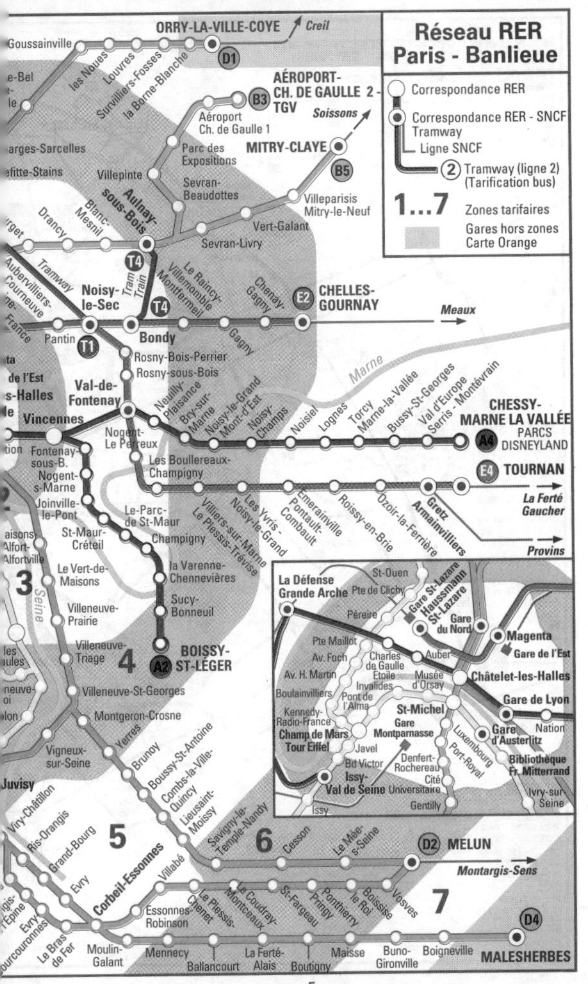

Réseau RER
Paris - Banlieue
Correspondance RER
Correspondance RER - SNCF
Tramway
Ligne SNCF
Tramway (ligne 2)
(Tarification bus)
1…7
Zones tarifaires
Gares hors zones
Carte Orange
ORRY-LA-VILLE-COYE
Creil
AÉROPORT-
CH. DE GAULLE 2 -
TGV
Soissons
MITRY-CLAYE
CHELLES-
GOURNAY
Meaux
CHESSY-
MARNE LA VALLÉE
PARCS
DISNEYLAND
TOURNAN
La Ferté
Gaucher
Provins
BOISSY-
ST-LÉGER
MELUN
Montargis-Sens
MALESHERBES
La Défense
Grande Arche
Châtelet-les-Halles
Gare de Lyon

DIMANCHES ET FÊTES (de 7 h 00 à 20 h 30 environ)
20 21 26 27 28 29 31 38 42 46 52 54 57 58 60 61 62 63 64 65
66 72 75 76 80 82 86 91 92 95 96 350 351 PC 1 PC 2 PC 3
Roissybus Orlybus Montmartrobus Balabus (Avril à Septembre)
Traverse de Bièvre-Montsouris Traverse de Charonne
Traverse Ney-Flandre
24 Maubert-Mutualité - École Vétérinaire de M.-Alfort
43 Gare St-Lazare - Neuilly-Bagatelle
46 Ch.-de-Vincennes - Gare du Nord
47 Châtelet - Fort du Kremlin-Bicêtre
67 Châtelet-Hôtel de Ville - Stade Charléty
68 Porte d'Orléans Ernest Reyer-Châtillon-Montrouge Métro
74 Porte de Clichy - Clichy-Berges de Seine
85 Mairie du 18 -J. Joffrin - Mairie de St-Ouen
87 Bastille - Porte de Reuilly
94 Gare St-Lazare - Levallois-Louison Bobet
Gabriel Péri-Asnières-Gennevilliers
Clichy-Berges de Seine
CLICHY
Clichy-V. Hugo
Pte de St-Ouen
Pt de Levallois
Levallois-L. Bobet
Neuilly-Hôpital Américain
Porte de Champerret
La Défense Grande Arche
NEUILLY-SUR-SEINE
PUTEAUX
Pte de Clichy
Guy Môquet
Pl. Wagram
Sq. des Batignolles
La Fourche
Suresnes-De Gaulle
Courcelles
Parc Monceau
Gare St-Lazare
Pte Maillot-Pershing
Ch. de Gaulle-Étoile
Miromesnil
Neuilly-Bagatelle
Friedland Haussmann
La Madeleine
Bois de Boulogne
Victor Hugo
Rd-Pt des Champs Élysées
Palais de l'Élysée
Opéra
Boissière
Concorde
Jardin des Tuileries
Trocadéro
Alma Marceau
Porte de la Muette
Musée d'Orsay
Seine
Ass. Nationale
BALABUS
Dimanche et fêtes de 12h30 à 20h00 du début avril à fin septembre
Gare de Lyon - La Défense-Grande Arche
Tour Eiffel
Invalides
La Muette
Radio France
Rue du Bac
Champ de Mars
École Militaire
Sèvres-Babylone
A 13
Porte d'Auteuil
Michel Ange-Auteuil
U.N.E.S.C.O
Parc de St-Cloud
Mirabeau
Charles Michels
Hôpital Necker
PARC DES PRINCES
Hôpital Européen G. Pompidou
Mairie du 15e
Gare Montparnasse
Vavin
Cim. du Montparnasse
Parc de St-Cloud
Pte de St-Cloud
Pt du Garigliano
Balard
Convention
Montparnasse 2 Gare TGV
Issy-Val-de-Seine
Pte de Versailles
Parc G. Brassens
Hôpital St-Joseph
Hôpital Broussais
Alésia
Parc des Expositions
Tramway T3
Pte de Vanves
NOCTILIEN
(toutes les nuits de 0h30 à 5h30 environ)
N01 N02 N11 N12 N13 N14 N15 N16
N21 N22 N23 N24
N31 N32 N33 N34 N35
N41 N42 N43 N44 N45
N51 N52 N53
N61 N62 N63
N71
Autres lignes
N120 N121 N122
N130 N131 N132
N140 N141 N142
N150 N151 N152 N153
Gare de Vanves-Malakoff
Vanves-Lycée Michelet
Cimetière de Montrouge
Porte d'Orléans
MALAKOFF
MONTROUGE
Châtillon-Montrouge-Métro

PARIS Plan-Bus
SOIRÉES (de 20 h30 à 0 h 30 environ)
21 26 27 28 29 31 38 42 47 54 57 60 61
62 63 64 65 66 72 75 76 80 91 92 95 96
PC 1 PC 2 PC 3
Roissybus Orlybus Montmartrobus
24 Gare d'Austerlitz - Ecole Vétérinaire de Maisons-Alfort
43n Pont de Neuilly - Neuilly Bagatelle
52 Charles de Gaulle-Étoile - Porte d'Auteuil
67 Châtelet - Hôtel de Ville - Stade Charléty
68 Pte d'Orléans-E. Reyer - Chât.-Montrouge
74 Porte de Clichy - Clichy-Berges de Seine
85 Mairie du 18 -J. Joffrin - Mairie de St-Ouen
87 Bastille - Porte de Reuilly
CHARLES DE GAULLE
Roissypole Gare RER 350
Roissybus
STADE DE FRANCE
65 Mairie d'Aubervilliers
ST-OUEN
ST-DENIS
Traverse Ney-Flandre
Porte d'Aubervilliers
Pte de Clignancourt
Pte de la Chapelle
Pte de la Villette
Cité des Sciences et de l'Industrie
Pte de Pantin
80 Mairie du 18e-J. Joffrin
Crimée
Marx Dormoy
Sacré Cœur
Montmartrobus
Barbès
Gare du Nord
La Chapelle
Jaurès
Mairie du 19e
Parc des Buttes Chaumont
61 Eglise de Pantin
Hôpital Robert Debré
LES LILAS
Pte des Lilas
BAGNOLET
Pigalle
Cadet
Gare de l'Est
Hôpital St-Louis
Pl. des Fêtes
Cimetière de Belleville
Pyrénées
Grands Boulevards
Strasbourg-St-Denis
République
Hôpital Tenon
Gambetta
Bagnolet-L. Michel 76
Palais Royal M. du Louvre
Parmentier
Réaumur Sébastopol
Traverse de Charonne
Cimetière du Père Lachaise
Pte de Bagnolet Louis Ganne
Roissypole Gare RER
Pont Neuf
Châtelet
Hôtel de Ville
Voltaire Léon Blum
MONTREUIL
Préf. de Police
St-Michel
Notre-Dame de Paris
Pl. des Vosges
Bastille
Odéon
Sorbonne
Préfecture
Seine
Hôpital St-Antoine
Nation
Château de Vincennes
Panthéon
Université Paris VI-VII
Gare de Lyon
BALABUS
Luxembourg
Gare d'Austerlitz
RATP
Hôpital Rothschild
VINCENNES
Port Royal
Val de Grâce
Ministère des Finances
Hôpital Trousseau
Pte de Montempoivre
Les Gobelins
Hôpital de la Pitié-Salpêtrière
Palais Omnisport de Bercy
Hôpital Cochin
Denfert-Rochereau
Porte de Reuilly
St-Mandé - Demi-Lune - Parc Zoologique
Parc de Bercy
Bibliothèque Nationale de France
Bois de Vincennes
Orlybus
Pl. d'Italie
Hôpital Ste-Anne
Glacière-Tolbiac
Bibliothèque Fr. Mitterrand
CHARENTON-LE-PONT
Tolbiac
Charenton Écoles
Parc Montsouris
Traverse de Bièvre-Montsouris
Stade Charléty
Cité Universitaire
Cimetière de Gentilly
Porte d'Italie
83 Pte d'Ivry-Claude Regaud
27 Pte de Vitry-Claude Regaud
IVRY-SUR-SEINE
A 4
A 3
ORLY
57 Arcueil Laplace-RER
47 Fort du Kremlin-Bicêtre
24 École Vétérinaire de Maisons-Alfort

DE PARIS À...

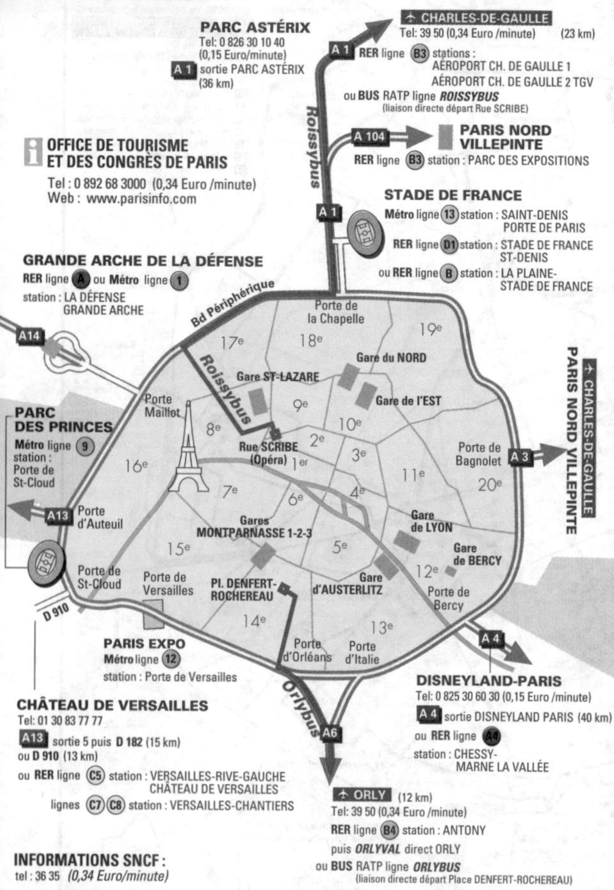

INFORMATIONS SNCF :
tel : 36 35 *(0,34 Euro/minute)*

Ar.	Plan	Rues / Streets	Commençant	Finissant	Métro
		A			
6	L17	**Abbaye** Rue de l'	18 R. de l'Échaudé	37 R. Bonaparte	St-Germain-des-Prés
18	E18	**Abbesses** Passage des	20 R. des Abbesses	57 R. des Trois Frères	Abbesses
18	E18	**Abbesses** Place des	16 R. des Abbesses	Rue de la Vieuville	Abbesses
18	E18-E17	**Abbesses** Rue des	89 R. des Martyrs	34 R. Lepic	Blanche
9	F20	**Abbeville** Rue d'	1 Pl. Franz Liszt	82 R. Maubeuge	Poissonnière
10	F20	**Abbeville** Rue d'	1 Pl. Franz Liszt	82 R. Maubeuge	Poissonnière
5	O20	**Abdelkader** Pl. de l'Emir	20 R. Geoffroy-St-Hilaire	47 Rue Poliveau	Censier-Daubenton
18	A21	**Abeille** Allée Valentin	27 Imp. Marteau	(en impasse)	Porte de la Chapelle
12	M23	**Abel** Rue	25 Bd Diderot	88 R. de Charenton	Gare de Lyon
2	I18-I19	**Aboukir** Rue d'	9 Pl. des Victoires	285 R. St-Denis	Strasbourg-St-Denis
16	J8	**About** Rue Edmond	17 R. de Siam	45 Bd E. Augier	Av. H. Martin (RER C)
18	D18	**Abreuvoir** Rue de l'	9 R. des Saules	16 R. Girardon	Lamarck-Caulaincourt
17	F11	**Acacias** Passage des	33 Av. Mac Mahon	56 R. des Acacias	Ch. de Gaulle-Étoile
17	F11-G11	**Acacias** Rue des	36 Av. de la Gde Armée	35 Av. Mac Mahon	Ch. de Gaulle-Étoile
6	L17	**Acadie** Place d'	Rue du Four	Bd St-Germain	Mabillon
19	G23	**Achard** Place Marcel	Rue Rébeval	Bd de Villette	Belleville
20	J27	**Achille** Rue	28 R. des Rondeaux	25 R. Ramus	Gambetta
3	K21	**Achille** Square Louis	R. du Parc Royal	(en impasse)	St-Paul
7	L12	**Acollas** Avenue Émile	R. J. Carriès	10 Pl. Joffre	La Motte-P.-Grenelle
17	D12	**Adam** Avenue Paul	148 Bd Berthier	9 E. et A. Massard	Pereire
4	K19	**Adam** Rue Adolphe	14 Q. de Gesvres	13 Av. Victoria	Châtelet
5	O20	**Adanson** Square	119 R. Monge	(en impasse)	Censier-Daubenton
16	H9	**Adenauer** Pl. du Chancel.	Avenue Bugeaud	4 R. Spontini	Porte Dauphine
16	L9	**Ader** Place Clément	2 R. Gros	Av. du Pdt Kennedy	Kennedy-R. France (RER C)
19	G25	**Adour** Villa de l'	13 R. de la Villette	14 R. Mélingue	Jourdain - Pyrénées
20	K27	**Adrienne** Cité	82 R. de Bagnolet	(en impasse)	Gambetta - A. Dumas
14	Q17	**Adrienne** Villa	17 Av. du Gal Leclerc	(en impasse)	Mouton-Duvernet
18	E20-D20	**Affre** Rue	18 R. de Jessaint	7 R. Myrha	La Chapelle
16	L8	**Agar** Rue	41 R. Gros	19 R. J. De La Fontaine	Mirabeau - Jasmin
8	H15	**Aguesseau** Rue d'	60 R. du Fbg St-Honoré	23 R. Surène	Madeleine
18	B17-C17	**Agutte** Rue Georgette	36 R. Vauvenargues	151 R. Belliard	Porte de St-Ouen
11	I24	**Aicard** Avenue Jean	R. Oberkampf	Pas. Ménilmontant	Ménilmontant
14	P16	**Aide Sociale** Sq. de l'	158 Av. du Maine		Pernety - Gaîté
19	E25	**Aigrettes** Villa des	16 R. D. d'Angers		Danube
19	D24	**Aisne** Rue de l'	13 Q. de l'Oise	28 R. de l'Ourcq	Corentin Cariou
10	H22	**Aix** Rue d'	53 R. du Fbg du Temple	8 R. Louvel Tessier	Goncourt
7	K14	**Ajaccio** Square d'	Bd des Invalides	R. de Grenelle	La Tour-Maubourg
14	O15	**Alain** Rue	21 Pl. de Catalogne	76 R. Vercingétorix	Pernety
15	L12	**Alasseur** Rue	17 R. Dupleix	14 Av. Champaubert	La Motte-P.-Grenelle
18	B17	**Albert** Passage Charles	70 R. Leibniz	2 R. Jules Cloquet	Porte de St-Ouen
5	L19-L20	**Albert** Rue Maître	73 Q. de la Tournelle	29 Pl. Maubert	Maubert-Mutualité
18	D19	**Albert** Rue Paul	24 R. A. del Sarte	25 R. du Chev. de la Barre	Anvers
13	R23	**Albert** Rue	62 R. Regnault	53 R. de Tolbiac	Porte d'Ivry
8	I13	**Albert Ier** Cours	Pl. du Canada	Pl. de l'Alma	Alma-Marceau
16	J11	**Albert Ier de Monaco** Av.	Pl. de Varsovie	Palais de Chaillot	Trocadéro
12	N25	**Albinoni** Rue	50 Al. Vivaldi	34 R. J. Hillairet	Montgallet
16	K10	**Alboni** Rue de l'	16 Av. du Pdt Kennedy	23 Bd Delessert	Passy
16	K10	**Alboni** Square de l'	6 R. de l'Alboni	2 R. des Eaux	Passy
8	G12	**Albrecht** Av. Berthie	14 R. Beaujon	29 Av. Hoche	Ch. de Gaulle-Étoile
14	Q17	**Alembert** Rue D'	17 R. Hallé	2 R. Bezout	Denfert-Rochereau
15	N15	**Alençon** Rue d'	46 Bd du Montparnasse	7 Av. du Maine	Montparnasse-Bienv.
14	P14-R18	**Alésia** Rue d'	106 R. de la Santé	R. de Vouillé	Alésia - Plaisance
14	Q16	**Alésia** Villa d'	111 R. d'Alésia	39 R. des Plantes	Alésia
14	Q14	**Alésia-Ridder** Square	R. d'Alésia	R. R. Losserand	Plaisance
15	O14-O15	**Alexandre** Passage	71 Bd Vaugirard	Bd Pasteur	Montparnasse-Bienv.
16	J8	**Alexandre Ier de Yougo.** Sq.	Pl. de Colombie	Porte de la Muette	Av. H. Martin (RER C)
7	I14-J14	**Alexandre III** Pont	Quai d'Orsay	Cours la Reine	Invalides
8	I14-J14	**Alexandre III** Pont	Quai d'Orsay	Cours la Reine	Champs-Elysées-Clem.
2	I20-H19	**Alexandrie** Rue d'	241 R. St-Denis	104 R. d'Aboukir	Strasbourg-St-Denis
11	K25	**Alexandrine** Passage	44 R. Léon Frot	27 R. E. Lepeu	Charonne
12	M22	**Alger** Cour d'	245 R. de Bercy	(en impasse)	Quai de la Rapée
1	I17	**Alger** Rue d'	214 R. de Rivoli	219 R. St-Honoré	Tuileries
19	F27	**Algérie** Boulevard d'	67 Bd Sérurier	18 Av. de la Pte Brunet	Pré St-Gervais
10	H22	**Alibert** Rue	66 Q. de Jemmapes	1 Av. C. Vellefaux	République

Ar.	Plan	**Rues** / Streets	Commençant	Finissant	Métro
14	R14	**Alice** Square	127 R. Didot	(en impasse)	Porte de Vanves
12	M24	**Aligre** Place d'	10 R. de Cotte	26 R. Beccaria	Ledru-Rollin
12	M24	**Aligre** Rue d'	95 R. de Charenton	138 R. du Fbg St-Antoine	Ledru-Rollin
16	L6	**Aliscamps** Square des	100 Bd Suchet	9 Av. du Mal Lyautey	Porte d'Auteuil
20	H24	**Allais** Place Alphonse	Rue de Tourtille	Rue de Pali Kao	Couronnes
12	O29	**Allard** Rue	Bd de la Guyane	R. Allard (St-Mandé)	St-Mandé Tourelle
7	K14	**Allende** Place Salvador	Bd de la Tr-Maubourg	Rue de Grenelle	La Tour-Maubourg
7	K17	**Allent** Rue	15 R. de Lille	22 R. de Verneuil	St-Germain-des-Prés
15	O13	**Alleray** Hameau d'	25 R. d'Alleray	(en impasse)	Vaugirard
15	P13	**Alleray** Jardin d'	Rue d'Alleray	Place d'Alleray	Vaugirard
15	P13	**Alleray** Place d'	59 R. d'Alleray	35 R. Dutot	Vaugirard
15	P13	**Alleray** Rue d'	297 R. de Vaugirard	2 Pl. Falguière	Vaugirard
15	P13	**Alleray Labrouste** Jard. d'	Rue d'Alleray	Place d'Alleray	Vaugirard
15	O13	**Alleray Quintinie** Square	Rue La Quintinie		Vaugirard
19	F27	**Allès** R. de l'Inspecteur	21 R. des Bois	66 R. de Mouzaïa	Pré St-Gervais
17	E11	**Allez** Rue Émile	29 Bd Gouvion St-Cyr	7 R. Roger Bacon	Porte de Champerret
19	B24	**Allier** Quai de l'	Bd Macdonald	Q. Gambetta	Porte de la Villette
7	J12	**Alma** Cité de l'	4 Av. Bosquet	9 Av. Rapp	Pont de l'Alma (RER C)
8	I12	**Alma** Place de l'	Crs Albert Ier	Avenue George V	Alma-Marceau
16	I12	**Alma** Place de l'	Crs Albert Ier	Avenue George V	Alma-Marceau
7	J12	**Alma** Pont de l'	Place de l'Alma	Pl. de la Résistance	Alma-Marceau
8	J12	**Alma** Pont de l'	Place de l'Alma	Pl. de la Résistance	Alma-Marceau
16	J12	**Alma** Pont de l'	Place de l'Alma	Pl. de la Résistance	Alma-Marceau
3	I20-I21	**Alombert** Passage	26 R. Gravilliers	9 R. au Maire	Arts et Métiers
19	F25	**Alouettes** Rue des	29 R. Fessart	64 R. Botzaris	Botzaris
13	Q21	**Alpes** Place des	162 Bd V. Auriol	R. Godefroy	Place d'Italie
16	G10	**Alphand** Avenue	23 R. Duret	16 R. Piccini	Porte Maillot
13	Q19	**Alphand** Rue	56 R. Cinq Diamants	13 R. Barrault	Corvisart
16	K9	**Alphonse XIII** Avenue	34 R. Raynouard	3 R. de l'Abbé Gillet	Passy
20	J28	**Alquier-Debrousse** Allée	26 R. des Balkans	Bd Davout	Porte de Bagnolet
10	F21-G21	**Alsace** Rue d'	6 R. Huit Mai 1945	166 R. La Fayette	Gare de l'Est
19	F26	**Alsace** Villa d'	22 R. de Mouzaïa	(en impasse)	Danube
12	N25	**Alsace-Lorraine** Cour d'	67 R. de Reuilly	(en impasse)	Montgallet
19	E26	**Alsace-Lorraine** Rue d'	47 R. du Gal Brunet	40 R. Manin	Danube
19	F26	**Amalia** Villa	36 R. du Gal Brunet	11 R. de la Liberté	Danube
20	I25	**Amandiers** Rue des	11 Pl. A. Métivier	52 R. Ménilmontant	Père Lachaise
2	H18	**Amboise** Rue d'	93 R. Richelieu	14 R. Favart	Richelieu Drouot
12	P25	**Ambroisie** Rue de l'	R. Joseph Kessel	Rue F. Truffaut	Cour St-Émilion
7	K13	**Amélie** Rue	91 R. St-Dominique	170 R. de Grenelle	La Tour-Maubourg
20	G27-H27	**Amélie** Villa	42 R. du Borrégo	(en impasse)	St-Fargeau
11	J22	**Amelot** Rue	3 Bd Richard-Lenoir	6 Bd Voltaire	Oberkampf - Bastille
17	E11	**Amérique Latine** Jard. de l'	Pl. de la Pte de Champ.	Av. de la Pte de Champ.	Porte de Champerret
15	L12	**Amette** Pl. du Cardinal	Place Dupleix	18 Sq. La Motte-Picquet	La Motte-P.-Grenelle
11	L25	**Ameublement** Cité de l'	29 R. de Montreuil	(en impasse)	Faidherbe-Chaligny
20	J28	**Amiens** Square d'	6 R. Serpollet	5 R. Harpignies	Porte de Bagnolet
18	C20	**Amiraux** Rue des	119 R. des Poissonniers	134 R. de Clignancourt	Simplon
17	E13	**Ampère** Rue	Pl. du Nicaragua	119 Bd Péreire	Wagram - Pereire
14	O15	**Amphithéâtre** Place de l'	50 R. Vercingétorix		Pernety - Gaîté
8	F16-G16	**Amsterdam** Cour d'	4 R. d'Amsterdam	4 Imp. d'Amsterdam	St-Lazare - Liège
8	F16	**Amsterdam** Impasse d'	21 R. d'Amsterdam	(en impasse)	St-Lazare - Liège
8	F16-E16	**Amsterdam** Rue d'	106 R. St-Lazare	1 Pl. de Clichy	St-Lazare - Pl. de Clichy
9	G16-E16	**Amsterdam** Rue d'	106 R. St-Lazare	1 Pl. de Clichy	St-Lazare - Pl. de Clichy
5	N19	**Amyot** Rue	12 R. Tournefort	23 R. Lhomond	Place Monge
6	L18	**Ancienne Comédie** R. de l'	67 R. St-André des Arts	132 Bd St-Germain	Odéon
3	I20	**Ancre** Passage de l'	223 R. St-Martin	30 R. de Turbigo	Réaumur-Sébastopol
16	K8	**Andigné** Rue d'	20 Chée de la Muette	19 R. A. Magnard	La Muette
16	K8	**Andorre** Place d'	53 Rue de Boulainvilliers	53 Rue des Vignes	Boulainvilliers
18	C20	**Andrezieux** Allée d'	90 R. des Poissonniers	(en impasse)	Marcadet-Poissonniers
8	F15	**Andrieux** Rue	22 R. de Constantinople	51 Bd des Batignolles	Rome
18	E18	**Androuet** Rue	54 R. des Trois Frères	57 R. Berthe	Abbesses
18	B17	**Angers** Impasse d'	44 R. Leibniz	(en impasse)	Porte de St-Ouen
19	D23	**Anglais** Impasse des	74 R. de Flandre	(en impasse)	Riquet - Crimée
5	L19	**Anglais** Rue des	12 R. Lagrange	68 Bd St-Germain	Maubert-Mutualité
11	I23	**Angoulême** Cité d'	66 R. J.-P. Timbaud	(en impasse)	Parmentier
4	L21	**Anjou** Quai d'	Pont de Sully	20 R. des Deux Ponts	Sully-Morland
8	H15	**Anjou** Rue d'	42 R. du Fbg St-Honoré	11 R. de la Pépinière	St-Augustin

Ar.	Plan	**Rues** / Streets	Commençant	Finissant	Métro
16	K10	**Ankara** Rue d'	46 Av. du Pdt Kennedy	18 R. Berton	Kennedy-R. France (RER C)
20	I26	**Annam** Rue d'	13 R. Villiers de l'Isle-Adam	7 R. du Retrait	Gambetta
19	F25	**Annelets** Rue des	17 R. des Solitaires	14 R. de l'Encheval	Botzaris
14	R17	**Annibal** Cité	85 R. de la Tombe Issoire	(en impasse)	Alésia
16	K9	**Annonciation** Rue de l'	46 R. Raynouard	3 Pl. de Passy	La Muette
13	Q24	**Anouilh** Rue Jean	Rue E. Durkheim	Rue de Tolbiac	Bibl. F. Mitterrand
16	I8-H8	**Anselin** Jard. du Général	Bd Lannes	Av. du Mal Fayolle	Av. Foch (RER C)
16	G9	**Anselin** Rue du Général	Rte de la Pte des Sablons	Bd de l'Aml Bruix	Porte Maillot
13	Q24	**Antelme** Place Robert	36 Rue des Grds Moulins	82 Avenue de France	Bibl. F. Mitterrand
11	M27	**Antilles** Place des	7 Av. du Trône	Bd de Charonne	Nation
20	M27	**Antilles** Place des	7 Av. du Trône	Bd de Charonne	Nation
9	G17	**Antin** Cité d'	57 R. de Provence	R. La Fayette	Chée d'Antin-La Fayette
8	I13-I14	**Antin** Impasse d'	25 Av. F. D. Roosevelt	(en impasse)	Franklin D. Roosevelt
2	H17-I17	**Antin** Rue d'	12 R. D. Casanova	5 R. de Port Mahon	Opéra
18	E18	**Antoine** Rue André	24 Bd de Clichy	21 R. des Abbesses	Pigalle
14	P17	**Antoine** Square Jacques	Pl. Denfert-Rochereau	Bd Raspail	Denfert-Rochereau
9	E19	**Anvers** Place d'	15 Av. Trudaine	Bd de Rochechouart	Anvers
9	F19-E19	**Anvers** Square d'	Place d'Anvers		Anvers
17	C16-D15	**Apennins** Rue des	118 Av. de Clichy	39 R. Davy	Brochant
6	L17	**Apollinaire** R. Guillaume	42 R. Bonaparte	11 R. St-Benoît	St-Germain-des-Prés
14	S16	**Appell** Avenue Paul	R. Émile Faguet	7 Pl. du 25 Août 1944	Porte d'Orléans
11	K22	**Appert** Rue Nicolas	Pas. Ste-Anne Popin	Al. Verte	St-Sébastien-Froissart
16	H9	**Appert** Rue du Général	46 R. Spontini	72 Bd Flandrin	Av. Foch (RER C)
10	F21-E22	**Aqueduc** Rue de l'	159 R. La Fayette	149 Bd de la Villette	Gare du Nord
19	D26	**Aquitaine** Square d'	7 Av. de la Pte Chaumont	132 Bd Sérurier	Porte de Pantin
13	P18	**Arago** Boulevard	24 Av. des Gobelins	Pl. Denfert-Rochereau	Denfert-Rochereau
14	P18	**Arago** Boulevard	24 Av. des Gobelins	Pl. Denfert-Rochereau	Denfert-Rochereau
13	P19	**Arago** Square	44 Bd Arago		Les Gobelins
1	J19	**Aragon** Allée Louis	Jard. des Halles	Al. B. Cendrars	Châtelet-Les Halles
5	O19	**Arbalète** Rue de l'	20 R. des Patriarches	11 R. Berthollet	Censier-Daubenton
1	J18	**Arbre Sec** Rue de l'	Pl. de l'École	109 R. St-Honoré	Pont Neuf - Louvre-Rivoli
14	Q13-Q14	**Arbustes** Rue des	203 R. R. Losserand	(en impasse)	Porte de Vanves
17	F11-G11	**Arc de Triomphe** R. de l'	7 R. du Gal Lanrezac	48 R. des Acacias	Ch. de Gaulle-Étoile
8	G16	**Arcade** Rue de l'	4 Bd Malesherbes	14 Pl. Gabriel Péri	St-Lazare
19	C23-D23	**Archereau** Rue	46 R. Riquet	89 R. de l'Ourcq	Riquet - Crimée
4	L20	**Archevêché** Pont de l'	Q. de l'Archevêché	57 Q. de la Tournelle	Maubert-Mutualité
5	L20	**Archevêché** Pont de l'	Q. de l'Archevêché	57 Q. de la Tournelle	Maubert-Mutualité
4	L20	**Archevêché** Quai de l'	Pt St-Louis	Pont de l'Archevêché	Cité
12	P25	**Archimède** Rue Gerty	15 Rue Baron Le Roy	(en impasse)	Cour St-Émilion
12	O28	**Archinard** R. du Général	6 Av. du Gal Messimy	R. Nouvelle Calédonie	Porte Dorée
3	J21	**Archives** Rue des	50 R. de Rivoli	51 R. de Bretagne	Hôtel de Ville
4	K20	**Archives** Rue des	50 R. de Rivoli	51 R. de Bretagne	Hôtel de Ville
4	K20	**Arcole** Pont d'	Q. de l'Hôtel de Ville	23 Q. aux Fleurs	Hôtel de Ville
4	L19	**Arcole** Rue d'	23 Q. aux Fleurs	22 R. du Cloître N.-D.	St-Michel
14	S17	**Arcueil** Porte d'	Bd Jourdan	R. Deutsch de la M.	Cité Univ. (RER B)
14	S18	**Arcueil** Rue d'	78 R. Aml Mouchez	10 Bd Jourdan	Cité Univ. (RER B)
19	D25	**Ardennes** Rue des	159 Av. J. Jaurès	40 Q. de Marne	Ourcq
19	F25	**Arendt** Place Hannah	R. des Alouettes	Rue Carducci	Botzaris
5	N20	**Arènes** Rue des	21 R. Linné	10 R. de Navarre	Jussieu
5	N20	**Arènes de Lutèce** Sq. des	Rue de Navarre	Rue Monge	Place Monge
8	G15	**Argenson** Rue d'	14 R. La Boétie	109 Bd Haussmann	Miromesnil
1	I17	**Argenteuil** Rue d'	7 R. de l'Échelle	32 R. St-Roch	Pyramides
16	H10	**Argentine** Cité de l'	Av. Victor Hugo	(en impasse)	Victor Hugo
16	G11	**Argentine** Rue d'	4 R. Chalgrin	25 Av. de la Gde Armée	Argentine
19	C24	**Argonne** Place de l'	17 R. de l'Argonne	2 R. Dampierre	Corentin Cariou
19	C25	**Argonne** Rue de l'	39 Q. de l'Oise	154 R. de Flandre	Corentin Cariou
2	I19-I18	**Argout** Rue d'	46 R. E. Marcel	63 R. Montmartre	Sentier
16	N6	**Arioste** Rue de l'	82 Bd Murat	12 R. du Sgt Maginot	Porte de St-Cloud
17	D12	**Arlandes** R. du Marquis D'	19 Av. Brunetière	Bd de Reims	Pereire
17	F11	**Armaillé** Rue d'	29 R. des Acacias	3 Pl. T. Bernard	Ch. de Gaulle-Étoile
12	N23	**Armand** Place Louis	Gare de Lyon		Gare de Lyon
15	P9-Q9	**Armand** Rue Louis	Av. de la Pte de Sèvres	Av. de la Porte d'Issy	Balard
18	C17	**Armand** Villa	96 R. J. de Maistre	(en impasse)	Guy Môquet
18	D17	**Armée d'Orient** Rue de l'	68 R. Lepic	80 R. Lepic	Blanche - Abbesses
17	F9	**Armenonville** Rue d'	14 R. G. Charpentier	R. de Chartres	Porte Maillot
15	O14	**Armorique** Rue de l'	68 Bd Pasteur	22 R. du Cotentin	Pasteur
13	P21	**Armstrong** Place Louis	Rue Esquirol	Rue Jenner	Campo Formio

Ar.	Plan	**Rues** / Streets	Commençant	Finissant	Métro
16	K8	**Arnauld** Rue Antoine	4 R. G. Zédé	3 R. Davioud	Ranelagh
16	K8	**Arnauld** Square Antoine	3 R. A. Arnauld	(en impasse)	Ranelagh
14	P17	**Arnould** R. Jean-Claude	77 Bd St-Jacques	Rue Jean Minjoz	Denfert-Rochereau
13	P23	**Aron** Rue Raymond	Quai de la Gare	Av. de France	Quai de la Gare
13	O23-P23	**Arp** Rue Jean	Bd V. Auriol	Rue G. Balanchine	Quai de la Gare
3	J22-K22	**Arquebusiers** Rue des	89 Bd Beaumarchais	3 R. St-Charles	St-Sébastien-Froissart
5	M20	**Arras** Rue d'	7 R. des Écoles	(en impasse)	Card. Lemoine
15	N15	**Arrivée** Rue de l'	64 Bd du Montparnasse	31 Av. du Maine	Montparnasse-Bienv.
4	M22	**Arsenal** Port de l'	Bd Bourdon	Bd de la Bastille	Bastille
12	M22	**Arsenal** Port de l'	Bd Bourdon	Bd de la Bastille	Bastille
4	L22	**Arsenal** Rue de l'	2 R. Mornay	1 R. de la Cerisaie	Sully-Morland - Bastille
15	O14	**Arsonval** Rue d'	63 R. Falguière	8 R. de l'Armorique	Pasteur
12	N25	**Artagnan** Rue d'	21 R. Col Rozanoff	(en impasse)	Reuilly Diderot
14	R17	**Artistes** Rue des	13 R. d'Alésia	2 R. St-Yves	Alésia
8	H13-G13	**Artois** Rue d'	96 R. La Boétie	44 R. Washington	St-Philippe du R.
17	F10	**Arts** Avenue des	5 Av. de Verzy	(en impasse)	Porte Maillot
12	M26	**Arts** Impasse des	3 R. du Pensionnat	(en impasse)	Nation
14	P15	**Arts** Passage des	31 R. R. Losserand	14 R. E. Jacques	Pernety
1	K18	**Arts** Pont des	Quai F. Mitterrand	Quai de Conti	Pont Neuf
6	K18	**Arts** Pont des	Quai F. Mitterrand	Quai de Conti	Pont Neuf
12	N24-M23	**Arts** Viaduc des	Rue de Charenton	Rue Moreau	Gare de Lyon
18	D16	**Arts** Villa des	15 R. H. Moreau	(en impasse)	La Fourche
11	J23	**Asile** Passage de l'	2 Pas. Chemin Vert	51 R. Asile Popincourt	Richard-Lenoir
11	J23	**Asile** Popincourt R. de l'	4 R. Moufle	57 R. Popincourt	Richard-Lenoir
17	C12	**Asnières** Porte d'	Av. de la Pte d'Asnières	Av. de la Pte d'Asnières	Pereire
6	M16-O17	**Assas** Rue d'	25 R. du Cherche Midi	12 Av. de l'Observatoire	Vavin
14	P15	**Asseline** Rue	12 R. Maison Dieu	143 R. du Château	Edgar Quinet
18	E20	**Assommoir** Place de l'	9-11 R. des Islettes		Barbès-Rochechouart
16	K7	**Assomption** Rue de l'	17 R. de Boulainvilliers	1 Bd Montmorency	Ranelagh
13	R21	**Astier** D. L. Vigerie R. des Fr. D'	Avenue de Choisy	Avenue d'Ivry	Maison Blanche
8	G15	**Astorg** Rue d'	24 R. de la Ville l'Evêque	3 R. La Boétie	St-Augustin
8	I12	**Astrid** Pl. de la Reine	Av. Montaigne	Cours Albert Ier	Alma-Marceau
15	N15	**Astrolabe** Villa de l'	119 R. de Vaugirard	15 R. du Mont Tonnerre	Falguière
13	Q19	**Atget** Rue Eugène	59 Bd A. Blanqui	1 R. Jonas	Corvisart
9	F16	**Athènes** Rue d'	19 R. de Clichy	38 R. de Londres	Trinité - Liège
15	O15	**Atlantique** Jardin	Al. du Cap. Dronne	Al. Ch. d'Esc. Guillebon	Montparnasse-Bienv.
19	G23	**Atlas** Passage de l'	10 R. de l'Atlas	14 R. de l'Atlas	Belleville
19	G23	**Atlas** Rue de l'	1 R. Rébeval	67 Av. S. Bolivar	Belleville
16	K8	**Aubé** Rue du Général	2 R. G. Zédé	21 Av. Mozart	La Muette
9	G16-H17	**Auber** Rue	5 Pl. de l'Opéra	53 Bd Haussmann	Opéra - H. Caumartin
19	A23	**Aubervilliers** Porte d'	Bd Périphérique		Porte de la Chapelle
18	B22-E22	**Aubervilliers** Rue d'	2 Bd de la Chapelle	1 Bd Ney	Porte de la Chapelle
19	B22-E22	**Aubervilliers** Rue d'	2 Bd de la Chapelle	1 Bd Ney	Porte de la Chapelle
4	M21	**Aubigné** Rue Agrippa D'	40 Q. Henri IV	17 Bd Morland	Sully Morland
17	E11-E12	**Aublet** Villa	44 R. Laugier	(en impasse)	Pereire
12	P25	**Aubrac** Rue de l'	Rue de l'Ambroisie	R. Baron Le Roy	Cour St-Émilion
4	K20-K21	**Aubriot** Rue	16 R. Ste-Croix la Br.	15 R. des Blancs Mant.	Hôtel de Ville
20	K26	**Aubry** Cité	15 R. de Bagnolet	1 Villa Riberolle	Alexandre Dumas
4	J19-J20	**Aubry le Boucher** Rue	109 R. St-Martin	22 Bd Sébastopol	Châtelet
14	R17	**Aude** Rue de l'	48 Av. René Coty	91 R. de la Tombe Issoire	Alésia
14	Q17	**Audiard** Place Michel	Rue Hallé	R. du Couédic	Mouton-Duvernet
17	E10	**Audiberti** Jard. Jacques	R. Cino Del Duca	Av. de la Pte de Villiers	Porte de Champerret
5	M20	**Audin** Place Maurice	Rue des Écoles	R. de Poissy	Card. Lemoine
18	E17	**Audran** Rue	30 R. Véron	47 R. des Abbesses	Abbesses
12	M22-N22	**Audubon** Rue	5 Bd Diderot	225 R. de Bercy	Gare de Lyon
20	L27	**Auger** Rue	36 Bd de Charonne	14 R. d'Avron	Avron
7	K12-K13	**Augereau** Rue	139 R. St-Dominique	214 R. de Grenelle	École Militaire
16	J8-K8	**Augier** Boulevard Émile	10 Chée de la Muette	3 Pl. Tattegrain	La Muette
18	C20	**Auguet** Rue Gaston	113 R. des Poissonniers	38 Rue Boinod	Marcadet-Poissonniers
19	F27	**Aulard** Rue Alphonse	52 Bd Sérurier	9 Bd d'Algérie	Pré St-Gervais
9	F17-F18	**Aumale** Rue d'	45 R. St-Georges	R. La Rochefoucauld	St-Georges
13	R21	**Aumont** Rue	125 R. de Tolbiac	106 Av. d'Ivry	Tolbiac
17	E11	**Aumont Thiéville** Rue	25 Bd Gouvion St-Cyr	11 R. Roger Bacon	Porte de Champerret
17	E9-F10	**Aurelle De Paladines** Bd D'	16 Av. de la Pte Ternes	Bd Victor Hugo	Porte Maillot
19	E25	**Auric** Rue Georges	47 R. d'Hautpoul	56 R. Petit	Ourcq
13	O23-Q20	**Auriol** Boulevard Vincent	153 Q. de la Gare	202 Av. de Choisy	Quai de la Gare - Pl. d'Italie
5	N22	**Austerlitz** Pont d'	Place Mazas	Place Valhubert	Gare d'Austerlitz

Ar.	Plan	Rues / Streets	Commençant	Finissant	Métro
12	N22	**Austerlitz** Pont d'	Place Mazas	Pl. Valhubert	Gare d'Austerlitz
13	N22	**Austerlitz** Pont d'	Place Mazas	Pl. Valhubert	Gare d'Austerlitz
13	N22-O22	**Austerlitz** Port d'	Pont d'Austerlitz	Pont de Bercy	Gare d'Austerlitz
13	O22-O23	**Austerlitz** Quai d'	Pt de Bercy	1 Pl. Valhubert	Gare d'Austerlitz
12	M22-M23	**Austerlitz** Rue d'	232 R. de Bercy	23 R. de Lyon	Gare de Lyon
5	N21	**Austerlitz** Villa d'	1 R. Nicolas Houël		Gare d'Austerlitz
16	N8-M9	**Auteuil** Port d'	Pont du Garigliano	Pont de Grenelle	Mirabeau
16	M6	**Auteuil** Porte d'	Pl. de la Porte d'Auteuil	Av. du Gal Sarrail	Porte d'Auteuil
16	M6-M7	**Auteuil** Rue d'	Bd Murat	1 Bd Murat	Michel Ange-Auteuil
4	L21	**Ave Maria** Rue de l'	3 R. St-Paul	4 R. du Fauconnier	Pont Marie
4	L21	**Ave Maria** Square de l'	R. du Fauconnier	R. de l'Ave Maria	Pont Marie
11	I24	**Avenir** Cité de l'	121 Bd de Ménilmontant		Ménilmontant
20	H26	**Avenir** Rue de l'	30 R. Pixérécourt	(en impasse)	Télégraphe
16	G10	**Avenue du Bois** Sq. de l'	9 R. Le Sueur	(en impasse)	Porte Maillot
16	G9	**Avenue Foch** Sq. de l'	80 Av. Foch		Porte Dauphine
17	D12	**Aveyron** Square de l'	10 R. Jules Bourdais	(en impasse)	Pereire
15	P9-Q8	**Avia** R. du Colonel Pierre	R. L. Armand	R. Victor Hugo	Corentin Celton
15	M12	**Avre** Rue de l'	138 Bd de Grenelle	41 R. Letellier	La Motte-P.-Grenelle
20	L27-L28	**Avron** Rue d'	44 Bd de Charonne	67 Bd Davout	Porte de Montreuil
18	D18	**Aymé** Place Marcel	2 Impasse Girardon	1 Av. Junot	Lamarck-Caulaincourt
18	E18	**Azaïs** Rue	12 R. St-Eleuthère	Pl. du Parvis du Sacré C.	Abbesses

B

Ar.	Plan	Rues / Streets	Commençant	Finissant	Métro
18	A17	**Babinski** Rue du Docteur	Av. de la Pte Montmartre	26 Av. de la Pte de St-Ouen	Porte de St-Ouen
7	L14-L16	**Babylone** Rue de	46 Bd Raspail	35 Bd des Invalides	Sèvres-Babylone
7	K16-L16	**Bac** Rue du	35 Q. Voltaire	24 R. de Sèvres	Rue du Bac
13	Q22	**Bach** R. Jean-Sébastien	58 R. Clisson	150 R. Nationale	Nationale
2	I19	**Bachaumont** Rue	63 R. Montorgueil	70 R. Montmartre	Sentier
14	R14	**Bachelard** Allée Gaston	97 Bd Brune	91 Bd Brune	Porte de Vanves
18	D19	**Bachelet** Rue	18 R. Nicolet	1 R. Becquerel	Jules Joffrin
17	E11	**Bacon** Rue Roger	36 R. Guersant	63 R. Bayen	Porte de Champerret
20	I29	**Bagnolet** Porte de	Bd Périphérique		Gallieni
20	I28-K26	**Bagnolet** Rue de	148 Bd de Charonne	229 Bd Davout	Porte de Bagnolet
13	Q25-R24	**Baïf** Rue J.-Antoine De	Q. Panhard et Levassor	4 R. de la Croix Jarry	Bibl. F. Mitterrand
18	D19	**Baigneur** Rue du	51 R. Ramey	42 R. du Mont Cenis	Jules Joffrin
1	J18	**Baillet** Rue	21 R. de la Monnaie	22 R. de l'Arbre Sec	Pont Neuf
1	J18	**Bailleul** Rue	37 R. de l'Arbre Sec	10 R. du Louvre	Louvre-Rivoli
14	Q15	**Baillou** Rue	52 R. des Plantes	7 R. Lecuirot	Alésia
3	I20	**Bailly** Rue	27 R. Réaumur	98 R. Beaubourg	Arts et Métiers
9	F18	**Bailly** Rue de l'Agent	13 R. Rodier	22 R. Milton	Cadet - St-Georges
7	K15	**Bainville** Place Jacques	229 Bd St-Germain	6 R. St-Dominique	Solférino
13	T21	**Bajac** Square Robert	Bd Kellermann	Av. de la Porte d'Italie	Porte d'Italie
14	N16	**Baker** Place Joséphine	Bd Edgar Quinet	Rue Poinsot	Edgar Quinet
13	P23	**Balanchine** Rue George	Quai de la Gare	Av. de France	Quai de la Gare
15	P9	**Balard** Place	Rue Balard	85 R. Leblanc	Balard
15	M9-O9	**Balard** Rue	7 Rd-Pt du Pt Mirabeau	1 Pl. Balard	Javel - Balard
11	I23-I24	**Baleine** Impasse de la	90 R. J.-P. Timbaud	(en impasse)	Parmentier
16	N6	**Balfourier** Av. du Général	40 R. Erlanger	104 Bd Exelmans	Michel Ange-Molitor
20	J28	**Balkans** Rue des	61 R. Vitruve	140 R. de Bagnolet	Porte de Bagnolet
20	M29	**Ballay** Rue Noël	2 Bd Davout	1 R. L. Delaporte	Porte de Vincennes
9	E16-F17	**Ballu** Rue	55 R. Blanche	72 R. de Clichy	Place de Clichy
9	E16-F16	**Ballu** Villa	23 R. Ballu	(en impasse)	Place de Clichy
17	E12	**Balny d'Avricourt** Rue	51 R. P. Demours	82 Av. Niel	Pereire
1	J19	**Baltard** Rue	Rue Berger	R. Rambuteau	Les Halles
8	G12-G13	**Balzac** Rue	124 Av. des Chps Élysées	193 R. du Fbg St-Honoré	George V
2	H18-I18	**Banque** Rue de la	1 R. des Petits Pères	3 Pl. de la Bourse	Bourse
13	P20-P21	**Banquier** Rue du	20 R. Duméril	53 Av. des Gobelins	Les Gobelins
17	E12-F12	**Banville** R. Théodore De	87 Av. de Wagram	80 R. P. Demours	Ternes - Courcelles
6	N17	**Bara** Rue Joseph	108 R. d'Assas	93 R. N.-D. des Champs	Vavin - Port Royal (RER B)
15	L12	**Baratier** Rue du Général	9 Av. Champaubert	52 Av. La Motte-Picquet	La Motte-P.-Grenelle
19	C24-C25	**Barbanègre** Rue	14 R. de Nantes	7 Q. de la Gironde	Corentin Cariou
18	C19-E19	**Barbès** Boulevard	2 Bd de Rochechouart	71 R. Ordener	Marcadet-Poissonniers
7	K15-L15	**Barbet De Jouy** Rue	67 R. de Varenne	62 R. de Babylone	Varenne
3	K21	**Barbette** Rue	7 R. Elzévir	68 R. Vieille du Temple	St-Paul

Ar.	Plan	Rues / Streets	Commençant	Finissant	Métro
7	K12	**Barbey D'Aurevilly** Av.	Pl. du Gal Gouraud	Al. A. Lecouvreur	École Militaire
11	H23	**Barbier** Rue Auguste	35 R. Fontaine au Roi	125 Av. Parmentier	Goncourt
14	S16	**Barboux** Rue Henri	115 Bd Jourdan	16 Av. P. Appell	Porte d'Orléans
5	N18-O18	**Barbusse** Rue Henri	21 R. Abbé de l'Épée	51 Av. de l'Observatoire	Luxembourg (RER B)
14	N18-O18	**Barbusse** Rue Henri	21 R. Abbé de l'Épée	51 Av. de l'Observatoire	Luxembourg (RER B)
16	M8	**Barcelone** Place de	62 Av. de Versailles	1 R. de Rémusat	Mirabeau
14	Q15	**Bardinet** Rue	179 R. d'Alésia	27 R. de l'Abbé Carton	Plaisance
17	E15	**Baret** Place Richard	Rue des Dames	Mairie du 17ème	Rome
15	O13-O14	**Bargue** Rue	239 R. de Vaugirard	136 R. Falguière	Volontaires
16	H8	**Barlier** Jardin Maurice	67 Bd Flandrin	162b R. de Lonchamp	Porte Dauphine
19	A25	**Baron** Place Auguste	Porte la Villette	Bd de la Commanderie	Porte de la Villette
17	B16-C15	**Baron** Rue	56 R. de la Jonquière	51 R. Navier	Guy Môquet
13	Q19	**Barrault** Passage	48 R. des Cinq Diamants	7 R. Barrault	Corvisart
13	Q19-S19	**Barrault** Rue	69 Bd A. Blanqui	9 Pl. de Rungis	Corvisart
19	F24-G24	**Barrelet De Ricou** Rue	89 R. G. Lardennois	1 R. P. Hecht	Buttes Chaumont
4	K20	**Barres** Rue des	62 R. de l'Hôtel de Ville	14 R. F. Miron	Hôtel de Ville
1	I16	**Barrès** Place Maurice	Rue Cambon	R. St-Honoré	Concorde
16	F7	**Barrès** Sq. du Capitaine	Sq. du Cap. Barrès	Bd Maurice Barrès	Les Sablons
12	M24	**Barrier** Impasse	19 R. de Cîteaux	(en impasse)	Reuilly Diderot
18	D17-D16	**Barrière Blanche** R. de la	R. Joseph de Maistre	R. Carpeaux	Guy Môquet
3	I20	**Barrois** Passage	34 R. des Gravilliers	(en impasse)	Porte de Pantin
19	F28	**Barroux** Allée Marius	18 Bd Sérurier	15 R. au Maire	Porte des Lilas
15	O13	**Barruel** Rue Paul	249 R. de Vaugirard	1 Pl. d'Alleray	Volontaires
18	E18	**Barsacq** Rue André	3 R. Foyatier	5 R. Drevet	Anvers - Abbesses
6	M17	**Bart** Rue Jean	29 R. de Vaugirard	10 R. de Fleurus	Rennes
14	R12-R13	**Bartet** Rue Julia	Pl. de la Pte de Vanves	Bd Adolphe Pinard	Porte de Vanves
10	E22	**Barthélemy** Passage	263 R. du Fbg St-Martin	84 R. de l'Aqueduc	Stalingrad
15	M14	**Barthélemy** Rue	82 Av. de Breteuil	161 Av. de Suffren	Sèvres-Lecourbe
12	N24	**Barthes** Rue Roland	5 R. de Rambouillet	Pl. H. Frenay	Gare de Lyon
15	L11	**Bartholdi** Rue Auguste	22 Pl. Dupleix	73 Bd de Grenelle	Dupleix
15	Q11-R12	**Bartholomé** Av. Albert	11 Av. de la Pte Plaine	6 Av. de la Pte Brancion	Porte de Versailles
15	Q11	**Bartholomé** Sq. Albert	Av. A. Bartholomé	(en impasse)	Porte de Versailles
16	I7-I8	**Barthou** Avenue Louis	Av. du Mal Fayolle	Place de Colombie	Av. H. Martin (RER C)
15	L10	**Bartók** Square Bela	Pl. de Brazzaville		Bir Hakeim
17	F13	**Barye** Rue	19 R. Médéric	20 R. Cardinet	Courcelles
4	M21	**Barye** Square	Bd Henri IV		Sully-Morland
14	R16	**Basch** Pl. Victor et Hélène	90 Av. du Gal Leclerc	58 R. d'Alésia	Alésia
2	I20	**Basfour** Passage	176 R. St-Denis	25 R. de Palestro	Réaumur-Sébastopol
11	K24	**Basfroi** Passage	22 Pas. C. Dallery	159 Av. Ledru-Rollin	Voltaire
11	K23-L24	**Basfroi** Rue	69 R. de Charonne	106 R. de la Roquette	Voltaire
20	H27	**Basilide Fossard** Impasse	90 Av. Gambetta	(en impasse)	St-Fargeau
8	H12-I12	**Bassano** Rue de	58 Av. d'Iéna	101 Av. des Chps Élysées	George V
16	H12	**Bassano** Rue de	58 Av. d'Iéna	101 Av. des Chps Élysées	George V
5	M19	**Basse des Carmes** Rue	8 R. Mont. Ste-Genev.	3 R. des Carmes	Maubert-Mutualité
5	M19	**Basset** Place de l'Abbé	R. Mont. Ste-Genev.	R. St-Etienne du Mont	Maubert-Mutualité
4	L22	**Bassompierre** Rue	25 Bd Bourdon	10 R. de l'Arsenal	Bastille
19	F23	**Baste** Rue	33 Av. Secrétan	19 R. Bouret	Bolivar
8	G13-H13	**Bastiat** Rue Frédéric	5 R. P. Baudry	13 R. d'Artois	St-Philippe du R.
13	S23	**Bastié** Rue Maryse	1 Av. Joseph Bédier	3 R. Franc Nohain	Porte d'Ivry
12	L22-M22	**Bastille** Boulevard de la	102 Q. de la Rapée	Pl. de la Bastille	Bastille
4	L22	**Bastille** Place de la	Bd Henri IV	41 Bd Bourdon	Bastille
11	L22	**Bastille** Place de la	Bd Henri IV	42 Bd Bourdon	Bastille
12	L22	**Bastille** Place de la	Bd Henri IV	43 Bd Bourdon	Bastille
4	L22	**Bastille** Rue de la	2 R. des Tournelles	Pl. de la Bastille	Bastille
16	K7	**Bataille** Square Henry	63 Bd Suchet	R. Mal Franchet d'E.	Jasmin
10	E23	**Bat. de Stalingrad** Pl. de la	Avenue Secrétan	Bd de la Villette	Stalingrad
19	E23	**Bat. de Stalingrad** Pl. de la	Avenue Secrétan	Bd de la Villette	Stalingrad
12	O24	**Bat. du Pacifique** Pl. du	5 Bd de Bercy	Bd de Bercy	Cour St-Émilion
4	L20-L21	**Bat. Fr. ONU Corée** Pl. du	R.Geoffroy l'Asnier	R. des Nonnains d'H.	Pont Marie
8	E16-F15	**Batignolles** Bd des	5 Pl. de Clichy	2 Pl. P. Goubaux	Rome - Pl. de Clichy
17	E16-F15	**Batignolles** Bd des	5 Pl. de Clichy	2 Pl. P. Goubaux	Rome - Pl. de Clichy
17	D15-E16	**Batignolles** Rue des	32 Bd des Batignolles	67 Pl. Dr Lobligeois	Rome
17	D15	**Batignolles** Square des	Rue Cardinet	Place C. Fillion	Brochant
8	H12-H13	**Bauchart** Rue Quentin	44 Av. Marceau	79 Av. des Chps Élysées	George V
12	M26-N25	**Bauchat** Rue du Sergent	93 R. de Reuilly	20 R. de Picpus	Montgallet
16	K8	**Bauches** Rue des	43 R. de Boulainvilliers	3 R. G. Zédé	La Muette

Ar.	Plan	Rues / Streets	Commençant	Finissant	Métro
12	L24-M23	**Baudelaire** Rue Charles	4 R.de Prague	118 R. du Fbg St-Antoine	Ledru-Rollin
18	C19	**Baudelique** Rue	64 R. Ordener	23 Bd Ornano	Simplon
11	J22-J23	**Baudin** Rue Alphonse	19 R. Pelée	30 R. St-Sébastien	Richard-Lenoir
12	O29	**Baudin** Rue	Av. Alphand	60 Bd de la Guyane	Porte Dorée
13	P22-Q22	**Baudoin** Rue	15 R. Clisson	42 R. Dunois	Chevaleret
4	K20	**Baudoyer** Place	14 R. F. Miron	42 R. deRivoli	Hôtel de Ville
13	R20	**Baudran** Impasse	17 R. Damesme	(en impasse)	Tolbiac
13	R21	**Baudricourt** Impasse	66 R. Baudricourt	(en impasse)	Tolbiac
13	Q22-R21	**Baudricourt** Rue	107 R. Nationale	70 Av. de Choisy	Tolbiac
15	Q13	**Baudry** Rue Jacques	115 R. Castagnary	181 Bd Lefebvre	Porte de Vanves
8	H13	**Baudry** Rue Paul	54 R. de Ponthieu	9 R. d'Artois	St-Philippe du R.
14	Q15	**Bauer** Cité	36 R. Didot	15 R. Thermopyles	Pernety - Plaisance
12	O25	**Baulant** Rue	30 R. du Charolais	208 R. de Charenton	Dugommier
20	H28	**Baumann** Villa	35 R. A. Penaud	32 R. E. Marey	Pelleport
7	K12	**Baumont** Allée Maurice	Av. du Gal Ferrié	Av. G. Eiffel	École Militaire
15	O12	**Bausset** Rue	8 Pl. A. Chérioux	77 R. de l'Abbé Groult	Vaugirard
8	I13	**Bayard** Rue	16 Cours Albert Ier	42 Av. Montaigne	Franklin D. Roosevelt
17	E11-F12	**Bayen** Rue	1 R. Poncelet	21 Bd Gouvion St-Cyr	Ternes
13	Q21	**Bayet** Rue Albert	66 Av. Edison	Bd Vincent Auriol	Place d'Italie
20	K25	**Bayle** Rue Pierre	212 Bd de Charonne	R. du Repos	Philippe Auguste
5	O19-O20	**Bazeilles** Rue de	1 R. Pascal	118 R. Monge	Censier-Daubenton
16	Q15	**Bazille** Square Frédéric	15b R. Bardinet		Plaisance
16	L7	**Bazin** Rue René	17 R. de l'Yvette	24 R. Henri Heine	Jasmin
3	K22	**Béarn** Rue de	25 Pl. des Vosges	5 R. St-Gilles	Chemin Vert
3	J20	**Beaubourg** Impasse	37 R. Beaubourg	(en impasse)	Rambuteau
3	I20-J20	**Beaubourg** Rue	14 R. S. le Franc	48 R. de Turbigo	Arts et Métiers
4	I20-J20	**Beaubourg** Rue	14 R. S. le Franc	48 R. de Turbigo	Rambuteau
3	J21	**Beauce** Rue de	8 R. Pastourelle	45 R. de Bretagne	Filles du Calvaire
8	F13-G12	**Beaucour** Avenue	248 R. du Fbg St-Honoré	(en impasse)	Ternes
16	L7	**Beaudouin** P. Eugène	38 R. de l'Yvette	(en impasse)	Jasmin
20	L28	**Beaufils** Passage	13 R. du Volga	82 R. d'Avron	Maraîchers
15	M10	**Beaugrenelle** Rue	61 R. Émeriau	74 R. St-Charles	Ch. Michels
11	L25	**Beauharnais** Cité	6 R. Léon Frot	28 R. Neuve des Boulets	Rue des Boulets
19	F23	**Beaujeu** Allée Anne De	23 Av. Mat. Moreau	10 Pas. Fours à Chaux	Bolivar
1	I18	**Beaujolais** Galerie de	Gal. de Montpensier	Gal. de Valois	Palais Royal-Louvre
1	I18	**Beaujolais** Passage de	47 R. Montpensier	52 R. Richelieu	Palais Royal-Louvre
1	I18	**Beaujolais** Rue de	43 R. de Valois	48 R. Montpensier	Palais Royal-Louvre
8	G12-G13	**Beaujon** Rue	Pl. G. Guillaumin	6 Av. de Wagram	Ch. de Gaulle-Étoile
8	G14	**Beaujon** Square	150 Bd Haussmann		Miromesnil
3	K22	**Beaumarchais** Bd	Pl. de la Bastille	1 R. Pont aux Choux	St-Sébastien-Froissart
4	K22	**Beaumarchais** Bd	Pl. de la Bastille	1 R. Pont aux Choux	Bastille
11	K22	**Beaumarchais** Bd	Pl. de la Bastille	1 R. Pont aux Choux	Filles du Calvaire
7	K16-K17	**Beaune** Rue de	27 Q.Voltaire	34 R. de l'Université	Rue du Bac
14	R16-R17	**Beaunier** Rue	136 R. de la Tombe Issoire	115 Av. du Gal Leclerc	Porte d'Orléans
16	M8	**Beauregard** Place Paul	R. de Rémusat	Av. Th.Gautier	Église d'Auteuil
2	H19-H20	**Beauregard** Rue	14 R. Poissonnière	5 Bd Bonne Nouvelle	Strasbourg-St-Denis
2	I19	**Beaurepaire** Cité	48 R. Greneta	(en impasse)	Étienne Marcel
10	H21-H22	**Beaurepaire** Rue	Pl. de la République	71 Q. de Valmy	République
16	K7-K8	**Beauséjour** Boulevard	4 R. Largillière	102 R. de l'Assomption	La Muette
16	K8	**Beauséjour** Villa de	7 Villa de Beauséjour	(en impasse)	La Muette
4	K22-L22	**Beausire** Impasse. Jean	19 R. J. Beausire	(en impasse)	Bastille
4	L22	**Beausire** Passage Jean	11 R. Jean Beausire	12 R. des Tournelles	Bastille
4	L22	**Beausire** Rue Jean	7 R. de la Bastille	13 Bd Beaumarchais	Bastille
4	L21-L22	**Beautreillis** Rue	2 R. des Lions St-Paul	43 R. St-Antoine	Sully-Morland
5	M19	**Beauvais** Rue Jean De	51 Bd St-Germain	16 R. de lanneau	Maubert-Mutualité
8	H15	**Beauvau** Place	90 R. du Fbg St-Honoré	R. de Miromesnil	Miromesnil
13	P24	**Beauvoir** Plle Simone De	Allée Arthur Rimbaud	Quai de Bercy	Quai de la Gare
6	K17	**Beaux Arts** Rue des	14 R. de Seine	11 R. Bonaparte	St-Germain-des-Prés
12	M24	**Beccaria** Rue	41 Bd Diderot	17 Pl. d'Aligre	Ledru-Rollin
1[illegible]	O17	**Beckett** Allée Samuel	Av. René Coty	R. d'Alésia	Denfert-Rochereau
[illegible]	[illegible]	**Béclère** Pl. du Dr Antoine	182 R. du Fbg St-Antoine	R. Faidherbe	Faidherbe-Chaligny
[illegible]	[illegible]	**Béclère** Pl. du Dr Antoine	182 R. du Fbg St-Antoine	R. Faidherbe	Faidherbe-Chaligny
[illegible]	[illegible]	**…ecque** Rue Henri	43 R. Boussingault	13 R. de l'Aml Mouchez	Glacière
[illegible]	[illegible]	**…cquerel** Rue	23 R. Bachelet	11 R. St-Vincent	Jules Joffrin
[illegible]	[illegible]	**…ier** Avenue Joseph	15 R. M. Bastié	4 Pl. Dr Yersin	Porte d'Ivry
[illegible]	[illegible]	**…oven** Rue	2 Av. du Pdt Kennedy	11 Bd Delessert	Passy

Ar.	Plan	Rues / Streets	Commençant	Finissant	Mótro
12	Q27	**Béhagle** R. Ferdinand Do	68 Bd Poniatowski	Av. de la Pte Charenton	Porte de Charenton
12	M26-N27	**Bel Air** Avenue du	15 Av. de St-Mandé	24 Pl. de la Nation	Nation
12	L23	**Bel Air** Cour du	56 R. du Fbg St-Antoine	(en impasse)	Bastille
12	N28	**Bel Air** Villa du	102 Av. de St-Mandé	Sent. la Lieutenance	Porte de Vincennes
17	D11	**Belagny** Jardin Auguste	Av. de la Pte de Champ.	R. du Caporal Peugeot	Porte de Champerret
11	K24-K25	**Belfort** Rue de	133 Bd Voltaire	69 R. Léon Frot	Voltaire - Charonne
7	K12-K13	**Belgrade** Rue de	56 Av. de La Bourdonnais	Al. A. Lecouvreur	École Militaire
20	I27-I28	**Belgrand** Rue	4 Pl. Gambetta	Pl. de la Pte de Bagnolet	Gambetta
18	E19	**Belhomme** Rue	20 Bd de Rochechouart	7 R. de Sofia	Barbès-Rochechouart
17	F10	**Belidor** Rue	93 Av. des Ternes	71 Bd Gouvion St-Cyr	Porte Maillot
2	I19	**Bellan** Rue Léopold	1 R. des P. Carreaux	82 R. Montmartre	Sentier
15	M13	**Bellart** Rue	11 R. Pérignon	155 Av. de Suffren	Ségur
17	E11	**Bellat** Square Jérôme	Bd Berthier	Pl. Stuart Merryl	Porte de Champerret
19	E23-E24	**Belleau** Villa Rémi	69 Av. J. Jaurès	(en impasse)	Laumière
7	J16-K15	**Bellechasse** Rue de	9 Q. Anatole France	66 R. de Varenne	Solférino
9	F19	**Bellefond** Rue de	107 R. du Fbg Poissonnière	26 R. Rochechouart	Poissonnière
16	H9	**Belles Feuilles** Impasse	48 R. des Belles Feuilles	(en impasse)	Victor Hugo
16	H9-I10	**Belles Feuilles** Rue des	Place de Mexico	Rue Spontini	Porte Dauphine
11	H23-I24	**Belleville** Boulevard de	1 Bd de Ménilmontant	2 R. de Belleville	Belleville
20	H23-I24	**Belleville** Boulevard de	1 Bd de Ménilmontant	2 R. de Belleville	Belleville
20	H24-H25	**Belleville** Parc de	Rue Piat	R. des Couronnes	Pyrénées
19	G28-H24	**Belleville** Rue de	2 Bd de la Villette	1 Bd Sérurier	Belleville - Pte des Lilas
20	G28-H24	**Belleville** Rue de	2 Bd de la Villette	2 Bd Sérurier	Belleville - Pte des Lilas
19	F26	**Bellevue** Rue de	72 R. Compans	31 R. des Lilas	Pré St-Gervais
19	F26	**Bellevue** Villa de	32 R. de Mouzaïa	15 R. de Bellevue	Danube
18	B16-B20	**Belliard** Rue	165 R. des Poissonniers	126 Av. de St-Ouen	Porte de St-Ouen
18	B16-C16	**Belliard** Villa	12 Pas. Daunay	189 R. Belliard	Porte de St-Ouen
13	R20	**Bellier Dedouvre** Rue	61 R. de la Colonie	25 R. C. Fourier	Tolbiac
13	O23	**Bellièvre** Rue de	9 Q. d'Austerlitz	8 R. E. Flamand	Quai de la Gare
16	J10	**Bellini** Rue	21 R. Scheffer	30 Av. P. Doumer	Passy
19	D22-E22	**Bellot** Rue	17 R.de Tanger	40 R. d'Aubervilliers	Stalingrad
16	H11	**Belloy** Rue de	16 Pl. des États-Unis	37 Av. Kléber	Boissière
12	O24-P25	**Belmondo** Rue Paul	R. Joseph Kessel	R. Michel Audiart	Cour St-Émilion
19	C25	**Belvédère** Allée du	Pl. du Rd-Pt des Canaux	Al. du Zénith	Porte de Pantin
19	F27-F28	**Belvédère** Avenue du	25 av. René Fonck	Av. du Belvédère	Porte des Lilas
10	F19-F20	**Belzunce** Rue de	109 Bd de Magenta	118 R. du Fbg Poisson.	Poissonnière
6	L17	**Ben Barka** Place Mehdi	28 Rue du Four	62 Rue Bonaparte	St-Germain-des-Prés
2	I19	**Ben Aïad** Passage	9 R. Léopold Bellan	8 R. Bachaumont	Sentier
14	Q15-Q16	**Bénard** Rue	22 R. des Plantes	37 R. Didot	Pernety
12	N27-N28	**Bénard** Villa Charles	49 Av. du Dr Netter	(en impasse)	Picpus
16	M5	**Bennett** Av. Gordon	Bd d'Auteuil	Av. de la Pte d'Auteuil	Porte d'Auteuil
12	M26	**Benoist** Rue Marie	1 R. Dorian	(en impasse)	Nation
16	H9	**Benouville** Rue	32 R. Spontini	35 R. de la Faisanderie	Porte Dauphine
16	L8	**Béranger** Hameau	16 R. J. De La Fontaine	(en impasse)	Jasmin
3	I21-I22	**Béranger** Rue	83 R. Charlot	180 R. du Temple	République
4	L22	**Bérard** Cour	8 Imp. Guéménée	(en impasse)	Bastille
13	P19-P20	**Berbier du Mets** Rue	26 R. Croulebarbe	17 Bd Arago	Les Gobelins
12	N23	**Bercy** Allée de	13 R. de Bercy	20 Bd Diderot	Gare de Lyon
12	O23-O25	**Bercy** Boulevard de	Quai de Bercy	238 R. de Charenton	Bercy - Dugommier
12	P24	**Bercy** Parc de	Quai de Bercy	R. François Truffaut	Cour St-Émilion
12	O23	**Bercy** Pont de	Quai de Bercy	Quai d'Austerlitz	Quai de la Gare
13	O23	**Bercy** Pont de	Quai de Bercy	Quai d'Austerlitz	Quai de la Gare
12	O23-Q25	**Bercy** Port de	Pont de Bercy	Pont National	Cour St-Émilion
12	Q26	**Bercy** Porte de	Bd Périphérique		Porte de Charenton
12	O23-Q25	**Bercy** Quai de	1 R. Escoffier	Bd de Bercy	Quai de la Gare
12	M22-P25	**Bercy** Rue de	5 R. de Dijon	16 Bd de la Bastille	Gare de Lyon
20	L27	**Bergame** Impasse de	26 R. des Vignoles	(en impasse)	Buzenval
17	E14-F14	**Berger** Rue Georges	2 Pl. de la Rép. Domin.	131 Bd Malesherbes	Monceau
1	J18-J19	**Berger** Rue	29 Bd Sébastopol	38 R. du Louvre	Louvre-Rivoli - Châtelet
16	L8	**Bergerat** Avenue Émile	13 Av. R. Poincaré	2 Av. Léopold II	Ranelagh - Ja
9	H18-H19	**Bergère** Cité	6 R. du Fbg Montmartre	23 R. Bergère	Grands Boul
9	H18-H19	**Bergère** Rue	13 R. du Fbg Poissonnière	12 R. du Fbg Montmartre	Grands Bo
13	Q19	**Bergère d'Ivry** Pl. de la	Rue Corvisart	Rue Croulebarbe	Corvisart
15	N10-N9	**Bergers** Rue des	60 R. de Javel	33 R. Cauchy	Lourmel
14	R18	**Berg. Hennequines** R. des	22 Av. de la Sibelle	R. de l'Emp. Julien	Cité Un
8	G15	**Bergson** Place Henri	Rue de Vienne	Av. César Caire	St-La

Ar.	Plan	**Rues** / Streets	Commençant	Finissant	Métro
6	M16	**Bérite** Rue de	67 R. du Cherche Midi	9 R. J.-F.Gerbillon	Vaneau - St-Placide
13	R24-R25	**Berlier** R. Jean-Baptiste	Quai d'Ivry	Bd Masséna	Bibl. F. Mitterrand
8	I14	**Berlin** Square de	Av. F.-D. Roosevelt	Av. du Gal Eisenhower	Champs-Elysées-Clem.
16	G10	**Berlioz** Rue	30 R. Pergolèse	7 R. du Cdt Marchand	Porte Maillot
9	E17	**Berlioz** Square	Pl. A. Max		Blanche
5	O18	**Bernanos** Av. Georges	147 Bd St-Michel	100 Bd de Port Royal	Port Royal (RER B)
18	C18	**Bernard** Place Charles	Rue du Poteau	Rue Duhesme	Jules Joffrin
17	F11	**Bernard** Place Tristan	63 Av. des Ternes	1 R. Guersant	Argentine - Ternes
5	O19-O20	**Bernard** Rue Claude	2 Av. des Gobelins	Rue d'Ulm	Censier-Daubenton
13	R19-R20	**Bernard** Rue Martin	38 R. Bobillot	12 R. de la Providence	Corvisart
5	L20-M19	**Bernardins** Rue des	57 Q. de la Tournelle	(en impasse)	Maubert-Mutualité
8	E15-F16	**Berne** Rue de	5 R. St-Petersbourg	33 R. de Moscou	Europe - Rome
20	M27	**Bernhardt** Square Sarah	Rue Lagny	Rue Buzenval	Porte de Vincennes
17	C13	**Bernier** Place Louis	R. Marguerite Long	(en impasse)	Pereire
8	F15	**Bernoulli** Rue	71 R. de Rome	1 R. Andrieux	Rome
12	O24	**Bernstein** Place Léonard	5161 R. de Bercy		Cour St-Émilion
8	G13-H13	**Berri** Rue de	92 Av. des Chps Élysées	163 Bd Haussmann	St-Philippe du R.
8	H13	**Berri-Washington** Galerie	R. de Washington	Rue de Berri	George V
9	G16	**Berry** Place Georges	Rue Joubert	Rue Caumartin	St-Lazare
8	H15-H16	**Berryer** Cité	25 R. Royale	24 R. Boissy d'Anglas	Madeleine
8	G13	**Berryer** Rue	4 Av. de Friedland	192 R. du Fbg St-Honoré	Ch. de Gaulle-Étoile
11	L25	**Bert** Rue Paul	10 R. Faidherbe	24 R. Chanzy	Faidherbe-Chaligny
17	F10	**Bertandeau** Sq. Gaston	11 R. Labie	(en impasse)	Porte Maillot
20	I28	**Berteaux** Rue Maurice	56 Bd Mortier	15 R. Le Vau	Porte de Bagnolet
15	Q8	**Bertelotte** Allée de la	24 R. du Col Pierre Avia	(en impasse)	Corentin Celton
3	J20	**Berthaud** Impasse	22 R. Beaubourg	(en impasse)	Rambuteau
20	G25	**Berthaut** Rue Constant	5 R. du Jourdain	132 R. de Belleville	Jourdain
18	E18	**Berthe** Rue	Rue Drevet	16 Pl. E. Goudeau	Abbesses
13	S21-S22	**Bertheau** Rue Charles	Rue Simone Weil	44 Av. de Choisy	Maison Blanche
5	M19	**Berthelot** Place Marcellin	33 R. J. de Beauvais	91 R. St-Jacques	Cluny-La Sorbonne
17	B15-E11	**Berthier** Boulevard	187Av. de Clichy	4 Pl. Stuart Merryll	Porte de Clichy
17	E11	**Berthier** Villa	133 Av. de Villiers	(en impasse)	Porte de Champerret
5	O19	**Berthollet** Rue	43 R. C. Bernard	62 Bd de Port Royal	Censier-Daubenton
8	I12	**Bertillon** I. du Dr Jacques	32 Av. P. Ier de Serbie	(en impasse)	Alma-Marceau
15	P14	**Bertillon** Rue Alphonse	96 R. de la Procession	61 R. de Vouillé	Plaisance
18	B22	**Bertin** Rue Émile	44 Bd Ney	46 R. C. Hermite	Porte de la Chapelle
1	K19	**Bertin Poirée** Rue	12 Q. de la Mégisserie	63 R. de Rivoli	Châtelet-Les Halles
16	K9	**Berton** Rue	17 R. d'Ankara	28 Av. Lamballe	Kennedy-R. France (RER C)
11	I24	**Bertrand** Cité	81 Av. de la République	(en impasse)	Rue St-Maur
11	I24-J24	**Bertrand** Rue Guillaume	58 R. St-Maur	71 R. Servan	Rue St-Maur
7	M14	**Bertrand** Rue du Général	13 R. Eblé	96 R. de Sèvres	Duroc
18	E19	**Bervic** Rue	3 Bd Barbès	4 R. Belhomme	Barbès-Rochechouart
17	C15	**Berzélius** Passage	1 R. du Col Manhès	63 R. Pouchet	Brochant
17	C15	**Berzélius** Rue	168 Av. de Clichy	1 R. du Col. Manhès	Brochant
11	I23-J23	**Beslay** Passage	28 R. de la Folie Méricourt	65 Av. Parmentier	St-Ambroise
17	E12	**Besnard** Square Albert	Pl. du Mal Juin	Av. de Villiers	Pereire
14	N16-O17	**Besse** Allée Georges	R. du Montparnasse	Bd Raspail	Edgar Quinet
17	B16-C14	**Bessières** Boulevard	153 Av. de St-Ouen	2 Av. de la Pte de Clichy	Porte de St-Ouen
17	C14	**Bessières** Rue	15 R. Fragonard	111 Bd Bessières	Porte de Clichy
15	Q13	**Bessin** Rue du	5 R. du Lieuvin	96 R. Castagnary	Porte de Vanves
4	L20-M21	**Béthune** Quai de	Pt de Sully	2 R. des Deux Ponts	Sully-Morland
17	E15	**Beudant** Rue	74 Bd des Batignolles	91 R. des Dames	Rome
15	N13	**Beuret** Place du Général	95 R. Cambronne	1 R. du Gal Beuret	Vaugirard
15	N13-O12	**Beuret** Rue du Général	77 R. Blomet	250 R. de Vaugirard	Vaugirard
8	I12	**Beyrouth** Place de	Av. Pierre Ier de Serbie	Av. Marceau	George V
16	I12	**Beyrouth** Place de	Av. Pierre Ier de Serbie	Av. Marceau	George V
14	Q16-Q17	**Bezout** Rue	68 R. de la Tombe Issoire	65 Av. du Gal Leclerc	Alésia
10	H22	**Bichat** Rue	45 R. du Fbg du Temple	106 Q. de Jemmapes	Goncourt
20	I25-I26	**Bidassoa** Rue de la	53 Av. Gambetta	11 R. Sorbier	Gambetta
12	N24	**Bidault** Ruelle	158 R. de Charenton	123 Av. Daumesnil	Reuilly Diderot
	B17	**Bienaimé** Cité	111 Bd Ney	(en impasse)	Porte de St-Ouen
	-G15	**Bienfaisance** Rue de la	29 R. du Rocher	Pl. de Narvik	St-Augustin
	15	**Bienvenüe** Place	24 Av. du Maine	R. de l'Arrivée	Montparnasse-Bienv.
		Bièvre Rue de	65 Q. de la Tournelle	52 Bd St-Germain	Maubert-Mutualité
		ignon Rue	193 R. de Charenton	132 Av. Daumesnil	Dugommier
		orre Rue de	15 R. du Commandeur	28 R. d'Alésia	Alésia

Ar.	Plan	**Rues** / Streets	Commençant	Finissant	Métro
19	A25	**Bigot** Sente à	13 Bd de la Commanderie	(en impasse)	Porte de la Villette
19	E24	**Binder** Passage	9 Pas. du Sud	8 Pas. Dubois	Laumière
18	A18-B18	**Binet** Jardin René	R. René Binet		Porte de Clignancourt
18	B18-B19	**Binet** Rue René	14 Av. de la Pte Montmartre	15 Av. Pte de Clignanc.	Pte de Clignancourt
17	E14	**Bingen** Rue Jacques	18 Pl. Malesherbes	17 R. Legendre	Malesherbes
17	E16	**Biot** Rue	5 Pl. de Clichy	9 R. des Dames	Place de Clichy
15	K10	**Bir Hakeim** Pont de	Av. du Pdt Kennedy	Quai de Grenelle	Passy - Bir Hakeim
16	K10	**Bir Hakeim** Pont de	Av. du Pdt Kennedy	Quai de Grenelle	Passy - Bir Hakeim
4	K22-L22	**Birague** Rue de	36 R. St-Antoine	1 Pl. des Vosges	Bastille
9	F18	**Biscarre** Square Alex	31 R. N.-D. de Lorette		St-Georges
12	L22-M22	**Biscornet** Rue	9 R. Lacuée	48 Bd de la Bastille	Bastille
20	K28	**Bissière** Rue Roger	7 Sq. la Salamandre	52 R. Vitruve	Maraîchers
20	H24	**Bisson** Rue	86 Bd de Belleville	27 R. des Couronnes	Couronnes
19	D24	**Bitche** Place de	Quai de l'Oise	160 R. de Crimée	Crimée
7	L14	**Bixio** Rue	1 Av. Lowendal	2 Av. de Ségur	École Militaire
17	E16	**Bizerte** Rue de	11 R.Nollet	16 R. Truffaut	Place de Clichy
16	I12	**Bizet** Rue Georges	Pl. P. Brisson	2 R. de Bassano	Alma-Marceau
12	O27-Q26	**Bizot** Av. du Gal Michel	R. de Charenton	38 R. du Sahel	Porte de Charenton
10	F22-G22	**Blache** Rue Robert	6 R. du Terrage	5 R. E. Varlin	Château Landon
16	L7	**Blain** Impasse Léa	61 Bd Suchet	(en impasse)	Pte d'Auteuil
5	N19	**Blainville** Rue	10 R. Mouffetard	1 R. Tournefort	Place Monge
11	J24	**Blaise** Rue du Général	7 R. Rochebrune	20 R. Lacharrière	St-Ambroise
17	A16-B16	**Blaisot** Rue Camille	4 R. A. Bréchet	(en impasse)	Porte de St-Ouen
20	I28	**Blanc** Rue Irénée	4 R. Géo Chavez	22 R. J. Siegfried	Porte de Bagnolet
10	E21-F22	**Blanc** Rue Louis	11 Pl. du Col Fabien	230 R. du Fbg St-Denis	Louis Blanc
20	K28	**Blanchard** Rue	98 Bd Davout	5 R. F.Terrier	Porte de Montreuil
14	Q13	**Blanche** Cité	190 R. R. Losserand		Porte de Vanves
18	E17	**Blanche** Impasse Marie	9 R. Constance	(en impasse)	Blanche
9	E17	**Blanche** Place	Bd de Clichy	Rue Blanche	Blanche
9	E17-G17	**Blanche** Rue	Pl. d'Estienne d'Orves	5 Pl. Blanche	Trinité - Blanche
16	K7-L7	**Blanche** Rue du Docteur	87 R. de l'Assomption	34 R. Raffet	Jasmin
16	L7	**Blanche** Sq. du Docteur	53 R. du Dr Blanche	(en impasse)	Jasmin
19	E25	**Blanche Antoinette** Rue	4 R. F. Pinton	Imp.Grimaud	Botzaris
12	P28	**Blanchet** Square Paul	5 Av. du Gal Dodds	6 R. Marcel Dubois	Porte Dorée
4	J20-K21	**Blancs Manteaux** R. des	51 R. Vieille du Temple	40 R. du Temple	Rambuteau
13	Q18-Q20	**Blanqui** Bd. Auguste	12 Pl. d'Italie	77 R. de la Santé	Place d'Italie
13	Q22	**Blanqui** Villa Auguste	44 R. Jeanne d'Arc	(en impasse)	Nationale
11	K23	**Blégny** Villa Nicolas De	11 R. de Popincourt	(en impasse)	Voltaire
18	C18	**Blémont** Rue Émile	38 R. du Poteau	7 R. A.Messager	Jules Joffrin
16	M9-N8	**Blériot** Quai Louis	9 Av. de Versailles	191 Bd Murat	Mirabeau
9	G19	**Bleue** Rue	67 R. du Fbg Poisson.	72 R. La Fayette	Cadet
7	J14	**Bleuet de France** Rd-Pt du	Av. du Mal Gallieni		Invalides
20	L27	**Bloch** Place Marc	35 R. de la Réunion		Maraîchers
15	L12	**Bloch** Rue Jean-Pierre	44 Av. de Suffren	64 R. de la Fédération	Dupleix
13	O22	**Bloch-Lainé** R. François	62 Av. P. Mendès France	51, Quai d'Austerlitz	Gare d'Austerlitz
15	N13-O11	**Blomet** Rue	23 R.Lecourbe	35 R. St-Lambert	Vaugirard
15	N13	**Blomet** Square	Rue Blomet		Volontaires
2	H20	**Blondel** Rue	351 R. St-Martin	238 R. St-Denis	Strasbourg-St-Denis
3	H20	**Blondel** Rue	351 R. St-Martin	238 R. St-Denis	Strasbourg-St-Denis
20	J28	**Blondin** Square Antoine	126 R. Bagnolet		Porte de Bagnolet
11	I24-I25	**Bluets** Rue des	79 Av. de la République	107 Bd de Ménilmontant	Rue St-Maur
11	K24	**Blum** Place Léon	97 R. de la Roquette	128 Bd Voltaire	Voltaire
16	M8-M9	**Blumenthal** R. Florence	30 Av. de Versailles	9 R. Félicien David	Mirabeau
13	R22	**Blumenthal** Sq. Florence	Rue de Tolbiac	Rue Chât. Rentiers	Tolbiac
13	Q20-S19	**Bobillot** Rue	18 Pl. d'Italie	Pl. de Rungis	Place d'Italie
15	Q13	**Bocage** Rue du	9 R. du Lieuvin	(en impasse)	Porte de Vanves
8	I12-I13	**Boccador** Rue du	19 Av. Montaigne	22 Av. George V	Alma-Marceau
9	E18-F18	**Bochart de Saron** Rue	52 R. Condorcet	47 Bd de Rochechouart	Anvers
15	N11-O11	**Bocquillon** Rue Henri	162 R. de Javel	119 R. de la Convention	Boucicaut
17	C15	**Bodin** Rue Paul	174 Av. de Clichy	3 R. Erne St-Goüin	Porte de Clichy
16	J9	**Bœgner** R. du Past. Marc	43 Av. G. Mandel	46 R. Scheffer	Rue de la Pompe
19	F25	**Boërs** Villa des	17 R. du Gal Brunet	12 R. M. Hidalgo	Botzaris
4	J20-K20	**Bœuf** Impasse du	10 R. St-Merri	(en impasse)	Rambuteau
5	M19	**Bœufs** Impasse des	20 R. de l'Éc. Polytech.	(en impasse)	Maubert-Mutuali
2	H18	**Boieldieu** Place	1 R. Favart	4 R. de Marivaux	Richelieu Drou
16	N6-N7	**Boileau** Hameau	38 R. Boileau	(en impasse)	Michel Ange-M
16	M7-O7	**Boileau** Rue	31 R. d'Auteuil	188 Av. de Versailles	Michel Ange

Ar.	Plan	Rues / Streets	Commençant	Finissant	Métro
16	M7-N7	**Boileau** Villa	18 R. Molitor	(en impasse)	Michel Ange-Molitor
16	J7-K7	**Boilly** Rue Louis	20 Av. Raphaël	19 Bd Suchet	La Muette
18	C19-C20	**Boinod** Rue	6 Bd Ornano	133 R. des Poissonniers	Marcadet-Poissonniers
19	F26-F27	**Bois** Rue des	42 R. Pré St-Gervais	71 Bd Sérurier	Pré St-Gervais
16	G10	**Bois de Boulogne** R. du	17 R. Le Sueur	28 R. Duret	Argentine
19	G27	**Bois d'Orme** Villa du	14 R. de Romainville	(en impasse)	Télégraphe
17	A15-B15	**Bois le Prêtre** Bd. du	2 R. P. Rebière	Bd du Gal Leclerc	Porte de St-Ouen
16	K8-K9	**Bois le Vent** Rue	17 R. Duban	7 Av. Mozart	La Muette
20	L28	**Boisselat et Bl.** Cité G.-A.	129 R. d'Avron	5 R. des Rasselins	Porte de Montreuil
15	Q11	**Boissier** Rue Gaston	Bd Lefebvre	Av. A. Bartholomé	Porte de Versailles
16	H10-I11	**Boissière** Rue	6 Pl. d'Iéna	3 Pl. Victor Hugo	Boissière
16	I11	**Boissière** Villa	29 R. Boissière	(en impasse)	Boissière
18	E19	**Boissieu** Rue	3 Bd Barbès	8 R. Belhomme	Barbès-Rochechouart
14	O17	**Boissonade** Rue	156 Bd du Montparnasse	255 Bd Raspail	Raspail - Port Royal (RER B)
8	H15-I15	**Boissy d'Anglas** Rue	10 Pl. de la Concorde	5 Bd Malesherbes	Madeleine - Concorde
13	R20	**Boiton** Passage	11 R. de la But. aux Cailles	8 R. M.Bernard	Corvisart
19	D25	**Boléro** Villa	Rue J. Kosma	(en impasse)	Ourcq
19	F23-G25	**Bolivar** Avenue Simon	91 R. de Belleville	42 Av. Secrétan	Pyrénées - Bolivar
19	G24	**Bolivar** Square	36 Av. S. Bolivar	25 R. Clavel	Pyrénées
16	L10	**Bolivie** Place de	Rue d'Ankara	Av. du Pdt Kennedy	Passy
19	A23	**Bollaert** Rue Émile	Rue J. Oberlé	(en impasse)	Porte de la Chapelle
13	S22-T21	**Bollée** Avenue Léon	Pl. de Port au Prince	Av. de la Pte d'Italie	Porte de Choisy
16	K9	**Bologne** Rue Jean	12 R. de l'Annonciation	51 R. de Passy	Passy - La Muette
20	I28	**Bombois** Rue Camille	19 Bd Mortier	44 R. Irénée Blanc	Porte de Bagnolet
11	K24	**Bon Secours** Impasse	172 Bd Voltaire	(en impasse)	Charonne
6	K17-L17	**Bonaparte** Rue	7 Q. Malaquais	58 R. de Vaugirard	St-Germain-des-Prés
15	M13-M14	**Bonheur** Rue Rosa	78 Av. de Breteuil	157 Av. Suffren	Sèvres-Lecourbe
20	J27-K27	**Bonnard** Rue Pierre	13 R. Galleron	28 R. Florian	Porte de Bagnolet
16	L8	**Bonnat** Rue Léon	16 R. Ribera	(en impasse)	Jasmin
18	D19	**Bonne** Rue de la	30 R. du Chev. de la Barre	23 R. Lamarck	Lamarck-Caulaincourt
11	L23-L24	**Bonne Graine** P. de la	115 R. du Fbg St-Antoine	7 Pas. Josset	Ledru-Rollin
2	H19-H20	**Bonne Nouvelle** Bd de	291 R. St-Denis	2 R. du Fbg Poissonnière	Strasbourg-St-Denis
10	H19-H20	**Bonne Nouvelle** Bd. de	291 R. St-Denis	2 R. du Fbg Poissonnière	Strasbourg-St-Denis
10	H20	**Bonne Nouvelle** Impasse	20 Bd de Bonne Nouvelle	(en impasse)	Strasbourg-St-Denis
16	K9	**Bonnet** Av. du Colonel	68 R. Raynouard	10 R. A. Bruneau	Kennedy-R. France (RER C)
11	H23	**Bonnet** Rue Louis	35 R. de l'Orillon	79 Bd de Belleville	Belleville
18	B17	**Bonnet** Rue	3 Pas. St-Jules	22 R. J. Dollfus	Porte de St-Ouen
1	J18	**Bons Enfants** Rue des	192 R. St-Honoré	13 R. Col Driant	Palais Royal-Louvre
10	H21	**Bonsergent** Pl. Jacques	Bd de Magenta	Rue L. Sampaix	Jacques Bonsergent
15	M13-N13	**Bonvin** Rue François	11 R. Miollis	60 R. Lecourbe	Sèvres-Lecourbe
1	J16-J17	**Bord de l'Eau** Terr. du	Jard. des Tuilleries		Tuileries
3	I21	**Borda** Rue	33 R. Volta	10 R. Montgolfier	Arts et Métiers
17	A15-B15	**Borel** Rue Émile	9 Pl. A.Tzanck	18 Bd du Bois le Prêtre	Porte de St-Ouen
17	E13	**Borel** Rue Paul	126 Bd Malesherbes	9 R. Daubigny	Malesherbes
17	B16-A15	**Borel** Square Émile	Rue Émile Borel	Place A. Tzanck	Porte de St-Ouen
20	I25-I26	**Borey** Rue Elisa	68 R. des Amandiers	26 R. Sorbier	Gambetta
16	J8	**Bornier** Rue Henri De	25 R. O. Feuillet	14 R. Franqueville	Av. H. Martin (RER C)
20	G27-H26	**Borrégo** Rue du	154 R. Pelleport	77 R. Haxo	Télégraphe
20	G27	**Borrégo** Villa du	33 R. du Borrégo	(en impasse)	Télégraphe
15	N13-O13	**Borromée** Rue	57 R. Blomet	222 R. de Vaugirard	Volontaires
16	M7	**Bosio** Rue	6 R. Poussin	21 R. P.Guérin	Michel Ange-Auteuil
7	J12-L13	**Bosquet** Avenue	Pl. de la Résistance	2 Pl. École Militaire	École Militaire
7	K13	**Bosquet** Rue	46 R. Cler	69 Av. Bosquet	École Militaire
7	J13	**Bosquet** Villa	167 R. de l'Université	(en impasse)	Pont de l'Alma (RER C)
15	O8	**Bossoutrot** Rue Lucien	Bd Gal Martial Valin	R. du Gal Lucotte	Balard
10	F20	**Bossuet** Rue	11 R. La Fayette	3 R. de Belzunce	Gare du Nord
12	N24	**Bossut** Rue Charles	74 R. du Charolais	98 Av. Daumesnil	Dugommier
20	H25	**Botha** Rue	Rue du Transvaal	(en impasse)	Pyrénées
7	K16	**Bottin** Rue Sébastien	19 R. de l'Université	(en impasse)	Rue du Bac
19	F25-G24	**Botzaris** Rue	15 R. Pradier	41 R. de Crimée	Buttes Chaumont
10	H20-H21	**Bouchardon** Rue	84 R. R. Boulanger	33 R. du Château d'Eau	Strasbourg-St-Denis
1	J19	**Boucher** Rue	6 R. du Pt Neuf	21 R. Bourdonnais	Pont Neuf
13	T21	**Boucher** Square Hélène	R. Fernand Widal	Av. de la Pte d'Italie	Porte d'Italie
14	R13-R14	**Bouchor** Rue Maurice	R. Prévost-Paradol	4 Av. de la Pte Didot	Porte de Vanves
15	M14	**Bouchut** Rue	5 R. Pérignon	4 R. Barthélemy	Sèvres-Lecourbe
15	N10	**Boucicaut** R. Marguerite	111 R. de Lourmel	3 R. Sarasate	Boucicaut

Ar.	Plan	**Rues** / Streets	Commençant	Finissant	Métro
7	L16	**Boucicaut** Square	Rue de Sèvres	R. de Babylone	Sèvres-Babylone
18	C21	**Boucry** Rue	Place Hébert	66 R. de la Chapelle	Porte de la Chapelle
16	L8	**Boudart** Villa Patrice	25 R. J. De La Fontaine	(en impasse)	Jasmin
20	H28	**Boudin** Passage	38 R. A. Penaud	20 R. de la Justice	St-Fargeau
16	L8-M8	**Boudon** Avenue	43 R. J. De La Fontaine	12 R. George Sand	Église d'Auteuil
9	H16	**Boudreau** Rue	7 R. Auber	28 R. de Caumartin	Auber (RER A)
16	L7-M7	**Boufflers** Avenue de	12 Av. des Peupliers	5 Av. des Tilleuls	Michel Ange-Auteuil
7	K13	**Bougainville** Rue	17 Av. La Motte-Picquet	14 R. Chevert	École Militaire
15	O9	**Bouilloux Lafont** Rue	139 Av. Félix Faure	89 R. Leblanc	Balard
16	L8	**Boulainvilliers** Hameau	45 R. du Ranelagh	61 R. du Ranelagh	Ranelagh
16	K9-L9	**Boulainvilliers** Rue de	4 Pl. Clément Ader	101 R. de Passy	La Muette
9	E16-E17	**Boulanger** Place Lili	5 R. Ballu	36 R. de Vintimille	Place de Clichy
10	H21	**Boulanger** Rue René	16 Pl. de la République	2 R. du Fbg St-Martin	Strasbourg-St-Denis
5	M20	**Boulangers** Rue des	39 R. Linné	29 R. Monge	Jussieu
14	P17-Q16	**Boulard** Rue	11 R. Froidevaux	28 R. Brézin	Denfert-Rochereau
17	B15-C15	**Boulay** Passage	102 R. de la Jonquière	99 Bd Bessières	Porte de Clichy
17	C15	**Boulay** Rue	178 Av. de Clichy	79 R. de la Jonquière	Porte de Clichy
17	C15	**Boulay Level** Square	Rue Boulay	Rue Level	Porte de Clichy
12	L23	**Boule Blanche** Passage	47 R. de Charenton	50 R. du Fbg St-Antoine	Bastille
9	G19	**Boule Rouge** I. de la	7 R. Geoffroy Marie	(en impasse)	Grands Boulevards
9	G19	**Boule Rouge** Rue de la	4 R. de Montyon	16 R. G. Marie	Grands Boulevards
19	F28	**Bouleaux** Avenue des	Avenue R. Fonck	Pl. du Maquis du Vercors	Porte des Lilas
19	E23-F23	**Bouleaux** Square des	64 R. de Meaux		Bolivar
11	L25-M26	**Boulets** Rue des	301 R. du Fbg St-Antoine	228 Bd Voltaire	Rue des Boulets
14	Q15	**Boulitte** Rue	95 R. Didot	(en impasse)	Plaisance
11	K23	**Boulle** Rue	32 Bd R. Lenoir	5 R. Froment	Bréguet Sabin
17	F12	**Boulnois** Place	6 R. Bayen	(en impasse)	Ternes
1	I18-J18	**Bouloi** Rue du	10 R. Croix des Petits Chps	27 R. de la Coquillière	Palais Royal-Louvre
16	I11	**Bouquet de Longchamp** R.	26 R. de Longchamp	25 R. Boissière	Boissière
4	L20-L21	**Bourbon** Quai de	39 R. des Deux Ponts	1 R. J. du Bellay	Pont Marie
6	L17	**Bourbon le Château** Rue	26 R. de Buci	19 R. de l'Échaudé	Mabillon
17	D12	**Bourdais** Rue Jules	130 Bd Berthier	1 Av. Massard	Pereire
9	G18	**Bourdaloue** Rue	20 R. Châteaudun	1 R. St-Lazare	N.-D. de Lorette
12	M25-M26	**Bourdan** Rue Pierre	15 R. Dorian	150 Bd Diderot	Nation
15	N15	**Bourdelle** Rue Antoine	24 Av. du Maine	19 R. Falguière	Montparnasse-Bienv.
13	P19	**Bourdet** Place Claude	Rue Pascal	Rue Corvisart	Glacière
16	L9	**Bourdet** Rue Maurice	Pt de Grenelle	Av. du Pdt Kennedy	Kennedy-R. France (RER C)
8	I13	**Bourdin** Impasse	1 R. de Marignan	(en impasse)	Franklin D. Roosevelt
4	L22-M22	**Bourdon** Boulevard	Pt Morland	46 Bd HenriIV	Bastille
1	J19	**Bourdonnais** I. des	37 R. Bourdonnais	(en impasse)	Châtelet
1	J19-K19	**Bourdonnais** Rue des	20 Q. de la Mégisserie	R. desHalles	Pont Neuf
19	E23-F23	**Bouret** Rue	15 R. E. Pailleron	10 Av. J. Jaurès	Bolivar
2	I20	**Bourg l'Abbé** P. du	120 R. St-Denis	3 R. de Palestro	Étienne Marcel
3	I20-J20	**Bourg l'Abbé** Rue du	203 R. St-Martin	66 Bd Sébastopol	Étienne Marcel
4	K20	**Bourg Tibourg** Place du	Rue de Rivoli	R. de la Verrerie	Hôtel de Ville
4	K20	**Bourg Tibourg** Rue du	42 R. de Rivoli	7 R. Ste-Croix la Br.	Hôtel de Ville
7	K11	**Bourgeois** Allée Léon	67 Q. Branly	2 Av. O. Gréard	Bir Hakeim
20	L27	**Bourges** Rue Michel De	42 R. des Vignoles	48 R. des Vignoles	Buzenval
13	T21	**Bourget** Rue Paul	Av. de la Pte d'Italie	(en impasse)	Porte d'Italie
7	J15-K15	**Bourgogne** Rue de	8 Pl. Palais Bourbon	84 R. de Varenne	Assemblée Nationale
13	R22	**Bourgoin** Impasse	31 R. Nationale	(en impasse)	Porte d'Ivry
13	R22	**Bourgoin** Passage	41 R. Chât. Rentiers	32 R. Nationale	Porte d'Ivry
12	N24	**Bourgoin** Pl. du Colonel	31 R. Rambouillet	157 R. de Charenton	Reuilly Diderot
13	S20-S21	**Bourgon** Rue	140 Av. d'Italie	41 R. Damesme	Maison Blanche
7	J13	**Bourguiba** Espl. Habib	Pt de l'Alma	Pt des Invalides	Invalides
14	R14	**Bournazel** Rue Henry De	64 Bd Brune	Av. M. d'Ocagne	Porte de Vanves
13	S21-T21	**Bourneville** Rue du Dr	1 Bd Kellermann	2 Av. de la Pte d'Italie	Porte d'Italie
17	E15	**Boursault** Impasse	7 R. Boursault	2 Imp. Boursault	Rome
17	E15	**Boursault** Rue	62 Bd des Batignolles	1 Pl. C. Fillion	Rome
2	H18	**Bourse** Place de la	19 R. N.-D. des Victoires	24 R. Vivienne	Bourse
2	H18	**Bourse** Rue de la	29 R. Vivienne	78 R. de Richelieu	Bourse
15	O12-O13	**Bourseul** Rue	12 R. des Favorites	17 R. d'Alleray	Vaugirard
13	R18-S19	**Boussingault** Rue	12 Pl. de Rungis	1 R. de l'Aml Mouchez	Glacière
4	L20	**Boutarel** Rue	34 Q. d'Orléans	75 R. St-Louis-en-l'Ile	Pont Marie
5	L19	**Boutebrie** Rue	15 R. de la Parcheminerie	90 Bd St-Germain	Cluny-La Sorbonne
13	Q18	**Boutin** Rue	116 R. de la Glacière	121 R. de la Santé	Glacière

Ar.	Plan	**Rues** / Streets	Commençant	Finissant	Métro
12	M23-N24	**Bouton** Rue Jean	16 R. Hector Malot	R. P.H. Grauwin	Gare de Lyon
10	F21-G21	**Boutron** Impasse	172 R. du Fbg St-Martin	(en impasse)	Gare de l'Est
13	S23-S24	**Boutroux** Avenue	15 Av. de la Pte de Vitry	13 Av. C. Regaud	Porte d'Ivry
7	K12	**Bouvard** Avenue Joseph	Pl. du Gal Gouraud	35 Av. de Suffren	École Militaire
5	M19	**Bouvart** Impasse	8 R. de lanneau	(en impasse)	Maubert-Mutualité
11	L25	**Bouvier** Rue	45 R. des Boulets	Rue Chanzy	Rue des Boulets
11	L26-M26	**Bouvines** Avenue de	9 Pl. de la Nation	100 R. de Montreuil	Nation - Avron
11	M26	**Bouvines** Rue de	4 R. de Tunis	1 Av. de Bouvines	Nation
10	F22-G22	**Boy Zelenski** Rue	R. de l'Écluse St-Martin	Pl. Robert Desnos	Colonel Fabien
20	H26-I26	**Boyer** Rue	42 R. de la Bidassoa	92 R. Ménilmontant	Gambetta
14	P15-Q15	**Boyer Barret** Rue	93 R. R. Losserand	21 Cité Bauer	Pernety
16	K10	**Boylesve** Avenue René	Av. du Pdt Kennedy	Av. Marcel Proust	Passy
10	H20	**Brady** Passage	43 R. du Fbg St-Martin	46 R. du Fbg St-Denis	Château d'Eau
12	O26	**Brahms** Rue	181 Av. Daumesnil	9 Al. Vivaldi	Daumesnil
12	O27	**Braille** Rue Louis	4 Bd de Picpus	113 Av. du Gal M. Bizot	Bel Air
15	R12	**Brancion** Porte de	Bd Périphérique		Porte de Vanves
15	P13-Q12	**Brancion** Rue	6 Pl. d'Alleray	167 Bd Lefebvre	Porte de Vanves
15	R12	**Brancion** Square	88 Av. A. Bartholo.	(en impasse)	Porte de Vanves
14	O15	**Brancusi** Pl. Constantin	R. de l'Ouest	R. Jules Guesde	Gaîté
7	J12-K11	**Branly** Quai	Pl. de la Résistance	1 Bd de Grenelle	Bir Hakeim
15	J12-K11	**Branly** Quai	Pl. de la Résistance	1 Bd de Grenelle	Bir Hakeim
3	J20	**Brantôme** Passage	Rue Brantôme	Rue Rambuteau	Rambuteau
3	J20	**Brantôme** Rue	46 R. Rambuteau	11 R. Grenier St-Lazare	Rambuteau
14	S17	**Braque** Rue Georges	14 R. Nansouty	(en impasse)	Cité Univ. (RER B)
3	J20-J21	**Braque** Rue de	47 R. desArchives	68 R. du Temple	Rambuteau
13	Q19	**Brassaï** Jardin	Bd A. Blanqui	Rue Eugène Atget	Corvisart
15	Q12	**Brassens** Parc Georges	Rue de Dantzig	Rue Brancion	Porte de Vanves
13	P23	**Braudel** Rue Fernand	Bd V. Auriol	Rue Raymon Aron	Quai de la Gare
15	L10	**Brazzaville** Place de	41 Q. de Grenelle	26 R. Émeriau	Bir Hakeim
6	N16-N17	**Bréa** Rue	19 R. Vavin	143 Bd Raspail	Vavin
13	S23	**Bréal** Rue Michel	R. Dupuy de Lôme	65 Bd Masséna	Porte d'Ivry
12	O26-P26	**Brèche aux Loups** R. de la	255 R. de Charenton	93 R. C. Decaen	Daumesnil
17	B16	**Bréchet** Rue André	11 Av. de la Pte St-Ouen	R. Pont à Mousson	Porte de St-Ouen
11	K23	**Bréguet** Rue	24 R. St-Sabin	29 R. Popincourt	Bréguet Sabin
11	K23	**Bréguet Sabin** Square	Bd Richard-Lenoir		Bréguet Sabin
17	E13	**Brémontier** Rue	Pl. Mgr Loutil	Pl. d'Israël	Wagram
17	E13	**Brésil** Place du	62 Av. de Villiers	139 Av. Wagram	Wagram
16	O7	**Bresse** Square de la	140 Bd Murat	(en impasse)	Porte de St-Cloud
3	I21-J22	**Bretagne** Rue de	103 R. de Turenne	158 R. duTemple	Temple
7	L14-M14	**Breteuil** Avenue de	7 Pl. Vauban	69 Bd Garibaldi	Sèvres-Lecourbe
15	L14-M14	**Breteuil** Avenue de	7 Pl. Vauban	69 Bd Garibaldi	Sèvres-Lecourbe
7	M14	**Breteuil** Place de	74 Av. de Breteuil	50 Av. de Saxe	St-Franç.-Xavier
15	M14	**Breteuil** Place de	74 Av. de Breteuil	50 Av. de Saxe	Sèvres-Lecourbe
1	J19	**Breton** Allée André	Rue Rambuteau	Porte du Pont Neuf	Châtelet-Les Halles
9	E17	**Breton** Place André	24 R. Pierre Fontaine	22 Rue de Douai	Blanche
13	O21	**Breton** Rue Jules	166 R. Jeanne d'Arc	35 Bd St-Marcel	Campo Formio
20	I27	**Bretonneau** Rue	78 R. Pelleport	25 R. LeBua	Pelleport
10	H23	**Bretons** Cour des	99 R. du Fbg duTemple	(en impasse)	Goncourt - Belleville
4	L21	**Bretonvilliers** Rue de	14 Q. de Béthune	7 R. St-Louis en l'Ile	Pont Marie
17	G11-G12	**Brey** Rue	19 Av. de Wagram	13 R. Montenotte	Ch. de Gaulle-Étoile
14	Q16	**Brézin** Rue	46 Av. du Gal Leclerc	171 Av. du Maine	Mouton-Duvernet
7	J15	**Briand** Rue Aristide	243 Bd St-Germain	110 R. de l'Université	Assemblée Nationale
9	G18-G19	**Briare** Passage	7 R. Rochechouart	(en impasse)	Cadet
17	E15	**Bridaine** Rue	39 R. Truffaut	48 R. Boursault	Rome
19	F23	**Brie** Passage de la	43 R. Meaux	9 R. de Chaumont	Bolivar
12	N27	**Briens** Sentier	54 Bd de Picpus	39 R. Sibuet	Picpus
17	B16-C16	**Brière** Rue Arthur	117 Av. de St-Ouen	10 R. J. Leclaire	Guy Môquet
16	I12	**Brignole** Rue	16 Av. du Pdt Wilson	8 Av. Pierre Ier de Serbie	Iéna
16	I12	**Brignole Galliera** Square	Av. du Pdt Wilson	Rue Brignole	Iéna
13	R18-S20	**Brillat Savarin** Rue	42 R. des Peupliers	41 R. Boussingault	Maison Blanche
19	E23	**Brindeau** Allée du	11 R. de la Moselle	(en impasse)	Laumière
13	Q24	**Brion** Rue Hélène	39 Q. Panhard et Levassor	68 Avenue de France	Bibl. F. Mitterrand
18	E19	**Briquet** Passage	3 R. Seveste	2 R. Briquet	Anvers
18	E19	**Briquet** Rue	66 Bd de Rochechouart	27 R. d'Orsel	Anvers
14	Q13-R13	**Briqueterie** Rue de la	223 R. R. Losserand	19 Bd Brune	Porte de Vanves
4	J20-K20	**Brisemiche** Rue	10 R. du Cloître St-Merri	Pl. G. Pompidou	Hôtel de Ville
4	M22	**Brissac** Rue de	10 Bd Morland	5 R. Crillon	Sully-Morland

Ar.	Plan	Rues / Streets	Commençant	Finissant	Métro
16	I12	**Brisson** Place Pierre	Rue Goethe	19 Av. Marceau	Alma-Marceau
18	B17	**Brisson** Rue Henri	156 Bd Ney	12 R. Arthur Ranc	Porte de St-Ouen
20	H26	**Brizeux** Square	48 R. de la Chine	136 R. de Ménilmontant	Pelleport
5	O19	**Broca** Rue	13 R. C. Bernard	34 Bd Arago	Censier-Daubenton
13	O19	**Broca** Rue	14 R. C. Bernard	34 Bd Arago	Censier-Daubenton
8	F13	**Brocard** Pl. du Général	R. de Courcelles	Avenue Hoche	Courcelles
17	D15	**Brochant** Rue	16 Pl. C. Fillion	127 Av. de Clichy	Brochant
13	P22	**Broglie** Rue M. et L. De	R. Louise Weiss	108 R. Chevaleret	Chevaleret
2	H18	**Brongniart** Rue	133 R. Montmartre	R. N.-D. des Victoires	Grands Boulevards
4	K20	**Brosse** Rue de	Q. de l'Hôtel de Ville	1 Pl. St-Gervais	Hôtel de Ville
5	N19	**Brossolette** Rue Pierre	6 Pl. Lucien Herr	Rue Rataud	Censier-Daubenton
16	L8-M8	**Brottier** Rue du Père	R. J. De La Fontaine	Rue Th. Gautier	Église d'Auteuil
7	K12	**Brouardel** Avenue du Dr	Al. Thomy Thierry	35 Av. de Suffren	Ch. de Mars-Tr Eiffel (RER C)
18	D18	**Brouillards** Allée des	13 R. Girardon	4 R. S. Dereure	Lamarck-Caulaincourt
14	Q18-R18	**Broussais** Rue	29 R. Dareau	11 R. d'Alésia	Denfert-Rochereau
17	B15-C15	**Brousse** Rue du Dr Paul	94 R. De La Jonquière	95 Bd Bessières	Porte de Clichy
15	N14-O15	**Brown Séquard** Rue	45 R. Falguière	48 Bd Vaugirard	Pasteur
18	E17	**Bruant** Rue Aristide	38 R. Véron	59 R. des Abbesses	Abbesses
13	P22	**Bruant** Rue	62 Bd V. Auriol	10 R. Jenner	Chevaleret
16	G10-H9	**Bruix** Bd de l'Amiral	Pl. du Mal De Lat. De Tassigny	161 Av. Malakoff	Porte Maillot
14	Q17	**Bruller** Rue	22 R. St-Gothard	37 Av. René Coty	Alésia
12	M24	**Brulon** Passage	37 R. de Côteaux	64 R. Crozatier	Faidherbe-Chaligny
14	R13-S16	**Brune** Boulevard	185 Bd Lefebvre	Pl. du 25 Août 1944	Porte de Vanves
14	R15	**Brune** Villa	72 R. des Plantes	(en impasse)	Porte d'Orléans
16	K9	**Bruneau** Rue Alfred	24 R. des Vignes	3 Pl. Chopin	La Muette
17	F10-G11	**Brunel** Rue	40 Av. de la Gde Armée	235 Bd Péreire	Porte Maillot
13	R24-R25	**Bruneseau** Rue	Quai d'Ivry	5 Bd Masséna	Bibl. F. Mitterrand
19	E26	**Brunet** Porte	Av. de la Porte Brunet	Bd d'Algérie	Danube
17	B16	**Brunet** Rue Frédéric	36 Bd Bessières	Rue A. Bréchet	Porte de St-Ouen
19	E26-F25	**Brunet** Rue du Général	42 R. de Crimée	125 Bd Sérurier	Danube - Botzaris
17	C13-D12	**Brunetière** Avenue	15 Av. de la Pte d'Asnières	16 R. J. Bourdais	Pereire
14	R15	**Bruno** Rue Giordano	68 R. des Plantes	29 R. Ledion	Porte d'Orléans
14	P16	**Brunot** Pl. et Sq. Ferdinand	R. Durouchoux	R. Saillard	Mouton-Duvernet
12	N24	**Brunoy** Passage	R. P.-H. Grauwin	11 Pas. Raguinot	Gare de Lyon
9	E16-E17	**Bruxelles** Rue de	5 Pl. Blanche	78 R. de Clichy	Place de Clichy
8	F16	**Bucarest** Rue de	59 R. d'Amsterdam	20 R. Moscou	Liège
5	L19	**Bûcherie** Rue de la	2 R. F. Sauton	1 R. du Pont	St-Michel
6	L18	**Buci** Carrefour de	R. Dauphine	R. de l'Anc. Comédie	Odéon
6	L17-L18	**Buci** Rue de	2 R. de l'Anc. Comédie	160 Bd St-Germain	Mabillon
8	F16	**Budapest** Place de	Rue d'Amsterdam	Rue de Budapest	Liège - St-Lazare
9	F16	**Budapest** Place de	Rue d'Amsterdam	Rue de Budapest	Liège - St-Lazare
9	G16	**Budapest** Rue de	96 R. St-Lazare	Place de Budapest	St-Lazare
4	L20	**Budé** Rue	10 Q. d'Orléans	45 R. St-Louis-en-l'Ile	Pont Marie
18	D20	**Budin** Rue Pierre	49 R. Léon	54 R. des Poissonniers	Marcadet-Poissonniers
7	K11	**Buenos Aires** Rue de	Av. Léon Bourgeois	3 Av. de Suffren	Ch. de Mars-Tr Eiffel (RER C)
9	G18	**Buffault** Rue	46 R. du Fbg Montmartre	11 R. Lamartine	Le Peletier
5	N22-O20	**Buffon** Rue	2 Bd de l'Hôpital	34 R. G. St-Hilaire	Gare d'Austerlitz
16	H10-H9	**Bugeaud** Avenue	8 Pl. Victor Hugo	77 Av. Foch	Victor Hugo
16	M7-M8	**Buis** Rue du	2 R. Chardon Lagache	11 R. d'Auteuil	Église d'Auteuil
16	O5-P6	**Buisson** Av. Ferdinand	Av. G. Lafont	Av. de la Pte de St-Cloud	Porte de St-Cloud
18	D18	**Buisson** Square Suzanne	Rue Girardon	(en impasse)	Lamarck-Caulaincourt
10	H23	**Buisson St-Louis** P. du	5 R. du Buisson St-Louis	17 R. Buisson St-Louis	Goncourt - Belleville
10	G23-H23	**Buisson St-Louis** Rue du	192 R. St-Maur	25 Bd de la Villette	Goncourt - Belleville
7	K13	**Bülher** Square Denys	R. de Grenelle		La Tour-Maubourg
10	H21	**Bullet** Rue Pierre	52 R. du Château d'Eau	1 R. Hittorff	Château d'Eau
11	K24-L23	**Bullourde** Passage	14 R. Keller	15 Pas. C. Dallery	Ledru-Rollin
13	R19	**Buot** Rue	7 R. de l'Espérance	12 R. M. Bernard	Corvisart
11	L26	**Bureau** Impasse du	52 Pas. du Bureau	(en impasse)	Alexandre Dumas
11	K26	**Bureau** Passage du	168 R. de Charonne	R. R. et S. Delaunay	Alexandre Dumas
19	G23	**Burnouf** Rue	66 Bd de la Villette	87 Av. S. Bolivar	Colonel Fabien
18	D18-E17	**Burq** Rue	48 R. des Abbesses	(en impasse)	Abbesses
13	Q19-Q20	**Butte aux Cailles** R. de la	2 Pl. P. Verlaine	29 R. Barrault	Corvisart
19	E26-E27	**Butte du Chap. Roug.** Sq. de la	Bd d'Algérie		Danube
19	F25-G24	**Buttes Chaumont** Parc des	Rue Manin	Rue Botzaris	Buttes Chaumont
19	F25	**Buttes Chaumont** V. des	73 R. de la Villette	(en impasse)	Botzaris
18	C22-D22	**Buzelin** Rue	72 R. Riquet	13 R. de Torcy	Marx Dormoy
20	K27-L27	**Buzenval** Rue de	25 R. Lagny	94 R. A. Dumas	Buzenval
8	G12	**Byron** Rue Lord	11 R. Chateaubriand	6 R. A. Houssaye	Ch. de Gaulle-Étoile

Ar.	Plan	Rues / Streets	Commençant	Finissant	Métro
		C			
15	M12	**Cabanel** Rue Alexandre	26 Av. Lowendal	1 Bd Garibaldi	Cambronne
14	Q18	**Cabanis** Rue	66 R. de la Santé	5 R. Broussais	Glacière
13	S19	**Cacheux** Rue	94 Bd Kellermann	41 R. des Longues Raies	Cité Univ. (RER B)
13	P18-P19	**Cachot** Square Albin	141 R. Nordmann		Glacière
9	G18-G19	**Cadet** Rue	34 R. du Fbg Montmartre	1 R. Lamartine	Cadet
13	Q24	**Cadets de la Fr. Libre** R. des	Rue Thomas Mann	R. des Gds Moulins	Bibl. F. Mitterrand
13	P18	**Cadiou** Square Henri	69 Bd Arago		Glacière
15	P11	**Cadix** Rue de	17 R. du Hameau	372 R. de Vaugirard	Porte de Versailles
18	E19	**Cadran** Impasse du	52 Bd de Rochechouart	(en impasse)	Anvers
3	I21-J21	**Caffarelli** Rue	44 R. de Bretagne	3 R. Perrée	Temple
13	S19-S20	**Caffieri** Avenue	8 R. de la Pot. des Peupliers	7 R. Thomire	Maison Blanche
19	E26	**Cahors** Rue de	116 Bd Sérurier	Av. A. Rendu	Porte de Pantin
10	E21	**Cail** Rue	19 R. P. de Girard	R. du Fbg St-Denis	La Chapelle
13	S21	**Caillaux** Rue	59 Av. de Choisy	111 Av. d'Italie	Maison Blanche
15	M10	**Caillavet** Rue Gaston De	65 Q. de Grenelle	51 R. Émeriau	Ch. Michels
12	N29	**Cailletet** Rue	27 R. Mangenot	R. P. Bert	St-Mandé Tourelle
18	E22	**Caillié** Rue	8 Bd de la Chapelle	25 R. du Département	Stalingrad
14	R15	**Cain** Rue Auguste	56 Av. J. Moulin 67	R. des Plantes	Porte d'Orléans - Alésia
3	K21	**Cain** Square Georges	Rue Payenne	(en impasse)	St-Paul
8	G15	**Caire** Avenue César	Pl. St-Augustin	11 R. Bienfaisance	St-Augustin
2	I19-I20	**Caire** Passage du	237 R. St-Denis	Rue Sainte-Foy	Réaumur-Sébastopol
2	I19	**Caire** Place du	Rue d'Aboukir	Rue du Caire	Sentier
2	I19-I20	**Caire** Rue du	111 Bd Sébastopol	6 R. de Damiette	Sentier
9	E17	**Calais** Rue de	65 R. Blanche	3 Pl. Adolphe Max	Place de Clichy
16	J10	**Callas** Allée Maria	2 Av. Georges Mandel		Trocadéro
16	I12	**Callas** Place Maria	Av. de New York	Place de l'Alma	Alma-Marceau
6	K18	**Callot** Rue Jacques	42 R. Mazarine	47 R. de Seine	Mabillon
18	C18	**Calmels** Impasse	12 R. du Pôle Nord	(en impasse)	Lamarck-Caulaincourt
18	C18	**Calmels** Rue	41 R. du Ruisseau	38 R. Montcalm	Lamarck-Caulaincourt
18	C18	**Calmels Prolongée** Rue	3 R. du Pôle Nord	10 Cité Nollez	Lamarck-Caulaincourt
15	Q12	**Calmette** Sq. du Docteur	80 Bd Lefebvre	Av. A. Bartholomé	Porte de Vanves
18	E18	**Calvaire** Place du	1 R. du Calvaire	13 R. Poulbot	Abbesses
18	D18-E18	**Calvaire** Rue du	20 R. Gabrielle	11 Pl. du Tertre	Abbesses
5	N19	**Calvin** Rue Jean	94 R. Mouffetard	Pl. Lucien Herr	Censier-Daubenton
8	G15-H15	**Cambacérès** Rue	1 Pl. des Saussaies	15 R. La Boétie	Miromesnil
19	F26	**Cambo** Rue de	14 R. des Bois	(en impasse)	Pré St-Gervais
20	I26-I27	**Cambodge** Rue du	83 Av. Gambetta	58 R. Orfila	Gambetta
1	H16-I16	**Cambon** Rue	244 R. de Rivoli	23 R. des Capucines	Madeleine - Concorde
19	B24-C23	**Cambrai** Rue de	68 R. de l'Ourcq	27Q. de la Gironde	Crimée
15	M12	**Cambronne** Place	168 Bd de Grenelle	2 Bd Garibaldi	Cambronne
15	M12-O13	**Cambronne** Rue	4 Pl. Cambronne	230 R. de Vaugirard	Vaugirard
15	M12	**Cambronne** Square	Av. de Lowendal	Pl. Cambronne	Cambronne
14	Q13	**Camélias** Rue des	197 R. R. Losserand	9 R. des Arbustes	Porte de Vanves
16	J10	**Camoëns** Avenue de	4 Bd Delessert	14 R. B. Franklin	Passy
7	K12	**Camou** Rue du Général	22 Av. Rapp	33 Av. de La Bourdonnais	Pont de l'Alma (RER C)
14	O17	**Campagne Première** Rue	46 Bd du Montparnasse	237 Bd Raspail	Raspail
13	P21	**Campo Formio** Rue de	2 Pl. Pinel	123 Bd de l'Hôpital	Campo Formio
15	Q13	**Camulogène** Rue	9 R. Chauvelot	(en impasse)	Porte de Vanves
10	F22	**Camus** Rue Albert	Pl. du Col. Fabien	Pl. Robert Desnos	Colonel Fabien
8	I14	**Canada** Place du	Crs la Reine	Cours Albert Ier	Champs-Elysées-Clem.
18	D21	**Canada** Rue du	84 R. Riquet	5 R. de la Guadeloupe	Marx Dormoy
10	G21	**Canal** Allée du	Quai de Valmy	Av. de Verdun	Gare de l'Est
12	M28-N28	**Canart** Impasse	34 R. de la Voûte	(en impasse)	Porte de Vincennes
11	L24	**Candie** Rue de	20 R. Trousseau	9 R. de la Forge Royale	Ledru-Rollin
5	O20	**Candolle** Rue de	43 R. Censier	37 R. Daubenton	Censier-Daubenton
6	L17	**Canettes** Rue des	27 R. du Four	6 Pl. St-Sulpice	St-Germain-des-Prés
14	P14	**Cange** Rue du	4 R. Desprez	Rue de Gergovie	Pernety
6	M17	**Canivet** Rue du	10 R. Servandoni	3 R. H. de Jouvenel	St-Sulpice
12	O26-O27	**Cannebière** Rue	72 R. C. Decaen	188 Av. Daumesnil	Daumesnil
13	R23-R24	**Cantagrel** Rue	11 R. Chevaleret	45 R. de Tolbiac	Bibl. F. Mitterrand
11	L23	**Cantal** Cour du	22 R. de la Roquette	22 R. de Lappe	Bastille
19	D25	**Cantate** Villa	Rue J. Kosma	(en impasse)	Ourcq
5	N20	**Capitan** Square	Rue des Arènes		Jussieu

Ar.	Plan	Rues / Streets	Commençant	Finissant	Métro
18	E20	**Caplat** Rue	32 R. de la Charbonnière	Rue de Chartres	Barbès-Rochechouart
12	P27	**Capri** Rue de	59 R. de Wattignies	43 R. C. Decaen	Michel Bizot
18	E16	**Capron** Rue	18 Av. de Clichy	17 R. Forest	Place de Clichy
2	H16-H17	**Capucines** Bd des	25 R. Louis le Grand	24 R. des Capucines	Opéra
9	H16-H17	**Capucines** Bd des	25 R. Louis le Grand	24 R. des Capucines	Opéra
1	H16-H17	**Capucines** Rue des	1 R. de la Paix	43 Bd des Capucines	Opéra
2	H16-H17	**Capucines** Rue des	1 R. de la Paix	43 Bd des Capucines	Opéra
16	L6	**Capus** Square Alfred	116 Bd Suchet	25 Av. du Mal Lyautey	Porte d'Auteuil
15	O12	**Carcel** Rue	5 R. Maublanc	5 R. Gerbert	Vaugirard
18	D20	**Carco** Rue Francis	26 R. Doudeauville	66 R. Stephenson	Marx Dormoy
17	C15	**Cardan** Rue	7 R. Émile Level	6 R. Boulay	Porte de Clichy
20	K28	**Cardeurs** Square des	33 R. St-Blaise	(en impasse)	Porte de Montreuil
6	L17	**Cardinale** Rue	3 R. de Furstenberg	2 R. de l'Abbaye	St-Germain-des-Prés
17	D14-E14	**Cardinet** Passage	74 R. de Tocqueville	127 R. Cardinet	Malesherbes
17	C15-F12	**Cardinet** Rue	78 Av. de Wagram	151 Av. de Clichy	Brochant
19	B23	**Cardinoux** Allée des	212 Bd Macdonald	81 R. Émile Bollaert	Porte de la Chapelle
19	F25-G25	**Carducci** Rue	45 R. de la Villette	22 R. des Alouettes	Jourdain
1	J19	**Carême** Passage Antoine	Pas. des Lingères	R. St-Honoré	Châtelet
5	M19	**Carmes** Rue des	49 Bd St-Germain	20 R. de l'Éc. Polytech.	Maubert-Mutualité
17	G11	**Carnot** Avenue	Pl. Ch. De Gaulle	30 R. des Acacias	Ch. de Gaulle-Étoile
12	M29-N29	**Carnot** Boulevard	14 Porte Vincennes	23 Av. E. Laurent	St-Mandé Tourelle
19	F26	**Carnot** Villa Sadi	40 R. de Mouzaïa	25 R. de Bellevue	Pré St-Gervais
17	E16	**Caroline** Rue	7 R. Darcet	6 R. des Batignolles	Place de Clichy
19	F27	**Carolus-Duran** Rue	6 R. de l'Orme	143 R. Haxo	Télégraphe
4	K21	**Caron** Rue	86 R. St-Antoine	5 R. de Jarente	St-Paul
18	C17-D16	**Carpeaux** Rue	2 R. Étex	37 R. E. Carrière	Guy Môquet
18	C17	**Carpeaux** Square	R. Joseph de Maistre	Rue Marceau	Guy Môquet
5	M19	**Carré** Jardin	R. Descartes		Card. Lemoine
8	H12	**Carré d'Or** Galerie	Av. George V	(en impasse)	George V
1	J18	**Carrée** Cour	Palais du Louvre		Louvre-Rivoli
19	E24	**Carrel** Place Armand	73 R. Manin	71 R. Meynadier	Laumière
19	E23-E24	**Carrel** Rue Armand	3 Pl. A. Carrel	Av. J. Jaurès	Jaurès
15	M12-M13	**Carrier Belleuse** Rue	8 Bd Garibaldi	13 R. Cambronne	Cambronne
18	C17-D17	**Carrière** Rue Eugène	44 R. J. de Maistre	R. Vauvenargues	Lamarck-Caulaincourt
11	K25	**Carrière Mainguet** I.	R. Carrière Mainguet	(en impasse)	Charonne
11	K25	**Carrière Mainguet** Rue	54 R. Léon Frot	37 R. Émile Lepeu	Charonne
16	K10-K9	**Carrières** Impasse des	24 R. de Passy	(en impasse)	Passy
19	E26	**Carrières d'Amérique** R. des	46 R. Manin	139 Bd Sérurier	Danube
7	L12	**Carriès** Rue Jean	Al. Thomy Thierry	61 Av. Suffren	La Motte-P.-Grenelle
1	J17	**Carrousel** Jardin du	Av. Lemonnier	Pl. du Carrousel	Palais Royal-Louvre
1	J17	**Carrousel** Place du	172 R. de Rivoli	Quai du Louvre	Palais Royal-Louvre
1	J17-K17	**Carrousel** Pont du	Quai F. Mitterrand	Quai Malaquais	Palais Royal-Louvre
6	J17-K17	**Carrousel** Pont du	Quai F. Mitterrand	Quai Malaquais	Palais Royal-Louvre
7	J17-K17	**Carrousel** Pont du	Quai F. Mitterrand	Quai Malaquais	Palais Royal-Louvre
20	I29-J29	**Cartellier** Avenue	Porte de Bagnolet	Av. de la République	Porte de Bagnolet
18	C16-C17	**Cartier** Rue Jacques	228 R. Championnet	20 R. Lagille	Guy Môquet
14	Q14-R15	**Carton** Rue de l'Abbé	5 R. des Suisses	60 R. des Plantes	Plaisance
15	O10-O11	**Casablanca** Rue de	190 R. de la Croix Nivert	(en impasse)	Boucicaut
18	D18	**Casadesus** Place	10 Al. Brouillards	4 R. S. Dereure	Lamarck-Caulaincourt
13	Q23	**Casals** Rue Pau	R. E. Durkheim	R. Neuve Tolbiac	Bibl. F. Mitterrand
15	M10	**Casals** Square Pablo	R. Émeriau	R. Ginoux	Ch. Michels
1	I17	**Casanova** Rue Danielle	31 Av. de l'Opéra	2 R. de la Paix	Opéra
2	I17	**Casanova** Rue Danielle	31 Av. de l'Opéra	2 R. de la Paix	Opéra
20	G25-H26	**Cascades** Rue des	101 R. de Ménilmontant	82 R. de la Mare	Jourdain
20	I28	**Casel** Rue Émile-Pierre	17 R. Belgrand	13 R. Géo Chavez	Porte de Bagnolet
6	L17-M17	**Cassette** Rue	71 R. de Rennes	66 R. de Vaugirard	St-Sulpice
1	J19	**Cassin** Place René	R. Rambuteau	R. St-John Perse	Les Halles
14	O17-P18	**Cassini** Rue	32 R. du Fbg St-Jacques	Av. Denfert-Rochereau	Denfert-Rochereau
15	P14-Q12	**Castagnary** Rue	6 Pl. Falguière	107 R. Brancion	Plaisance
15	Q13	**Castagnary** Square	Rue J. Baudry	R. Castagnary	Porte de Vanves
20	L27	**Casteggio** Impasse de	21 R. des Vignoles	(en impasse)	Buzenval
12	M23	**Castelar** Rue Emilio	85 R. de Charenton	Rue d'Aligre	Ledru-Rollin
8	H16	**Castellane** Rue de	17 R. Tronchet	26 R. de l'Arcade	Madeleine
15	L12-M12	**Castelnau** R. du Gal De	49 Av. La Motte-Picquet	10 R. du Laos	La Motte-P.-Grenelle
4	L22	**Castex** Rue	35 Bd Henri IV	15 R. St-Antoine	Bastille
1	I16	**Castiglione** Rue de	232 R. de Rivoli	R. du Fbg St-Honoré	Tuileries

Ar.	Plan	**Rues** / Streets	Commençant	Finissant	Métro
14	O15	**Catalogne** Place de	R. Vercingétorix	R. du Cdt R. Mouchotte	Pernety
13	Q18-Q19	**Catherine-Marie** R. Sœur	86 R. de la Glacière	98 R. de la Glacière	Glacière
1	I18	**Catinat** Rue	4 R. La Vrillière	1 Pl. des Victoires	Bourse - Sentier
17	E13-E14	**Catroux** Place du Général	31 Av. de Villiers	108 Bd Malesherbes	Monceau -Malesherbes
18	E17	**Cauchois** Rue	13 R. Lepic	7 R. Constance	Blanche
15	N9	**Cauchy** Rue	99 Q. André Citroën	172 R. St-Charles	Lourmel - Javel
18	D18-E17	**Caulaincourt** Rue	122 Bd de Clichy	47 R. du Mont Cenis	Place de Clichy
18	D17	**Caulaincourt** Square	63 R. Caulaincourt	83 R. Lamarck	Lamarck-Caulaincourt
9	G16-H16	**Caumartin** Rue de	30 Bd des Capucines	97 R. St-Lazare	Havre-Caumartin
3	I20	**Caus** Rue Salomon De	323 R. du Fbg St-Martin	100 Bd Sébastopol	Réaumur-Sébastopol
11	K24-L24	**Cavaignac** Rue Godefroy	81 R. de Charonne	130 R. de la Roquette	Charonne - Voltaire
10	F20	**Cavaillé-Coll** Sq Aristide	109 R. La Fayette		Poissonnière
15	M12	**Cavalerie** Rue de la	53 Av. La Motte-Picquet	10 R. du Gal Castelnau	La Motte-P.-Grenelle
18	D16-E16	**Cavallotti** Rue	16 R. Forest	18 R. Ganneron	Place de Clichy
18	D20	**Cavé** Rue	23 R. Stephenson	28 R. des Gardes	Château Rouge
6	N18	**Cavelier De La Salle** Jard.	Jard. de l'Observatoire		Luxembourg (RER B)
19	E24-F24	**Cavendish** Rue	63 R. Manin	84 R. de Meaux	Laumière
18	E19	**Cazotte** Rue	3 R. C. Nodier	2 R. Ronsard	Anvers
4	L21	**Célestins** Port des	Pont Mairie	Pont de Sully	Pont Mairie
4	L20-L21	**Célestins** Quai des	7 Bd Henri IV	2 R. Nonnains d'H.	Sully-Morland
14	P16	**Cels** Impasse	7 R. Cels	(en impasse)	Gaîté
14	O16-P16	**Cels** Rue	8 R. Fermat	5 R. Auguste Mie	Gaîté
1	J18-J19	**Cendrars** Allée Blaise	Al. A. Breton	Rue de Viarmes	Les Halles
20	I25	**Cendriers** Rue des	100 Bd de Ménilmontant	Rue Duruis	Père Lachaise
5	O20	**Censier** Rue	33 R. G. St-Hilaire	1 R. de Bazeilles	Censier-Daubenton
15	M13	**Cépré** Rue	20 R. Miollis	16 Bd Garibaldi	Cambronne
15	L11	**Cerdan** Place Marcel	Bd de Grenelle	Rue Viala	Dupleix
4	L22	**Cerisaie** Rue de la	31 Bd Bourdon	24 R. du Petit Musc	Bastille
8	H13	**Cerisoles** Rue de	24 R. C. Marot	41 R. François Ier	Franklin D. Roosevelt
17	D13-E13	**Cernuschi** Rue	148 Bd Malesherbes	79 R. Tocqueville	Wagram
12	M22-M23	**César** Rue Jules	22 Bd de la Bastille	43 R. de Lyon	Quai de la Rapée
11	L25	**Cesselin** Rue	8 R. P. Bert	(en impasse)	Faidherbe-Chaligny
15	N9-O10	**Cévennes** Rue des	83 Q. A. Citroën	146 R. Lourmel	Lourmel - Javel
15	N9	**Cévennes** Square des	Rue Cauchy	Quai A. Citroën	Javel
8	G13-G14	**Cézanne** Rue Paul	168 R. du Fbg St-Honoré	25 R. Courcelles	St-Philippe du R.
2	I18	**Chabanais** Rue	22 R. des Petits Champs	9 R. Rameau	Pyramides
7	M14	**Chaban-Delmas** Espl. J.	Pl. de Breteuil	Av. Duquesne	St-Franç.-Xavier
12	P24-P25	**Chablis** Rue de	6 R. Pommard	7 R. de Bercy	Cour St-Émilion
17	E14	**Chabrier** Sq. Emmanuel	4 Sq. F. Tombelle	(en impasse)	Malesherbes
15	P11	**Chabrières** Cité Auguste	22 R. A. Chabrières		Porte de Versailles
15	P11	**Chabrières** Rue Auguste	41 R. Desnouettes	R. de la Croix Nivert	Porte de Versailles
10	G20	**Chabrol** Cité de	16 Cr de la Ferme St-Lazare	25 R. Chabrol	Gare du Nord
10	G20	**Chabrol** Rue de	85 Bd de Magenta	98 R. La Fayette	Gare de l'Est
12	N29	**Chaffault** Rue du	Av. Courteline	R. de l'Aml Courbet	St-Mandé Tourelle
13	S21	**Chagall** Allée Marc	42 R. Gandon	Av. D'Italie	Porte d'Italie
16	K10	**Chahu** Rue Claude	16 R. de Passy	7 R. Gavarni	Passy
11	K24	**Chaillet** Place du Père	175 Av. Ledru-Rollin	128 R. de la Roquette	Voltaire
12	P27	**Chailley** Rue Joseph	92 Bd Poniatowski	5 Av. de Foucauld	Porte Dorée
16	I12	**Chaillot** Rue de	16 R. Freycinet	37 Av. Marceau	Alma-Marceau - Iéna
16	H12-I12	**Chaillot** Square de	37 R. de Chaillot	(en impasse)	Alma-Marceau
18	C20	**Chaîne** Rue Émile	99 R. des Poissonniers	24 R. Boinod	Marcadet-Poissonniers
7	L16	**Chaise** Rue de la	31 R. de Grenelle	37 Bd Raspail	Sèvres-Babylone
7	L16	**Chaise Récamier** Square	Rue Récamier		Sèvres-Babylone
17	C15	**Chalabre** Impasse	163 Av. de Clichy	(en impasse)	Brochant
10	G23	**Chalet** Rue du	25 R. du Buisson St-Louis	32 R. Ste-Marthe	Belleville
16	K8	**Chalets** Avenue des	101 R. du Ranelagh	64 R. de l'Assomption	Ranelagh
16	G10-G11	**Chalgrin** Rue	20 Av. Foch	4 R. Le Sueur	Argentine
12	M25-N24	**Chaligny** Rue	2 R. Crozatier	198 R. du Fbg St-Antoine	Reuilly Diderot
12	N23	**Chalon** Cour de	Gare de Lyon		Gare de Lyon
12	N23-N24	**Chalon** Rue de	3 R. de Rambouillet	22 Bd Diderot	Gare de Lyon
12	O24	**Chambertin** Rue de	118 R. Bercy	38 Bd Bercy	Cour St-Émilion
15	Q13	**Chambéry** Rue de	60 R. des Morillons	138 R. Castagnary	Porte de Vanves
8	I13	**Chambiges** Rue	10 R. Boccador	5 R. C. Marot	Alma-Marceau
16	L7	**Chamfort** Rue	18 R. de la Source	105 Av. Mozart	Jasmin
18	B17	**Champ à Loup** P. du	72 R. de Leibnitz	5 R. Bernard Dimey	Porte de St-Ouen
13	P19-Q19	**Champ de l'Alouette** R. du	2 R. Vulpian	59 R. de la Glacière	Glacière

Ar.	Plan	**Rues** / Streets	Commençant	Finissant	Métro
7	K12-L12	**Champ de Mars** Parc du	Av. Gustave Eiffel	Av. La Motte-Piquet	École Militaire
7	K13	**Champ de Mars** Rue du	18 R. Duvivier	91 Av. de La Bourdonnais	École Militaire
18	B18	**Champ Marie** P. du	23 R. V. Compoint	121 R. Belliard	Porte de St-Ouen
16	K9	**Champagnat** Pl. du Père M.	6 R. Annonciation	10 R. Annonciation	Passy
20	L27-L28	**Champagne** Cité	78 R. des Pyrénées	(en impasse)	Maraîchers
13	P20	**Champagne** R. Philippe De	144 Bd de l'Hôpital	77 Av. des Gobelins	Place d'Italie
12	Q25	**Champagne** Terrasse de	Quai de Bercy	R. Baron Le Roy	Cour St-Émilion
7	K15	**Champagny** Rue de	2 R. C. Périer	1 R. Martignac	Solférino - Varenne
15	L12	**Champaubert** Avenue de	80 Av. de Suffren	15 R. Larminat	La Motte-P.-Grenelle
17	E11	**Champerret** Porte de	Bd Périphérique		Porte de Champerret
7	L12	**Champfleury** Rue	22 Al. Tomy Thierry	45 Av. de Suffren	Dupleix
18	B19	**Championnet** Passage	57 R. Championnet	13 R. Nve Chardonnière	Simplon
18	C16-C20	**Championnet** Rue	135 R. des Poissonniers	90 Av. de St-Ouen	Porte de Clignancourt
18	C17	**Championnet** Villa	198 R. Championnet	(en impasse)	Guy Môquet
13	S20	**Championnière** R. du Dr. L.	17 R. Dr Leray	44 R. Damesme	Maison Blanche
20	J26	**Champlain** Sq. Samuel De	Av. Gambetta		Gambetta
5	M18	**Champollion** Rue	51 R. des Écoles	6 Pl. de la Sorbonne	Cluny-La Sorbonne
8	H13	**Champs** Galerie des	R. de Ponthieu	7 R. de Berri	George V
8	G12-I15	**Champs Élysées** Av. des	Pl. de la Concorde	Pl. Ch. de Gaulle	Ch. de Gaulle-Étoile
8	I14	**Champs Élysées** Port des	Pont des Invalides	Pont de la Concorde	Champs-Elysées-Clem.
8	H14-I14	**Chps. Élys. M. Dassault** Rond-Point des	Av. F.-D. Roosevelt	22 Av. Chps Élysées	Franklin D. Roosevelt
15	O9	**Chamson** Espl. André	56 R. Balard		Balard
7	L15	**Chanaleilles** Rue de	24 R. Vaneau	17 R. Barbet de Jouy	St-Franç.-Xavier
15	O10	**Chandon** Impasse	280 R. Lecourbe	(en impasse)	Boucicaut - Lourmel
16	M6-N6	**Chanez** Rue	77 R. d'Auteuil	50 R. Molitor	Porte d'Auteuil
16	M6	**Chanez** Villa	3 R. Chanez	(en impasse)	Porte d'Auteuil
12	N28-N29	**Changarnier** Rue	80 Bd Soult	7 Av. Lamoricière	Porte de Vincennes
1	K19	**Change** Pont au	Bd du Palais	Place du Châtelet	Châtelet
4	K19	**Change** Pont au	Bd du Palais	Place du Châtelet	Châtelet
4	L19-L20	**Chanoinesse** Rue	6 R. du Cloître N.-D.	9 R. d'Arcole	St-Michel - Cité
16	I8	**Chantemesse** Avenue	40 Bd Lannes	47 Av. du Mal Fayolle	Av. H. Martin (RER C)
12	L23	**Chantier** Passage du	53 R. de Charenton	66 R. du Fbg St-Antoine	Ledru-Rollin
5	M20	**Chantiers** Rue des	6 R. F. St-Bernard	5 R. du Card. Lemoine	Jussieu
9	F19	**Chantilly** Rue de	22 R. Bellefond	60 R. de Maubeuge	Poissonnière
14	R15-R16	**Chantin** Rue Antoine	26 Av. J. Moulin	47 R. des Plantes	Alésia
4	L20	**Chantres** Rue des	1 R. des Ursins	10 R. Chanoinesse	St-Michel
20	I28	**Chanute** Place Octave	26 R. du Cap. Ferber	Rue E. Marey	Porte de Bagnolet
13	Q23	**Chanvin** Passage	147 R. Chevaleret	26 R. Dunois	Chevaleret
11	L24-L25	**Chanzy** Rue	26 R. St-Bernard	210 Bd Voltaire	Rue des Boulets
17	F10	**Chapelle** Avenue de la	3 Av. de Verzy	(en impasse)	Porte Maillot
10	E19-E22	**Chapelle** Boulevard de la	43 R. Château Landon	170 Bd de Magenta	Stalingrad
18	E19-E22	**Chapelle** Boulevard de la	43 R. Château Landon	170 Bd de Magenta	Stalingrad
18	E21	**Chapelle** Cité de la	37 R. Marx Dormoy		Marx Dormoy
18	C21	**Chapelle** Hameau de la	18 R. de la Chapelle	(en impasse)	Marx Dormoy
18	C21	**Chapelle** Impasse de la	31 R. de la Chapelle	(en impasse)	Marx Dormoy
18	E21	**Chapelle** Place de la	34 Bd de la Chapelle	Rue Marx Dormoy	La Chapelle
18	B21	**Chapelle** Porte de la	Bd Périphérique		Porte de la Chapelle
18	C21	**Chapelle** Rd-Pt de la	Rue de la Chapelle	Rue R. Queneau	Porte de la Chapelle
18	B21-C21	**Chapelle** Rue de la	2 R. Ordener	29 Bd Ney	Porte de la Chapelle
6	N17	**Chaplain** Rue Jules	60 R. N.-D. des Champs	21 R. Bréa	Vavin
3	I20-J21	**Chapon** Rue	113 R. du Temple	230 R. St-Martin	Arts et Métiers
18	E18	**Chappe** Rue	6 R. des Frères	5 R. St-Eleuthère	Anvers
9	F17	**Chaptal** Cité	20 R. Chaptal	(en impasse)	Blanche
9	F17	**Chaptal** Rue	49 R. J.-B. Pigalle	66 R. Blanche	Pigalle - Blanche
16	O7	**Chapu** Rue	16 Bd Exelmans	163 Av. de Versailles	Bd Victor (RER C)
20	K28-K29	**Chapuis** Rue Auguste	9 R. Mendelssohn	17 R. des Drs Déjerine	Porte de Montreuil
7	K16	**Char** Place René	205 Bd St-Germain	207 Bd St-Germain	Rue du Bac
13	S18-S19	**Charbonnel** Rue	61 R. Brillat Savarin	57 R. Aml Mouchez	Cité Univ. (RER B)
18	E20	**Charbonnière** Rue de la	1 R. de la Goutte d'Or	100 Bd de la Chapelle	Barbès-Rochechouart
15	N14	**Charbonniers** P. des	90 Bd Garibaldi	10 R. Lecourbe	Sèvres-Lecourbe
13	Q22-Q23	**Charcot** Rue	123 R. Chevaleret	26 Pl. Jeanne d'Arc	Chevaleret
16	K10	**Chardin** Rue	5 R. Le Nôtre	4 R. Beethoven	Passy
16	M8-O7	**Chardon Lagache** Rue	Pl. d'Auteuil	170 Av. de Versailles	Église d'Auteuil
19	C25	**Charente** Quai de la	(en impasse)	121 Bd Macdonald	Porte de la Villette
12	Q27	**Charenton** Porte de	Bd Périphérique		Porte de Charenton
12	L23-P26	**Charenton** Rue de	2 R. du Fbg St-Antoine	15 Bd Poniatowski	Bastille

Ar.	Plan	Rues / Streets	Commençant	Finissant	Métro
4	K21-L21	**Charlemagne** Passage	16 R. Charlemagne	119 R. St-Antoine	St-Paul
4	L21	**Charlemagne** Rue	31 R. St-Paul	14 R. Nonnains d'H.	St-Paul
20	L28-L29	**Charles et Robert** Rue	66 Bd Davout	Pl. de la Pte de Montreuil	Porte de Montreuil
4	L21	**Charles V** Rue	17 R. du Petit Musc	18 R. St-Paul	Sully-Morland
15	N14	**Charlet** Rue Nicolas	175 R. de Vaugirard	48 R. Falguière	Pasteur
3	I22-J21	**Charlot** Rue	12 R. des Quatre Fils	27 Bd du Temple	Oberkampf
15	P13	**Charmilles** Villa des	56 R. Castagnary	(en impasse)	Plaisance
12	O25	**Charolais** Passage du	26 R. du Charolais	5 R. Baulant	Dugommier
12	N24-O25	**Charolais** Rue du	19 Bd de Bercy	25 R. de Rambouillet	Dugommier
11	K25-M27	**Charonne** Boulevard de	7 Av. du Trône	2 R. P. Bayle	Ph. Auguste - Al. Dumas - Avron
20	K25-M27	**Charonne** Boulevard de	7 Av. du Trône	2 R. P. Bayle	Ph. Auguste - Al. Dumas - Avron
11	K26-L23	**Charonne** Rue de	61 R. du Fbg St-Antoine	111 Bd de Charonne	Ledru-Rollin
17	E10-E11	**Charpentier** R. Alexandre	20 Bd Gouvion St-Cyr	23 Bd de l'Yser	Porte de Champerret
17	E10-F9	**Charpentier** R. Gustave	Bd D'Aurelle De Paladines	Pl. de Verdun	Porte Maillot
13	R23	**Charpentier** R. M.-Antoine	5 R. E. Oudiné	26 R. de Patay	Bibl. F. Mitterrand
9	G16-G17	**Charras** Rue	54 Bd Haussmann	99 R. Provence	Havre-Caumartin
11	L24	**Charrière** Rue	86 R. de Charonne	(en impasse)	Charonne
8	H12-H13	**Charron** Rue Pierre	30 Av. George V	55 Av. Chps Élysées	Franklin D. Roosevelt
15	O11-O12	**Chartier** Rue Alain	149 R. Blomet	195 R. de la Convention	Convention
5	M19	**Chartière** Impasse	11 R. de lanneau	(en impasse)	Maubert-Mutualité
18	E20	**Chartres** Rue de	58 Bd de la Chapelle	45 R. Goutte d'Or	Barbès-Rochechouart
6	N17	**Chartreux** Rue des	8 Av. Observatoire	87 R. d'Assas	Port Royal (RER B)
12	M23	**Chasles** Rue Michel	23 Bd Diderot	28 R. Traversière	Gare de Lyon
8	G14-H14	**Chassaigne Goyon** Place	152 R. du Fbg St-Honoré	69 R. La Boétie	St-Philippe du R.
15	M13	**Chasseloup Laubat** Rue	128 Av. Suffren	46 Av. de Ségur	Cambronne
17	D13	**Chasseurs** Avenue des	57 Bd Péreire	162 Bd Malesherbes	Wagram - Pereire
5	L19	**Chat qui Pêche** Rue du	9 Q. St-Michel	12 R. de la Huchette	St-Michel
14	P15-P16	**Château** Rue du	Place de Catalogne	164 Av. du Maine	Pernety - Gaîté
10	G20-H21	**Château d'Eau** Rue du	1 Bd de Magenta	68 R. du Fbg St-Denis	République
13	Q21-S23	**Château des Rentiers** R. du	52 Bd Masséna	171 Bd V. Auriol	Olympiades, Place d'Italie
10	E22-F21	**Château Landon** Rue du	185 R. du Fbg St-Martin	173 Bd de la Villette	Stalingrad
14	P15	**Château Ouvrier** Allée du	69 Rue R. Losserand	Pl. Marcel Paul	Pernety
18	D19	**Château Rouge** Place du	44 Bd Barbès	Rue Custine	Château Rouge
8	G12-G13	**Chateaubriand** Rue	17 R. Washington	33 Av. Friedland	Ch. de Gaulle-Étoile
9	G17-G18	**Châteaudun** Rue de	55 R. La Fayette	70 R. la Chée d'Antin	Trinité - Cadet
17	B16	**Châtelet** Passage	36 R. J. Kellner	35 Bd Bessières	Porte de St-Ouen
1	K19	**Châtelet** Place du	2 Q. Mégisserie	15 Av. Victoria	Châtelet
4	K19	**Châtelet** Place du	2 Quai Mégisserie	15 Av. Victoria	Châtelet
14	S14	**Châtillon** Porte de	Bd Périphérique		Porte d'Orléans
14	Q15-R16	**Châtillon** Rue de	18 Av. J. Moulin	43 R. des Plantes	Alésia
14	R16	**Châtillon** Square de	33 Av. J. Moulin	(en impasse)	Porte d'Orléans - Alésia
9	G18-H18	**Chauchat** Rue	4 Bd Haussmann	42 R. La Fayette	Richelieu Drouot
10	E22	**Chaudron** Rue	241 R. du Fbg St-Martin	52 R. Chât. Landon	Stalingrad
19	F23	**Chaufourniers** Rue des	16 R. de Meaux	(en impasse)	Colonel Fabien
19	E26	**Chaumont** Porte	Bd Périphérique	Av. Pte de Chaumont	Danube
19	F23	**Chaumont** Rue de	1 Av. Secrétan	11 Cité Lepage	Bolivar
20	I28	**Chauré** Rue du Lieutenant	37 R. du Cap. Ferber	14 R. E. Marey	Porte de Bagnolet
20	I28	**Chauré** Square	17 R. du Lt Chauré	(en impasse)	Porte de Bagnolet
9	G17-H17	**Chaussée d'Antin** R. de la	38 Bd Italiens	59 R. Châteaudun	Trinité - Opéra
12	O27	**Chaussin** Passage	99 R. de Picpus	21 R. de Toul	Bel Air - M. Bizot
10	G22	**Chausson** Impasse	31 R. Grange aux Belles	(en impasse)	Colonel Fabien
17	D16	**Chausson** Jardin Ernest	Cité Lemercier	55 Av. de Clichy	La Fourche
10	H21	**Chausson** Rue Pierre	24 R. du Château d'Eau	21 Bd de Magenta	Jacques Bonsergent
15	M12	**Chautard** Rue Paul	20 R. Cambronne	Square J. Thébaut	Cambronne
3	I20	**Chautemps** Square Émile	Bd Sébastopol	R. St-Martin	Réaumur-Sébastopol
8	H15-H16	**Chauveau Lagarde** Rue	21 Pl. de la Madeleine	12 Bd Malesherbes	Madeleine
15	Q12-Q13	**Chauvelot** Rue	115 R. Brancion	32 R. J. Baudry	Porte de Vanves
15	N9	**Chauvière** R. Emmanuel	13 R. Léontine	40 R. Gutenberg	Javel
13	R24	**Chauvin** Rue Jeanne	45 R. des Grands Moulins	(en impasse)	Bibl. F. Mitterrand
20	I28	**Chavez** Rue Géo	Bd Mortier	6 Pl. O. Chanute	Porte de Bagnolet
20	I28	**Chavez** Square Géo	Rue Géo Chavez	Rue Irène Blanc	Porte de Bagnolet
17	F13	**Chazelles** Rue de	94 Bd de Courcelles	15 R. de Prony	Courcelles
19	A25-B26	**Chemin de Fer** Rue du	Av. de la Pte la Villette	R. du Chemin de Fer	Porte de la Villette
11	J23-K23	**Chemin Vert** Passage du	43 R. du Chemin Vert	8 R. Asile Popincourt	St-Ambroise
11	J25-K22	**Chemin Vert** Rue du	46 Bd Beaumarchais	Bd de Ménilmontant	Père Lachaise
19	D27	**Cheminets** Rue des	R. de la Marseillaise	Rue Lamartine	Porte de Pantin
12	M23	**Chêne Vert** Cour du	48 R. de Charenton	(en impasse)	Ledru-Rollin
2	H20	**Chénier** Rue	23 R. Sainte-Foy	94 R. de Cléry	Strasbourg-St-Denis

Ar.	Plan	**Rues** / Streets	Commençant	Finissant	Métro
20	I27	**Chor** Rue du	26 R. Cour Noues	6 R. Belgrand	Gambetta
15	O13	**Cherbourg** Rue de	62 R. des Morillons	9 R. Fizeau	Porte de Vanves
6	L16-M15	**Cherche Midi** Rue du	25 R. Vieux Colombier	144 R. de Vaugirard	Falguière
15	L16-M15	**Cherche Midi** Rue du	25 R. Vieux Colombier	144 R. de Vaugirard	Falguière
13	R20	**Chéreau** Rue	1 R. de la Butte aux Cailles	36 R. Bobillot	Corvisart
20	K28-K29	**Chéret** Square Jules	11 R. Mendels	9 R. des Drs Déjerine	Porte de Montreuil
15	O12	**Chérioux** Place Adolphe	93 R. Blomet	262 R. de Vaugirard	Vaugirard
16	K10-K9	**Chernoviz** Rue	24 R. Raynouard	35 R. de Passy	Passy
17	E15	**Chéroy** Rue de	78 Bd des Batignolles	99 R. des Dames	Rome
2	I17-I18	**Chérubini** Rue	11 R. Chabanais	52 R. Ste-Anne	Quatre Septembre
11	L23	**Cheval Blanc** Passage du	2 R. de la Roquette	(en impasse)	Bastille
13	P22-R24	**Chevaleret** Rue du	16 R. Regnault	79 Bd V. Auriol	Chevaleret
20	H25-I25	**Chevalier** Place Maurice	Rue J. Lacroix	3 R. E. Dolet	Ménilmontant
6	M17	**Chevalier** Rue Honoré	86 R. Bonaparte	21 R. Cassette	St-Sulpice
20	H26	**Chevaliers** Impasse des	40 R. Pixérécourt	(en impasse)	Télégraphe
7	K14-L13	**Chevert** Rue	72 Bd de La Tr-Maubourg	20 Av. Tourville	La Tour-Maubourg
9	F17-G17	**Cheverus** Rue de	8 Pl. d'Estienne d'Orves	1 R. de la Trinité	Trinité
11	H23	**Chevet** Rue du	1 R. Deguerry	2 R. Darboy	Goncourt
20	H25	**Chevreau** Rue Henri	83 R. de Ménilmontant	98 R. des Couronnes	Ménilmontant
11	M26	**Chevreul** Rue	303 R. du Fbg St-Antoine	72 R. de Montreuil	Nation
12	N27-N28	**Chevreuil** Rue Victor	7 Av. du Dr Netter	12b R. Sibuet	Bel Air
6	N17	**Chevreuse** Rue de	76 R. N.-D. des Champs	125 Bd du Montparnasse	Vavin
7	L17	**Chevtchenko** Sq. Taras	Bd St-Germain	R. des St-Pères	St-Germain-des-Prés
16	O6-O7	**Cheysson** Villa	84 R. Boileau	Villa E. Meyer	Exelmans
20	H26-I27	**Chine** Rue de la	20 R. de la Cour des Noues	126 R. de Ménilmontant	Gambetta
13	P24-Q24	**Choderlos De Laclos** Rue	R. E. Durkheim	R. de Tolbiac	Bibl. F. Mitterrand
2	H17-I17	**Choiseul** Passage	40 R. Petits Champs	23 R. St-Augustin	Quatre Septembre
2	H17	**Choiseul** Rue de	16 R. St-Augustin	21 Bd des Italiens	Quatre Septembre
13	Q20-S22	**Choisy** Avenue de	122 Bd Masséna	Bd Vincent Auriol	Tolbiac - Place d'Italie
13	R21	**Choisy** Parc de	Av. de Choisy	R. C. Moureu	Tolbiac
13	S21-S22	**Choisy** Porte de	Bd Masséna	Av. de Choisy	Porte de Choisy
7	L16	**Chomel** Rue	40 Bd Raspail	12 R. de Babylone	Sèvres-Babylone
16	K9	**Chopin** Place	12 R. Lekain	Rue Duban	La Muette
9	F18-G18	**Choron** Rue	3 R. Rodier	16 R. des Martyrs	N.-D. de Lorette
19	D24	**Chouraqui** Rue Nicole	22 R. Tandou	(en impasse)	Laumière
12	N24	**Chrétien De Troyes** Rue	Pl. Rutebeuf	68 Av. Daumesnil	Gare de Lyon
18	E19	**Christiani** Rue	17 Bd Barbès	89 R. Myrha	Château Rouge
6	L18	**Christine** Rue	12 R. des Gds Augustins	33 R. Dauphine	Odéon - St-Michel
17	D13	**Chuquet** Rue Nicolas	199 Bd Malesherbes	14 R. P. Delorme	Wagram - Pereire
8	I14	**Churchill** Av. Winston	Crs la Reine	Pl. Clemenceau	Champs-Elysées-Clem.
6	N16	**Cicé** Rue de	16 R. Stanislas	25 R. Montparnasse	Montparnasse-Bienv.
16	H11-I11	**Cimarosa** Rue	66 Av. Kléber	77 R. Lauriston	Boissière
17	B14	**Cim. des Batignolles** Av. du	12 Av. de la Pte de Clichy	9 R. St-Just	Porte de Clichy
5	M19	**Cimetière St-Benoît** R. du	Imp. Chartière	121 R. St-Jacques	Maubert-Mutualité
17	D10-E10	**Cino Del Duca** Rue	Av. de la Pte de Champerret	Bd D'Aurelle De Paladines	Porte Maillot
13	Q20-R19	**Cinq Diamants** Rue des	29 Bd A. Blanqui	30 R. de la Butte aux Cailles	Corvisart
14	O15	**Cinq Martyrs du Lycée Buffon** Pl. des	97 Bd Pasteur	Pl. de Catalogne	Montparnasse-Bienv.
15	O15	**Cinq Martyrs du Lycée Buffon** Pl. des	97 Bd Pasteur	Pl. de Catalogne	Montparnasse-Bienv.
8	H14	**Cirque** Rue du	40 Av. Gabriel	61 R. du Fbg St-Honoré	Franklin D. Roosevelt
6	L17	**Ciseaux** Rue des	145 Bd St-Germain	16 R. du Four	St-Germain-des-Prés
4	K19-L19	**Cité** Rue de la	Quai de la Corse	Pl. du Parvis N.-D.	Cité
14	S18	**Cité Universitaire** R. de la	Rue Liard	20 Bd Jourdan	Cité Univ. (RER B)
12	M24	**Cîteaux** Rue de	43 Bd Diderot	160 R. du Fbg St-Antoine	Reuilly Diderot
15	M11	**Citerne** Rue Georges	51 R. du Théâtre	50 R. Rouelle	Ch. Michels
15	O9	**Citroën** Parc André	Q. A. Citroën	R. Leblanc	Balard - Bd Victor (RER C)
15	M9-O8	**Citroën** Quai André	Pl. Fernand Forest	1 Bd Victor	Javel - Bd Victor (RER C)
10	G23-H23	**Civiale** Rue	7 Bd de la Villette	30 R. du Buisson St-Louis	Belleville
16	N6	**Civry** Rue de	89 Bd Exelmans	20 R. de Varize	Exelmans
2	H18	**Cladel** Rue Léon	111 R. Montmartre	130 R. Réaumur	Bourse
17	D15	**Clairaut** Rue	111 Av. de Clichy	(en impasse)	Brochant
3	J20	**Clairvaux** R. Bernard De	R. Brantôme	172 R. St-Martin	Rambuteau
8	E16-F16	**Clapeyron** Rue	24 R. de Moscou	29 Bd des Batignolles	Rome
16	J8	**Claretie** Rue Jules	36 Bd Émile Augier	(en impasse)	La Muette
8	H13	**Claridge** Galerie du	R. de Ponthieu	Av. des Chps Élysées	Franklin D. Roosevelt

Ar.	Plan	**Rues** / Streets	Commençant	Finissant	Métro
15	N15	**Claudel** Place Camille	R. du Cherche Midi	Bd Vaugirard	Falguière
6	M18	**Claudel** Place Paul	1 R. de Médicis	15 R. de Vaugirard	Odéon
14	R18	**Claudius-Petit** Pl. Eugène	5 ter R. d'Alésia	13 Av. de la Sibelle	Glacière
9	F18	**Clauzel** Rue	33 R. des Martyrs	6 R. Henri Monnier	St-Georges
19	G24-G25	**Clavel** Rue	95 R. de Belleville	45 R. Fessart	Pyrénées
16	P6	**Clavery** Av. du Général	1 R. Abel Ferry	5 Av. Marcel Doret	Porte de St-Cloud
5	O20	**Clef** Rue de la	22 R. du Fer à Moulin	15 R. Lacépède	Censier-Daubenton
8	I14	**Clemenceau** Place	Av. des Champs-Elysées	Av. W. Churchill	Champs-Elysées-Clem.
18	D18	**Clément** Pl. J.-Baptiste	38 R. Gabrielle	9 R. Norvins	Abbesses
6	L17-L18	**Clément** Rue	72 R. de Seine	3 R. Mabillon	Mabillon
7	K13	**Cler** Rue	111 R. St-Dominique	30 Av. La Motte-Picquet	École Militaire
20	I25	**Clérambault** R. L.-Nicolas	24 R. Duris	75 R. Amandiers	Père Lachaise
16	H10	**Clergerie** Rue du Général	4 R. Aml Courbet	9 Av. Bugeaud	Victor Hugo
2	H19	**Cléry** Passage de	20 R. Beauregard	57 R. de Cléry	Strasbourg-St-Denis
2	H20-I19	**Cléry** Rue de	104 R. Montmartre	5 Bd de Bonne Nouvelle	Strasbourg-St-Denis
17	C14-E16	**Clichy** Avenue de	11 Pl. de Clichy	125 Bd Bessières	Place de Clichy
18	D16-E16	**Clichy** Avenue de	11 Pl. de Clichy	125 Bd Bessières	Place de Clichy
9	E16-E18	**Clichy** Boulevard de	67 R. des Martyrs	10 Pl. de Clichy	Place de Clichy
18	E16-E18	**Clichy** Boulevard de	67 R. des Martyrs	10 Pl. de Clichy	Place de Clichy
18	E16	**Clichy** Passage de	Avenue de Clichy		Place de Clichy
8	E16	**Clichy** Place de	Bd de Clichy	Avenue de Clichy	Place de Clichy
9	E16	**Clichy** Place de	Bd de Clichy	Avenue de Clichy	Place de Clichy
17	E16	**Clichy** Place de	Bd de Clichy	Avenue de Clichy	Place de Clichy
18	E16	**Clichy** Place de	Bd de Clichy	Avenue de Clichy	Place de Clichy
17	B14	**Clichy** Porte de	Bd Périphérique	Avenue de Clichy	Porte de Clichy
9	E16-G17	**Clichy** Rue de	5 Pl. d'Estienne d'Orves	1 Pl. de Clichy	Liège - Pl. de Clichy
18	A18	**Clignancourt** Porte de	Bd Périphérique		Porte de Clignancourt
18	B19-E19	**Clignancourt** Rue de	R36 Bd de Rochechouart	33 R. Championnet	Barbès-Rochechouart
18	C19	**Clignancourt** Square de	70 R. Ordener	50 R. Hermel	Jules Joffrin
13	Q22	**Clisson** Impasse	43 R. Clisson	(en impasse)	Nationale
13	P22-Q22	**Clisson** Rue	171 R. du Chevaleret	6 Pl. Nationale	Chevaleret
4	K21	**Cloche Perce** Rue	13 R. F. Miron	27 R. Roi de Sicile	St-Paul
15	L11	**Clodion** Rue	49 Bd de Grenelle	20 R. Daniel Stern	Dupleix
4	L19-L20	**Cloître Notre-Dame** R. du	Q. de l'Archevêché	23 R. d' Arcole	St-Michel
4	K20	**Cloître Saint-Merri** R. du	17 R. du Renard	78 R. St-Martin	Hôtel de Ville
18	B17	**Cloquet** Rue Jules	20 Pas. C. Albert	131 Bd Ney	Porte de St-Ouen
20	K28	**Clos** Rue du	2 R. Courat	58 R. St-Blaise	Maraîchers
5	M19	**Clos Bruneau** P. du	33 R. des Écoles	11 R. des Carmes	Maubert-Mutualité
11	H23	**Clos de Malevart** Villa du	7 R. Darboy		Goncourt
15	O11-P11	**Clos Feuquières** Rue du	5 R. Théodore Deck	10 R. Desnouettes	Convention
5	M19-N19	**Clotaire** Rue	19 Pl. du Panthéon	17 R. Fossés St-Jacques	Luxembourg (RER B)
5	M19-N19	**Clotilde** Rue	23 R. Clovis	16 R. de l'Estrapade	Card. Lemoine
19	B26	**Clôture** Rue de la	2 Bd Macdonald	R. du Débarcadère	Porte de la Villette
16	M8	**Cloué** Rue de l'Amiral	62 Q. L. Blériot	59 Av. de Versailles	Mirabeau
15	M13	**Clouet** Rue	24 Bd Garibaldi	1 R. Miollis	Cambronne
5	M19-M20	**Clovis** Rue	R. du Card. Lemoine	Pl. Ste-Geneviève	Card. Lemoine
18	C18	**Cloÿs** Impasse des	23 R. des Cloÿs	(en impasse)	Lamarck-Caulaincourt
18	C17-C18	**Cloÿs** Passage des	19 R. Marcadet	1 R. Montcalm	Lamarck-Caulaincourt
18	C17-C18	**Cloÿs** Rue des	5 R. Duhesme	173 R. Ordener	Jules Joffrin
5	L19	**Cluny** Rue de	Bd St-Germain	R. du Sommerard	Cluny-La Sorbonne
19	D26-E26	**Cochet** Place du Général	Rue Petit	Bd Sérurier	Porte de Pantin
7	L14	**Cochin** Place Denys	4 Av. de Tourville	2 Av. Lowendal	École Militaire
5	M20	**Cochin** Rue	Rue de Poissy	R. de Pontoise	Maubert-Mutualité
18	B19-B20	**Cocteau** Rue Jean	15 Av. de la Pte Poissonnière	1 R. F. de Croisset	Porte de Clignancourt
15	O9	**Cocteau** Square Jean	Rue Modigliani	Rue Jongkind	Lourmel
7	K13-K14	**Codet** Rue Louis	88 Bd de La Tr-Maubourg	19 R. Chevert	La Tour-Maubourg
6	M16	**Coëtlogon** Rue	92 R. de Rennes	5 R. d'Assas	St-Sulpice
4	L22	**Cœur** Rue Jacques	4 R. de la Cerisaie	3 R. St-Antoine	Bastille
14	Q16	**Cœur de Vey** Villa	54 Av. du Gal Leclerc	(en impasse)	Mouton-Duvernet
7	J13	**Cognacq Jay** Rue	7 R. Malar	1 Pl. de la Résistance	Pont de l'Alma (RER C)
17	F12-F13	**Cogniet** Rue Léon	17 R. Médéric	14 R. Cardinet	Courcelles
15	O8	**Cohen** Place Albert	Rue Leblanc		Bd Victor (RER C)
13	Q23	**Cohen** Rue Albert	Rue du Chevaleret	Av. de France	Bibl. F. Mitterrand
12	N28	**Cohl** Square Émile	Bd Soult	Rue J. Lemaitre	Bel Air
2	I18	**Colbert** Galerie	6 R. des Petits Champs	2 R. Vivienne	Bourse
2	I18	**Colbert** Rue	11 R. Vivienne	58 R. Richelieu	Bourse

Ar.	Plan	Rues / Streets	Commençant	Finissant	Métro
1	I17-J17	**Colette** Place	1 R. de Richelieu	206 R. St-Honoré	Palais Royal-Louvre
1	J18-K18	**Coligny** R. de l'Amiral De	36 Q. du Louvre	91 R. de Rivoli	Pont Neuf
8	H13-H14	**Colisée** Rue du	48 Av. des Chps Élysées	97 R. du Fbg St-Honoré	St-Philippe du R.
16	L8	**Colledebœuf** Rue André	20 R. Ribera	(en impasse)	Jasmin
5	O20	**Collégiale** Rue de la	86 Bd St-Marcel	37 R. du Fer à Moulin	Les Gobelins
16	L9	**Collet** Square Henri	32 R. Gros	15 R. J. De La Fontaine	Jasmin
14	R14	**Collet** Villa	119 R. Didot	(en impasse)	Plaisance
17	C16	**Collette** Rue	83 Av. de St-Ouen	6 R. J. Leclaire	Guy Môquet
16	J8-K8	**Collignon** R. du Conseiller	3 R. Verdi	2 R. d'Andigné	La Muette
9	E17	**Collin** Passage	18 R. Duperré	29 Bd de Clichy	Pigalle
13	Q22-R23	**Colly** Rue Jean	48 R. de Tolbiac	104 R. Chât. Rentiers	Olympiades
19	D24	**Colmar** Rue de	154 R. de Crimée	1 R. Evette	Laumière
8	H12	**Colomb** Rue Christophe	41 Av. George V	54 Av. Marceau	George V
4	K20-L20	**Colombe** Rue de la	21 Q. aux Fleurs	26 R. Chanoinesse	Cité
16	J8	**Colombie** Place de	2 Bd Suchet	Av. H. Martin	Kennedy-R. France (RER C)
13	R19-R20	**Colonie** Rue de la	57 R. Vergniaud	8 Pl. Abbé G. Henocque	Tolbiac - Corvisart
15	N13	**Colonna D'Ornano** R. du Col.	12 R. F. Bonvin	12 Villa Poirier	Sèvres-Lecourbe
1	K19	**Colonne** Rue Édouard	2 Q. de la Mégisserie	1 R. St-Germain l'A.	Châtelet
2	H18	**Colonnes** Rue des	4 R. du 4 Septembre	23 R. Feydeau	Bourse
12	M27-N27	**Colonnes du Trône** R. des	19 Av. de St-Mandé	79 Bd de Picpus	Nation - Picpus
13	R18	**Coluche** Place	Rue de Tolbiac	Rue de la Santé	Glacière
14	R18	**Coluche** Place	Rue d'Alésia	Rue de la Santé	Glacière
12	P28	**Combattants d'Indo.** Sq. des	Place E. Renard		Porte Dorée
12	N23	**Combattants en Afrique du Nord** Pl. des	Bd Diderot	R. de Lyon	Gare de Lyon
7	J13	**Combes** Rue du Colonel	6 R. J. Nicot	5 R. Malar	Pont de l'Alma (RER C)
7	J13-K14	**Comète** Rue de la	75 R. St-Dominique	160 R. de Grenelle	La Tour-Maubourg
7	L16	**Commaille** Rue de	8 R. de la Planche	103 R. du Bac	Sèvres-Babylone
19	A25	**Commanderie** Bd de la	Pl. A. Baron	Bd Félix Faure	Porte de la Villette
14	Q16-Q17	**Commandeur** Rue du	11 R. Bezout	9 R. Montbrun	Alésia
15	M11-N11	**Commerce** Impasse du	70 R. du Commerce	(en impasse)	Commerce
15	N11	**Commerce** Place du	69 R. Violet	80 R. du Commerce	Commerce
15	M12-N11	**Commerce** Rue du	128 Bd de Grenelle	99 R. des Entrepreneurs	La Motte-P.-Grenelle
6	L18	**Commerce St-André** C. du	59 R. St-André des Arts	130 Bd St-Germain	Odéon
3	J20	**Commerce St-Martin** P. du	176 R. St-Martin	5 R. Brantôme	Rambuteau
3	J22	**Commines** Rue	90 R. de Turenne	11 Bd Filles du Calvaire	St-Sébastien-Froissart
8	I13	**Commun** Passage	Avenue Montaigne	(en impasse)	Alma-Marceau
13	R19	**Commune de Paris** Pl. de la	R. de la Butte aux Cailles	R. de l'Espérance	Corvisart
19	F25-G26	**Compans** Rue	213 R. de Belleville	18 R. d'Hautpoul	Pl. des Fêtes
10	F20	**Compiègne** Rue de	122 Bd de Magenta	25 R. de Dunkerque	Gare du Nord
18	B17	**Compoint** Rue Angélique	6 Pas. St-Jules	113 Bd Ney	Porte de St-Ouen
18	B18-C18	**Compoint** Rue Vincent	20 R. du Pôle Nord	77 R. du Poteau	Jules Joffrin
17	C16	**Compoint** Villa	38 R. Guy Môquet	(en impasse)	Guy Môquet
15	N11	**Comtat Venaissin** Pl. du	Rue de Javel	R. des Frères Morane	Félix faure
6	N17-N18	**Comte** Rue Auguste	66 Bd St-Michel	57 R. d'Assas	Luxembourg (RER B)
8	F13-F14	**Comtesse De Ségur** Al.	Avenue Van Dyck	Avenue Velasquez	Monceau
8	I15	**Concorde** Place de la	Jard. des Tuileries	Av. des Chps Élysées	Concorde
7	I15-J15	**Concorde** Pont de la	Quai d'Orsay	Quai des Tuileries	Assemblée Nationale
8	I15-J15	**Concorde** Pont de la	Quai d'Orsay	Quai des Tuileries	Concorde
8	I15	**Concorde** Port de la	Port des Chps-Élysées	Port des tuileries	Concorde
6	L18-M18	**Condé** Rue de	1 R. Quatre Vents	22 R. de Vaugirard	Odéon
11	I24-J24	**Condillac** Rue	99 Av. de la République	8 R. des Nanettes	Ménilmontant
9	F19	**Condorcet** Cité	27 R. Condorcet	(en impasse)	Anvers
9	F18-F19	**Condorcet** Rue	59 R. de Maubeuge	58 R. des Martyrs	Poissonnière
8	I13	**Conférence** Port de la	Pont de l'Alma	Pont des Invalides	Alma-Marceau
12	N25-O25	**Congo** Rue du	38 R. du Charolais	204 R. de Charenton	Dugommier
9	G19-H19	**Conservatoire** Rue du	12 R. Bergère	5 R. Richer	Bonne Nouvelle
14	P17	**Considérant** Rue Victor	4 Pl. Denfert-Rochereau	15 R. V. Schœlcher	Denfert-Rochereau
18	E17	**Constance** Rue	19 R. Lepic	11 R. J. de Maistre	Blanche
19	B24-C24	**Constant** Rue Benjamin	7 Av. C. Cariou	30 R. de Cambrai	Corentin Cariou
7	J14-K14	**Constantine** Rue de	105 R. de l'Université	144 R. de Grenelle	Invalides
8	F15	**Constantinople** Rue de	Place de l'Europe	Place P. Goubaux	Villiers - Europe
3	I20	**Conté** Rue	57 R. de Turbigo	4 R. Vaucanson	Arts et Métiers
12	O26	**Contenot** Sq. Georges	75 R. C. Decaen	7 R. de Gravelle	Daumesnil
6	K18	**Conti** Impasse de	13 Q. de Conti	(en impasse)	Pont Neuf
6	K18	**Conti** Quai de	2 R. Dauphine	Pl. de l'Institut	Pont Neuf

Ar.	Plan	**Rues** / Streets	Commençant	Finissant	Métro
5	N19	**Contrescarpe** Place de la	85 R. du Card. Lemoine	57 R. Lacépède	Place Monge
15	N9-P12	**Convention** Rue de la	Pt Mirabeau	Pl. C. Vallin	Javel - Convention
13	S21-T21	**Conventionnel Chiappe** R. du	121 Bd Masséna	10 Av. Léon Bollée	Porte de Choisy
6	L17	**Copeau** Place Jacques	141 Bd St-Germain	145 Bd St-Germain	St-Germain-des-Prés
8	F15	**Copenhague** Rue de	67 R. de Rome	10 R. Constantinople	Rome - Europe
16	H10-H11	**Copernic** Rue	52 Av. Kléber	1 Pl. Victor Hugo	Victor Hugo
16	H10	**Copernic** Villa	40 R. Copernic	(en impasse)	Victor Hugo
15	O10	**Coppée** Rue François	47 Av. Félix Faure	(en impasse)	Boucicaut
15	N13-O13	**Copreaux** Rue	31 R. Blomet	202 R. de Vaugirard	Volontaires
9	G17	**Coq** Avenue du	87 R. St-Lazare	(en impasse)	St-Lazare - Auber (RER A)
11	J22-K22	**Coq** Cour du	60 R. St-Sabin	Allée Verte	Richard-Lenoir
1	I18	**Coq Héron** Rue	24 R. de la Coquillière	17 R. du Louvre	Louvre-Rivoli - Les Halles
7	M15	**Coquelin** Av. Constant	59 Bd des Invalides	(en impasse)	Duroc
1	I18-J19	**Coquillière** Rue	Rue du Jour	R. Croix des Petits Chps	Louvre-Rivoli - Les Halles
12	M24-N24	**Corbera** Avenue de	131 R. de Charenton	11 R. Crozatier	Reuilly Diderot
12	O24	**Corbineau** Rue	96 R. de Bercy	48 Bd de Bercy	Cour St-Émilion
15	P13	**Corbon** Rue	40 R. d'Alleray	Pl. C. Vallin	Vaugirard
13	P19	**Cordelières** Rue des	27 Bd Arago	R. Corvisart	Les Gobelins
3	I21	**Corderie** Rue de la	2 R. Franche Comté	8 R. Dupetit Thouars	Temple
20	I26	**Cordon Boussard** I.	247 R. des Pyrénées	(en impasse)	Gambetta
14	R16-R17	**Corentin** Rue du Père	92 R. de la Tombe Issoire	100 Bd Jourdan	Porte d'Orléans
19	B25-C24	**Corentin Cariou** Avenue	Pt de Flandre SNCF	87 Bd Macdonald	Porte de la Villette
12	O25-P26	**Coriolis** Rue	1 R. Nicolaï	68 Bd de Bercy	Dugommier
17	D12-D13	**Cormon** Rue Fernand	1 R. Sisley	6 R. de St-Marceaux	Wagram
16	N7	**Corneille** Impasse	Avenue Despréaux	(en impasse)	Michel Ange-Molitor
6	M18	**Corneille** Rue	7 Pl. de l'Odéon	Pl. Paul Claudel	Odéon
16	M8	**Corot** Rue	22 R. Wilhem	61 Av. T. Gautier	Église d'Auteuil
14	S18	**Corot** Villa	Rue d'Arcueil	(en impasse)	Cité Univ. (RER B)
19	E26	**Corrèze** Rue de la	100 Bd Sérurier	2 Av. A. Rendu	Danube
4	K19	**Corse** Quai de la	1 R. d'Arcole	Pont au Change	Cité
16	J9	**Cortambert** Rue	R. du Past. M. Bœgner	6 Pl. Possoz	La Muette
18	D18	**Cortot** Rue	19 R. du Mont Cenis	8 R. des Saules	Lamarck-Caulaincourt
8	F14-G14	**Corvetto** Rue	6 R. Treilhard	15 R. de Lisbonne	Miromesnil
13	P19-Q19	**Corvisart** Rue	111 R. Nordmann	56 Bd A. Blanqui	Corvisart
17	E14	**Cosnard** Rue Léon	19 R. Legendre	40 R. Tocqueville	Malesherbes
1	J19	**Cossonnerie** Rue de la	39 Bd Sébastopol	6 R. P. Lescot	Châtelet-Les Halles
16	K10	**Costa Rica** Place de	1 R. Raynouard	23 Bd Delessert	Passy
13	S22	**Costes** Rue Dieudonné	43 Av. de la Pte d'Ivry	Rue E. Levassor	Porte d'Ivry
15	O14-O15	**Cotentin** Rue du	94 Bd Pasteur	93 R. Falguière	Volontaires - Pasteur
18	C18-D18	**Cottages** Rue des	5 R. Duhesme	157 R. Marcadet	Lamarck-Caulaincourt
12	L24-M23	**Cotte** Rue de	91 R. de Charenton	R. du Fbg St-Antoine	Ledru-Rollin
18	D19	**Cottin** Passage	17 R. Ramey	R. du Chev. de la Barre	Château Rouge
18	C21	**Cottin** Rue Jean	22 R. des Roses	(en impasse)	Porte de la Chapelle
19	F26	**Cotton** Rue Eugénie	52 R. Compans	23 R. des Lilas	Pl. des Fêtes
14	P17-R17	**Coty** Avenue René	5 Pl. Denfert-Rochereau	58 Av. Reille	Denfert-Rochereau
13	S19-T19	**Coubertin** Av. Pierre De	Bd Jourdan	Bd Périphérique	Cité Univ. (RER B)
14	T19	**Coubertin** Av. Pierre De	Bd Jourdan	Bd Périphérique	Cité Univ. (RER B)
14	R17	**Couche** Rue	57 R. d'Alésia	12 R. Sarrette	Alésia
16	H11-H12	**Coudenhove Kalergi** Pl. R. De	Av. d'Iéna	R. A. Vacquerie	Kléber
14	Q16-Q17	**Couédic** Rue du	14 Av. René Coty	43 Av. du Gal Leclerc	Mouton-Duvernet
14	R15-R16	**Coulmiers** Rue de	124 Av. du Gal Leclerc	41 Av. J. Moulin	Porte d'Orléans
20	I27-J27	**Cour des Noues** R. de la	31 R. Pelleport	198 R. des Pyrénées	Gambetta
20	K28	**Courat** Rue	75 R. des Orteaux	46 R. St-Blaise	Maraîchers
16	I9	**Courbet** Rue Gustave	98 R. Longchamp	128 R. de la Pompe	Rue de la Pompe
16	H10	**Courbet** Rue de l'Amiral	96 Av. Victor Hugo	150 R. de la Pompe	Victor Hugo
8	F12-F14	**Courcelles** Boulevard de	5 Pl. P. Goubaux	4 Pl. des Ternes	Villiers - Monceau
17	F12-F14	**Courcelles** Boulevard de	5 Pl. P. Goubaux	4 Pl. des Ternes	Villiers - Monceau
17	D11	**Courcelles** Porte de	Bd Périphérique		Porte de Champerret
8	G14	**Courcelles** Rue de	66 R. La Boétie	Rue du Pdt Wilson	Courcelles
17	D11-F12	**Courcelles** Rue de	66 R. La Boétie	R. du Pdt Wilson (Levallois-P.)	Pereire
7	K16	**Courier** I. Paul-Louis	7 R. P. L Courier	(en impasse)	Rue du Bac
7	K16	**Courier** Rue Paul-Louis	62 R. du Bac	3 R. Saint-Simon	Rue du Bac
15	O11	**Cournot** Rue	13 R. Jules Simon	191 R. de Javel	Félix Faure
20	H24-H25	**Couronnes** Rue des	56 Bd de Belleville	69 R. de la Mare	Pyrénées - Couronnes
1	J19	**Courtalon** Rue	21 R. St-Denis	6 R. Ste-Opportune	Châtelet-Les Halles
12	N28-N29	**Courteline** Avenue	72 Bd Soult	Av. Victor Hugo	Porte de Vincennes

Ar.	Plan	**Rues** / Streets	Commençant	Finissant	Métro
12	N27	**Courteline** Square	Av. de St-Mandé	Bd de Picpus	Picpus
11	K25	**Courtois** Passage	62 R. Léon Frot	16 R. de la Folie Regnault	Philippe Auguste
7	J15	**Courty** Rue de	237 Bd St-Germain	104 R. de l'Université	Assemblée Nationale
4	L21	**Cousin** Rue Jules	15 Bd Henri IV	10 R. du Petit Musc	Sully-Morland
5	M18	**Cousin** Rue Victor	1 R. de la Sorbonne	20 R. Soufflot	Luxembourg (RER B)
18	E17	**Coustou** Rue	64 Bd de Clichy	12 R. Lepic	Blanche
18	D18	**Couté** Rue Gaston	R. P. Féval	45 R. Lamarck	Lamarck-Caulaincourt
4	K20	**Coutellerie** Rue de la	31 R. de Rivoli	6 Av. Victoria	Hôtel de Ville
3	J21	**Coutures St-Gervais** R. des	5 R. de Thorigny	94 R. Vieille du Temple	St-Sébastien-Froissart
11	K24-L24	**Couvent** Cité du	99 R. de Charonne	(en impasse)	Charonne
13	P20	**Coypel** Rue	142 Bd de l'Hôpital	75 Av. des Gobelins	Place d'Italie
18	C17-D16	**Coysevox** Rue	6 R. Étex	235 R. Marcadet	Guy Môquet
12	O28	**Crampel** Rue Paul	39 R. du Sahel	8 R. Rambervillers	Michel Bizot
13	Q23	**Crayons** Passage des	97 R. du Chevaleret	(en impasse)	Bibl. F. Mitterrand
6	L18-M18	**Crébillon** Rue	15 R. de Condé	2 Pl. de l'Odéon	Odéon
17	D13	**Crèche** Rue de la	142 R. de Saussure	(en impasse)	Pereire
13	S19	**Crédit Lyonnais** I. du	91 R. Aml Mouchez	(en impasse)	Cité Univ. (RER B)
12	M22-M23	**Crémieux** Rue	226 R. de Bercy	19 R. de Lyon	Gare de Lyon
11	I24	**Crespin du Gast** Rue	148 R. Oberkampf	21 Pas. Ménilmont.	Ménilmontant
14	P16-Q17	**Cresson** Rue Ernest	18 Av. du Gal Leclerc	33 R. Boulard	Mouton-Duvernet
9	E18-F18	**Cretet** Rue	5 R. Bochart de Saron	8 R. Lallier	Anvers
16	H9	**Crevaux** Rue	30 Av. Bugeaud	61 Av. Foch	Porte Dauphine
4	M22	**Crillon** Rue	4 Bd Morland	4 R. de l'Arsenal	Sully-Morland
19	C23	**Crimée** Passage de	219 R. de Crimée	52 R. Curial	Crimée
19	C23-F26	**Crimée** Rue de	25 R. des Fêtes	182 R. d'Aubervilliers	Pl. des Fêtes - Crimée
20	L27	**Crins** Impasse des	23 R. des Vignoles	(en impasse)	Buzenval
14	P15	**Crocé Spinelli** R. Joseph	61 R. Vercingétorix	80 R. de l'Ouest	Pernety
15	N15	**Croisic** Square du	14 Bd du Montparnasse	(en impasse)	Falguière - Duroc
2	H19	**Croissant** Rue du	13 R. du Sentier	144 R. Montmartre	Sentier
18	B19	**Croisset** Rue Francis De	R. J. Cocteau	16 Av. de la Pte Clignancourt	Porte de Clignancourt
1	I18-J18	**Croix des Petits Champs** R.	170 R. St-Honoré	1 Pl. des Victoires	Louvre-Rivoli
11	K25	**Croix Faubin** Rue de la	7 R. de la Folie Regnault	166 R. de la Roquette	Philippe Auguste
13	R24	**Croix Jarry** Rue de la	34 R. Watt	R. J.-A. de Baïf	Bibl. F. Mitterrand
18	B22	**Croix Moreau** Rue de la	20 R. Tristan Tzara	R. Tchaikovski	Porte de la Chapelle
15	M12-P11	**Croix Nivert** Rue de la	2 Pl. Cambronne	370 R. de Vaugirard	Porte de Versailles
15	M12-N12	**Croix Nivert** Villa	31 R. de la Croix Nivert	34 R. Cambronne	Cambronne
20	K28-L28	**Croix St-Simon** R. de la	76 R. Maraîchers	105 Bd Davout	Porte de Montreuil
15	P12-P13	**Cronstadt** Rue de	60 R. Dombasle	51 R. des Morillons	Convention
19	F25-F26	**Cronstadt** Villa de	21 R. du Gal Brunet	18 R. M. Hidalgo	Botzaris
20	G28	**Cros** Rue Charles	164 Bd Mortier	R. des Glaïeuls	Porte des Lilas
13	P20-Q19	**Croulebarbe** Rue de	44 Av. des Gobelins	57 R. Corvisart	Corvisart
12	M24	**Crozatier** Impasse	45 R. Crozatier	(en impasse)	Reuilly Diderot
12	L24-N24	**Crozatier** Rue	153 R. de Charenton	128 R. du Fbg St-Antoine	Reuilly Diderot
11	I22-J22	**Crussol** Cité de	7 R. Oberkampf	10 R. de Crussol	Oberkampf
11	I23-J22	**Crussol** Rue de	4 Bd du Temple	59 R. de la Folie Méricourt	Oberkampf
16	K8	**Cruz** Rue Oswaldo	R. du Ranelagh	Bd du Beauséjour	Ranelagh
16	K8	**Cruz** Villa Oswaldo	12 R. Oswaldo Cruz	(en impasse)	Ranelagh
18	C22	**Cugnot** Rue	2 R. de Torcy	1 Pl. Hébert	Marx Dormoy
5	M18-M19	**Cujas** Rue	12 Pl. du Panthéon	51 Bd St-Michel	Luxembourg (RER B)
3	I20	**Cunin Gridaine** Rue	47 R. de Turbigo	252 R. St-Martin	Arts et Métiers
16	L7-N8	**Cure** Rue de la	64 Av. Mozart	2 R. de l'Yvette	Jasmin
18	C21	**Curé** Impasse du	9 R. de la Chapelle	(en impasse)	Marx Dormoy
19	C23-D23	**Curial** Rue	46 R. Riquet	5 R. de Cambrai	Corentin Cariou
19	C22-D23	**Curial** Villa	7 R. Curial	118 R. d'Aubervilliers	Riquet
5	N18-N19	**Curie** Rue Pierre et Marie	14 R. d'Ulm	189 R. St-Jacques	Luxembourg (RER B)
13	O21	**Curie** Square Marie	Bd de l'Hôpital	Hôpital La Pitié	St-Marcel
17	D11-C12	**Curnonsky** Rue	R. A. Ladwig (Levallois-P.)	R. M. Ravel (Levallois-P.)	Pereire
18	D19	**Custine** Rue	19 R. Poulet	34 R. du Mont Cenis	Château Rouge
5	M21-N20	**Cuvier** Rue	5 Q. St-Bernard	40 R. G. St-Hilaire	Jussieu
1	J19-J20	**Cygne** Rue du	59 Bd de Sébastopol	28 R. Mondétour	Étienne Marcel
15	K10-L9	**Cygnes** Allée des	Pt de Bir Hakeim	Pont de Grenelle	Bir Hakeim
18	C18-D18	**Cyrano De Bergerac** Rue	12 R. Francœur	115 R. Marcadet	Lamarck-Caulaincourt

Ar.	Plan	**Rues** / Streets	Commençant	Finissant	Métro
		D			
18	D18	**Dac** Rue Pierre	95 R. Caulaincourt	53 R. Lamarck	Lamarck-Caulaincourt
20	K27-K28	**Dagorno** Passage	100 R. des Haies	101 R. des Pyrénées	Maraîchers
12	N27	**Dagorno** Rue	61 R. de Picpus	21 Bd de Picpus	Bel Air
14	P16-P17	**Daguerre** Rue	4 Av. du Gal Leclerc	109 Av. du Maine	Denfert-Rochereau
11	L24	**Dahomey** Rue du	10 R. St-Bernard	7 R. Faidherbe	Faidherbe-Chaligny
2	I17	**Dalayrac** Rue	2 R. Méhul	2 R. Monsigny	Pyramides
18	D18	**Dalida** Place	Al. des Brouillards	R. de l'Abreuvoir	Lamarck-Caulaincourt
11	K23-L24	**Dallery** Passage Charles	53 R. de Charonne	90 R. de la Roquette	Ledru-Rollin
13	S22-S23	**Dalloz** Rue	8 R. Dupuy de Lôme	71 Bd Masséna	Porte d'Ivry
15	N14	**Dalou** Rue	169 R. de Vaugirard	42 R. Falguière	Pasteur
17	E14-E16	**Dames** Rue des	25 Av. de Clichy	12 R. de Lévis	Villiers
13	S20	**Damesme** Impasse	57 R. Damesme	(en impasse)	Maison Blanche
13	R20-S20	**Damesme** Rue	161 R. de Tolbiac	30 Bd Kellermann	Maison Blanche
11	L26	**Damia** Jardin	91 Bd de Charonne	22 R. R. et S. Delaunay	Alexandre Dumas
2	I19	**Damiette** Rue de	1 R. des Forges	96 R. d'Aboukir	Sentier
11	L22-L23	**Damoye** Cour	12 R. Daval	(en impasse)	Bastille
19	C24-C25	**Dampierre** Rue	Pl. de l'Argonne	15 Q. de la Gironde	Corentin Cariou
19	C25	**Dampierre Rouvet** Sq.	Q. de la Gironde		Corentin Cariou
18	B18-D17	**Damrémont** Rue	11 R. Caulaincourt	99 R. Belliard	Lamarck-Caulaincourt
18	C18	**Damrémont** Villa	110 R. Damrémont	(en impasse)	Lamarck-Caulaincourt
18	E18	**Dancourt** Rue	96 Bd de Rochechouart	1 Villa Dancourt	Anvers
18	E18	**Dancourt** Villa	7 Pl. C. Dullin	104 Bd de Rochechouart	Anvers
16	L8	**Dangeau** Rue	79 Av. Mozart	42 R. Ribera	Jasmin
19	D25-E25	**Danjon** Rue André	6 R. de Lorraine	128 Av. J. Jaurès	Ourcq
5	L19	**Dante** Rue	43 R. Galande	33 R. St-Jacques	Cluny-La Sorbonne
6	L18	**Danton** Rue	Pl. St-André des Arts	116 Bd St-Germain	St-Michel - Odéon
15	P12-Q12	**Dantzig** Passage de	50 R. de Dantzig	27 R. de la Saïda	Porte de Versailles
15	P12-Q12	**Dantzig** Rue de	238 R. de la Convention	91 Bd Lefebvre	Convention
19	F26	**Danube** Hameau du	46 R. du Gal Brunet	(en impasse)	Danube
19	F26	**Danube** Villa du	72 R. D. d'Angers	11 R. de l'Égalité	Danube
14	P16	**Danville** Rue	41 R. Daguerre	16 R. Liancourt	Denfert-Rochereau
8	F15	**Dany** Impasse	44 R. du Rocher	(en impasse)	Europe
18	B22	**Darboux** Rue Gaston	3 Av. de la Pte Aubervilliers	2 R. C. Lauth	Porte de la Chapelle
11	H23	**Darboy** Rue	132 Av. Parmentier	163 R. St-Maur	Goncourt
17	E16	**Darcet** Rue	18 Bd des Batignolles	23 R. des Dames	Place de Clichy
20	H28	**Darcy** Rue	49 R. Surmelin	16 R. Haxo	St-Fargeau
17	F10	**Dardanelles** Rue des	6 Bd Pershing	9 Bd de Dixmude	Porte Maillot
14	Q17	**Dareau** Passage	34 R. Dareau	41 R. de la Tombe Issoire	St-Jacques
14	Q17-Q18	**Dareau** Rue	17 Bd St-Jacques	17 Av. René Coty	St-Jacques
13	S23	**Darmesteter** Rue	10 Av. Boutroux	29 Bd Masséna	Porte d'Ivry
8	F13-G12	**Daru** Rue	254 R. du Fbg St-Honoré	75 R. Courcelles	Courcelles
18	D18	**Darwin** Rue	39 R. des Saules	6 R. de la Font. du But	Lamarck-Caulaincourt
5	O19-N20	**Daubenton** Rue	37 R. G. St-Hilaire	127 R. Mouffetard	Censier-Daubenton
17	E13-E14	**Daubigny** Rue	77 R. Cardinet	6 R. Cernuschi	Malesherbes
14	R16	**Daudet** Rue Alphonse	30 R. Sarrette	89 Av. du Gal Leclerc	Alésia
15	M13-N13	**Daudin** Rue Jean	54 Bd Garibaldi	34 R. Lecourbe	Sèvres-Lecourbe
12	M22-P28	**Daumesnil** Avenue	32 R. de Lyon	Av. Daumesnil	Daumesnil
12	O27	**Daumesnil** Villa	218 Av. Daumesnil	59 R. de Fécamp	Michel Bizot
16	O7	**Daumier** Rue	179 Bd Murat	3 R. C. Terrasse	Exelmans
11	J25	**Daunay** Impasse	58 R. de la Folie Regnault	(en impasse)	Père Lachaise
18	C16	**Daunay** Passage	122 Av. de St-Ouen	126 Av. de St-Ouen	Guy Môquet
2	H17	**Daunou** Rue	13 R. Louis le Grand	35 Bd des Capucines	Opéra
6	L18	**Dauphine** Passage	30 R. Dauphine	27 R. Mazarine	Odéon
1	K18	**Dauphine** Place	2 R. de Harlay	28 R. Henri Robert	Pont Neuf
16	H8	**Dauphine** Porte	Bd Périphérique		Porte Dauphine
6	K18-L18	**Dauphine** Rue	57 Q. Gds Augustins	R. St-André des Arts	Mabillon
17	D16	**Dautancourt** Rue	90 Av. de Clichy	5 R. Davy	La Fourche
15	N15-O15	**Dautry** Place Raoul	34 Av. du Maine	39 R. du Départ	Montparnasse-Bienv.
11	K22-L23	**Daval** Rue	14 Bd R. Lenoir	15 R. de la Roquette	Bastille
16	L9-M8	**David** Rue Félicien	19 R. Gros	4 R. de Rémusat	Mirabeau
19	F26	**David D'Angers** Rue	34 R. d'Hautpoul	121 Bd Sérurier	Danube
13	Q18-R19	**Daviel** Rue	30 R. Barrault	97 R. de la Glacière	Glacière - Corvisart
13	R19	**Daviel** Villa	7 R. Daviel	(en impasse)	Corvisart

Ar.	Plan	Rues / Streets	Commençant	Finissant	Métro
16	K8-L8	**Davioud** Rue	23 Av. Mozart	48 R. de l'Assomption	Ranelagh
20	I28-M28	**Davout** Boulevard	111 Crs Vincennes	2 Pl. de la Pte de Bagnolet	Porte de Vincennes
17	C16-D16	**Davy** Rue	43 Av. de St-Ouen	28 R. Guy Môquet	Guy Môquet
18	A18-B18	**Dax** Rue du Lieut.-Colonel	36 R. René Binet	R. J. Henri Fabre	Porte de Clignancourt
17	F10	**Débarcadère** Rue du	34 Pl. St-Ferdinand	271 Bd Péreire	Porte Maillot
3	J21-J22	**Debelleyme** Rue	83 R. Turenne	111 R. Turenne	St-Sébastien-Froissart
12	N27	**Debergue** Cité	28 R. du Rendez-Vous	(en impasse)	Picpus
19	F26	**Debidour** Avenue	66 Bd Sérurier	(en impasse)	Pré St-Gervais
11	K24	**Debille** Cour	162 Av. Ledru Rollin	(en impasse)	Voltaire
7	J12	**Debilly** Passerelle	Quai Branly	Av. de New York	Iéna
16	J12	**Debilly** Passerelle	Quai Branly	Av. de New York	Iéna
16	J11-J12	**Debilly** Port	Pont d'Iéna	Pont de l'Alma	Iéna
6	L17	**Debré** Place Michel	25 R. du Vieux Colombier	1 Rue de Sèvres	Saint-Sulpice
20	J28	**Debrousse** Jardin	R. de Bagnolet	R. des Balkans	Porte de Bagnolet
16	I12	**Debrousse** Rue	6 Av. de New York	5 Av. du Pdt Wilson	Alma-Marceau
14	R18	**Debu-Bridel** Pl. Jacques	Avenue Reille	Rue Gazan	Cité Univ. (RER B)
16	I8	**Debussy** Jardin Claude	Bd Lannes	Av. du Mal Fayolle	Av. H. Martin (RER C)
17	E11	**Debussy** Rue Claude	Place J. Renard	3 Bd de l'Yser	Porte de Champerret
17	E14	**Debussy** Square Claude	24 R. Legendre	4 Sq. F. Tombelle	Villiers - Malesherbes
12	O26-P27	**Decaen** Rue Claude	67 Bd Poniatowski	6 Pl. F. Éboué	Porte Dorée
16	I10-J9	**Decamps** Rue	5 Pl. de Mexico	110 R. de la Tour	Rue de la Pompe
1	J19	**Déchargeurs** Rue des	120 R. de Rivoli	15 R. des Halles	Châtelet
15	O11	**Deck** Rue Théodore	18 R. Saint-Lambert	(en impasse)	Convention
15	O11	**Deck** Villa Théodore	10 R. T. Deck	(en impasse)	Convention
15	O11	**Deck Prolongée** R. Th.	18 R. St-Lambert	(en impasse)	Convention
14	P14-Q14	**Decrès** Rue	36 R. Gergovie	176 R. d'Alésia	Plaisance
18	E16	**Défense** Impasse de la	20 Av. de Clichy	(en impasse)	Place de Clichy
16	M8-M9	**Degas** Rue	40 Q. L. Blériot	23 R. F. David	Mirabeau
2	H20	**Degrés** Rue des	87 R. de Cléry	50 R. Beauregard	Strasbourg-St-Denis
11	H23	**Deguerry** Rue	128 Av. Parmentier	161 R. St-Maur	Goncourt
19	D23-E24	**Dehaynin** Rue Euryale	81 Av. J. Jaurès	64 Q. de la Loire	Laumière
16	J8	**Dehodencq** Rue Alfred	19 R. O. Feuillet	(en impasse)	La Muette
16	J8	**Dehodencq** Sq. Alfred	9 R. A. Dehodencq		La Muette
18	D20	**Dejean** Rue	21 R. des Poissonniers	26 R. Poulet	Château Rouge
20	I28	**Dejeante** Rue Victor	40 Bd Mortier	11 R. Le Vau	Porte de Bagnolet
20	K29-L29	**Déjérine** Rue des Docteurs	7 Av. de la Pte de Montreuil	R. L. Lambeau	Porte de Montreuil
16	I9-J9	**Delacroix** Rue Eugène	37 R. Decamps	100 R. de la Tour	Rue de la Pompe
15	P10	**Delagrange** Rue Léon	37 Bd Victor	(en impasse)	Porte de Versailles
20	I25	**Delaitre** Rue	47 R. Panoyaux	42 R. de Ménilmontant	Ménilmontant
17	E10-E9	**Delaizement** Rue	Bd D'Aurelle De Paladines	(en impasse)	Porte Maillot
14	N16-O16	**Delambre** Rue	202 Bd Raspail	54 Bd E. Quinet	Vavin - Edgar Quinet
14	O16	**Delambre** Square	19 R. Delambre	32 Bd E. Quinet	Vavin - Edgar Quinet
10	F20-F21	**Delanos** Passage	25 R. d'Alsace	R. du Fbg St-Denis	Gare de l'Est
20	M29	**Delaporte** Rue Louis	7 R. N. Ballay	112 R. Lagny	Porte de Vincennes
16	J9-K9	**Delaroche** Rue Paul	40 R. Vital	81 Av. P. Doumer	La Muette
11	K25	**Delaunay** Impasse	R. de Charonne	(en impasse)	Charonne
11	K26	**Delaunay** R. Robert et Sonia	123 R. de Charonne	(en impasse)	Charonne
6	L18-M18	**Delavigne** Rue Casimir	10 R. Mr le Prince	1 Pl. de l'Odéon	Odéon
13	R20	**Delay** Place Jean	17 R. du Dr Leray	19 R. du Dr Leray	Poterne des Peupliers
15	O8	**Delbarre** R. du Pr. Florian	R. E. Hemingway	R. Leblanc	Bd Victor (RER C)
14	Q15	**Delbet** Rue	149 R. d'Alésia	32 R. L. Morard	Plaisance - Alésia
8	G14	**Delcassé** Avenue	24 R. Penthièvre	37 R. La Boétie	Miromesnil
15	M11-N11	**Delecourt** Avenue	63 R. Violet	(en impasse)	Commerce
11	L23	**Delépine** Cour	37 R. de Charonne	(en impasse)	Ledru-Rollin
11	L25	**Delépine** Impasse	R. Léon Frot	16 Imp. Delépine	Rue des Boulets
11	L24	**Delescluze** Rue Charles	48 R. Trousseau	31 R. St-Bernard	Ledru-Rollin
16	J10-K10	**Delessert** Boulevard	Rue Le Nôtre	Pl. du Costa Rica	Passy
10	F22	**Delessert** Passage	161 Q. de Valmy	8 R. P. Dupont	Château Landon
19	D25	**Delesseux** Rue	14 R. Ardennes	11 R. A. Mille	Ourcq
16	N6-O6	**Delestraint** R. du Général	77 Bd Exelmans	97 Bd Murat	Porte de St-Cloud
20	I25	**Delgrès** Rue Louis	19 R. des Cendriers	16 R. des Panoyaux	Ménilmontant
15	O12	**Delhomme** Rue Léon	3 R. François Villon	4 R. Yvart	Vaugirard
16	I10-I11	**Delibes** Rue Léo	88 Av. Kléber	99 R. Lauriston	Boissière
17	B15-B16	**Deligny** Impasse	8 Pas. Pouchet	(en impasse)	Guy Môquet
15	P11	**Delmet** Rue Paul	13 R. Vaugelas	64 R. O. de Serres	Convention
13	S21	**Deloder** Villa	21 R. de la Vistule	(en impasse)	Maison Blanche
17	D12-D13	**Delorme** Rue Philibert	76 Bd Péreire	205 Bd Malesherbes	Wagram - Pereire

Ar.	Plan	Rues / Streets	Commençant	Finissant	Métro
14	P17-Q16	**Delormel** Square Henri	5 R. Ernest-Cresson	(en impasse)	Mouton-Duvernet
19	G25	**Delouvain** Rue	16 R. de la Villette	11 R. Lassus	Jourdain
19	C25	**Delouvrier** Place Paul	29 Q. de l'Oise	1 rue de l'Argonne	Corentin Cariou
15	O14	**Delpayrat** Sq. P.-Adrien	Rue André Gide	R. Maurice Maignen	Pasteur
9	E19	**Delta** Rue du	179 R. du Fbg Poissonnière	82 R. Rochechouart	Barbès-Rochechouart
10	F21	**Demarquay** Rue	23 R. de l'Aqueduc	R. du Fbg St-Denis	Gare du Nord
17	E12-F11	**Demours** Rue Pierre	4 Pl. T. Bernard	93 Av. de Villiers	Pereire
14	Q16	**Demy** Place Jacques	R. Mouton-Duvernet	Rue Saillard	Mouton-Duvernet
15	L11	**Denain** Allée du Général	25 R. Desaix	18 Pl. Dupleix	Dupleix
10	F20	**Denain** Boulevard de	114 Bd de Magenta	23 R. de Dunkerque	Gare du Nord
14	O17-P17	**Denfert-Rochereau** Av.	32 Av. Observatoire	Pl. Denfert-Rochereau	Denfert-Rochereau
14	P17	**Denfert-Rochereau** Place	110 Av. Denfert-Rochereau	Av. du Gal Leclerc	Denfert-Rochereau
6	O18	**Denis** Place Ernest	Bd St-Michel	Av. de Observatoire	Port Royal (RER B)
12	N24	**Denis** Rue Maurice	13 Pas. Gatbois	18 Pas. Raguinot	Gare de Lyon
20	H24	**Dénoyez** Rue	3 R. Ramponeau	8 R. de Belleville	Belleville
17	D14-E14	**Déodat De Séverac** Rue	80 R. Tocqueville	19 R. Jouffroy	Malesherbes
18	D17	**Depaquit** Passage	55 R. Lepic	(en impasse)	Lamarck-Caulaincourt
14	P16	**Deparcieux** Rue	49 R. Froidevaux	(en impasse)	Gaîté
14	N15-N16	**Départ** Rue du	68 Bd du Montparnasse	39 Av. du Maine	Montparnasse-Bienv.
15	N15-N16	**Départ** Rue du	68 Bd du Montparnasse	39 Av. du Maine	Montparnasse-Bienv.
18	D21-E22	**Département** Rue du	9 R. de Tanger	34 R. M. Dormoy	Stalingrad
19	E22	**Département** Rue du	9 R. de Tanger	34 R. M. Dormoy	Stalingrad
16	O6	**Deport** R. du Lieut.-Colonel	1 Pl. du Gal Stéfanik	4 Pl. Dr Michaux	Porte de St-Cloud
12	O28	**Derain** Rue André	14 R. Montempoivre	R. M. Laurencin	Bel Air
17	C16	**Deraismes** Rue Maria	8 R. Collette	1 R. A. Brière	Guy Môquet
18	D17-D18	**Dereure** Rue Simon	10 Al. Brouillards	24 Av. Junot	Lamarck-Caulaincourt
15	L12	**Déroulède** Avenue Paul	15 Av. Champaubert	54 Av. La Motte-Picquet	La Motte-P.-Grenelle
15	L12-M12	**Derry** R. de l' Abbé Roger	11 R. du Laos	96 Av. de Suffren	La Motte-P.-Grenelle
15	L11	**Desaix** Rue	38 Av. de Suffren	39 Bd de Grenelle	Dupleix
15	L11	**Desaix** Square	33 Bd de Grenelle	(en impasse)	Bir Hakeim
11	H23	**Desargues** Rue	20 R. de l'Orillon	R. Fontaine au Roi	Belleville
16	M7	**Désaugiers** Rue	9 R. d'Auteuil	6 R. du Buis	Église d'Auteuil
13	S24	**Desault** R. Pierre-Joseph	Av. Porte de Vitry	R. Mirabeau (Vitry)	Pierre Curie
16	J9	**Desbordes Valmore** Rue	75 R. de la Tour	6 R. Faustin Hélie	La Muette
5	M19-N19	**Descartes** Rue	41 R. Mont. Ste-Genev.	6 R. Thouin	Card. Lemoine
14	T17	**Descaves** Avenue Lucien	Av. Vaillant Couturier	Av. A. Rivoire	Gentilly
7	J11-K12	**Deschanel** Allée Paul	67 Q. Branly	Av. S. de Sacy	Ch. de Mars-Tr Eiffel (RER C)
7	K12-K13	**Deschanel** Avenue Émile	Av. J. Bouvard	R. Savorgnan de Br.	École Militaire
17	E11	**Descombes** Rue	9 R. Guillaume Tell	145 Av. de Villiers	Porte de Champerret
12	O25	**Descos** Rue	187 R. de Charenton	132 Av. Daumesnil	Dugommier
7	J14	**Desgenettes** Rue	45 Q. d'Orsay	144 R. de l'Université	Invalides
6	M16-N16	**Desgoffe** Rue Blaise	139 R. de Rennes	79 R. de Vaugirard	St-Placide
19	C23	**Desgrais** Passage	36 R. Curial	34 R. Mathis	Crimée
12	O24	**Desgrange** Rue Henri	R. de Bercy	Bd de Bercy	Cour St-Émilion
14	Q14-R15	**Deshayes** Villa	109 R. Didot	(en impasse)	Plaisance
10	G20-G21	**Désir** Passage du	89 R. du Fbg St-Martin	84 R. du Fbg St-Denis	Château d'Eau
20	I26	**Désirée** Rue	31 Av. Gambetta	22 R. Partants	Gambetta
13	P19-P20	**Deslandres** Rue Émile	13 R. Berbier Mets	13 R. Cordelières	Les Gobelins
11	K24	**Desmoulins** Rue Camille	10 Pl. Léon Blum	13 R. St-Maur	Voltaire
10	F22	**Desnos** Place Robert	Rue Boy Zelensky	Rue G. F. Haendel	Colonel Fabien
15	P10-P11	**Desnouettes** Rue	352 R. de Vaugirard	27 Bd Victor	Convention
15	P10	**Desnouettes** Square	17 Bd Victor	88 R. Desnouettes	Balard
5	N20	**Desplas** Rue Georges	12 R. Daubenton	1 Pl. Puits Ermite	Censier-Daubenton
16	N7	**Despréaux** Avenue	38 R. Boileau	Av. Molière	Michel Ange-Molitor
14	P14-P15	**Desprez** Rue	81 R. Vercingétorix	98 R. de l'Ouest	Pernety
13	Q23-R23	**Dessous des Berges** R. du	50 R. Regnault	23 R. de Domrémy	Bibl. F. Mitterrand
13	T20	**Destrée** Rue Jacques	Av. Gabriel Péri (Gentilly)	Av. Gallieni (Gentilly)	Porte d'Italie
19	F27-G27	**Desvaux** Rue Émile	17 R. de Romainville	22 R. des Bois	Télégraphe
17	E13	**Detaille** Rue Édouard	41 R. Cardinet	59 Av. de Villiers	Wagram
7	L12	**Détrie** Av. du Général	Av. Thomy Thierry	53 Av. de Suffren	La Motte-P.-Grenelle
16	O6	**Deubel** Place Léon	47 R. Le Marois	Rue Gudin	Porte de St-Cloud
14	S17	**Deutsch De La Meurthe** R.É.	18 R. Nansouty	30 Bd Jourdan	Cité Univ. (RER B)
6	K17	**Deux Anges** I. des	6 R. St-Benoît	(en impasse)	St-Germain-des-Prés
13	Q21-R21	**Deux Avenues** Rue des	157 Av. de Choisy	33 Av. d'Italie	Tolbiac
1	K19	**Deux Boules** Rue des	17 R. Ste-Opportune	R. Bertin Poirée	Châtelet
17	E11	**Deux Cousins** I. des	11 R. d'Héliopolis	(en impasse)	Porte de Champerret
1	J18	**Deux Écus** Place des	22 R. J.-J. Rousseau	13 R. du Louvre	Louvre-Rivoli

Ar.	Plan	**Rues** / Streets	Commençant	Finissant	Métro
10	F20-F21	**Deux Gares** Rue des	29 R. d'Alsace	R. du Fbg St-Denis	Gare de l'Est
13	Q21	**Deux Moulins** Jardin des	78 Av. Edison		Place d'Italie
18	E16	**Deux Néthes** I. des	30 Av. de Clichy	(en impasse)	Place de Clichy
1	I18	**Deux Pavillons** P. des	6 R. de Beaujolais	R. des Petits Champs	Bourse
4	L20-L21	**Deux Ponts** Rue des	2 Q. d'Orléans	1 Q. de Bourbon	Pont Marie
20	K28	**Deux Portes** P. des	R. Galleron	R. Saint-Blaise	Porte de Bagnolet
9	G18	**Deux Sœurs** P. des	42 R. du Fbg Montmartre	56 R. La Fayette	Le Peletier
14	O15	**Deuxième D. B.** Al. de la	Gare Montparnasse		Montparnasse-Bienv.
15	O15	**Deuxième D. B.** Al. de la	Gare Montparnasse		Montparnasse-Bienv.
20	H27	**Devéria** Rue	146 R. Pelleport	23 R. du Télégraphe	Télégraphe
6	L16	**Deville** Place Alphonse	43 Bd Raspail	1 R. d'Assas	Sèvres-Babylone
12	M26	**Dewet** Rue Christian	35 R. du Sgt Bauchat	11 R. Dorian	Nation - Montgallet
20	H27-I28	**Dhuis** Rue de la	16 R. E. Marey	34 R. du Surmelin	Pelleport
20	H25	**Dhuit** Allée du Père Julien	9 R. Père J. Dhuit	13 R. des Envierges	Pyrénées
20	H25	**Dhuit** Rue du Père Julien	36 R. Piat		Pyrénées
9	G17	**Diaghilev** Place	41 Bd Haussmann	2 R. de Mogador	Chée d'Antin-La Fayette
19	G24	**Diane De Poitiers** Allée	21 R. de Belleville	36 R. Rébeval	Belleville
19	D25	**Diapason** Square	6 R. Adolphe Mille		Porte de Pantin
18	C18-D18	**Diard** Rue	125 R. Marcadet	18 R. Francœur	Lamarck-Caulaincourt
16	M8	**Diaz** Rue Narcisse	72 Av. de Versailles	17 R. Mirabeau	Mirabeau
16	K10	**Dickens** Rue Charles	9 R. des Eaux	Av. René Boylesve	Passy
16	K10	**Dickens** Square Charles	6 R. des Eaux	(en impasse)	Passy
12	M26-N22	**Diderot** Boulevard	90 Q. de la Rapée	2 Pl. de la Nation	Reuilly Diderot
12	N23	**Diderot** Cour	Rue de Bercy	Cour de Chalon	Gare de Lyon
14	R14	**Didot** Porte	Bd Brune	Rue Didot	Porte de Vanves
14	P15-R14	**Didot** Rue	Pl. de Moro Giafferi	79 Bd Brune	Plaisance
15	Q12	**Dierx** Rue Léon	86 Bd Lefebvre	42 Av. A. Bartholomé	Porte de Vanves
16	I11	**Dietrich** Place Marlène	R. Boissière	R. de Lübeck	Boissière
16	O6-O7	**Dietz Monnin** Villa	10 Villa Cheysson	6 R. Parent de Rosan	Exelmans
20	K27	**Dieu** Passage	105 R. des Haies	50 R. des Orteaux	Maraîchers
10	H22	**Dieu** Rue	18 R. Yves Toudic	55 Q. de Valmy	République
13	R20-S20	**Dieulafoy** Rue	4 R. du Dr Leray	17 R. Henri Pape	Maison Blanche
18	C19	**Dijon** Rue Joseph	25 Bd Ornano	86 R. du Mont Cenis	Simplon
12	P25	**Dijon** Rue de	R. Joseph Kessel	1 R. de Bercy	Cour St-Émilion
18	B17	**Dimey** Rue Bernard	1 R. Jules Cloquet	70 R. Vauvenargues	Porte de St-Ouen
13	R22	**Disque** Rue du	28 Av. d'Ivry	70 Av. d'Ivry	Porte d'Ivry
14	P16	**Divry** Rue Charles	42 R. Boulard	29 R. Gassendi	Mouton-Duvernet
6	N16	**Dix-Huit Juin 1940** Pl. du	171 R. de Rennes	61 Bd du Montparnasse	Montparnasse-Bienv.
15	N16	**Dix-Huit Juin 1940** Pl. du	171 R. de Rennes	61 Bd du Montparnasse	Montparnasse-Bienv.
17	E10	**Dixmude** Boulevard de	11 Av. de la Pte de Villiers	Av. de Salonique	Porte Maillot
12	M23	**Dix-Neuf Mars 1962** Pl.	Avenue Daumesnil	R. Legraverend	Gare de Lyon
3	I21	**Dmitrieff** Place Elisabeth	89 R. de Turbigo	199 R. du Temple	Temple
17	E10	**Dobropol** Rue du	2 Bd Pershing	3 Bd de Dixmude	Porte Maillot
12	P28	**Dodds** Av. du Général	94 Bd Poniatowski	1 Av. du Gal Laperrine	Porte Dorée
16	P6	**Dode De La Brunerie** Av.	6 Av. Marcel Doret	104 Av. G. Lafont	Porte de St-Cloud
10	G22	**Dodu** Rue Juliette	3 Av. C. Vellefaux	20 R. Grange aux Belles	Colonel Fabien
13	R22	**Doisneau** Villa Robert	66 R. du Ch. des Rentiers	(en impasse)	Olympiades
17	F11	**Doisy** Passage	55 Av. des Ternes	18 R. d'Armaillé	Ch. de Gaulle-Étoile
14	P18	**Dolent** Rue Jean	44 R. de la Santé	R. du Fbg St-Jacques	St-Jacques
20	I24-I25	**Dolet** Rue Étienne	6 Bd de Belleville	5 R. Julien Lacroix	Ménilmontant
18	B17	**Dollfus** Rue Jean	50 R. Leibniz	117 Bd Ney	Porte de St-Ouen
5	N20	**Dolomieu** Rue	41 R. de la Clef	77 R. Monge	Place Monge
13	Q24	**Dolto** Rue Françoise	45 Q. Panhard et Levassor	72 Av. de France	Bibl. F. Mitterrand
5	L19	**Domat** Rue	18 R. des Anglais	7 R. Dante	Maubert-Mutualité
15	P12	**Dombasle** Impasse	58 R. Dombasle	(en impasse)	Convention
15	P12	**Dombasle** Passage	126 R. de l'Abbé Groult	223 R. de la Convention	Convention
15	P12	**Dombasle** Rue	353 R. de Vaugirard	Pl. C. Vallin	Convention
16	H11	**Dôme** Rue du	24 R. Lauriston	27 Av. V. Hugo	Kléber
13	S20-T21	**Dominé** Rue du Colonel	Avenue d'Italie	Bd Kellermann	Porte d'Italie
13	R24	**Domon et Léonie Duquet** Rue Alice	33 Q. Panhard et Levassor	58 Avenue de France	Bibl. F. Mitterrand
13	Q22-Q23	**Domrémy** Rue de	107 R. du Chevaleret	Rue J. Colly	Bibl. F. Mitterrand
16	M7	**Donizetti** Rue	46 R. d'Auteuil	7 R. Poussin	Michel Ange-Auteuil
16	I8-H8	**Doornik** Jardin Jan	Bd Flandrin	R. de Longchamp	Av. Foch (RER C)
15	N12	**Dorchain** Rue Auguste	1 R. J. Liouville	2 R. Quinault	Commerce
17	D12	**Dordogne** Square de la	122 Bd Berthier	(en impasse)	Pereire
17	D12-E13	**Doré** Rue Gustave	155 Av. de Wagram	75 Bd Péreire	Wagram - Pereire
12	P28	**Dorée** Porte	Avenue Daumesnil		Porte Dorée

Ar.	Plan	**Rues** / Streets	Commençant	Finissant	Métro
19	D26	**Dorées** Sente des	97 R. Petit	212 Av. J. Jaurès	Porte de Pantin
16	O6-P6	**Doret** Avenue Marcel	126 Bd Murat	Périphérique	Porte de St-Cloud
18	D18	**Dorgelès** Carr. Roland	R. St-Vincent	15 R. des Saules	Lamarck-Caulaincourt
12	M26	**Dorian** Avenue	9 R. de Picpus	4 Pl. de la Nation	Nation
12	M26	**Dorian** Rue	12 R. de Picpus	1 R. P. Bourdan	Nation
18	D21-E21	**Dormoy** Rue Marx	20 Pl. de la Chapelle	1 R. Ordener	Marx Dormoy
16	H10-H9	**Dosne** Rue	159 R. de la Pompe	25 Av. Bugeaud	Victor Hugo
9	E16-F17	**Douai** Rue de	63 R. J.-B. Pigalle	77 Bd de Clichy	Pigalle
14	R17	**Douanier Rousseau** Rue	106 R. de la Tombe Issoire	13 R. du Père Corentin	Porte d'Orléans - Alésia
17	C13-B14	**Douaumont** Bd de	36 Av. de la Pte de Clichy	Bd Fort de Vaux	Porte de Clichy
4	L19	**Double** Pont au	21 Q. de Montebello	R. d'Arcole	St-Michel
5	L19	**Double** Pont au	21 Q. de Montebello	R. d'Arcole	St-Michel
18	D19-D21	**Doudeauville** Rue	59 R. Marx Dormoy	58 R. de Clignancourt	Marx Dormoy
16	J10-K9	**Doumer** Avenue Paul	Pl. du Trocadéro	82 R. de Passy	Trocadéro - La Muette
6	L17	**Dragon** Rue du	163 Bd St-Germain	56 R. du Four	St-Germain-des-Prés
11	I24	**Dranem** Rue	5 Impasse Gaudelet	15 Av. J. Aicard	Rue St-Maur
17	F9	**Dreux** Rue de	Rue du Midi	Porte Maillot	Porte Maillot
18	E18	**Drevet** Rue	30 R. des Trois Frères	21 R. Gabrielle	Abbesses
13	R18-R19	**Dreyer** Square André	16 R. Wurtz		Glacière
15	M11	**Dreyfus** Place Alfred	Av. Émile Zola	R. Violet	Av. Émile Zola
12	M24	**Driancourt** Passage	33 R. de Cîteaux	58 R. Crozatier	Faidherbe-Chaligny
1	I18-J18	**Driant** Rue du Colonel	29 R. J.-J. Rousseau	8 R. de Valois	Palais Royal-Louvre
16	J10	**Droits de l'Homme et des Libertés** Parvis des	Pl. du Trocadéro	(Palais de Chaillot)	Trocadéro
15	O15	**Dronne** Allée du Capitaine	Gare Montparnasse		Montparnasse-Bienv.
9	G18-H18	**Drouot** Rue	2 Bd Haussmann	47 R. du Fbg Montmartre	Richelieu Drouot
17	E15	**Droux** Rue Léon	78 Bd des Batignolles	2 R. de Chéroy	Rome
12	M24	**Druinot** Impasse	41 R. de Cîteaux	(en impasse)	Faidherbe-Chaligny
1	J19	**Du Bellay** Place Joachim	R. Berger	R. des Innocents	Châtelet-Les Halles
4	L20	**Du Bellay** Rue Jean	42 Q. d'Orléans	33 Q. de Bourbon	Pont Marie
15	L12	**Du Guesclin** Passage	14 R. Dupleix	11 R. de Presles	La Motte-P.-Grenelle
15	L12	**Du Guesclin** Rue	15 R. de Presles	22 R. Dupleix	La Motte-P.-Grenelle
19	G23-G24	**Du Guillet** Allée Pernette	8 R. de l'Atlas	Allée L. Labé	Belleville
16	L8	**Dubail** Av. du Général	23 R. de l'Assomption	1 Pl. Rodin	Ranelagh - Jasmin
10	G21	**Dubail** Passage	120 R. du Fbg St-Martin	50 R. Vinaigriers	Gare de l'Est
16	K9	**Duban** Rue	Place Chopin	1 R. Bois le Vent	La Muette
8	F16	**Dublin** Place de	18 R. de Moscou	Rue de Turin	Liège
19	E24	**Dubois** Passage	38 R. Petit	(en impasse)	Laumière
19	E24	**Dubois** Rue André	8 Av. de laumière	24 R. du Rhin	Laumière
6	L18	**Dubois** Rue Antoine	23 R. Éc. de Médecine	21 R. Mr le Prince	Odéon
14	Q17-Q18	**Dubois** Rue Émile	16 R. Dareau	23 R. de la Tombe Issoire	St-Jacques
12	P28	**Dubois** Rue Marcel	98 Bd Poniatowski	5 Av. du Gal Laperrine	Porte Dorée
3	I21	**Dubois** Rue Paul	18 R. Perrée	15 R. Dupetit Thouars	Temple
18	E18-E19	**Dubois** Rue du Cardinal	1 R. Lamarck	11 R. Foyatier	Abbesses
20	G28-H27	**Dubouillon** Rue Henri	60 R. Haxo	199 Av. Gambetta	St-Fargeau
20	J27	**Dubourg** Cité	52 R. Stendhal	57 R. des Prairies	Gambetta
12	O25-O26	**Dubrunfaut** Rue	5 Bd de Reuilly	146 Av. Daumesnil	Dugommier
12	P25	**Dubuffet** Passage	53 Av. des Terroirs de Fr.	150 R. des Pirogues de Bercy	Cour St-Émilion
18	C18-C19	**Duc** Rue	29 R. Hermel	52 R. Duhesme	Jules Joffrin
13	R22	**Duchamp** Rue Marcel	R. Chât. Rentiers	40 R. Nationale	Olympiades
13	P23-Q22	**Duchefdelaville** Rue	153 R. du Chevaleret	30 R. Dunois	Chevaleret
15	M11	**Duchène** Rue Henri	32 R. Fondary	133 Av. E. Zola	Av. Émile Zola
14	P14	**Duchêne** Sq. H. et A.	Rue Vercingétorix	Rue d'Alésia	Plaisance
19	B23	**Duchesne** Rue Jacques	192 Bd Macdonald	55 R. Émile Bollaert	Porte de la Chapelle
15	N13	**Duclaux** Rue Émile	13 R. Blomet	184 R. de Vaugirard	Volontaires
11	J24	**Dudouy** Passage	48 R. St-Maur	59 R. Servan	Rue St-Maur
20	H26	**Duée** Passage de la	15 R. de la Duée	26 R. Pixérécourt	Télégraphe
20	H26	**Duée** Rue de la	8 R. Pixérécourt	24 R. des Pavillons	Télégraphe
16	I8-I9	**Dufrenoy** Rue	184 Av. Victor Hugo	37 Bd Lannes	Av. H. Martin (RER C)
16	O7	**Dufresne** Villa	151 Bd Murat	39 R. C. Terrasse	Porte de St-Cloud
20	I25-I26	**Dufy** Rue Raoul	15 R. des Partants	Pl. Henri Matisse	Gambetta
12	O25-O26	**Dugommier** Rue	2 R. Dubrunfaut	152 Av. Daumesnil	Dugommier
6	M17	**Duguay Trouin** Rue	56 R. d'Assas	19 R. de Fleurus	N.-D. des Champs
13	Q24	**Duhamel** Jardin Georges	R. Choderlos de Laclos	10 R. Jean Anouilh	Bibl. F. Mitterrand
15	P14	**Duhamel** Rue Georges	87 R. de la Procession	(en impasse)	Pernety
18	B19	**Duhesme** Passage	R. Neuve de la Chard.	R. du Mont Cenis	Porte de Clignancourt
18	B19-D18	**Duhesme** Rue	108 R. du Mont Cenis	42 R. Championnet	Porte de Clignancourt

Ar.	Plan	Rues / Streets	Commençant	Finissant	Métro
12	O26	**Dukas** Rue Paul	177 Av. Daumesnil	15 Al. Vivaldi	Daumesnil
15	N14-N15	**Dulac** Rue	157 R. de Vaugirard	24 R. Falguière	Pasteur
20	I28	**Dulaure** Rue	36 Bd Mortier	9 R. Le Vau	Porte de Bagnolet
18	E18	**Dullin** Place Charles	1 Villa Dancourt	Rue D'Orsel	Anvers
17	D14-E15	**Dulong** Rue	86 R. des Dames	140 R. Cardinet	Rome
11	L25-L26	**Dumas** Passage	199 Bd Voltaire	69 Pl. de la Réunion	Alexandre-Dumas
11	K27-L25	**Dumas** Rue Alexandre	213 Bd Voltaire	22 R. Voltaire	Rue des Boulets
20	K27-L25	**Dumas** Rue Alexandre	213 Bd Voltaire	22 R. Voltaire	Rue des Boulets
17	E11	**Dumas** R. Jean-Baptiste	44 R. Bayen	57 R. Laugier	Porte de Champerret
20	G25	**Dumay** R. Jean-Baptiste	346 R. des Pyrénées	114 R. de Belleville	Jourdain - Pyrénées
13	O20-P21	**Duméril** Rue	102 Bd de l'Hôpital	177 R. Jeanne d'Arc	Campo Formio
15	L11	**Dumézil** Rue Georges	16 R. Edgar Faure	Al. M. de Yourcenar	Dupleix
20	H27	**Dumien** Rue Jules	106 R. de Pelleport	3 R. H. Poincaré	Pelleport
14	Q16-Q17	**Dumoncel** Rue Rémy	52 R. de la Tombe Issoire	51 Av. du Gal Leclerc	Mouton-Duvernet
16	H11-H12	**Dumont D'Urville** Rue	14 Pl. des États Unis	63 Av. d'Iéna	Kléber
13	S22	**Dunand** Rue Jean	R. de la Pointe d'Ivry	R. C. Bertheau	Porte de Choisy
14	Q16	**Dunand** Sq. de l'Aspirant	R. Mouton-Duvernet	Rue Brézin	Alésia
8	H12	**Dunant** Place Henry	Rue François Ier	40 Av. George V	George V
19	G24	**Dunes** Rue des	8 R. Lauzun	49 Av. Simon Bolivar	Buttes Chaumont
9	E19-F21	**Dunkerque** Rue de	43 R. d'Alsace	39 Bd de Rochechouart	Anvers
10	F20-F21	**Dunkerque** Rue de	43 R. d'Alsace	39 Bd de Rochechouart	Gare du Nord
13	P22-Q23	**Dunois** Rue	30 R. de Domrémy	82 Bd V. Auriol	Chevaleret
13	P22	**Dunois** Square	76 R. Dunois	(en impasse)	Chevaleret
17	E14	**Duparc** Square Henri	Sq. F. la Tombelle		Villiers
9	E17-E18	**Duperré** Rue	11 Pl. Pigalle	20 R. de Douai	Pigalle
3	I21	**Dupetit Thouars** Cité	27 R. de Picardie	160 R. du Temple	Temple
3	I21	**Dupetit Thouars** Rue	14 R. Dupetit Thouars	(en impasse)	Temple
1	H16-I16	**Duphot** Rue	382 R. St-Honoré	23 Bd de la Madeleine	Madeleine
8	H16	**Duphot** Rue	382 R. St-Honoré	23 Bd de la Madeleine	Madeleine
6	M16	**Dupin** Rue	47 R. de Sèvres	48 R. du Cherche Midi	Sèvres-Babylone
16	G10	**Duplan** Cité	12 R. Pergolèse	(en impasse)	Porte Maillot
15	L12	**Dupleix** Place	74 Av. de Suffren	83 Bd de Grenelle	Dupleix
15	L12-M11	**Dupleix** Rue	74 Av. de Suffren	83 Bd de Grenelle	Dupleix
18	D20	**Duployé** Rue Émile	53 R. Stephenson	3 R. Marcadet	Marx Dormoy
11	J24	**Dupont** Cité	50 R. St-Maur	(en impasse)	Rue St-Maur
10	F22	**Dupont** Rue Pierre	12 R. Eugène Varlin	11 R. A. Parodi	Louis Blanc
16	G10-G9	**Dupont** Villa	48 R. Pergolèse	(en impasse)	Porte Maillot
20	H27-I27	**Dupont de l'Eure** Rue	115 Av. Gambetta	R. Villiers de l'Isle-Adam	Pelleport
7	J12-K13	**Dupont des Loges** Rue	1 R. Sédillot	R. St-Dominique	Pont de l'Alma (RER C)
15	Q12	**Dupré** Rue Jules	4 R. des Périchaux	93 Bd Lefebvre	Porte de Versailles
3	I21-I22	**Dupuis** R. Charles-François	4 R. Dupetit Thouars	7 R. Béranger	Temple - République
18	D21	**Dupuy** Impasse	74 R. P. de Girard	(en impasse)	Marx Dormoy
16	M8	**Dupuy** Rue Paul	20 R. Félicien David	(en impasse)	Mirabeau
13	S23	**Dupuy de Lôme** Rue	3 R. Péan	44 Av. de la Pte d'Ivry	Porte d'Ivry
6	L18	**Dupuytren** Rue	29 R. Éc. de Médecine	5 R. Mr le Prince	Odéon
7	L13-M14	**Duquesne** Avenue	1 Pl. École Militaire	6 R. Eblé	St-Franç.-Xavier
12	O26	**Durance** Rue de la	29 R. Brêche Loups	24 Bd de Reuilly	Daumesnil
14	Q13	**Durand Claye** Rue Alfred	198 R. R. Losserand	231 R. Vercingétorix	Porte de Vanves
11	J24-J25	**Duranti** Rue	20 R. St-Maur	59 R. de la Folie Regnault	Voltaire
18	D17-E18	**Durantin** Rue	1 R. Ravignan	62 R. Lepic	Abbesses
15	O10	**Duranton** Jardin	Rue Duranton		Boucicaut
15	O10	**Duranton** Rue	135 R. de Lourmel	274 R. Lecourbe	Boucicaut
13	Q24	**Duras** Rue Marguerite	22 R. Françoise Dolto	13 R. Thomas Mann	Bibl. F. Mitterrand
8	H15	**Duras** Rue de	76 R. du Fbg St-Honoré	13 R. Montalivet	Miromesnil
16	G10	**Duret** Rue	48 Av. Foch	1 R. Pergolèse	Porte Maillot
20	I25	**Duris** Passage	9 R. Duris	(en impasse)	Père Lachaise
20	I25	**Duris** Rue	R. des Amandiers	36 R. des Panoyaux	Père Lachaise
13	P24-Q23	**Durkheim** Rue Émile	Av. de France	Quai F. Mauriac	Bibl. F. Mitterrand
11	I24	**Durmar** Cité	154 R. Oberkampf	(en impasse)	Ménilmontant
7	M14	**Duroc** Rue	52 Bd des Invalides	3 Pl. de Breteuil	Duroc
14	P16-Q16	**Durouchoux** Rue	3 R. C. Divry	178 Av. du Maine	Mouton-Duvernet
15	O12-P12	**Duruy** Rue Victor	329 R. de Vaugirard	221 R. de la Convention	Convention
20	G27	**Dury Vasselon** Villa	292 R. de Belleville	7 Villa Gagliardini	Porte des Lilas
15	M11	**Dussane** Rue Béatrix	19 R. Viala	16 R. de Lourmel	Dupleix
2	I19	**Dussoubs** Rue	24 R. Tiquetonne	35 R. du Caire	Étienne Marcel
14	Q15-R15	**Duthy** Villa	99 R. Didot	(en impasse)	Plaisance
15	O14-P13	**Dutot** Rue	52 R. des Volont.	5 Pl. d'Alleray	Volontaires

Ar.	Plan	**Rues** / Streets	Commençant	Finissant	Métro
8	I14-I15	**Dutuit** Avenue	Crs la Reine	Av. des Chps Élysées	Champs-Elysées-Clem.
4	K21	**Duval** Rue Ferdinand	18 R. de Rivoli	7 R. des Rosiers	St-Paul
19	D23-D24	**Duvergier** Rue	79 Q. de la Seine	84 R. de Flandre	Crimée
20	J29	**Duvernois** Rue Henri	74 R. L. Lumière	25 R. Serpollet	Porte de Bagnolet
7	K13	**Duvivier** Rue	157 R. de Grenelle	20 Av. La Motte-Picquet	École Militaire

E

Ar.	Plan	Rues / Streets	Commençant	Finissant	Métro
13	Q21	**Eastman** Rue George	61 Av. Edison	162 Av. de Choisy	Place d'Italie
16	K10	**Eaux** Passage des	Rue Raynouard	8 R. C. Dickens	Passy
16	K10	**Eaux** Rue des	18 Av. du Pdt Kennedy	9 R. Raynouard	Passy
12	N25	**Ebelmen** Rue	19 R. Montgallet	4 R. Ste-Claire Deville	Montgallet
7	M14	**Éblé** Rue	46 Bd des Invalides	39 Av. Breteuil	St-Franç.-Xavier
12	O26	**Éboué** Place Félix	Avenue Daumesnil	Bd de Reuilly	Daumesnil
12	N25	**Éboué** Rue Eugénie	20 R. Érard	(en impasse)	Reuilly Diderot
6	L17-L18	**Échaudé** Rue de l'	40 R. de Seine	164 Bd St-Germain	Mabillon
1	I17-J17	**Échelle** Rue de l'	182 R. de Rivoli	3 Av. de l'Opéra	Palais Royal-Louvre
10	H19-H20	**Échiquier** Rue de l'	33 R. du Fbg St-Denis	16 R. du Fbg Poissonnière	Strasbourg-St-Denis
10	F22-G22	**Écluses St-Martin** R. des	47 R. Grange aux Belles	146 Q. de Jemmapes	Colonel Fabien
9	F18	**École** Impasse de l'	5 R. de l'Agent Bailly	(en impasse)	St-Georges
1	K18	**École** Place de l'	12 Q. du Louvre	R. Prêtres St-Germain l'A.	Pont Neuf
6	L18	**École de Médecine** R. de l'	26 Bd St-Michel	85 Bd St-Germain	Odéon
7	L13	**École Militaire** Pl. de l'	85 Av. Bosquet	Av. La Motte-Picquet	École Militaire
5	M19	**Éc. Polytechnique** R. de l'	52 R. Mont. Ste-Genev.	1 R. Valette	Maubert-Mutualité
20	I26	**Écoles** Cité des	13 R. Orfila	R. Villiers de l'Isle Adam	Gambetta
5	M18-M20	**Écoles** Rue des	30 R. du Card. Lemoine	25 Bd St-Michel	Maubert-Mutualité
15	N11	**Écoliers** Passage des	75 R. Violet	3 Pas. Entrepreneurs	Commerce
5	M19	**Écosse** Rue d'	3 R. de Lanneau	(en impasse)	Maubert-Mutualité
4	K21	**Écouffes** Rue des	26 R. de Rivoli	19 R. des Rosiers	St-Paul
16	J7	**Écrivains Combattants Morts pour la France** Sq. des	22 Bd Suchet	21 Av. du Mal Maunoury	La Muette
8	F15	**Edimbourg** Rue d'	59 R. de Rome	70 R. du Rocher	Europe
13	Q21-R22	**Edison** Avenue	20 R. Baudricourt	178 Av. Choisy	Pl. d'Italie - Olympiades
19	D24	**Édit de Nantes** Pl. de l'	Pl. de Bitche	R. Duvergier	Crimée
9	H16	**Édouard VII** Place	5 R. Ed. VII	(en impasse)	Opéra
9	H16	**Édouard VII** Rue	16 Bd des Capucines	18 R. Caumartin	Opéra - Auber (RER A)
9	H16	**Édouard VII** Square	Pl. Edouard VII	R. Edouard VII	Opéra
19	F26	**Égalité** Rue de l'	24 R. de la Liberté	55 R. Mouzaïa	Danube
4	L21	**Eginhard** Rue	31 R. St-Paul	4 R. Charlemagne	St-Paul
15	N11	**Église** Impasse de l'	83 R. de l'Église	(en impasse)	Félix Faure
15	N10-N11	**Église** Rue de l'	105 R. St-Charles	24 Pl. E. Pernet	Ch. Michels
16	M7-M8	**Église d'Auteuil** Pl. de l'	R. Chardon Lagache	Av. T. Gautier	Église d'Auteuil
16	K7	**Église de l'Assomption** Pl. de l'	90 R. de l'Assomption		Ranelagh
19	C24	**Eiders** Allée des	10 R. de Cambrai	64 R. de l'Ourcq	Crimée
7	K11-K12	**Eiffel** Avenue Gustave	Av. S. de Sacy	Av. Octave Gréard	Ch. de Mars-Tr Eiffel (RER C)
13	R24	**Einstein** Rue Albert	30 Bd Général J. Simon	R. A. Domon et L. Duquet	Bibl. F. Mitterrand
8	I14E	**Eisenhower** Av. du Gal	Pl. Clemenceau	21 Av. F. D. Roosevelt	Champs-Elysées-Clem.
7	L14El	**El Salvador** Place	42 Av. de Breteuil	Av. Duquesne	St-Franç.-Xavier
18	D21	**Eluard** Place Paul	R. Marx Dormoy	R. P. de Girard	Marx Dormoy
8	H15	**Élysée** Rue de l'	24 Av. Gabriel	R. du Fbg St-Honoré	Champs-Elysées-Clem.
20	H25	**Élysée Ménilm.** R. de l'	8 R. Julien Lacroix	(en impasse)	Ménilmontant
8	H13-H14	**Élysées 26** Galerie	23 R. de Ponthieu	Av. des Chps Élysées	Franklin D. Roosevelt
8	H13	**Élysées La Boétie** Gal.	52 Av. des Chps Élysées	109 R. La Boétie	Franklin D. Roosevelt
8	H13-H14	**Élysées Rond-Point** Gal.	4 Av. F. D. Roosevelt	Rd-Pt des Chps Élysées	Franklin D. Roosevelt
3	K21	**Elzévir** Rue	24 R. Francs Bourgeois	21 R. du Parc Royal	St-Paul
19	D24	**Émélie** Rue	164 R. de Crimée	Rue de Joinville	Crimée
15	L10-M10	**Émeriau** Rue	24 R. du Dr Finlay	29 R. Linois	Dupleix - Ch. Michels
20	H26	**Emmery** Rue	296 R. des Pyrénées	35 R. des Rigoles	Jourdain
19	F25	**Encheval** Rue de l'	92 R. de la Villette	37 R. de Crimée	Botzaris
15	N14	**Enfant Jésus** I. de l'	146 R. de Vaugirard	(en impasse)	Falguière
20	I28	**Enfantin** R. du P. Prosper	Rue Géo Chavez	Rue Irène Blanc	Porte de Bagnolet
14	O17	**Enfer** Passage d'	21 R. Campagne Pr.	247 Bd Raspail	Raspail
13	S21-T21	**Enfert** Rue Paulin	125 Bd Masséna	18 Av. Léon Bollée	Porte d'Italie
10	H19-H20	**Enghien** Rue d'	45 R. du Fbg St-Denis	20 R. du Fbg Poissonnière	Château d'Eau
15	N11	**Entrepreneurs** P. des	87 R. des Entrepreneurs	10 Pl. du Commerce	Commerce
15	M10-N11	**Entrepreneurs** Rue des	76 Av. Émile Zola	102 R. de la Croix Nivert	Ch. Michels

Ar.	Plan	**Rues** / Streets	Commençant	Finissant	Métro
15	M10	**Entrepreneurs** Villa des	40 R. des Entrepreneurs	(en impasse)	Ch. Michels
20	H25	**Envierges** Rue des	18 R. Piat	71 R. de la Mare	Pyrénées
5	N19-N20	**Épée de Bois** Rue de l'	86 R. Monge	89 R. Mouffetard	Place Monge
6	L18	**Éperon** Rue de l'	41 R. St-André des Arts	10 R. Danton	Odéon
17	B16-C15	**Épinettes** Rue des	62 R. de la Jonquière	45 Bd Bessières	Guy Môquet
17	C16	**Épinettes** Square des	R. J. Leclaire	R. M. Deraismes	Guy Môquet
17	B16	**Épinettes** Villa des	40 R. des Épinettes	43 R. Lantiez	Porte de St-Ouen
20	I25	**Epstein** Place Joseph	13 R. des Mûriers	14 R. des Partants	Gambetta
19	G24	**Équerre** Rue de l'	71 R. Rébeval	23 Av. S. Bolivar	Pyrénées
12	M24-N25	**Érard** impasse	7 R. Érard	(en impasse)	Reuilly Diderot
12	M25-N24	**Érard** Rue	157 R. de Charenton	26 R. de Reuilly	Reuilly Diderot
5	N19	**Erasme** Rue	Rue Rataud	31 R. d'Ulm	Censier-Daubenton
18	E20	**Erckmann-Chatrian** Rue	32 R. Polonceau	9 R. Richomme	Château Rouge
16	L7	**Érignac** Pl. du Préfet Claude	R. Serge Prokofiev		Jasmin
16	M7	**Erlanger** Avenue	5 R. Erlanger	(en impasse)	Michel Ange-Auteuil
16	M7-N6	**Erlanger** Rue	65 R. d'Auteuil	88 Bd Exelmans	Michel Ange-Molitor
16	M7	**Erlanger** Villa	25 R. Erlanger	(en impasse)	Michel Ange-Molitor
16	N7	**Ermitage** Avenue de l'	10 Av. Villa Réunion	Gde Av. Villa de la Réunion	Chardon Lagache
20	H26	**Ermitage** Cité de l'	113 R. Ménilmontant	R. des Pyrénées	Ménilmontant
20	H26	**Ermitage** Rue de l'	105 R. Ménilmontant	23 R. O. Métra	Jourdain
20	H26	**Ermitage** Villa de l'	12 R. de l'Ermitage	315 R. des Pyrénées	Jourdain
18	D20	**Ernestine** Rue	44 R. Doudeauville	25 R. Ordener	Marcadet-Poissonniers
20	I25	**Ernst** Rue Max	34 R. Duris	87 R. Amandiers	Ménilmontant
13	Q23	**Escadrille Normandie-Niémen** Place de l'	Rue de Vimoutiers	Rue P. Gourdault	Chevaleret
19	C23	**Escaut** Rue de l'	229 R. de Crimée	60 R. Curial	Crimée
18	B18-B19	**Esclangon** Rue	102 R. du Ruisseau	47 R. Letort	Porte de Clignancourt
12	R26	**Escoffier** Rue	Quai de Bercy	(en impasse)	Porte de Charenton
9	F17	**Escudier** Rue Paul	56 R. Blanche	9 R. Henner	Blanche - Liège
7	J14	**Esnault Pelterie** R. Robert	37 Q. d'Orsay	130 R. de l'Université	Invalides
13	R19	**Espérance** Rue de l'	27 R. de la Butte aux Cailles	61 R. Barrault	Corvisart
7	M14	**Esquerré** Sq. de l'Abbé	Bd des Invalides	Av. Duquesne	St-Franç.-Xavier
13	P21	**Esquirol** Rue	11 Pl. Pinel	Rue Jeanne d'Arc	Nationale
5	O21	**Essai** Rue de l'	34 Bd St-Marcel	35 R. Poliveau	St-Marcel
20	H26	**Est** Rue de l'	11 R. Pixérécourt	290 R. des Pyrénées	Télégraphe
16	I11	**Estaing** R. de l'Amiral D'	8 R. de Lübeck	17 Pl. États-Unis	Iéna - Boissière
13	S22	**Este** Villa d'	94 Bd Masséna	23 Av. d'Ivry	Porte d'Ivry
20	M29	**Esterel** Square de l'	8 Bd Davout	3 Sq. du Var	Porte de Vincennes
8	H13	**Estienne** Rue Robert	26 R. Marbeuf	(en impasse)	Franklin D. Roosevelt
15	N10	**Estienne** Rue du Général	119 R. St-Charles	2 R. Lacordaire	Ch. Michels
9	G17	**Estienne D'Orves** Pl. D'	68 R. St-Lazare	60 R. Châteaudun	Trinité
16	M7-M8	**Estrade** Cité Florentine	8 R. Verderet	(en impasse)	Église d'Auteuil
5	N19	**Estrapade** Place de l'	Rue de l'Estrapade	Rue Lhomond	Luxembourg (RER B)
5	N19	**Estrapade** Rue de l'	2 R. Tournefort	1 Pl. l'Estrapade	Luxembourg (RER B)
19	G24	**Estrées** Allée Gabrielle D'	3 R. Rampal	(en impasse)	Belleville
7	L13-L14	**Estrées** Rue D'	34 Bd des Invalides	1 Pl. de Fontenoy	St-Franç.-Xavier
16	H11	**États Unis** Place des	Avenue d'Iéna	13 R. Galilée	Kléber - Iéna
18	C16-D16	**Étex** Rue	Rue Carpeaux	62 Av. de St-Ouen	Guy Môquet
18	C16-D16	**Étex** Villa	10 R. Étex	(en impasse)	Guy Môquet
12	Q25	**Etlin** Rue Robert	Q. de Bercy	Bd Poniatowski	Porte de Charenton
17	F11-G12	**Étoile** Rue de l'	25 Av. de Wagram	20 Av. Mac Mahon	Ternes
11	L23	**Étoile d'Or** Cour de l'	75 R. du Fbg St-Antoine	(en impasse)	Ledru-Rollin
8	H12	**Euler** Rue	31 R. de Bassano	66 R. Galilée	George V
20	H25	**Eupatoria** Passage d'	R. d'Eupatoria	(en impasse)	Menilmontant
20	H25	**Eupatoria** Rue d'	2 R. Julien Lacroix	1 R. de la Mare	Ménilmontant
14	P15	**Eure** Rue de l'	14 R. H. Maindron	23 R. Didot	Pernety
8	F16	**Europe** Place de l'	R. de Constantinople	58 R. de Londres	Europe
18	B23-C22	**Évangile** Rue de l'	44 R. de Torcy	R. d'Aubervilliers	Marx Dormoy
20	I27	**Éveillard** Impasse	36 R. Belgrand	(en impasse)	Porte de Bagnolet
19	D24	**Evette** Rue	3 R. de Thionville	10 Q. de la Marne	Crimée
16	K8	**Evrard** Place Jane	Av. Paul Doumer	R. de Passy	La Muette
16	M6-O7	**Exelmans** Boulevard	168 Q. L. Blériot	R. d'Auteuil	Exelmans - Pte Auteuil
16	N7	**Exelmans** Hameau	1 Hameau Exelmans	66 Bd Exelmans	Exelmans
7	K13	**Exposition** Rue de l'	129 R. St-Dominique	206 R. de Grenelle	École Militaire
16	I10-J10	**Eylau** Avenue d'	10 Pl. du Trocadéro	Place de Mexico	Trocadéro
16	H11	**Eylau** Villa d'	44 Av. Victor Hugo	(en impasse)	Kléber

F

Ar.	Plan	Rues / Streets	Commençant	Finissant	Métro
7	J14-K14	**Fabert** Rue	39 Q. d'Orsay	146 R. de Grenelle	La Tour-Maubourg
10	F22	**Fabien** Place du Colonel	82 Bd de la Villette	1 R. de Meaux	Colonel Fabien
19	F22	**Fabien** Place du Colonel	82 Bd de la Villette	1 R. de Meaux	Colonel Fabien
15	O12	**Fabre** Rue Ferdinand	135 R. Blomet	302 R. de Vaugirard	Convention
18	A17-A19	**Fabre** Rue Jean-Henri	Av. Pte de Clignancourt	Av. de la Pte Montmartre	Pte de Clignancourt
12	M26-N26	**Fabre d'Églantine** Rue	1 Av. de St-Mandé	16 Pl. de la Nation	Nation
11	I23	**Fabriques** Cour des	70 R. J.-P. Timbaud	(en impasse)	Parmentier
13	P20-Q21	**Fagon** Rue	28 Av. St. Pichon	163 Bd de l'Hôpital	Place d'Italie
14	S17	**Faguet** Rue Émile	63 Bd Jourdan	R. Prof. H. Vincent	Porte d'Orléans
11	L24	**Faidherbe** Rue	235 R. du Fbg St-Antoine	92 R. de Charonne	Faidherbe-Chaligny
16	H9-I8	**Faisanderie** Rue de la	59 Av. Bugeaud	198 Av. V. Hugo	Porte Dauphine
16	H9	**Faisanderie** Villa de la	26 R. de la Faisanderie	88 Bd Flandrin	Porte Dauphine
18	B17	**Falaise** Cité	36 R. Leibniz	8 R. J. Dollfus	Porte de St-Ouen
20	I27	**Falaises** Villa des	68 R. de la Py	(en impasse)	Porte de Bagnolet
10	F22	**Falck** Square Jean	115 Bd de la Villette		Jaurès
18	D19	**Falconet** Rue	6 R. du Chev. de la Barre	6 Pas. Cottin	Château Rouge
15	O14	**Falguière** Cité	72 R. Falguière	(en impasse)	Pasteur
15	P14	**Falguière** Place	R. de la Procession	R. Falguière	Vaugirard - Pernety
15	N15-P14	**Falguière** Rue	131 R. de Vaugirard	3 Pl. Falguière	Falguière - Pasteur
15	M11	**Fallempin** Rue	15 R. de Lourmel	18 R. Violet	Dupleix
19	F25	**Fallières** Villa Armand	6 R. Miguel Hidalgo		Botzaris
16	O7	**Fantin Latour** Rue	172 Q. L. Blériot	17 Bd Exelmans	Exelmans
17	E11-F11	**Faraday** Rue	8 R. Lebon	49 R. Laugier	Pereire
6	M15	**Fargue** Place Léon-Paul	Bd du Montparnasse	R. de Sèvres	Duroc
7	M15	**Fargue** Place Léon-Paul	Bd du Montparnasse	R. de Sèvres	Duroc
15	M15	**Fargue** Place Léon-Paul	Bd du Montparnasse	R. de Sèvres	Duroc
15	P8-P9	**Farman** Rue Henry	Av. de la Pte de Sèvres	R. C. Desmoulins	Balard
16	N5	**Farrère** Rue Claude	2 Av. Parc des Princes	R. Nungesser et Coli	Porte de St-Cloud
10	H23-I22	**Fbg du Temple** R. du	10 Pl. de la République	1 Bd de la Villette	République
11	H22-H23	**Fbg du Temple** R. du	10 Pl. de la République	1 Bd de la Villette	République
9	G18-H18	**Fbg Montmartre** Rue du	32 Bd Poissonnière	4 R. Fléchier	Grands Boulevards
9	E19-H19	**Fbg Poissonnière** Rue du	2 Bd Poissonnière	135 Bd Magenta	Bonne Nouvelle
10	E19-H19	**Fbg Poissonnière** Rue du	2 Bd Poissonnière	153 Bd de Magenta	Bonne Nouvelle
11	L22-M26	**Fbg St-Antoine** Rue du	2 R. de la Roquette	1 Pl. de la Nation	Bastille - Nation
12	L22-M26	**Fbg St-Antoine** Rue du	2 R. de la Roquette	1 Pl. de la Nation	Bastille - Nation
10	E21-H20	**Fbg St-Denis** Rue du	2 Bd de Bonne Nouvelle	37 Pl. de la Chapelle	Gare du Nord - Gare de l'Est
8	F12-H16	**Fbg St-Honoré** Rue du	15 R. Royale	46 Av. Wagram	Concorde - Ternes
14	O18-P17	**Fbg St-Jacques** Rue du	117 Bd de Port Royal	Pl. St-Jacques	Port Royal (RER B)
10	E22-H20	**Fbg Saint-Martin** Rue du	2 Bd St-Denis	147 Bd de Villette	Gare de l'Est - L. Blanc
20	H25	**Faucheur** Villa	Rue des Envierges	(en impasse)	Pyrénées
4	L21	**Fauconnier** Rue du	38 Q. des Célestins	13 R. Charlemagne	Pont Marie
15	N11-O9	**Faure** Avenue Félix	26 Pl. E. Pernet	3 Pl. Balard	F. Faure - Balard
15	L11-L12	**Faure** Rue Edgar	Rue de Presles	Rue Desaix	Dupleix
12	M29-N29	**Faure** Rue Elie	21 R. du Chaffault	24 Av. de la Pte de Vincennes	St-Mandé Tourelle
15	O10	**Faure** Rue Félix	85 Av. Félix Faure	5 R. F. Mistral	Lourmel
19	F26	**Faure** Villa Félix	44 R. de Mouzaïa	25 R. de Bellevue	Danube
17	E14	**Fauré** Square Gabriel	25 R. Legendre	(en impasse)	Malesherbes
13	R22-R23	**Fautrier** Rue Jean	47 R. Albert	42 R. Chât. Rentiers	Olympiades
18	D16	**Fauvet** Rue	51 R. Ganneron	36 Av. de St-Ouen	La Fourche
2	H18	**Favart** Rue	1 R. Grétry	9 Bd des Italiens	Richelieu Drouot
15	O13	**Favorites** Rue des	273 R. de Vaugirard	48 R. P. Barruel	Vaugirard
16	H8-I8	**Fayolle** Av. du Maréchal	Pl. du Mal De Lat. De Tassigny	Av. L. Barthou	Av. H. Martin (RER C)
12	P26-P27	**Fécamp** Rue de	20 R. des Meuniers	250 Av. Daumesnil	Porte de Charenton
15	K11-L12	**Fédération** Rue de la	103 Q. Branly	70 Av. de Suffren	Bir Hakeim
6	L17	**Félibien** Rue	1 R. Clément	2 R. Lobineau	Mabillon
17	D14	**Félicité** Rue de la	82 R. de Tocqueville	107 R. de Saussure	Malesherbes
10	F20	**Fénelon** Rue	2 R. d'Abbeville	5 R. de Belzunce	Poissonnière
9	F18	**Fénelon** Cité	32 R. Milton	(en impasse)	Cadet
15	O12	**Fenoux** Rue	6 R. Gerbert	67 R. de l'Abbé Groult	Convention
5	O20	**Fer à Moulin** Rue du	2 Fossés St-Marcel	1 Av. des Gobelins	Censier-Daubenton
20	I28	**Ferber** Rue du Capitaine	40 R. Pelleport	59 Bd Mortier	Porte de Bagnolet
8	F14	**Ferdousi** Avenue	Avenue Ruysdaël	Bd de Courcelles	Monceau
17	F11	**Férembach** Cité	21 R. St-Ferdinand	(en impasse)	Argentine

Ar.	Plan	**Rues** / Streets	Commençant	Finissant	Métro
14	O16-P16	**Fermat** Passage	2 R. Fermat	69 R. Froidevaux	Gaîté
14	P16	**Fermat** Rue	57 R. Froidevaux	82 R. Daguerre	Gaîté
20	H24	**Ferme de Savy** Rue de la	27 R. Jouye Rouve	19 Pass. de Pékin	Pyrénées
10	G20	**Ferme St-Lazare** C. de la	79 Bd de Magenta	(en impasse)	Gare de l'Est
10	G20	**Ferme Saint-Lazare** P.	5 R. de Chabrol	4 Cr de la Ferme St-Lazare	Gare de l'Est
1	J18	**Fermes** Cours des	15 R. du Louvre	22 R. du Bouloi	Louvre-Rivoli
17	D14	**Fermiers** Rue des	16 R. Jouffroy D'Abbans	89 R. de Saussure	Malesherbes
6	M17	**Férou** Rue	3 R. du Canivet	48 R. de Vaugirard	St-Sulpice
6	M16	**Ferrandi** Rue Jean	83 R. du Cherche Midi	100 R. de Vaugirard	Vaneau - St-Placide
7	K12	**Ferrié** Avenue du Général	Al. A. Lecouvreur	Allée Thomy Thierry	Ch. de Mars-Tr Eiffel (RER C)
1	J19	**Ferronnerie** Rue de la	41 R. St-Denis	Rue de la Lingerie	Châtelet
14	Q18	**Ferrus** Rue	3 Bd St-Jacques	6 R. Cabanis	Glacière
11	H22-I22	**Ferry** Boulevard Jules	13 Av. de la République	28 R. du Fbg du Temple	République
16	O6-P6	**Ferry** Rue Abel	3 R. de la Petite Arche	128 Bd Murat	Porte de St-Cloud
11	I22	**Ferry** Square Jules	Bd Jules Ferry		République
19	F24-G25	**Fessart** Rue	1 R. de Palestine	26 R. Botzaris	Jourdain - Pyrénées
19	F26-G26	**Fêtes** Place des	21 R. des Fêtes	40 R. Compans	Pl. des Fêtes
19	G26	**Fêtes** Rue des	169 R. de Belleville	51 R. Compans	Pl. des Fêtes
5	N18	**Feuillantines** Rue des	Pl. P. Lampué	7 R. P. Nicole	Luxembourg (RER B)
1	I16-J17	**Feuillants** Terrasse des	Jard. des Tuileries		Tuileries
7	J12	**Feuillère** Place Edwige	Rue Sédillot	R. Edmond Valentin	Pont de l'Alma (RER C)
16	J8	**Feuillet** Rue Octave	1 Bd Jules Sandeau	113 Av. H. Martin	La Muette
10	G23	**Feulard** Rue Henri	25 R. Sambre et M.	45 Bd de la Villette	Colonel Fabien
18	D19-E19	**Feutrier** Rue	8 R. A. del Sarte	10 R. P. Albert	Château Rouge
18	D18	**Féval** Rue Paul	35 R. du Mont Cenis	26 R. des Saules	Lamarck-Caulaincourt
2	H18	**Feydeau** Galerie	10 R. St-Marc	8 Gal. des Variétés	Bourse
2	H18	**Feydeau** Rue	27 R. N.-D. des Victoires	80 R. de Richelieu	Bourse
10	G20-G21	**Fidélité** Rue de la	75 Bd de Strasbourg	94 R. du Fbg St-Denis	Gare de l'Est
4	L21	**Figuier** Rue du	5 R. du Fauconnier	21 R. Charlemagne	St-Paul
3	J22	**Filles du Calvaire** Bd des	R. St-Sébastien	R. Filles du Calvaire	Filles du Calvaire
11	J22	**Filles du Calvaire** Bd des	R. St-Sébastien	R. Filles du Calvaire	Filles du Calvaire
3	J22	**Filles du Calvaire** R. des	94 R. de Turenne	1 Bd du Temple	Filles du Calvaire
2	H18	**Filles St-Thomas** R. des	1 R. du 4 Septembre	66 R. de Richelieu	Bourse
18	A22-B22	**Fillettes** Impasse des	46 R. C. Hermite		Porte de la Chapelle
18	C21	**Fillettes** Rue des	8 R. Boucry	Rue Tristan Tzara	Marx Dormoy
17	D15	**Fillion** Place Charles	82 Pl. Dr Lobligeois	146 R. Cardinet	Brochant
7	J14	**Finlande** Place de	1 Bd de La Tr-Maubourg	Rue Fabert	Invalides
15	L10-L11	**Finlay** Rue du Docteur	27 Q. de Grenelle	56 Bd de Grenelle	Dupleix
19	G23	**Fiszbin** Place Henri	19 R. Jules Romains	18 R. Rébeval	Belleville
15	Q13	**Fizeau** Rue	85 R. Brancion	118 R. Castagnary	Porte de Vanves
17	D12	**Flachat** Rue Eugène	1 R. Alfred Roll	51 Bd Berthier	Pereire
13	O22-P23	**Flamand** Rue Edmond	18 Bd Vincent Auriol	Rue Fulton	Quai de la Gare
4	K19	**Flamel** Rue Nicolas	88 R. de Rivoli	7 R. des Lombards	Châtelet
18	B18	**Flammarion** Rue Camille	134 Bd Ney	36 R. René Binet	Porte de Clignancourt
19	C24-E22	**Flandre** Avenue de	210 Bd de la Villette	Av. Corentin Cariou	Stalingrad - Crimée
19	D23	**Flandre** Passage de	48 R. de Flandre	47 Q. de la Seine	Riquet
16	H9-I8	**Flandrin** Boulevard	Place Tattegrain	83 Av. Foch	Porte Dauphine
5	O19	**Flatters** Rue	50 Bd de Port Royal	25 R. Berthollet	Les Gobelins
17	E12-F12	**Flaubert** Rue Gustave	105 R. de Courcelles	14 R. Rennequin	Ternes - Pereire
20	F28-G29	**Flavien** Rue des Frères	R. Léon Frapié	Av. de la Porte Lilas	Porte des Lilas
9	G18	**Fléchier** Rue	18 R. de Châteaudun	67 R. du Fbg Montmartre	N.-D. de Lorette
19	E27-F28	**Fleming** Rue Alexander	76 Av. du Belvédère	Av. de la Pte du Pré St-Gervais	Pré St-Gervais
15	L10-M10	**Flers** Rue Robert De	6 R. Rouelle	11 R. Linois	Ch. Michels
19	F25	**Fleurie** Villa	14 r. Carducci	(en impasse)	Jourdain
17	C15	**Fleurs** Cité des	154 Av. de Clichy	59 R. de la Jonquière	Brochant
4	K20-L20	**Fleurs** Quai aux	2 R. du Cloître N.-Dame	1 R. d'Arcole	St-Michel
6	M16-M17	**Fleurus** Rue de	22 R. Guynemer	7 R. N.-D. des Champs	St-Placide
15	N12	**Fleury** Rue Robert	64 R. Cambronne	85 R. Mademoiselle	Vaugirard
18	E20	**Fleury** Rue	74 Bd de la Chapelle	17 R. de la Charbonnière	Barbès-Rochechouart
20	H28-H29	**Fleury** Square Emmanuel	Rue Le Vau		St-Fargeau
18	C19-D19	**Flocon** Rue Ferdinand	56 R. Ramey	99 R. Ordener	Jules Joffrin
7	K11-L12	**Floquet** Avenue Charles	3 Av. Octave Gréard	Rue J. Carriès	Ch. de Mars-Tr Eiffel (RER C)
13	S19	**Florale** Cité	Rue des Glycines	Rue Brillat Savarin	Cité Univ. (RER B)
16	M7	**Flore** Villa	120 Av. Mozart	(en impasse)	Michel Ange-Auteuil
17	A15	**Floréal** Rue	R. Arago (St-Ouen)	Bd du Bois le Prêtre	Porte de St-Ouen
8	E16	**Florence** Rue de	33 R. St-Petersbourg	28 R. de Turin	Place de Clichy

Ar.	Plan	Rues / Streets	Commençant	Finissant	Métro
19	F25	**Florentine** Cité	84 R. de la Villette	(en impasse)	Botzaris
20	J27-K27	**Florian** Rue	37 R. Vitruve	104 R. de Bagnolet	Porte de Bagnolet
14	Q14-Q15	**Florimont** Impasse	150 R. d'Alésia	(en impasse)	Plaisance
17	B16	**Flourens** Passage	19 Bd Bessières	39 R. J. Leclaire	Porte de St-Ouen
16	G11-H9	**Foch** Avenue	Pl. Ch. De Gaulle	Bd Lannes	Ch. de Gaulle-Étoile
14	R16	**Focillon** Rue Adolphe	26 R. Sarrette	11 R. Marguerin	Alésia
3	K22	**Foin** Rue du	3 R. de Béarn	30 R. de Turenne	Chemin Vert
11	H22-J23	**Folie Méricourt** R. de la	1 R. St-Ambroise	2 R. Fontaine au Roi	St-Ambroise
11	J25	**Folie Regnault** P. de la	62 R. de la Folie Regnault	43 Bd de Ménilmontant	Père Lachaise
11	J25-K25	**Folie Regnault** Rue de la	70 R. Léon Frot	132 R. du Chemin Vert	Père Lachaise
11	K25	**Folie Regnault** Sq. de la	R. de la Folie Regnault	Pas. Courtois	Philippe Auguste
10	G21-G22	**Follereau** Place Raoul	Quai de Valmy	Av. de Verdun	Gare de l'Est
20	H28	**Foncin** Rue Pierre	100 Bd Mortier	5 R. des Fougères	St-Fargeau
19	F28	**Fonck** Avenue René	5 Av. du Belvédère	Av. de la Pte des Lilas	Porte des Lilas
5	N20	**Fondane** Place Benjamin	2 Rue Rollin	4 Rue Rollin	Monge
15	M11-M12	**Fondary** Rue	23 R. de Lourmel	40 R. de la Croix Nivert	Émile Zola
15	M12	**Fondary** Villa	81 R. Fondary	(en impasse)	Émile Zola
11	I23	**Fonderie** Passage de la	72 R. J.-P. Timbaud	119 R. St-Maur	Parmentier
12	O25-O26	**Fonds Verts** Rue des	44 R. Proudhon	264 R. de Charenton	Dugommier
9	E17-F17	**Fontaine** Rue Pierre	R. J.-B. Pigalle	1 Pl. Blanche	Blanche
13	R20-S19	**Fontaine à Mulard** R. de la	70 R. de la Colonie	2 Pl. de Rungis	Maison Blanche
11	H22-H24	**Fontaine au Roi** R. de la	32 R. du Fbg du Temple	57 Bd de Belleville	Goncourt - Couronnes
19	D26	**Fontaine aux Lions** Pl. de la	219 Av. J. Jaurès	Gal. la Villette	Porte de Pantin
18	C18-D18	**Fontaine du But** R. de la	95 R. Caulaincourt	26 R. Duhesme	Lamarck-Caulaincourt
19	E25-E26	**Fontainebleau** Allée de	98 R. Petit	118 R. Petit	Porte de Pantin
3	I21	**Fontaines du Temple** R. des	181 R. du Temple	58 R. de Turbigo	Arts et Métiers
17	E10	**Fontanarosa** Jard. Lucien	Bd D'Aurelle De Paladines	R. Cino Del Duca	Louise Michel
20	K27	**Fontarabie** Rue de	98 R. de la Réunion	135 R. des Pyrénées	Alexandre Dumas
12	N25	**Fontenay** Pl. Maurice De	48 R. de Reuilly	56 R. de Reuilly	Montgallet
19	F26	**Fontenay** Villa de	32 R. du Gal Brunet	7 R. de la Liberté	Danube
7	L13	**Fontenoy** Place de	Av. de Lowendal	Avenue de Saxe	Ségur
17	D12	**Forain** Rue Jean-Louis	12 R. Abbé Rousselot	Av. Brunetière	Pereire
19	A26-B25	**Forceval** Rue	R. Berthier (Pantin)	R. du Chemin de Fer	Porte de la Villette
15	M10-M9	**Forest** Place Fernand	Q. de Grenelle	Rue Linois	Ch. Michels
18	E16-E17	**Forest** Rue	126 Bd de Clichy	2 R. Cavallotti	Place de Clichy
13	S19	**Forestier** Sq. J.-Cl.-Nicolas	Bd Kellermann	R. Thomire	Porte d'Italie
3	J21	**Forez** Rue du	57 R. Charlot	20 R. de Picardie	Temple
11	L24	**Forge Royale** Rue de la	165 R. du Fbg St-Antoine	R. C. Delescluze	Ledru-Rollin
2	I19	**Forges** Rue des	2 R. de Damiette	49 R. du Caire	Sentier
15	N12	**Formigé** Rue Jean	2 R. Léon Séché	21 R. Th. Renaudot	Vaugirard
14	R16-R17	**Fort** Rue Paul	140 R. de la Tombe Issoire	61 R. du Père Corentin	Porte d'Orléans
17	B14-C13	**Fort de Douaumont** Bd du	Bd Fort de Vaux	Bd V. Hugo (Clichy)	Porte de Clichy
17	C12-C13	**Fort de Vaux** Bd du	Pt du Chemin de Fer	32 Av. de la Pte d'Asnières	Pereire
12	Q27	**Fortifications** Route des	14 Av. de la Pte Charenton	Porte de Reuilly	Porte de Charenton
8	H13-G13	**Fortin** Impasse	9 R. F. Bastiat	(en impasse)	St-Philippe du R.
13	Q21	**Fortin** Rue Nicolas	65 Av. Edison	164 Av. Choisy	Place d'Italie
17	E13	**Fortuny** Rue	38 R. de Prony	39 Av. de Villiers	Malesherbes
5	M20	**Fossés St-Bernard** R. des	1 Bd St-Germain	Rue Jussieu	Jussieu
5	M18-N19	**Fossés St-Jacques** R. des	161 R. St-Jacques	R. de l'Estrapade	Luxembourg (RER B)
5	O20	**Fossés St-Marcel** R. des	1 R. du Fer à Moulin	56 Bd St-Marcel	St-Marcel
5	L19	**Fouarre** Rue du	4 R. Lagrange	38 R. Galande	Maubert-Mutualité
13	R20	**Foubert** Passage	10 R. des Peupliers	175 R. de Tolbiac	Tolbiac
12	P28-Q27	**Foucauld** Av. Charles De	9 R. Joseph Chailley	10 Av. du Gal Dodds	Porte Dorée
16	J11	**Foucault** Rue	30 Av. de New York	11 R. Fresnel	Iéna
20	G28-H28	**Fougères** Rue des	Av. de la Pte Ménilmontant	12 R. de Guébriant	St-Fargeau
13	S21-S22	**Fouillée** Rue Alfred	117 Bd Masséna	Av. Léon Bollée	Porte de Choisy
6	L17	**Four** Rue du	133 Bd St-Germain	37 R. Dragon	St-Germain-des-Prés
15	N12	**Fourastié** Rue Jean	14 R. Amiral Roussin	7 R. Meilhac	Av. Émile Zola
15	L11	**Fourcade** Pl. M.-Madeleine	14 Pl. Dupleix		Dupleix
15	O12	**Fourcade** Rue	331 R. de Vaugirard	4 R. O. de Serres	Convention
17	F12	**Fourcroy** Rue	14 Av. Niel	13 R. Rennequin	Ternes
4	K21-L21	**Fourcy** Rue de	2 R. de Jouy	86 R. Fr. Miron	St-Paul
12	M28-M29	**Foureau** Rue Fernand	84 Bd Soult	13 Av. Lamoricière	Porte de Vincennes
13	R20	**Fourier** Rue Charles	4 Pl. Abbé G. Hénocque	193 R. de Tolbiac	Tolbiac
17	D15	**Fourneyron** Rue	43 R. des Moines	28 R. Brochant	Brochant
10	H22	**Fournier** Pl. du Dr Alfred	43 R. Bichat	Av. Richerand	Goncourt

Ar.	Plan	Rues / Streets	Commençant	Finissant	Métro
16	J8	**Fournier** Rue Édouard	19 Bd J. Sandeau	24 R. O. Feuillet	Av. H. Martin (RER C)
14	Q13	**Fournier** Square Alain	1 Sq. A. Renoir	3 R. de la Briqueterie	Porte de Vanves
18	B18	**Fournière** Rue Eugène	120 Bd Ney	17 R. René Binet	Porte de Clignancourt
19	F23	**Fours à Chaux** P. des	117 Av. S. Bolivar	(en impasse)	Bolivar
8	F15-G15	**Foy** Rue du Général	16 R. Bienfaisance	86 R. de Monceau	Villiers
18	E18	**Foyatier** Rue	Pl. Suzanne Valadon	5 R. St-Eleuthère	Anvers
20	I29	**Frachon** Avenue Benoît	46 Av. Léon Gaumont	Av. de la Pte de Montreuil	Porte de Montreuil
17	C14-C15	**Fragonard** Rue	192 Av. de Clichy	R. de la Jonquière	Porte de Clichy
12	M23	**Fraisier** Ruelle	59 R. Daumesnil	(en impasse)	Bastille
13	S23	**Franc Nohain** Rue	18 Av. Boutroux	(en impasse)	Porte d'Ivry
1	I19-J19	**Française** Rue	3 R. de Turbigo	25 R. Tiquetonne	Étienne Marcel
2	I19	**Française** Rue	3 R. de Turbigo	25 R. Tiquetonne	Étienne Marcel
7	K12	**France** Avenue Anatole	Av. Gustave Eiffel	Place Joffre	École Militaire
13	P23-R24	**France** Avenue de	Bd V. Auriol	R. de Tolbiac	Quai de la Gare
7	J15-J16	**France** Quai Anatole	2 R. du Bac	288 Bd St-Germain	Assemblée Nationale
3	I21-I22	**Franche-Comté** Rue de	32 R. de Picardie	3 R. Béranger	République
11	L24	**Franchemont** Impasse	14 R. J. Macé	(en impasse)	Charonne
16	K7-L6	**Franchet D'Espérey** Avenue du Maréchal	9 Pl. de la Porte Passy	Square Tolstoï	Jasmin - Ranelagh
14	R18	**Francine** Rue Thomas	21 R. de l'Emp. Valentinien	6 Av. de la Sibelle	Cité Univ. (RER B)
15	M13-M14	**Franck** Rue César	52 Av. de Saxe	5 R. Bellart	Sèvres-Lecourbe
7	J12	**Franco Russe** Avenue	8 Av. Rapp	195 R. de l'Université	Pont de l'Alma (RER C)
18	C17-D18	**Francœur** Rue	49 R. du Mont Cenis	141 R. Marcadet	Lamarck-Caulaincourt
16	O7	**François** Place Claude	31 Bd Exelmans	154 Av. de Versailles	Porte de St-Cloud
8	I13	**François Ier** Place	Rue Bayard	Rue J. Goujon	Franklin D. Roosevelt
8	H12-I14	**François Ier** Rue	Pl. du Canada	16 R. Q. Bauchart	Franklin D. Roosevelt
3	J21-K22	**Francs Bourgeois** R. des	19 Pl. des Vosges	56 R. des Archives	St-Paul
4	K21-J21	**Francs Bourgeois** R. des	19 Pl. des Vosges	56 R. des Archives	St-Paul
16	J10-K10	**Franklin** Rue Benjamin	2 R. Vineuse	Pl. du Trocadéro	Passy - Trocadéro
15	P13	**Franquet** Rue	21 R. Santos Dumont	60 R. Labrouste	Porte de Vanves
16	J8	**Franqueville** Rue de	2 R. Maspéro	115 Av. H. Martin	La Muette
20	G28-G29	**Frapié** Rue Léon	R. de Guébriant	5 R. Evariste Galois	Porte des Lilas
19	E26-F26	**Fraternité** Rue de la	31 R. de la Liberté	52 R. D. d'Angers	Danube
19	G24	**Fréhel** Place	R. de Belleville	R. Julien Lacroix	Pyrénées
20	G24	**Fréhel** Place	R. de Belleville	R. Julien Lacroix	Pyrénées
15	M12	**Frémicourt** Rue	37 R. du Commerce	1 Pl. Cambronne	Cambronne
16	K10	**Frémiet** Avenue	24 Av. du Pdt Kennedy	5 R. C. Dickens	Passy
12	N23	**Frenay** Place Henri	Place Rutebeuf	10 R. Hector Malot	Gare de Lyon
20	K27	**Fréquel** Passage	7 R. Vitruve	24 R. de Fontarabie	Maraîchers
16	I12-J11	**Fresnel** Rue	7 R. Manutention	4 Av. Albert de Mun	Iéna
19	E27	**Freud** Rue Sigmund	Av. de la Pte Pré St-Gervais	Av. de la Pte Chaumont	Pré St-Gervais
16	I11-I12	**Freycinet** Rue	10 Av. du Pdt Wilson	46 Av. d'Iéna	Iéna
14	R16	**Friant** Rue	13 Av. J. Moulin	177 Bd Brune	Porte d'Orléans - Alésia
20	H26	**Friedel** Rue Charles	18 R. Olivier Métra	43 R. Pixérécourt	Télégraphe
8	G12-G13	**Friedland** Avenue de	177 R. du Fbg St-Honoré	Pl. Ch. de Gaulle	Ch. de Gaulle-Étoile
13	Q24	**Frigos** Rue des	Rue Neuve Tolbiac	R. Thomas Mann	Bibl. F. Mitterrand
9	E18-F18	**Frochot** Avenue	26 R. Victor Massé	3 Pl. Pigalle	Pigalle
9	E18-F18	**Frochot** Rue	28 R. Victor Massé	7 Pl. Pigalle	Pigalle
14	O16-P17	**Froidevaux** Rue	6 Pl. Denfert-Rochererau	89 Av. du Maine	Denfert-Rochereau
3	J22	**Froissart** Rue	3 Bd Filles du Calvaire	92 R. de Turenne	St-Sébastien-Froissart
18	C17	**Froment** Place Jacques	Rue J. de Maistre	Rue Lamarck	Guy Môquet
11	K23	**Froment** Rue	23 R. Sedaine	18 R. du Chemin Vert	Bréguet Sabin
9	E17	**Fromentin** Rue	32 R. Duperré	39 Bd de Clichy	Blanche - Pigalle
11	K24-L25	**Frot** Rue Léon	195 Bd Voltaire	158 R. de la Roquette	Rue des Boulets
17	A16	**Fructidor** Rue	R. La Fontaine (St-Ouen)	R. Vincent (St-Ouen)	Porte de St-Ouen
13	O23	**Fulton** Rue	13 Q. d'Austerlitz	18 R. Flamand	Quai de la Gare
12	O28	**Furetière** Place Antoine	Av. du Gén. Messimy	4 R. du Gén. Archinard	Porte Dorée
6	K17-L17	**Furstenberg** Rue de	3 R. Jacob	4 R. l'Abbaye	St-Germain-des-Prés
14	Q15	**Furtado Heine** Rue	153 R. d'Alésia	8 R. Jacquier	Plaisance
5	O18	**Fustel De Coulanges** Rue	41 R. P. Nicole	344 R. St-Jacques	Port Royal (RER B)

G

Ar.	Plan	Rues / Streets	Commençant	Finissant	Métro
18	D19	**Gabin** Place Jean	31 Rue Custine	21 Rue Lambert	Jules Joffrin
12	M28-N28	**Gabon** Rue du	101 Av. de St-Mandé	52 R. de la Voûte	Porte de Vincennes
8	H14-I15	**Gabriel** Avenue	Pl. de la Concorde	2 Av. Matignon	Concorde
15	N15	**Gabriel** Villa	2 R. Falguière	(en impasse)	Falguière

Ar.	Plan	**Rues** / Streets	Commençant	Finissant	Métro
18	E18	**Gabrielle** Rue	7 R. Foyatier	24 R. Ravignan	Abbesses
15	O13	**Gager Gabillot** Rue	36 R. de la Procession	45 R. des Favorites	Vaugirard
20	G27	**Gagliardini** Villa	100 R. Haxo	V. Dury Vasselon	Télégraphe
16	H8-H9	**Gaillard** P. souterrain H.	Bd de l'Amiral Bruix	Bd Lannes	Porte Dauphine
2	H17	**Gaillon** Place	1 R. de la Michodière	18 R. Gaillon	Quatre Septembre
2	H17-I17	**Gaillon** Rue	28 Av. de l'Opéra	35 R. St-Augustin	Opéra
14	O16	**Gaîté** Impasse de la	3 R. de la Gaîté	(en impasse)	Edgar Quinet
14	O15-O16	**Gaîté** Rue de la	11 Bd Edgar Quinet	73 Av. du Maine	Gaîté - Edgar Quinet
5	L19	**Galande** Rue	10 R. Lagrange	17 R. du Petit Pont	St-Michel
8	H12-I11	**Galilée** Rue	53 Av. Kléber	111 Av. des Chps Élysées	Ch. de Gaulle-Étoile
16	H12-I11	**Galilée** Rue	53 Av. Kléber	111 Av. des Chps Élysées	Ch. de Gaulle-Étoile
15	Q13	**Galland** Rue Victor	22 R. Fizeau	130 R. Castagnary	Porte de Vanves
11	L25	**Gallé** Square Émile	16 Cité Beauharnais	32 R. Neuve des Boulets	Rue des Boulets
20	J28-K27	**Galleron** Rue	8 R. Florian	20 R. St-Blaise	Porte de Bagnolet
4	L21	**Galli** Square Henri	Bd Henri IV	Quai Henri IV	Sully-Morland
12	M29	**Gallieni** Avenue	1 R. L'Herminier	Avenue Gallieni	St-Mandé Tourelle
20	M29	**Gallieni** Avenue	1 R. L'Herminier	Avenue Gallieni	St-Mandé Tourelle
7	J14-K14	**Gallieni** Av. du Maréchal	Quai d'Orsay	Place des Invalides	Invalides
15	Q7	**Gallieni** Boulevard	R. C. Desmoulins (Issy)	1 Bd Frères Voisin	Mairie d'Issy
16	I12	**Galliera** Rue de	14 Av. du Pdt Wilson	12 Av. Pierre Ier de Serbie	Iéna
20	G29	**Galois** Rue Evariste	R. de Noisy-le-Sec	Rue Léon Frapié	Porte des Lilas
17	E11	**Galvani** Rue	65 R. Laugier	19 Bd Gouvion St-Cyr	Porte de Champerret
15	O9-P10	**Gama** Rue Vasco De	119 Av. Félix Faure	74 R. Desnouettes	Lourmel
20	G28-J25	**Gambetta** Avenue	6 Pl. A. Métivier	Bd Mortier	Gambetta - Pte des Lilas
20	G27-H27	**Gambetta** Passage	31 R. St-Fargeau	38 R. du Borrégo	St-Fargeau
20	I27	**Gambetta** Place	Rue Belgrand	Rue des Pyrénées	Gambetta
11	I23	**Gambey** Rue	53 R. Oberkampf	32 Av. de la République	Parmentier
20	L28	**Gambon** Rue Ferdinand	113 R. d'Avron	Rue Croix St-Simon	Maraîchers
13	P23	**Gance** Rue Abel	Quai de la Gare	Av. de France	Quai de la Gare
13	S21	**Gandon** Rue	15 R. Caillaux	146 Bd Masséna	Pte d'Italie - Maison Blanche
20	J28	**Ganne** Rue Louis	162 Bd Davout	73 R. L. Lumière	Porte de Bagnolet
18	D16	**Ganneron** Passage	42 Av. de St-Ouen	(en impasse)	La Fourche
18	D16-E16	**Ganneron** Rue	38 Av. de Clichy	1 R. Étex	La Fourche
15	R12-R13	**Garamond** Rue Claude	Porte Brancion	11 R. Julia Bartet	Malakoff-Plat. Vanves
19	D25	**Garance** Allée de la	195 Av. Jean Jaurès	8 R. Edgar Varèse	Porte de Pantin
6	L17-M17	**Garancière** Rue	29 R. St-Sulpice	34 R. de Vaugirard	Mabillon
20	I28	**Garat** Rue Martin	8 R. de la Py	5 R. Géo Chavez	Porte de Bagnolet
20	M29	**Garcia** Rue Cristino	10 R. Maryse Hilsz	125 R. de Lagny	St-Mandé Tourelle
1	J19	**Garcia Lorca** Al. Federico	Rue Baltard	Al. A. Breton	Les Halles
18	D20-E20	**Gardes** Rue des	26 R. de la Goutte d'Or	43 R. Myrha	Château Rouge
11	J24	**Gardette** Sq. Maurice	R. Lacharrière	R. Rochebrune	Rue St-Maur
13	P24	**Gare** Port de la	Pont de Bercy	Pont de Tolbiac	Quai de la Gare
13	R25	**Gare** Porte de la	Q. Panhard et Levassor	Quai d'Ivry	Bibl. F. Mitterrand
13	O23-P23	**Gare** Quai de la	R. Raymond Aron	1 Bd V. Auriol	Quai de la Gare
19	A23	**Gare** Rue de la	R. de la Haie du Coq	Q. Gambetta	Porte de la Villette
20	L28	**Gare de Charonne** Jard. de la	Bd Davout	R. du Volga	Porte de Montreuil
12	N26-O26	**Gare de Reuilly** R.de la	119 R. de Reuilly	62 R. de Picpus	Daumesnil
14	P15	**Garenne** Place de la	7 Imp. Ste-Léonie	15 R. du Moulin des Lapins	Pernety
15	M13-N14	**Garibaldi** Boulevard	7 Pl. Cambronne	2 R. Lecourbe	Sèvres-Lecourbe
15	O7-O8	**Garigliano** Pont du	Quai A. Citroën	Quai L. Blériot	Bd Victor (RER C)
16	O7-O8	**Garigliano** Pont du	Quai A. Citroën	Quai L. Blériot	Bd Victor (RER C)
9	H17	**Garnier** Place Charles	1 R. Auber	2 R. Auber	Opéra - Auber (RER A)
17	B16	**Garnier** Rue Francis	22 Bd Bessières	21 R. A. Bréchet	Porte de St-Ouen
15	N15	**Garnier** Villa	1 R. Falguière	131 R. de Vaugirard	Falguière
19	D25	**Garonne** Quai de la	Rue de Thionville		Ourcq
18	E18	**Garreau** Rue	9 R. Ravignan	18 R. Durantin	Abbesses
20	I28	**Garros** Square Roland	49 R. Cap. Ferbert	(en impasse)	Porte de Bagnolet
15	Q12	**Gary** Place Romain	5 Rue des Périchaux	Rue de Dantzig	Pte de Versailles
20	L28-L29	**Gascogne** Square de la	74 Bd Davout	1 R. des Drs Déjerine	Porte de Montreuil
20	I26	**Gasnier-Guy** Rue	28 R. des Partants	3 Pl. M. Nadaud	Gambetta
14	P16	**Gassendi** Rue	39 R. Froidevaux	165 Av. du Maine	Mouton-Duvernet
17	D12	**Gasté** Place Loulou	1 R. Alfred Roll	86 Bd Pereire	Pereire Levallois
12	N24	**Gatbois** Passage	R. P.-H. Grauwin	66 Av. Daumesnil	Gare de Lyon
20	I26-I27	**Gâtines** Rue des	75 Av. Gambetta	91 Av. Gambetta	Gambetta
11	I24	**Gaudelet** Villa	114 R. Oberkampf	(en impasse)	Rue St-Maur
14	R17	**Gauguet** Rue	36 R. des Artistes	(en impasse)	Alésia
17	D12	**Gauguin** Rue	2 R. de St-Marceaux	3 R. J. L. Forain	Pereire

Ar.	Plan	Rues / Streets	Commençant	Finissant	Métro
18	D18	**Gaulard** Rue Lucien	Place C. Pecqueur	98 R. Caulaincourt	Lamarck-Caulaincourt
8	G11	**Gaulle** Place Charles De	49 Av. de Friedland	Av. des Chps Élysées	Ch. de Gaulle-Étoile
16	G11	**Gaulle** Place Charles De	49 Av. de Friedland	Avenue Kléber	Ch. de Gaulle-Étoile
17	G11	**Gaulle** Place Charles De	48 Av. de Friedland	Av. Mac Mahon	Ch. de Gaulle-Étoile
12	N22	**Gaulle** Pont Charles De	Quai d'Austerlitz	Rue Van Gogh	Gare d'Austerlitz
13	N22	**Gaulle** Pont Charles De	Quai d'Austerlitz	Rue Van Gogh	Gare d'Austerlitz
20	L29-M29	**Gaumont** Avenue Léon	Rue de Lagny	Av. Benoît Frachon	St-Mandé Tourelle
17	C15	**Gauthey** Rue	140 Av. de Clichy	53 R. de la Jonquière	Brochant
19	G24	**Gauthier** Passage	63 R. Rébeval	35 Av. S. Bolivar	Buttes Chaumont
18	D17	**Gauthier** Rue Armand	14 R. Félix Ziem	11 R. E. Carrière	Lamarck-Caulaincourt
16	L9-M8	**Gautier** Av. Théophile	27 R. Gros	8 R. Corot	Mirabeau
16	M8	**Gautier** Sq. Théophile	57 Av. T. Gautier		Église d'Auteuil
16	K10	**Gavarni** Rue	12 R. de Passy	11 R. de la Tour	Passy
6	L19	**Gay** Rue Francisque	6 Bd St-Michel	3 Pl. St-André des Arts	St-Michel
5	M18-O19	**Gay-Lussac** Rue	65 Bd St-Michel	52 R. d'Ulm	Luxembourg (RER B)
14	R18-S18	**Gazan** Rue	Avenue Reille	R. de la Cité Universitaire	Cité Univ. (RER B)
13	P20	**Geffroy** Rue Gustave	5 R. des Gobelins	R. Berbier du Mets	Les Gobelins
17	E15-F15	**Geffroy Didelot** Passage	90 Bd des Batignolles	117 R. des Dames	Villiers
11	I24	**Gelez** Rue Victor	8 Pas. Ménilmontant	9 R. des Nanettes	Ménilmontant
18	B17-C17	**Gémier** Rue Firmin	23 R. Lagille	R. Vauvenargues	Porte de St-Ouen
20	H24	**Gênes** Cité de	7 R. Vilin	38 R. de Pali Kao	Couronnes
18	C21	**Genevoix** Rue Maurice	17 R. Boucry	56 R. de la Chapelle	Porte de la Chapelle
12	M25	**Génie** Passage du	246 R. du Fbg St-Antoine	95 Bd Diderot	Reuilly Diderot
12	P28	**Gentil** Square Louis	5 R. J. Chailley	6 Av. du Gal Dodds	Porte Dorée
14	T19	**Gentilly** Porte de	Bd Périphérique		Gentilly
8	H12-I12	**George V** Avenue	5 Pl. de l'Alma	99 Av. des Chps Élysées	George V
20	H26-H27	**Georgina** Villa	9 R. Taclet	36 R. de la Duée	Télégraphe
9	E19-F19	**Gérando** Rue	2 Pl. d'Anvers	93 R. Rochechouart	Anvers
16	M8	**Gérard** Rue François	39 Av. T. Gautier	2 R. George Sand	Église d'Auteuil
13	Q20	**Gérard** Rue	R. du Moulin des Prés	11 R. Jonas	Corvisart
15	O12	**Gerbert** Rue	111 R. Blomet	280 R. de Vaugirard	Vaugirard
11	K25	**Gerbier** Rue	15 R. de la Folie Regnault	168 R. de la Roquette	Philippe Auguste
6	M16	**Gerbillon** R. Jean-François	24 R. de l'Abbé Grégoire	4 R. de Bérite	St-Placide
14	P14	**Gergovie** Passage de	10 R. de Gergovie	128 R. Vercingétorix	Plaisance - Pernety
14	P14-Q15	**Gergovie** Rue de	Rue de la Procession	134 R. d'Alésia	Plaisance - Pernety
17	E13	**Gerhardt** Rue Charles	1 R. G. Doré	(en impasse)	Wagram - Pereire
16	M7	**Géricault** Rue	50 R. d'Auteuil	27 R. Poussin	Michel Ange-Auteuil
14	Q17	**Germain** Rue Sophie	46 R. Hallé	23 Av. du Gal Leclerc	Mouton-Duvernet
12	P24	**Gershwin** Rue George	Rue de Pommard	R. P. Belmondo	Cour St-Émilion
13	Q19	**Gervais** Rue Paul	40 R. Corvisart	72 Bd A. Blanqui	Corvisart - Glacière
17	D12	**Gervex** Rue	7 R. Jules Bourdais	2 R. de Senlis	Pereire
4	K19-K20	**Gesvres** Quai de	1 Pl. Hôtel de Ville	2 Pl. du Châtelet	Hôtel de Ville
15	P11-P12	**Gibez** Rue Eugène	373 R. de Vaugirard	42 R. O. de Serres	Convention
15	O14-P14	**Gide** Rue André	19 R. du Cotentin	79 R. de la Procession	Pernety
13	O23	**Giffard** Rue	3 Q. d'Austerlitz	8 Bd V. Auriol	Quai de la Gare
12	M23	**Gilbert** Rue Émile	21 Bd Diderot	4 R. Parrot	Gare de Lyon
18	E18	**Gill** Rue André	76 R. des Martyrs	(en impasse)	Pigalle
16	K9	**Gillet** Rue de l'Abbé	7 R. Lyautey	10 R. J. Bologne	Passy
15	P11-Q11	**Gillot** Rue Firmin	399 R. de Vaugirard	51 Bd Lefebvre	Porte de Versailles
15	N9	**Gilot** Square Paul	Rue S. Mercier	40 R. de la Convention	Javel
18	D16	**Ginier** Rue Pierre	50 Av. de Clichy	9 R. H. Moreau	La Fourche
18	D16	**Ginier** Villa Pierre	7 R. P. Ginier	Rue H. Moreau	La Fourche
12	O24	**Ginkgo** Cour du	16 Pl. Bat. Pacifique	11 Bd de Bercy	Cour St-Émilion
15	M10-M11	**Ginoux** Rue	53 R. Émeriau	52 R. de Lourmel	Ch. Michels
13	P23	**Giono** Rue Jean	R. A. Gance	Rue Raymond Aron	Quai de la Gare
10	F21-E21	**Girard** Rue Philippe De	191 R. La Fayette	76 R. M. Dormoy	La Chapelle
18	D21-E21	**Girard** Rue Philippe De	212 Bd de Charonne	R. du Repos	La Chapelle
19	E24	**Girard** Rue Pierre	89 Av. J. Jaurès	12 R. Tandou	Laumière
18	D18	**Girardon** Impasse	Rue Girardon	(en impasse)	Lamarck-Caulaincourt
18	D18	**Girardon** Rue	83 R. Lepic	Place Pequeur	Lamarck-Caulaincourt
19	D24-D25	**Giraud** Rue Léon	144 R. de Crimée	19 R. de l'Ourcq	Ourcq
16	H12	**Giraudoux** Rue Jean	39 Av. Marceau	R. La Pérouse	Kléber
8	I14	**Girault** Avenue Charles	Avenue Dutuit	Av. W. Churchill	Champs-Elysées-Clem.
16	M7	**Girodet** Rue	48 R. d'Auteuil	11 R. Poussin	Michel Ange-Auteuil
19	B24-C25	**Gironde** Quai de la	43 Q. de l'Oise	129 Bd Macdonald	Corentin Cariou
6	L18	**Gît Le Cœur** Rue	23 Q. Gds Augustins	28 R. St-André des Arts	St-Michel

Ar.	Plan	Rues / Streets	Commençant	Finissant	Métro
13	O19-R18	**Glacière** Rue de la	37 Bd de Port Royal	137 R. de la Santé	Glacière
20	F28-G28	**Glaïeuls** Rue des	Rue C. Cros	Av. de la Pte des Lilas	Porte des Lilas
20	F28-G29	**Gley** Avenue du Docteur	Av. de la Porte Lilas	R. Frères Flavien	Porte des Lilas
16	M9	**Glizières** Villa des	4 R. des Patures		Mirabeau
9	G17-H17	**Gluck** Rue	Place J. Rouché	Place Diaghilev	Chée d'Antin-La Fayette
13	S19	**Glycines** Rue des	17 R. des Orchidées	37 R. A. Lançon	Cité Univ. (RER B)
5	O20	**Gobelins** Avenue des	123 R. Monge	1 Pl. d'Italie	Les Gobelins
13	O20	**Gobelins** Avenue des	123 R. Monge	1 Pl. d'Italie	Pl. d'Italie
13	P20	**Gobelins** Rue des	30 Av. des Gobelins	R. Berbier du Mets	Les Gobelins
13	P20	**Gobelins** Villa des	52 Av. des Gobelins	(en impasse)	Les Gobelins
11	K24	**Gobert** Rue	24 R. R. Lenoir	158 Bd Voltaire	Voltaire - Charonne
16	I9	**Godard** Rue Benjamin	2 R. Dufrénoy	12 R. de Lota	Rue de la Pompe
12	P28	**Godard** Villa Jean	276 Av. Daumesnil	4 R. Ernest-Lacoste	Porte Dorée
6	K17	**Godart** Place Justin	Pont du Carrousel	Face au 11 Q. Malaquais	St-Germain-des-Prés
13	Q20-Q21	**Godefroy** Rue	3 Pl. des Alpes	7 Pl. d'Italie	Place d'Italie
20	J27-K27	**Godin** Villa	85 R. de Bagnolet	(en impasse)	Alexandre Dumas
9	F18	**Godon** Cité Charles	25 R. Milton	41 R. Tour d'Auvergne	St-Georges
9	G16-H16	**Godot De Mauroy** Rue	8 Bd de la Madeleine	13 R. Mathurins	Havre-Caumartin
16	I12	**Goethe** Rue	Place P. Brisson	6 R. de Galliera	Alma-Marceau
19	E22	**Goix** Passage	16 R. d'Aubervilliers	11 R. du Département	Stalingrad
2	I19	**Goldoni** Place	Rue Marie Stuart	R. Greneta	Étienne Marcel
1	I17	**Gomboust** Impasse	31 Pl. du Marché St-Honoré	(en impasse)	Pyramides
1	I17	**Gomboust** Rue	57 R. St-Roch	38 Pl. du Marché St-Honoré	Pyramides
11	H23	**Goncourt** Rue des	3 R. Darboy	66 R. du Fbg du Temple	Goncourt
13	Q19	**Gondinet** Rue Edmond	54 R. Corvisart	70 Bd A. Blanqui	Corvisart
11	M25	**Gonnet** Rue	285 R. du Fbg St-Antoine	60 R. de Montreuil	Rue des Boulets
15	Q11	**Gordini** Place Amédée	2 Av. Porte de la Plaine	Bd Lefebvre	Porte de Versailles
13	Q24	**Goscinny** Rue René	Q. Panhard et Levassor	Av. de France	Bibl. F. Mitterrand
12	O27	**Gossec** Rue	223 Av. Daumesnil	104 R. de Picpus	Michel Bizot
18	A19-A20	**Gosset** R. du Professeur	Av. de la Pte des Poissonniers	Av. Pte de Clignancourt	Porte de Clignancourt
20	M28	**Got** Square	65 Crs de Vincennes	3 R. Mounet Sully	Porte de Vincennes
8	F14-F15	**Goubaux** Place Prosper	Rue de Lévis	Bd des Batignolles	Villiers
17	F15	**Goubaux** Place Prosper	Rue de Lévis	Bd des batignolles	Villiers
19	E25	**Goubet** Rue	125 R. Manin	88 R. Petit	Danube - Ourcq
10	H20	**Goublier** Rue Gustave	41 R. du Fbg St-Martin	18 Bd de Strasbourg	Château d'Eau
18	E18	**Goudeau** Place Émile	Rue Ravignan	Rue Berthe	Abbesses
17	C15	**Goüin** Rue Ernest	13 R. Émile Level	12 R. Boulay	Brochant
8	I13-I14	**Goujon** Rue Jean	21 Av. F. D. Roosevelt	Av. Montaigne	Alma-Marceau
12	O26-O27	**Goujon** Rue du Docteur	55 Bd de Reuilly	86 R. de Picpus	Daumesnil
17	E12	**Gounod** Rue	121 Av. de Wagram	79 R. de Prony	Pereire
7	K12	**Gouraud** Pl. du Général	Avenue Rapp	Av. de La Bourdonnais	Pont de l'Alma (RER C)
13	Q22-Q23	**Gourdault** Rue Pierre	139 R. du Chevaleret	22 R. Dunois	Chevaleret
17	D12-E12	**Gourgaud** Avenue	6 Pl. du Mal Juin	51 Bd Berthier	Pereire
19	F23-F24	**Gourmont** Rue Rémy De	R. Barrelet Ricou	R. G. Lardennois	Buttes Chaumont
13	S20	**Gouthière** Rue	63 Bd Kellermann	Avenue Caffieri	Maison Blanche
18	E19-E20	**Goutte d'Or** Rue de la	2 R. de la Charbonnière	22 Bd Barbès	Barbès-Rochechouart
17	E11-F10	**Gouvion Saint-Cyr** Bd	Pl. de la Pte de Champerret	236 Bd Péreire	Porte Maillot
17	E10	**Gouvion Saint-Cyr** Sq.	43 Bd Gouvion St-Cyr	(en impasse)	Porte de Champerret
6	L17	**Gozlin** Rue	2 R. des Ciseaux	43 R. Bonaparte	St-Germain-des-Prés
10	H23	**Grâce de Dieu** Cour de la	129 R. du Fbg du Temple	(en impasse)	Belleville
5	N20	**Gracieuse** Rue	2 R. de l'Épée de Bois	29 R. Lacépède	Place Monge
17	E10	**Graisivaudan** Square du	13 R. A. Charpentier	4 Av. de la Pte de Villiers	Porte de Champerret
15	N11-N12	**Gramme** Rue	65 R. du Commerce	68 R. de la Croix Nivert	Émile Zola - Commerce
2	H18	**Gramont** Rue de	12 R. St-Augustin	15 Bd des Italiens	Quatre Septembre
14	P17	**Grancey** Rue de	20 Pl. Denfert-Rochereau	8 R. Daguerre	Denfert-Rochereau
2	I19	**Grand Cerf** Passage du	146 R. St-Denis	8 R. Dussoubs	Étienne Marcel
15	O10	**Grand Pavois** Jardin du	Rue de Lourmel	Rue Lecourbe	Balard
11	I22	**Grand Prieuré** Rue du	27 R. de Crussol	18 Av. de la République	Oberkampf
3	K22	**Grand Veneur** Rue du	2 R. des Arquebusiers	Hôtel Grd Veneur	St-Sébastien-Froissart
16	F10-G11	**Grande Armée** Av. de la	Pl. Ch. De Gaulle	279 Bd Péreire	Porte Maillot
17	F10-G11	**Grande Armée** Av. de la	Pl. Ch. De Gaulle	279 Bd Péreire	Porte Maillot
17	G11	**Grande Armée** Villa de la	8 R. des Acacias	(en impasse)	Argentine
6	N17	**Gde Chaumière** R. de la	72 R. N.-D. des Champs	115 Bd du Montparnasse	Vavin
1	J19-J20	**Gde Truanderie** R. de la	55 Bd de Sébastopol	4 R. de Turbigo	Étienne Marcel
20	G25	**Grandes Rigolles** Pl. des	R. des Pyrénées	Rue Levert	Jourdain
6	K18-L19	**Grands Augustins** Q. des	2 Pl. St-Michel	1 R. Dauphine	St-Michel

Ar.	Plan	**Rues** / Streets	Commençant	Finissant	Métro
6	K18-L18	**Grands Augustins** R. des	51 Q. des Gds Augustins	R. St-André des Arts	St-Michel
20	L28-M27	**Grands Champs** Rue des	30 Bd de Charonne	48 R. du Volga	Maraîchers
5	L19-L20	**Grands Degrés** Rue des	2 R. Maître Albert	3 R. du Haut Pavé	Maubert-Mutualité
13	Q24	**Grands Moulins** Rue des	Rue du Chevaleret	Avenue de France	Bibl. F. Mitterrand
13	P19	**Grangé** Square	22 R. de la Glacière	(en impasse)	Glacière - Les Gobelins
10	F22-G22	**Grange aux Belles** R. de la	96 Q. de Jemmapes	3 Pl. du Col Fabien	Colonel Fabien
9	G18	**Grange Batelière** R. de la	19 R. du Fbg Montmartre	Rue Drouot	Grands Boulevards
7	L13	**Granier** Rue Joseph	3 R. L. Codet	8 Av. Tourville	École Militaire
17	C13	**Grappelli** Rue Stéphane	Rue Marguerite Long		Pereire-Levallois - Pte de Clichy
16	I11-I12	**Grasse** Pl. de l'Amiral De	39 Av. d'Iéna	Place des États Unis	Iéna
12	N24	**Grauwin** Rue Paul-Henri	Place Rutebeuf	5 R. Guillaumot	Gare de Lyon
12	P26-P27	**Gravelle** Rue de	49 R. de Wattignies	55 R. C. Decaen	Daumesnil
3	J20-J21	**Gravilliers** Passage des	10 R. Chapon	R. des Gravilliers	Arts et Métiers
3	I20-J21	**Gravilliers** Rue des	119 R. du Temple	38 R. de Turbigo	Arts et Métiers
7	K11	**Gréard** Avenue Octave	Av. G. Eiffel	15 Av. de Suffren	Ch. de Mars-Tr Eiffel (RER C)
8	G16-H16	**Greffulhe** Rue	8 R. de Castellane	29 R. Mathurins	Madeleine
6	M16	**Grégoire** Rue de l'Abbé	73 R. de Sèvres	90 R. de Vaugirard	St-Placide - Rennes
19	D27	**Grenade** Rue de la	R. des Sept Arpents	12 R. Marseillaise	Hoche
15	L11-M12	**Grenelle** Boulevard de	107 Q. Branly	1 Pl. Cambronne	La Motte-P.-Grenelle
15	L9-M9	**Grenelle** Pont de	R. Maurice Bourdet	Pl. Fernand Forest	Kennedy-R. France (RER C)
16	L9-M9	**Grenelle** Pont de	R. Maurice Bourdet	Pl. Fernand Forest	Kennedy-R. France (RER C)
15	K10-M9	**Grenelle** Port de	Pt de Bir Hakeim	Pont de Grenelle	Bir-Hakheim
15	L11-M9	**Grenelle** Quai de	Bd de Grenelle	Place Forest	Bir-Hakheim
6	K13	**Grenelle** Rue de	44 R. du Dragon	83 Av. de La Bourdonnais	St-Sulpice
7	K13-L16	**Grenelle** Rue de	44 R. du Dragon	83 Av. de La Bourdonnais	École Militaire
15	M11	**Grenelle** Villa de	14 R. Violet	9 Villa Juge	Dupleix
2	I19-I20	**Greneta** Cour	163 R. St-Denis	32 R. Greneta	Étienne Marcel
2	I19-I20	**Greneta** Rue	241 R. St-Martin	78 R. Montorgueil	Réaumur-Sébastopol
3	I19-I20	**Greneta** Rue	241 R. St-Martin	78 R. Montorgueil	Réaumur-Sébastopol
3	J20	**Grenier St-Lazare** R. du	43 R. Beaubourg	186 R. St-Martin	Rambuteau
4	K20	**Grenier sur l'Eau** Rue	R. du Pt Louis-Philippe	12 R. des Barres	Pont Marie
20	K28	**Grès** Place des	Rue Vitruve	Rue St-Blaise	Porte de Bagnolet
20	J28	**Grès** Square des	Rue St-Blaise	Rue Vitruve	Porte de Bagnolet
19	C24-D24	**Gresset** Rue	174 R. de Crimée	11 R. de Joinville	Crimée
2	H18	**Grétry** Rue	1 R. Favart	18 R. de Gramont	Richelieu Drouot
16	I9-J10	**Greuze** Rue	4 Av. G. Mandel	17 R. Decamps	Trocadéro
7	K16	**Gribeauval** Rue de	2 Pl. St-Thomas d'Aquin	43 R. du Bac	Rue du Bac
5	N20-O20	**Gril** Rue du	8 R. Censier	9 R. Daubenton	Censier-Daubenton
19	E25	**Grimaud** Impasse	24 R. d'Hautpoul	130 R. Compans	Botzaris
13	S19	**Grimault** Square Paul	Place de Rungis	Rue Bobillot	Maison Blanche
15	M13	**Grisel** Impasse	3 Bd Garibaldi	(en impasse)	Cambronne
11	I24	**Griset** Cité	125 R. Oberkampf	(en impasse)	Rue St-Maur
11	J22	**Gromaire** Rue Marcel	94 Bd Beaumarchais	83 R. Amelot	St-Sébastien-Froissart
20	K27	**Gros** Impasse	3 Pas. Dieu	(en impasse)	Maraîchers
16	L8-L9	**Gros** Rue	Place Clément Ader	15 R. J. De La Fontaine	Kennedy-R. France (RER C)
7	J13	**Gros Caillou** Port du	Pont de l'Alma	Pont des Invalides	Pont de l'Alma (RER C)
7	K12-K13	**Gros Caillou** Rue du	11 R. Augereau	208 R. de Grenelle	École Militaire
18	B18-C18	**Grosse Bouteille** I. de la	67 R. du Poteau	(en impasse)	Porte de Clignancourt
16	O7	**Grossetti** Rue du Général	1 R. du Gal Malleterre	142 Bd Murat	Porte de St-Cloud
15	N11-P12	**Groult** Rue de l'Abbé	1 Pl. Ét. Pernet	Pl. C. Vallin	Félix Faure
20	H27-H28	**Groupe Manouchian** R. du	31 R. du Surmelin	100 Av. Gambetta	St-Fargeau
10	H22-H23	**Groussier** Rue Arthur	168 Av. Parmentier	203 R. St-Maur	Goncourt
18	D21	**Guadeloupe** Rue de la	65 R. Pajol	8 R. L'Olive	Marx Dormoy
8	G15	**Guatemala** Place du	Bd Malesherbes	R. Bienfaisance	St-Augustin
16	O6	**Gudin** Rue	123 Bd Murat	215 Av. de Versailles	Porte de St-Cloud
18	B21	**Gué** Impasse du	79 R. de la Chapelle	(en impasse)	Porte de la Chapelle
20	G28	**Guébriant** Rue de	116 Bd Mortier	29 R. Fougères	St-Fargeau
15	O9	**Guedj** Esplanade Max	R. Gutenberg	R. de la Mont. d'Aulas	Balard
18	E18	**Guelma** Villa de	26 Bd de Clichy	(en impasse)	Pigalle
4	L22	**Guéménée** Impasse	26 R. St-Antoine	(en impasse)	Bastille
6	K18	**Guénégaud** Rue	5 Q. de Conti	15 R. Mazarine	Pont Neuf - Mabillon
11	L25-L26	**Guénot** Passage	221 Bd Voltaire	15 R. Guénot	Rue des Boulets
11	L25	**Guénot** Rue	243 Bd Voltaire	Imp. Jardiniers	Rue des Boulets
16	L7-M7	**Guérin** Rue Pierre	30 R. d'Auteuil	(en impasse)	Michel Ange-Auteuil
13	Q20	**Guérin** Rue du Père	4 R. Bobillot	3 R. du Moulin des Prés	Place d'Italie
2	I20	**Guérin Boisseau** Rue	31 R. de Palestro	183 R. St-Denis	Réaumur-Sébastopol

Ar.	Plan	Rues / Streets	Commençant	Finissant	Métro
17	E10-F11	**Guersant** Rue	6 Pl. T. Bernard	35 Bd Gouvion St-Cyr	Porte de Champerret
14	O15-P15	**Guesde** Rue Jules	17 R. Vercingétorix	16 R. R. Losserand	Gaîté
18	D18-E18	**Guibert** Rue du Cardinal	Pl. Sacré Cœur	R. du Chev. de la Barre	Abbesses
16	J9	**Guibert** Villa	83 R. de la Tour	(en impasse)	Rue de la Pompe
16	K9	**Guichard** Rue	70 R. de Passy	83 Av. P. Doumer	La Muette
20	H26	**Guignier** Place du	R. des Pyrénées	Rue du Guignier	Jourdain
20	H26	**Guignier** Rue du	2 Pl. du Guignier	21 R. des Rigoles	Jourdain
16	K9	**Guignières** Villa des	31 R. Singer		La Muette
16	N5-O5	**Guilbaud** Rue du Cdt	26 Av. de la Pte de St-Cloud	21 R. C. Farrère	Porte de St-Cloud
11	J24	**Guilhem** Passage	18 R. du Gal Guilhem	51 R. St-Maur	Rue St-Maur
11	J24	**Guilhem** Rue du Général	95 R. du Chemin Vert	24 R. St-Ambroise	St-Ambroise
15	Q11	**Guillaumat** R. du Général	Av. A. Bartholomé	Pl. Insurgés de Varsovie	Porte de Versailles
17	E11-E12	**Guillaume Tell** Rue	60 R. Laugier	113 Av. de Villiers	Porte de Champerret
8	G12	**Guillaumin** Pl. Georges	Av. de Friedland	Rue Balzac	Ch. de Gaulle-Étoile
12	M24-N23	**Guillaumot** Rue	42 Av. Daumesnil	Rue J. Bouton	Gare de Lyon
14	O15	**Guillebon** Allée du Chef d'Escadron De	Gare Montparnasse		Montparnasse-Bienv.
15	P9	**Guillemard** Place Robert	Rue Leblanc	Rue Lecourbe	Balard
14	P15	**Guilleminot** Rue	54 R. de l'Ouest	1 R. Crocé Spinelli	Pernety
4	K21	**Guillemites** Rue des	10 R. Ste-Croix la Br.	9 R. des Blancs Manteaux	Hôtel de Ville
15	P12	**Guillot** Square Léon	11 R. de Dantzig	(en impasse)	Convention
15	N14	**Guillout** Rue Edmond	10 R. Dalou	43 Bd Pasteur	Pasteur
19	G24-H23	**Guimard** Rue Hector	Rue Jules Romains	Place J. Rostand	Belleville
6	L17	**Guisarde** Rue	12 R. Mabillon	19 R. des Canettes	Mabillon
20	M27	**Guitry** R. Lucien et Sacha	47 Crs de Vincennes	48 R. de lagny	Porte de Vincennes
17	F11-G11	**Guizot** Villa	21 R. des Acacias	(en impasse)	Argentine
16	J11	**Gustave V de Suède** Av.	Place de Varsovie	J. du Trocadéro	Trocadéro
15	N10-O9	**Gutenberg** Rue	54 R. de Javel	63 R. Balard	Javel - Balard
17	C14	**Guttin** Rue	5 R. Fragonard	113 Bd Bessières	Porte de Clichy
12	N29-P28	**Guyane** Boulevard de la	Av. Daumesnil	Av. Courteline	Porte Dorée
20	K28	**Guyenne** Square de la	82 Bd Davout	6 R. Mendelssohn	Porte de Montreuil
6	M17-N17	**Guynemer** Rue	21 R. de Vaugirard	55 R. d'Assas	St-Sulpice

H

Ar.	Plan	Rues / Streets	Commençant	Finissant	Métro
15	O12	**Hachette** Rue Jeanne	163 R. Lecourbe	112 R. Blomet	Vaugirard
16	F9	**Hackin** R. Joseph et Marie	2 Bd Maillot	23 Av. de Neuilly	Porte Maillot
10	F22	**Haendel** R. Georg Friedrich	150 Q. de Jemmapes	Pl. Robert Desnos	Colonel Fabien
20	L29-M29	**Hahn** Rue Reynaldo	109 R. de lagny	R. Paganini	Porte de Vincennes
19	A23	**Haie Coq** Rue de la	Place Skanderbeg	Quai L. Lefranc	Porte de la Villette
20	K27	**Haies** Rue des	4 R. Planchat	99 R. Maraîchers	Buzenval
19	D25-E25	**Hainaut** Rue du	75 R. Petit	174 Av. J. Jaurès	Ourcq
15	M10	**Hajje** Rue Antoine	93 R. St-Charles	(en impasse)	Ch. Michels
9	G17-H17	**Halévy** Rue	8 Pl. de l'Opéra	25 Bd Haussmann	Opéra - Chée d'Antin-La F.
14	Q17	**Hallé** Rue	40 R. de la Tombe Issoire	10 R. du Commandeur	Mouton-Duvernet
14	Q17	**Hallé** Villa	36 R. Hallé	(en impasse)	Mouton-Duvernet
13	S19	**Haller** Rue Albin	19 R. Fontaine à M.	24 R. Brillat Savarin	Corvisart - Tolbiac
1	J19	**Halles** Jardin des	Rue Coquillière	Rue Berger	Les Halles
1	J19-K19	**Halles** Rue des	104 R. de Rivoli	R. du Pont Neuf	Châtelet
5	O19-O20	**Halpern** Place Bernard	24 R. des Patriarches	R. du Marché Patriarches	Censier-Daubenton
15	P10-P11	**Hameau** Rue du	226 R. de la Croix Nivert	51 Bd Victor	Porte de Versailles
12	O24	**Hamelin** Place Ginette	50 R. de Bercy	Rue de Pommard	Bercy
16	H11-I11	**Hamelin** Rue de l'Amiral	16 R. de Lübeck	41 Av. Kléber	Iéna - Boissière
13	O20	**Hamon** Esplanade Léo	Bd Arago	Bd de Port Royal	Les Gobelins
12	P26-P27	**Hamont** Rue Théodore	327 R. de Charenton	27 R. des Meuniers	Porte de Charenton
10	F22	**Hampâté Bâ** Sq. Amadou	Rue Boy Zelenski		Colonel Fabien
2	H17	**Hanovre** Rue de	17 R. de Choiseul	26 R. Louis le Grand	Quatre Septembre
20	J27	**Hardy** Villa	44 R. Stendhal	(en impasse)	Gambetta
9	E17	**Haret** Rue Pierre	54 R. de Douai	75 Bd de Clichy	Place de Clichy
7	K12	**Harispe** R. du Maréchal	26 Av. de la Bourdonnais	Al. A. Lecouvreur	Ch. de Mars-Tr Eiffel (RER C)
1	K18-K19	**Harlay** Rue de	19 Q. de l'Horloge	42 Q. Orfèvres	Pont Neuf
15	P13-Q13	**Harmonie** Rue de l'	72 R. Castagnary	63 R. Labrouste	Porte de Vanves
5	L19	**Harpe** Rue de la	31 R. de la Huchette	98 Bd St-Germain	St-Michel
20	K28	**Harpignies** Rue	110 Bd Davout	Rue L. Lumière	Porte de Montreuil
19	F24-F25	**Hassard** Rue	24 R. du Plateau	52 R. Botzaris	Buttes Chaumont

Ar.	Plan	**Rues** / Streets	Commençant	Finissant	Métro
12	N25	**Hatton** Square Eugène	124 Av. Daumesnil		Montgallet
3	J21	**Haudriettes** Rue des	53 R. des Archives	84 R. du Temple	Rambuteau
8	G14	**Haussmann** Boulevard	2 Bd des Italiens	R. du Fbg St-Honoré	Richelieu Drouot
9	H18-G16	**Haussmann** Boulevard	2 Bd des Italiens	R. du Fbg St-Honoré	Richelieu Drouot - Havre Caum.
5	L19	**Haut Pavé** Rue du	9 Q. de Montebello	10 R. des Gds Degrés	Maubert-Mutualité
15	L11	**Hauteclocque** Jard. N. De	Pl. Alfred Sauvy	Pl. M.-M. Fourcade	Dupleix
6	L18-L19	**Hautefeuille** Impasse	3 R. Hautefeuille	(en impasse)	St-Michel
6	L18	**Hautefeuille** Rue	9 Pl. St-André des Arts	R. Éc. de Médecine	St-Michel
19	F25-F26	**Hauterive** Villa d'	27 R. du Gal Brunet	30 R. M. Hidalgo	Danube
13	R22	**Hautes Formes** Rue des	Rue Baudricourt	Rue Nationale	Olympiades
20	L27	**Hautes Traverses** V. des	88 R. des Haies	(en impasse)	Maraîchers
10	G20	**Hauteville** Cité d'	82 R. d'Hauteville	51 R. de Chabrol	Poissonnière
10	F20-H19	**Hauteville** Rue d'	30 Bd de Bonne Nouvelle	1 Pl. Franz Liszt	Strasbourg-St-Denis
19	D25-F25	**Hautpoul** Rue d'	56 R. de Crimée	140 Av. J. Jaurès	Ourcq - Botzaris
20	G27	**Hts de Belleville** V. des	47 R. du Borrégo	(en impasse)	St-Fargeau
15	M13-M14	**Haüy** Rue Valentin	6 Pl. de Breteuil	7 R. Bellart	Ségur
11	L24-M24	**Havet** Place Mireille	223 R. du Fbg St-Antoine	Rue Faidherbe	Faidherbe-Chaligny
8	G16	**Havre** Cour du	R. St-Lazare	R. d'Amsterdam	St-Lazare
9	G16	**Havre** Passage du	19 R. Caumartin	12 R. du Havre	St-Lazare
8	G16	**Havre** Place du	Rue St-Lazare	Rue du Havre	St-Lazare
9	G16	**Havre** Place du	Rue d'Amsterdam	Rue du Havre	St-Lazare
8	G16	**Havre** Rue du	70 Bd Haussmann	13 Pl. du Havre	Havre-Caumartin
9	G16	**Havre** Rue du	70 Bd Haussmann	13 Pl. du Havre	Havre-Caumartin
20	I28	**Haxo** Impasse	16 R. A. Penaud	(en impasse)	Porte de Bagnolet
19	F27-H28	**Haxo** Rue	39 R. du Surmelin	67 Bd Sérurier	Télégraphe
20	F27-H28	**Haxo** Rue	39 R. Surmelin	67 Bd Sérurier	Télégraphe
16	L9	**Hayem** Place du Docteur	2 R. J. De La Fontaine	R. de Boulainvilliers	Kennedy-R. France (RER C)
18	C21	**Hébert** Place	R. des Roses	R. Cugnot	Marx Dormoy
16	J7	**Hébert** Rue Ernest	10 Bd Suchet	11 Av. du Mal Maunoury	Av. H. Martin (RER C)
16	L8	**Hébrard** Avenue Adrien	4 Pl. Rodin	65 Av. Mozart	Ranelagh - Jasmin
10	G23-H23	**Hébrard** Passage	202 R. St-Maur	5 R. du Chalet	Goncourt - Belleville
12	N24-N25	**Hébrard** Ruelle des	60 R. du Charolais	112 Av. Daumesnil	Montgallet
19	F23-F24	**Hecht** Rue Philippe	17 R. Barrelet de Ricou	37 R. Lardennois	Buttes Chaumont
16	L7	**Heine** Rue Henri	R. de la Source	49 R. Dr Blanche	Jasmin
9	H17	**Helder** Rue du	36 Bd Italiens	13 Bd Haussmann	Chée d'Antin-La Fayette
17	D16-E16	**Hélène** Rue	41 Av. de Clichy	18 R. Lemercier	La Fourche
16	J9	**Hélie** Rue Faustin	6 Pl. Possoz	10 R. de la Pompe	La Muette
17	E11	**Héliopolis** Rue d'	19 R. Guillaume Tell	131 Av. de Villiers	Porte de Champerret
13	Q22	**Héloïse et Abélard** Sq.	Rue Duchefdelaville	R. de Vimoutiers	Chevaleret
15	O8-O9	**Hemingway** Rue Ernest	Rue Leblanc	Bd du Gal Valin	Balard
14	R17	**Hénaffe** Place Jules	R. de la Tombe Issoire	Avenue Reille	Porte d'Orléans
12	N25-N26	**Hénard** R. Antoine-Julien	159 Av. Daumesnil	78 R. de Reuilly	Montgallet
12	N24	**Hennel** Passage	140 R. de Charenton	101 Av. Daumesnil	Reuilly Diderot
9	F17	**Henner** Rue	42 R. La Bruyère	15 R. Chaptal	Trinité - St-Georges
4	K19	**Hennion** Allée Célestin	21 Quai de la Corse	Pl. Louis Lépine	Cité
13	R20	**Henocque** Pl. de l'Abbé G.	30 R. des Peupliers	81 R. de la Colonie	Tolbiac
1	K18	**Henri** Rue Robert	Pont Neuf	Pl. Dauphine	Pont Neuf
15	O8	**Henri De France** Espl.	Bd Gal Martial Valin	Quai André Citroën	Bd Victor (RER C)
4	L21-M21	**Henri IV** Boulevard	12 Q. Béthune	1 Pl. de la Bastille	Sully-Morland
4	M21	**Henri IV** Port	Pont de Sully	Pont d'Austerlitz	Pont Marie
4	L21-M22	**Henri IV** Quai	1 Bd Morland	Pont de Sully	Sully-Morland
17	B16	**Henrys** Rue du Général	33 R. J. Leclaire	27 Bd Bessières	Porte de St-Ouen
17	A15	**Hérault De Séchelles** R.	R. Floréal	R. Morel (Clichy)	Porte de St-Ouen
7	M13	**Heredia** R. J.-Maria De	67 Av. de Ségur	16 R. Pérignon	Ségur
16	P6	**Hérelle** Avenue Félix D'	Av. G. Lafont	R. du Point du Jour	Porte de St-Cloud
15	M10	**Héricart** Rue	49 R. Émeriau	56 Pl. St-Charles	Ch. Michels
18	C20	**Hermann-Lachapelle** R.	31 R. Boinod	19 R. des Amiraux	Simplon
18	D19	**Hermel** Cité	12 R. Hermel	(en impasse)	Jules Joffrin
18	C19-D19	**Hermel** Rue	54 R. Custine	41 Bd Ornano	Lamarck-Caulaincourt
18	A22-B22	**Hermite** Rue Charles	7 Av. de la Pte Aubervilliers	52 Bd Ney	Porte de la Chapelle
18	A22	**Hermite** Square Charles	R. C. Hermite		Porte de la Chapelle
1	I18	**Herold** Rue	42 R. de la Coquillière	47 R. Étienne Marcel	Louvre-Rivoli
10	G22	**Héron** Cité	5 R. de l'Hôpital St-Louis	(en impasse)	Château Landon
5	N19	**Herr** Place Lucien	R. Vauquelin	R. P. Brossolette	Censier-Daubenton
16	I10-I9	**Herran** Rue	16 R. Decamps	101 R. Longchamp	Rue de la Pompe
16	I9	**Herran** Villa	81 R. de la Pompe	(en impasse)	Rue de la Pompe
8	G14	**Herrick** Avenue Myron	162 R. du Fbg St-Honoré	25 R. Courcelles	St-Philippe du R.
7	J15	**Herriot** Pl. du Pdt Édouard	3 Av. Ar. Briand	95 R. de l'Université	Assemblée Nationale

Ar.	Plan	**Rues** / Streets	Commençant	Finissant	Métro
6	N18	**Herschel** Rue	70 Bd St-Michel	9 Av. de l'Observatoire	Luxembourg (RER B)
15	O13	**Hersent** Villa	27 R. d'Alleray	(en impasse)	Vaugirard
15	M9-N9	**Hervieu** Rue Paul	16 Av. Émile Zola	6 R. Cap. Ménard	Javel
3	I20-I21	**Herzl** Place Théodore	29 Rue Réaumur	57 Rue de Turbigo	Arts et Métiers
3	J22-K22	**Hesse** Rue de	12 R. Villehardouin	Rue St-Claude	St-Sébastien-Froissart
17	C16-D15	**Heulin** Rue du Docteur	100 Av. de Clichy	15 R. Davy	Brochant
16	M8	**Heuzey** Avenue Léon	19 R. de Rémusat	(en impasse)	Mirabeau
19	E26-F25	**Hidalgo** Rue Miguel	116 R. Compans	Pl. Rhin et Danube	Danube
12	N25	**Hillairet** Rue Jacques	2 R. Montgallet	68 R. de Reuilly	Montgallet
20	L29-M29	**Hilsz** Rue Maryse	113 R. de lagny	Av. de la Pte de Montreuil	Porte de Vincennes
6	L18	**Hirondelle** Rue de l'	6 Pl. St-Michel	13 R. Gît le Coeur	St-Michel
10	H21	**Hittorf** Cité	Bd de Magenta	6 R. P. Bullet	Jacques Bonsergent
10	H21	**Hittorf** Rue	R. P. Bullet	R. du Fbg St-Martin	Château d'Eau
19	F23-F24	**Hiver** Cité	73 Av. Secrétan	(en impasse)	Bolivar
8	F13-G12	**Hoche** Avenue	Pl. du Gal Brocard	Pl. Ch. de Gaulle	Ch. de Gaulle-Étoile
17	F11	**Hoff** Rue du Sergent	25 R. P. Demours	10 R. Saint-Senoch	Ternes
14	P14	**Holweck** Rue Fernand	R. Vercingétorix	Rue Du Cange	Pernety
13	O22	**Holmes** Place Augusta	29 Quai d'Austerlitz	14 R. P. Klee	Quai de la Gare
19	D26	**Honegger** Allée Arthur	8 Sente des Dorées	228 Av. J. Jaurès	Porte de Pantin
6	N18	**Honnorat** Place André	7 R. Auguste Comte	2 Av. de l'Observatoire	Luxembourg (RER B)
5	O21	**Hôpital** Boulevard de l'	3 Pl. Valhubert	3 Pl. d'Italie	St-Michel
13	N22-O20	**Hôpital** Boulevard de l'	3 Pl. Valhubert	3 Pl. d'Italie	Gare d'Austerlitz
10	G22	**Hôpital St-Louis** R. de l'	21 R. Grange aux Belles	122 Q. de Jemmapes	Colonel Fabien
1	K18-K19	**Horloge** Quai de l'	Pont au Change	Pont Neuf	Pont Neuf - Châtelet
3	J20	**Horloge à Automates** P. de l'	Rue Rambuteau	Pl. G. Pompidou	Rambuteau
14	Q14	**Hortensias** Allée des	Rue Didot	(en impasse)	Plaisance
4	K21	**Hospitalières St-Gervais** R. des	46 R. des Rosiers	45 R. Francs Bourgeois	St-Paul
5	L19	**Hôtel Colbert** Rue de l'	13 Q. de Montebello	9 R. Lagrange	Maubert-Mutualité
4	K21	**Hôtel d'Argenson** I. de l'	20 R. Vieille du Temple	(en impasse)	St-Paul
4	K20	**Hôtel de Ville** Place de l'	2 Q. de Gesvres	31 R. de Rivoli	Hôtel de Ville
4	L20	**Hôtel de Ville** Port de	Pont Louis-Philippe	Pont Marie	Pont Marie
4	K20-L20	**Hôtel de Ville** Quai de l'	Pont Marie	Pont d'Arcole	Pont Marie
4	K20-L21	**Hôtel de Ville** Rue de l'	Rue du Fauconnier	2 R. de Brosse	Pont Marie
4	L21	**Hôtel St-Paul** Rue de l'	Rue St-Antoine	R. Neuve St-Pierre	St-Paul
20	I25-J25	**Houdart** Rue	9 Pl. A. Métivier	8 R. de Tlemcen	Père Lachaise
15	O10	**Houdart De Lamotte** Rue	43 Av. Félix Faure	(en impasse)	Boucicaut
11	H23	**Houdin** Rue Robert	29 R. de l'Orillon	102 R. du Fbg du Temple	Belleville
18	E18	**Houdon** Rue	16 Bd de Clichy	3 R. des Abbesses	Pigalle
5	N21	**Houël** Rue Nicolas	Bd de l'Hôpital	(en impasse)	Gare d'Austerlitz
20	I25	**Houseaux** Villa des	84 Bd de Ménilmontant	(en impasse)	Père Lachaise
8	G12	**Houssaye** Rue Arsène	152 Av. des Chps Élysées	3 R. Beaujon	Ch. de Gaulle-Étoile
13	P20-Q20	**Hovelacque** Rue Abel	62 Av. des Gobelins	16 Bd A. Blanqui	Place d'Italie
18	B17	**Huchard** Rue Henri	15 Av. de la Pte Montmartre	24 Av. de la Pte St-Ouen	Porte de St-Ouen
18	A17-B17	**Huchard** Square Henri	Av. de la Pte de St-Ouen		Porte de St-Ouen
5	L19	**Huchette** Rue de la	4 R. du Petit Pont	3 Pl. St-Michel	St-Michel
16	G11-I8	**Hugo** Avenue Victor	Pl. Ch. De Gaulle	127 R. de la Faisanderie	Victor Hugo
16	H10	**Hugo** Place Victor	72 Av. Victor Hugo	Av. R. Poincaré	Victor Hugo
16	I9	**Hugo** Villa Victor	138 Av. Victor Hugo	(en impasse)	Rue de la Pompe
20	M28	**Huguenet** Rue Félix	61 Crs de Vincennes	60 R. de Lagny	Porte de Vincennes
19	E23	**Hugues** Rue Clovis	R. Armand Carrel	65 R. de Meaux	Jaurès
16	H8-H9	**Hugues** Rue Jean	160 R. Longchamp	(en impasse)	Porte Dauphine
11	K25	**Huit Février 1962** Pl. du	111 Rue de Charonne	167 Bd Voltaire	Charonne
10	G20-G21	**Huit Mai 1945** Rue du	131 R. du Fbg St-Martin	R. du Fbg St-Denis	Gare de l'Est
9	F19-G19	**Huit Novembre 1942** Pl. du	Rue La Fayette	R. du Fbg Poissonnière	Poissonnière
10	F19-G19	**Huit Novembre 1942** Pl. du	Rue La Fayette	R. du Fbg Poissonnière	Poissonnière
1	I18	**Hulot** Passage	31 R. de Montpensier	34 R. de Richelieu	Palais Royal-Louvre
15	M9	**Humbert** Place Alphonse	1 R. du Cap. Ménard	32 Av. Émile Zola	Javel
14	R13	**Humbert** Rue du Général	R. Wilfrid Laurier	R. Prévost Paradol	Porte de Vanves
15	L11	**Humblot** Rue	61 Bd de Grenelle	1 R. Daniel Stern	Dupleix
19	D24	**Humboldt** R. Alexandre De	5 R. de Colmar	6 Q. de la Marne	Crimée
16	J10-J11	**Hussein Ier de Jordanie** Av.	Av. Albert Ier de Monaco	Av. Gustave V de Suède	Trocadéro
13	Q22	**Hutinel** Rue Docteur Victor	71 R. Jeanne D'Arc	14 R. J.-S. Bach	Nationale
17	C13	**Hutte au Garde** P. de la	17 R. Marguerite Long	2 Pl. Louis Bernier	Pereire
14	O16	**Huyghens** Rue	206 Bd Raspail	24 Bd Edgar Quinet	Vavin
6	M17-N16	**Huysmans** Rue	9 R. Duguay-Trouin	107 Bd Raspail	N.-D. des Champs
15	O15	**Hymans** Square Max	25 Bd de Vaugirard	87 Bd Pasteur	Montparnasse-Bienv.

Ar.	Plan	Rues / Streets	Commençant	Finissant	Métro
		I			
17	D10-D11	**Ibert** Rue Jacques	R. P. Wilson (Levallois-P.)	Av. de la Pte de Champerret	Louise Michel
20	I29	**Ibsen** Avenue	Avenue Cartellier	Av. Gambetta	Porte de Bagnolet
16	H12-J11	**Iéna** Avenue d'	6 Av. Albert de Mun	Place Ch. de Gaulle	Kléber
16	I11	**Iéna** Place d'	Av. du Pdt Wilson	Av. Pierre Ier de Serbie	Iéna
7	J11-K11	**Iéna** Pont d'	Av. de New York	Quai Branly	Trocadéro
16	J11-K11	**Iéna** Pont d'	Av. de New York	Quai Branly	Trocadéro
12	M27	**Ile de la Réunion** Pl. de l'	Av. du Trône	Bd de Picpus	Nation
14	P17-P18	**Ile de Sein** Place de l'	Bd Arago	R. Jean Dolent	St-Jacques
4	L20	**Ile-de-France** Sq. de l'	Quai de l'Archevêché		Pont Marie
11	M26	**Immeubles Industriels** R. des	307 R. du Fbg St-Antoine	262 Bd Voltaire	Nation
19	D26-E26	**Indochine** Boulevard d'	15 Av. de la Pte Brunet	144 Bd Sérurier	Porte de Pantin
20	J27	**Indre** Rue de l'	32 R. des Prairies	25 R. Pelleport	Porte de Bagnolet
11	I24	**Industrie** Cité de l'	90 R. St-Maur	98 R. Oberkampf	Rue St-Maur
11	L25	**Industrie** Cour de l'	37 R. de Montreuil	(en impasse)	Faidherbe-Chaligny
10	H20	**Industrie** Passage de l'	27 Bd de Strasbourg	42 R. du Fbg St-Denis	Strasbourg-St-Denis
13	S21	**Industrie** Rue de l'	7 R. Bourgon	14 R. du Tage	Maison Blanche
11	J24-K24	**Industrielle** Cité	115 R. de la Roquette	(en impasse)	Voltaire
12	N28-N29	**Indy** Avenue Vincent D'	R. Jules Lemaître	6 Av. Courteline	Porte de Vincennes
1	J18	**Infante** Jardin de l'	Q. F. Mitterrand	Cour Carrée	Louvre-Rivoli
19	H23-H24	**Ingold** Place du Général	Bd de la Villette	R. de Belleville	Belleville
20	H23-H24	**Ingold** Place du Général	Bd de la Villette	R. de Belleville	Belleville
16	K7-K8	**Ingres** Avenue	Chée de la Muette	35 Bd Suchet	Ranelagh - La Muette
1	J19	**Innocents** Rue des	43 R. St-Denis	2 R. de la Lingerie	Châtelet-Les Halles
6	K17-K18	**Institut** Place de l'	23 Q. de Conti	1 Q. Malaquais	Pont Neuf
15	Q11	**Insurgés de Varsovie** Pl. des	Av. de la Porte Plaine	Rue L. Vicat	Porte de Versailles
7	L14	**Intendant** Jardin de l'	Av. de Tourville	Bd de La Tr-Maubourg	La Tour-Maubourg
8	G16	**Intérieure** Rue	Cour de Rome	Cour du Havre	St-Lazare
13	S20	**Interne Loëb** Rue de l'	2 R. Championnière	(en impasse)	Tolbiac
7	K14-M15	**Invalides** Boulevard des	127 R. de Grenelle	R. de Sèvres	Varenne - Duroc
7	J14-K14	**Invalides** Esplanade des	Quai d'Orsay	Hôtel des Invalides	Invalides
7	K14	**Invalides** Place des	Espl. Invalides	R. de Grenelle	La Tour-Maubourg
7	I14-J14	**Invalides** Pont des	Place du Canada	Quai d'Orsay	Invalides
8	I14-J14	**Invalides** Pont des	Place du Canada	Quai d'Orsay	Invalides
7	J14-J15	**Invalides** Port des	Pont des Invalides	Pont de la Concorde	Invalides
13	S19	**Iris** Rue des	50 R. Brillat Savarin	Rue des Glycines	Cité Univ. (RER B)
19	F27	**Iris** Villa des	1 Pas. des Mauxins	(en impasse)	Porte des Lilas
5	N19	**Irlandais** Rue des	15 R. de l'Estrapade	9 R. Lhomond	Card. Lemoine
13	P23	**Isaac** Promenade Jules	172 Avenue de France	2 Rue de Tolbiac	Bibl. F. Mitterrand
16	M7	**Isabey** Rue	48 R. d'Auteuil	15 R. Poussin	Michel Ange-Auteuil
18	E20	**Islettes** Rue des	112 Bd de la Chapelle	57 R. de la Goutte d'Or	Barbès-Rochechouart
8	G16	**Isly** Rue de l'	7 R. du Havre	10 R. de Rome	St-Lazare
17	E13	**Israël** Place d'	130 Av. Wagram	41 R. Ampère	Wagram
15	P10	**Issy-les-Moulineaux** Pte d'	Bd Victor		Balard
15	O8-P7	**Issy-les-Moulineaux** Q. d'	Pont du Garigliano	Quai Pdt Roosevelt	Bd Victor (RER C)
13	Q20-S21	**Italie** Avenue d'	20 Pl. d'Italie	2 Bd Kellermann	Place d'Italie - Pte d'Italie
13	Q20	**Italie** Place d'	Rue des Gobelins	Bd A. Blanqui	Place d'Italie
13	T21	**Italie** Porte d'	Bd Périphérique		Porte d'Italie
13	R20	**Italie** Rue d'	24 R. Damesme	99 R. du Moulin des Prés	Tolbiac - Porte d'Ivry
2	H17	**Italiens** Boulevard des	103 R. Richelieu	34 R. Louis le Grand	Opéra
9	H17	**Italiens** Boulevard des	103 R. Richelieu	34 R. Louis le Grand	Opéra
9	H17	**Italiens** Rue des	26 Bd des Italiens	3 R. Taitbout	Quatre Septembre
13	R21-S22	**Ivry** Avenue d'	78 Bd Masséna	133 R. de Tolbiac	Tolbiac
13	S23	**Ivry** Porte d'	Bd Périphérique		Bibl. F. Mitterrand
13	R25	**Ivry** Quai d'	1 Bd Masséna	2 R. Bruneseau	Bibl. F. Mitterrand
		J			
13	S20	**Jacob** Rue Max	5 R. de la Poterne des Peupliers	Rue Keufer	Maison Blanche
6	K17-L18	**Jacob** Rue	45 R. de Seine	29 R. des Sts-Pères	St-Germain-des-Prés
11	I23	**Jacquard** Rue	15 R. Ternaux	54 R. Oberkampf	Parmentier
15	N12	**J. Clemenceau** R. du Dr	36 R. Mademoiselle	1 R. Léon Séché	Commerce
17	D15-D16	**Jacquemont** Rue	87 Av. de Clichy	50 R. Lemercier	La Fourche
17	D15	**Jacquemont** Villa	12 R. Jacquemont	(en impasse)	La Fourche

Ar.	Plan	**Rues** / Streets	Commençant	Finissant	Métro
14	P15	**Jacques** Rue Édouard	23 R. R. Losserand	141 R. du Château	Gaîté
14	Q15	**Jacquier** Rue	37 R. L. Morard	17 R. Bardinet	Plaisance
17	F13	**Jadin** Rue	39 R. de Chazelles	34 R. Médéric	Courcelles
5	N20	**Jaillot** Passage	3 R. St-Médard	10 R. Ortolan	Place Monge
20	H26-H27	**Jakubowicz** Rue Hélène	144 R. Ménilmontant	97 R. Villiers de l'Isle-Adam	St-Fargeau
13	S19	**Jambenoire** Al. Marcel	88 Bd Kellermann	(en impasse)	Cité Univ. (RER B)
10	F22	**Jammes** Rue Francis	Rue G. F. Haendel	11 R. Louis Blanc	Colonel Fabien
14	Q15-R15	**Jamot** Villa	105 R. Didot	(en impasse)	Plaisance
19	G24	**Jandelle** Cité	53 R. Rébeval	(en impasse)	Buttes Chaumont
16	J9	**Janin** Avenue Jules	12 R. de la Pompe	32 R. de la Pompe	La Muette
19	F26-F27	**Janssen** Rue	18 R. des Lilas	11 R. Inspecteur Allès	Pré St-Gervais
20	I27	**Japon** Rue du	1 R. Belgrand	48 Av. Gambetta	Gambetta
11	K24	**Japy** Rue	4 R. Neufchâteau	7 R. Gobert	Voltaire
6	L18	**Jardinet** Rue du	12 R. de l'Éperon	Cour de Rohan	Odéon
11	L26	**Jardiniers** Impasse des	215 Bd Voltaire	(en impasse)	Rue des Boulets
12	P26	**Jardiniers** Rue des	313 R. de Charenton	29 R. des Meuniers	Porte de Charenton
4	L21	**Jardins St-Paul** R. des	28 Q. Célestins	7 R. Charlemagne	St-Paul
4	K21	**Jarente** Rue de	13 R. de Turenne	12 R. de Sévigné	St-Paul
10	G20	**Jarry** Rue	67 Bd de Strasbourg	90 R. du Fbg St-Denis	Château d'Eau
16	L7	**Jasmin** Cour	16 R. Jasmin	(en impasse)	Jasmin
16	L7-L8	**Jasmin** Rue	78 Av. Mozart	14 R. Raffet	Jasmin
16	L7	**Jasmin** Square	8 R. Jasmin		Jasmin
12	M26	**Jaucourt** Rue	17 R. de Picpus	8 Pl. de la Nation	Nation
19	D26-E22	**Jaurès** Avenue Jean	2 Q. de la Loire	Pl. de la Pte de Pantin	Porte de Pantin - Jaurès
15	N8-M9	**Javel** Port de	Pont Garigliano	Pont de Grenelle	Mirabeau
15	M9-O11	**Javel** Rue de	37 Q. A. Citroën	152 R. Blomet	Javel - Convention
13	R22	**Javelot** Rue du	103 R. de Tolbiac	49 R. Baudricourt	Olympiades
4	L19	**Jean-Paul II** Place	23 R. d'Arcole	6 R. de la Cité	Cité
4	L20	**Jean XXIII** Square	Quai de l'Archevêché		Cité
13	Q22	**Jeanne D'Arc** Place	Rue Jeanne D'Arc	R. Lahire	Nationale - Olympiades
13	P21	**Jeanne D'Arc** Rue	52 R. de Domrémy	41 Bd St-Marcel	Nationale - Olympiades
13	Q20	**Jégo** Rue Jean-Marie	8 R. de la Butte aux Cailles	3 R. Samson	Corvisart
10	F22-H22	**Jemmapes** Quai de	29 R. du Fbg du Temple	131 Bd de la Villette	Goncourt - Jaurès
13	P21-P22	**Jenner** Rue	80 Bd V. Auriol	140 R. Jeanne d'Arc	Nationale
18	E20-E21	**Jessaint** Rue de	28 Pl. de la Chapelle	1 R. de la Charbonnière	La Chapelle
18	E21	**Jessaint** Square	Place de la Chapelle		La Chapelle
11	I22	**Jeu de Boules** P. du	142 R. Amelot	45 R. de Malte	Oberkampf
2	H18-H19	**Jeûneurs** Rue des	5 R. Poissonnière	156 R. Montmartre	Sentier
14	Q15	**Joanès** Passage	93 R. Didot	10 R. Joanès	Plaisance
14	Q15	**Joanès** Rue	54 R. de l'Abbé Carton	7 R. Boulitte	Plaisance
15	P12	**Jobbé Duval** Rue	40 R. Dombasle	23 R. des Morillons	Convention
16	I9	**Jocelyn** Villa	1 Sq. Lamartine	(en impasse)	Rue de la Pompe
18	D16	**Jodelle** Rue Étienne	11 Villa P. Ginier	10 Av. de St-Ouen	La Fourche
7	L12-L13	**Joffre** Place	Av. de La Bourdonnais	Av. de Suffren	École Militaire
18	C19	**Joffrin** Place Jules	Rue Ordener	Rue du Mont Cenis	Jules Joffrin
19	C24-D24	**Joinville** Impasse de	106 R. de Flandre	Rue de Joinville	Crimée
19	D24	**Joinville** Place de	Rue Jomard	Quai de l'Oise	Crimée
19	C24-D24	**Joinville** Rue de	3 Q. de l'Oise	102 R. de Flandre	Crimée
14	O16	**Jolivet** Rue	R. du Maine	Rue Poinsot	Edgar Quinet
11	J24	**Joly** Cité	121 R. du Chemin Vert	(en impasse)	Père Lachaise
19	D24	**Jomard** Rue	160 R. de Crimée	Rue de Joinville	Crimée
13	Q19-Q20	**Jonas** Rue	Rue E. Atget	28 R. Samson	Corvisart
15	O9	**Jongkind** Rue	Rue St-Charles	Rue Varet	Lourmel
14	Q13-Q14	**Jonquilles** Rue des	182 R. R. Losserand	211 R. Vercingétorix	Porte de Vanves
14	Q14-Q15	**Jonquoy** Rue	9 R. des Suisses	78 R. Didot	Plaisance
18	B18	**Joséphine** Rue	117 R. Damrémont	(en impasse)	Porte de Clignancourt
20	K27-L27	**Josseaume** Passage	67 R. des Haies	72 R. des Vignoles	Buzenval
11	L23	**Josset** Passage	38 R. de Charonne	(en impasse)	Ledru-Rollin
17	F12-F13	**Jost** Rue Léon	1 R. de Chazelles	6 R. Cardinet	Courcelles
9	G16-G17	**Joubert** Rue	35 R. Chée d'Antin	Pl. G. Berry	Chée d'Antin-La Fayette
11	L26	**Joudrier** Impasse	87 Bd de Charonne	(en impasse)	Alexandre Dumas
9	G18-H18	**Jouffroy** Passage	10 Bd Montmartre	9 R. Grange Batelière	Grands Boulevards
17	D14-E12	**Jouffroy D'Abbans** Rue	145 R. Cardinet	80 Av. de Wagram	Wagram
10	H21-H22	**Jouhaux** Rue Léon	12 Pl. de la République	43 Q. de Valmy	République
1	I19-J19	**Jour** Rue du	2 R. de la Coquillière	9 R. Montmartre	Les Halles
20	G25	**Jourdain** Rue du	336 R. Pyrénées	134 R. de Belleville	Jourdain

Ar.	Plan	Rues / Streets	Commençant	Finissant	Métro
14	S16-S19	**Jourdan** Boulevard	100 R. Aml Mouchez	1 Pl. du 25 Août 1944	Porte d'Orléans
19	D25	**Jouve** Rue Pierre-Jean	10 R. de l'Ourcq	23 R. Ardennes	Ourcq
6	L17-M17	**Jouvenel** Rue Henry De	7 Pl. St-Sulpice	6 R. du Canivet	St-Sulpice
16	N7-O7	**Jouvenet** Rue	150 Av. de Versailles	49 R. Boileau	Chardon Lagache
16	N7	**Jouvenet** Square	14 R. Jouvenet	(en impasse)	Chardon Lagache
18	D18	**Jouy** Rue Jules	16 R. Francoeur	3 R. Cyrano de Bergerac	Lamarck-Caulaincourt
4	K21-L21	**Jouy** Rue de	13 R. Nonnains d'H.	50 R. F. Miron	St-Paul
20	G24-H24	**Jouye Rouve** Rue	60 R. de Belleville	66 R. J. Lacroix	Pyrénées
13	P23	**Joyce** Jardin James	R. G. Balanchine	Rue A. Gance	Quai de la Gare
17	B16	**Joyeux** Cité	51 R. des Épinettes	(en impasse)	Porte de St-Ouen
15	M12	**Judlin** Square Théodore	28 R. du Laos		La Motte-P.-Grenelle
12	N29	**Jugan** Rue Jeanne	29 Av. Courteline	22 Av. de la Pte de Vincennes	St-Mandé Tourelle
15	L11-M11	**Juge** Rue	9 R. Viala	6 R. Violet	Dupleix
15	M11	**Juge** Villa	20 R. Juge	4 Villa Grenelle	Dupleix
4	K20	**Juges Consuls** Rue des	68 R. de la Verrerie	R. du Cloître St-Merri	Hôtel de Ville
20	I25-I26	**Juillet** Rue	44 R. de la Bidassoa	54 R. de la Bidassoa	Gambetta
17	E12	**Juin** Place du Maréchal	107 Av. de Villiers	Bd Péreire	Pereire
14	R18	**Julien** R. de l'Empereur	R. des Berges Hennequines	R. de l'Emp. Valentinien	Cité Univ. (RER B)
13	P19	**Julienne** Rue de	62 R. Pascal	45 Bd Arago	Les Gobelins
6	O17-O18	**Jullian** Place Camille	R. N.-D. des Champs	138 R. d'Assas	Port Royal (RER B)
1	J18	**Jullien** Rue Adolphe	11 R. de Viarmes	40 R. du Louvre	Louvre-Rivoli - Les Halles
19	D26	**Jumin** Rue Eugène	95 R. Petit	198 Av. J. Jaurès	Porte de Pantin
18	D18	**Junot** Avenue	3 R. Girardon	66 R. Caulaincourt	Lamarck-Caulaincourt
13	O20	**Jura** Rue du	49 Bd St-Marcel	14 R. Oudry	Campo Formio
2	I19	**Jussienne** Rue de la	40 R. Étienne Marcel	41 R. Montmartre	Sentier
5	M20	**Jussieu** Place	22 R. Jussieu	Rue Linné	Jussieu
5	M20-N21	**Jussieu** Rue	12 R. Cuvier	35 R. du Card. Lemoine	Jussieu
4	K20	**Justes de France** Al. des	17 R. Geoffroy l'Asnier	14 R. du Pt Louis-Philippe	Pont Marie
20	H28	**Justice** Rue de la	70 R. du Surmelin	61 Bd Mortier	St-Fargeau

K

Ar.	Plan	Rues / Streets	Commençant	Finissant	Métro
18	E21	**Kablé** Rue Jacques	33 R. du Département	56 R. P. de Girard	La Chapelle
19	E22	**Kabylie** Rue de	216 Bd de la Villette	12 R. de Tanger	Stalingrad
18	B19	**Kahn** Place Albert	Bd Ornano	R. Championnet	Porte de Clignancourt
15	O14	**Kandinsky** Pl. Wassily	56 R. Bargue	60 R. Bargue	Volontaires
9	G18	**Kaplan** Place Jacob	Rue La Fayette	Rue Laffitte	Le Peletier
1	J18	**Karcher** Pl. du Lieut. H.	R. Croix des Petits Chps	Rue du Col. Driant	Palais Royal-Louvre
20	J27	**Karcher** Square Henri	Rue des Pyrénées		Gambetta
19	B24-C24	**Karr** Rue Alphonse	169 R. de Flandre	20 R. de Cambrai	Corentin Cariou
5	N19	**Kastler** Place Alfred	1 R. Érasme	4 R. Rataud	Place Monge
11	K23-L23	**Keller** Rue	41 R. de Charonne	72 R. de la Roquette	Ledru-Rollin
15	M10-M9	**Keller** Rue de l'Ingénieur R.	11 Q. A. Citroën	67 R. Émile Zola	Ch. Michels
13	S19-S21	**Kellermann** Boulevard	192 Av. d'Italie	99 R. Aml Mouchez	Pte d'Italie - Cité Univ. (RER B)
13	T20	**Kellermann** Parc	R. de la Poterne des Peupliers	Bd Kellerman	Porte d'Italie
17	B16	**Kellner** Rue Jacques	125 Av. de St-Ouen	39 Bd Bessières	Porte de St-Ouen
16	K10-L9	**Kennedy** Av. du Pdt	1 R. Beethoven	Pl. Clément Ader	Passy
16	H12	**Kepler** Rue	19 R. de Bassano	40 R. Galilée	George V - Kléber
20	K28	**Kergomard** Rue Pauline	13 R. Mouraud	R. P. Kergomard	Maraîchers
12	P24-P25	**Kessel** Rue Joseph	Quai de Bercy	Rue de Dijon	Cour St-Émilion
13	S20	**Keufer** Rue	31 Bd Kellermann	Rue Max Jacob	Porte d'Italie
16	G11-J10	**Kléber** Avenue	Pl. Ch. De Gaulle	Place du Trocadéro	Trocadéro - Kléber
16	H11	**Kléber** Impasse	Avenue Kléber	Rue Lauriston	Boissière
13	O23	**Klee** Rue Paul	6 R. Fulton	34 Av. P. Mendès-France	Quai de la Gare
19	F27-G27	**Kock** Rue Paul De	4 R. Émile Desvaux	30 R. Émile Desvaux	Télégraphe
17	E10	**Kœnig** Allée du Général	Avenue de Salonique	Bd D'Aurelle De Paladines	Porte Maillot
17	F10	**Kœnig** Place du Général	Bd Gouvion St-Cyr	Av. de la Pte des Ternes	Porte Maillot
19	D25	**Kosma** Rue Joseph	26 R. des Ardennes	Quai de la Garonne	Ourcq
9	G18	**Kossuth** Place	Rue de Maubeuge	Rue de Châteaudun	N.-D. de Lorette
18	C19	**Kracher** Passage	137 R. de Clignancourt	10 R. Nve la Chardonnière	Simplon
20	G25	**Krasucki** Place Henri	R. des Envierges	Rue Levert	Jourdain
13	S20	**Küss** Rue	38 R. des Peupliers	Rue Brillat Savarin	Maison Blanche
15	K11	**Kyoto** Place de	Quai Branly	R. de la Fédération	Bir Hakeim

Ar.	Plan	**Rues** / Streets	Commençant	Finissant	Métro
		L			
5	N18	**L'Épée** Rue de l'Abbé De	48 R. Gay Lussac	1 R. H. Barbusse	Luxembourg (RER B)
18	D19	**La Barre** R. du Ch. De	9 R. Ramey	8 R. du Mont Cenis	Château Rouge
8	G14	**La Baume** Rue De	20 R. de Courcelles	11 Av. Percier	St-Philippe du R.
8	G15-H13	**La Boétie** Rue	3 Pl. St-Augustin	60 Av. des Chps Élysées	St-Philippe du R.
7	J12-L13	**La Bourdonnais** Av. De	61 Q. Branly	2 Pl. Éc. Militaire	École Militaire
7	J11-J12	**La Bourdonnais** Port De	Pont d'Iéna	Pont de l'Alma	Alma-Marceau
5	N20	**La Brosse** Rue Guy De	11 R. Jussieu	Rue Linné	Jussieu
9	F17-F18	**La Bruyère** Rue	31 R. N.-D. de Lorette	48 R. Blanche	St-Georges
9	F17	**La Bruyère** Square	19 R. J.-B. Pigalle		Trinité - St-Georges
19	D25	**La Champmeslé** Square	182 Av. Jean Jaurès	(en impasse)	Porte de Pantin
17	D16-E15	**La Condamine** Rue	73 Av. de Clichy	12 R. Dulong	Rome - La Fourche
9	E22-G17	**La Fayette** Rue	38 R. de la Chée d'Antin	1 Pl. de Stalingrad	Chée d'Antin-La Fayette
10	F20-E22	**La Fayette** Rue	38 R. de la Chée d'Antin	1 Pl. de Stalingrad	Gare du Nord
1	I18	**La Feuillade** Rue	4 Pl. des Victoires	2 R. des Petits Pères	Bourse - Sentier
2	I18	**La Feuillade** Rue	4 Pl. des Victoires	2 R. des Petits Pères	Bourse - Sentier
16	L8-L9	**La Fontaine** Hameau	8 R. J. De La Fontaine	(en impasse)	Kennedy-R. France (RER C)
16	N7	**La Fontaine** Rond-Point	Avenue Molière	Impasse Voltaire	Michel Ange-Molitor
16	L9-M7	**La Fontaine** Rue Jean De	1 Pl. du Dr Hayem	48 R. d'Auteuil	Michel Ange-Auteuil
16	L8	**La Fontaine** Square	33 R. J. De La Fontaine	(en impasse)	Ranelagh - Jasmin
17	G11	**La Forge** Rue Anatole De	16 Av. de la Gde Armée	21 Av. Carnot	Argentine
15	O13-O14	**La Fresnaye** Villa	Rue Dutor	(en impasse)	Volontaires
16	O6	**La Frillière** Avenue De	41 R. C. Lorrain	R. Parent de Rosan	Exelmans
17	C14-C15	**La Jonquière** I. De	101 R. de la Jonquière	(en impasse)	Porte de Clichy
17	C15-C16	**La Jonquière** Rue De	81 Av. de St-Ouen	107 Bd Bessières	Porte de Clichy
7	M12-K13	**La Motte-Picquet** Av. De	64 Bd de la Tr Maubourg	111 Bd de Grenelle	La Tour-Maubourg
15	M12-K13	**La Motte-Picquet** Av. De	64 Bd de la Tr Maubourg	111 Bd de Grenelle	La Tour-Maubourg
15	L12	**La Motte-Picquet** Sq. De	11 Pl. Cal Amette	5 R. d'Ouessant	La Motte-P.-Grenelle
16	H11	**La Pérouse** Rue	4 R. de Belloy	5 R. de Presbourg	Kléber
7	L16	**La Planche** Rue De	15 R. Varenne	(en impasse)	Sèvres-Babylone
15	O13	**La Quintinie** Rue	18 R. Bargue	31 R. d'Alleray	Volontaires
1	J19	**La Reynie** Rue De	89 R. St-Martin	32 R. St-Denis	Châtelet
4	J19	**La Reynie** Rue De	89 R. St-Martin	32 R. St-Denis	Châtelet
9	F17-G17	**La Rochefoucauld** R. De	52 R. St-Lazare	52 R. J.-B. Pigalle	Trinité
7	L15-L16	**La Rochefoucauld** Sq. De	108 R. du Bac	(en impasse)	Sèvres-Babylone
12	P28	**La Roncière Le Noury** Rue de l'Amiral	4 Bd Soult	9 Av. Rousseau	Porte Dorée
1	I17	**La Sourdière** Rue De	306 R. St-Honoré	1 R. Gomboust	Tuileries
9	F18	**La Tour D'Auvergne** I. De	34 R. de la Tr d'Auvergne	(en impasse)	Anvers
9	F18-F19	**La Tour D'Auvergne** R. De	35 R. Maubeuge	52 R. des Martyrs	St-Georges
20	L28-M28	**La Tour Du Pin** R. P. De	33 Bd Davout	Pl. Tessier de Marg.	Porte de Montreuil
7	J14-L14	**La Tour-Maubourg** Bd. De	43 Q. d'Orsay	2 Av. Lowendal	La Tour-Maubourg
7	K13	**La Tour-Maubourg** Sq. De	143 R. de Grenelle	(en impasse)	La Tour-Maubourg
8	I12-I13	**La Trémoille** Rue De	14 Av. George V	27 R. François Ier	Alma-Marceau
11	K25	**La Vacquerie** Rue	3 R. Folie Regnault	164 R. de la Roquette	Charonne
16	P6-P7	**La Vaulx** Rue Henry De	Quai St-Exupéry	Av. D. de la Brunerie	Porte de St-Cloud
18	E18	**La Vieuville** Rue De	Place Abbesses	31 R. des Trois Frères	Abbesses
1	I18	**La Vrillière** Rue	41 R. Croix des Petits Chps	7 R. La Feuillade	Bourse
18	D19-D20	**Labat** Rue	61 R. des Poissonniers	14 R. Bachelet	Marcadet-Poissonniers
20	H28	**Labbé** Rue du Docteur	82 Bd Mortier	29 R. Le Vau	St-Fargeau
19	G24	**Labé** Allée Louise	19 R. Rébeval	61 Av. S. Bolivar	Belleville
16	J8	**Labiche** Rue Eugène	27 Bd J. Sandeau	28 R. O. Feuillet	Av. H. Martin (RER C)
17	F10-F11	**Labie** Rue	79 Av. des Ternes	44 R. Brunel	Porte Maillot
19	C22-C23	**Labois Rouillon** Rue	25 R. Curial	164 R. d'Aubervilliers	Crimée
8	G15	**Laborde** Rue de	15 R. du Rocher	58 R. de Miromesnil	St-Lazare
18	B18	**Labori** Rue Fernand	118 Bd Ney	9 R. René Binet	Porte de Clignancourt
7	L15	**Labouré** Jardin Catherine	Rue de Babylone		Sèvres-Babylone
15	Q13	**Labrador** Impasse du	5 R. Camulogène	(en impasse)	Porte de Vanves
15	P14-Q13	**Labrouste** Rue	6 Pl. Falguière	109 R. des Morillons	Volontaires
20	I25	**Labyrinthe** Cité du	24 R. de Ménilmontant	35 R. des Panoyaux	Ménilmontant
14	R18-S18	**Lac** Allée du	Parc Montsouris		Cité Univ. (RER B)
17	C16	**Lacaille** Rue	51 R. Guy Môquet	19 R. de la Jonquière	Guy Môquet
14	R17	**Lacaze** Rue	128 R. de la Tombe Issoire	35 R. du Père Corentin	Porte d'Orléans - Alésia
5	N19-N20	**Lacépède** Rue	59 R. G. St-Hilaire	1 Pl. de la Contrescarpe	Place Monge

Ar.	Plan	**Rues** / Streets	Commençant	Finissant	Métro
12	P25	**Lachambeaudie** Place	Rue de Dijon	Rue Proudhon	Cour St-Émilion
11	J23-J24	**Lacharrière** Rue	73 Bd Voltaire	61 R. St-Maur	Rue St-Maur
13	S22	**Lachelier** Rue	Pl. Port au Prince	107 Bd Masséna	Porte de Choisy
15	N10-N9	**Lacordaire** Rue	80 R. de Javel	177 R. St-Charles	Lourmel - Boucicaut
12	P27-P28	**Lacoste** Rue Ernest	107 Bd Poniatowski	151 R. de Picpus	Porte Dorée
15	P11	**Lacretelle** Rue	393 R. Vaugirard	47 R. Vaugelas	Porte de Versailles
20	G24-I25	**Lacroix** Rue Julien	49 R. de Ménilmontant	56 R. de Belleville	Pyrénées
17	C16-D15	**Lacroix** Rue	112 Av. de Clichy	29 R. Davy	Brochant
12	M22-M23	**Lacuée** Rue	32 Bd de la Bastille	45 R. de Lyon	Bastille
17	D11-C12	**Lafay** Prom. Bernard	Bd D'Aurelle De Paladines	Av. de la Pte d'Asnières	Porte de Champerret
14	R13-R14	**Lafenestre** Av. Georges	56 Bd Brune	Bd Adolphe Pinard	Porte de Vanves
9	F18	**Laferrière** Rue	18 R. N.-D. de Lorette	2 R. H. Monnier	St-Georges
9	G18-H18	**Laffitte** Rue	18 Bd des Italiens	19 R. Châteaudun	Richelieu Drouot
16	O6-P6	**Lafont** Avenue Georges	Pl. de la Pte St-Cloud	Av. F. Buisson	Porte de St-Cloud
19	F25	**Laforgue** Villa Jules	13 R. M. Hidalgo	(en impasse)	Botzaris
6	N16	**Lafue** Place Pierre	Bd Raspail	R. Stanislas	N.-D. des Champs
17	C16	**Lagache** R. du Capitaine	R. Legendre	R. Guy Môquet	Guy Môquet
5	O19	**Lagarde** Rue	11 R. Vauquelin	16 R. de l'Arbalète	Censier-Daubenton
5	O19	**Lagarde** Square	7 R. Lagarde	(en impasse)	Censier-Daubenton
18	D20	**Laghouat** Rue de	39 R. Stephenson	18 R. Léon	Marx Dormoy
18	C16-C17	**Lagille** Rue	116 Av. de St-Ouen	(en impasse)	Guy Môquet
20	L28-M28	**Lagny** Passage de	87 R. de lagny	18 R. Philidor	Porte de Vincennes
20	M27-M29	**Lagny** Rue de	10 Bd de Charonne	Av. L. Gaumont	Porte de Vincennes
5	L19	**Lagrange** Rue	21 Q. de Montebello	18 Pl. Maubert	Maubert-Mutualité
13	Q24	**Lagroua Weill-Hallé** R. M.-A.	25 R. Thomas Mann		Bibl. F. Mitterrand
13	Q22	**Lahire** Rue	33 Pl. Jeanne d'Arc	116 Pl. Nationale	Nationale - Olympiades
15	N11-N12	**Lakanal** Rue	85 R. du Commerce	88 R. de la Croix Nivert	Commerce
14	P16	**Lalande** Rue	17 R. Froidevaux	8 R. Liancourt	Denfert-Rochereau
9	F18	**Lallier** Rue	26 Av. Trudaine	53 Bd de Rochechouart	Pigalle
19	E23	**Lally-Tollendal** Rue	71 R. de Meaux	38 Av. J. Jaurès	Bolivar - Jaurès
16	G9	**Lalo** Rue	62 R. Pergolèse	32 Bd Marbeau	Porte Dauphine
17	D15-E15	**Lamandé** Rue	6 R. Bridaine	78 R. Legendre	Rome - La Fourche
18	C16-E19	**Lamarck** Rue	Rue Cal Dubois	68 Av. de St-Ouen	Lamarck-Caulaincourt
18	C17-D17	**Lamarck** Square	102 R. Lamarck	(en impasse)	Lamarck-Caulaincourt
14	P17	**Lamarque** Sq. Georges	R. Froidevaux	Rue de Grancey	Denfert-Rochereau
9	G18-G19	**Lamartine** Rue	1 R. Rochechouart	72 R. du Fbg Montmartre	Cadet - N.-D. de Lorette
16	I8-I9	**Lamartine** Square	189 Av. V. Hugo	70 Av. H. Martin	Rue de la Pompe
19	D23	**Lamaze** Rue du Docteur	36 R. Riquet	10 R. Archereau	Riquet
16	L10-L9	**Lamballe** Avenue de	68 Av. du Pdt Kennedy	63 R. Raynouard	Kennedy-R. France (RER C)
20	K29	**Lambeau** Rue Lucien	R. des Drs Déjerine	Av. A. Lemierre	Porte de Montreuil
17	D13	**Lamber** Rue Juliette	36 Bd Péreire	190 Bd Malesherbes	Wagram - Pereire
18	D19	**Lambert** Rue	8 R. Nicolet	29 R. Custine	Château Rouge
7	K11	**Lambert** Rue du Général	Allée Thomy Thierry	23 Av. de Suffren	Ch. de Mars-Tr Eiffel (RER C)
12	O26-O27	**Lamblardie** Rue	7 Pl. Félix Éboué	84 R. de Picpus	Daumesnil
12	P25	**Lamé** Rue Gabriel	Rue Joseph Kessel	R. des Pirogues de Bercy	Cour St-Émilion
8	G13	**Lamennais** Rue	27 R. Washington	19 Av. de Friedland	George V
11	K25	**Lamier** Impasse	8 R. Mont Louis	(en impasse)	Philippe Auguste
12	M29-N29	**Lamoricière** Avenue	5 Av. Courteline	8 R. F. Foureau	Porte de Vincennes
16	H9	**Lamoureux** Rue Charles	23 R. E. Ménier	25 R. Spontini	Porte Dauphine
5	O19	**Lampué** Place Pierre	R. Claude Bernard	R. Feuillantines	Luxembourg (RER B)
11	K23	**Lamy** R. du Commandant	45 R. de la Roquette	30 R. Sedaine	Bréguet Sabin
8	G13-G14	**Lancereaux** R. du Dr	5 Pl. de Narvik	32 R. Courcelles	St-Philippe du R.
12	O26-P26	**Lancette** Rue de la	2 R. Taine	25 R. Nicolaï	Dugommier
13	R19-S18	**Lançon** Rue Auguste	74 R. Barrault	34 R. de Rungis	Corvisart
16	N7	**Lancret** Rue	138 Av. de Versailles	10 R. Jouvenet	Chardon Lagache
10	H21	**Lancry** Rue de	50 R. R. Boulanger	83 Q. de Valmy	Jacques Bonsergent
13	S20	**Landouzy** Rue du Docteur	4 R. Interne Loëb	39 R. des Peupliers	Maison Blanche
7	J13-K13	**Landrieu** Passage	169 R. de l'Université	Rue St-Dominique	Pont de l'Alma (RER C)
20	J27	**Landrin** Place Émile	Rue Cour Noues	Rue des Prairies	Gambetta
20	J27	**Landrin** Rue Émile	50 R. Rondeaux	235 R. des Pyrénées	Gambetta
15	P11	**Langeac** Rue de	11 R. Desnouettes	356 R. de Vaugirard	Convention
5	M20	**Langevin** Square Paul	R. des Écoles	Rue Monge	Card. Lemoine
4	J20	**L'Angevin** Rue Geoffroy	59 R. du Temple	6 R. Beaubourg	Rambuteau
12	Q25-R26	**Langle De Cary** R. du Gal De	Rue Escoffier	Bd Poniatowski	Porte de Charenton
13	Q20	**Langlois** Place Henri	Rue Bobillot	Avenue d'Italie	Place d'Italie
16	J9	**Langlois** Rue du Général	1 R. E. Delacroix	(en impasse)	Rue de la Pompe

Ar.	Plan	Rues / Streets	Commençant	Finissant	Métro
4	K21	**Langlois** Square Ch.-V.	R. des Blancs Manteaux	(en impasse)	St-Paul
5	M19	**Lanneau** Rue de	2 R. Valette	29 R. de Beauvais	Maubert-Mutualité
14	S16-T17	**Lannelongue** Av. du Dr	Av. A. Rivoire	R. E. Faguet	Cité Univ. (RER B)
16	H8-J8	**Lannes** Boulevard	5 Pl. du Mal de Lattre de Tassigny	98 Av. H. Martin	Av. H. Martin (RER C)
17	G11	**Lanrezac** Rue du Général	12 Av. Carnot	17 Av. Mac Mahon	Ch. de Gaulle-Étoile
1	K19	**Lantier** Rue Jean	1 R. St-Denis	Rue Bertin Poirée	Châtelet
17	B16-C16	**Lantiez** Rue	50 R. de la Jonquière	13 R. du Gal Henrys	Porte de St-Ouen
17	C16	**Lantiez** Villa	32 R. Lantiez	(en impasse)	Guy Môquet
19	F27	**Laonnais** Square du	58 Bd Sérurier	(en impasse)	Pré St-Gervais
15	L12-M12	**Laos** Rue du	88 Av. Suffren	12 R. A. Cabanel	La Motte-P.-Grenelle
12	P28	**Laperrine** Av. du Général	9 Av. du Gal Dodds	4 Pl. E. Renard	Porte Dorée
14	R14	**Lapeyre** R. du Lieutenant	46 Bd Brune	R. Séré Rivières	Porte de Vanves
18	C18-C19	**Lapeyrère** Rue	110 R. Marcadet	115 R. Ordener	Jules Joffrin
5	M19	**Laplace** Rue	58 R. Mont. Ste-Genev.	11 R. Valette	Maubert-Mutualité
7	M13	**Lapparent** Rue Albert De	30 Av. de Saxe	7 R. de Heredia	Ségur
11	L23	**Lappe** Rue de	32 R. de la Roquette	13 R. de Charonne	Bastille
13	P23	**Larbaud** Rue Valéry	Rue G. Balanchine	Rue A. Gance	Quai de la Gare
19	F23-G24	**Lardennois** Rue Georges	38 Av. M. Moreau	1 R. Barrelet de Ricou	Bolivar
16	M7	**Largeau** Rue du Général	17 R. Perchamps	67 R. J. De La Fontaine	Église d'Auteuil
16	K8	**Largillière** Rue	12 Av. Mozart	1 Bd de Beauséjour	La Muette
15	L12-M12	**Larminat** Rue du Gal De	56 Av. La Motte-Picquet	15 R. d'Ouessant	La Motte-P.-Grenelle
14	O16	**Larochelle** Rue	31 R. de la Gaîté	(en impasse)	Gaîté
5	N19	**Laromiguière** Rue	7 R. Estrapade	8 R. Amyot	Place Monge
7	L14	**Laroque** Place Pierre	8 Avenue de Ségur	35 Avenue Duquesne	St-François-Xavier
14	Q14	**Larousse** Rue Pierre	92 R. Didot	161 R. R. Losserand	Plaisance
5	N20	**Larrey** Rue	18 R. Daubenton	75 R. Monge	Place Monge
8	F15	**Larribe** Rue	33 R. Constant.	86 R. du Rocher	Villiers
15	N12	**Larroumet** Rue Gustave	24 R. Mademoiselle	9 R. L. Lhermitte	Commerce
12	O29	**Lartet** Rue Édouard	R. du Gal Archinard	Bd de la Guyane	Porte Dorée
5	M20	**Lartigue** R. J.-Henri	50 R. du Card. Lemoine	24 R. Monge	Card. Lemoine
7	K15	**Las Cases** Rue	38 R. Bellechasse	13 R. Bourgogne	Solférino
19	G24	**Lasalle** Rue du Général	70 R. Rébeval	Av. Simon Bolivar	Pyrénées
17	D10-D11	**Laskine** Jardin Lily	Rue Jacques Ibert	R. du Caporal Peugeot	Porte de Champerret
4	K21-L20	**L'Asnier** Rue Geoffroy	Q. de l'Hôtel de Ville	48 R. F. Miron	Pont Marie
12	N28	**Lasson** Rue	34 Av. Dr. Netter	9 R. Marguettes	Picpus
19	G25	**Lassus** Rue	137 R. de Belleville	1 R. Fessart	Jourdain
16	H10	**Lasteyrie** Rue de	101 Av. R. Poincaré	180 R. de la Pompe	Victor Hugo
18	E16	**Lathuille** Passage	12 Av. de Clichy	11 Pas. de Clichy	Place de Clichy
5	M19	**Latran** Rue de	10 R. de Beauvais	7 R. Thénard	Maubert-Mutualité
16	H8	**Lattre De Tassigny** Place du Maréchal De	Bd Lannes	Bd de Aml Bruix	Porte Dauphine
17	E11-F12	**Laugier** Rue	23 R. Poncelet	7 Bd Gouvion St-Cyr	Ternes
17	E11-E12	**Laugier** Villa	36 R. Laugier	(en impasse)	Porte de Champerret
10	G19-G20	**Laumain** Rue Gabriel	27 R. d'Hauteville	36 R. du Fbg Poissonnière	Bonne Nouvelle
19	E24	**Laumière** Avenue de	2 R. A. Carrel	94 Av. J. Jaurès	Laumière
12	M25	**Lauprêtre** Place Jean	36 R. Erard	30 R. de Reuilly	Reuilly Diderot
12	O28	**Laurencin** Rue Marie	46 R. du Sahel	Rue A. Derain	Bel Air
16	L8	**Laurens** Sq. Jean-Paul	31 R. de l'Assomption		Ranelagh
20	M27	**Laurent** Allée Marie	Rue de Buzenval	15 R. Mounet Sully	Buzenval
12	N29-O28	**Laurent** Avenue Émile	46 Bd Soult	40 Bd Carnot	Porte Dorée
11	K24	**Laurent** Rue Auguste	1 R. Mercoeur	140 R. de la Roquette	Voltaire
19	D22	**Laurent** Rue Paul	48 R. d'Aubervilliers	Rue du Maroc	Stalingrad
13	R20-R21	**Laurent** Rue du Docteur	102 Av. d'Italie	5 R. Damesme	Tolbiac
15	N13	**Laurent** Square Charles	71 R. Cambronne	102 R. Lecourbe	Cambronne
14	R13	**Laurier** Rue Wilfrid	10 Bd Brune	Av. Marc Sangnier	Porte de Vanves
16	H11-I10	**Lauriston** Rue	9 R. de Presbourg	70 R. de Longchamp	Trocadéro - Kléber
18	B22	**Lauth** Rue Charles	18 Bd Ney	2 R. G. Tissandier	Porte de la Chapelle
1	J19	**Lautréamont** Terrasse	Forum des Halles	Niveau +1	Châtelet-Les Halles
19	G24	**Lauzin** Rue	39 R. Rébeval	59 Av. S. Bolivar	Buttes Chaumont
1	J19-K19	**Lavandières Ste-Opportune** Rue des	24 Av. Victoria	7 R. des Halles	Châtelet-Les Halles
5	O18	**Laveran** Place Alphonse	1 R. du Val de Grâce	314 R. St-Jacques	Port Royal (RER B)
12	P27-Q27	**Lavigerie** Pl. du Cardinal	90 Bd Poniatowski	Bois de Vincennes	Porte de Charenton
12	N28-O28	**Lavisse** Rue Ernest	5 R. Albert Malet	11 R. Albert Malet	Porte Dorée
10	H21	**Lavoir** Villa du	68 R. René Boulanger	(en impasse)	Strasbourg-St-Denis
8	G15	**Lavoisier** Rue	57 R. d'Anjou	22 R. d'Astorg	St-Augustin
18	C19	**Lavy** Rue Aimé	35 R. Hermel	74 R. du Mont Cenis	Jules Joffrin

Ar.	Plan	**Rues** / Streets	Commençant	Finissant	Métro
3	I21	**Lazare** Place Bernard	1 rue Borda	63 rue de Turbigo	Arts et Métiers
2	I19-I20	**Lazareff** Allée Pierre	R. Petits Carreaux	Rue Saint-Denis	Sentier
14	R15-S15	**Le Bon** Rue Gustave	1 R. C. Le Goffic	19 Av. E. Reyer	Porte d'Orléans
14	S16	**Le Brix et Mesmin** Rue	107 Bd Jourdan	6 R. Porto Riche	Porte d'Orléans
13	O20-P20	**Le Brun** Rue	55 Bd St-Marcel	47 Av. des Gobelins	Les Gobelins
20	I27	**Le Bua** Rue	56 R. Pelleport	24 R. du Surmelin	Pelleport
17	E12	**Le Châtelier** Rue	120 Av. de Villiers	183 R. Courcelles	Pereire
16	K8	**Le Coin** Rue Robert	60 R. Ranelagh	(en impasse)	Ranelagh
3	J20-J21	**Le Comte** Rue Michel	87 R. du Temple	54 R. Beaubourg	Rambuteau
6	L16	**Le Corbusier** Place	R. de Sèvres	R. de Babylone	Sèvres-Babylone
13	Q19	**Le Dantec** Rue	81 Bd A. Blanqui	12 R. Barrault	Corvisart
4	J20	**Le Franc** Rue Simon	45 R. du Temple	2 R. Beaubourg	Rambuteau
13	P19	**Le Gall** Square René	R. de Croulebarbe	R. Corvisart	Les Gobelins
5	M18	**Le Goff** Rue	15 R. Soufflot	9 R. Gay Lussac	Luxembourg (RER B)
14	R15	**Le Goffic** Rue Charles	2 R. G. Le Bon	11 Av. E. Reyer	Porte d'Orléans
15	N9	**Le Gramat** Allée	R. A. Lefebvre	R. de Gutenberg	Javel
16	O6-O7	**Le Marois** Rue	195 Av. de Versailles	117 Bd Murat	Porte de St-Cloud
16	J10-K11	**Le Nôtre** Rue	Av. de New York	1 Bd Delessert	Passy
9	G18-H18	**Le Peletier** Rue	16 Bd Italiens	Place Kossuth	Richelieu Drouot
7	L13	**Le Play** Avenue Frédéric	3 R. Savorgnan de Br.	4 Pl. Joffre	École Militaire
4	L20	**Le Regrattier** Rue	22 Q. d'Orléans	19 Q. Bourbon	Pont Marie
12	P25	**Le Roy** Rue Baron	4 Pl. Lachambeaudie	(en impasse)	Cour St-Émilion
14	R14	**Le Roy** Rue Pierre	40 Bd Brune	7 R. M. Bouchor	Porte de Vanves
16	G10	**Le Sueur** Rue	32 Av. Foch	38 R. Duret	Argentine
18	E18	**Le Tac** Rue Yvonne	7 R. des Trois Frères	Pl. des Abbesses	Abbesses
16	J10	**Le Tasse** Rue	20 R. B. Franklin	(en impasse)	Passy - Trocadéro
20	H28-I29	**Le Vau** Rue	Avenue Ibsen	Av. de la Pte Ménilmontant	Porte de Bagnolet
6	N17-O17	**Le Verrier** Rue	114 R. d'Assas	R. N.-D. des Champs	Vavin - Port Royal (RER B)
18	D17	**Léandre** Villa	23 Av. Junot	(en impasse)	Lamarck-Caulaincourt
15	O11	**Léandri** Rue du Cdt	152 R. de la Convention	2 R. J. Mawas	Convention
17	D12	**Léautaud** Place Paul	142 Bd Berthier	51 Bd Berthier	Pereire
9	F18-G18	**Lebas** Rue Hippolyte	7 R. Maubeuge	10 R. des Martyrs	N.-D. de Lorette
20	H27	**Lebaudy** Square Amicie	5 R. Lefèvre		Pelleport
14	P15	**Lebeuf** Pl. de l'Abbé Jean	R. de l'Ouest	R. du Château	Pernety
12	M24-N24	**Leblanc** Passage Abel	127 R. de Charenton	19 R. Crozatier	Reuilly Diderot
15	O8-P9	**Leblanc** Rue	171 Q. A. Citroën	364 R. Lecourbe	Balard - Bd Victor (RER C)
19	F26	**Leblanc** Villa Eugène	24 R. de Mouzaïa	11 R. de Bellevue	Danube
17	E11-F11	**Lebon** Rue	11 R. P. Demours	195 Bd Péreire	Pereire
14	O15-P15	**Lebouis** Impasse	5 R. Lebouis	(en impasse)	Gaîté
14	O15-P15	**Lebouis** Rue	21 R. de l'Ouest	10 R. R. Losserand	Gaîté
17	E14-E15	**Lebouteux** Rue	13 R. de Saussure	32 R. de Lévis	Villiers
12	M29-N29	**Lecache** Rue Bernard	21 R. du Chaffault	(en impasse)	St-Mandé Tourelle
13	S20	**Lecène** Rue du Docteur	16 R. Interne Loëb	5 R. Dr Landouzy	Maison Blanche
17	E16	**Lechapelais** Rue	33 Av. de Clichy	6 R. Lemercier	La Fourche
11	J23	**Léchevin** Rue	64 Av. Parmentier	9 Pas. St-Ambroise	Rue St-Maur
20	J28	**Leclaire** Cité	17 R. Riblette	(en impasse)	Porte de Bagnolet
17	B16-C16	**Leclaire** Rue Jean	20 R. de la Jonquière	9 Bd Bessières	Porte de St-Ouen
17	B16	**Leclaire** Square Jean	R. Jean Leclaire	R. Lantiez	Porte de St-Ouen
15	O14	**Leclanché** Rue Georges	R. Aristide Maillol	R. A. Gide	Volontaires - Pasteur
14	P17-R16	**Leclerc** Av. du Général	13 Pl. Denfert-Rochereau	203 Bd Brune	Denfert-Rochereau
14	P17	**Leclerc** Rue	72 R. du Fbg St-Jacques	50 Bd St-Jacques	St-Jacques
17	E16	**Lécluse** Rue	14 Bd des Batignolles	15 R. des Dames	Place de Clichy
15	N11-O11	**Lecocq** Rue Charles	123 R. de la Croix Nivert	204 R. Lecourbe	Félix Faure
19	F23	**Lecointe** Rue Sadi	40 R. de Meaux	119 Av. S. Bolivar	Bolivar
17	D15	**Lecomte** Rue	97 R. Legendre	15 R. Clairaut	Brochant
16	N6	**Lecomte Du Noüy** Rue	58 Bd Murat	41 Av. du Gal Sarrail	Porte de St-Cloud
16	M7-M8	**Leconte De Lisle** Rue	60 Av. T. Gautier	8 R. P. Guérin	Église d'Auteuil
16	M8	**Leconte De Lisle** Villa	9 R. Leconte de Lisle	(en impasse)	Église d'Auteuil
15	N14-P10	**Lecourbe** Rue	2 Bd Pasteur	5 Bd Victor	Sèvres-Lecourbe
15	O10	**Lecourbe** Villa	295 R. Lecourbe	(en impasse)	Lourmel
7	K12-L13	**Lecouvreur** Al. Adrienne	Av. S. de Sacy	Pl. Joffre	École Militaire
14	Q15	**Lecuirot** Rue	141 R. d'Alésia	18 R. L. Morard	Alésia
18	B18	**Lécuyer** I. Alexandre	103 R. Ruisseau	(en impasse)	Porte de Clignancourt
18	D19	**Lécuyer** Rue	41 R. Ramey	48 R. Custine	Jules Joffrin
14	R14-R15	**Ledion** Rue	115 R. Didot	28 R. G. Bruno	Plaisance
14	P17	**Ledoux** Sq. C.-Nicolas	Pl. Denfert-Rochereau		Denfert-Rochereau

Ar.	Plan	**Rues** / *Streets*	Commençant	Finissant	Métro
11	K24-M22	**Ledru-Rollin** Avenue	96 Q. de la Rapée	114 R. de la Roquette	Voltaire
12	M22-K24	**Ledru-Rollin** Avenue	96 Q. de la Rapée	114 R de la Roquette	Quai de la Rapée
12	O28	**Lefébure** Rue Ernest	12 Bd Soult	2 Av. du Gal Messimy	Porte Dorée
15	Q11-Q13	**Lefebvre** Boulevard	407 R. de Vaugirard	3 Bd Brune	Porte de Versailles
15	N9	**Lefebvre** Rue André	Rue Balard	R. des Cévennes	Javel
9	F16	**Lefebvre** Rue Jules	49 R. de Clichy	66 R. d'Amsterdam	Liège
15	Q11	**Lefebvre** Rue	108 R. O. de Serres	35 R. Firmin Gillot	Porte de Versailles
20	H27	**Lefèvre** Rue Ernest	19 R. Surmelin	84 Av. Gambetta	Pelleport
17	C16	**Legendre** Passage	59 Av. de St-Ouen	186 R. Legendre	Guy Môquet
17	C16-E14	**Legendre** Rue	Pl. du Gal Catroux	79 Av. de St-Ouen	Villiers - Guy Môquet
17	E14	**Léger** Impasse	57 R. Tocqueville	(en impasse)	Malesherbes
20	I25	**Léger** Rue Fernand	R. des Amandiers	Rue des Mûriers	Père Lachaise
7	J16	**Légion d'Honneur** R. de la	Pl. H. De Montherlant	Rue de Lille	Solférino
14	S16	**Légion Étrangère** R. de la	Av. de la Pte d'Orléans	Bd Romain Rolland	Porte d'Orléans
10	H21	**Legouvé** Rue	57 R. de lancry	24 R. L. Sampaix	Jacques Bonsergent
20	J27	**Legrand** Rue Eugénie	16 R. Rondeaux	13 R. Ramus	Gambetta
19	G23	**Legrand** Rue	12 R. Burnouf	83 Av. S. Bolivar	Bolivar - Col. Fabien
12	M23	**Legraverend** Rue	27 Bd Diderot	32 Av. Daumesnil	Gare de Lyon
18	B16-B18	**Leibniz** Rue	91 R. du Poteau	132 Av. de St-Ouen	Porte de St-Ouen
18	B17	**Leibniz** Square	62 R. Leibniz	(en impasse)	Porte de St-Ouen
16	K9	**Lekain** Rue	29 R. Annonciation	2 Pl. Chopin	La Muette
2	I18-I19	**Lelong** Rue Paul	89 R. Montmartre	14 R. de la Banque	Sentier
14	R18	**Lemaignan** Rue	26 R. Aml Mouchez	23 Av. Reille	Cité Univ. (RER B)
20	G25-G26	**Lemaître** Rue Frédérick	72 R. des Rigoles	188 R. de Belleville	Pl. des Fêtes
12	N28	**Lemaître** Rue Jules	62 Bd Soult	13 Av. M. Ravel	Porte de Vincennes
10	H22	**Lemaître** Sq. Frédérick	R. du Fbg du Temple	Q. de Jemmapes et V.	République
19	F28-G28	**Léman** Rue du	349 R. de Belleville	9 Bd Sérurier	Porte des Lilas
3	I21	**Lemel** Place Nathalie	1 R. de la Corderie	Rue Dupetit-Thouars	Temple
17	D16	**Lemercier** Cité	28 R. Lemercier	(en impasse)	La Fourche
17	D15-E16	**Lemercier** Rue	14 R. des Dames	168 R. Cardinet	Place de Clichy
20	K29-L29	**Lemierre** Av. Pr André	Av. de la Pte de Montreuil	Avenue Gallieni	Porte de Montreuil
14	P14	**Lemire** Square de l'Abbé	Rue Alain	Rue de Gergovie	Plaisance
5	M20	**Lemoine** Cité du Cardinal	18 R. du Card. Lemoine	(en impasse)	Card. Lemoine
2	H20	**Lemoine** Passage	135 Bd Sébastopol	232 R. St-Denis	Strasbourg-St-Denis
5	M20	**Lemoine** Rue du Cardinal	17 Q. de la Tournelle	1 Pl. de la Contrescarpe	Card. Lemoine
20	H24	**Lémon** Rue	120 Bd de Belleville	9 R. Dénoyez	Belleville
1	J17	**Lemonnier** Av. du Gal	Quai des Tuileries	Rue de Rivoli	Tuileries
12	O25	**Lemonnier** Rue Élisa	11 R. Dubrunfaut	136 Av. Daumesnil	Dugommier
14	R16	**Leneveux** Rue	12 R. Marguerin	14 R. A. Daudet	Alésia
9	F19	**Lentonnet** Rue	16 R. Condorcet	21 R. Pétrelle	Poissonnière
18	D20-E20	**Léon** Rue	34 R. Cavé	33 R. Ordener	Marcadet-Poissonniers
18	E20	**Léon** Square	3 R. St-Luc	25 R. Cavé	Château Rouge
16	H10	**Léonard De Vinci** Rue	37 R. P. Valéry	2 Pl. Victor Hugo	Victor Hugo
14	Q14-Q15	**Léone** Villa	16 R. Bardinet	(en impasse)	Plaisance
14	Q15-Q16	**Léonidas** Rue	32 R. des Plantes	31 R. H. Maindron	Plaisance - Alésia
15	N9	**Léontine** Rue	38 R. S. Mercier	29 R. des Cévennes	Javel
16	L8	**Léopold II** Avenue	36 R. J. De La Fontaine	Place Rodin	Ranelagh - Jasmin
19	F23	**Lepage** Cité	31 R. de Meaux	168 Bd de la Villette	Bolivar - Jaurès
16	M7	**Lepage** Rue Bastien	11 R. P. Guérin	79 R. J. De La Fontaine	Michel Ange-Auteuil
13	R24	**Lepaute** R. Nicole-Reine	R. A. Einstein	(en impasse)	Bibl. F. Mitterrand
11	K25	**Lepeu** Passage Gustave	48 R. Léon Frot	31 R. E. Lepeu	Charonne
11	K25	**Lepeu** Rue Émile	40 R. Léon Frot	14 Imp. C. Mainguet	Charonne
18	E17	**Lepic** Passage	16 R. Lepic	10 R. R. Planquette	Blanche
18	D17-D18	**Lepic** Rue	82 Bd de Clichy	7 Pl. J.-B. Clément	Lamarck-Caulaincourt
4	K19	**Lépine** Place Louis	Quai de la Corse	R. de la Cité	Cité
18	E20-E21	**Lépine** R. Jean-François	21 R. M. Dormoy	12 R. Stephenson	La Chapelle
13	R20-S20	**Leray** Rue du Docteur	34 R. Damesme	13 Pl. G. Henocque	Maison Blanche
13	Q23	**Leredde** Rue	17 R. de Tolbiac	R. du Dessous des Berges	Bibl. F. Mitterrand
15	P11	**Leriche** Rue	375 R. de Vaugirard	52 R. O. de Serres	Convention
15	L11	**Leroi Gourhan** Rue	13 R. Bernard Shaw	12 Al. Gal Denain	Dupleix
7	J14	**Lerolle** Rue Paul et Jean	Espl. Invalides	7 R. Fabert	Invalides
7	L15-M15	**Leroux** Rue Pierre	7 R. Oudinot	60 R. de Sèvres	Vaneau
16	H10	**Leroux** Rue	54 Av. V. Hugo	33 Av. Foch	Victor Hugo
20	H26	**Leroy** Cité	315 R. des Pyrénées	(en impasse)	Jourdain
13	T22	**Leroy** Rue Charles	Av. de la Porte Choisy	R. des Châlets	Porte de Choisy
16	L8	**Leroy-Beaulieu** Square	6 Av. A. Hébrard	(en impasse)	Ranelagh
12	N27	**Leroy-Dupré** Rue	40 Bd de Picpus	25 R. Sibuet	Picpus
20	G24-H24	**Lesage** Cour	13 R. Lesage	46 R. de Belleville	Belleville - Pyrénées

Ar.	Plan	**Rues** / Streets	Commençant	Finissant	Métro
20	H24	**Lesage** Rue	28 R. de Tourtille	16 R. Jouye Rouve	Pyrénées
12	M22	**Lesage** Square Georges	3 Av. Ledru-Rollin	(en impasse)	Quai de la Rapée
1	J19	**Lescot** Rue Pierre	2 R. des Innocents	14 R. de Turbigo	Étienne Marcel
4	L22	**Lesdiguières** Rue de	8 R. de la Cerisaie	9 R. St-Antoine	Bastille
20	K26	**Lespagnol** Rue	4 R. du Repos	(en impasse)	Philippe Auguste
20	K27	**Lesseps** Rue de	81 R. de Bagnolet	(en impasse)	Alexandre Dumas
7	M15	**Lesueur** Avenue Daniel	63 Bd des Invalides	(en impasse)	Duroc
20	I25	**Letalle** Rue Victor	20 R. de Ménilmontant	15 R. Panoyaux	Ménilmontant
15	M11-M12	**Letellier** Rue	21 R. Violet	26 R. de la Croix Nivert	Émile Zola
15	M11	**Letellier** Villa	18 R. Letellier	(en impasse)	Émile Zola
18	B19-C19	**Letort** Impasse	32 R. Letort	(en impasse)	Porte de Clignancourt
18	B19-C18	**Letort** Rue	71 R. Duhesme	R. Belliard	Porte de Clignancourt
20	J27	**Leuck Mathieu** Rue	40 R. des Prairies	5 R. de la Cr des Noues	Porte de Bagnolet
20	J27	**Leuwen** Rue Lucien	3 R. Stendhal	(en impasse)	Porte de Bagnolet
12	Q25	**Levant** Cour du	R. Baron Le Roy	(en impasse)	Cour St-Émilion
13	S22	**Levassor** Rue Émile	79 Bd Masséna	R. D. Costes	Porte d'Ivry
17	C15	**Level** Rue Émile	172 Av. de Clichy	77 R. de la Jonquière	Brochant
20	G25-G26	**Levert** Rue	84 R. de la Mare	67 R. O. Métra	Jourdain
13	Q24	**Lévi** Rue Primo	Q. Panhard et Levassor	R. Olivier Messiaen	Bibl. F. Mitterrand
5	N19	**Levinas** Rue Emmanuel	16 R. Thouin	R. de l'Estrapade	Card. Lemoine
17	E14-E15	**Lévis** Impasse de	20 R. de Lévis	(en impasse)	Villiers
17	E14	**Lévis** Place de	R. Legendre	R. de Lévis	Villiers
17	E14-F15	**Lévis** Rue de	2 Pl. P. Goubaux	100 R. Cardinet	Villiers
8	F15	**Lévy** Place Jean-Pierre	22 R. de Constantinople	1 Rue Andrieux	Villiers - Europe
16	J8	**Leygues** Rue Georges	31 R. O. Feuillet	22 R. Franqueville	Av. H. Martin (RER C)
20	M29	**L'Herminier** Rue du Cdt	23 Av. de la Pte Vincennes	R. de lagny	St-Mandé Tourelle
15	N12	**Lhermitte** Rue Léon	91 R. de la Croix Nivert	4 R. Péclet	Commerce
12	P25	**Lheureux** Rue	R. des Pirogues de Bercy	Av. des Terroirs de Fr.	Cour St-Émilion
11	L23	**Lhomme** Passage	26 R. de Charonne	10 Pas. Josset	Ledru-Rollin
5	N19	**Lhomond** Rue	1 Pl. Estrapade	10 R. de l'Arbalète	Censier-Daubenton
15	P12	**Lhuillier** Rue	33 R. O. de Serres	(en impasse)	Convention
14	P16	**Liancourt** Rue	32 R. Boulard	129 Av. du Maine	Denfert-Rochereau
14	S18	**Liard** Rue	78 R. Aml Mouchez	1 R. Cité Universitaire	Cité Univ. (RER B)
20	H25	**Liban** Rue du	7 R. J. Lacroix	46 R. des Maronites	Ménilmontant
19	F26	**Liberté** Rue de la	11 R. de Mouzaïa	1 R. de la Fraternité	Danube
12	Q25	**Libourne** Rue de	Av. des Terroirs de Fr.	R. des Pirogues de Bercy	Cour St-Émilion
14	R14	**Lichtenberger** Sq. André	2 R. Mariniers	(en impasse)	Porte de Vanves
8	H13	**Lido** Arcades du	Av. des Champs-Elysées	R. de Ponthieu	Franklin D. Roosevelt
13	Q23	**Liégat** Cour du	113 R. Chevaleret	(en impasse)	Bibl. F. Mitterrand
8	F16	**Liège** Rue de	37 R. de Clichy	Pl. de l'Europe	Europe
9	F16	**Liège** Rue de	37 R. de Clichy	Pl. de l'Europe	Liège
12	N28	**Lieutenance** Stier de la	81 Bd Soult	Villa du Bel Air	Porte de Vincennes
15	Q13	**Lieuvin** Rue du	72 R. des Morillons	13 R. Fizeau	Porte de Vanves
20	K26-K27	**Ligner** Rue	39 R. de Bagnolet	55 R. de Bagnolet	Alexandre Dumas
19	F28	**Lilas** Porte des	Bd Périphérique		Porte des Lilas
19	F26	**Lilas** Rue des	25 R. Pré St-Gervais	117 Bd Sérurier	Pré St-Gervais
19	F26	**Lilas** Villa des	36 R. de Mouzaïa	21 R. de Bellevue	Danube
7	J15-K17	**Lille** Rue de	4 R. Sts-Pères	1 R. A. Briand	Assemblée Nationale
13	R23-S23	**Limagne** Square de la	2 Av. Boutroux	21 Bd Masséna	Porte d'Ivry
13	R23-S23	**Limousin** Square du	17 Av. de la Porte Vitry	6 R. Darmesteter	Porte d'Ivry
11	K25	**Linadier** Cité	142 R. de Charonne	(en impasse)	Charonne
8	H13	**Lincoln** Rue	56 R. François Ier	73 Av. des Chps Élysées	George V
15	P11-P12	**Lindet** Rue Robert	55 R. O. de Serres	48 R. de Dantzig	Convention
15	P12	**Lindet** Villa Robert	14 R. des Morillons	13 R. R. Lindet	Convention
1	J19	**Lingères** Passage des	R. Berger	Pl. M. de Navarre	Châtelet-Les Halles
1	J19	**Lingerie** Rue de la	22 R. des Halles	15 R. Berger	Châtelet-Les Halles
5	M20-N20	**Linné** Rue	2 R. Lacépède	21 R. Jussieu	Jussieu
15	M10	**Linois** Rue	7 Pl. F. Forest	2 Pl. C. Michels	Ch. Michels
4	L21	**Lions Saint-Paul** Rue des	7 R. Petit Musc	6 R. St-Paul	Sully-Morland
15	N12	**Liouville** Rue Joseph	4 R. A. Dorchain	43 R. Mademoiselle	Commerce
20	M29	**Lippmann** Rue	108 R. de lagny	7 R. L. Delaporte	Porte de Vincennes
11	K23-K24	**Lisa** Passage	26 R. Popincourt	(en impasse)	Voltaire
8	F13-F14	**Lisbonne** Rue de	13 R. du Gal Foy	60 R. Courcelles	Courcelles - Europe
13	S19	**Liserons** Rue des	46 R. Brillat Savarin	R. des Glycines	Cité Univ. (RER B)
20	J27	**Lisfranc** Rue	18 R. Stendhal	21 R. des Prairies	Gambetta
10	F20	**Liszt** Place Franz	R. d'Abbeville	R. La Fayette	Poissonnière
6	M16-N16	**Littré** Rue	81 R. de Vaugirard	148 R. de Rennes	Montparnasse-Bienv.
18	E19	**Livingstone** Rue	4 R. d'Orsel	2 R. C. Nodier	Anvers

Ar.	Plan	Rues / Streets	Commençant	Finissant	Métro
4	K20	**Lobau** Rue de	Quai Hôtel de Ville	Rue de Rivoli	Hôtel de Ville
6	L17-L18	**Lobineau** Rue	76 R. de Seine	5 R. Mabillon	Mabillon
17	D15	**Lobligeois** Pl. du Dr Félix	76 R. Legendre	2 Pl. C. Fillion	La Fourche - Brochant
11	I23	**Lockroy** Rue Édouard	88 Av. Parmentier	60 R. Timbaud	Parmentier
14	R17	**Loëwy** Rue Maurice	16 R. de l'Aude	(en impasse)	Alésia
17	E13-F13	**Logelbach** Rue de	1 R. de Phalsbourg	18 R. H. Rochefort	Monceau
20	L27	**Loi** Passage de la	Rue des Haies	(en impasse)	Buzenval
14	R17	**Loing** Rue du	65 R. d'Alésia	18 R. Sarrette	Alésia
19	D24-E23	**Loire** Quai de la	1 Av. J. Jaurès	155 R. de Crimée	Jaurès - Laumière
13	R24	**Loiret** Rue du	8 R. Regnault	12 R. Chevaleret	Bibl. F. Mitterrand
20	M28	**Loliée** Rue Frédéric	10 R. Mounet Sully	25 R. des Pyrénées	Porte de Vincennes
1	J19-K20	**Lombards** Rue des	11 R. St-Martin	2 R. Ste-Opportune	Châtelet
4	K19-J19	**Lombards** Rue des	11 R. St-Martin	2 R. Ste-Opportune	Châtelet
9	G16	**Londres** Cité de	84 R. St-Lazare	13 R. de Londres	St-Lazare
13	R21	**Londres** Place Albert	9 R. des Fr. D'Astier De La Vig.	R. Baudricourt	Porte de Choisy
8	G17	**Londres** Rue de	Pl. d'Estienne d'Orves	Pl. de l'Europe	Europe
9	F16-G17	**Londres** Rue de	Pl. d'Estienne d'Orves	Pl. de L'Europe	Europe
17	C13	**Long** Rue Marguerite	74 Bd Berthier	19 Bd du Fort de Vaux	Pereire
16	H8-I11	**Longchamp** Rue de	8 Pl. d'Iéna	9 Bd Lannes	Trocadéro - Av. Foch (RER C)
16	I11	**Longchamp** Villa de	36 R. Longchamp	(en impasse)	Boissière
13	S19	**Longues Raies** Rue des	17 Bd Kellermann	66 R. Cacheux	Cité Univ. (RER B)
16	M7	**Lorrain** Place Jean	Rue Donizetti	Rue d'Auteuil	Michel Ange-Auteuil
16	N6-O7	**Lorrain** Rue Claude	82 R. Boileau	79 R. Michel Ange	Exelmans
16	O6	**Lorrain** Villa Claude	10 Av. La Frillière	(en impasse)	Exelmans
19	D24-E25	**Lorraine** Rue de	96 R. de Crimée	134 R. de Crimée	Ourcq
19	F26	**Lorraine** Villa de	22 R. de la Liberté	(en impasse)	Danube
14	P16-Q13	**Losserand** Rue Raymond	106 Av. du Maine	5 Bd Brune	Gaîté - Porte de Vanves
14	Q14	**Losserand Suisses** Sq.	Rue des Suisses	Rue Pauly	Plaisance
19	A24-B24	**Lot** Quai du	Quai Gambetta	Bd Macdonald	Porte de la Villette
16	I9	**Lota** Rue de	131 R. Longchamp	11 R. B. Godard	Rue de la Pompe
7	K11-L12	**Loti** Avenue Pierre	Quai Branly	Place Joffre	Ch. de Mars-Tr Eiffel (RER C)
19	F26	**Loubet** Villa Émile	28 R. de Mouzaïa	11 R. de Bellevue	Danube
20	H25	**Loubeyre** Cité Antoine	23 R. de la Mare	(en impasse)	Pyrénées
17	B16	**Loucheur** Rue Louis	24 Bd Bessières	8 R. F. Pelloutier	Porte de St-Ouen
16	J9	**Louis David** Rue	39 R. Scheffer	72 R. de la Tour	Rue de la Pompe
2	H17-I17	**Louis le Grand** Rue	16 R. D. Casanova	31 Bd des Italiens	Opéra
11	L23	**Louis Philippe** Passage	21 R. de lappe	27 Pas. Thiéré	Bastille
4	L20	**Louis Philippe** Pont	Quai Hôtel de Ville	Q. de Bourbon	Pont Marie
20	H26	**Louis Robert** Impasse	Rue de l'Ermitage	(en impasse)	Gambetta
4	K22	**Louis XIII** Square	Place des Vosges		Bastille
8	G16	**Louis XVI** Square	Bd Haussmann		St-Augustin
14	R17	**Louise et Tony** Square	7 R. du Loing	(en impasse)	Alésia
18	C21	**Louisiane** Rue de la	2 R. Guadeloupe	21 R. de Torcy	Marx Dormoy
14	Q18	**Lourcine** Villa de	20 R. Cabanis	7 R. Dareau	St-Jacques
15	M11-P9	**Lourmel** Rue de	62 Bd Grenelle	101 R. Leblanc	Dupleix - Ch. Michels
17	E13	**Loutil** Pl. Monseigneur	Av. de Villiers	Rue Brémontier	Wagram
14	P16	**Louvat** Impasse	3 R. Sivel	(en impasse)	Mouton-Duvernet
14	P16	**Louvat** Villa	38 R. Boulard	(en impasse)	Mouton-Duvernet
10	H22-H23	**Louvel Tessier** R. J.	22 R. Bichat	195 R. St-Maur	Goncourt
2	H18-I18	**Louvois** Rue de	71 R. de Richelieu	60 R. Ste-Anne	Quatre Septembre
2	I18	**Louvois** Square	Rue Rameau		Bourse
1	J18	**Louvre** Place du	Rue Aml de Coligny		Louvre-Rivoli
1	J17-K17	**Louvre** Port du	Pont Royal	Ponts des Arts	Palais Royal-Louvre
1	J17-K18	**Louvre** Quai du	1 R. de la Monnaie	R. de l'Aml de Coligny	Pont Neuf
1	J18-I19	**Louvre** Rue du	154 R. de Rivoli	67 R. Montmartre	Louvre-Rivoli
2	I19-J18	**Louvre** Rue du	154 R. de Rivoli	67 R. Montmartre	Louvre
16	L9-M9	**Louys** Rue Pierre	24 Av. de Versailles	7 R. F. David	Mirabeau
7	L14-M13	**Lowendal** Avenue	Av. de Tourville	Bd de Grenelle	École Militaire
15	L14-M13	**Lowendal** Avenue	Av. de Tourville	Bd de Grenelle	Cambronne
15	M13	**Lowendal** Square	5 R. A. Cabanel	(en impasse)	Cambronne
16	I11	**Lübeck** Rue de	23 Av. d'Iéna	34 Av. du Pdt Wilson	Iéna
14	R15	**Luchaire** Rue Achille	114 Bd Brune	8 R. Albert Sorel	Porte d'Orléans
13	S21	**Lucot** Rue Philibert	47 Av. Choisy	7 R. Gandon	Maison Blanche
15	O8-P9	**Lucotte** Rue du Général	Bd Victor	Av. de la Pte de Sèvres	Balard
11	J22	**Luizet** Rue Charles	16 Bd Filles du Calvaire	107 R. Amelot	St-Sébastien-Froissart
2	I18	**Lulli** Rue	2 R. Rameau	1 R. de Louvois	Quatre Septembre

Ar.	Plan	**Rues** / Streets	Commençant	Finissant	Métro
20	I28-K28	**Lumière** Rue Louis	Rue E. Reisz	Av. de la Pte de Bagnolet	Porte de Bagnolet
14	R16	**Lunain** Rue du	69 R. d'Alésia	24 R. Sarrette	Alésia
2	H19-H20	**Lune** Rue de la	5 Bd de Bonne Nouvelle	36 R. Poissonnière	Strasbourg-St-Denis
19	D25-E25	**Lunéville** Rue de	148 Av. J. Jaurès	65 R. Petit	Ourcq
20	H25	**Luquet** Square Alexandre	Rue Piat	R. du Transvaal	Pyrénées
15	M10	**Luquet** V. Jean-Baptiste	43 R. des Entrepreneurs	86 Av. Émile Zola	Ch. Michels
4	K19	**Lutèce** Rue de	Pl. L. Lépine	3 Bd du Palais	Cité
6	M18	**Luxembourg** Jardin du	Bd St-Michel	R. de Vaugirard	Vavin
7	K16	**Luynes** Rue de	199 Bd St-Germain	9 Bd Raspail	Rue du Bac
7	K16-L16	**Luynes** Square de	5 R. de Luynes	(en impasse)	Rue du Bac
20	I27-J28	**Lyanes** Rue des	147 R. de Bagnolet	32 R. Pelleport	Porte de Bagnolet
20	I28-J28	**Lyanes** Villa des	14 R. des Lyanes	(en impasse)	Porte de Bagnolet
16	L6-M6	**Lyautey** Av. du Maréchal	1 Sq. Tolstoï	Pl. de la Pte d'Auteuil	Porte d'Auteuil
16	K10-K9	**Lyautey** Rue	30 R. Raynouard	1 R. de l'Abbé Gillet	Passy
12	L22-M23	**Lyon** Rue de	21 Bd Diderot	52 Bd de la Bastille	Gare de Lyon
5	O19	**Lyonnais** Rue des	40 R. Broca	19 R. Berthollet	Censier-Daubenton

M

Ar.	Plan	**Rues** / Streets	Commençant	Finissant	Métro
6	L17	**Mabillon** Rue	13 R. du Four	30 R. St-Sulpice	Mabillon
17	F11-G11	**Mac Mahon** Avenue	Place Ch. De Gaulle	33 Av. des Ternes	Ch. de Gaulle-Étoile
18	B21	**Mac Orlan** Place Pierre	R. J. Cottin	R. Tristan Tzara	Porte de la Chapelle
19	B23-B26	**Macdonald** Boulevard	Bd Sérurier	R. d'Aubervilliers	Porte de la Villette
11	L24-L25	**Macé** Rue Jean	21 R. Chanzy	40 R. Faidherbe	Charonne
12	P25	**Maconnais** Rue des	R. Baron Le Roy	Pl. des Vins de France	Cour St-Émilion
12	P26	**Madagascar** Rue de	32 R. des Meuniers	56 R. de Wattignies	Porte de Charenton
6	L17-N17	**Madame** Rue	55 R. de Rennes	49 R. d'Assas	St-Sulpice
1	H16	**Madeleine** Bd de la	53 R. Cambon	10 Pl. de la Madeleine	Madeleine
8	H16	**Madeleine** Bd de la	53 R. Cambon	10 Pl. de la Madeleine	Madeleine
9	H16	**Madeleine** Bd de la	53 R. Cambon	10 Pl. de la Madeleine	Madeleine
8	H15-H16	**Madeleine** Galerie de la	9 Pl. de la Madeleine	30 R. Boissy d'Anglas	Madeleine
8	H16	**Madeleine** Marché de la	11 R. Castellane	12 R. Tronchet	Madeleine
8	H16	**Madeleine** Passage de la	19 Pl. de la Madeleine	4 R. de l'Arcade	Madeleine
8	H16	**Madeleine** Place de la	24 R. Royale	1 R. Tronchet	Madeleine
15	N11-N12	**Mademoiselle** Rue	105 R. des Entrepreneurs	80 R. Cambronne	Commerce - Vaugirard
18	D16	**Madon** Rue du Capitaine	50 Av. de St-Ouen	63 R. Ganneron	Guy Môquet
18	C21	**Madone** Rue de la	32 R. Marc Séguin	13 R. des Roses	Marx Dormoy
18	C21	**Madone** Square de la	Rue de la Madone		Marx Dormoy
8	F15	**Madrid** Rue de	Place de l'Europe	16 R. du Gal Foy	Europe
17	C13	**Magasins de l'Opéra Comique** Pl. des	72 Bd Berthier	2 R. Marguerite Long	Pereire
16	I11	**Magdebourg** Rue de	38 R. de Lübeck	79 Av. Kléber	Trocadéro
8	H12	**Magellan** Rue	15 R. Q. Bauchart	48 R. de Bassano	George V
13	P19	**Magendie** Rue	8 R. Corvisart	7 R. des Tanneries	Glacière
10	E20-H21	**Magenta** Boulevard de	Pl. de la République	1 Bd de Rochechouart	Barbès-Rochechouart
10	H21	**Magenta** Cité de	33 Bd de Magenta	3 Cité Hittorff	Jacques Bonsergent
19	A25	**Magenta** Rue	Av. J. Jaurès (Pantin)	Av. E. Vaillant (Pantin)	Porte de la Villette
16	O6	**Maginot** Rue du Sergent	R. du Gal Roques	3 R. de l'Arioste	Porte de St-Cloud
15	N10-N11	**Magisson** Rue Frédéric	142 R. de Javel	25 R. Oscar Roty	Boucicaut
13	R21	**Magnan** Rue du Docteur	11 R. C. Moureu	120 Av. de Choisy	Tolbiac
16	J8	**Magnard** Rue Albéric	5 R. O. Feuillet	23 R. d'Andigné	La Muette
15	O14	**Maignen** Rue Maurice	R. du Cotentin	R. Aristide Maillol	Volontaires - Pasteur
20	L27-M27	**Maigrot Delaunay** P.	36 R. des Ormeaux	15 R. de la Plaine	Buzenval
2	I18-I19	**Mail** Rue du	R. Vide Gousset	83 R. Montmartre	Sentier
17	F12	**Maillard** Place Aimé	Avenue Niel	R. Laugier	Ternes - Pereire
11	K25	**Maillard** Rue	8 R. La Vacquerie	5 R. Gerbier	Philippe Auguste
19	F26-G26	**Maillet** Sq. Monseigneur	Place des Fêtes		Pl. des Fêtes
15	O14	**Maillol** Rue Aristide	99 R. Falguière	14 R. M. Maignen	Volontaires
17	F9	**Maillot** Porte	Av. de la Gde Armée	Av. de Neuilly	Porte Maillot
11	L24	**Main d'Or** Passage de la	131 R. du Fbg St-Antoine	58 R. de Charonne	Ledru-Rollin
11	L24	**Main d'Or** Rue de la	9 R. Trousseau	4 Pas. la Main d'Or	Ledru-Rollin
14	P16-Q15	**Maindron** Rue Hippolyte	53 R. M. Ripoche	130 R. d'Alésia	Pernety - Plaisance
14	N15-Q16	**Maine** Avenue du	38 Bd du Montparnasse	Pl. Victor Basch	Montparnasse-Bienv.
15	N15	**Maine** Avenue du	38 Bd du Montparnasse	Pl. V. Basch	Montparnasse-Bienv.
14	O15-O16	**Maine** Rue du	8 R. de la Gaîté	45 Av. du Maine	Montparnasse-Bienv.

Ar.	Plan	**Rues** / Streets	Commençant	Finissant	Métro
6	M15-N15	**Maintenon** Allée	114 R. de Vaugirard	(en impasse)	Montparnasse-Bienv.
3	I20-I21	**Maire** Rue au	9 R. des Vertus	42 R. de Turbigo	Arts et Métiers
18	E18	**Mairie** Cité de la	20 R. La Vieuville	(en impasse)	Abbesses
13	R21	**Maison Blanche** R. de la	63 Av. d'Italie	141 R. de Tolbiac	Tolbiac
11	L23	**Maison Brûlée** Cour de la	89 R. du Fbg St-Antoine	(en impasse)	Ledru-Rollin
14	P15-P16	**Maison Dieu** Rue	21 R. R. Losserand	124 Av. du Maine	Gaîté
14	R14-R15	**Maistre** Av. du Général	Rue H. de Bournazel	R. du Gal de Maud'huy	Porte de Vanves
18	C17-E17	**Maistre** Rue Joseph De	31 R. Lepic	217 R. Championnet	Guy Môquet
11	L24	**Majorelle** Square Louis	21 R. St-Bernard	24 R. de la Forge Royale	Faidherbe-Chaligny
16	G10	**Malakoff** Avenue de	50 Av. Foch	89 Av. de la Gde Armée	Victor Hugo
16	G10	**Malakoff** Impasse de	Bd de l'Amiral Bruix	(en impasse)	Porte Maillot
16	I10	**Malakoff** Villa	30 Av. R. Poincaré	(en impasse)	Trocadéro
6	K17	**Malaquais** Quai	2 R. de Seine	1 R. des Sts-Pères	St-Germain-des-Prés
7	J13	**Malar** Rue	71 Q. d'Orsay	88 R. St-Dominique	Pont de l'Alma (RER C)
15	P11	**Malassis** Rue	23 R. Vaugelas	76 R. O. de Serres	Convention
5	N20	**Mâle** Place Émile	Rue des Arènes	1 R. de Navarre	Jussieu - Place Monge
5	M18	**Malebranche** Rue	184 R. St-Jacques	1 R. Le Goff	Luxembourg (RER B)
8	F14-H16	**Malesherbes** Boulevard	9 Pl. de la Madeleine	Bd Berthier	Wagram
17	D13-F14	**Malesherbes** Boulevard	9 Pl. de la Madeleine	Bd Berthier	Wagram
9	F18	**Malesherbes** Cité	59 R. des Martyrs	20 R. Victor Massé	Pigalle
17	E14	**Malesherbes** Villa	112 Bd Malesherbes	(en impasse)	Malesherbes
12	N28-O28	**Malet** Rue Albert	7 Av. E. Laurent	8 R. J. Lemaître	Porte de Vincennes
8	F14	**Maleville** Rue	7 R. Corvetto	4 R. Mollien	Miromesnil
4	K21	**Malher** Rue	6 R. de Rivoli	20 R. Pavée	St-Paul
16	M6	**Malherbe** Square	134 Bd Suchet	41 Av. du Mal Lyautey	Porte d'Auteuil
17	D11-E11	**Mallarmé** Av. Stéphane	191 R. Courcelles	4 Pl. Stuart Merryll	Porte de Champerret
14	Q14-Q15	**Mallebay** Villa	86 R. Didot	(en impasse)	Plaisance
16	O7-P7	**Malleterre** R. du Général	1 R. du Gal Grossetti	1 R. Petite Arche	Porte de St-Cloud
16	K7-L7	**Mallet-Stevens** Rue	9 R. Dr Blanche	(en impasse)	Jasmin - Ranelagh
13	S21	**Malmaisons** Rue des	29 Av. de Choisy	21 R. Gandon	Porte de Choisy
12	M24-N23	**Malot** Rue Hector	48 R. de Chalon	106 R. de Charenton	Gare de Lyon
1	J17	**Malraux** Place André	1 R. de Richelieu	2 Av. de l'Opéra	Palais-Royal-Louvre
11	I22	**Malte** Rue de	21 R. Oberkampf	14 R. du Fbg du Temple	Oberkampf
20	I26-I27	**Malte Brun** Rue	17 R. E. Landrin	36 Av. Gambetta	Gambetta
5	N20	**Malus** Rue	45 R. de la Clef	75 R. Monge	Place Monge
2	I19	**Mandar** Rue	57 R. Montorgueil	66 R. Montmartre	Sentier
16	I9-J10	**Mandel** Avenue Georges	Pl. du Trocadéro	82 R. de la Pompe	Trocadéro
13	P20-P21	**Manet** Rue Édouard	28 Av. S. Pichon	161 Bd de l'Hôpital	Place d'Italie
16	K10-L9	**Mangin** Av. du Général	7 R. d'Ankara	14 R. Germain Sée	Kennedy-R. France (RER C)
17	B15-C15	**Manhès** Rue du Colonel	57 R. Berzélius	3 Pas. des Épinettes	Porte de Clichy
19	E26-G24	**Manin** Rue	42 Av. S. Bolivar	124 R. Petit	Porte de Pantin
19	E26	**Manin** Villa	8 R. Car. Amérique	25 R. de la Solidarité	Danube
13	Q24	**Mann** Rue Thomas	Q. Panhard et Levassor	46 R. du Chevaleret	Bibl. F. Mitterrand
17	E10-F10	**Manoir** Avenue Yves Du	11b Av. Verzy	19 Av. des Pavillons	Porte Maillot
9	E17	**Mansart** Rue	25 R. de Douai	80 R. Blanche	Blanche
16	J9-K10	**Manuel** Rue Eugène	7 R. C. Chahu	65 Av. P. Doumer	Passy
9	F18	**Manuel** Rue	13 R. Milton	26 R. des Martyrs	N.-D. de Lorette
16	J9-K9	**Manuel** Villa Eugène	7 R. E. Manuel	(en impasse)	Passy
16	I12-J12	**Manutention** Rue de la	24 Av. de New York	15 Av. du Pdt Wilson	Iéna
16	O7	**Maquet** Rue Auguste	5 Bd Exelmans	185 Bd Murat	Bd Victor (RER C)
19	F28	**Maquis du Vercors** Pl. du	Av. René Fonck	Av. de la Pte des Lilas	Porte des Lilas
20	F28	**Maquis du Vercors** Pl. du	Av. René Fonck	Av. de la Pte des Lilas	Porte des Lilas
20	K28-M28	**Maraîchers** Rue des	Crs de Vincennes	Rue des Pyrénées	Maraîchers
10	H21	**Marais** Passage des	Rue Albert Thomas	Rue Legouvé	Jacques Bonsergent
18	D18	**Marais** Place Jean	2 R. Norvins	4 R. du Mont Cenis	Abbesses
16	G9	**Marbeau** Boulevard	23 R. Marbeau	15 R. Lalo	Porte Dauphine
16	G9	**Marbeau** Rue	54 R. Pergolèse	Bd de l'Amiral Bruix	Porte Maillot
8	H13-I12	**Marbeuf** Rue	18 Av. George V	37 Av. des Chps Élysées	Franklin D. Roosevelt
18	C16-D20	**Marcadet** Rue	Rue Ordener	86 Av. de St-Ouen	Marcadet-Poissonniers
8	G12-I12	**Marceau** Avenue	6 Av. du Pdt Wilson	Pl. Ch. de Gaulle	Alma-Marceau
16	H12-I12	**Marceau** Avenue	6 Av. du Pdt Wilson	Pl. Ch. de Gaule	Alma-Marceau
19	F26	**Marceau** Villa	28 R. du Gal Brunet	3 R. de la Liberté	Danube - Botzaris
1	I18-I19	**Marcel** Rue Étienne	65 Bd de Sébastopol	7 Pl. des Victoires	Étienne-Marcel
2	I18-I19	**Marcel** Rue Étienne	65 Bd de Sébastopol	7 Pl. des Victoires	Étienne-Marcel
11	K23	**Marcès** Villa	39 R. Popincourt	(en impasse)	St-Ambroise
19	E26-E27	**Marchais** Rue des	Bd d'Indochine	Av. de la Pte Brunet	Danube
20	I27-I28	**Marchal** R. du Capitaine	1 R. Étienne Marey	32 R. Le Bua	Pelleport
13	Q18	**Marchand** P. Victor	110 R. Glacière	111 R. de la Santé	Glacière

M

Ar.	Plan	**Rues** / Streets	Commençant	Finissant	Métro
16	G10	**Marchand** Rue du Cdt	Av de Malakoff	(en impasse)	Porte Maillot
10	H21	**Marché** Passage du	19 R. Bouchardon	R. du Fbg St-Martin	Château d'Eau
5	O20-O21	**Marché aux Chevaux** I. du	5 R. G. St-Hilaire	(en impasse)	Les Gobelins
4	K21	**Marché des Blancs Manteaux** R. du	1 R. Hospitalières St-G.	46 R. Vieille du Temple	St-Paul
5	O20	**Marché des Patriarches** R. du	9 R. de Mirbel	7 R. des Patriarches	Censier-Daubenton
4	L19	**Marché Neuf** Quai du	6 R. de la Cité	Pont St-Michel	St-Michel
18	C17	**Marché Ordener** Rue du	172 R. Ordener	175 R. Championnet	Guy Môquet
11	I23	**Marché Popincourt** R. du	12 R. Ternaux	16 R. Ternaux	Parmentier
12	M23	**Marché St-Antoine** C. du	39 Av. Daumesnil	86 R. de Charenton	Gare de Lyon
4	K21	**Marc. Ste-Catherine** Pl. du	4 R. d'Ormesson	7 R. Caron	St-Paul
1	I17	**Marché St-Honoré** Pl. du	13 R. du Marché St-H.	R. du Marché St-Honoré	Tuileries - Opéra
1	I17	**Marché St-Honoré** R. du	326 R. St-Honoré	15 R. D. Casanova	Tuileries - Opéra
20	H25	**Mare** Impasse de la	14 R. de la Mare	(en impasse)	Pyrénées
20	G25-H25	**Mare** Rue de la	Pl. de Ménilmontant	383 R. des Pyrénées	Pyrénées
1	J18	**Marengo** Rue de	162 R. de Rivoli	149 R. St-Honoré	Louvre-Rivoli
15	P12	**Marette** Place Jacques	R. de Cronstadt	R. des Morillons	Convention
20	H28-I28	**Marey** Rue Étienne	5 Pl. Oct. Chanute	50 R. du Surmelin	Pelleport
20	I28	**Marey** Villa Étienne	16 R. Étienne Marey	(en impasse)	St-Fargeau
14	R16	**Marguerin** Rue	71 R. d'Alésia	2 R. Leneveux	Alésia
7	K12	**Marguerite** Av. du Gal	Al. A. Lecouvreur	Al. Thomy Thierry	Ch. de Mars-Tr Eiffel (RER C)
17	F12-F13	**Margueritte** Rue	104 Bd de Courcelles	76 Av. de Wagram	Courcelles
12	N28	**Marguettes** Rue des	R. Lasson	100 Av. de St-Mandé	Porte de Vincennes
15	O10	**Maridor** Rue Jean	81 Av. Félix Faure	290 R. Lecourbe	Lourmel
17	B15	**Marie** Cité	91 Bd Bessières	(en impasse)	Porte de Clichy
4	L21	**Marie** Pont	Q. des Célestins	Q. d'Anjou	Pont Marie
9	G18-G19	**Marie** Rue Geoffroy	20 R. du Fbg Montmartre	29 R. Richer	Grands Boulevards
14	R16-R17	**Marié Davy** Rue	Rue Sarrette	R. du Père Corentin	Alésia
10	H22	**Marie et Louise** Rue	33 R. Bichat	8 Av. Richerand	Goncourt
14	R17	**Marie Rose** Rue	23 R. du Père Corentin	Rue Sarette	Alésia
8	H13	**Marignan** Passage	24 R. de Marignan	31 Av. des Chps Élysées	Franklin D. Roosevelt
8	H13-I13	**Marignan** Rue de	24 R. François Ier	33 Av. des Chps Élysées	Franklin D. Roosevelt
8	H15-I14	**Marigny** Avenue de	Av. des Champs-Elysées	59 R. du Fbg St-Honoré	Champs-Elysées-Clem.
18	E21	**Marillac** Sq. Louise De	R. Pajol		La Chapelle
5	N18	**Marin** Place Louis	66 Bd St-Michel	1 R. H. Barbusse	Luxembourg (RER B)
15	P10	**Marin La Meslée** Square	Bd Victor	Square Desnouettes	Porte de Versailles
14	R14	**Mariniers** Rue des	Sq. Lichtenberger	108 R. Didot	Porte de Vanves
7	K12	**Marinoni** Rue	48 Av. de La Bourdonnais	Al. A. Lecouvreur	École Militaire
17	E15	**Mariotte** Rue	54 R. des Dames	19 Av. des Batignolles	Rome
2	H18	**Marivaux** Rue de	4 R. Grétry	11 Bd des Italiens	Richelieu Drouot
15	O12-P12	**Marmontel** Rue	10 R. Yvart	209 R. de la Convention	Vaugirard
13	P20	**Marmousets** Rue des	24 R. Gobelins	15 Bd Arago	Les Gobelins
19	C25-D24	**Marne** Quai de la	158 R. de Crimée	Quai de Metz	Ourcq - Crimée
19	D24	**Marne** Rue de la	17 R. de Thionville	28 Q. de la Marne	Ourcq
19	D22	**Maroc** Impasse du	6 Pl. du Maroc	(en impasse)	Stalingrad
19	D22	**Maroc** Place du	18 R. de Tanger	18 R. du Maroc	Stalingrad
19	D22-E22	**Maroc** Rue du	25 R. de Flandre	54 R. d'Aubervilliers	Stalingrad
20	H25-I24	**Maronites** Rue des	16 Bd de Belleville	17 R. J. Lacroix	Ménilmontant
8	H12-I13	**Marot** Rue Clément	29 Av. Montaigne	46 R. P. Charron	Alma-Marceau
13	T23	**Marquès** Bd Hippolyte	Av. M. Thorez (Ivry-s-S.)	Av. de la Pte de Choisy	Porte de Choisy
20	K28	**Marquet** Rue Albert	15 R. Courat	44 R. Vitruve	Maraîchers
16	K9-L9	**Marronniers** Rue des	74 R. Raynouard	40 R. Boulainvilliers	La Muette
19	D26-E27	**Marseillaise** Rue de la	Av. de la Pte Chaumont	2 R. Sept Arpents	Porte de Pantin
19	D26	**Marseillaise** Sq. de la	R. de la Marseillaise		Porte de Pantin
10	H21-H22	**Marseille** Rue de	4 R. Yves Toudic	33 R. Beaurepaire	Jacques Bonsergent
2	I17	**Marsollier** Rue	1 R. Méhul	1 R. Monsigny	Pyramides
12	M27-N27	**Marsoulan** Rue	45 Av. de St-Mandé	48 Crs de Vincennes	Picpus
18	A21	**Marteau** Impasse	Av. de la Pte Chapelle	(en impasse)	Porte de la Chapelle
16	G9	**Martel** Bd Thierry De	Porte Maillot	Bd de l'Amiral Bruix	Porte Maillot
17	E15	**Martel** P. Cdt Charles	R. de Rome	R. Dulong	Rome
10	G20	**Martel** Rue	14 R. Ptes Écuries	15 R. de Paradis	Château d'Eau
16	J10	**Marti** Place José	R. du Cdt Schlœsing	Av. P. Doumer	Trocadéro
7	K15	**Martignac** Cité	111 R. de Grenelle	(en impasse)	Varenne
7	K15	**Martignac** Rue de	33 R. St-Dominique	130 R. de Grenelle	Varenne
16	I9-J8	**Martin** Avenue Henri	77 R. de la Pompe	77 Bd Lannes	Rue de la Pompe
16	K8	**Martin** Rue Marietta	67 R. des Vignes	Rue des Bauches	La Muette
18	C18	**Martinet** Rue Achille	178 R. Marcadet	30 R. Montcalm	Lamarck-Caulaincourt

Ar.	Plan	**Rues** / Streets	Commençant	Finissant	Métro
10	H20	**Martini** Impasse	25 R. du Fbg St-Martin	(en impasse)	Strasbourg-St-Denis
18	C21	**Martinique** Rue de la	6 R. Guadeloupe	25 R. de Torcy	Marx Dormoy
17	B16	**Marty** Impasse	51 R. Lantiez	60 Pas. Châtelet	Porte de St-Ouen
9	E18-G18	**Martyrs** Rue des	2 R. N.-D. de Lorette	14 R. de la Vieuville	Pigalle
18	E18	**Martyrs** Rue des	2 R. N.-D. de Lorette	14 R. de la Vieuville	Pigalle
15	K10-L11	**Martyrs Juifs du Vélodrome d'Hiver** Pl. des	Quai Branly	Quai de Grenelle	Bir Hakeim
20	L28	**Marzin** Rue Madeleine	57 Rue du Volga	128 Rue d'Avron	Pte de Montreuil
16	J8	**Maspéro** Rue	2 R. Collignon	10 R. d'Andigné	La Muette
17	D12	**Massard** Avenue É. et A.	7 R. J. Bourdais	20 Av. P. Adam	Pereire
14	T17	**Masse** Avenue Pierre	Av. P. Vaillant Couturier	Rue Descaves	Gentilly
9	F17-F18	**Massé** Rue Victor	55 R. des Martyrs	58 R. J.-B. Pigalle	Pigalle
13	S23	**Masséna** Boulevard	27 Q. d'Ivry	163 Av. d'Italie	Pte d'Italie - Pte d'Ivry
13	R23-S23	**Masséna** Square	42 Bd Masséna		Porte d'Ivry
16	K9	**Massenet** Rue	42 R. de Passy	27 R. Vital	Passy
7	M14	**Masseran** Rue	5 R. Eblé	6 R. Duroc	St-Franç.-Xavier
12	P27	**Massif Central** Sq. du	2 R. des Meuniers	37 Bd Poniatowski	Porte de Charenton
4	L20	**Massillon** Rue	5 R. Chanoinesse	6 R. du Cloître N.-D.	Cité
13	Q20-R20	**Masson** Place André	17 R. Vandrezanne		Tolbiac
18	B20	**Massonnet** Impasse	8 R. Championnet	(en impasse)	Simplon
15	N14-O14	**Mathieu** Impasse	56 R. Falguière	(en impasse)	Pasteur
19	C23-D23	**Mathis** Rue	107 R. de Flandre	30 R. Curial	Crimée
8	G15-G17	**Mathurins** Rue des	17 R. Scribe	30 Bd Malesherbes	St-Lazare
9	G15-G17	**Mathurins** Rue des	17 R. Scribe	30 Bd Malesherbes	St-Lazare
8	H14	**Matignon** Avenue	Rd-Pt des Chps Élysées	31 R. de Penthièvre	Miromesnil
20	I26	**Matisse** Place Henri	2 R. Soleillet	Rue Raoul Dufy	Gambetta
5	L19	**Maubert** Impasse	1 R. F. Sauton	(en impasse)	Maubert-Mutualité
5	M19	**Maubert** Place	Bd St-Germain	Rue Lagrange	Maubert-Mutualité
9	E20-G18	**Maubeuge** Rue de	Place Kossuth	39 Bd de la Chapelle	Cadet
10	F20-E20	**Maubeuge** Rue de	Place Kossuth	39 Bd de la Chapelle	Gare du Nord
9	F19	**Maubeuge** Square de	56 R. de Maubeuge	(en impasse)	Poissonnière
15	O12	**Maublanc** Rue	97 R. Blomet	264 R. de Vaugirard	Vaugirard
1	I19	**Mauconseil** Rue	3 R. Française	36 R. Montorgueil	Châtelet-Les Halles
14	R15	**Maud'Huy** Rue du Gal De	Bd Brune	Av. M. d'Ocagne	Porte de Vanves
16	J7-K7	**Maunoury** Av. du Mal	Place de Colombie	Pl. de la Porte Passy	Ranelagh
16	J8	**Maupassant** Rue Guy De	2 R. Ed. About	54 Bd E. Augier	Av. H. Martin (RER C)
3	J20	**Maure** Passage du	33 R. Beaubourg	R. Brantôme	Rambuteau
5	N21	**Maurel** Passage	8 Bd de l'Hôpital	7 R. Buffon	Gare d'Austerlitz
13	P23-P24	**Mauriac** Quai François	Rue A. Gance	Rue Neuve Tolbiac	Quai de la Gare
16	F9	**Maurois** Bd André	Pl. de la Porte Maillot	Bd Maillot (Neuilly)	Porte Maillot
4	K20	**Mauvais Garçons** R. des	44 R. de Rivoli	1 R. de la Verrerie	Hôtel de Ville
20	K28	**Mauves** Allée des	43 R. Mouraud	72 R. St-Blaise	Porte de Montreuil
19	F28	**Mauxins** Passage des	59 R. Romainville	11 Bd Sérurier	Porte des Lilas
15	O11	**Mawas** Rue Jacques	R. du Cdt Léandri	Rue Fr. Mouthon	Convention
9	E17	**Max** Place Adolphe	22 R. de Douai	53 R. Vintimille	Place de Clichy
17	D12	**Mayenne** Square de la	29 Av. Brunetière	(en impasse)	Pereire
6	M15	**Mayet** Rue	131 R. de Sèvres	122 R. du Cherche Midi	Duroc
9	F19-G19	**Mayran** Rue	26 R. de Montholon	12 R. Rochechouart	Cadet
10	H20	**Mazagran** Rue de	16 Bd de Bonne Nouvelle	9 R. de l'Échiquier	Strasbourg-St-Denis
6	K18-L18	**Mazarine** Rue	3 R. de Seine	52 R. Dauphine	Odéon
12	M22-N22	**Mazas** Place	Quai de la Rapée	Bd Diderot	Quai de la Rapée
12	M22-N22	**Mazas** Voie	Quai Henri IV	Quai de la Rapée	Quai de la Rapée
6	L18	**Mazet** Rue André	47 R. Dauphine	66 R. St-André des Arts	Odéon
19	E24-F23	**Meaux** Rue de	8 Pl. du Col Fabien	108 Av. J. Jaurès	Laumière - Bolivar
14	P18	**Méchain** Rue	32 R. de la Santé	R. du Fbg St-Jacques	St-Jacques
17	F13	**Médéric** Rue	108 R. Courcelles	41 R. de Prony	Wagram - Courcelles
6	M18	**Médicis** Rue de	Pl. P. Claudel	6 Pl. Ed. Rostand	Luxembourg (RER B)
1	K18-K19	**Mégisserie** Quai de la	1 Pl. du Châtelet	2 R. du Pont Neuf	Pont Neuf - Châtelet
2	I17	**Méhul** Rue	44 R. Petits Champs	1 R. Marsollier	Pyramides
15	N12	**Meilhac** Rue	53 R. de la Croix Nivert	1 R. Neuve du Théatre	Commerce
17	E13	**Meissonnier** Rue	48 R. de Prony	77 R. Jouffroy	Wagram
12	O28	**Mélies** Square Georges	Bd Soult	Avenue E. Laurent	Porte de Vincennes
19	G25	**Mélingue** Rue	101 R. de Belleville	29 R. Fessart	Pyrénées
19	E23	**Melun** Passage de	60 Av. J. Jaurès	95 R. de Meaux	Laumière
19	F24	**Ménans** Rue Jean	42 R. E. Pailleron	47 R. Manin	Buttes Chaumont
15	M9-N9	**Ménard** Rue du Capitaine	32 R. de Javel	25 R. de la Convention	Javel
2	H18	**Ménars** Rue	79 R. de Richelieu	10 R. 4 Septembre	Bourse
20	K28-L29	**Mendelssohn** Rue	88 Bd Davout	3 R. des Drs Déjerine	Porte de Montreuil

Ar.	Plan	Rues / Streets	Commençant	Finissant	Métro
17	D11-E11	**Mendès** Rue Catulle	10 Av. S. Mallarmé	21 Bd de la Somme	Porte de Champerret
13	O22	**Mendès France** Av. P.	24 Bd V. Auriol	71 Q. d'Austerlitz	Gare d'Austerlitz
3	J20	**Ménétriers** Passage des	31 R. Beaubourg	2 R. Brantôme	Rambuteau
16	H9	**Ménier** Rue Émile	21 R. de Pomereu	R. des Belles Feuilles	Porte Dauphine
11	J25-I24	**Ménilmontant** Bd de	19 R. de Mont Louis	162 R. Oberkampf	Père Lachaise
20	J25-I24	**Ménilmontant** Bd de	19 R. de Mont Louis	162 R. Oberkampf	Père Lachaise
11	I24-I25	**Ménilmontant** P. de	4 Av. J. Aicard	113 Bd de Ménilmontant	Ménilmontant
20	H25-I25	**Ménilmontant** Place de	R. de la Mare	67 R. de Ménilmontant	Ménilmontant
20	H28	**Ménilmontant** Porte de	R. du Surmelin	Av. de la Pte de Ménilmontant	St-Fargeau
20	H27-I24	**Ménilmontant** Rue de	152 Bd de Ménilmontant	105 R. Pelleport	St-Fargeau
20	H26	**Ménilmontant** Square de	R. de Ménilmontant	R. Pixérécourt	St-Fargeau
15	Q12	**Mercié** Rue Antonin	90 Bd Lefebvre	49 Av. A. Bartholomé	Porte de Vanves
15	N10-N9	**Mercier** Rue Sébastien	67 Quai A. Citroën	146 R. St-Charles	Javel
9	F16-F17	**Mercier** Rue du Cardinal	56 R. de Clichy	(en impasse)	Liège
11	K24-K25	**Mercœur** Rue	127 Bd Voltaire	5 R. La Vacquerie	Voltaire
14	R17	**Méridienne** Villa	53 Av. René Coty	(en impasse)	Porte d'Orléans
16	H9	**Mérimée** Rue	59 R. des Belles Feuilles	20 R. E. Ménier	Porte Dauphine
12	N28	**Merisiers** Sentier des	101 Bd Soult	3 R. du Niger	Porte de Vincennes
11	J25-K25	**Merlin** Rue	151 R. de la Roquette	126 R. du Chemin Vert	Père Lachaise
8	H14	**Mermoz** Rue Jean	2 Rd-Pt des Chps Élysées	95 R. du Fbg St-Honoré	St-Philippe du R.
17	E11	**Merrill** Place Stuart	182 Bd Berthier	Av. S. Mallarmé	Porte de Champerret
13	Q20	**Méry** Rue Paulin	8 R. Bobillot	7 R. du Moulin des Prés	Place d'Italie
16	N6	**Meryon** Rue	Bd Murat	31 Av. du Gal Sarrail	Porte d'Auteuil
3	H21-I21	**Meslay** Passage	32 R. Meslay	25 Bd St-Martin	République
3	H20-I21	**Meslay** Rue	205 R. du Temple	328 R. St-Martin	République
16	H10-I10	**Mesnil** Rue	7 Pl. Victor Hugo	52 R. St-Didier	Victor Hugo
18	B18-C18	**Messager** Rue André	21 R. Letort	93 R. Championnet	Porte de Clignancourt
10	G19-G20	**Messageries** Rue des	69 R. d'Hauteville	78 R. du Fbg Poissonnière	Poissonnière
13	Q24	**Messiaen** Rue Olivier	R. Neuve Tolbiac	R. Thomas Mann	Bibl. F. Mitterrand
12	O27	**Messidor** Rue	36 R. de Toul	117 Av. du Gal M. Bizot	Bel Air
14	P18	**Messier** Rue	77 Bd Arago	4 R. J. Dolent	St-Jacques
12	O28	**Messimy** Av. du Général	9 R. E. Lefébure	R. Nouv. Calédonie	Porte Dorée
8	F14-G14	**Messine** Avenue de	134 Bd Haussmann	1 Pl. Rio Janeiro	Miromesnil
8	G14	**Messine** Rue de	12 R. Dr Lancereaux	23 Av. de Messine	St-Philippe du R.
13	P21	**Mesureur** Sq. Gustave	103 R. Jeanne d'Arc	6 Pl. Pinel	Nationale
20	G25	**Métairie** Cour de la	92 R. de Belleville	403 R. des Pyrénées	Pyrénées
11	J25	**Métivier** Place Auguste	R. des Amandiers	1 Av. Gambetta	Père Lachaise
20	J25	**Métivier** Place Auguste	R. des Amandiers	1 Av. Gambetta	Père Lachaise
18	D17	**Métivier** Rue Juste	37 Av. Junot	56 R. Caulaincourt	Lamarck-Caulaincourt
20	G26-H26	**Métra** Rue Olivier	29 R. Pixérécourt	169 R. de Belleville	Jourdain
20	G26	**Métra** Villa Olivier	28 R. Olivier Métra	(en impasse)	Jourdain
19	C25-D25	**Metz** Quai de	R. de Thionville	Q. de la Marne	Ourcq - Porte de Pantin
10	H20	**Metz** Rue de	19 Bd de Strasbourg	24 R. du Fbg St-Denis	Strasbourg-St-Denis
20	H28-I28	**Meunier** Rue Stanislas	3 R. M. Berteaux	4 R. Vidal de la Blache	Porte de Bagnolet
12	P26-P27	**Meuniers** Rue des	33 Bd Poniatowski	10 R. Brêche Loups	Porte de Charenton
20	G28-G29	**Meurice** Rue Paul	10 R. Léon Frapié	(en impasse)	Porte des Lilas
19	D24	**Meurthe** Rue de la	39 R. de l'Ourcq	24 Q. de la Marne	Ourcq
16	I10	**Mexico** Place de	84 R. de Longchamp	2 R. Decamps	Rue de la Pompe
16	O6	**Meyer** Villa Émile	4 Villa Cheysson	14 R. Parent de Rosan	Exelmans
9	H17	**Meyerbeer** Rue	3 R. Chée d'Antin	Pl. J. Rouché	Chée d'Antin-La Fayette
19	E24-E25	**Meynadier** Rue	4 Pl. A. Carrel	97 R. de Crimée	Laumière
6	M17	**Mézières** Rue de	78 R. Bonaparte	79 R. de Rennes	St-Sulpice
13	R19	**Michal** Rue	39 R. Barrault	16 R. M. Bernard	Corvisart
16	O6	**Michaux** Pl. du Dr Paul	Av. de la Pte de St-Cloud	Parc des Princes	Porte de St-Cloud
13	R20	**Michaux** Rue Henri	25 R. Vandrezanne	32 R. du Moulinet	Tolbiac
16	O6	**Michel-Ange** Hameau	21 R. Parent de Rosan	(en impasse)	Exelmans
16	M7-O6	**Michel-Ange** Rue	53 R. d'Auteuil	8 Pl. de la Pte St-Cloud	Michel Ange-Auteuil
16	M7	**Michel-Ange** Villa	3 R. Bastien Lepage	(en impasse)	Michel Ange-Auteuil
7	M14-N14	**Michel-Lévy** Pl. Simone	59 Avenue de Saxe	100 Rue de Sèvres	Duroc - Sèvres-Lecourbe
15	M14-N14	**Michel-Lévy** Pl. Simone	59 Avenue de Saxe	100 Rue de Sèvres	Duroc - Sèvres-Lecourbe
4	J20	**Michelet** Place Edmond	107 R. St-Martin	1 R. Quincampoix	Rambuteau
6	N17-N18	**Michelet** Rue	82 Bd St-Michel	81 R. d'Assas	Luxembourg (RER B)
15	M10	**Michels** Place Charles	85 R. St-Charles	29 R. des Entrepreneurs	Ch. Michels
2	H17	**Michodière** Rue de la	28 R. St-Augustin	29 Bd des Italiens	Quatre Septembre
18	E17	**Midi** Cité du	48 Bd de Clichy	(en impasse)	Pigalle - Blanche
14	O16	**Mie** Rue Auguste	73 R. Froidevaux	97 Av. du Maine	Gaîté
16	I9-J8	**Mignard** Rue	83 Av. H. Martin	18 R. de Siam	Rue de la Pompe
4	K21	**Migne** Rue de l'Abbé	R. Francs Bourgeois	(en impasse)	Rambuteau
14	P17	**Migne** Square de l'Abbé	Av. Denfert-Rochereau	Bd St-Jacques	Denfert-Rochereau

Ar.	Plan	Rues / Streets	Commençant	Finissant	Métro
16	M8	**Mignet** Rue	9 R. George Sand	12 R. Leconte de Lisle	Église d'Auteuil
6	L18	**Mignon** Rue	7 R. Danton	110 Bd St-Germain	Odéon
16	J10	**Mignot** Square	20 R. Pétrarque	(en impasse)	Trocadéro
19	F26	**Mignottes** Rue des	86 R. Compans	14 R. de Mouzaïa	Botzaris
9	F16	**Milan** Rue de	31 R. de Clichy	46 R. d'Amsterdam	Liège
19	D26-E25	**Milhaud** Allée Darius	95 R. Manin	120 R. Petit	Porte de Pantin - Ourcq
19	D25	**Mille** Rue Adolphe	185 Av. J. Jaurès	(en impasse)	Ourcq - Porte de Pantin
15	P11-Q11	**Mille** Rue Pierre	43 R. Vaugelas	98 R. O. de Serres	Porte de Versailles
16	L8	**Milleret De Brou** Av.	21 R. de l'Assomption	22 Av. R. Poincaré	Ranelagh - Jasmin
16	L8	**Millet** Rue François	20 Av. T. Gautier	29 R. J. De La Fontaine	Mirabeau
15	O11	**Millon** Rue Eugène	172 R. de la Convention	23 R. St-Lambert	Convention
17	E11	**Milne Edwards** Rue	164 Bd Pereire	4 R. J.-B. Dumas	Porte de la Chapelle
18	B16-B17	**Milord** Impasse	140 Av. de St-Ouen	(en impasse)	Porte de St-Ouen
9	F18-G18	**Milton** Rue	46 R. Lamartine	29 R. Tour d'Auvergne	N.-D. de Lorette
13	S19	**Mimosas** Square des	2 R. des Liserons	(en impasse)	Cité Univ. (RER B)
12	Q25	**Minervois** Cour du	Rue de Libourne	Pl. des Vins de France	Cour St-Émilion
3	K22	**Minimes** Rue des	33 R. des Tournelles	34 R. de Turenne	Chemin Vert
14	P17	**Minjoz** Rue Jean	71 Bd St-Jacques	Villa St-Jacques	Denfert-Rochereau
15	M13-N12	**Miollis** Rue	48 Bd Garibaldi	33 R. Cambronne	Ségur
13	S19-T19	**Miomandre** R. Francis De	Rue Thomire	Rue L. Pergaud	Cité Univ. (RER B)
15	M8-M9	**Mirabeau** Pont	Quai L. Blériot	Quai A. Citroën	Mirabeau - Javel
16	M8-M9	**Mirabeau** Pont	Quai L. Blériot	Quai A. Citroën	Mirabeau - Javel
16	M8-N7	**Mirabeau** Rue	Place de Barcelone	9 R. Chardon Lagache	Mirabeau
5	O20	**Mirbel** Rue de	20 R. Censier	7 R. Patriarches	Censier-Daubenton
14	S18	**Mire** Allée de la	Parc Montsouris		Cité Univ. (RER B)
18	D18	**Mire** Rue de la	17 R. Ravignan	112 R. Lepic	Abbesses
20	K28	**Miribel** Place Marie De	Bd Davout	Rue des Orteaux	Porte de Montreuil
13	S21	**Miró** Jardin Joan	Rue Gandon	Rue Tagore	Porte d'Italie
8	F14-H15	**Miromesnil** Rue de	100 R. du Fbg St-Honoré	13 Bd de Courcelles	Villiers - Miromesnil
4	K20-K21	**Miron** Rue François	Place St-Gervais	11 R. de Fourcy	Hôtel de Ville
9	G19	**Missakian** Pl. Chavarche	11 Rue de Montholon	Rue La Fayette	Cadet - Poissonnière
16	L7-M7	**Mission Marchand** R. de la	28 R. P. Guérin	25 R. de la Source	Michel Ange-Auteuil
7	L16	**Missions Étrangères** Sq. des	Rue du Bac		Sèvres-Babylone
15	O10	**Mistral** Rue Frédéric	14 R. J. Maridor	13 R. F. Faure	Lourmel
15	O10	**Mistral** Villa Frédéric	3 R. F. Mistral	296 R. Lecourbe	Lourmel
7	L14	**Mithouard** Pl. du Pdt	36 Bd des Invalides	25 Av. de Breteuil	St-Franç.-Xavier
1	J17	**Mitterrand** Quai François	Av. du Gal Lemonnier	R. de l'Aml de Coligny	Louvre-Rivoli
15	N14-O14	**Mizon** Rue	6 R. Brown Séquard	63 Bd Pasteur	Pasteur
19	E24	**Moderne** Avenue	21 R. du Rhin	(en impasse)	Laumière
14	Q16	**Moderne** Villa	15 R. des Plantes	(en impasse)	Alésia
15	O9	**Modigliani** Rue	Rue Balard	Rue St-Charles	Balard - Lourmel
14	O15	**Modigliani** Terrasse	26 R. Mouchotte	(en impasse)	Gaîté
9	G17	**Mogador** Rue de	46 Bd Haussmann	75 R. St-Lazare	Trinité - Chée d'Antin-La F.
5	M20	**Mohammed V** Place	Quai St-Bernard	R. des Fossés St-Bernard	Jussieu
17	C16-D15	**Moines** Rue des	2 Pl. C. Fillion	41 R. de la Jonquière	Brochant
10	G22-G23	**Moinon** Rue Jean	24 Av. C. Vellefaux	34 R. Sambre et Meuse	Goncourt
15	N15	**Moisant** Rue Armand	25 R. Falguière	20 Bd Vaugirard	Montparnasse-Bienv.
7	J13	**Moissan** Rue Henri	59 Q. d'Orsay	12 Av. R. Schuman	La Tour-Maubourg
16	N7	**Molière** Avenue	1 Av. Despréaux	Imp. Racine	Michel Ange-Molitor
3	J20	**Molière** Passage	157 R. St-Martin	80 R. Quincampoix	Rambuteau
1	I17	**Molière** Rue	6 Av. de l'Opéra	37 R. de Richelieu	Pyramides
18	D22	**Molin** Impasse	10 R. Buzelin	(en impasse)	Marx Dormoy
16	N6	**Molitor** Porte	Bd Périphérique	Pl. de la Pte de Molitor	Porte d'Auteuil
16	N6-N7	**Molitor** Rue	14 R. Chardon Lagache	25 Bd Murat	Michel Ange-Molitor
16	N7	**Molitor** Villa	7 R. Molitor	26 R. Jouvenet	Chardon Lagache
17	F11-G11	**Moll** Rue du Colonel	15 R. des Acacias	9 R. St-Ferdinand	Argentine
19	B23	**Mollaret** Allée Pierre	204 Bd Macdonald	69 R. Émile Bollaert	Porte de la Chapelle
8	F14-G14	**Mollien** Rue	22 R. Treilhard	29 R. de Lisbonne	Miromesnil
17	D13	**Monbel** Rue de	102 R. Tocqueville	31 Bd Péreire	Malesherbes
8	F14-F13	**Monceau** Parc de	Bd de Courcelles	Avenue Van Dyck	Monceau
8	F15-G13	**Monceau** Rue de	188 Bd Haussmann	89 R. du Rocher	Villiers
17	E15	**Monceau** Square	82 Bd des Batignolles	(en impasse)	Villiers
17	E12	**Monceau** Villa	156 R. de Courcelles	(en impasse)	Pereire
17	D16	**Moncey** Passage	35 Av. de St-Ouen	28 R. Dautancourt	La Fourche
9	F16-F17	**Moncey** Rue	35 R. Blanche	46 R. de Clichy	Liège
9	F17	**Moncey** Square	6 R. Moncey	(en impasse)	Liège
15	P14	**Monclar** Pl. du Général	R. de Vouillé	R. Saint-Amand	Plaisance
1	J19	**Mondétour** Rue	102 R. Rambuteau	10 R. de Turbigo	Les Halles

Ar.	Plan	**Rues** / Streets	Commençant	Finissant	Métro
20	I28	**Mondonville** Rue	R. Irénée Blanc	R. Paul Strauss	Porte de Bagnolet
6	L18	**Mondor** Place Henri	87 Bd St-Germain	103 Bd St-Germain	Odéon
1	I16	**Mondovi** Rue de	252 R. de Rivoli	29 R. du Mont Thabor	Concorde
19	E25-F25	**Monet** Villa Claude	19 R. M. Hidalgo	7 R. F. Pinton	Botzaris
5	N20	**Monge** Place	72 R. Monge	14 R. Gracieuse	Place Monge
5	M19-O20	**Monge** Rue	47 Bd St-Germain	5 R. de Bazeilles	Place Monge
12	N29	**Mongenot** Rue	Av. de Guyane	Av. V. Hugo	St-Mandé Tourelle
19	G23	**Monjol** Rue	R. Burnouf	(en impasse)	Colonel Fabien
15	N12	**Monmarché** Pl. Hubert	R. Péclet	R. Lecourbe	Vaugirard
1	J18-K18	**Monnaie** Rue de la	1 R. du Pont Neuf	75 R. de Rivoli	Pont Neuf
16	I9	**Monnet** Place Jean	Av. Victor Hugo	R. des Belles Feuilles	Rue de la Pompe
9	F18	**Monnier** Rue Henry	38 R. N.-D. de Lorette	27 R. V. Massé	St-Georges
20	I25	**Monplaisir** Passage	106 Bd de Ménilmontant	(en impasse)	Ménilmontant
19	F27	**Monselet** Rue Charles	50 Bd Sérurier	7 Bd d'Algérie	Pré St-Gervais
7	L15-M15	**Monsieur** Rue	59 R. de Babylone	14 R. Oudinot	St-Franç.-Xavier
6	L18-M18	**Monsieur le Prince** Rue	R. de l'Odéon	Bd St-Michel	Odéon
2	H17-I17	**Monsigny** Rue	19 R. Marsollier	23 R. 4 Septembre	Quatre Septembre
20	K27	**Monsoreau** Square de	93 R. A. Dumas	17 R. Monte Cristo	Alexandre Dumas
15	N9	**Mont Aigoual** Rue du	12 R. Cauchy	R. Mont. de l'Espérou	Javel - Bd Victor (RER C)
16	M8	**Mont Blanc** Square du	25 Av. Perrichont	(en impasse)	Mirabeau
18	B19	**Mont Cenis** Passage du	133 R. du Mont Cenis	80 Bd Ornano	Porte de Clignancourt
18	B19-D18	**Mont Cenis** Rue du	12 R. St-Eleuthère	37 R. Belliard	Simplon - J. Joffrin
17	E16	**Mont Dore** Rue du	38 Bd des Batignolles	9 R. Batignolles	Rome
11	K25	**Mont Louis** Impasse de	4 R. de Mont Louis	(en impasse)	Philippe Auguste
11	K25	**Mont Louis** Rue de	30 R. de la Folie Regnault	1 Bd de Ménilmontant	Philippe Auguste
1	I16	**Mont Thabor** Rue du	5 R. d'Alger	7 R. de Mondovi	Tuileries - Concorde
15	N15	**Mont Tonnerre** Villa du	127 R. de Vaugirard	12 R. de l'Astrolabe	Falguière
5	N20	**Montagne** Square Robert	Pl. du Puits de l'Ermite		Place Monge
15	O9	**Mont. d'Aulas** R. de la	65 R. Balard	186 R. St-Charles	Lourmel
15	O9	**Mont. de la Fage** R. de la	64 R. Balard	88 R. Balard	Lourmel
15	N9-O9	**Mont. de l'Espérou** R. de la	2 R. Cauchy	56 R. Balard	Javel - Bd Victor (RER C)
15	N9	**Montagne du Goulet** Pl.	R. Balard	R. C. Myionnet	Javel
5	M19	**Mont. Ste-Geneviève** R. de la	2 R. Monge	18 R. St-Etienne du Mont	Maubert-Mutualité
8	H14-I13	**Montaigne** Avenue	7 Pl. de l'Alma	3 Rd-Pt des Chps Élysées	Franklin D. Roosevelt
7	K16	**Montalembert** Rue	2 R. S. Bottin	31 R. du Bac	Rue du Bac
8	H15	**Montalivet** Rue	13 R. d'Aguesseau	10 R. Saussaies	St-Augustin
15	P12	**Montauban** Rue	20 R. Robert Lindet	(en impasse)	Convention
14	Q16-Q17	**Montbrun** Passage	41 R. R. Dumoncel	(en impasse)	Alésia
14	Q17	**Montbrun** Rue	39 R. R. Dumoncel	30 R. d'Alésia	Mouton-Duvernet
18	C17-C18	**Montcalm** Rue	78 R. Damrémont	65 R. du Ruisseau	Lamarck-Caulaincourt
18	C18	**Montcalm** Villa	17 R. Montcalm	55 R. des Cloys	Lamarck-Caulaincourt
20	K26-K27	**Monte Cristo** Rue	26 R. de Bagnolet	81 R. A. Dumas	Alexandre Dumas
5	L19-L20	**Montebello** Port de	Pont au double	Pont de l'Archevêché	Maubert-Mutualité
5	L19-L20	**Montebello** Quai de	2 R. des Gds Degrés	Pl. du Petit Pont	St-Michel
15	Q13	**Montebello** Rue de	5 R. Chauvelot	(en impasse)	Porte de Vanves
14	R13-R14	**Monteil** Rue du Colonel	36 Bd Brune	3 R. M. Bouchor	Porte de Vanves
12	O28	**Montempoivre** Porte de	Bd Soult	Av. E. Laurent	Bel Air
12	O27-O28	**Montempoivre** Rue de	120 Av. du Gal M. Bizot	67 Bd Soult	Bel Air
12	O27	**Montempoivre** Sentier de	16 Bd de Picpus	37 R. de Toul	Bel Air
19	G27	**Montenegro** Passage du	26 R. de Romainville	125 R. Haxo	Télégraphe
17	F12-G11	**Montenotte** Rue de	21 Av. des Ternes	16 Av. Mac Mahon	Ternes
12	M28-N28	**Montéra** Rue	83 Av. de St-Mandé	133 Bd Soult	Porte de Vincennes
16	I9	**Montespan** Avenue de	177 Av. Victor Hugo	99 R. de la Pompe	Rue de la Pompe
1	J18	**Montesquieu** Rue	11 R. Croix des Petits Chps	14 R. des Bons Enfants	Palais-Royal-Louvre
12	P28	**Montesquieu Fezensac** R.	14 Av. A. Rousseau	(en impasse)	Porte Dorée
16	H8-I8	**Montevideo** Rue de	147 R. de Longchamps	16 R. Dufrénoy	Av. H. Martin (RER C)
6	L17	**Montfaucon** Rue de	131 Bd St-Germain	8 R. Clément	Mabillon
12	N25	**Montgallet** Passage	23 R. Montgallet	(en impasse)	Montgallet
12	N25	**Montgallet** Rue	187 R. de Charenton	66 R. de Reuilly	Montgallet
3	I21	**Montgolfier** Rue	2 R. Conté	21 R. du Vertbois	Arts et Métiers
13	R20	**Montgolfière** Jard. de la	R. Henri Michaux	P. Vandrezanne	Tolbiac
7	J16	**Montherlant** Pl. Henry De	Quai A. France		Solférino
9	F16	**Monthiers** Cité	55 R. de Clichy	72 Cour Amsterdam	Liège
9	G19	**Montholon** Rue de	85 R. du Fbg Poissonnière	42 R. Cadet	Poissonnière - Cadet
20	I27-I28	**Montibœufs** Rue des	19 R. Cap. Ferber	26 R. Le Bua	Porte de Bagnolet
14	S16	**Monticelli** Rue	95 Bd Jourdan	6 Av. P. Appell	Porte d'Orléans
2	H18	**Montmartre** Boulevard	169 R. Montmartre	112 R. de Richelieu	Grands Boulevards

Ar.	Plan	**Rues** / Streets	Commençant	Finissant	Métro
9	H18	**Montmartre** Boulevard	169 R. Montmartre	112 R. de Richelieu	Grands Boulevards
2	I19	**Montmartre** Cité	55 R. Montmartre	(en impasse)	Sentier
2	H18	**Montmartre** Galerie	161 R. Montmartre	25 Pas. Panoramas	Grands Boulevards
18	B18	**Montmartre** Porte	Boulevard Ney	Av. de la Pte Montmartre	Porte de Clignancourt
1	H18-J19	**Montmartre** Rue	1 R. Montorgueil	1 Bd Montmartre	Sentier - Les Halles
2	H18-I19	**Montmartre** Rue	1 R. Montorgueil	1 Bd Montmartre	Sentier - Les Halles
16	M7	**Montmorency** Av. de	Av. des Peupliers	Avenue du Square	Michel Ange-Auteuil
16	K7-M6	**Montmorency** Bd de	93 R. de l'Assomption	76 R. d'Auteuil	Porte d'Auteuil
3	J20-J21	**Montmorency** Rue de	103 R. du Temple	212 R. St-Martin	Rambuteau
16	M7	**Montmorency** Villa de	12 R. Poussin	93 Bd Montmorency	Michel Ange-Auteuil
1	I19-J19	**Montorgueil** Rue	2 R. Montmartre	59 R. St-Sauveur	Les Halles
6	M15-O18	**Montparnasse** Bd du	145 R. de Sèvres	20 Av. de l'Observatoire	Vavin
14	M15-O18	**Montparnasse** Bd du	145 R. de Sèvres	20 Av. de l'Observatoire	Montparnasse-Bienv.
15	M15-O18	**Montparnasse** Bd du	145 R. de Sèvres	20 Av. de l'Observatoire	Duroc
14	N16	**Montparnasse** Passage	Rue du Départ	12 R. d'Odessa	Montparnasse-Bienv.
6	N16	**Montparnasse** Rue du	28 R. N.-D. des Champs	38 R. Delambre	Edgar Quinet
14	N16	**Montparnasse** Rue du	28 R. N.-D. des Champs	38 R. Delambre	Edgar Quinet
1	I18	**Montpensier** Galerie	Gal. de Beaujolais	Palais Royal	Palais Royal-Louvre
1	I18	**Montpensier** Rue de	8 R. de Richelieu	21 R. de Beaujolais	Palais Royal-Louvre
20	L29	**Montreuil** Porte de	Bd Périphérique		Porte de Montreuil
11	L24-L27	**Montreuil** Rue de	225 R. du Fbg St-Antoine	33 Bd de Charonne	Avron - Faidherbe-Ch.
14	R15	**Montrouge** Porte de	Bd Brune	Av. de la Pte de Montrouge	Porte d'Orléans
14	R18-S17	**Montsouris** Allée de	Allée du Puits	R. Deutsch de la M.	Porte d'Orléans
14	S18	**Montsouris** Parc de	Bd Jourdan	Avenue Reille	Cité Univ. (RER B)
14	R17	**Montsouris** Square de	8 R. Nansouty	51 Av. Reille	Cité Univ. (RER B)
7	J12	**Monttessuy** Rue de	18 Av. Rapp	21 Av. de La Bourdonnais	Pont de l'Alma (RER C)
9	G19	**Montyon** Rue de	7 R. de Trévise	18 R. du Fbg Montmartre	Grands Boulevards
16	I9	**Mony** Rue	68 R. Spontini	9 R. de Lota	Rue de la Pompe
17	C15-C16	**Môquet** Rue Guy	152 Av. de Clichy	1 R. de la Jonquière	Guy Môquet
11	H23-I23	**Morand** Rue	79 R. J.-P. Timbaud	16 R. de l'Orillon	Couronnes
17	G11	**Morandat** Pl. Yvon et Claire	Rue Brunel	9 R. des Acacias	Argentine
15	N11-O11	**Morane** Rue des Frères	21 Pl. E. Pernet	165 R. de Javel	Félix Faure
14	Q24	**Morante** Rue Elsa	16 R. Watt	11 R. F. Dolto	Bibl. F. Mitterrand
14	Q15	**Morard** Rue Louis	56 R. des Plantes	1 R. Jacquier	Alésia
17	D11	**Moréas** Rue Jean	4 Av. S. Mallarmé	13 Bd de la Somme	Porte de Champerret
19	F23-F24	**Moreau** Av. Mathurin	4 Pl. du Col Fabien	29 R. Manin	Colonel Fabien
18	D16	**Moreau** Rue Hégésippe	15 R. Ganneron	29 R. Ganneron	La Fourche
12	L23-M23	**Moreau** Rue	7 Av. Daumesnil	38 R. de Charenton	Gare de Lyon
14	R15-R16	**Morère** Rue	40 R. Friant	45 Av. J. Moulin	Porte d'Orléans
11	I24	**Moret** Rue	133 R. Oberkampf	102 R. J.-P. Timbaud	Ménilmontant
15	L11-L12	**Morieux** Cité	56 R. de la Fédération	(en impasse)	Dupleix
15	P12-Q13	**Morillons** Rue des	45 R. O. de Serres	88 R. Castagnary	Porte de Vanves
12	O25	**Morin** Square Jean	Bd de Bercy	Bd de Reuilly	Dugommier
3	I20	**Morin** Square du Général	Rue Réaumur	Rue Vaucanson	Arts et Métiers
4	L21	**Morland** Boulevard	2 Q. Henri IV	6 Bd Henri IV	Sully-Morland
4	M22	**Morland** Pont	Bd Bourdon	Bd de la Bastille	Quai de la Rapée
12	M22	**Morland** Pont	Bd Bourdon	Bd de la Bastille	Quai de la Rapée
11	L26	**Morlet** Impasse	113 R. de Montreuil	(en impasse)	Avron
9	F17-G17	**Morlot** Rue	77 Pl. d'Estienne d'Orves	3 R. de la Trinité	Trinité
4	M22	**Mornay** Rue	19 Bd Bourdon	2 R. de Sully	Sully-Morland
14	P15	**Moro Giafferi** Place de	141 R. du Château	2 R. Didot	Pernety
13	S19	**Morot** Rue Aimé	65 Bd Kellermann	Av. Caffieri	Corvisart
10	G21-G22	**Mortenol** Rue du Cdt	125 Q. de Valmy	(en impasse)	Gare de l'Est
20	G28-I28	**Mortier** Boulevard	49 R. Belgrand	261 Av. Gambetta	St-Fargeau
11	J24	**Morvan** Rue du	32 R. Pétion	23 R. St-Maur	Voltaire
13	R19	**Morveau** Rue Guyton De	76 R. Bobillot	43 R. de l'Espérance	Corvisart
8	E15-F16	**Moscou** Rue de	20 R. de Liège	41 Bd des Batignolles	Rome - Liège
19	E23-E24	**Moselle** Passage de la	70 Av. J. Jaurès	101 R. de Meaux	Laumière
19	E23	**Moselle** Rue de la	63 Av. J. Jaurès	50 Q. de la Loire	Laumière
18	B17	**Moskova** Rue de la	24 R. Leibniz	12 R. J. Dollfus	Porte de St-Ouen
13	R18-S19	**Mouchez** Rue de l'Amiral	1 Av. Reille	108 Bd Kellermann	Cité Univ. (RER B)
14	R18-S19	**Mouchez** Rue de l'Amiral	1 Av. Reille	108 Bd Kellermann	Cité Univ. (RER B)
14	O15	**Mouchotte** R. du Cdt R.	58 Av. du Maine	Rue J. Zay	Montparnasse-Bienv.
5	N19-O19	**Mouffetard** Rue	3 R. Thouin	2 R. Censier	Place Monge
5	N19-N20	**Mouffetard Monge** Gal.	17 R. Gracieuse	76 R. Mouffetard	Place Monge
11	J23-K23	**Moufle** Rue	35 R. du Chemin Vert	62 Bd R. Lenoir	Richard-Lenoir
20	I28	**Mouillard** Rue Pierre	41 Bd Mortier	54 R. Cap. Ferber	Porte de Bagnolet

Ar.	Plan	**Rues** / Streets	Commençant	Finissant	Métro
14	R15-R16	**Moulin** Avenue Jean	Pl. Victor Basch	143 Bd Brune	Porte d'Orléans - Alésia
14	R15	**Moulin** Square Jean	Bd Brune	Av. de la Pte de Chatillon	Porte d'Orléans
11	L26	**Moulin Dagobert** Villa du	21ter R. Voltaire	(en impasse)	Rue des Boulets
15	O8	**Moulin de Javel** Place du	Quai André Citroën	Rue Leblanc	Bd Victor (RER C)
13	S21	**Moulin de la Pointe** Jard. du	R. du Moulin de la Pointe	Avenue d'Italie	Maison Blanche
13	R21-S20	**Moulin de la Pointe** R. du	R. du Dr Laurent	22 Bd Kellermann	Tolbiac
14	P14	**Moulin de la Vierge** Jard. du	R. Vercingétorix		Pernety
14	P14	**Moulin de la Vierge** R. du	110 R. R. Losserand	131 R. Vercingétorix	Plaisance
14	P15	**Moulin des Lapins** R. du	138 R. du Château	Pl. de la Garenne	Pernety
13	Q20	**Moulin des Prés** P. du	19 R. du Moulin des Prés	22 R. Bobillot	Place d'Italie
13	Q20-R20	**Moulin des Prés** Rue du	25 Bd A. Blanqui	30 R. Damesme	Tolbiac - Place d'Italie
11	H24	**Moulin Joly** Rue du	93 R. J.-P. Timbaud	36 R. de l'Orillon	Couronnes
14	Q16	**Moulin Vert** Impasse du	27 R. des Plantes	(en impasse)	Alésia
14	Q15-Q16	**Moulin Vert** Rue du	218 Av. du Maine	69 R. Gergovie	Plaisance - Alésia
13	R20	**Moulinet** Passage du	45 R. du Moulinet	154 R. de Tolbiac	Tolbiac
13	R20	**Moulinet** Rue du	58 Av. d'Italie	57 R. Bobillot	Tolbiac
1	I17	**Moulins** Rue des	18 R. Thérèse	49 R. Petits Champs	Pyramides
19	E24	**Mouloudji** Sq. Marcel	8 R. Reverdy	7 V. R. Belleau	Laumière
20	M27-M28	**Mounet Sully** Rue	3 R. des Pyrénées	50 R. de la Plaine	Porte de Vincennes
20	K28-L28	**Mouraud** Rue	19 R. Croix St-Simon	80 R. St-Blaise	Porte de Montreuil
13	Q21-R21	**Moureu** Rue Charles	98 R. de Tolbiac	53 Av. Edison	Tolbiac - Olympiades
19	F27	**Mourlon** Rue Frédéric	50 Bd Sérurier	7 Bd d'Algérie	Pré St-Gervais
14	N16	**Mourlot** Place Fernand	Bd Edgar Quinet	R. de la Gaîté	Edgar Quinet
12	M26-N25	**Mousset** Impasse	81 R. de Reuilly	(en impasse)	Montgallet
12	N27-N28	**Mousset Robert** Rue	31 Av. Dr Netter	28 R. Sibuet	Picpus
18	B22-C22	**Moussorgsky** Rue	R. de l'Évangile	(en impasse)	Marx Dormoy
4	K20	**Moussy** Rue de	4 R. de la Verrerie	19 R. Ste-Croix la Br.	Hôtel de Ville
15	O11	**Mouthon** Rue François	245 R. Lecourbe	6 R. J. Mawas	Convention
14	P16-Q17	**Mouton-Duvernet** Rue	36 Av. du Gal Leclerc	Av. du Maine	Mouton-Duvernet
19	F25-F27	**Mouzaïa** Rue de	8 R. du Gal Brunet	103 Bd Sérurier	Botzaris
12	N25	**Moynet** Cité	179 R. de Charenton	1 R. Ste-Claire Deville	Reuilly Diderot
16	K8-M7	**Mozart** Avenue	1 Chée de la Muette	24 R. P. Guérin	Ranelagh - La Muette
16	K8	**Mozart** Square	28 Av. Mozart	(en impasse)	Ranelagh
16	L8	**Mozart** Villa	71 Av. Mozart	(en impasse)	Jasmin
16	K8	**Muette** Chaussée de la	65 R. de Boulainvilliers	Avenue Ingres	La Muette
16	J7-J8	**Muette** Porte de la	Bd Périphérique		Av. H. Martin (RER C)
2	H19	**Mulhouse** Rue de	27 R. de Cléry	7 R. Jeûneurs	Sentier
16	O7	**Mulhouse** Villa	R. C. Lorrain	R. Parent de Rosan	Exelmans
18	D19	**Muller** Rue	49 R. de Clignancourt	8 R. P. Albert	Château Rouge
15	M14	**Mulot** Place Georges	R. Valentin Haüy	R. Bouchut	Sèvres-Lecourbe
16	I11-J11	**Mun** Avenue Albert De	54 Av. de New York	43 Av. du Pdt Wilson	Trocadéro
16	M6-O6	**Murat** Boulevard	Pl. de la Pte d'Auteuil	182 Q. L. Blériot	Porte de St-Cloud
8	G13-G14	**Murat** Rue Louis	26 R. Dr Lancereaux	24 R. de Monceau	St-Philippe du R.
16	O7	**Murat** Villa	37 R. C. Terrasse	153 Bd Murat	Porte de St-Cloud
19	F23	**Murger** Rue Henri	37 Av. M. Moreau	12 R. E. Pailleron	Bolivar
20	I26	**Mûriers** Rue des	27 Av. Gambetta	14 R. des Partants	Gambetta
8	F13-F14	**Murillo** Rue	1 Av. Ruysdaël	66 R. Courcelles	Monceau - Courcelles
16	N7	**Musset** Rue	7 R. Jouvenet	67 R. Boileau	Chardon Lagache
5	M20	**Mutualité** Square de la	24 R. St-Victor	(en impasse)	Maubert-Mutualité
15	N9	**Myionnet** Rue Clément	Pl. Mont. du Goulet	14 R. Léontine	Javel
18	D20-E19	**Myrha** Rue	29 R. Stephenson	2 R. Poulet	Château Rouge

N

Ar.	Plan	Rues / Streets	Commençant	Finissant	Métro
17	C15	**Naboulet** Impasse	68 R. de la Jonquière	(en impasse)	Brochant
20	I26	**Nadaud** Place Martin	Avenue Gambetta	Rue Sorbier	Gambetta
16	J8	**Nadaud** Rue Gustave	11 R. de la Pompe	12 Bd E. Augier	La Muette
10	H21	**Nancy** Rue de	35 Bd de Magenta	86 R. du Fbg St-Martin	Jacques Bonsergent
11	I24-I25	**Nanettes** Rue des	91 Av. de la République	101 Bd de Ménilmontant	Père Lachaise
14	S17	**Nansouty** Impasse	14 R. Deutsch de la M.	(en impasse)	Cité Univ. (RER B)
14	R17-S17	**Nansouty** Rue	25 Av. Reille	2 R. Deutsch de la M.	Cité Univ. (RER B)
19	C24	**Nantes** Rue de	17 Q. de l'Oise	130 R. de Flandre	Corentin Cariou
15	P13	**Nanteuil** Rue	19 R. Brancion	16 R. St-Amand	Vaugirard
8	F14-F15	**Naples** Rue de	61 R. de Rome	72 Bd Malesherbes	Villiers - Europe
1	J17	**Napoléon** Cour	Palais du Louvre		Palais Royal-Louvre
10	F20	**Napoléon III** Place	Rue de St-Quentin	Rue de Compiègne	Gare du Nord
7	L16	**Narbonne** Rue de	4 R. de la Planche	(en impasse)	Sèvres-Babylone

Ar.	Plan	**Rues** / Streets	Commençant	Finissant	Métro
8	G14	**Narvik** Place de	12 R. de Téhéran	20 Av. de Messine	Miromesnil
11	M26	**Nation** Place de la	R. du Faubourg St-Antoine	Av. du Trône	Nation
12	M26	**Nation** Place de la	R. du Faubourg St-Antoine	Av. du Trône	Nation
13	R22	**National** Passage	25 R. Chât. Rentiers	20 R. Nationale	Porte d'Ivry
12	R25	**National** Pont	Quai de la Gare	Bd Poniatowski	Bibl. F. Mitterrand
13	R25	**National** Pont	Quai de la Gare	Bd Poniatowski	Bibl. F. Mitterrand
13	R22	**Nationale** Impasse	52 R. Nationale	(en impasse)	Olympiades
13	Q22	**Nationale** Place	Rue Nationale	R. du Chât. Rentiers	Olympiades
13	P21-S22	**Nationale** Rue	76 Bd Masséna	Bd Vincent Auriol	Nationale - Olympiades
16	J10-J11	**Nations Unies** Av. des	Av. Albert de Mun	Bd Delessert	Trocadéro
12	P25	**Nativité** Rue de la	Rue de Dijon	Rue de l'Aubrac	Cour St-Émilion
18	D17	**Nattier** Place	Rue Eugène Carrière	Rue F. Ziem	Lamarck-Caulaincourt
9	F18	**Navarin** Rue de	37 R. des Martyrs	16 R. H. Monnier	St-Georges
1	J19	**Navarre** Pl. Marguerite De	Rue des Innocents	Rue de la Lingerie	Châtelet-Les Halles
13	Q22	**Navarre** Pl. du Docteur	1 R. Sthrau	91 R. Nationale	Olympiades
5	N20	**Navarre** Rue de	10 R. Lacépède	57 R. Monge	Place Monge
17	B15-B16	**Navier** Rue	121 Av. de St-Ouen	66 R. Pouchet	Porte de St-Ouen
4	K21	**Necker** Rue	2 R. d'Ormesson	1 R. de Jarente	St-Paul
15	O13	**Necker** Square	Rue La Quintinie	Rue Tessier	Volontaires
7	K13	**Négrier** Cité	151 R. de Grenelle	6 R. E. Psichari	La Tour-Maubourg
15	L10-L11	**Nélaton** Rue	4 Bd de Grenelle	7 R. Dr Finlay	Bir Hakeim
1	J17	**Nemours** Galerie de	Rue St-Honoré	Gal. Théatre Fr.	Palais Royal-Louvre
11	I23	**Nemours** Rue de	Rue Oberkampf	R. J.-P. Timbaud	Parmentier
18	A17-B17	**Nerval** Rue Gérard De	10 R. H. Huchard	R. L. Pasteur Valléry Radot	Porte de St-Ouen
6	K18	**Nesle** Rue de	22 R. Dauphine	17 R. de Nevers	Odéon - St-Michel
12	M28-O28	**Netter** Av. du Dr Arnold	31 R. du Sahel	80 Crs de Vincennes	Porte de Vincennes
1	K18	**Neuf** Pont	Quai du Louvre	Quai de Conti	Pont Neuf
6	K18	**Neuf** Pont	Quai du Louvre	Quai de Conti	Pont Neuf
11	K24	**Neufchâteau** Rue F.	34 R. R. Lenoir	152 Bd Voltaire	Voltaire
15	P10	**Neuf Nov. 1989** Espl. du	Bd Victor	Bd Lefebvre	Pte de Versailles
16	F9	**Neuilly** Avenue de	Pl. de la Pte Maillot	Av. Ch. de Gaulle	Porte Maillot
17	F9	**Neuilly** Avenue de	Pl. de la Pte Maillot	Av. Ch. de Gaulle	Porte Maillot
18	B19-C19	**Neuve de la Chardonnière** R.	50 R. du Simplon	41 R. Championnet	Simplon
11	L25	**Neuve des Boulets** Rue	12 R. Léon Frot	1 R. de Nice	Rue des Boulets
11	I23-J23	**Neuve Popincourt** Rue	58 R. Oberkampf	17 Pas. Beslay	Parmentier
4	L21-L22	**Neuve Saint-Pierre** Rue	19 R. Beautreillis	32 R. St-Paul	St-Paul
13	Q23-Q24	**Neuve Tolbiac** Rue	Avenue de France	Q. François Mauriac	Bibl. F. Mitterrand
17	D12-E13	**Neuville** R. Alphonse De	Place d'Israël	79 Bd Péreire	Wagram
8	F12	**Néva** Rue de la	260 R. du Fbg St-Honoré	75 Bd de Courcelles	Ternes
6	K18	**Nevers** Impasse de	22 R. de Nevers	(en impasse)	Odéon
6	K18	**Nevers** Rue de	1 Q. de Conti	12 R. de Nesle	Pont Neuf
18	A19-B19	**Neveu** Rue Ginette	R. F. de Croisset	32 Av. Pte de Clignancourt	Porte de Clignancourt
16	I12-K11	**New York** Avenue de	Pont de l'Alma	2 R. Beethoven	Alma-Marceau
16	H12	**Newton** Rue	73 Av. Marceau	82 Av. d'Iéna	Kléber
18	B17-B22	**Ney** Boulevard	215 R. Aubervil.	156 Av. de St-Ouen	Porte de St-Ouen
17	E13	**Nicaragua** Place du	Bd Malesherbes	Rue Ampère	Wagram
11	K25-L25	**Nice** Rue de	29 R. Neuve Boulets	152 R. de Charonne	Rue des Boulets
12	P26	**Nicolaï** Rue	R. de Charenton	(en impasse)	Dugommier
20	K28	**Nicolas** Rue	139 Bd Davout	(en impasse)	Porte de Montreuil
17	D15	**Nicolay** Square	16 R. des Moines	77 R. Legendre	Brochant
5	N18-O18	**Nicole** Rue Pierre	27 R. Feuillantines	88 Bd de Port Royal	Port Royal (RER B)
18	D19	**Nicolet** Rue	21 R. Ramey	2 R. Bachelet	Château Rouge
11	L26	**Nicoli** Place Marie-José	15 Rue Guénot	Impasse des Jardiniers	Rue des Boulets
12	N25	**Nicolle** Rue Charles	173 R. de Charenton	11 Cité Moynet	Reuilly Diderot
16	K9	**Nicolo** Hameau	13 R. Nicolo		La Muette
16	J9-K9	**Nicolo** Rue	36 R. Passy	36 R. de la Pompe	La Muette
7	J13-K13	**Nicot** Passage Jean	89 R. St-Dominique	170 R. de Grenelle	La Tour-Maubourg
7	J13	**Nicot** Rue Jean	65 Q. d'Orsay	72 R. St-Dominique	La Tour-Maubourg
17	E12-F11	**Niel** Avenue	30 Av. des Ternes	5 Pl. du Mal Juin	Ternes - Pereire
17	F12	**Niel** Villa	30 Av. Niel	(en impasse)	Ternes - Pereire
14	P15	**Niepce** Rue	79 R. de l'Ouest	56 R. R. Losserand	Pernety
20	M28	**Niessel** Rue du Général	93 Crs de Vincennes	90 R. de Lagny	Porte de Vincennes
13	R23	**Nieuport** Villa	39 R. Terres Curé	(en impasse)	Porte d'Ivry
12	N28	**Niger** Rue du	111 Bd Soult	92 Av. de St-Mandé	Porte de Vincennes
15	M13	**Nikis** Rue Mario	112 Av. Suffren	8 R. Chasseloup Laubat	Cambronne
2	I19	**Nil** Rue du	1 R. de Damiette	30 R. des Petits Carreaux	Sentier
16	O7-P7	**Niox** Rue du Général	Q. du Point du Jour	130 Bd Murat	Porte de St-Cloud
16	G9	**Noailles** Square Anna De	Bd Thierry Martel	R. du Gal Anselin	Porte Maillot
18	D18	**Nobel** Rue	119 R. Caulaincourt	9 R. Francœur	Lamarck-Caulaincourt

Ar.	Plan	Rues / Streets	Commençant	Finissant	Métro
15	L10	**Nocard** Rue	13 Quai de Grenelle	8 R. Nélaton	Bir Hakeim
18	E19	**Nodier** Rue Charles	10 R. Livingstone	R. Ronsard	Anvers
3	J20	**Noël** Cité	22 R. Rambuteau	(en impasse)	Rambuteau
19	E23	**Noguères** Rue Henri	45 Av. J. Jaurès	Quai de la Loire	Jaurès
14	R13	**Noguès** Rue Maurice	4 Av. M. Sangnier	(en impasse)	Porte de Vanves
14	R13	**Noguès** Square Maurice	R. Maurice Noguès		Porte de Vanves
19	E23	**Nohain** Rue Jean	R. Clovis Hugues	(en impasse)	Jaurès
16	H9	**Noisiel** Rue de	41 R. Émile Ménier	23 R. Spontini	Porte Dauphine
20	G29-H28	**Noisy-le-Sec** Rue de	R. des Fougères	R. de Noisy-le-Sec	St-Fargeau
17	D15-E16	**Nollet** Rue	20 R. des Dames	164 R. Cardinet	Place de Clichy
17	D15	**Nollet** Square	103 R. Nollet	(en impasse)	Brochant
18	C18	**Nollez** Cité	146 R. Ordener	(en impasse)	Lamarck-Caulaincourt
11	L23	**Nom de Jésus** Cour du	47 R. du Fbg St-Antoine	(en impasse)	Bastille
4	L21	**Nonnains d'Hyères** R. des	Quai Hôtel de Ville	1 R. de Jouy	Pont Marie - St-Paul
19	E24	**Nord** Passage du	25 R. Petit	31 R. Petit	Laumière
18	C19-C20	**Nord** Rue du	97 R. des Poissonniers	114 R. Clignanc.	Marcadet-Poissonniers
11	L24	**Nordling** Square Raoul	R. Charrière	R. C. Delescluze	Faidherbe-Chaligny
13	P18-P19	**Nordmann** R. L.-Maurice	45 Bd Arago	61 R. de la Santé	Glacière
3	I22-J22	**Normandie** Rue de	39 R. Debelleyme	62 R. Charlot	Filles du Calvaire
18	D18	**Norvins** Rue	Pl. du Tertre	4 R. Girardon	Abbesses
4	K19	**Notre-Dame** Pont	Quai de Gesvres	Quai de la Corse	Cité - Châtelet
2	H19	**N.-D. de Bonne Nouvelle** R.	19 R. Beauregard	21 Bd Bonne Nouvelle	Bonne Nouvelle
9	F17-G18	**Notre-Dame de Lorette** R.	2 R. St-Lazare	R. J.-B. Pigalle	St-Georges
3	I20-I21	**N.-D. de Nazareth** Rue	201 R. Temple	104 Bd Sébastopol	Temple
2	H19	**N.-D. de Recouvrance** R.	1 R. Beauregard	37 Bd Bonne Nouvelle	Bonne Nouvelle
6	M16-O17	**N.-D. des Champs** Rue	125 R. de Rennes	18 Av. de l'Observatoire	Vavin - St-Placide
2	H18-I18	**N.-D. des Victoires** Rue	9 Pl. Petits Pères	141 R. Montmartre	Bourse
17	C13	**Noureev** Rue Rudolf	8 R. Albert Roussel	(en impasse)	Pereire
20	I24	**Nouveau Belleville** Sq. du	32 Bd de Belleville	Sq. N. Belleville	Couronnes
19	D25	**Nouveau Conservat.** Av. du	R. Ed. Varèse	Av. Jean Jaurès	Porte de Pantin
8	G12	**Nouvelle** Villa	30 Av. de Wagram	(en impasse)	Ternes
12	O28	**Nouvelle Calédonie** R. de la	20 Bd Soult	R. du Gal Archinard	Porte Dorée
14	Q15-Q16	**Noyer** Rue Olivier	32 R. Léonidas	41 R. Didot	Plaisance - Alésia
19	D27-E27	**Noyer Durand** Rue du	59 Av. de la Pte Chaumont	R. du Progrès	Porte de Pantin
16	N5	**Nungesser et Coli** Rue	Bd d'Auteuil	14 R. C. Farrère	Porte d'Auteuil
20	H28	**Nymphéas** Villa des	R. Surmelin	R. de la Justice	St-Fargeau

O

Ar.	Plan	Rues / Streets	Commençant	Finissant	Métro
11	I24-J22	**Oberkampf** Rue	106 R. Amelot	143 Bd de Ménilmontant	Ménilmontant
19	A23	**Oberlé** Rue Jean	7 Av. de la Pte d'Aubervilliers	R. Emile Bollaert	Porte de la Chapelle
5	N18-O18	**Observatoire** Av. de l'	R. Auguste Comte	Observatoire de Paris	Port Royal (RER B)
6	N18-O18	**Observatoire** Av. de l'	R. Auguste Comte	Observatoire de Paris	Port Royal (RER B)
14	N18-O18	**Observatoire** Av. de l'	R. Auguste Comte	Observatoire de Paris	Port Royal (RER B)
14	R14-R15	**Ocagne** Av. Maurice D'	Av. G. Lafenestre	Av. de la Pte de Châtillon	Porte de Vanves
6	L18	**Odéon** Carrefour de l'	Bd St-Germain	R. Mr le Prince	Odéon
6	M18	**Odéon** Place de l'	R. de l'Odéon	R. Rotrou	Odéon
6	L18-M18	**Odéon** Rue de l'	16 Carr. de l'Odéon	1 Pl. de l'Odéon	Odéon
14	O16	**Odessa** Rue d'	3 R. du Départ	56 Bd E. Quinet	Montparnasse-Bienv.
8	G13	**Odiot** Cité	15 R. de Berri	26 R. Washington	George V
17	D10-D11	**Oestreicher** Rue Jean	Av. de la Pte de Champerret	R. du Caporal Peugeot	Porte de Champerret
16	K8	**Offenbach** Rue Jacques	3 R. du Gal Aubé	6 R. A. Arnauld	Ranelagh
19	C25-D24	**Oise** Quai de l'	R. de Crimée	1 Q. de la Gironde	Crimée
19	D24	**Oise** Rue de l'	9 Q. de l'Oise	47 R. de l'Ourcq	Crimée
3	J21	**Oiseaux** Rue des	Rue de Bretagne	16 R. de Beauce	Filles du Calvaire
16	M7	**Olchanski** R. du Capitaine	126 Av. Mozart	2 R. Mission Marchand	Michel Ange-Auteuil
15	P11	**Olier** Rue	25 R. Desnouettes	364 R. de Vaugirard	Porte de Versailles
18	D21-C21	**Olive** Rue l'	92 R. Riquet	37 R. de Torcy	Marx Dormoy
7	M15	**Olivet** Rue d'	68 R. Vaneau	9 R. P. Leroux	Vaneau
13	R20	**Onfroy** Impasse	13 R. Damesme	(en impasse)	Tolbiac
10	G21	**Onze Novembre 1918** Pl. du	R. d'Alsace	Pl. du 8 Mai 1945	Gare de l'Est
1	I17	**Opéra** Avenue de l'	5 Pl. A. Malraux	1 Pl. de l'Opéra	Opéra
2	I17	**Opéra** Avenue de l'	5 Pl. A. Malraux	1 Pl. de l'Opéra	Opéra
2	H17	**Opéra** Place de l'	Avenue de l'Opéra	Rue Auber	Opéra
9	H17	**Opéra** Place de l'	Avenue de l'Opéra	Rue Auber	Opéra

Ar.	Plan	**Rues** / Streets	Commençant	Finissant	Métro
9	H16	**Opéra Louis Jouvet** Sq. de l'	5 R. Boudreau	10 R. Édouard VII	Havre-Caumartin
15	Q10-Q9	**Oradour-sur-Glane** R. d'	Rue Porte d'Issy	Rue Ernest-Renan	Porte de Versailles
18	D20	**Oran** Rue d'	3 R. Ernestine	46 R. des Poissonniers	Marcadet-Poissonniers
1	J18	**Oratoire** Rue de l'	158 R. de Rivoli	143 R. St-Honoré	Louvre-Rivoli
18	D18-E18	**Orchampt** Rue d'	15 R. Ravignan	100 R. Lepic	Abbesses
13	S19	**Orchidées** Rue des	36 R. Brillat Savarin	27 R. A. Lançon	Cité Univ. (RER B)
18	C17-D21	**Ordener** Rue	73 R. M. Dormoy	191 R. Championnet	Marx Dormoy
18	C18	**Ordener** Villa	Rue Ordener	(en impasse)	Jules Joffrin
1	K18-L19	**Orfèvres** Quai des	Pont St-Michel	Pont Neuf	St-Michel
1	K19	**Orfèvres** Rue des	6 R. St-Germain l'A.	15 R. J. Lantier	Châtelet
20	I26	**Orfila** Impasse	26 R. Orfila	(en impasse)	Gambetta
20	H27-I26	**Orfila** Rue	4 Pl. M. Nadaud	69 R. Pelleport	Gambetta - Pelleport
3	H21-I21	**Orgues** Passage des	36 R. Meslay	29 Bd St-Martin	République
19	D23	**Orgues de Flandre** Al. des	26 R. Riquet	11 R. Mathis	Riquet
11	H23-H24	**Orillon** Rue de l'	158 R. St-Maur	71 Bd de Belleville	Goncourt - Belleville
14	S16	**Orléans** Porte d'	Av. de la Porte Orléans	9 R. Légion Étrangère	Porte d'Orléans
14	Q16-Q17	**Orléans** Portique d'	28 Av. du Gal Leclerc	2 Sq. Henri Delormel	Mouton-Duvernet
4	L20	**Orléans** Quai d'	1 R. des Deux Ponts	2 R. J. du Bellay	Pont Marie
9	F17-F18	**Orléans** Square d'	80 R. Taitbout	(en impasse)	St-Georges
14	Q16	**Orléans** Villa d'	43 R. Bezout	Pas. Montbrun	Alésia
19	F27	**Orme** Rue de l'	25 R. Romainville	87 Bd Sérurier	Pré St-Gervais
20	L27	**Ormeaux** Rue des	34 Bd de Charonne	22 R. d'Avron	Avron
20	L27	**Ormeaux** Square des	Rue des Ormeaux	R. des Gds Champs	Buzenval
4	K21	**Ormesson** Rue d'	Rue de Sévigné	Rue de Turenne	St-Paul
18	B19-C19	**Ornano** Boulevard	44 R. Ordener	33 Bd Ney	Marcadet-Poissonniers
18	C19	**Ornano** Square	14 Bd Ornano	(en impasse)	Marcadet-Poissonniers
18	B19	**Ornano** Villa	61 Bd Ornano	(en impasse)	Porte de Clignancourt
7	J13-J15	**Orsay** Quai d'	Avenue A. Briand	Pl. de la Résistance	Invalides
18	E18	**Orsel** Cité d'	32 R. d'Orsel	19 Pl. St-Pierre	Abbesses
18	E18-E19	**Orsel** Rue d'	3 R. de Clignancourt	88 R. Martyrs	Anvers
20	K27	**Orteaux** Impasse des	14 R. des Orteaux	Sq. Monsoreau	Alexandre Dumas
20	K26-K28	**Orteaux** Rue des	36 R. de Bagnolet	59 R. Croix St-Simon	Alexandre Dumas
5	N19-N20	**Ortolan** Rue	23 R. Gracieuse	55 R. Mouffetard	Place Monge
5	N20	**Ortolan** Square	Rue St-Médard	Rue Ortolan	Place Monge
18	C16-C17	**Oslo** Rue d'	154 R. Lamarck	239 R. Marcadet	Guy Môquet
20	G27	**Otages** Villa des	85 R. Haxo	(en impasse)	Télégraphe
9	G17-H17	**Oudin** Place Adrien	26 Bd Haussmann	28 Bd Haussmann	Richelieu Drouot
13	R23-R24	**Oudiné** Rue Eugène	1 R. Cantagrel	30 R. Albert	Bibl. F. Mitterrand
7	L15	**Oudinot** Impasse	55 R. Vaneau	(en impasse)	Vaneau
7	L15-M14	**Oudinot** Rue	56 R. Vaneau	47 Bd des Invalides	Vaneau
12	O28-P28	**Oudot** Rue du Colonel	271 Av. Daumesnil	25 Bd Soult	Porte Dorée
13	O20-P20	**Oudry** Rue	14 R. du Jura	3 R. Le Brun	Les Gobelins
15	M12	**Ouessant** Rue d'	7 R. Pondichéry	64 Av. La Motte-Picquet	La Motte-P.-Grenelle
14	O15-P14	**Ouest** Rue de l'	92 Av. du Maine	180 R. d'Alésia	Plaisance - Gaîté
19	C25-C26	**Ourcq** Galerie de l'	Parc de la Villette	Gal. de la Villette	Porte de la Villette
19	C23-D25	**Ourcq** Rue de l'	143 Av. J. Jaurès	168 R. d'Aubervilliers	Ourcq - Crimée
11	L23	**Ours** Cour de l'	95 R. du Fbg St-Antoine	(en impasse)	Ledru-Rollin
3	J20	**Ours** Rue aux	187 R. St-Martin	58 Bd Sébastopol	Étienne Marcel
6	N16	**Ozanam** Place	Rue de Cicé	Bd du Montparnasse	Vavin
6	N16	**Ozanam** Square	Rue de Cicé	Bd du Montparnasse	Vavin
		P			
11	K24	**Pache** Rue	121 R. de la Roquette	11 R. St-Maur	Voltaire
16	L6	**Padirac** Square de	108 Bd Suchet	17 Av. du Mal Lyautey	Porte d'Auteuil
15	P11	**Pado** Rue Dominique	R. de la Croix Nivert		Porte de Versailles
20	L28-L29	**Paganini** Rue	46 Bd Davout	R. Maryse Hilsz	Porte de Montreuil
8	G15	**Pagnol** Square Marcel	R. Laborde	Av. C. Caire	St-Augustin
19	F23-F24	**Pailleron** Rue Édouard	114 Av. S. Bolivar	59 R. Manin	Bolivar
5	M18	**Paillet** Rue	9 R. Soufflot	4 R. Malebranche	Luxembourg (RER B)
5	M19	**Painlevé** Place Paul	1 R. de la Sorbonne	47 R. des Écoles	Cluny-La Sorbonne
2	H17	**Paix** Rue de la	2 R. des Capucines	1 Pl. de l'Opéra	Opéra
18	C21-E21	**Pajol** Rue	8 Pl. de la Chapelle	1 Pl. Hébert	La Chapelle
16	K8	**Pajou** Rue	77 R. des Vignes	8 R. du Gal Aubé	La Muette
1	K19-L19	**Palais** Boulevard du	1 Q. de l'Horloge	8 Q. du Marché Neuf	Cité

Ar.	Plan	**Rues** / Streets	Commençant	Finissant	Métro
4	K19	**Palais** Boulevard du	Pont St-Michel	Pont au Change	Cité
7	J15	**Palais Bourbon** Place du	85 R. de l'Université	4 R. de Bourgogne	Assemblée Nationale
1	I18	**Palais Royal** Jardin du	Palais Royal		Palais Royal-Louvre
1	J18	**Palais Royal** Place du	168 R. de Rivoli	155 R. St-Honoré	Palais Royal-Louvre
19	G25	**Pal. Ral de Belleville** Cité du	38 R. des Solitaires	(en impasse)	Jourdain
6	L17	**Palatine** Rue	4 R. Garancière	1 Pl. St-Sulpice	Mabillon - St-Sulpice
19	G25	**Palestine** Rue de	139 R. de Belleville	26 R. des Solitaires	Jourdain
2	I20	**Palestro** Rue de	29 R. de Turbigo	7 R. du Caire	Réaumur-Sébastopol
20	H24	**Pali Kao** Rue de	74 Bd de Belleville	73 R. J. Lacroix	Couronnes
6	L17	**Palissy** Rue Bernard	54 R. de Rennes	15 R. Dragon	St-Germain-des-Prés
18	D20	**Panama** Rue de	15 R. Léon	32 R. des Poissonniers	Château Rouge
11	J23	**Paname** Galerie de	69 Bd Richard-Lenoir	79 Bd Richard-Lenoir	Richard-Lenoir
13	O21	**Panhard** Rue René	18 R. des Wallons	19 Bd St-Marcel	St-Marcel
13	Q24-R25	**Panhard et Levassor** Q.	Pont National	Pont de Tolbiac	Bibl. F. Mitterrand
11	L23	**Panier Fleuri** Cour du	17 R. de Charonne	(en impasse)	Bastille
2	H18	**Panoramas** Passage des	10 R. St-Marc	11 Bd Montmartre	Grands Boulevards
2	H18	**Panoramas** Rue des	14 R. Feydeau	9 R. St-Marc	Bourse
20	I25	**Panoyaux** Impasse des	6 R. des Panoyaux	(en impasse)	Ménilmontant
20	I24-I25	**Panoyaux** Rue des	130 Bd de Ménilmontant	R. des Plâtrières	Ménilmontant
5	M19	**Panthéon** Place du	R. Cujas	R. Clotaire	Card. Lemoine
19	D26	**Pantin** Porte de	Bd Sérurier	Pl. de la Porte Pantin	Porte de Pantin
13	R20	**Pape** Rue Henri	18 R. Damesme	Pl. Abbé G. Henocque	Tolbiac
6	L17	**Pape Carpantier** R. Marie	20 R. Madame	1 R. Cassette	St-Sulpice
9	G19	**Papillon** Rue	2 R. Bleue	17 R. Montholon	Poissonnière - Cadet
3	I20	**Papin** Rue	259 R. St-Martin	98 Bd Sébastopol	Réaumur-Sébastopol
20	H27	**Paquelin** Rue du Docteur	76 Av. Gambetta	11 R. E. Lefèvre	Pelleport
10	G19-G20	**Paradis** Cité	43 R. de Paradis	(en impasse)	Poissonnière
10	G19-G20	**Paradis** Rue de	95 R. du Fbg St-Denis	64 R. du Fbg Poissonnière	Poissonnière
16	H9	**Paraguay** Place du	85 Av. Foch	50 Av. Bugeaud	Porte Dauphine
17	D13	**Paray** Square Paul	R. de Saussure	(en impasse)	Pereire
19	B25	**Parc** La Terrasse du	Bd Macdonald	Espl. de la Rotonde	Porte de la Villette
19	G24	**Parc** Villa du	21 R. Pradier	10 R. Botzaris	Buttes Chaumont
20	J27	**Parc de Charonne** Ch. du	5 R. Prairies	2 R. Stendhal	Porte de Bagnolet
13	R21	**Parc de Choisy** Allée du	123 Av. Choisy	(en impasse)	Tolbiac
14	S17	**Parc de Montsouris** R. du	4 R. Deutsch de la M.	18 R. Nansouty	Cité Univ. (RER B)
14	S17	**Parc de Montsouris** V. du	8 R. Deutsch de la M.	(en impasse)	Cité Univ. (RER B)
16	K10	**Parc de Passy** Av. du	34 Av. du Pdt Kennedy	25 R. Raynouard	Passy
16	N6-O6	**Parc des Princes** Av. du	1 R. Claude Farrère	Pl. Dr P. Michaux	Porte de St-Cloud
3	K21-K22	**Parc Royal** Rue du	49 R. Turenne	4 Pl. de Thorigny	Chemin Vert
11	L23	**Parchappe** Cité	21 R. du Fbg St-Antoine	10 Pas. Cheval Blanc	Bastille
5	L19	**Parcheminerie** Rue de la	28 R. St-Jacques	41 R. de la Harpe	Cluny-La Sorbonne
10	E20-F20	**Paré** Rue Ambroise	95 R. Maubeuge	152 Bd de Magenta	Gare du Nord
16	O6-O7	**Parent de Rosan** Rue	98 R. Boileau	89 R. Michel Ange	Exelmans
9	F16	**Parme** Rue de	59 R. de Clichy	78 R. d'Amsterdam	Liège
10	H22-K24	**Parmentier** Avenue	10 Pl. Léon Blum	24 R. Alibert	Parmentier
11	H23-K24	**Parmentier** Avenue	10 Pl. Leon Blum	24 R. Alibert	Parmentier
14	N16	**Parnassiens** Galerie des	Bd du Montparnasse	R. Delambre	Vavin
10	F22	**Parodi** Rue Alexandre	167 Quai de Valmy	222 R. du Fbg St-Martin	Louis Blanc
16	G9	**Parodi** Square A. et R.	Bd de l'Amiral Bruix	Bd Thierry de Martel	Porte Maillot
12	M23	**Parrot** Rue	4 R. de Lyon	30 Av. Daumesnil	Gare de Lyon
20	I25-I26	**Partants** Rue des	52 R. Amandiers	24 R. Soleillet	Père Lachaise
19	B25	**Parvis** Place du	Av. Corentin Cariou	Espl. de la Rotonde	Porte de la Villette
18	E19	**Parvis du Sacré Cœur** Pl. du	Parvis Basilique	R. du Cardinal Dubois	Abbesses - Anvers
4	L19	**Parvis Notre-Dame** Pl. du	23 R. d'Arcole	6 R. de la Cité	Cité
16	J8	**Pascal** Rue André	23 R. Franqueville	(en impasse)	La Muette
5	O20-P19	**Pascal** Rue	2 R. de Bazeilles	50 R. Cordelières	Censier-Daubenton
13	O20-P19	**Pascal** Rue	2 R. de Bazeilles	50 R. Cordelières	Censier-Daubenton
3	K22	**Pas-de-la-Mule** Rue du	R. Francs Bourgeois	Bd Beaumarchais	Chemin Vert
4	K22	**Pas-de-la-Mule** Rue du	R. Francs Bourgeois	Bd Beaumarchais	Chemin Vert
11	J22	**Pasdeloup** Place	108 R. Amelot	Bd du Temple	Filles du Calvaire
8	G16-H16	**Pasquier** Rue	6 Bd Malesherbes	3 R. de la Pépinière	St-Lazare
12	P28	**Pasquier** Square Pierre	Bd Soult	Porte Dorée	Porte Dorée
16	K9	**Passy** Place de	67 R. de Passy	22 R. Duban	La Muette
16	L9-J11	**Passy** Port de	Pont de Grenelle	Pont d'Iéna	Passy
16	K7	**Passy** Porte de	Pont d'Iéna	Pont de Grenelle	Passy
16	K10-K8	**Passy** Rue de	Pl. de Costa Rica	60 R. de Boulainvilliers	Passy - La Muette
16	K9	**Passy-Plaza** Galerie	Rue de Passy	R. de l'Annonciation	La Muette

Ar.	Plan	**Rues** / Streets	Commençant	Finissant	Métro
15	N13-O15	**Pasteur** Boulevard	165 R. de Sèvres	Pl. des 5 Mart. du Lyc. Buffon	Sèvres-Lecourbe
11	J23	**Pasteur** Rue	8 R. de la Folie Méricourt	41 Av. Parmentier	St-Ambroise
15	N14	**Pasteur** Square	3 R. Lecourbe	(en impasse)	Sèvres-Lecourbe
18	A17	**Pasteur Vallery Radot** R. L.	Av. de la Pte de Saint-Ouen	36 Av. de la Pte de St-Ouen	Porte de St-Ouen
3	J21	**Pastourelle** Rue	17 rue Charlot	124 R. du Temple	Arts et Métiers
13	Q22-R23	**Patay** Rue de	12 Bd Masséna	49 R. de Domrémy	Olympiades - Porte d'Ivry
16	M8	**Paté** Square Henry	34 rue Félicien David	27 R. Fr. Gérard	Mirabeau
20	M28	**Patenne** Square	3 rue Frédéric Loliée	66 R. de la Plaine	Maraîchers
10	E20	**Patin** Rue Guy	Rue Ambroise Paré	45 Bd de la Chapelle	Barbès-Rochechouart
5	O19-O20	**Patriarches** Passage des	6 R. des Patriarches	99 R. Mouffetard	Censier-Daubenton
5	N20-O20	**Patriarches** Rue des	7 R. de l'Épée de Bois	44 R. Daubenton	Censier-Daubenton
16	G10	**Patton** Place du Général	Av. de la Gde Armée	Rue Duret	Porte Maillot
18	D18	**Patureau** Rue de l'Abbé	7 R. P. Féval	116 R. Caulaincourt	Lamarck-Caulaincourt
16	M8-M9	**Pâtures** Rue des	40 Av. de Versailles	19 R. Félicien David	Mirabeau
14	Q13	**Paturle** Rue	R. R. Losserand	235 R. Vercingétorix	Porte de Vanves
14	P15	**Paul** Place Marcel	5 R. Sainte-Léonie		Pernety
17	C13-B13	**Paul** Rue Marcel	Bd F. Douaumont	Rue Cailloux	Porte de Clichy
7	J11-K12	**Paulhan** Allée Jean	Quai Branly	Av. Gustave Eiffel	Ch. de Mars-Tr Eiffel (RER C)
14	Q14	**Pauly** Rue	151 R. R. Losserand	16 R. Suisses	Plaisance
4	K21	**Pavée** Rue	10 R. de Rivoli	R. Francs Bourgeois	St-Paul
17	E10	**Pavillons** Avenue des	15 Av. Verzy	Av. Y. du Manoir	Porte de Champerret
18	B18	**Pavillons** Impasse des	4 R. Leibniz	(en impasse)	Porte de St-Ouen
20	H26	**Pavillons** Rue des	42 R. Pixérécourt	129 R. Pelleport	Télégraphe
15	O14	**Payen** Rue Anselme	11 R. Vigée Lebrun	99 R. Falguière	Volontaires
3	K21	**Payenne** Rue	20 R. Francs Bourgeois	15 R. du Parc Royal	St-Paul
13	S23	**Péan** Rue	55 Bd Masséna	10 Av. C. Regaud	Porte d'Ivry
17	C16	**Pécaut** Rue Félix	R. Maria Deraismes	Rue J. Leclaire	Guy Môquet
15	N12-O12	**Péclet** Rue	42 R. Mademoiselle	102 R. Blomet	Vaugirard
4	J20	**Pecquay** Rue	34 R. des Blancs Manteaux	5 R. Rambuteau	Rambuteau
18	D18	**Pecqueur** Pl. Constantin	15 R. Girardon	2 R. Lucien Gaulard	Lamarck-Caulaincourt
15	P7	**Pégoud** Rue	9 Q. d'Issy les Moulineaux	Av. du Mal Gallieni	Bd Victor (RER C)
6	N16	**Péguy** Rue	11 R. Stanislas	93 Bd du Montparnasse	Vavin
12	O28	**Péguy** Square Charles	Rue Marie Laurencin		Michel Bizot
2	I20-J20	**Peintres** Impasse des	112 R. St-Denis	(en impasse)	Étienne Marcel
20	H24	**Pékin** Passage de	62 R. J. Lacroix	56 R. J. Lacroix	Couronnes - Pyrénées
11	J22-J23	**Pelée** Rue	62 R. St-Sabin	63 Bd R. Lenoir	Richard-Lenoir
17	C15	**Pélerin** Impasse du	97 R. de la Jonquière	(en impasse)	Porte de Clichy
1	J18	**Pélican** Rue du	11 R. J.-J. Rousseau	8 R. Croix des Petits Chps	Palais Royal-Louvre
20	G27-J28	**Pelleport** Rue	143 R. de Bagnolet	234 R. de Belleville	Gambetta - Pelleport
20	G26	**Pelleport** Villa	155 R. Pelleport	(en impasse)	Télégraphe
14	P16	**Pelletan** Rue Eugène	13 R. Froidevaux	1 R. Lalande	Denfert-Rochereau
17	B16	**Pelloutier** Rue Fernand	4 R. Pont à Mousson	13 R. L. Loucheur	Porte de St-Ouen
8	F15	**Pelouze** Rue	7 R. Andrieux	36 R. Constantinople	Villiers
20	H28-I28	**Penaud** Rue Alphonse	39 R. Cap. Ferber	54 R. du Surmelin	Pelleport
18	B18	**Penel** Passage	84 R. Championnet	92 R. du Ruisseau	Porte de Clignancourt
12	M26-M27	**Pensionnat** Rue du	Avenue du Bel Air	R. des Col. du Trône	Nation
8	G15-H14	**Penthièvre** Rue de	21 R. Cambacérès	124 R. du Fbg St-Honoré	Miromesnil
8	G15-G16	**Pépinière** Rue de la	Pl. Gabriel Péri	4 Pl. St-Augustin	St-Lazare
14	O15	**Perceval** Rue de	9 R. Vercingétorix	24 R. de l'Ouest	Gaîté
16	M7-M8	**Perchamps** Rue des	20 R. d'Auteuil	59 R. J. De La Fontaine	Église d'Auteuil
3	J21	**Perche** Rue du	107 R. Vieille du Temple	6 R. Charlot	St-Sébastien-Froissart
8	G14	**Percier** Avenue	38 R. La Boétie	121 Bd Haussmann	Miromesnil
10	E21	**Perdonnet** Rue	214 R. du Fbg St-Denis	33 R. P. de Girard	La Chapelle
20	I27-J26	**Père Lachaise** Av. du	56 R. des Rondeaux	3 Pl. Gambetta	Gambetta
20	I28	**Perec** Rue Georges	R. Jules Siegfried	R. Paul Strauss	Porte de Bagnolet
17	D14-F10	**Péreire Nord** Boulevard	Bd Gouvion St-Cyr	R. de Saussure	Porte Maillot
17	D14-F10	**Péreire** Sud Boulevard	R. J. d'Abbans	Av. de la Gde Armée	Porte Maillot
13	T19	**Pergaud** Rue Louis	R. F. de Miomandre	R. du Val-de-Marne	Cité Univ. (RER B)
16	G10-G9	**Pergolèse** Rue	61 Av. de la Gde Armée	66 Av. Foch	Porte Maillot
8	G16	**Péri** Place Gabriel	12 R. de Rome	R. St-Lazare	St-Lazare
15	Q12	**Périchaux** Rue des	49 R. de Dantzig	112 R. Brancion	Porte de Versailles
15	Q12	**Périchaux** Square des	R. des Périchaux	Bd Lefèbvre	Porte de Vanves
7	K15	**Périer** Rue Casimir	31 R. St-Dominique	124 R. de Grenelle	Solférino
16	I12	**Périer** Rue des Frères	2 Av. de New York	1 Av. du Pdt Wilson	Alma-Marceau
7	M13-M14	**Pérignon** Rue	48 Av. de Saxe	35 Bd Garibaldi	Ségur
15	M13-M14	**Pérignon** Rue	48 Av. de Saxe	35 Bd Garibaldi	Ségur
20	K28-L28	**Périgord** Square du	7 Sq. la Gascogne	4 Sq. la Guyenne	Porte de Montreuil

Ar.	Plan	**Rues** / Streets	Commençant	Finissant	Métro
19	E26	**Périgueux** Rue de	106 Bd Sérurier	5 Bd d'Indochine	Danube
3	J21-K21	**Perle** Rue de la	1 Pl. de Thorigny	78 R. Vieille du Temple	St-Paul
4	K19	**Pernelle** Rue	7 R. St-Bon	4 Bd Sébastopol	Châtelet
15	N11	**Pernet** Place Étienne	98 R. des Entrepreneurs	2 R. F. Faure	Félix Faure
14	P14-P15	**Pernety** Rue	24 R. Didot	71 R. Vercingétorix	Pernety
8	G14	**Pérou** Place du	4 av. de Messine	134 Bd Haussmann	Miromesnil
1	J18	**Perrault** Rue	4 Pl. du Louvre	85 R. de Rivoli	Louvre-Rivoli
3	I21	**Perrée** Rue	21 R. de Picardie	158 R. du Temple	Temple
13	R21	**Perret** Rue Auguste	105 Av. de Choisy	81 Av. d'Italie	Tolbiac
20	I27	**Perreur** Passage	40 R. du Cap. Marchal	21 R. de la Dhuys	Pelleport
20	H28-I27	**Perreur** Villa	22 R. de la Dhuys	(en impasse)	Pelleport
16	M8	**Perrichont** Avenue	31 Av. Th. Gautier	24 R. Félicien David	Mirabeau
7	K17	**Perronet** Rue	32 R. Sts-Pères	15 R. du Pré Clercs	St-Germain-des-Prés
14	P16	**Perroy** Place Gilbert	R. Mouton-Duvernet	Av. du Maine	Mouton-Duvernet
18	D19	**Pers** Impasse	47 R. Ramey	(en impasse)	Marcadet-Poissonniers
17	E10-F10	**Pershing** Boulevard	46 Bd Gouvion St-Cyr	Pl. de Verdun	Porte Maillot
5	N20	**Pestalozzi** Rue	80 R. Monge	6 R. Épée de Bois	Place Monge
15	N12-O12	**Petel** Rue	12 R. Péclet	106 R. Blomet	Vaugirard
13	O20-P20	**Peter** Rue Michel	79 Bd St-Marcel	22 R. Reine Blanche	Les Gobelins
17	E10	**Peterhof** Avenue de	Av. des Pavillons	43 R. Guersant	Porte de Champerret
17	C16	**Petiet** Rue	101 Av. de St-Ouen	8 R. M. Deraismes	Guy Môquet
19	F27	**Petin** Impasse	24 R. des Bois	(en impasse)	Pré St-Gervais
11	J24-K24	**Pétion** Rue	119 R. de la Roquette	86 R. du Chemin Vert	Voltaire
11	L25	**Petit** Impasse Charles	4 R. P. Bert	(en impasse)	Faidherbe-Chaligny
19	D26-E24	**Petit** Rue	32 Av. Laumière	Bd Sérurier	Porte de Pantin
17	C15	**Petit Cerf** Passage	184 Av. de Clichy	19 R. Boulay	Porte de Clichy
16	E10	**Petit De Julleville** Sq. C.	Bd D'Aurelle De Paladines	R. G. Charpentier	Porte Maillot
13	P21	**Petit Modèle** Impasse du	19 Av. S. Pichon	(en impasse)	Place d'Italie
5	O20	**Petit Moine** Rue du	23 R. de la Collégiale	7 Av. des Gobelins	Les Gobelins
4	L21-L22	**Petit Musc** Rue du	2 Q. des Célestins	23 R. St-Antoine	Sully-Morland
5	L19	**Petit Pont** Place du	Q. du Marché Neuf	Q. de Montebello	St-Michel
4	L19	**Petit Pont** Pont	Pl. du Petit Pont	R. de la Cité	St-Michel
5	L19	**Petit Pont** Pont	Pl. du Petit Pont	R. de la Cité	St-Michel
5	L19	**Petit Pont** Rue du	Quai de Montebello	R. Galande	St-Michel
16	P6-P7	**Petite Arche** Rue de la	21 R. Malleterre	R. A. Ferry	Porte de St-Cloud
6	L17	**Petite Boucherie** P.	1 R. de l'Abbaye	166 Bd St-Germain	St-Germain-des-Prés
11	K25-L25	**Petite Pierre** Rue de la	21 R. Neuve des Boulets	150 R. de Charonne	Rue des Boulets
1	J19	**Petite Truanderie** R. de la	16 R. Mondétour	11 R. P. Lescot	Les Halles
11	I23	**Petite Voirie** P. de la	20 R. du Marché Pop.	4 R. N. Popincourt	Parmentier
10	G20-H20	**Petites Écuries** Cour des	18 R. d'Enghien	61 R. du Fbg St-Denis	Château d'Eau
10	G20-H20	**Petites Écuries** P. des	15 R. des Petites Écuries	Cr des Petites Écuries	Château d'Eau
10	G19-G20	**Petites Écuries** Rue des	71 R. du Fbg St-Denis	42 R. du Fbg Poissonnière	Château d'Eau
19	G26	**Petitot** Rue	15 R. Pré St-Gervais	14 R. des Fêtes	Pl. des Fêtes
2	H19-I19	**Petits Carreaux** Rue des	36 R. St-Sauveur	44 R. de Cléry	Sentier
1	I17-I18	**Petits Champs** Rue des	1 R. de la Banque	26 Av. de l'Opéra	Pyramides
2	I17-I18	**Petits Champs** Rue des	1 R. de la Banque	76 Av. de l'Opéra	Pyramides
10	F20-G20	**Petits Hôtels** Rue des	87 Bd de Magenta	4 R. de la Banque	Gare du Nord
2	I18	**Petits Pères** P. des	R. de la Banque	Pl. Petits Pères	Bourse - Sentier
2	I18	**Petits Pères** Place des	R. des Petits Pères	Rue du Mail	Bourse - Sentier
2	I18	**Petits Pères** Rue des	6 R. La Feuillade	1 R. Vide Gousset	Bourse - Sentier
19	C27-D26	**Petits Ponts** Route des	Av. de la Pte de Pantin	Av. du Gal Leclerc (Pantin)	Hoche
16	J10	**Pétrarque** Rue	10 Av. P. Doumer	28 R. Scheffer	Trocadéro
16	J10-J9	**Pétrarque** Square	31 R. Scheffer	(en impasse)	Trocadéro
9	F19	**Pétrelle** Rue	155 R. du Fbg Poissonnière	58 R. Rochechouart	Poissonnière
9	F19	**Pétrelle** Square	4 R. Pétrelle	(en impasse)	Poissonnière
18	C19	**Petrucciani** Pl. Michel	R. Versigny	R. Ste-Isaure	Jules Joffrin
17	D11	**Peugeot** Rue du Caporal	58 Bd de la Somme	R. J. Ibert	Porte de Champerret
16	M7	**Peupliers** Avenue des	12 R. Poussin	2 Av. Sycomores	Michel Ange-Auteuil
13	R20-S20	**Peupliers** Rue des	74 R. du Moulin des Prés	Bd Kellermann	Tolbiac
13	R20	**Peupliers** Square des	72 R. du Moulin des Prés	(en impasse)	Tolbiac
11	K25	**Phalsbourg** Cité de	149 Bd Voltaire	49 R. Léon Frot	Charonne
17	E13-F13	**Phalsbourg** Rue de	2 R. de Logelbach	30 R. H. Rochefort	Monceau
20	L28-M28	**Philidor** Rue	36 R. Maraîchers	17 Pas. de lagny	Maraîchers
16	I8	**Philipe** Rue Gérard	50 Bd Lannes	63 Av. du Mal Fayolle	Av. H. Martin (RER C)
11	K25-M26	**Philippe Auguste** Av.	5 Pl. de la Nation	149 Bd de Charonne	Nation
11	L26	**Philippe Auguste** P.	12 Pas. Turquetil	35 Av. Philippe-Auguste	Rue des Boulets
11	K25	**Philosophe** Allée du	145b Bd Voltaire	9 Cité de Phalsbourg	Charonne

Ar.	Plan	**Rues** / Streets	Commençant	Finissant	Métro
20	I27-I28	**Piaf** Place Édith	R. Belgrand	5 R. Cap. Ferber	Porte de Bagnolet
20	H25	**Piat** Passage	63 R. des Couronnes	Rue Piat	Pyrénées
20	G24-H25	**Piat** Rue	Pas. Piat	64 R. de Belleville	Pyrénées
15	N9	**Pic de Barette** Rue du	30 R. Balard	R. Mont. de l'Espérou	Javel
20	H24	**Picabia** Rue Francis	15 R. des Couronnes	Rue de Tourtille	Couronnes
18	E19	**Picard** Rue Pierre	13 R. de Clignancourt	2 R. C. Nodier	Barbès-Rochechouart
3	I21-J21	**Picardie** Rue de	40 R. de Bretagne	2 R. Franche Comté	Temple
6	N16	**Picasso** Place Pablo	Bd Raspail	Bd du Montparnasse	Vavin
14	N16	**Picasso** Place Pablo	Bd Raspail	Bd du Montparnasse	Vavin
16	G10	**Piccini** Rue	44 Av. Foch	134 Av. Malakoff	Victor Hugo
12	P26	**Pichard** Rue Jules	33 R. des Meuniers	(en impasse)	Porte de Charenton
16	G10	**Pichat** Rue Laurent	52 Av. Foch	49 R. Pergolèse	Victor Hugo
13	P21-Q21	**Pichon** Avenue Stephen	15 R. Pinel	2 Pl. des Alpes	Place d'Italie
16	H10-H9	**Picot** Rue	24 Av. Bugeaud	49 Av. Foch	Victor Hugo
12	M27-O27	**Picpus** Boulevard de	89 R. de Picpus	2 Cours de Vincennes	Picpus - Bel Air
12	M26-P27	**Picpus** Rue de	254 R. du Fbg St-Antoine	97 Bd Poniatowski	Porte Dorée - M. Bizot
18	E18	**Piémontési** Rue	21 R. Houdon	10 R. A. Antoine	Abbesses
6	K18	**Pierné** Square Gabriel	Rue de Seine	Rue Mazarine	Mabillon
4	J20	**Pierre au Lard** Rue	12 R. St-Merri	22 R. du Renard	Rambuteau
8	H12-I11	**Pierre Ier de Serbie** Av.	Place d'Iéna	27 Av. George V	Alma-Marceau
16	H12-I11	**Pierre Ier de Serbie** Av.	Place d'Iéna	27 Av. George V	Alma-Marceau
8	F12	**Pierre le Grand** Rue	11 R. Daru	73 Bd de Courcelles	Ternes
18	E20	**Pierre l'Ermite** Rue	2 R. Polonceau	9 R. St-Bruno	Barbès-Rochechouart
11	H22-I23	**Pierre Levée** Rue de la	1 R. Trois Bornes	R. Fontaine au Roi	Oberkampf
15	N9	**Piet Mondrian** Rue	20 R. S. Mercier	Pl. Mont. du Goulet	Javel
13	S21	**Pieyre De Mandiargues** R. A.	164 Av. d'Italie	57b R. du Moulin de la Pointe	Maison Blanche
9	F17	**Pigalle** Cité	41 R. J.-B. Pigalle	(en impasse)	St-Georges
9	E18	**Pigalle** Place	15 Bd de Clichy	9 R. Frochot	Pigalle
9	E18-F17	**Pigalle** R. Jean-Baptiste	18 R. Blanche	9 Pl. Pigalle	Trinité - Pigalle
11	J23	**Pihet** Rue	9 Pas. Beslay	10 R. du Marché Pop.	Parmentier
16	J8-K8	**Pilâtre de Rozier** Allée	Av. Raphaël	Chée de la Muette	La Muette
20	K25	**Pilier** Impasse du	8 Bd de Ménilmontant	(en impasse)	Philippe Auguste
9	G17-G18	**Pillet Will** Rue	15 R. Laffitte	20 R. La Fayette	Richelieu Drouot
18	D16	**Pilleux** Cité	30 Av. de St-Ouen	(en impasse)	La Fourche
18	E17-E18	**Pilon** Cité Germain	2 R. G. Pilon	(en impasse)	Abbesses
18	E17-E18	**Pilon** Rue Germain	36 Bd de Clichy	31 R. des Abbesses	Pigalle - Abbesses
14	R12-S14	**Pinard** Bd Adolphe	Porte de Châtillon	Av. P. Larousse	Malakoff-Plat. Vanves
13	P21	**Pinel** Place	Bd V. Auriol	R. Esquirol	Nationale
13	P21	**Pinel** Rue	9 Pl. Pinel	137 Bd de l'Hôpital	Nationale
19	E25-E26	**Pinot** Rue Gaston	13 R. D. D'Angers	13 R. Alsace L.	Danube
19	E25	**Pinton** Rue François	10 R. D. d'Angers	15 Villa C. Monet	Danube
14	Q15	**Piobetta** Pl. du Lieut. S.	Av. Villemain	R. d'Alésia	Plaisance
13	O21-P20	**Pirandello** Rue	15 R. Duméril	21 R. Le Brun	Campo Formio
12	P25-Q25	**Pirogues de Bercy** R. des	Quai de Bercy	R. Baron Le Roy	Cour St-Émilion
17	D13	**Pisan** Rue Christine De	130 R. de Saussure	(en impasse)	Wagram
17	D12	**Pissarro** Rue Camille	9 R. de St-Marceaux	8 R. J. L. Forain	Pereire
15	P14	**Pitard** Rue Georges	88 R. de la Procession	57 R. de Vouillé	Plaisance
17	D12	**Pitet** Rue Raymond	26 Bd de Reims	13 R. Curnonsky	Pereire
11	H23	**Piver** Impasse	3 Pas. Piver	(en impasse)	Belleville - Goncourt
11	H23	**Piver** Passage	15 R. de l'Orillon	92 R. du Fbg du Temple	Belleville - Goncourt
20	G26	**Pixérécourt** Impasse	11 R. C. Friedel	(en impasse)	Télégraphe
20	G26-H26	**Pixérécourt** Rue	133 R. de Ménilmontant	210 R. de Belleville	Télégraphe
15	R11	**Plaine** Porte de la	Pl. Insurgés de Varsovie		Porte de Versailles
20	L28-M27	**Plaine** Rue de la	22 Bd de Charonne	31 R. Maraîchers	Avron - Maraîchers
15	Q11	**Plaisance** Porte de	Bd Lefebvre	R. G. Boissier	Porte de Versailles
14	P15-Q15	**Plaisance** Rue de	26 R. Didot	83 R. R. Losserand	Pernety
20	H27	**Planchart** Passage	18 R. St-Fargeau	16 R. H. Poincaré	St-Fargeau
20	K26-L27	**Planchat** Rue	15 R. d'Avron	16 R. de Bagnolet	Avron - A. Dumas
3	H20-I20	**Planchette** Impasse de la	324 R. St-Martin	(en impasse)	Strasbourg-St-Denis
12	O25	**Planchette** Ruelle de la	2 R. du Charolais	236 R. de Charenton	Dugommier
18	E17	**Planquette** Rue Robert	22 R. Lepic	(en impasse)	Blanche
5	N21	**Plantes** Jardin des	Pl. Valhubert	R. Buffon	Gare d'Austerlitz
14	Q16-R15	**Plantes** Rue des	176 Av. du Maine	135 Bd Brune	Mouton-Duvernet
14	Q15-Q16	**Plantes** Villa des	32 R. des Plantes	(en impasse)	Alésia
20	H25	**Plantin** Passage	16 R. du Transvaal	81 R. des Couronnes	Pyrénées
1	J19-K19	**Plat d'Étain** Rue du	25 R. des Lavandières Ste-O.	4 R. des Déchargeurs	Châtelet
18	E17	**Platanes** Villa des	R. R. Planquette	Bd de Clichy	Pigalle

Ar.	Plan	**Rues** / Streets	Commençant	Finissant	Métro
19	F25	**Plateau** Passage du	10 R. du Plateau	11 R. du Tunnel	Buttes Chaumont
19	F24-F25	**Plateau** Rue du	31 R. des Alouettes	32 R. Botzaris	Buttes Chaumont
15	O14	**Platon** Rue	5 R. F. Guibert	49 R. Bargue	Volontaires
4	J20-K20	**Plâtre** Rue du	23 R. des Archives	32 R. du Temple	Rambuteau
20	I25	**Plâtrières** Rue des	104 R. Amandiers	16 R. Sorbier	Ménilmontant
15	O10	**Plélo** Rue de	114 R. de la Convention	19 R. Duranton	Boucicaut
12	O25-O26	**Pleyel** Rue	12 R. Dubrunfaut	17 R. Dugommier	Dugommier
11	J25	**Plichon** Rue	139 R. du Chemin Vert	112 Av. de la République	Père Lachaise
15	O13	**Plumet** Rue	50 R. des Volontaires	19 R. de la Procession	Volontaires
14	P14	**Plumier** Square du Père	R. Vercingétorix	R. d'Alésia	Plaisance
19	F23-G23	**Poe** Rue Edgar	3 R. Barrelet de Ricou	17 R. de Gourmont	Buttes Chaumont
16	M5	**Poètes** Square des	Av. de la Pte d'Auteuil		Porte d'Auteuil
16	H10-J10	**Poincaré** Av. Raymond	6 Pl. Trocadéro	39 Av. Foch	Victor Hugo
16	L8	**Poincaré** Av. du Recteur	R. J. De La Fontaine	Av. Léopold II	Jasmin
20	H27	**Poincaré** Rue Henri	141 Av. Gambetta	10 R. St-Fargeau	Pelleport
14	N16-O16	**Poinsot** Rue	25 Bd Edgar Quinet	10 R. du Maine	Edgar Quinet
16	O7-P7	**Point du Jour** Port du	Bd Périphérique	Pont du Garigliano	Porte de St-Cloud
16	O6	**Point du Jour** Porte du	R. C. Terrasse	Av. M. Doret	Porte de St-Cloud
8	H13	**Point Show** Galerie	Av. des Champs-Elysées	R. de Ponthieu	Franklin D. Roosevelt
20	K27	**Pointe** Sentier de la	71 R. des Vignoles	60 Pl. de la Réunion	Buzenval
13	R22-S21	**Pointe d'Ivry** Rue de la	49 Av. d'Ivry	30 Av. de Choisy	Porte de Choisy
15	N13	**Poirier** Villa	88 R. Lecourbe	R. Colonna d'Ornano	Volontaires
14	R16	**Poirier de Narçay** R. du	130 Av. du Gal Leclerc	25 R. Friant	Porte d'Orléans
17	F10-G10	**Poisson** Rue Denis	50 Av. de la Gde Armée	33 Pl. St-Ferdinand	Porte Maillot
4	K21	**Poissonnerie** I. de la	2 R. de Jarente	(en impasse)	St-Paul
2	H19	**Poissonnière** Boulevard	35 R. Poissonnière	178 R. Montmartre	Bonne Nouvelle
9	H19	**Poissonnière** Boulevard	35 R. Poissonnière	178 R. Montmartre	Bonne Nouvelle
2	H19	**Poissonnière** Rue	29 R. de Cléry	39 Bd Bonne Nouvelle	Sentier
18	E20	**Poissonnière** Villa	42 R. de la Goutte d'Or	41 R. Polonceau	Barbès-Rochechouart
18	B20	**Poissonniers** Porte des	Bd Ney	78 Bd Ney	Porte de Clignancourt
18	B20-E19	**Poissonniers** Rue des	24 Bd Barbès	1 R. Belliard	Barbès-Rochechouart
5	M20	**Poissy** Rue de	29 Q. de la Tournelle	4 R. des Écoles	Card. Lemoine
6	L18	**Poitevins** Rue des	6 R. Hautefeuille	5 R. Danton	St-Michel
7	K16	**Poitiers** Rue de	59 R. de Lille	66 R. de l'Université	Solférino
3	J21-J22	**Poitou** Rue de	95 R. de Turenne	14 R. Charlot	St-Sébastien-Froissart
18	C18	**Pôle Nord** Rue du	37 R. Montcalm	1 R. V. Compoint	Lamarck-Caulaincourt
12	N25	**Politzer** R. Georges et Maï	38 R. Hénard	(en impasse)	Montgallet
5	O21	**Poliveau** Rue	38 Bd de l'Hôpital	18 R. G. St-Hilaire	St-Marcel
6	N18	**Polo** Jardin Marco	Sq. Observatoire		Port Royal (RER B)
16	H8	**Pologne** Avenue de	Bd Lannes	Av. du Mal Fayolle	Av. Foch (RER C)
18	E20	**Polonceau** Rue	1 R. P. l'Ermite	8 R. des Poissonniers	Château Rouge
16	H9-I9	**Pomereu** Rue de	132 R. Longchamp	20 R. E. Ménier	Rue de la Pompe
12	O24-P25	**Pommard** Rue de	R. Joseph Kessel	41 R. de Bercy	Dugommier
16	H10-K8	**Pompe** Rue de la	100 Av. P. Doumer	41 Av. Foch	La Muette - V. Hugo
4	J20	**Pompidou** Pl. Georges	R. Rambuteau	R. St-Merri	Rambuteau
1	K19-L21	**Pompidou** Voie Georges	Pont Neuf	Q. Henry IV	Pont Neuf
4	K19-L21	**Pompidou** Voie Georges	Pont Neuf	Quai Henry IV	Pont Neuf
16	K10-O7	**Pompidou** Voie Georges	Quai St-Exupéry		Bd Victor (RER C)
2	I20	**Ponceau** Passage du	119 Bd Sébastopol	212 R. St-Denis	Réaumur-Sébastopol
2	I20	**Ponceau** Rue du	33 R. de Palestro	188 R. St-Denis	Réaumur-Sébastopol
17	F12	**Poncelet** Passage	27 R. Poncelet	12 R. Laugier	Ternes
17	F12	**Poncelet** Rue	10 Av. des Ternes	83 Av. Wagram	Ternes
15	L12-M12	**Pondichéry** Rue de	39 R. Dupleix	66 Av. La Motte-Picquet	La Motte-P.-Grenelle
19	E26	**Ponge** Rue Francis	Pl. Rhin et Danube	Bd Sérurier	Danube
12	P28-Q25	**Poniatowski** Boulevard	Quai de Bercy	282 Av. Daumesnil	Porte Dorée
16	J8-K8	**Ponsard** Rue François	2 Chée de la Muette	5 R. G. Nadaud	La Muette
13	R22	**Ponscarme** Rue	83 R. Chât. Rentiers	68 R. Nationale	Olympiades
17	B16	**Pont à Mousson** Rue de	42 Bd Bessières	Rue A. Bréchet	Porte de St-Ouen
3	I21	**Pont aux Biches** P. du	38 R. N.-D. de Nazareth	37 R. Meslay	Arts et Métiers
3	J22	**Pont aux Choux** Rue du	1 Bd Filles du Calvaire	86 R. de Turenne	St-Sébastien-Froissart
6	K18-L18	**Pont de Lodi** Rue du	6 R. Gds Augustins	17 R. Dauphine	St-Michel
4	K20-L20	**Pont Louis Philippe** R. du	Quai Hôtel de Ville	23 R. de Rivoli	Hôtel de Ville
15	M9	**Pont Mirabeau** Rd-Pt du	63 Q. A. Citroën	1 R. de la Convention	Javel
1	K18	**Pont Neuf** Place du	41 Q. de l'Horloge	76 Q. des Orfèvres	Pont Neuf
1	J19-K18	**Pont Neuf** Rue du	22 Q. de la Mégisserie	Place M. Quentin	Pont Neuf - Châtelet
8	H13-H14	**Ponthieu** Rue de	7 Av. Matignon	8 R. de Berri	St-Philippe du R.
5	L20-M20	**Pontoise** Rue de	39 Q. de la Tournelle	18 R. St-Victor	Card. Lemoine

Ar.	Plan	**Rues** / Streets	Commençant	Finissant	Métro
11	J23	**Popincourt** Cité	14 R. de la Folie Méricourt	(en impasse)	St-Ambroise
11	K23	**Popincourt** Impasse	34 R. Popincourt	(en impasse)	Voltaire
11	J23-K24	**Popincourt** Rue	79 R. de la Roquette	90 Bd Voltaire	Voltaire
13	S22	**Port au Prince** Place de	Av. de la Pte de Choisy	Rue Lachelier	Porte de Choisy
2	H17	**Port Mahon** Rue de	30 R. St-Augustin	31 R. du 4 Septembre	Quatre Septembre
5	O18-P20	**Port Royal** Boulevard de	22 Av. des Gobelins	49 Av. de l'Observatoire	Les Gobelins - Port Royal (RER B)
13	O18-P20	**Port Royal** Boulevard de	22 Av. des Gobelins	49 Av. de l'Observatoire	Les Gobelins - Port Royal (RER B)
14	O18-P20	**Port Royal** Boulevard de	22 Av. des Gobelins	49 Av. de l'Observatoire	Les Gobelins - Port Royal (RER B)
13	O18-P19	**Port Royal** Square de	15 R. de la Santé	(en impasse)	Censier-Daubenton
13	O19	**Port Royal** Villa de	49 Bd de Port Royal	(en impasse)	Censier-Daubenton
8	F15-G15	**Portalis** Rue	14 R. de la Bienfaisance	47 R. du Rocher	Europe
15	Q12-R12	**Porte Brancion** Av. de la	94 Bd Lefebvre	Rue L. Vicat	Porte de Vanves
19	E26-E27	**Porte Brunet** Av. de la	94 Bd Sérurier	Rue des Marchais	Danube
19	D26-E27	**Porte Chaumont** Av. de la	124 Bd Sérurier	R. Estienne D'Orves	Porte de Pantin
18	A22-B22	**Pte d'Aubervilliers** Av. de la	4 Bd Ney	Pl. Skanderbeg	Porte de la Chapelle
19	A22-B22	**Pte d'Aubervilliers** Av. de la	4 Bd Ney	Pl. Skanderbeg	Porte de la Chapelle
17	C12-D13	**Pte d'Asnières** Av. de la	96 Bd Berthier	R. V. Hugo (Levallois-P.)	Wagram - Pereire
16	M6	**Porte d'Auteuil** Pl. de la	Av. de la Pte d'Auteuil	Av. du Mal Lyautey	Porte d'Auteuil
20	I28	**Pte de Bagnolet** Av. de la	6 Pl. de la Pte de Bagnolet	Avenue Ibsen	Porte de Bagnolet
20	I28	**Porte de Bagnolet** Pl. de la	227 Bd Davout	1 Bd Mortier	Porte de Bagnolet
17	D10-E11	**Pte de Champerret** Av. de la	2 Bd de l'Yser	Bd Bineau	Porte de Champerret
17	E11	**Pte de Champerret** Pl. de la	8 Bd Gouvion St-Cyr	25 Bd de la Somme	Porte de Champerret
12	Q27	**Pte de Charenton** Av. de la	203 Av. de Paris	60 Bd Poniatowski	Porte de Charenton
14	R15-S14	**Pte de Châtillon** Av. de la	Pl. de la Pte de Châtillon	Bd R. Rolland	Porte d'Orléans
14	R15	**Pte de Châtillon** Pl. de la	104 Bd Brune	106 Bd Brune	Porte d'Orléans
13	S22-T22	**Pte de Choisy** Av. de la	Rue C. Leroy	111 Bd Masséna	Porte de Choisy
17	B14-C14	**Pte de Clichy** Av. de la	2 Bd Berthier	Porte de Clichy	Porte de Clichy
18	A19-B19	**Pte de Clignancourt** Av. de la	106 Bd Ney	Av. Michelet (St-Ouen)	Porte de Clignancourt
18	A21-B21	**Pte de la Chapelle** Av. de la	2 Bd Ney	21 Av. du Pdt Wilson	Porte de la Chapelle
15	Q11	**Pte de la Plaine** Av. de la	38 Bd Lefebvre	Pl. Insurgés de Varsovie	Porte de Versailles
19	A25	**Pte de la Villette** Av. de la	84 Bd Macdonald	R. E. Reynaud	Porte de la Villette
20	H28	**Pte de Ménilmontant** Av. de la	94 Bd Mortier	1 R. des Fougères	St-Fargeau
18	A17-B18	**Pte de Montmartre** Av. de la	142 Bd Ney	R. du Dr Babinski	Porte de St-Ouen
20	L28-L29	**Pte de Montreuil** Av. de la	72 Bd Davout	Av. L. Gaumont	Porte de Montreuil
20	L29	**Pte de Montreuil** Pl. de la	6 Av. de la Pte de Montreuil		Porte de Montreuil
14	R16-S15	**Pte de Montrouge** Av. de la	126 Bd Brune	Bd Romain Rolland	Porte d'Orléans
19	D26-D27	**Porte de Pantin** Av. de la	Pl. de la Pte de Pantin	Av. J. Lolive (Pantin)	Porte de Pantin - Hoche
19	D26	**Porte de Pantin** Pl. de la	148 Bd Sérurier	Bd d'Indochine	Porte de Pantin
16	K7	**Porte de Passy** Pl. de la	Bd Suchet	Av. du Mal Maunoury	Ranelagh
15	Q12	**Pte de Plaisance** Av. de la	58 Bd Lefebvre	Av. A. Bartholomé	Porte de Versailles
16	O5	**Pte de St-Cloud** Av. de la	Pl. de la Pte de St-Cloud	47 Av. F. Buisson	Porte de St-Cloud
16	O6	**Porte de St-Cloud** Pl. de la	111 Bd Murat	219 Av. de Versailles	Porte de St-Cloud
17	A17-B16	**Pte de St-Ouen** Av. de la	2 Bd Bessière	R.Toulouse-Lautrec	Porte de St-Ouen
18	A17-B16	**Pte de St-Ouen** Av. de la	2 Bd Bessière	R.Toulouse-Lautrec	Porte de St-Ouen
15	P9	**Porte de Sèvres** Av. de la	8 Bd Victor	Héliport	Balard
14	R13	**Porte de Vanves** Av. de la	Pl. de la Pte de Vanves	Bd Adolphe Pinard	Porte de Vanves
14	R13	**Porte de Vanves** Pl. de la	2 Bd Brune	Av. de la Porte de Vanves	Porte de Vanves
14	R13	**Porte de Vanves** Sq. de la	16 Av. de la Pte Vanves	(en impasse)	Porte de Vanves
15	P10	**Pte de Versailles** Pl. de la	Bd Victor	Av. E. Renan	Porte de Versailles
17	E10	**Porte de Villiers** Av. de la	30 Bd Gouvion St-Cyr	Bd de Villiers	Porte de Champerret
12	M28-M29	**Pte de Vincennes** Av. de la	Bd Davout	R. Elie Faure	Porte de Vincennes
20	M28-M29	**Pte de Vincennes** Av. de la	Bd Davout	R. Elie Faure	Porte de Vincennes
13	R23-S24	**Porte de Vitry** Av. de la	Av. P. Sémard	7 Bd Masséna	Bibl. F. Mitterrand
19	F29-G28	**Porte des Lilas** Av. de la	2 Bd Sérurier	R. de Paris (les Lilas)	Porte des Lilas
20	F29-G28	**Porte des Lilas** Av. de la	2 Bd Sérurier	R. de Paris (les Lilas)	Porte des Lilas
18	A20-B20	**Pte des Poissonniers** Av. de la	100 Bd Ney	R. des Poissonniers	Porte de la Chapelle
17	E9-F10	**Porte des Ternes** Av. de la	Pl. du Gal Kœnig	31 Av. du Roule	Porte Maillot
14	R14	**Porte Didot** Avenue de la	42 Bd Brune	Av. M. Sangnier	Porte de Vanves
15	P10-Q9	**Porte d'Issy** Rue de la	32 Bd Victor	R. Oradour-sur-Glane	Balard
13	S21-T21	**Porte d'Italie** Av. de la	Bd Masséna	Av. Vaillant-Couturier	Porte d'Italie
13	S22-S23	**Porte d'Ivry** Avenue de la	Av. M. Thorez (Ivry-s-S.)	75 Bd Masséna	Porte d'Ivry
12	P27	**Porte Dorée** Villa de la	159 R. de Picpus	8 Villa de la Pte Dorée	Porte Dorée
14	S16	**Porte d'Orléans** Av. de la	Pl. du 25 août 1944	Rte d'Orléans	Porte d'Orléans
19	F27	**Pte du Pré St-Gervais** Av. de la	6 Bd Sérurier	R. A. Fleming	Pré St-Gervais
16	F10	**Porte Maillot** Place de la	Bd Pershing	Bd Gouvion St-Cyr	Porte Maillot
17	F10	**Porte Maillot** Place de la	Bd Pershing	Bd Gouvion St-Cyr	Porte Maillot
16	N5-N6	**Porte Molitor** Av. de la	24 Av. du Gal Sarrail	R. Nungesser et Coli	Porte d'Auteuil

Ar.	Plan	**Rues** / Streets	Commençant	Finissant	Métro
16	N6	**Porte Molitor** Place de la	27 Bd Murat	Av. du Gal Sarrail	Porte d'Auteuil
17	B16	**Porte Pouchet** Av. de la	44 Bd Bessières	Pl. A. Tzanck	Porte de St-Ouen
3	I21-J21	**Portefoin** Rue	81 R. des Archives	146 R. du Temple	Arts et Métiers
18	C19-C20	**Portes Blanches** Rue des	71 R. des Poissonniers	4 Bd Ornano	Marcadet-Poissonniers
14	S16	**Porto Riche** R. Georges De	6 R. Monticelli	5 R. Henri Barboux	Porte d'Orléans
16	H11	**Portugais** Avenue des	23 R. La Pérouse	17 Av. Kléber	Kléber
16	J9	**Possoz** Place	14 R. Guichard	2 R. Faustin Hélie	La Muette
5	O19	**Postes** Passage des	104 R. Mouffetard	55 R. Lhomond	Censier-Daubenton
5	N19	**Pot de Fer** Rue du	58 R. Mouffetard	33 R. Lhomond	Place Monge
19	F27-G27	**Potain** Rue du Docteur	251 R. de Belleville	18 R. des Bois	Télégraphe
18	B18	**Poteau** Passage du	95 R. du Poteau	105 Bd Ney	Porte de St-Ouen
18	B18-C19	**Poteau** Rue du	82 R. Ordener	87 Bd Ney	J. Joffrin - Pte St-Ouen
16	H7-H8	**Poteaux** Allée des	Rte de la Pte Dauphine	Al. Cavalière St-Denis	Porte Dauphine
13	S20	**Poterne des Peupliers** R. de la	R. des Peupliers	Av. Gallieni (Gentilly)	Maison Blanche
1	I17-I18	**Potier** Passage	23 R. Montpensier	26 R. Richelieu	Palais Royal-Louvre
19	C23	**Pottier** Cité	44 R. Curial	(en impasse)	Crimée
16	L9	**Poubelle** Rue Eugène	V. G. Pompidou	7 Q. Louis Blériot	Kennedy-R. France (RER C)
17	B15-B16	**Pouchet** Passage	41 R. des Épinettes	(en impasse)	Guy Môquet
17	B15	**Pouchet** Porte	Bd Berthier	Bd Bessières	Porte de St-Ouen
17	B15-B16	**Pouchet** Rue	162 Av. de Clichy	49 Bd Bessières	Brochant
17	E14	**Pouillet** Rue Claude	12 R. Lebouteux	34 R. Legendre	Villiers
18	D18-E18	**Poulbot** Rue	7 R. Norvins	5 Pl. du Calvaire	Abbesses
20	L27	**Poule** Impasse	24 R. des Vignoles	(en impasse)	Avron - Buzenval
19	E25	**Poulenc** Place Francis	R. Erick Satie	Al. Darius Milhaud	Ourcq
6	M18	**Poulenc** Square Francis	22 R. de Vaugirard	27 R. de Tournon	Odéon
18	D20-E19	**Poulet** Rue	36 R. de Clignancourt	33 R. des Poissonniers	Château Rouge
4	L21	**Poulletier** Rue	22 Q. de Béthune	19 Q. d'Anjou	Pont Marie
10	G21-H22	**Poulmarch** Rue Jean	73 Q. de Valmy	87 Q. de Valmy	Jacques Bonsergent
11	K24	**Poulot** Square Denis	Pl. Léon Blum	Bd Voltaire	Voltaire
14	O17	**Poussin** Cité Nicolas	240 Bd Raspail	(en impasse)	Raspail
16	M6-M7	**Poussin** Rue	17 R. P. Guérin	99 Bd Montmorency	Porte d'Auteuil
7	K12	**Pouvillon** Avenue Émile	Pl. du Gal Gouraud	Al. A. Lecouvreur	Ch. de Mars-Tr Eiffel (RER C)
13	R20	**Pouy** Rue de	7 R. de la Butte aux Cailles	6 R. M. Bernard	Corvisart
6	L17	**Prache** Square Laurent	R. de l'Abbaye	R. Bonaparte	St-Germain-des-Prés
19	G24	**Pradier** Rue	69 R. Rébeval	51 R. Fessart	Buttes Chaumont
10	H20	**Prado** Passage du	18 Bd St-Denis	12 R. du Fbg St-Denis	Strasbourg-St-Denis
12	M23	**Prague** Rue de	89 R. de Charenton	64 R. Traversière	Ledru-Rollin
20	I27-J28	**Prairies** Rue des	125 R. de Bagnolet	2 Pl. E. Landrin	Porte de Bagnolet
18	B21	**Pré** Rue du	92 R. de la Chapelle	(en impasse)	Porte de la Chapelle
16	L9	**Pré aux Chevaux** Rue du	R. de Boulainvilliers	Rue Gros	La Muette
7	K17	**Pré aux Clercs** Rue du	9 R. de l'Université	14 R. St-Guillaume	St-Germain-des-Prés
19	E27-F27	**Pré Saint-Gervais** Pte du	Av. de la Pte du Pré St-Gervais	Pte Pré St-Gervais	Pré St-Gervais
19	F26	**Pré Saint-Gervais** R. du	171 R. de Belleville	74 Bd Sérurier	Pré St-Gervais
19	F24	**Préault** Rue	54 R. Fessart	31 R. du Plateau	Buttes Chaumont
1	J19	**Prêcheurs** Rue des	81 R. St-Denis	14 R. P. Lescot	Les Halles
8	G11-H12	**Presbourg** Rue de	133 Av. des Chps Élysées	1 Av. de la Gde Armée	Ch. de Gaulle-Étoile
16	G11-H12	**Presbourg** Rue de	133 Av. des Chps Élysées	1 Av. de la Gde Armée	Kléber
11	H23-H24	**Présentation** Rue de la	43 R. de l'Orillon	112 R. du Fbg du Temple	Belleville
15	L12	**Presles** Impasse de	22 R. de Presles	(en impasse)	Dupleix
15	L12	**Presles** Rue de	58 Av. de Suffren	8 Pl. Dupleix	Dupleix
14	P15	**Pressensé** R. Francis De	99 R. de l'Ouest	82 R. R. Losserand	Pernety
20	H24-I24	**Pressoir** Rue du	19 R. des Maronites	26 R. des Couronnes	Ménilmontant
16	I10	**Prêtres** Impasse des	35 Av. d'Eylau	(en impasse)	Rue de la Pompe
5	L19	**Prêtres St-Séverin** R. des	5 R. St-Séverin	22 R. de la Parcheminerie	St-Michel
1	J18-K18	**Prêtres St-Germain l'Auxerrois** Rue des	Rue de l'Arbre Sec	1 Pl. du Louvre	Pont Neuf
20	I25	**Prévert** Rue Jacques	Rue des Amandiers	18 R. de Tlemcen	Père Lachaise
14	R13	**Prévost Paradol** Rue	Bd Brune	Rue M. Bouchort	Porte de Vanves
4	K21-L21	**Prévôt** Rue du	18 R. Charlemagne	129 R. St-Antoine	St-Paul
19	E26	**Prévoyance** Rue de la	25 R. D. d'Angers	127 Bd Sérurier	Danube
13	P20	**Primatice** Rue	14 R. Rubens	6 R. de Champagne	Pl. d'Italie - Les Gobelins
11	K22	**Primevères** Impasse des	50 R. St-Sabin	(en impasse)	Chemin Vert
2	H18	**Princes** Passage des	5 Bd des Italiens	97 R. de Richelieu	Richelieu Drouot
6	L17	**Princesse** Rue	17 R. du Four	6 R. Guisarde	St-Germain-des-Prés
17	D13-D14	**Printemps** Rue du	98 R. Tocqueville	27 Bd Péreire	Malesherbes
14	R16	**Prisse d'Avennes** Rue	50 R. du Père Corentin	43 R. Sarrette	Porte d'Orléans - Alésia
5	L19	**Privas** Rue Xavier	13 Q. St-Michel	24 R. St-Séverin	St-Michel

Ar.	Plan	Rues / Streets	Commençant	Finissant	Métro
14	P16	**Privat** Place Gilbert	13 à 17 R. Froidevaux		Denfert-Rochereau
15	O13-P14	**Procession** Rue de la	245 R. de Vaugirard	Rue de Gergovie	Volontaires
19	F26	**Progrès** Villa du	37 R. de Mouzaïa	2 R. de l'Égalité	Danube
16	L7-L8	**Prokofiev** Rue Serge	64 Av. Mozart	(en impasse)	Ranelagh
17	E12-F13	**Prony** Rue de	6 Pl. Rép. Dominicaine	103 Av. de Villiers	Wagram - Monceau
11	L25	**Prost** Cité	28 R. de Chanzy	(en impasse)	Charonne
12	O25-P25	**Proudhon** Rue	Pl. Lachambeaudie	260 R. de Charenton	Dugommier
8	I14-I15	**Proust** Allée Marcel	Av. de Marigny	Pl. de la Concorde	Champs-Elysées-Clem.
16	K10	**Proust** Avenue	Marcel	R. René Boylesve	18 R. Berton Passy
1	J19	**Prouvaires** Rue des	48 R. St-Honoré	31 R. Berger	Châtelet
9	G16-G17	**Provence** Avenue de	56 R. de Provence	(en impasse)	Chée d'Antin-La Fayette
8	G16-G18	**Provence** Rue de	35 R. du Fbg Montmartre	4 R. de Rome	Le Peletier
9	G16-G18	**Provence** Rue de	35 R. du Fbg Montmartre	4 R. de Rome	Le Peletier
20	L27	**Providence** Passage	70 R. des Haies	(en impasse)	Buzenval
13	R19	**Providence** Rue de la	62 R. Bobillot	51 R. Barrault	Corvisart
16	J8-K8	**Prudhon** Avenue	Chée de la Muette	Av. Raphaël	La Muette
20	I25	**Pruniers** Rue des	10 Pas. des Mûriers	23 Av. Gambetta	Gambetta
7	K13	**Psichari** Rue Ernest	4 Cité Négrier	18 Av. La Motte-Picquet	La Tour-Maubourg
18	E17	**Puget** Rue	2 R. Lepic	11 R. Coustou	Blanche
14	S17-S18	**Puits** Allée du	Al. de Montsouris	Parc Montsouris	Cité Univ. (RER B)
5	N20	**Puits de l'Ermite** Pl. du	1 R. de Quatrefages	10 R. Larrey	Place Monge
5	N20	**Puits de l'Ermite** Rue du	9 R. Larrey	83 R. Monge	Place Monge
17	D14	**Pusy** Cité de	23 Bd Péreire	(en impasse)	Malesherbes
8	G16	**Puteaux** Passage	28 R. Pasquier	31 R. de l'Arcade	St-Augustin
17	E15	**Puteaux** Rue	52 Bd des Batignolles	59 R. des Dames	Rome
17	E12	**Puvis De Chavannes** Rue	38 R. Ampère	97 Bd Péreire	Wagram - Pereire
20	I27-J28	**Py** Rue de la	169 R. de Bagnolet	8 R. Le Bua	Porte de Bagnolet
1	J17	**Pyramides** Place des	192 R. de Rivoli	1 R. des Pyramides	Tuileries
1	I17	**Pyramides** Rue des	3 Pl. des Pyramides	19 Av. de l'Opéra	Tuileries
20	G25-M28	**Pyrénées** Rue des	67 Crs de Vincennes	92 R. de Belleville	Porte de Vincennes
20	L28	**Pyrénées** Villa des	75 R. des Pyrénées	(en impasse)	Maraîchers
20	I29-I28	**Python** Rue Joseph	90 R. L. Lumière	(en impasse)	Porte de Bagnolet

Q

Ar.	Plan	Rues / Streets	Commençant	Finissant	Métro
10	H20	**Quarante-neuf Faubourg St-Martin** Impasse du	49 R. du Faubourg St-Martin	(en impasse)	Château d'Eau
13	S20	**Quarante-Quatre Enfants d'Izieu** Place des	62 R. du Moulin de la Pointe		Maison Blanche
19	G26	**Quarré** Rue Jean	12 R. Henri Ribière	21 R. du Dr Potain	Pl. des Fêtes
3	J21	**Quatre Fils** Rue des	93 R. Vieille Temple	60 R. des Archives	Rambuteau
15	M10	**Quatre Frères Peignot** R. des	36 R. Linois	45 R. de Javel	Ch. Michels
2	H17-H18	**Quatre Septembre** R. du	27 R. Vivienne	2 Pl. de l'Opéra	Bourse - Opéra
6	L18	**Quatre Vents** Rue des	2 R. de Condé	95 R. de Seine	Odéon
5	N20	**Quatrefages** Rue de	8 Pl. du Puits de l'Ermite	3 R. Lacépède	Place Monge
6	L17	**Québec** Place du	Bd St-Germain	R. de Rennes	St-Germain-des-Prés
11	L23	**Quellard** Cour	9 Pas. Thiéré	(en impasse)	Ledru-Rollin
18	B21	**Queneau** I. Raymond	8 R. Raymond Queneau	(en impasse)	Porte de la Chapelle
18	B21	**Queneau** Rue Raymond	Pl. P. Mac Orlan	70 R. de la Chapelle	Porte de la Chapelle
1	J19	**Quentin** Place Maurice	R. Berger	R. du Pont Neuf	Châtelet-Les Halles
5	O19	**Quénu** Rue Édouard	142 R. Mouffetard	6 R. C. Bernard	Censier-Daubenton
20	L28-L29	**Quercy** Square du	1 R. Charles et Robert	2 Av. de la Pte de Montreuil	Porte de Montreuil
11	I24	**Questre** Impasse	19 Bd de Belleville	(en impasse)	Couronnes
15	N14	**Queuille** Place Henri	Av. de Breteuil	Bd Pasteur	Sèvres-Lecourbe
20	I28	**Quillard** Rue Pierre	3 R. Dulaure	6 R. V. Dejeante	Porte de Bagnolet
15	N12	**Quinault** Rue	6 Av. A. Dorchain	55 R. Mademoiselle	Émile Zola - Commerce
3	J20	**Quincampoix** Rue	16 R. des Lombards	17 R. aux Ours	Étienne Marcel
4	J20-J19	**Quincampoix** Rue	16 R. des Lombards	17 R. aux Ours	Étienne Marcel
14	N16-O17	**Quinet** Boulevard Edgar	232 Bd Raspail	25 R. du Départ	Raspail - E. Quinet

R

Ar.	Plan	Rues / Streets	Commençant	Finissant	Métro
11	H23	**Rabaud** Rue Abel	140 Av. Parmentier	7 R. des Goncourt	Goncourt
8	H14	**Rabelais** Rue	17 Av. Matignon	26 R. J. Mermoz	St-Philippe du R.
12	P24	**Rabin** Jardin Yitzhak	R. Paul Belmondo	Q. de Bercy	Cour St-Émilion

Ar.	Plan	Rues / Streets	Commençant	Finissant	Métro
16	M6	**Racan** Square	126 Bd Suchet	33 Av. du Mal Lyautey	Porte d'Auteuil
18	E17	**Rachel** Avenue	110 Bd de Clichy	Cimetière de Montmartre	Blanche
18	C21-C22	**Rachmaninov** Jardin	R. Tristan Tzara	R. de la Croix Moreau	Marx Dormoy
16	N7	**Racine** Impasse	Av. Molière	(en impasse)	Exelmans
6	M18	**Racine** Rue	30 Bd St-Michel	3 Pl. de l'Odéon	Odéon
19	C22-C23	**Radiguet** Rue Raymond	17 R. Curial	R. d'Aubervilliers	Crimée
1	I18	**Radziwill** Rue	1 R. des Petits Champs	(en impasse)	Bourse
16	N6	**Raffaëlli** Rue	52 Bd Murat	35 Av. du Gal Sarrail	Porte d'Auteuil
16	L7	**Raffet** Impasse	7 R. Raffet	(en impasse)	Jasmin
16	L7	**Raffet** Rue	34 R. de la Source	43 Bd Montmorency	Michel Ange-Auteuil
12	N24	**Raguinot** Passage	R. P.-H. Grauwin	56 Av. Daumesnil	Gare de Lyon
11	K25	**Rajman** Square Marcel	R. de la Roquette		Philippe Auguste
12	N28-O28	**Rambervillers** Rue de	6 Av. Dr Netter	53 R. du Sahel	Bel Air
12	N24	**Rambouillet** Rue de	144 R. de Bercy	160 R. de Charenton	Gare de Lyon
1	J19-J20	**Rambuteau** Rue	41 R. des Archives	R. du Jour	Rambuteau - Les Halles
3	J19-J20	**Rambuteau** Rue	41 R. des Archives	R. du Jour	Rambuteau
4	J19-J20	**Rambuteau** Rue	41 R. des Archives	R. du Jour	Rambuteau
2	I17-I18	**Rameau** Rue	69 R. de Richelieu	56 R. Ste-Anne	Quatre Septembre
18	D19	**Ramey** Passage	40 R. Ramey	73 R. Marcadet	Jules Joffrin
18	C19-D19	**Ramey** Rue	51 R. de Clignancourt	20 R. Hermel	Jules Joffrin
19	G24	**Rampal** Rue	35 R. de Belleville	48 R. Rébeval	Belleville
11	I22	**Rampon** Rue	9 Bd Voltaire	83 R. de la Folie Méricourt	Oberkampf
20	H24	**Ramponeau** Rue	108 Bd de Belleville	85 R. J. Lacroix	Couronnes - Pyrénées
20	J26-J27	**Ramus** Rue	5 R. C. Renouvier	4 Av. du Père Lachaise	Gambetta
18	B17	**Ranc** Rue Arthur	166 Bd Ney	13 R. H. Huchard	Porte de St-Ouen
20	K27	**Rançon** Impasse	84 R. des Vignoles	(en impasse)	Buzenval
16	K7-K8	**Ranelagh** Avenue du	Av. Ingres	Av. Raphaël	La Muette
16	J8-K8	**Ranelagh** Jardin du	Av. Raphaël		La Muette
16	K7-L9	**Ranelagh** Rue du	106 Av. du Pdt Kennedy	59 Bd Beauséjour	Ranelagh
16	K8	**Ranelagh** Square du	117 R. Ranelagh	(en impasse)	Ranelagh
11	K25	**Ranvier** Rue Henri	16 R. Gerbier	33 R. de la Folie Regnault	Philippe Auguste
12	O26	**Raoul** Rue	92 R. C. Decaen	176 Av. Daumesnil	Daumesnil
12	N22-N23	**Rapée** Port de la	Pont de Bercy	Pont d'Austerlitz	Quai de la Rapée
12	N22-O23	**Rapée** Quai de la	Pont de Bercy	2 Bd de la Bastille	Quai de la Rapée
16	J7-K7	**Raphaël** Avenue	1 Bd Suchet	2 Av. Ingres	Ranelagh - La Muette
7	J12-K12	**Rapp** Avenue	Pl. de la Résistance	Pl. du Gal Gouraud	Pont de l'Alma (RER C)
7	K12	**Rapp** Square	33 Av. Rapp	(en impasse)	Pont de l'Alma (RER C)
6	K16-P17	**Raspail** Boulevard	205 Bd St-Germain	Pl. Denfert-Rochereau	Sèvres-Babylone
7	K16-P17	**Raspail** Boulevard	205 Bd St-Germain	Pl. Denfert-Rochereau	Rue du Bac
14	K16-P17	**Raspail** Boulevard	205 Bd St-Germain	Pl. Denfert-Rochereau	Denfert-Rochereau
20	L28	**Rasselins** Rue des	135 R. d'Avron	84 R. des Orteaux	Porte de Montreuil
5	O19	**Rataud** Rue	32 R. Lhomond	78 R. C. Bernard	Place Monge
11	L24	**Rauch** Passage	8 Pas. C. Dallery	9 R. Basfroi	Ledru-Rollin
15	P8	**Ravaud** Rue René	Bd Gal Martial Valin	Bd Périphérique	Bd Victor (RER C)
12	N29	**Ravel** Avenue Maurice	15 Av. E. Laurent	10 R. J. Lemaître	Porte de Vincennes
18	E18	**Ravignan** Rue	26 R. des Abbesses	51 R. Gabrielle	Abbesses
15	N9	**Raynal** Allée du Cdt	21 R. Cauchy	16 A. Le Gramat	Javel
20	H26	**Raynaud** Rue Fernand	Rue de l'Hermitage	Rue des Cascades	Pyrénées
16	K10-L9	**Raynouard** Rue	Place de Costa Rica	10 R. de Boulainvilliers	Passy
16	K10	**Raynouard** Square	16 R. Raynouard	(en impasse)	Passy
20	I28	**Réau** Rue de l'Adjudant	20 R. du Cap. Marchal	1 R. de la Dhuis	Porte de Bagnolet
2	H18-I21	**Réaumur** Rue	163 R. du Temple	32 R. N.-D. des Victoires	Sentier
3	H18-I21	**Réaumur** Rue	163 R. du Temple	32 R. N.-D. des Victoires	Arts et Métiers
19	G23-G24	**Rébeval** Rue	42 Bd de la Villette	69 R. de Belleville	Belleville - Pyrénées
19	G23	**Rébeval** Square de	Place J. Rostand		Belleville
17	B14-B15	**Rebière** Rue Pierre	1 Bd du Bois le Prêtre	1 R. Saint-Just	Porte de Clichy
19	E22	**Rébuffat** Rue Gaston	Rue deTanger	Avenue de Flandre	Stalingrad
7	L16	**Récamier** Rue	12 R. de Sèvres	(en impasse)	Sèvres-Babylone
19	F23	**Recipon** Allée Georges	20 R. de Meaux	34 R. de Meaux	Colonel Fabien
7	K12	**Reclus** Avenue Elisée	3 Av. Silvestre de Sacy	Av. J. Bouvard	Ch. de Mars-Tr Eiffel (RER C)
10	G21	**Récollets** Passage des	122 R. du Fbg St-Martin	17 R. des Récollets	Gare de l'Est
10	G21	**Récollets** Rue des	97 Q. de Valmy	144 R. du Fbg St-Martin	Gare de l'Est
10	G21-G22	**Récollets** Square des	R. Grange aux Belles	Quai de Jemmapes	Gare de l'Est
13	Q19-Q20	**Reculettes** Rue des	34 R. A. Hovelacque	47 R. Croulebarbe	Corvisart
17	D12-D13	**Redon** Rue	12 R. de St-Marceaux	7 R. Sisley	Pereire
11	K25	**Redouté** Sq. Pierre-Joseph	132b R. de Charonne		Charonne

Ar.	Plan	**Rues** / Streets	Commençant	Finissant	Métro
7	K11	**Refuzniks** Allée des	Al. du Chps de Mars	Al. L. Bourgeois	Ch. de Mars-Tr Eiffel (RER C)
6	M16	**Regard** Rue du	37 R. du Cherche Midi	116 R. de Rennes	Rennes
19	G26	**Regard de la Lanterne** Jard. du	Rue Compans		Pl. des Fêtes
13	S23	**Regaud** Avenue Claude	49 Bd Masséna	6 Pl. Dr Yersin	Porte d'Ivry
6	M16	**Régis** Rue	24 R. de l'Abbé Grégoire	3 R. de Bérite	St-Placide
20	K28-L28	**Réglises** Rue des	85 Bd Davout	36 R. Croix St-Simon	Porte de Montreuil
6	M18	**Regnard** Rue	4 Pl. de l'Odéon	25 R. de Condé	Odéon
14	R16-R17	**Regnault** Rue Henri	132 R. de la Tombe Issoire	45 R. du Père Corentin	Porte d'Orléans
13	R24-S22	**Regnault** Rue	S.N.C.F.	20 Av. d'Ivry	Porte d'Ivry
16	K10	**Régnier** Imp. Marie De	14 Av. René Boylesve	(en impasse)	Passy
15	O13	**Régnier** Rue Mathurin	235 R. de Vaugirard	47 R. Bargue	Volontaires
10	H20	**Reilhac** Passage	54 R. du Fbg St-Denis	39 Bd de Strasbourg	Château d'Eau
14	R17-R18	**Reille** Avenue	1 R. d'Alésia	121 R. de la Tombe Issoire	Porte d'Orléans
14	R18	**Reille** Impasse	4 Av. Reille	(en impasse)	Glacière
17	C12	**Reims** Boulevard de	35 Av. de la Pte d'Asnières	R. de Courcelles	Porte de Champerret
13	Q23	**Reims** Rue de	103 R. du Dessous des Berges	108 R. de Patay	Bibl. F. Mitterrand-Olympiades
8	I14-I15	**Reine** Cours de la	Pl. de la Concorde	Pl. du Canada	Champs-Elysées-Clem.
13	O20-P20	**Reine Blanche** Rue de la	4 R. Le Brun	33 Av. des Gobelins	Les Gobelins
1	I19-J19	**Reine de Hongrie** P. de la	17 R. Montorgueil	16 R. Montmartre	Les Halles
20	K28	**Reisz** Rue Eugène	94 Bd Davout	R. des Drs Déjerine	Porte de Montreuil
20	M27	**Réjane** Square	Crs de Vincennes		Porte de Vincennes
8	F13-G13	**Rembrandt** Rue	Pl. du Pérou	Parc de Monceau	Monceau
16	M8	**Rémusat** Rue de	4 Pl. de Barcelone	55 Av. T. Gautier	Mirabeau
8	I13	**Renaissance** Rue de la	9 R. de la Trémoille	8 R. Marbeuf	Alma-Marceau
19	F26	**Renaissance** Villa de la	43 R. de Mouzaïa	6 R. de l'Égalité	Danube
15	Q10	**Renan** Avenue Ernest	Pl. de la Pte de Versailles	35 R. Oradour-sur-Glane	Porte de Versailles
15	N14	**Renan** Rue Ernest	17 R. Lecourbe	174 R. de Vaugirard	Sèvres-Lecourbe
12	P28	**Renard** Place Édouard	Bd Soult	Av. A. Rousseau	Porte Dorée
17	E11	**Renard** Place Jules	Bd Gouvion St-Cyr	R. A. Charpentier	Porte de Champerret
13	Q22	**Renard** Rue Baptiste	105 R. Chât. Rentiers	94 R. Nationale	Olympiades
17	F11	**Renard** Rue des Colonels	10 R. du Col Moll	15 R. d'Armaillé	Argentine
4	J20-K20	**Renard** Rue du	70 R. de Rivoli	15 R. S. le Franc	Hôtel de Ville
17	E12-F12	**Renaudes** Rue des	110 Bd de Courcelles	56 R. P. Demours	Ternes
15	N11-O12	**Renaudot** R. Théophraste	101 R. de la Croix Nivert	182 R. Lecourbe	Commerce
17	F11	**Renault** Rue Marcel	5 R. Villebois Mareuil	10 R. P. Demours	Ternes
11	J24	**Renault** Rue du Général	36 Av. Parmentier	5 R. du Gal Blaise	St-Ambroise
13	S20	**Renault** Rue du Pr Louis	33 Bd Kellermann	12 R. Max Jacob	Maison Blanche
12	M28-N27	**Rendez-Vous** Cité du	22 R. du Rendez-Vous	(en impasse)	Picpus
12	M27-N28	**Rendez-Vous** Rue du	67 Av. de St-Mandé	96 Bd de Picpus	Nation - Picpus
19	D26-E26	**Rendu** Avenue Ambroise	3 Av. de la Pte Brunet	6 Av. de la Pte Chaumont	Danube
17	E11-F12	**Rennequin** Rue	85 Av. de Wagram	22 R. Guillaume Tell	Ternes - Pereire
6	L17-N16	**Rennes** Rue de	Bd St-Germain	1 Pl. du 18 Juin 1940	St-Germain-des-Prés
12	O24-P24	**Renoir** Rue Jean	48 R. Paul Belmondo	47 R. de Pommard	Cour St-Émilion
14	Q13-R13	**Renoir** Square Auguste	207 R. R. Losserand	Bd Brune	Porte de Vanves
20	J27	**Renouvier** Rue Charles	10 R. des Rondeaux	21 R. Stendhal	Gambetta
20	J25-K26	**Repos** Rue du	194 Bd de Charonne	28 Bd de Ménilmontant	Philippe Auguste
11	I22-J25	**République** Avenue de la	8 Pl. de la République	71 Bd de Ménilmontant	Père Lachaise
3	I22	**République** Place de la	Bd du Temple	Bd St-Martin	République
10	I22	**République** Place de la	Bd du Temple	Bd St-Martin	République
11	I22	**République** Place de la	Bd du Temple	Bd St-Martin	République
8	F13	**Rép. de l'Équateur** Pl. de la	Bd de Courcelles	R. de Chazelles	Courcelles
17	F13	**Rép. de l'Équateur** Pl. de la	Bd de Courcelles	R. de Chazelles	Courcelles
15	M13	**Rép. de Panama** Pl. de la	Av. de Suffren	Bd Garibaldi	Sèvres-Lecourbe
8	F13-F14	**Rép. Dominicaine** Pl. de la	Parc de Monceau	50 Bd de Courcelles	Monceau
17	F13-F14	**Rép. Dominicaine** Pl. de la	Parc de Monceau	50 Bd de Courcelles	Monceau
13	R23	**Résal** Rue	19 R. Cantagrel	44 R. du Dessous des Berges	Bibl. F. Mitterrand
7	J12	**Résistance** Place de la	Av. Bosquet	Av. Rapp	Pont de l'Alma (RER C)
8	H15	**Retiro** Cité du	R. du Fbg St-Honoré	35 R. Boissy d'Anglas	Madeleine
20	H26	**Retrait** Passage du	34 R. du Retrait	295 R. des Pyrénées	Gambetta
20	H26-I26	**Retrait** Rue du	271 R. des Pyrénées	106 R. de Ménilmontant	Gambetta
12	O25-O27	**Reuilly** Boulevard de	211 R. de Charenton	94 R. de Picpus	Daumesnil
12	N25	**Reuilly** Jardin de	Av. Daumesnil		Montgallet
12	P27	**Reuilly** Porte de	Rte des Fortifications	Rte de la Croix Rouge	Porte Dorée
12	M25-O26	**Reuilly** Rue de	202 R. du Fbg St-Antoine	1 Pl. F. Éboué	Faidherbe-Chaligny
20	K27	**Réunion** Place de la	105 R. A. Dumas	62 R. de la Réunion	Buzenval
20	K27-L27	**Réunion** Rue de la	73 R. d'Avron	Cimetière du Père Lachaise	Maraîchers

Ar.	Plan	Rues / Streets	Commençant	Finissant	Métro
16	N7	**Réunion** Villa de la	R. Chardon	Av. de Versailles	Exelmans
19	E23-E24	**Reverdy** Rue Pierre	R. de la Moselle	R. E. Dehaynin	Laumière
15	K11	**Rey** Rue Jean	16 Av. de Suffren	101 Q. Branly	Bir Hakeim
14	R15-S16	**Reyer** Avenue Ernest	Av. de la Pte de Châtillon	Pl. du 25 Août 1944	Porte d'Orléans
16	06-07	**Reynaud** Place Paul	195 Av. de Versailles	R. Le Marois	Porte de St-Cloud
19	A25	**Reynaud** Rue Émile	Av. de la Pte de la Villette	Bd de la Commanderie	Porte de la Villette
16	I12	**Reynaud** Rue Léonce	5 Av. Marceau	10 R. Freycinet	Alma-Marceau
19	E24	**Rhin** Rue du	104 Av. de Meaux	1 R. Meynadier	Laumière
19	E26	**Rhin et Danube** Place	45 R. du Gal Brunet	37 R. D. d'Angers	Danube
17	D12	**Rhône** Square du	118 Bd Berthier	(en impasse)	Pereire
16	L8	**Ribera** Rue	66 R. J. De La Fontaine	83 Av. Mozart	Jasmin
20	K26	**Riberolle** Villa	35 R. de Bagnolet	(en impasse)	Alexandre Dumas
15	M12	**Ribet** Passage	29 R. de la Croix Nivert	(en impasse)	Émile Zola
19	F26-G26	**Ribière** Rue Henri	12 R. Compans	2 R. des Bois	Pl. des Fêtes
20	J28	**Riblette** Rue	13 R. St-Blaise	3 R. des Balkans	Porte de Bagnolet
11	I24	**Ribot** Cité	139 R. Oberkampf	112 R. J.-P.Timbaud	Couronnes
17	F12	**Ribot** Rue Théodule	106 Bd de Courcelles	72 Av. de Wagram	Courcelles
19	F26	**Ribot** Villa Alexandre	74 R. D. d'Angers	17 R. de l'Égalité	Danube
9	G19	**Riboutté** Rue	12 R. Bleue	82 R. La Fayette	Cadet
13	Q21	**Ricaut** Rue	167 R. Chât. Rentiers	50 Av. Edison	Nationale
15	P13	**Richard** Impasse	40 R. de Vouillé	(en impasse)	Convention
14	O17-P16	**Richard** Rue Émile	1 Bd Edgar Quinet	R. Froidevaux	Raspail
11	I22-L22	**Richard-Lenoir** Bd	14 Pl. de la Bastille	22 Av. de la République	St-Ambroise
11	K24-L24	**Richard-Lenoir** Rue	91 R. de Charonne	132 Bd Voltaire	Voltaire
11	J23	**Richard-Lenoir** Square	Bd Richard-Lenoir		Richard-Lenoir
1	I17-I18	**Richelieu** Passage de	15 R. Montpensier	18 R. de Richelieu	Palais Royal-Louvre
1	H18-I17	**Richelieu** Rue de	2 Pl. A. Malraux	1 Bd des Italiens	Palais Royal-Louvre
2	H18-I17	**Richelieu** Rue de	2 Pl. A. Malraux	1 Bd des Italiens	Richelieu Drouot
13	Q22-R22	**Richemont** Rue de	53 R. de Domrémy	58 R. de Tolbiac	Olympiades
16	J8-J9	**Richepin** Rue Jean	39 R. de la Pompe	40 Bd E. Augier	La Muette
9	G18-G19	**Richer** Rue	41 R. du Fbg Poissonnière	32 R. du Fbg Montmartre	Cadet - Le Peletier
10	H22	**Richerand** Avenue	74 Q. de Jemmapes	47 R. Bichat	République - Goncourt
13	Q22	**Richet** Rue du Dr Charles	79 R. Jeanne d'Arc	160 R. Nationale	Nationale
18	D20-E20	**Richomme** Rue	25 R. des Gardes	10 R. des Poissonniers	Château Rouge
18	E18	**Rictus** Square Jehan	Pl. des Abbesses	(en impasse)	Abbesses
14	Q14	**Ridder** Rue de	150 R. R. Losserand	161 R. Vercingétorix	Plaisance
12	N25	**Riesener** Rue	21 R. Hénard	40 R. J. Hillairet	Montgallet
19	G27	**Rigaunes** Impasse des	10 R. du Dr Potain		Télégraphe
8	G15	**Rigny** Rue de	7 Pl. St-Augustin	6 R. Roy	St-Augustin
20	G25-H26	**Rigoles** Rue des	23 R. Pixérécourt	2 R. du Jourdain	Jourdain
13	O23-P24	**Rimbaud** Allée Arthur	Pont de Bercy (R. G.)	Pont de Tolbiac (R. G.)	Quai de la Gare
19	F25	**Rimbaud** Villa	3 R. Miguel Hidalgo	(en impasse)	Botzaris
14	Q16	**Rimbaut** Passage	72 Av. du Gal Leclerc	197 Av. du Maine	Alésia
16	O5	**Rimet** Place Jules	Av. du Parc des Princes		Porte de St-Cloud
18	B22-C22	**Rimski-Korsakov** Allée	10 R. Tristan Tzara	(en impasse)	Porte de la Chapelle
8	F14	**Rio de Janeiro** Place de	41 R. de Monceau	28 R. de Lisbonne	Monceau
14	P15-P16	**Ripoche** Rue Maurice	166 Av. du Maine	11 R. Didot	Pernety
18	D21-D22	**Riquet** Rue	67 Q. de la Seine	Place P. Eluard	Marx Dormoy
19	D22-D23	**Riquet** Rue	67 Q. de la Seine	Place P. Eluard	Riquet
7	K12-L12	**Risler** Avenue Charles	Al. A. Lecouvreur	Al. Thomy Thierry	École Militaire
16	O7	**Risler** Avenue Georges	19 Villa C. Lorrain	Villa Cheysson	Exelmans
10	H21	**Riverin** Cité	74 R. R. Boulanger	29 R. du Château d'Eau	Jacques Bonsergent
16	M8	**Rivière** Place Théodore	R. Chardon Lagache	Rue du Buis	Église d'Auteuil
8	G14-H13	**Rivière** Rue du Cdt	71 Av. F. D. Roosevelt	10 R. d'Artois	St-Philippe du R.
14	S17	**Rivoire** Avenue André	Av. P. Masse	15 Av. D. Weill	Cité Univ. (RER B)
1	I16-K21	**Rivoli** Rue de	45 R. F. Miron	Pl. de la Concorde	Concorde
4	I16-K21	**Rivoli** Rue de	45 R. F. Miron	Pl. de la Concorde	St-Paul
9	F18-G18	**Rizal** Place José	Rue de Maubeuge	Rue Charon	Cadet
18	B18-C18	**Robert** Impasse	115 R. Championnet	(en impasse)	Porte de Clignancourt
12	O27-P27	**Robert** Rue Édouard	39 R. de Fécamp	6 R. Tourneux	Michel Bizot
1	K18	**Robert** Rue Henri	27 Pl. Dauphine	13 Pl. du Pont Neuf	Pont Neuf
18	D21	**Robert** Rue Jean	10 R. Doudeauville	9 R. Ordener	Marx Dormoy
14	O17	**Robert** Rue Léopold	122 Bd du Montparnasse	213 Bd Raspail	Vavin - Raspail
17	C15	**Roberval** Rue	5 R. Baron	8 R. des Épinettes	Brochant - G. Môquet
7	K13	**Robiac** Square de	192 R. de Grenelle	(en impasse)	École Militaire
19	F25	**Robida** Villa Albert	51 R. A. Rozier	36 R. de Crimée	Botzaris

Ar.	Plan	**Rues** / Streets	Commençant	Finissant	Métro
10	F22-G22	**Robin** Rue Charles	37 Av. C. Vellefaux	38 R. Grange aux Belles	Colonel Fabien
20	I26	**Robineau** Rue	4 R. Désirée	1 Pl. M. Nadaud	Gambetta
6	N16	**Robiquet** Impasse	81 Bd du Montparnasse	(en impasse)	Montparnasse-Bienv.
16	L6	**Rocamadour** Square de	92 Bd Suchet	1 Av. du Mal Lyautey	Porte d'Auteuil
16	I12	**Rochambeau** Place	Av. Pierre Ier de Serbie	Rue Freycinet	Iéna
9	F19-G19	**Rochambeau** Rue	1 R. P. Semard	2 R. Mayran	Poissonnière - Cadet
17	B15	**Roche** Rue Ernest	2 R. du Dr Brousse	75 R. Pouchet	Porte de Clichy
11	J24	**Rochebrune** Passage	9 R. Rochebrune	Pas. Guilhem	Voltaire
11	J24	**Rochebrune** Rue	28 Av. Parmentier	41 R. St-Maur	Voltaire
9	E18-E19	**Rochechouart** Bd de	157 Bd de Magenta	72 R. des Martyrs	Pigalle
18	E18-E19	**Rochechouart** Bd de	157 Bd de Magenta	72 R. des Martyrs	Barbès-Rochechouart
9	E19-G19	**Rochechouart** Rue de	2 R. Lamartine	19 Bd de Rochechouart	Cadet
17	F13-E13	**Rochefort** Rue Henri	24 R. de Prony	17 R. Phalsbourg	Malesherbes
8	F15-G16	**Rocher** Rue du	15 R. de Rome	1 Pl. P. Goubaux	Europe - Villiers
14	S18	**Rockefeller** Avenue	Cité Universitaire	(en impasse)	Cité Univ. (RER B)
10	F20	**Rocroy** Rue de	8 R. d'Abbeville	133 Bd de Magenta	Poissonnière
14	P18	**Rodenbach** Allée	25 R. J. Dolent	12 Al. Verhaeren	St-Jacques
10	G22	**Rodhain** R. Monseigneur	Quai de Valmy	Rue Robert Blache	Château Landon
9	F19-G18	**Rodier** Rue	9 R. de Maubeuge	17 Av. Trudaine	Cadet - Anvers
16	I8-J9	**Rodin** Avenue	3 R. Mignard	122 R. de la Tour	Av. H. Martin (RER C)
16	L8	**Rodin** Place	Avenue A. Hébrard	Av. du Gal Dubail	Ranelagh - Jasmin
15	N11	**Roger** Rue Edmond	62 R. Violet	65 R. des Entrepreneurs	Commerce
14	P16	**Roger** Rue	43 R. Froidevaux	64 R. Daguerre	Raspail
6	L18	**Rohan** Cour de	Rue du Jardinet	Cr du Comm. St-André	Odéon
1	J17	**Rohan** Rue de	172 R. de Rivoli	157 R. St-Honoré	Palais Royal-Louvre
18	B19-C19	**Roi d'Alger** Passage du	15 R. du Roi d'Alger	49 R. Championnet	Simplon
18	B19-C19	**Roi d'Alger** Rue du	54 Bd Ornano	9 R. Nve de la Chardonnière	Simplon
4	K20-K21	**Roi de Sicile** Rue du	1 R. Malher	4 R. Bourg Tibourg	St-Paul
3	J22	**Roi Doré** Rue du	77 R. de Turenne	20 R. de Thorigny	St-Sébastien-Froissart
2	I20	**Roi François** Cour du	194 R. St-Denis	(en impasse)	Réaumur-Sébastopol
14	S18	**Roli** Rue	14 R. d'Arcueil	9 R. Cité Universitaire	Cité Univ. (RER B)
17	D12	**Roll** Rue Alfred	80 Bd Péreire	33 Bd Berthier	Pereire
14	S14-S16	**Rolland** Bd Romain	Av. Lannelongue	Bd Adolphe Pinard	Porte d'Orléans
20	L27	**Rolleboise** Impasse	20 R. des Vignoles	(en impasse)	Avron
15	P11	**Rollet** Place Henri	340 R. de Vaugirard	1 R. Desnouettes	Convention
5	N19-N20	**Rollin** Rue	56 R. Monge	79 R. du Card. Lemoine	Place Monge
19	E25-F26	**Rollinat** Villa Maurice	29 R. M. Hidalgo	(en impasse)	Danube
14	P17	**Rol-Tanguy** Av. du Col. Henri	Pl. Denfert-Rochereau		Denfert-Rochereau
19	G23-H24	**Romains** Rue Jules	R. de Belleville	Rue Henri Ribière	Belleville
19	G27-G28	**Romainville** Rue de	263 R. de Belleville	337 R. de Belleville	Télégraphe
3	I21	**Rome** Cour de	24 R. des Gravilliers	9 R. des Vertus	Arts et Métiers
8	G16	**Rome** Cour de	Gare St-Lazare		St-Lazare
8	D14-G16	**Rome** Rue de	76 Bd Haussmann	142 R. Cardinet	St-Lazare
17	D14-G16	**Rome** Rue de	76 Bd Haussmann	142 R. Cardinet	Rome
20	I26	**Rondeaux** Passage des	88 R. des Rondeaux	26 Av. Gambetta	Gambetta
20	I26-J27	**Rondeaux** Rue des	R. C. Renouvier	24 Av. Gambetta	Gambetta
12	M25	**Rondelet** Rue	21 R. Érard	98 Bd Diderot	Reuilly Diderot
20	J27	**Rondonneaux** Rue des	227 R. des Pyrénées	16 R. E. Landrin	Gambetta
19	C25	**Rd-Pt des Canaux** Pl. du	Gal. de la Villette	Al. du Belvédère	Porte de Pantin
18	E19	**Ronsard** Rue	3 Pl. St-Pierre	R. P. Albert	Anvers
15	N14	**Ronsin** Impasse	152 R. de Vaugirard	(en impasse)	Pasteur
8	H14-I14	**Roosevelt** Av. Franklin D.	Pl. du Canada	123 R. du Fbg St-Honoré	Champs-Elysées-Clem.
13	S20	**Rops** Avenue Félicien	R. de la Poterne des Peupliers	R. de Ste-Hélène	Porte d'Italie
8	G15	**Roquépine** Rue	39 Bd Malesherbes	18 R. Cambacérès	St-Augustin
16	O6	**Roques** Rue du Général	5 Pl. du Gal Stéfanik	Av. du Parc des Princes	Porte de St-Cloud
11	K23-L23	**Roquette** Cité de la	58 R. de la Roquette	(en impasse)	Bréguet Sabin
11	K24-L22	**Roquette** Rue de la	1 R. du Fbg St-Antoine	21 Bd de Ménilmontant	Bastille - Voltaire
11	J25	**Roquette** Square de la	R. Servan	R. de la Roquette	Voltaire
13	P20	**Roret** Rue Nicolas	23 R. de la Reine Blanche	30 R. Le Brun	Les Gobelins
13	Q20	**Rosalie** Av. de la Sœur	6 Pl. d'Italie	13 R. Hovelacque	Place d'Italie
15	P13-Q13	**Rosenwald** Rue	36 R. de Vouillé	99 R. des Morillons	Porte de Vanves
18	C21	**Roses** Rue des	5 Pl. Hébert	42 R. de la Chapelle	Marx Dormoy
18	C21	**Roses** Villa des	44 R. de la Chapelle	(en impasse)	Marx Dormoy
15	N10-N11	**Rosière** Rue de la	68 R. des Entrepreneurs	51 R. de l'Église	F. Faure - Commerce
4	K21	**Rosiers** Rue des	131 R. Malher	40 R. Vieille du Temple	St-Paul
13	T21	**Rosny Aîné** Square	R. Dr Bourneville	(en impasse)	Porte d'Italie

Ar.	Plan	Rues / Streets	Commençant	Finissant	Métro
5	M21	**Rossi** Square Tino	Pont de Sully	Pont d'Austerlitz	Gare d'Austerlitz
12	N25	**Rossif** Square Frédéric	R. de Charenton	R. Charles Nicolle	Reuilly Diderot
9	G18	**Rossini** Rue	19 R. Grange Batelière	26 R. Laffitte	Richelieu Drouot
6	M18	**Rostand** Place Edmond	Bd St-Michel	R. de Médicis	Luxembourg (RER B)
19	G23	**Rostand** Place Jean	Bd de la Villette	R. H. Guimard	Belleville
18	D16	**Rothschild** Impasse	16 Av. de St-Ouen	(en impasse)	La Fourche
6	M18	**Rotrou** Rue	8 Pl. de l'Odéon	20 R. de Vaugirard	Odéon
12	O27-O28	**Rottembourg** Rue	94 Av. du Gal M. Bizot	49 Bd Soult	Porte Dorée
15	N10	**Roty** Rue Oscar	109 R. de Lourmel	32 Av. F. Faure	Boucicaut
18	B18	**Rouanet** Rue Gustave	89 R. du Ruisseau	82 R. du Poteau	Pte de Clignancourt
20	H24-H25	**Rouault** Allée Georges	41 R. J. Lacroix	30 R. du Pressoir	Couronnes
10	F20	**Roubaix** Place de	Bd de Magenta	R. de Maubeuge	Gare du Nord
11	M25	**Roubo** Rue	261 R. du Fbg St-Antoine	40 R. de Montreuil	Faidherbe-Chaligny
9	H17	**Rouché** Place Jacques	R. Meyerbeer	R. Gluck	Chée d'Antin-La Fayette
16	M8	**Roucher** Rue Antoine	14 R. Mirabeau	4 R. Corot	Mirabeau
15	L10-M11	**Rouelle** Rue	47 Q. de Grenelle	26 R. de Lourmel	Dupleix
19	D23	**Rouen** Rue de	55 Q. de la Seine	54 R. de Flandre	Riquet
14	R16	**Rouet** Impasse du	4 Av. J. Moulin	(en impasse)	Alésia
9	H19	**Rougemont** Cité	17 R. Bergère	5 R. Rougemont	Grands Boulevards
9	H19	**Rougemont** Rue	16 Bd Poissonnière	13 R. Bergère	Bonne Nouvelle
1	I16	**Rouget De L'Isle** Rue	238 R. de Rivoli	19 R. du Mont Thabor	Concorde
1	J19	**Roule** Rue du	136 R. de Rivoli	77 R. St-Honoré	Pont Neuf
8	G12	**Roule** Square du	223 R. du Fbg St-Honoré	(en impasse)	Ternes
14	S16	**Rousse** Rue Edmond	132 Bd Brune	39 Av. E. Reyer	Porte d'Orléans
12	P28	**Rousseau** Av. Armand	3 Pl. E. Renard	1 R. E. Lefébure	Porte Dorée
16	L8	**Rousseau** Av. Théodore	2 Pl. Rodin	29 R. de l'Assomption	Ranelagh - Jasmin
1	I19-J18	**Rousseau** R. J.-Jacques	158 R. St-Honoré	21 R. Montmartre	Louvre-Rivoli
16	L8-M8	**Roussel** Av. de l'Abbé	35 R. J. De La Fontaine	30 Av. T. Gautier	Jasmin
17	C13	**Roussel** Rue Albert	R. S. Grappelli	Bd Berthier	Pereire
12	L23-M24	**Roussel** Rue Théophile	17 R. de Cotte	10 R. de Prague	Ledru-Rollin
7	M15	**Rousselet** Rue	17 R. Oudinot	68 R. de Sèvres	Vaneau
13	R20	**Rousselle** R. E. et H.	16 R. Damesme	69 R. du Moulin des Prés	Tolbiac
13	R20	**Rousselle** Square Henri	R. Bobillot	R. de la Butte aux Cailles	Tolbiac
17	D12	**Rousselot** Rue de l'Abbé	116 Bd Berthier	Av. Brunetière	Pereire
15	N12	**Roussin** Rue de l'Amiral	39 R. de la Croix Nivert	88 R. Blomet	Vaugirard - É. Zola
19	C24-C25	**Rouvet** Rue	3 Quai de la Gironde	2 Av. C. Cariou	Corentin Cariou
14	Q14	**Rouvier** Rue Maurice	166 R. R. Losserand	183 R. Vercingétorix	Plaisance
16	M7	**Rouvray** Avenue de	20 R. Boileau	(en impasse)	Chardon Lagache
17	F12	**Roux** Passage	19 R. Rennequin	42 R. des Renaudes	Pereire - Ternes
15	N14-O14	**Roux** Rue du Docteur	34 Bd Pasteur	49 R. des Volontaires	Pasteur
8	G15	**Roy** Rue	4 R. La Boétie	39 R. de laborde	St-Augustin
1	J16-J17	**Royal** Pont	Quai Voltaire	Quai Fr. Mitterrand	Musée d'Orsay (RER C)
7	J16-J17	**Royal** Pont	Quai Voltaire	Quai Fr. Mitterrand	Musée d'Orsay (RER C)
8	I15	**Royale** Galerie	Rue Royale	R. Boissy d'Anglas	Concorde
8	H16-I15	**Royale** Rue	2 Pl. de la Concorde	2 Pl. de la Madeleine	Madeleine - Concorde
1	J18	**Royer** Rue Clémence	29 R. de Viarmes	Rue Coquillière	Louvre-Rivoli
5	N18	**Royer Collard** Impasse	15 R. Royer Collard	(en impasse)	Luxembourg (RER B)
5	M18-N18	**Royer Collard** Rue	202 R. St-Jacques	71 Bd St-Michel	Luxembourg (RER B)
12	M25-N25	**Rozanoff** Rue du Colonel	42 R. de Reuilly	32 R. de Reuilly	Reuilly-Diderot
19	F26-G25	**Rozier** Rue Arthur	37 R. des Solitaires	67 R. Compans	Jourdain
13	P20	**Rubens** Rue	31 R. du Banquier	140 Bd de l'Hôpital	Les Gobelins
16	G11	**Rude** Rue	12 Av. Foch	11 Av. de la Gde Armée	Ch. de Gaulle-Étoile
7	K12	**Rueff** Place Jacques	Avenue J. Bouvard	Avenue J. Bouvard	Ch. de Mars-Tr Eiffel (RER C)
18	D21	**Ruelle** Passage	29 R. M. Dormoy	Impasse Jessaint	La Chapelle
18	C17	**Ruggieri** Rue Désiré	166 R. Ordener	167 R. Championnet	Guy Môquet
17	E10-F10	**Ruhmkorff** Rue	47 Bd Gouvion St-Cyr	55 Bd Gouvion St-Cyr	Porte Maillot
18	B18-C18	**Ruisseau** Rue du	31 R. Duhesme	45 Bd Ney	Lamarck-Caulaincourt
20	H26	**Ruisseau de Ménilmontant** P. du	25 R. du Retrait	26 R. Boyer	Gambetta
13	S19	**Rungis** Place de	40 R. Brillat Savarin	100 R. Barrault	Corvisart
13	S18-S19	**Rungis** Rue de	2 Pl. de Rungis	65 R. Aml Mouchez	Cité Univ. (RER B)
12	N24	**Rutebeuf** Place	Pas. Raguinot	Pas. Gatbois	Gare de Lyon
8	F14	**Ruysdaël** Avenue	5 Pl. Rio de Janeiro	Parc de Monceau	Monceau

Ar.	Plan	**Rues** / Streets	Commençant	Finissant	Métro
		S			
14	P15-Q16	**Sablière** Rue de la	186 Av. du Maine	35 R. Didot	Pernety
16	I10-J9	**Sablons** Rue des	35 R. St-Didier	32 Av. G. Mandel	Victor Hugo
17	F9	**Sablonville** Rue de	Place du Marché	Rue G. Charpentier	Porte Maillot
6	L17	**Sabot** Rue du	11 R. B. Palissy	64 R. de Rennes	St-Germain-des-Prés
14	Q16	**Saché** Rue Georges	10 R. de la Sablière	11 R. Severo	Mouton-Duvernet
18	D18	**Sacré Cœur** Cité du	38 R. du Chev. de la Barre	(en impasse)	Abbesses
7	J12-K12	**Sacy** Avenue Silvestre De	18 Av. de La Bourdonnais	Av. G. Eiffel	Ch. de Mars-Tr Eiffel (RER C)
12	O27-O28	**Sahel** Rue du	30 Bd de Picpus	69 Bd Soult	Bel Air
12	O28	**Sahel** Villa du	45 R. du Sahel	(en impasse)	Bel Air
16	G9	**Saïd** Villa	68 R. Pergolèse	(en impasse)	Porte Dauphine
15	P11-Q12	**Saïda** Rue de la	75 R. O. de Serres	62 R. de Dantzig	Porte de Versailles
16	G11	**Saïgon** Rue de	3 R. Rude	4 R. d'Argentine	Ch. de Gaulle-Étoile
14	P16-Q16	**Saillard** Rue	1 R. C. Divry	30 R. Brézin	Mouton-Duvernet
3	J20	**Saint-Aignan** Jardin	Cité Noël		Rambuteau
14	S16	**Saint-Alphonse** Impasse	77 R. du Père Corentin	(en impasse)	Porte d'Orléans
15	P13	**Saint-Amand** Rue	8 Pl. d'Alleray	53 R. de Vouillé	Plaisance
11	J23-J24	**Saint-Ambroise** Passage	29 R. St-Ambroise	(en impasse)	Rue St-Maur
11	J23-J24	**Saint-Ambroise** Rue	2 R. de la Folie Méricourt	67 R. St-Maur	Rue St-Maur
6	L18	**Saint-André des Arts** Pl.	2 R. Hautefeuille	21 R. St-André des Arts	St-Michel
6	L18	**Saint-André des Arts** R.	Pl. St-André des Arts	1 R. de l'Anc. Comédie	St-Michel
17	B16	**Saint-Ange** Passage	131 Av. de St-Ouen	20 R. J. Leclaire	Porte de St-Ouen
17	B16	**Saint-Ange** Villa	8 Passage St-Ange	(en impasse)	Porte de St-Ouen
11	L23	**Saint-Antoine** Passage	34 R. de Charonne	8 Pas. Josset	Ledru-Rollin
4	K21-L22	**Saint-Antoine** Rue	3 Pl. de la Bastille	2 R. de Sévigné	St-Paul - Bastille
8	G15	**Saint-Augustin** Place	Bd Haussmann	Bd Malesherbes	St-Augustin
2	H17-H18	**Saint-Augustin** Rue	75 R. Richelieu	14 R. d'Antin	Quatre Septembre
6	K17-L17	**Saint-Benoît** Rue	31 R. Jacob	170 Bd St-Germain	St-Germain-des-Prés
11	L24	**Saint-Bernard** Passage	159 R. du Fbg St-Antoine	8 R. C. Delescluze	Ledru-Rollin
5	M21-N22	**Saint-Bernard** Port	Pont d'Austerlitz	Pont de Sully	Gare d'Austerlitz
5	M21-N22	**Saint-Bernard** Quai	21 Pl. Valhubert	Pont de Sully	Gare d'Austerlitz
11	L24	**Saint-Bernard** Rue	183 R. du Fbg St-Antoine	78 R. de Charonne	Faidherbe-Chaligny
20	J27	**Saint-Blaise** Place	119 R. de Bagnolet	Rue Saint-Blaise	Porte de Bagnolet
20	J27-K28	**Saint-Blaise** Rue	Place Saint-Blaise	109 Bd Davout	Porte de Bagnolet
4	K20	**Saint-Bon** Rue	82 R. de Rivoli	91 R. de la Verrerie	Hôtel de Ville
18	E20	**Saint-Bruno** Rue	13 R. Stephenson	6 R. St-Luc	La Chapelle
15	M10	**Saint-Charles** Place	47 R. St-Charles	41 R. du Théâtre	Ch. Michels
15	N9	**St-Charles** Rond-Point	154 R. St-Charles	63 R. des Cévennes	Lourmel
15	L11-O9	**Saint-Charles** Rue	32 Bd Grenelle	77 R. Leblanc	Balard - Bir Hakeim
12	M25	**Saint-Charles** Square	55 R. de Reuilly	17 R. P. Bourdan	Reuilly Diderot
15	M10-N10	**Saint-Charles** Villa	98 R. St-Charles	(en impasse)	Ch. Michels
19	G23	**Saint-Chaumont** Cité	50 Bd de la Villette	71 Av. S. Bolivar	Belleville
15	N9	**Saint-Christophe** Rue	28 R. de la Convention	29 R. S. Mercier	Javel
3	J22	**Saint-Claude** Impasse	14 R. St-Claude	(en impasse)	St-Sébastien-Froissart
3	J22	**Saint-Claude** Rue	99 Bd Beaumarchais	70 R. de Turenne	St-Sébastien-Froissart
16	P6	**Saint-Cloud** Porte de	Bd Périphérique		Porte de St-Cloud
2	H20	**Saint-Denis** Boulevard	1 R. du Fbg St-Martin	2 R. du Fbg St-Denis	Strasbourg-St-Denis
3	H20	**Saint-Denis** Boulevard	1 R. du Fbg St-Martin	2 R. du Fbg St-Denis	Strasbourg-St-Denis
10	H20	**Saint-Denis** Boulevard	1 R. du Fbg St-Martin	2 R. du Fbg St-Denis	Strasbourg-St-Denis
2	I19-I20	**Saint-Denis** Impasse	177 R. St-Denis	(en impasse)	Réaumur-Sébastopol
1	I20-H20	**Saint-Denis** Rue	12 Av. Victoria	1 Bd Bonne Nouvelle	Châtelet-Les Halles
2	I20-H20	**Saint-Denis** Rue	12 Av. Victoria	1 Bd Bonne Nouvelle	Châtelet-Les Halles
16	I11-I9	**Saint-Didier** Rue	92 Av. Kléber	36 R. des Belles Feuilles	Victor Hugo
7	K12-K16	**Saint-Dominique** Rue	219 Bd St-Germain	Pl. du Gal Gouraud	Solférino - Invalides
3	J21-J22	**Sainte-Anastase** Rue	69 R. de Turenne	12 R. de Thorigny	St-Sébastien-Froissart
2	I17	**Sainte-Anne** Passage	59 R. Ste-Anne	52 Pas. Choiseul	Quatre Septembre
1	H18-I17	**Sainte-Anne** Rue	12 Av. de l'Opéra	13 R. St-Augustin	Pyramides
2	H18-I17	**Sainte-Anne** Rue	12 Av. de l'Opéra	13 R. St-Augustin	Quatre Septembre
11	K22-K23	**Ste-Anne Popincourt** Pl.	42 R. St-Sabin	43 Bd R. Lenoir	Bréguet Sabin
2	H20	**Sainte-Apolline** Rue	357 R. St-Martin	248 R. St-Denis	Strasbourg-St-Denis
3	J20	**Sainte-Avoie** Passage	8 R. Rambuteau	62 R. du Temple	Rambuteau
6	N16-N17	**Sainte-Beuve** Rue	44 R. N.-D. des Champs	131 Bd Raspail	N.-D. des Champs
9	G19	**Sainte-Cécile** Rue	29 R. du Fbg Poissonnière	6 R. de Trévise	Bonne Nouvelle

Ar.	Plan	**Rues** / Streets	Commençant	Finissant	Métro
12	N25	**Sainte-Claire Deville** R.	21 Cité Moynet	9 Pas. Montgallet	Montgallet
17	C16	**Sainte-Croix** Villa	37 R. de la Jonquière	(en impasse)	Guy Môquet
4	K20-K21	**Ste-Croix la Bretonnerie** R.	31 R. Vieille du Temple	24 R. du Temple	Hôtel de Ville
4	K20	**Ste-Croix la Bretonnerie** Sq.	13 R. des Archives	35 R. Ste-Croix la Br.	Hôtel de Ville
3	I21	**Sainte-Elisabeth** P.	195 R. du Temple	72 R. de Turbigo	Temple
3	I21	**Sainte-Elisabeth** Rue	8 R. des Font. du Temple	70 R. de Turbigo	Temple
15	P12	**Sainte-Eugénie** Avenue	30 R. Dombasle	(en impasse)	Convention
15	O13	**Sainte-Félicité** Rue	12 R. de la Procession	17 R. des Favorites	Vaugirard
2	H19-I19	**Sainte-Foy** Galerie	57 Pas. du Caire		Sentier
2	H20	**Sainte-Foy** Passage	261 R. St-Denis	14 R. Ste-Foy	Strasbourg-St-Denis
2	H20	**Sainte-Foy** Rue	33 R. d'Alexandrie	279 R. St-Denis	Strasbourg-St-Denis
5	M19	**Sainte-Geneviève** Place	62 R. Mont. Ste-Genev.	Pl. du Panthéon	Maubert-Mutualité
13	S20-T20	**Sainte-Hélène** Rue de	Av. Caffieri	R. de la Poterne des Peupliers	Maison Blanche
18	B18-B19	**Sainte-Hélène** Square	R. Letort	R. Esclangon	Porte de Clignancourt
18	B18-B19	**Sainte-Henriette** I.	51 R. Letort	(en impasse)	Porte de Clignancourt
18	C19	**Sainte-Isaure** Rue	4 R. du Poteau	7 R. Versigny	Jules Joffrin
14	P15	**Sainte-Léonie** Rue	22 R. Pernety	(en impasse)	Pernety
18	D18-E18	**Saint-Eleuthère** Rue	11 R. Foyatier	2 R. du Mont Cenis	Anvers - Abbesses
12	M25	**Saint-Eloi** Cour	39 R. de Reuilly	134 Bd Diderot	Reuilly Diderot
15	N10	**Sainte-Lucie** Rue	20 R. de l'Église	95 R. de Javel	Ch. Michels
12	P28-P29	**Sainte-Marie** Avenue	Bd de la Guyane	Jeanne d'Arc	Porte Dorée
20	H28	**Sainte-Marie** Villa	9 Pl. Adj. Vincenot	(en impasse)	St-Fargeau
10	G23	**Sainte-Marthe** Impasse	25 R. Ste-Marthe	(en impasse)	Colonel Fabien
10	G23	**Sainte-Marthe** Place	32 R. Ste-Marthe	R. du Chalet	Belleville
10	G22-G23	**Sainte-Marthe** Rue	214 R. St-Maur	38 R. Sambre et Meuse	Goncourt - Belleville
12	P25-Q25	**Saint-Émilion** Cour	Q. de Bercy	R. Gabriel Lamé	Cour St-Émilion
12	P25	**Saint-Émilion** Passage	35 R. des Pirogues de Bercy	34 R. F. Truffaut	Cour St-Émilion
18	C16	**Sainte-Monique** Impasse	15 R. des Tennis	(en impasse)	Porte de St-Ouen
17	D11	**Sainte-Odile** Square	Av. St. Mallarmé	R. de Courcelles	Porte de Champerret
1	K19	**Sainte-Opportune** Place	8 R. des Halles	1 R. Ste-Opportune	Châtelet
1	J19	**Sainte-Opportune** Rue	10 Pl. Ste-Opport.	19 R. de la Ferronnerie	Châtelet
11	L23-L24	**Saint-Esprit** Cour du	127 R. du Fbg St-Antoine	(en impasse)	Ledru-Rollin
12	Q25	**Saint-Estèphe** Place	Av. des Terroirs de Fr.	Quai de Bercy	Cour St-Émilion
5	M19	**Saint-Etienne du Mont** R.	24 R. Descartes	Pl. Ste-Geneviève	Card. Lemoine
1	J19	**Saint-Eustache** Impasse	3 R. Montmartre	(en impasse)	Les Halles
16	O7-P6	**Saint-Exupéry** Quai	Bd Murat	Q. du Point du Jour	Porte de St-Cloud
20	H27	**Saint-Fargeau** Place	108 Av. Gambetta	30 R. St-Fargeau	St-Fargeau
20	H27	**Saint-Fargeau** Rue	130 R. Pelleport	125 Bd Mortier	St-Fargeau
20	H27	**Saint-Fargeau** Villa	25-27 R. St-Fargeau		St-Fargeau
17	F10	**Saint-Ferdinand** Place	21 R. Brunel	34 R. St-Ferdinand	Argentine
17	F11-G10	**Saint-Ferdinand** Rue	5 Pl. T. Bernard	64 Av. de la Gde Armée	Porte Maillot
2	H19	**Saint-Fiacre** Rue	26 R. des Jeûneurs	9 Bd Poissonnière	Bonne Nouvelle
1	I16	**Saint-Florentin** Rue	2 Pl. de la Concorde	271 R. St-Honoré	Concorde
8	I16	**Saint-Florentin** Rue	2 Pl. de la Concorde	271 R. St-Honoré	Concorde
18	B19	**Saint-François** Impasse	48 R. Letort	(en impasse)	Porte de Clignancourt
9	F18	**Saint-Georges** Place	51 R. Saint-Georges	30 R. N.-D. de Lorette	St-Georges
9	F18-G18	**Saint-Georges** Rue	32 R. de Provence	25 R. N.-D. de Lorette	St-Georges
1	H16-I16	**Saint-Georges** Rue du	Chevalier de	404 R. St-Honoré	21 R. DuphotMadeleine
8	H16-I16	**St-Georges** R. du Chev. de	404 R. St-Honoré	21 R. Duphot	Madeleine
5	J15-M20	**Saint-Germain** Bd	1 Q. de la Tournelle	31 Q. A. France	Maubert-Mutualité
6	J15-M20	**Saint-Germain** Bd	1 Q. de la Tournelle	31 Q. A. France	St-Germain-des-Prés
7	J15-M20	**Saint-Germain** Bd	1 Q. de la Tournelle	31 Q. A. France	Solférino
1	K18-K19	**St-Germain l'Auxerrois** R.	1 R. des Lavandières Ste-O.	4 R. des Bourdonnais	Pont Neuf
6	L17	**St-Germain-des-Prés** Pl.	Rue Bonaparte	168 Bd St-Germain	St-Germain-des-Prés
4	K20	**Saint-Gervais** Place	4 R. de Lobau	10 R. de Brosse	Hôtel de Ville
3	K22	**Saint-Gilles** Rue	63 Bd Beaumarchais	48 R. de Turenne	Chemin Vert
14	Q17-R17	**Saint-Gothard** Rue du	45 R. Dareau	6 R. d'Alésia	St-Jacques
7	K17-L16	**Saint-Guillaume** Rue	18 R. du Pré aux Clercs	32 R. de Grenelle	Rue du Bac
5	O20	**Saint-Hilaire** R. Geoffroy	42 Bd St-Marcel	1 R. Lacépède	St-Marcel
13	P19	**Saint-Hippolyte** Rue	42 R. Pascal	9 R. de la Glacière	Les Gobelins
1	I16-J19	**Saint-Honoré** Rue	21 R. des Halles	14 R. Royale	Concorde - Madeleine
8	I16-J19	**Saint-Honoré** Rue	21 R. des Halles	14 R. Royale	Concorde
16	I10	**Saint-Honoré d'Eylau** Av.	58 Av. R. Poincaré	(en impasse)	Victor Hugo
11	I24-J24	**Saint-Hubert** Rue	66 R. St-Maur	86 Av. de la République	Rue St-Maur
1	I17	**Saint-Hyacinthe** Rue	13 R. La Sourdière	8 R. du Marché St-Honoré	Pyramides

Ar.	Plan	**Rues** / Streets	Commençant	Finissant	Métro
11	J23	**Saint-Irénée** Square	Rue Lacharrière	(en impasse)	St-Ambroise
14	P17-Q18	**Saint-Jacques** Bd	50 R. de la Santé	3 Pl. Denfert-Rochereau	St-Jacques
14	P17	**Saint-Jacques** Place	83 R. du Fbg St-Jacques	48 Bd St-Jacques	St-Jacques
5	L19-O18	**Saint-Jacques** Rue	79 R. Galande	84 Bd de Port Royal	St-Michel
14	P17-Q17	**Saint-Jacques** Villa	61 Bd St-Jacques	20 R. de la Tombe Issoire	St-Jacques
17	D16	**Saint-Jean** Place	Rue Saint-Jean	Passage St-Michel	La Fourche
17	D16	**Saint-Jean** Rue	80 Av. de Clichy	4 R. Dautancourt	La Fourche
6	M15	**St-Jean-Bapt. de la Salle** R.	117 R. de Sèvres	110 R. du Cherche Midi	Vaneau
18	D20-E20	**Saint-Jérôme** Rue	8 R. St-Mathieu	11 R. Cavé	Château Rouge
1	J19	**Saint-John Perse** Allée	Rue Berger	Place René Cassin	Les Halles
11	L23	**Saint-Joseph** Cour	5 R. de Charonne	(en impasse)	Bastille
2	H19-I19	**Saint-Joseph** Rue	7 R. du Sentier	140 R. Montmartre	Sentier
18	B17	**Saint-Jules** Passage	18 R. Leibniz	2 R. A. Compoint	Porte de St-Ouen
5	L19	**Saint-Julien le Pauvre** R.	25 Q. de Montebello	52 R. Galande	St-Michel
17	B14	**Saint-Just** Rue	88 R. P. Rebière	(en impasse)	Porte de Clichy
15	O11-P11	**Saint-Lambert** Rue	259 R. Lecourbe	4 R. Desnouettes	Convention
15	N12	**Saint-Lambert** Square	Rue L. Lhermitte	R. T. Renaudot	Commerce
10	G21	**Saint-Laurent** Rue	127 R. du Fbg St-Martin	72 Bd de Magenta	Gare de l'Est
10	G21	**Saint-Laurent** Square	Bd de Magenta		Gare de l'Est
8	G16	**Saint-Lazare** Rue	9 R. Bourdaloue	14 Pl. Gabriel Péri	St-Lazare
9	G16	**Saint-Lazare** Rue	9 R. Bourdaloue	14 Pl. Gabriel Péri	Trinité
11	L23	**Saint-Louis** Cour	45 R. du Fbg St-Antoine	26 R. de lappe	Bastille
4	L20	**Saint-Louis** Pont	Quai d'Orléans	Quai aux Fleurs	St-Michel
4	L20-L21	**Saint-Louis en l'Ile** Rue	1 Q. d'Anjou	4 R. J. du Bellay	Sully-Morland - Pt Marie
18	D20-E20	**Saint-Luc** Rue	10 R. Polonceau	21 R. Cavé	Barbès-Rochechouart
12	N26-N28	**Saint-Mandé** Avenue de	29 R. de Picpus	115 Bd Soult	Picpus - Nation
12	N28-N29	**Saint-Mandé** Porte de	Avenue Courteline	Av. Victor Hugo	St-Mandé Tourelle
12	M27-N27	**Saint-Mandé** Villa de	29 Av. de St-Mandé	63 Bd de Picpus	Picpus
2	H18	**Saint-Marc** Galerie	8 R. St-Marc	23 Gal. des Variétés	Grands Boulevards
2	H18	**Saint-Marc** Rue	149 R. Montmartre	10 R. Favart	Grands Boulevards
17	D12	**Saint-Marceaux** Rue de	110 Bd Berthier	Av. Brunetière	Pereire
5	O21-P20	**Saint-Marcel** Boulevard	42 Bd de l'Hôpital	23 Av. des Gobelins	St-Marcel - Les Gobelins
13	O21-P20	**Saint-Marcel** Boulevard	42 Bd de l'Hôpital	23 Av. des Gobelins	St-Marcel - Les Gobelins
3	H20-I21	**Saint-Martin** Boulevard	16 Pl. de la République	332 R. St-Martin	République
10	H20-I21	**Saint-Martin** Boulevard	16 Pl. de la République	332 R. St-Martin	République
10	G21	**Saint-Martin** Cité	90 R. du Fbg St-Martin	(en impasse)	Jacques Bonsergent
3	H20-J20	**Saint-Martin** Rue	8 Q. de Gesvres	1 Bd Saint-Denis	Arts et Métiers
4	H20-J20	**Saint-Martin** Rue	8 Q. de Gesvres	1 Bd Saint-Denis	Châtelet-Les Halles
18	E20	**Saint-Mathieu** Rue	21 R. Stephenson	8 R. St-Luc	La Chapelle
11	J24	**Saint-Maur** Passage	81 R. St-Maur	9 Pas. St-Ambroise	Rue St-Maur
10	G22-K24	**Saint-Maur** Rue	133 R. de la Roquette	22 Av. C. Vellefaux	Goncourt
11	G22-K24	**Saint-Maur** Rue	133 R. de la Roquette	22 Av. C. Vellefaux	Rue St-Maur
5	N19-N20	**Saint-Médard** Rue	35 R. Gracieuse	33 R. Mouffetard	Place Monge
4	J20-K20	**Saint-Merry** Rue	23 R. du Temple	100 St-Martin	Rambuteau
5	L19-O18	**Saint-Michel** Boulevard	7 Pl. St-Michel	29 Av. G. Bernanos	St-Michel
6	L19-O18	**Saint-Michel** Boulevard	7 Pl. St-Michel	29 Av. G. Bernanos	Luxembourg (RER B)
17	D16	**Saint-Michel** Passage	15 Av. de St-Ouen	15 R. St-Jacques	La Fourche
5	L19	**Saint-Michel** Place	29 Q. St-Michel	1 Bd St-Michel	St-Michel
6	L19	**Saint-Michel** Place	29 Q. St-Michel	1 Bd St-Michel	St-Michel
1	L19	**Saint-Michel** Pont	Q. des Orfèvres	Q. St-Michel	St-Michel
4	L19	**Saint-Michel** Pont	Q. des Orfèvres	Q. St-Michel	St-Michel
5	L19	**Saint-Michel** Pont	Q. des Orfèvres	Q. St-Michel	St-Michel
6	L19	**Saint-Michel** Pont	Q. des Orfèvres	Q. St-Michel	St-Michel
5	L18-L19	**Saint-Michel** Quai	2 Pl. Petit Pont	Pont St-Michel	St-Michel
18	D16	**Saint-Michel** Villa	46 Av. de St-Ouen	61 R. Ganneron	Guy Môquet - La Fourche
11	L25	**Saint-Nicolas** Cour	45 R. de Montreuil	(en impasse)	Rue des Boulets
12	L23-M23	**Saint-Nicolas** Rue	67 R. de Charenton	80 R. du Fbg St-Antoine	Ledru-Rollin
3	I22-J21	**Saintonge** Rue de	8 R. du Perche	19 Bd du Temple	Filles du Calvaire
17	B16-D16	**Saint-Ouen** Avenue de	62 Av. de Clichy	Bd Ney	Porte de St-Ouen
18	B16-D16	**Saint-Ouen** Avenue de	62 Av. de Clichy	Bd Ney	La Fourche
17	C16	**Saint-Ouen** Impasse	3 R. Petiet	(en impasse)	Guy Môquet
17	A16	**Saint-Ouen** Porte de	33 Av. de St-Ouen	Porte de St-Ouen	Porte de St-Ouen
18	A16	**Saint-Ouen** Porte de	33 Av. de St-Ouen	Porte de St-Ouen	Porte de St-Ouen
20	K27	**Saint-Paul** Impasse	5 Pas. Dieu	(en impasse)	Maraîchers
4	L21	**Saint-Paul** Passage	43 R. St-Paul	(en impasse)	St-Paul

Ar.	Plan	**Rues** / Streets	Commençant	Finissant	Métro
16	I12	**Saint-Paul** R. Gaston De	10 Av. de New York	9 Av. du Pdt Wilson	Alma-Marceau
4	L21	**Saint-Paul** Rue	22 Q. Célestins	85 R. St-Antoine	Sully-Morland
4	L21	**Saint-Paul** Village	R. Saint-Paul	R. des Jardins St-Paul	St-Paul
8	E16-F16	**Saint-Pétersbourg** R. de	Pl. de l'Europe	5 Bd des Batignolles	Place de Clichy
2	H19	**Saint-Philippe** Rue	113 R. d'Aboukir	70 R. de Cléry	Strasbourg-St-Denis
8	G14	**St-Philippe du Roule** P.	152 R. du Fbg St-Honoré	7 R. de Courcelles	St-Philippe du R.
8	G13-G14	**St-Philippe du Roule** R.	129 R. du Fbg St-Honoré	14 R. d'Artois	St-Philippe du R.
17	D16	**Saint-Pierre** Cour	47b Av. de Clichy	(en impasse)	La Fourche
20	K27-L27	**Saint-Pierre** Impasse	47 R. des Vignoles	(en impasse)	Buzenval
18	E18-E19	**Saint-Pierre** Place	7 R. Livingstone	1 R. Tardieu	Anvers
11	J22-J23	**Saint-Pierre Amelot** P.	98b R. Amelot	54 Bd Voltaire	Filles du Calvaire
6	M16	**Saint-Placide** Rue	53 R. de Sèvres	88 R. de Vaugirard	Sèvres-Babylone
10	F20-G20	**Saint-Quentin** Rue de	92 Bd de Magenta	17 R. Dunkerque	Gare du Nord
1	I17	**Saint-Roch** Passage	284 R. St-Honoré	15 R. des Pyramides	Pyramides
1	I17	**Saint-Roch** Rue	194 R. de Rivoli	29 Av. de l'Opéra	Tuileries - Pyramides
6	M15	**Saint-Romain** Rue	109 R. de Sèvres	102 R. du Cherche Midi	Vaneau
6	M15	**Saint-Romain** Square	9 R. St-Romain	(en impasse)	Vaneau
18	D18	**Saint-Rustique** Rue	5 R. du Mont Cenis	2 R. des Saules	Abbesses
11	K23	**Saint-Sabin** Passage	31 R. de la Roquette	14 R. St-Sabin	Bastille - Bréguet Sabin
11	J22-L22	**Saint-Sabin** Rue	17 R. de la Roquette	86 Bd Beaumarchais	St-Sébastien-Froissart
15	L11	**Saint-Saëns** Rue	28 R. de la Fédération	27 Bd de Grenelle	Bir Hakeim
2	I19-I20	**Saint-Sauveur** Rue	181 R. St-Denis	2 R. des Petits Carreaux	Réaumur-Sébastopol
11	J22-J23	**St-Sébastien** Impasse	30 R. St-Sébastien	(en impasse)	Richard-Lenoir
11	J22-J23	**St-Sébastien** Passage	95 Bd R. Lenoir	(en impasse)	St-Sébastien-Froissart
11	J22-J23	**Saint-Sébastien** Rue	2 Bd Filles du Calvaire	19 R. de la Folie Méricourt	St-Sébastien-Froissart
17	E11-F11	**Saint-Senoch** Rue de	32 R. Bayen	45 R. Laugier	Porte de Champerret
5	L19	**Saint-Séverin** Rue	18 R. du Petit Pont	3 Bd St-Michel	St-Michel
7	K16	**Saint-Simon** Rue de	215 Bd St-Germain	90 R. de Grenelle	Rue du Bac
6	K18	**Saints-Pères** Port des	Pont des Arts	Pont Royal	Rue du Bac
7	K18	**Saints-Pères** Port des	Pont des Arts	Pont Royal	Rue du Bac
6	K17-L16	**Saints-Pères** Rue des	1 Quai Voltaire	8 R. de Sèvres	St-Germain-des-Prés
7	K17-L16	**Saints-Pères** Rue des	1 Quai Voltaire	8 R. de Sèvres	Sèvres-Babylone
2	H20-I20	**Saint-Spire** Rue	14 R. d'Alexandrie	8 R. Ste-Foy	Strasbourg-St-Denis
20	H26	**Saints-Simoniens** P. des	4 R. Pixérécourt	18 R. de la Duée	St-Fargeau
6	L17	**Saint-Sulpice** Place	R. Bonaparte	R. St-Sulpice	St-Sulpice
6	L17-L18	**Saint-Sulpice** Rue	4 R. de Condé	2 Pl. St-Sulpice	Odéon - St-Sulpice
7	K16	**St-Thomas D'Aquin** Pl.	Église St-Thomas d'Aquin	Bd St-Germain	Rue du Bac
7	K16	**St-Thomas D'Aquin** R.	5 Pl. St-Thomas d'Aquin	230 Bd St-Germain	Rue du Bac
5	M20	**Saint-Victor** Rue	32 R. de Poissy	38 R. Bernardins	Maubert-Mutualité
19	F25	**Saint-Vincent** Impasse	7 R. du Plateau	(en impasse)	Buttes Chaumont
18	D18	**Saint-Vincent** Rue	12 R. de la Bonne	R. Girardon	Lamarck-Caulaincourt
10	F20	**Saint-Vincent de Paul** R.	10 R. Belzunce	5 R. A. Paré	Gare du Nord
12	P25	**Saint-Vivant** Passage	R. des Pirogues de B.	R. Fr. Truffaut	Cour St-Émilion
14	R17	**Saint-Yves** Rue	Av. Reille	105 R. de la Tombe Issoire	Alésia
20	K28	**Salamandre** Sq. de la	R. P.-J. Toulet		Maraîchers
11	K23	**Salarnier** Passage	4 R. Froment	37 R. Sedaine	Bréguet Sabin
5	L19	**Salembrière** Impasse	4b R. St-Séverin	(en impasse)	St-Michel
17	E14	**Salneuve** Rue	29 R. Legendre	67 R. de Saussure	Villiers
17	E10	**Salonique** Avenue de	Pl. de la Pte des Ternes	Bd de Dixmude	Porte Maillot
17	D11	**Samain** Rue Albert	168 Bd Berthier	5 Av. S. Mallarmé	Porte de Champerret
10	G22-G23	**Sambre et Meuse** R. de	12 R. Juliette Dodu	33 Bd de la Villette	Colonel Fabien
10	G21-H21	**Sampaix** Rue Lucien	32 R. du Château d'Eau	R. des Récollets	Jacques Bonsergent
13	Q20-R20	**Samson** Rue	8 R. Jonas	20 R. de la Butte aux Cailles	Corvisart
19	F24	**San Martin** Av. du Gal	Rue Botzaris	Rue Manin	Buttes Chaumont
12	P27	**Sancerrois** Square du	2 R. des Meuniers	37 Bd Poniatowski	Porte de Charenton
16	L7-M8	**Sand** Rue George	24 R. F. Gérard	113 R. Mozart	Église d'Auteuil
16	M8	**Sand** Villa George	24 R. George Sand	(en impasse)	Jasmin
16	J8	**Sandeau** Boulevard Jules	2 R. Oct. Feuillet	Av. H. Martin	La Muette
9	H16-H17	**Sandrié** Impasse	3 R. Auber	(en impasse)	Chée d'Antin-La Fayette
14	R13-R14	**Sangnier** Avenue Marc	Av. de la Pte de Vanves	14 Av. G. Lafenestre	Porte de Vanves
8	G16	**Sansbœuf** Rue Joseph	6 R. de la Pépinière	5 R. du Rocher	St-Lazare
13	P18-P19	**Santé** Impasse de la	17 R. de la Santé	(en impasse)	Glacière - Port Royal (RER B)
13	O18-R18	**Santé** Rue de la	R. Amiral Mouchez	Bd de Port Royal	Glacière
14	O18-R18	**Santé** Rue de la	R. Amiral Mouchez	Bd de Port Royal	Glacière
12	N26-N27	**Santerre** Rue	55 R. de Picpus	27 Bd de Picpus	Bel Air

Ar.	Plan	**Rues** / Streets	Commençant	Finissant	Métro
5	O20	**Santeuil** Rue	12 R. du Fer à Moulin	19 R. Censier	Censier-Daubenton
7	K14	**Santiago du Chili** Sq.	Av. La Motte-Picquet	Pl. Salvador Allende	La Tour-Maubourg
15	P13-Q13	**Santos Dumont** Rue	28 R. de Vouillé	79 R. des Morillons	Porte de Vanves
15	P13	**Santos Dumont** Villa	32 R. Santos Dumont	(en impasse)	Porte de Vanves
14	Q17	**Saône** Rue de la	27 R. du Commandeur	32 R. d'Alésia	Alésia
15	N10	**Sarasate** Rue	93 R. de la Convention	6 R. Oscar Roty	Boucicaut
16	J10-K9	**Sarcey** Rue Francisque	25 R. de la Tour	10 R. E. Manuel	Passy
16	N7-N8	**Sardou** Rue Victorien	116 Av. de Versailles	1 Villa V. Sardou	Chardon Lagache
16	N7	**Sardou** Square Victorien	93 Bd de Port Royal	134 R. de la Glacière	Chardon Lagache
16	N7	**Sardou** Villa Victorien	14 R. V. Sardou	(en impasse)	Chardon Lagache
15	O8	**Sarrabezolles** Sq. Carlo	Bd Gal Martial Valin	R. Lucien Bossoutrot	Balard
16	M6-N6	**Sarrail** Av. du Général	Pl. de la Pte d'Auteuil	8 R. Lecomte du Noüy	Porte d'Auteuil
6	L18	**Sarrazin** Rue Pierre	24 Bd St-Michel	19 R. Hautefeuille	Cluny-La Sorbonne
14	R16-R17	**Sarrette** Rue	88 R. de la Tombe Issoire	109 Av. du Gal Leclerc	Pte d'Orléans - Alésia
18	E19	**Sarte** Rue André Del	29 R. de Clignancourt	14 R. C. Nodier	Barbès-Rochechouart
6	L17	**Sartre-Simone De Beauvoir** Pl. Jean-Paul	7 Rue Saint-Benoit	Place du Québec	St-Germain-des-Prés
20	K27	**Satan** Impasse	92 R. des Vignoles	(en impasse)	Buzenval
19	E25	**Satie** Rue Erik	19 Al. D. Milhaud	Rue G. Auric	Ourcq
10	G20	**Satragne** Square Alban	107 R. du Fbg St-Denis		Gare de l'Est
17	C15-D15	**Sauffroy** Rue	132 Av. de Clichy	49 R. de la Jonquière	Brochant
20	K26	**Saulaie** Villa de la	168 Bd de Charonne	(en impasse)	Philippe Auguste
18	C18-D18	**Saules** Rue des	20 R. Norvins	135 R. Marcadet	Lamarck-Caulaincourt
9	G19	**Saulnier** Rue	34 R. Richer	70 R. La Fayette	Cadet
16	J9-K9	**Saunière** Rue Paul	13 R. E. Manuel	20 R. Nicolo	Passy
8	H15	**Saussaies** Place des	1 R. Cambacérès	R. de la Ville l'Evêque	Miromesnil
8	H15	**Saussaies** Rue des	92 Pl. Beauvau	1 Pl. des Saussaies	Miromesnil
17	F11-F12	**Saussier Leroy** Rue	15 R. Poncelet	22 Av. Niel	Ternes
17	D13-E15	**Saussure** Rue de	94 R. des Dames	Bd Berthier	Rome - Malesherbes
5	L19	**Sauton** Rue Frédéric	9 R. des Gds Degrés	19 R. Lagrange	Maubert-Mutualité
1	J18	**Sauval** Rue	96 R. St-Honoré	1 R. de Viarmes	Louvre-Rivoli
15	L11	**Sauvy** Place Alfred	23 R. Desaix	8 Al. M. Yourcenar	Dupleix
20	K27	**Savart** Passage	79 R. des Haies	82 R. des Vignoles	Buzenval
20	H26-I26	**Savart** Rue Laurence	16 R. Boyer	19 R. du Retrait	Gambetta
20	H25-H26	**Savies** Rue de	56 R. de la Mare	55 R. des Cascades	Jourdain
6	L18	**Savoie** Rue de	11 R. des Gds Augustins	6 R. Séguier	St-Michel
7	K13-L13	**Savorgnan De Brazza** R.	68 Av. de La Bourdonnais	Al. A. Lecouvreur	École Militaire
7	L13-M14	**Saxe** Avenue de	3 Pl. de Fontenoy	98 R. de Sèvres	Ségur
15	L13-M14	**Saxe** Avenue de	3 Pl. de Fontenoy	98 R. de Sèvres	Sèvres-Lecourbe
7	M14	**Saxe** Villa de	17 Av. de Saxe	(en impasse)	Ségur
9	F18	**Say** Rue Jean-Baptiste	1b R. Bochart de Saron	2 R. Lallier	Anvers - Pigalle
13	Q21	**Say** Square Louis	147 Bd V. Auriol	163 R. Nationale	Nationale
11	K22	**Scarron** Rue	72 Bd Beaumarchais	61 R. Amelot	Chemin Vert
16	I9-J10	**Scheffer** Rue	17 R. B. Franklin	59 Av. Mandel	Rue de la Pompe
16	J9	**Scheffer** Villa	49 R. Scheffer	(en impasse)	Rue de la Pompe
16	J10	**Schlœsing** Rue du Cdt	1 Av. P. Doumer	6 R. Pétrarque	Trocadéro
18	B18	**Schneider** Rue Frédéric	138 Bd Ney	44 R. R. Binet	Porte de Clignancourt
14	O17-P17	**Schœlcher** Rue Victor	268 Bd Raspail	12 R. Froidevaux	Denfert-Rochereau
4	M21-M22	**Schomberg** Rue de	30 Q. Henri IV	1 R. de Sully	Sully-Morland
20	L29	**Schubert** Rue	R. Paganini	R. Charles et Robert	Porte de Montreuil
7	J13-J14	**Schuman** Avenue Robert	6 R. Surcouf	R. J. Nicot	La Tour-Maubourg
15	Q8	**Schuman** Pl. du Pdt Robert	Bd Gallieni	Bd des Frères Voisin	Corentin Celton
16	H8	**Schuman** Square	Av. de Pologne	Av. du Mal Fayolle	Porte Dauphine
15	L10-L11	**Schutzenberger** Rue	20 R. Émeriau	16 R. S. Michel	Bir Hakeim - Dupleix
4	L21	**Schweitzer** Square Albert	R. de l'Hôtel de Ville	R. Nonnains d'Hyères	Pont Marie
5	O20	**Scipion** Rue	68 Bd St-Marcel	25 R. du Fer à Moulin	Les Gobelins
5	O20	**Scipion** Square	8 R. Scipion	19 R. du Fer à Moulin	Censier-Daubenton
15	L11	**Scott** Rue du Capitaine	10 R. Desaix	37 R. de la Fédération	Dupleix
19	E23	**Scotto** Rue Vincent	Q. de la Loire	R. P. Reverdy	Laumière
9	G17-H17	**Scribe** Rue	12 Bd des Capucines	Pl. Diaghilev	Chée d'Antin-La Fayette
1	H20-K19	**Sébastopol** Bd de	12 Av. Victoria	9 Bd St-Denis	Châtelet-Les Halles
2	H20-K19	**Sébastopol** Bd de	12 Av. Victoria	9 Bd St-Denis	Réaumur-Sébastopol
3	H20-K19	**Sébastopol** Bd de	12 Av. Victoria	9 Bd St-Denis	Réaumur-Sébastopol
4	H20-K19	**Sébastopol** Bd de	12 Av. Victoria	9 Bd St-Denis	Châtelet-Les Halles
15	N12	**Séché** Rue Léon	21 R. Dr J.-Clemenceau	2 R. Petel	Vaugirard

Ar.	Plan	**Rues** / Streets	Commençant	Finissant	Métro
19	E23-F24	**Secrétan** Avenue	198 Bd de la Villette	31 R. Manin	Jaurès - Bolivar
15	M12	**Sécurité** Passage	112 Bd de Grenelle	19 R. Tiphaine	La Motte-P.-Grenelle
11	K23	**Sedaine** Cour	40 R. Sedaine	(en impasse)	Bréguet Sabin
11	K22-K24	**Sedaine** Rue	18 Bd R. Lenoir	3 Av. Parmentier	Voltaire - Brég. Sabin
7	J12-K12	**Sédillot** Rue	25 Av. Rapp	112 R. St-Dominique	Pont de l'Alma (RER C)
7	K12-K13	**Sédillot** Square	133 R. St-Dominique		École Militaire
16	L9	**Sée** Rue du Dr Germain	104 Av. du Pdt Kennedy	23 Av. Lamballe	Kennedy-R. France (RER C)
20	J28	**Ségalen** Rue Victor	R. Riblette	R. des Balkans	Porte de Bagnolet
20	H27	**Seghers** Square Pierre	R. H. Jakubowicz		St-Fargeau
6	L18	**Séguier** Rue	33 Q. Gds Augustins	36 R. St-André des Arts	St-Michel
18	C21-C22	**Séguin** Rue Marc	7 R. Cugnot	24 R. de la Chapelle	Marx Dormoy
7	L14-M13	**Ségur** Avenue de	Pl. Vauban	29 Bd Garibaldi	Ségur
15	L14-M13	**Ségur** Avenue de	Pl. Vauban	29 Bd Garibaldi	St-Franç.-Xavier
7	M14	**Ségur** Villa de	41 Av. de Ségur	(en impasse)	Ségur
19	D24-E22	**Seine** Quai de la	2 R. de Flandre	161 R. de Crimée	Stalingrad - Riquet
6	K1-L18	**Seine** Rue de	3 Q. Malaquais	16 R. St-Sulpice	Mabillon
6	N17-O17	**Séjourné** Rue Paul	82 R. N.-D. des Champs	129 Bd du Montparnasse	Vavin
8	I14	**Selves** Avenue de	Av. des Champs-Elysées	Av. F. D. Roosevelt	Champs-Elysées-Clem.
19	E27	**Semanaz** R. J.-Baptiste	R. S. Freud	R. A. Joineau	Danube
9	F19-G19	**Semard** Rue Pierre	81 R. La Fayette	80 R. Maubeuge	Poissonnière
18	B18	**Sembat** Rue Marcel	R. F. Schneider	R. René Binet	Porte de Clignancourt
18	B18	**Sembat** Square Marcel	R. René Binet	R. Marcel Sembat	Porte de Clignancourt
6	L17-M17	**Séminaire** Allée du	Pl. St-Sulpice	58 R. de Vaugirard	St-Sulpice
19	F28	**Senard** Place Jules	11 Av. de la Pte des Lilas	(en impasse)	Porte des Lilas
20	H24	**Sénégal** Rue du	39 R. Bisson	75 R. Julien Lacroix	Couronnes
1	J16	**Senghor** Plle Léopold Sédar	Quai des Tuileries	Quai A. France	Musée d'Orsay (RER C)
7	J16	**Senghor** Plle Léopold Sédar	Quai des Tuileries	Quai A. France	Musée d'Orsay (RER C)
17	D12	**Senlis** Rue de	2 Av. P. Adam	1 av. E. et A. Massard	Pereire
2	H19-I19	**Sentier** Rue du	114 R. Réaumur	7 Bd Poissonnière	Sentier
14	P15	**Séoul** Place de	R. Guilleminot		Pernety
19	D27	**Sept Arpents** Rue des	8 Av. de la Pte de Pantin	R. des Sept Arpents	Porte de Pantin - Hoche
10	F21	**September** Place Dulcie	R. La Fayette	R. du Château Landon	Château Landon
19	F25	**Septième Art** Cours du	53 R. de la Villette	34 R. des Alouettes	Botzaris
14	R14	**Séré De Rivières** R. du Gal	6 Av. de la Porte Didot	10 Av. Lafenestre	Porte de Vanves
14	S15-S16	**Serment de Koufra** Sq.	Av. de la Pte Montrouge	R. de la Légion Etrangère	Porte d'Orléans
6	L18	**Serpente** Rue	18 Bd St-Michel	9 R. de l'Éperon	Odéon
20	J28-J29	**Serpollet** Rue	132 Bd Davout	(en impasse)	Porte de Bagnolet
18	C18	**Serpollet** Square Léon	Imp. des Cloÿs		Jules Joffrin
15	P11-P12	**Serres** P. Olivier De	363 R. de Vaugirard	30 R. O. de Serres	Convention
15	O12-O11	**Serres** Rue Olivier De	14 R. V. Duruy	57 Bd Lefebvre	Porte de Versailles
16	M5	**Serres d'Auteuil** Jard. des	Av. G. Bennett		Porte d'Auteuil
15	N11-O11	**Serret** Rue	37 Av. F. Faure	20 R. Bocquillon	Boucicaut
19	C26-F28	**Sérurier** Boulevard	353 R. de Belleville	Bd Macdonald	Porte des Lilas
11	J24-K25	**Servan** Rue	141 R. de la Roquette	92 Av. de la République	Voltaire - Rue St-Maur
11	J24	**Servan** Square	31 R. Servan		Voltaire
6	L17-M17	**Servandoni** Rue	5 R. Palatine	40 R. de Vaugirard	Mabillon - St-Sulpice
14	R17	**Seurat** Villa	101 R. de la Tombe Issoire	(en impasse)	Alésia
20	I28	**Séverine** Square	Bd Mortier	Av. de la Pte de Bagnolet	Porte de Bagnolet
14	P16-Q16	**Severo** Rue	4 R. des Plantes	13 R. H. Maindron	Pernety
18	E19	**Seveste** Rue	56 Bd de Rochechouart	Pl. St-Pierre	Anvers
3	K21-K22	**Sévigné** Rue de	2 R. de Rivoli	3 R. du Parc Royal	Bréguet Sabin
4	K21-K22	**Sévigné** Rue de	2 R. de Rivoli	3 R. du Parc Royal	St-Paul
15	P9	**Sèvres** Porte de	Av. de la Pte de Sèvres	Rue Louis Armand	Balard
6	L16-N14	**Sèvres** Rue de	2 Carr. de la Croix Rouge	1 Bd Pasteur	Sèvres-Babylone
7	L16-N14	**Sèvres** Rue de	2 Carr. de la Croix Rouge	1 Bd Pasteur	Duroc
15	L16-N14	**Sèvres** Rue de	2 Carr. de la Croix Rouge	1 Bd Pasteur	Sèvres-Lecourbe
6	M15	**Sevrien** Galerie le	R. de Sèvres	R. du Cherche Midi	Vaneau
15	L11	**Sextius Michel** Rue	24 R. Dr Finlay	30 R. St-Charles	Bir Hakeim - Dupleix
8	H16	**Sèze** Rue de	2 Bd Madeleine	26 Pl. de la Madeleine	Madeleine
9	H16	**Sèze** Rue de	2 Bd Madeleine	26 Pl. de la Madeleine	Madeleine
16	H10	**Sfax** Rue de	95 Av. R. Poincaré	10 R. de Sontay	Victor Hugo
15	L11	**Shaw** R. George-Bernard	Rue Desaix	Rue D. Stern	Dupleix
16	J8-J9	**Siam** Rue de	43 R. de la Pompe	15 R. Mignard	Rue de la Pompe
14	R18	**Sibelle** Avenue de la	Av. Reille	R. d'Alésia	Cité Univ. (RER B)
10	G21	**Sibour** Rue	121 R. du Fbg St-Martin	70 Bd de Strasbourg	Gare de l'Est

Ar.	Plan	**Rues** / Streets	Commençant	Finissant	Métro
12	N27-O27	**Sibuet** Rue	9 R. du Sahel	58 Bd de Picpus	Picpus - Bel Air
15	Q12	**Sicard** Rue Jean	82 Bd Lefebvre	41 Av. A. Bartholomé	Porte de Vanves
19	F28	**Sid Cara** Passage Nafissa	Avenue René Fonck		Porte des Lilas
12	O27	**Sidi Brahim** Rue	219 Av. Daumesnil	98 R. de Picpus	Daumesnil - M. Bizot
20	I28	**Siegfried** Rue Jules	1 R. Irénée Blanc	32 R. P. Strauss	Porte de Bagnolet
13	Q19	**Sigaud** Passage	13 R. Alphand	19 R. Barrault	Corvisart
20	I27	**Signac** Place Paul	121 Av. Gambetta	92 R. Pelleport	Pelleport
19	E23	**Signoret Montand** Prom.	Quai de la Seine		Riquet
18	C19-D19	**Simart** Rue	59 Bd Barbès	99 R. Ordener	Jules Joffrin
13	R25	**Simon** Bd du Gal Jean	Av. de la Porte de Vitry	Pont National	Porte d'Ivry
15	O11	**Simon** Rue Jules	141 R. de la Croix Nivert	2 R. Cournot	Félix Faure
14	P16	**Simon** Villa Adrienne	48 R. Daguerre	(en impasse)	Denfert-Rochereau
13	Q20	**Simonet** Rue	26 R. du Moulin des Prés	53 R. Gérard	Corvisart
18	C19-C20	**Simplon** Rue du	107 R. des Poissonniers	96 R. du Mont Cenis	Simplon
16	K9	**Singer** Passage	29 R. Singer	36 R. des Vignes	La Muette
16	K8-K9	**Singer** Rue	64 R. Raynouard	64 R. des Vignes	La Muette
4	K21	**Singes** Passage des	43 R. Vieille du Temple	6 R. des Guillemites	Hôtel de Ville
17	D13	**Sisley** Rue	106 Bd Berthier	5 Av. de la Pte d'Asnières	Pereire
14	P16	**Sivel** Rue	15 R. Liancourt	12 R. C. Divry	Denfert-Rochereau
7	M14	**Sizeranne** Rue M. De La	1 R. Duroc	90 R. de Sèvres	Duroc
19	E25	**Sizerins** Villa des	12 R. David d'Angers		Danube
19	A23	**Skanderbeg** Place	Av. de la Pte Aubervilliers		Porte de la Chapelle
18	E19	**Sofia** Rue de	5 Bd Barbès	16 R. de Clignancourt	Barbès-Rochechouart
19	E23	**Soissons** Rue de	25 Q. de la Seine	26 R. de Flandre	Stalingrad
20	G26	**Soleil** Rue du	190 R. de Belleville	69 R. Pixérécourt	Télégraphe
15	N13-O13	**Soleil d'Or** Ruelle du	61 R. Blomet	(en impasse)	Vaugirard
20	I26	**Soleillet** Rue	14 R. E. Borey	40 R. Sorbier	Gambetta
7	J15-K16	**Solférino** Port de	Pont Royal	pont de la Concorde	Assemblée Nationale
7	J16	**Solférino** Rue de	9b Q. A. France	260 Bd St-Germain	Solférino
19	E25-E26	**Solidarité** Rue de la	9 R. D. d'Angers	135 Bd Sérurier	Danube
19	G25-G26	**Solitaires** Rue des	50 R. de la Villette	19 R. des Fêtes	Jourdain
17	D11	**Somme** Boulevard de la	Rue de Courcelles	2 Av. de la Pte de Champerret	Porte de Champerret
16	O7	**Sommeiller** Villa	149 Bd Murat	43 R. C. Terrasse	Porte de St-Cloud
5	L19-M19	**Sommerard** Rue du	6 R. des Carmes	25 Bd St-Michel	Maubert-Mutualité
15	Q13	**Sommet des Alpes** Rue	18 R. Fizeau	134 R. Castagnary	Porte de Vanves
19	D25	**Sonatine** Villa	Rue J. Kosma	(en impasse)	Ourcq
16	H10	**Sontay** Rue de	6 Pl. Victor Hugo	174 R. de la Pompe	Victor Hugo
20	H25-I26	**Sorbier** Rue	68 R. de Ménilmontant	Pl. Martin Nadaud	Gambetta
5	M18	**Sorbonne** Place de la	22 R. de la Sorbonne	47 Bd St-Michel	Luxembourg (RER B)
5	M18-M19	**Sorbonne** Rue de la	49 R. des Écoles	2 Pl. de la Sorbonne	Cluny-La Sorbonne
14	R15-S15	**Sorel** Rue Albert	122 Bd Brune	29 Av. E. Reyer	Porte d'Orléans
20	I27	**Souchet** Villa	105 Av. Gambetta	100 R. Orfila	Pelleport
16	J9	**Souchier** Villa	5 R. E. Delacroix	(en impasse)	Rue de la Pompe
15	M12	**Soudan** Rue du	10 R. Pondichéry	95 Bd de Grenelle	Dupleix
5	M18-M19	**Soufflot** Rue	21 Pl. Panthéon	63 Bd St-Michel	Luxembourg (RER B)
20	L27	**Souhaits** Impasse des	31 R. des Vignoles	(en impasse)	Buzenval - Avron
13	Q22	**Souham** Place	2 Pl. Jeanne d'Arc	114 R. Chât. Rentiers	Olympiades
14	P15	**Soulange Bodin** R. de l'Abbé	15 R. Guilleminot	75 R. de l'Ouest	Pernety
20	G29-H29	**Soulié** Rue Pierre	R. Hoche (Bagnolet)	R. de Noisy-le-Sec	St-Fargeau
12	M28-P28	**Soult** Boulevard	279 Av. Daumesnil	Cours de Vincennes	Porte Dorée
20	H26-I26	**Soupirs** Passage des	244 R. des Pyrénées	49 R. de la Chine	Gambetta
18	C17	**Souplex** Sq. Raymond	182 R. Marcadet	R. Montcalm	Lamarck-Caulaincourt
16	L8-M7	**Source** Rue de la	29 R. Ribera	34 R. P. Guérin	Michel Ange-Auteuil
3	J21	**Sourdis** Ruelle	3 R. Charlot	15 R. Pastourelle	Arts et Métiers
7	L14	**Souvenir Français** Espl. du	R. D'Estrées	Pl. Vauban	St-Franç.-Xavier
11	L25	**Souzy** Cité	39 R. des Boulets	(en impasse)	Rue des Boulets
11	I25-J25	**Spinoza** Rue	103 Av. de la République	81 Bd de Ménilmontant	Père Lachaise
16	H9-I9	**Spontini** Rue	73 Av. Foch	182 Av. V. Hugo	Rue de la Pompe
16	H9-I9	**Spontini** Villa	37 R. Spontini	(en impasse)	Porte Dauphine
3	I21	**Spuller** Rue Eugène	R. de Bretagne	R. Dupetit Thouars	Temple
16	L7-M7	**Square** Avenue du	27 R. P. Guérin	69 Bd Montmorency	Michel Ange-Auteuil
18	C17	**Square Carpeaux** Rue du	53 R. E. Carrière	228 R. Marcadet	Guy Môquet
15	N14	**Staël** Rue de	11 R. Lecourbe	166 R. de Vaugirard	Pasteur
6	N16	**Stanislas** Rue	42 R. N.-D. des Champs	93 Bd du Montparnasse	Vavin
19	B24-C24	**Station** Sentier de la	1 Av. Pont Flandre	(en impasse)	Corentin Cariou

Ar.	Plan	Rues / Streets	Commençant	Finissant	Métro
16	O6	**Stefanik** Pl. du Général	99 Bd Murat	R. du Gal Roques	Porte de St-Cloud
18	E18-E19	**Steinkerque** Rue de	70 Bd de Rochechouart	13 Pl. St-Pierre	Anvers
18	D17	**Steinlen** Rue	17 R. Damrémont	4 R. E. Carrière	Blanche
19	G23	**Stemler** Cité	56 Bd de la Villette		Belleville
20	J27	**Stendhal** Passage	19 R. Stendhal	6 R. C. Renouvier	Gambetta
20	J27	**Stendhal** Rue	Pl. St-Blaise	190 R. des Pyrénées	Porte de Bagnolet
20	J27	**Stendhal** Villa	34 R. Stendhal	(en impasse)	Gambetta
18	D20-E20	**Stephenson** Rue	12 R. de Jessaint	21b R. Ordener	Marx Dormoy
15	L11	**Stern** Rue Daniel	20 Pl. Dupleix	59 Bd de Grenelle	Dupleix
9	E18-F18	**Stevens** Passage Alfred	10 R. A. Stevens	9 Bd de Clichy	Pigalle
9	F18	**Stevens** Rue Alfred	65 R. Martyrs	Pas. A. Stevens	Pigalle
13	Q22-R22	**Sthrau** Rue	72 R. de Tolbiac	100 R. Nationale	Olympiades
12	N25	**Stinville** Passage	27 R. Montgallet	(en impasse)	Montgallet
16	P6	**Stock** Pl. de l'Abbé Frantz	Av. D. De La Brunerie	Av. du Gal Clavery	Porte de St-Cloud
8	G15-G16	**Stockholm** Rue de	33 R. de Rome	10 R. de Vienne	Europe - St-Lazare
10	G21-H20	**Strasbourg** Boulevard de	10 Bd St-Denis	7 R. du 8 Mai 1945	Strasbourg-St-Denis
3	I21	**Strauss** Place Johann	R. René Boulanger	Bd St-Martin	République
10	I21	**Strauss** Place Johann	R. René Boulanger	Bd St-Martin	République
20	I28	**Strauss** Rue Paul	R. Géo Chavez	5 R. P. Mouillard	Porte de Bagnolet
4	J20	**Stravinsky** Place Igor	R. St-Merri	R. Brisemiche	Rambuteau
2	I19	**Stuart** Rue Marie	1 R. Dussoubs	60 R. Montorgueil	Étienne Marcel
17	C14	**Suares** Rue André	16 Bd Berthier	9 Av. de la Pte de Clichy	Porte de Clichy
16	J8-M6	**Suchet** Boulevard	1 Pl. de Colombie	Pl. de la Pte d'Auteuil	Jasmin - Ranelagh
19	E24	**Sud** Passage du	28 R. Petit	(en impasse)	Laumière
18	C19-D19	**Süe** Rue Eugène	92 R. Marcadet	105 R. de Clignancourt	Marcadet-Poissonniers
20	K27	**Suez** Impasse	77 R. de Bagnolet	(en impasse)	Alexandre Dumas
18	D20	**Suez** Rue de	1 R. de Panama	24 R. des Poissonniers	Château Rouge
7	K11-N13	**Suffren** Avenue de	71 Q. Branly	59 Bd Garibaldi	Ch. de Mars-Tr Eiffel (RER C)
15	K11-N13	**Suffren** Avenue de	71 Quai Branly	59 Bd Garibaldi	Ch. de Mars-Tr Eiffel (RER C)
7	L10	**Suffren** Port de	Pont d'Iéna	Pont de Bir Hakeim	Bir Hakeim
6	L18	**Suger** Rue	15 Pl. St-André des Arts	3 R. de l'Éperon	St-Michel
14	Q14	**Suisses** Rue des	197 R. d'Alésia	48 R. P. Larousse	Plaisance
4	M22	**Sully** Pont de	Quai Henri IV	Quai d'Anjou	Sully-Morland
5	M21	**Sully** Pont de	Quai Henri IV	Quai d'Anjou	Sully-Morland
4	L21-M22	**Sully** Rue de	6 R. Mornay	12 Bd Henri IV	Sully-Morland
20	I28	**Sully Lombard** Place	1 R. Géo Chavez	1 Bd Mortier	Porte de Bagnolet
7	J13	**Sully Prudhomme** Av.	55 Q. d'Orsay	150 R. de l'Université	La Tour-Maubourg
1	J19	**Supervielle** Allée Jules	R. Berger	Pl. René Cassin	Les Halles
7	J14	**Surcouf** Rue	49 Q. d'Orsay	52 R. St-Dominique	La Tour-Maubourg
8	H15	**Surène** Rue de	45 R. Boissy d'Anglas	2 Pl. des Saussaies	Madeleine
20	H28	**Surmelin** Passage du	45 R. du Surmelin	12 R. Haxo	St-Fargeau
20	H28-I27	**Surmelin** Rue du	90 R. Pelleport	1 Pl. Vincenot	St-Fargeau
15	M9-N9	**Surville** Rue Laure	4 Av. Émile Zola	3 R. de la Convention	Javel
16	L7-M6	**Sycomores** Avenue des	93 Bd Montmorency	25 Av. des Tilleuls	Porte d'Auteuil
7	K11	**Sydney** Place de	Av. de Suffren	Av. Octave Gréard	Bir Hakeim
15	K11	**Sydney** Place de	Av. de Suffren	Av. Octave Gréard	Bir Hakeim
11	K22-K23	**Sylvia** Rue Gaby	4 R. Appert	51 Bd R. Lenoir	Richard-Lenoir

T

Ar.	Plan	Rues / Streets	Commençant	Finissant	Métro
19	D24	**Tabarly** Promenade Eric	29 Q. de la Loire	39 Q. de la Loire	Laumière
4	K19-K20	**Tacherie** Rue de la	6 Q. de Gesvres	35 R. de Rivoli	Châtelet
20	H26-H27	**Taclet** Rue	26 R. de la Duée	121 R. Pelleport	Télégraphe
13	S20-S21	**Tage** Rue du	152 Av. d'Italie	65 R. Damesme	Maison Blanche
13	S21	**Tagore** Rue	28 R. Gandon	141 Av. d'Italie	Porte d'Italie
19	F23	**Tagrine** Rue Michel	Rue G. Lardennois	Rue G. Lardennois	Colonel Fabien
18	D16	**Tahan** Rue Camille	10 R. Cavallotti	(en impasse)	Place de Clichy
20	G26	**Taillade** Avenue	28 R. F. Lemaître	(en impasse)	Pl. des Fêtes
11	L23	**Taillandiers** P. des	8 Pas. Thiéré	7 R. des Taillandiers	Bastille
11	K23-L23	**Taillandiers** Rue des	29 R. de Charonne	66 R. de la Roquette	Ledru-Rollin
11	M26-M27	**Taillebourg** Avenue de	11b Pl. de la Nation	23 Bd de Charonne	Nation
19	D25	**Tailleferre** R. Germaine	24 R. des Ardennes		Ourcq
12	O26	**Taine** Rue	237 R. de Charenton	44 Bd de Reuilly	Daumesnil
9	F17-H18	**Taitbout** Rue	22 Bd des Italiens	17 R. d'Aumale	Trinité - Rich. Drouot
12	O27	**Taïti** Rue de	83 R. de Picpus	5 Bd de Picpus	Bel Air

Ar.	Plan	**Rues** / Streets	Commençant	Finissant	Métro
7	K14	**Talleyrand** Rue de	25 R. Constantine	144 R. de Grenelle	Varenne
16	K9	**Talma** Rue	11 R. Bois le Vent	40 R. Singer	La Muette
11	J24-J25	**Talon** Rue Omer	30 R. Servan	31 R. Merlin	Père Lachaise
18	B17	**Talus** Cité du	157 R. Belliard	(en impasse)	Porte de St-Ouen
18	B17	**Talus** Impasse du	56 R. Leibniz	(en impasse)	Porte de St-Ouen
19	D24-E24	**Tandou** Rue	10 R. E. Dehaynin	135 R. de Crimée	Laumière
19	D23-E22	**Tanger** Rue de	222 Bd de la Villette	41 R. Riquet	Stalingrad - Riquet
13	P19	**Tanneries** Rue des	117 R. Nordmann	6 R. Champ de l'Alouette	Glacière
16	N7	**Tansman** Villa Alexandre	1 R. Lancret		Exelmans
17	D13	**Tapisseries** Rue des	Bd Péreire	131 R. de Saussure	Pereire
17	D14-E14	**Tarbé** Rue	74 R. de Saussure	138 R. Cardinet	Villiers
7	L14	**Tardieu** Place André	34 Bd des Invalides	33 R. Babylone	St-Franç.-Xavier
18	E18	**Tardieu** Rue	19 Pl. St-Pierre	2 R. Chappe	Anvers - Abbesses
17	D12	**Tarn** Square du	4 R. J. Bourdais	(en impasse)	Pereire
20	I28	**Tarron** Rue du Capitaine	2 R. Géo Chavez	1 Bd Mortier	Porte de Bagnolet
16	I8	**Tattegrain** Place	Bd Flandrin	Avenue H. Martin	Rue de la Pompe
14	R15	**Taunay** Rue Nicolas	5 Pl. de la Pte de Châtillon	11 Av. E. Reyer	Porte d'Orléans
10	H21	**Taylor** Rue	62 R. R. Boulanger	25 R. du Château d'Eau	Jacques Bonsergent
16	M6	**Tchad** Square du	8 Av. du Gal Sarrail		Porte d'Auteuil
18	B22-C22	**Tchaïkovski** Rue	Rue Croix Moreau	Rue de l'Evangile	Porte de la Chapelle
8	F14-G14	**Téhéran** Rue de	142 Bd Haussmann	58 R. de Monceau	Monceau
4	L21	**Teilhard De Chardin** Pl. du Père	Bd Henri IV	Rue de Mornay	Sully-Morland
5	N19-O20	**Teilhard De Chardin** R. du Père	6 R. des Patriarches	15 R. Épée de Bois	Censier-Daubenton
20	G26-G27	**Télégraphe** Passage du	39 R. Télégraphe	178 R. Pelleport	Télégraphe
20	G27-H27	**Télégraphe** Rue du	13 R. St-Fargeau	240 R. de Belleville	Télégraphe
16	O7	**Tellier** Rue Charles	157 Bd Murat	19 R. Le Marois	Porte de St-Cloud
3	I22-J22	**Temple** Boulevard du	25 R. Filles du Calvaire	1 Pl. de la République	République
11	I22-J22	**Temple** Boulevard du	25 R. Filles du Calvaire	1 Pl. de la République	République
3	I21-K20	**Temple** Rue du	64 R. de Rivoli	13 Pl. de la République	Temple
4	I21-K20	**Temple** Rue du	64 R. de Rivoli	13 Pl. de la République	Hôtel de Ville
3	I21	**Temple** Square du	Rue du Temple	Rue de Bretagne	Arts et Métiers
14	O15	**Templier** Parvis Daniel	Avenue du Maine		Gaîté
14	P16	**Tenaille** Passage	147 Av. du Maine	38 R. Gassendi	Gaîté
18	B17-C16	**Tennis** Rue des	13 R. Lagille	183 R. Belliard	Guy Môquet
11	I23	**Ternaux** Rue	48 R. de la Folie Méricourt	2b R. N. Popincourt	Parmentier
17	F10-F12	**Ternes** Avenue des	49 Av. de Wagram	59 Bd Gouvion St-Cyr	Ternes
8	F12	**Ternes** Place des	272 R. du Fbg St-Honoré	50 Av. de Wagram	Ternes
17	F12	**Ternes** Place des	272 R. du Fbg St-Honoré	50 Av. de Wagram	Ternes
17	F10	**Ternes** Porte des	Av. de la Porte des Ternes	Avenue des Ternes	Porte Maillot
17	F11	**Ternes** Rue des	200 Bd Péreire	27 R. Guersant	Porte Maillot
17	F10	**Ternes** Villa des	96 Av. des Ternes	Avenue de Verzy	Porte Maillot
10	F21-G22	**Terrage** Rue du	137 Q. de Valmy	174 R. du Fbg St-Martin	Château Landon
16	O6-O7	**Terrasse** Rue Claude	185 Av. de Versailles	129 Bd Murat	Porte de St-Cloud
17	E14-F14	**Terrasse** Rue de la	96 Bd Malesherbes	33 R. de Lévis	Villiers
17	E14	**Terrasse** Villa de la	19 R. de la Terrasse	(en impasse)	Villiers
20	K27-L26	**Terre Neuve** Rue de	106 Bd de Charonne	Place de la Réunion	Avron
13	R23	**Terres au Curé** Rue des	70 R. Regnault	45 R. Albert	Porte d'Ivry
20	K28	**Terrier** Rue Félix	Rue Eugène Reisz	2 R. Harpignies	Porte de Montreuil
12	P25-Q25	**Terroirs de France** Av. des	Quai de Bercy	Rue Baron Le Roy	Cour St-Émilion
18	D18	**Tertre** Impasse du	3 R. Norvins	(en impasse)	Abbesses
18	D18	**Tertre** Place du	3 R. Norvins	R. St-Eleuthère	Abbesses
19	B23	**Tessier** Rue Gaston	254 R. de Crimée	89 R. Curial	Crimée
15	O13	**Tessier** Rue	16 R. Bargue	11b R. de la Procession	Volontaires
20	L28	**Tessier De Marguerittes** Place du Général	R. de la Tour du Pin	R. Henri Tomasi	Porte de Montreuil
10	H22-H23	**Tesson** Rue	160 Av. Parmentier	187 R. St-Maur	Goncourt
14	O15-P15	**Texel** Rue du	25 R. Vercingétorix	22 R. R. Losserand	Gaîté
17	E14-F13	**Thann** Rue de	2 R. de Phalsbourg	3 Pl. Malesherbes	Monceau
15	L10-N12	**Théâtre** Rue du	53 Q. de Grenelle	58 R. de la Croix Nivert	Av. Émile Zola
15	M12	**Thébaud** Square Jean	2 R. P. Chautard	6 R. P. Chautard	Cambronne
5	L19-M19	**Thénard** Rue	61 Bd St-Germain	44 R. des Écoles	Maubert-Mutualité
1	I17-I18	**Thérèse** Rue	39 R. Richelieu	24 Av. de l'Opéra	Pyramides
14	P15-Q15	**Thermopyles** Rue des	32 R. Didot	87 R. R. Losserand	Pernety
15	Q12	**Theuriet** Rue André	111 Bd Lefebvre	42 Av. A. Bartholomé	Porte de Versailles
14	Q16	**Thibaud** Rue	66 Av. du Gal Leclerc	191 Av. du Maine	Mouton-Duvernet

Ar.	Plan	Rues / Streets	Commençant	Finissant	Métro
15	P13	**Thiboumery** Rue	56 R. d'Alleray	9 R. de Vouillé	Vaugirard
11	L23	**Thiéré** Passage	23 R. de Charonne	48 R. de la Roquette	Bastille
19	G26	**Thierry** Rue Augustin	11 R. Compans	12 R. Pré St-Gervais	Pl. des Fêtes
16	I9	**Thiers** Rue	168 Av. V. Hugo	57 R. Spontini	Rue de la Pompe
16	I9	**Thiers** Square	155 Av. V. Hugo		Rue de la Pompe
16	D25	**Thill** Rue Georges	73 R. Petit	168 Av. Jean Jaurès	Ourcq
17	D12	**Thimerais** Square du	11 R. de Senlis	212 R. Courcelles	Pereire
9	F19	**Thimonnier** Rue	3 R. Lentonnet	54 R. Rochechouart	Poissonnière
19	D24	**Thionville** Passage de	11 R. Léon Giraud	12 R. de Thionville	Ourcq
19	C25-D24	**Thionville** Rue de	150 R. de Crimée	Q. de la Garonne	Ourcq - Laumière
18	D17-E17	**Tholozé** Rue	56 R. des Abbesses	88 R. Lepic	Abbesses
10	H21-H22	**Thomas** Rue Albert	5 R. Léon Jouhaux	2 Pl. J. Bonsergent	République
9	G19	**Thomas** Rue Ambroise	4 R. Richer	57 R. du Fbg Poissonnière	Poissonnière - Cadet
13	S19	**Thomire** Rue	77 Bd Kellermann	Av. Caffieri	Cité Univ. (RER B)
7	K11-L12	**Thomy Thierry** Allée	Av. O. Gréard	Pl. Joffre	École Militaire
2	H19	**Thorel** Rue	9 R. Beauregard	31 Bd de Bonne Nouvelle	Bonne Nouvelle
15	O10	**Thoréton** Villa	324 R. Lecourbe	(en impasse)	Lourmel
3	K21	**Thorigny** Place de	R. Elzévir	16 R. du Parc Royal	St-Sébastien-Froissart
3	J22-K21	**Thorigny** Rue de	2 R. de la Perle	3 R. Debelleyme	St-Sébastien-Froissart
12	P25	**Thorins** Rue de	R. Baron Le Roy	Pl. des Vins de France	Cour St-Émilion
5	N19	**Thouin** Rue	68 R. du Card. Lemoine	R. de l'Estrapade	Card. Lemoine
5	N18-N19	**Thuillier** Rue Louis	42 R. d'Ulm	41 R. Gay Lussac	Luxembourg (RER B)
19	F26	**Thuliez** Rue Louise	48 R. Compans	19 R. Henri Ribière	Pl. des Fêtes
15	N12	**Thuré** Cité	130 R. du Théâtre	(en impasse)	Émile Zola - Commerce
15	Q11	**Thureau Dangin** Rue	42 Bd Lefebvre	7 Av. A. Bartholomé	Porte de Versailles
13	S20	**Tibre** Rue du	58 R. du Moulin de la Pointe	71 R. Damesme	Maison Blanche
16	L7-M7	**Tilleuls** Avenue des	6 Av. du Square	53 Bd Montmorency	Michel Ange-Auteuil
12	M25	**Tillier** Rue Claude	79 Bd Diderot	238 R. du Fbg St-Antoine	Reuilly Diderot
19	B23	**Tillon** Place Charles	R. Jean Oberlé	Av. de la Pte d'Aubervilliers	Porte de la Chapelle
8	G11-G12	**Tilsitt** Rue de	154 Av. des Chps Élysées	2 Av. de la Gde Armée	Ch. de Gaulle-Étoile
17	G11-G12	**Tilsitt** Rue de	154 Av. des Chps Élysées	2 Av. de la Gde Armée	Ch. de Gaulle-Étoile
11	I22	**Timbaud** R. Jean-Pierre	20 Bd du Temple	35 Bd de Belleville	Couronnes
11	I23-I24	**Timbaud** Sq. Jean-Pierre	R. J.-P. Timbaud	R. des Trois Couronnes	Couronnes
15	M11-M12	**Tiphaine** Rue	11 R. Violet	6 R. du Commerce	Dupleix
2	I19-I20	**Tiquetonne** Rue	137 R. St-Denis	32 R. Étienne Marcel	Étienne Marcel
4	K21	**Tiron** Rue	27 R. F. Miron	13 R. de Rivoli	Pont Marie
1	J18	**Tison** Rue Jean	150 R. de Rivoli	11 R. Bailleul	Louvre-Rivoli
18	B22	**Tissandier** Rue Gaston	32 Bd Ney	R. C. Hermite	Porte de la Chapelle
15	O10	**Tisserand** Rue	141 R. Lourmel	72 Av. F. Faure	Lourmel - Boucicaut
13	P21	**Titien** Rue	104 Bd de l'Hôpital	1 R. du Banquier	Campo Formio
11	L25	**Titon** Rue	33 R. de Montreuil	34 R. Chanzy	Faidherbe-Chaligny
20	I25	**Tlemcen** Rue de	76 Bd de Ménilmontant	61 R. Amandiers	Père Lachaise
19	D25	**Toccata** Villa	R. J. Kosma	(en impasse)	Ourcq
17	D13	**Tocqueville** Jardin de	R. de Tocqueville		Wagram
17	D13-F14	**Tocqueville** Rue de	12 Av. de Villiers	Bd Berthier	Malesherbes - Villiers
17	D13	**Tocqueville** Square de	120 R. Tocqueville	(en impasse)	Wagram - Pereire
16	I12	**Tokyo** Place de	16 Av. du Pdt Wilson		Iéna
20	L27	**Tolain** Rue	61 R. des Gds Champs	66 R. d'Avron	Maraîchers
12	P24	**Tolbiac** Pont de	Q. de Bercy	Q. de la Gare	Cour St-Émilion
13	P24	**Tolbiac** Pont de	Q. de Bercy	Q. de la Gare	Bibl. F. Mitterrand
13	Q24-R25	**Tolbiac** Port de	Pont National	Pont de Tolbiac	Bibl. F. Mitterrand
13	Q23-R18	**Tolbiac** Rue de	93 Q. de la Gare	129 R. de la Glacière	Tolbiac - Olympiades
13	R22	**Tolbiac** Villa	65 R. de Tolbiac	(en impasse)	Olympiades
3	I22	**Tollet** Square André	Pl. de la République		République
11	I22	**Tollet** Square André	Pl. de la République		République
16	L6	**Tolstoï** Square	92 Bd Suchet	1 Av. du Mal Lyautey	Jasmin
20	L28	**Tomasi** Rue Henri	Bd Davout	(en impasse)	Porte de Montreuil
14	P17	**Tombe Issoire** Rue de la	59 Bd St-Jacques	48 Bd Jourdan	Porte d'Orléans
17	E14	**Tombelle** Sq. Fernand De La	Sq. Em. Chabrier	Sq. Gabriel Fauré	Malesherbes
18	E20	**Tombouctou** Rue de	56 Bd de la Chapelle	11 R. de Jessaint	La Chapelle
18	C21	**Torcy** Place de	Rue de Torcy	1 R. de l'Évangile	Marx Dormoy
18	C21-C22	**Torcy** Rue de	1 R. Cugnot	10 R. de la Chapelle	Marx Dormoy
17	F11	**Torricelli** Rue	10 R. Guersant	41 R. Bayen	Ternes
17	C13	**Tortelier** Place Paul	20 R. Marguerite Long	2 Pl. Louis Bernier	Pereire
10	H21-I22	**Toudic** Rue Yves	9 R. du Fbg du Temple	40 R. de lancry	République

Ar.	Plan	**Rues** / Streets	Commençant	Finissant	Métro
9	F18	**Toudouze** Place Gustave	Rue Clauzel	Rue Henri Monnier	St-Georges
12	O27	**Toul** Rue de	133 R. de Picpus	28 Bd de Picpus	M. Bizot - Bel Air
20	K28	**Toulet** Rue Paul-Jean	Rue du Clos	Sq. la Salamandre	Maraîchers
5	M18	**Toullier** Rue	9 R. Cujas	14 R. Soufflot	Luxembourg (RER B)
19	E26	**Toulouse** Rue de	110 Bd Sérurier	19 Bd d'Indochine	Danube
17	A17-A16	**Toulouse-Lautrec** Rue	47 Av. de la Pte de St-Ouen	R. J. De La Fontaine	Porte de St-Ouen
16	I8-K10	**Tour** Rue de la	Pl. Costa Rica	1 Pl. Tattegrain	Passy
16	J9	**Tour** Villa de la	R. de la Tour	19 R. E. Delacroix	Rue de la Pompe
14	P15-P16	**Tour de Vanves** P. de la	144 Av. du Maine	7 R. Asseline	Pernety - Gaîté
9	F17	**Tour des Dames** Rue la	7 R. La Rochefoucauld	12 R. Blanche	Trinité
4	K19	**Tour St-Jacques** Sq. de la	Rue de Rivoli	Rue St-Martin	Châtelet
20	G27-G28	**Tourelles** Passage des	11 R. des Tourelles	15 R. des Tourelles	Porte des Lilas
20	G27-G28	**Tourelles** Rue des	86 R. Haxo	161 Bd Mortier	Télégraphe - Pte des Lilas
18	D17	**Tourlaque** Passage	27 R. Caulaincourt	18 R. Damrémont	Lamarck-Caulaincourt
18	D17	**Tourlaque** Rue	47 R. Lepic	42 R. J. de Maistre	Blanche - Abbesses
12	N22	**Tournaire** Square Albert	Place Mazas		Quai de la Rapée
5	N19	**Tournefort** Rue	11 R. Blainville	2 Pl. Lucien Herr	Place Monge
4	L20-M20	**Tournelle** Pont de la	Quai d'Orléans	Q. de la Tournelle	Pont Marie
5	L20-M20	**Tournelle** Pont de la	Quai d'Orléans	Q. de la Tournelle	Pont Marie
5	L20-M20	**Tournelle** Port de la	Pont de Sully	Pont de l'Archevêché	Maubert-Mutualité
5	L20-M20	**Tournelle** Quai de la	2 Bd St-Germain	1 R. Maître Albert	Maubert-Mutualité
3	K22-L22	**Tournelles** Rue des	8 R. St-Antoine	77 Bd Beaumarchais	Chemin Vert - Bastille
4	K22-L22	**Tournelles** Rue des	8 R. St-Antoine	77 Bd Beaumarchais	Chemin Vert - Bastille
17	E10	**Tournemire** Rue Charles	Av. de la Pte de Champerret	Av. de la Pte de Villiers	Porte de Champerret
12	O27-P27	**Tourneux** Impasse	4 R. Tourneux	(en impasse)	Michel Bizot
12	O27	**Tourneux** Rue	66 R. C. Decaen	206 Av. Daumesnil	Michel Bizot
6	L18-M18	**Tournon** Rue de	19 R. St-Sulpice	24 R. de Vaugirard	Odéon - Mabillon
15	M11	**Tournus** Rue	38 R. Fondary	101 R. du Théâtre	Émile Zola
6	L18	**Tours** Rue Grégoire De	5 R. de Buci	18 R. Quatre Vents	Odéon - Mabillon
20	H24	**Tourtille** Rue de	27 R. de Pali Kao	32 R. de Belleville	Couronnes
7	L13-L14	**Tourville** Avenue de	8 Bd des Invalides	3 Pl. École Militaire	École Militaire
15	P12	**Toussaint** Sq. Marcel	7 R. de Dantzig	(en impasse)	Convention
13	R21	**Toussaint-Féron** Rue	139 Av. de Choisy	51 Av. d'Italie	Tolbiac
6	L18	**Toustain** Rue	74 R. de Seine	1 R. Félibien	Mabillon
2	I20	**Tracy** Rue de	127 Bd Sébastopol	222 R. St-Denis	Strasbourg-St-Denis
18	C19-C20	**Traëger** Cité	17 R. Boinod	(en impasse)	Marcadet-Poissonniers
16	G11-H11	**Traktir** Rue de	14 Av. V. Hugo	9 Av. Foch	Ch. de Gaulle-Étoile
13	Q20	**Trannoy** Place André	R. des Cinq Diamants	Bd Auguste Blanqui	Corvisart
20	H25	**Transvaal** Rue du	Rue Piat	93 R. des Couronnes	Pyrénées
12	L23-N22	**Traversière** Rue	84 Q. de la Rapée	100 R. du Fbg St-Antoine	Ledru-Rollin
15	N14	**Tréfouel** Place J. et Th.	Rue de Vaugirard	Rue Dr Roux	Pasteur
8	G14	**Treilhard** Rue	40 R. Bienfaisance	6 Pl. de Narvik	Miromesnil
13	S22	**Trélat** Square Ulysse	166 R. Regnault		Porte d'Ivry
16	H9	**Trentinian** Pl. des G. De	Avenue Foch		Porte Dauphine
4	K21	**Trésor** Rue du	9 R. des Écouffes	26 R. Vieille du Temple	St-Paul
18	C18	**Trétaigne** Rue de	112 R. Marcadet	117 R. Ordener	Jules Joffrin
9	G19	**Trévise** Cité de	14 R. Richer	7 R. Bleue	Cadet
9	G19-H19	**Trévise** Rue de	22 R. Bergère	76 R. La Fayette	Grands Boulevards
2	I20	**Trinité** Passage de la	164 R. St-Denis	21 R. de Palestro	Réaumur-Sébastopol
9	F17	**Trinité** Rue de la	7 R. Blanche	8 R. de Clichy	Trinité
7	K12-L12	**Tripier** Av. du Général	Al. Thomy Thierry	Av. de Suffren	Ch. de Mars-Tr Eiffel (RER C)
14	P15	**Tristan** Place Flora	R. Didot	R. de la Sablière	Pernety
16	J10-J11	**Trocadéro** Jardin du	Av. Albert de Mun	Bd Delessert	Trocadéro
16	J10	**Trocadéro** Square du	38 R. Scheffer		Rue de la Pompe
16	J10	**Trocadéro et du Onze Novembre** Pl. du	Av. du Pdt Wilson	39 R. Franklin	Trocadéro
11	I23	**Trois Bornes** Cité des	3 R. Trois Bornes	(en impasse)	Parmentier
11	I23	**Trois Bornes** Rue des	21 Av. de la République	139 R. St-Maur	Parmentier
11	I23	**Trois Couronnes** R. des	120 R. St-Maur	1 R. Morand	Parmentier
20	H24-I24	**Trois Couronnes** V. des	R. des Couronnes	R. de Pali Kao	Couronnes
11	L23	**Trois Frères** Cour des	81 R. du Fbg St-Antoine	(en impasse)	Ledru-Rollin
18	E18	**Trois Frères** Rue des	R. d'Orsel	10 R. Ravignan	Anvers
5	L19	**Trois Portes** Rue des	10 R. F. Sauton	13 R. de l'Hôtel Colbert	Maubert-Mutualité
1	H16	**Trois Quartiers** Galerie	Bd de la Madeleine	R. Duphot	Madeleine
11	K23-K24	**Trois Sœurs** Imp. des	26 R. Popincourt	(en impasse)	Voltaire

Ar.	Plan	Rues / Streets	Commençant	Finissant	Métro
13	R23	**Trolley de Prévaux** Rue	R. Albert	R. de Patay	Olympiades
8	G16-H16	**Tronchet** Rue	35 Pl. de la Madeleine	55 Bd Haussmann	Madeleine
9	G16-H16	**Tronchet** Rue	35 Pl. de la Madeleine	55 Bd Haussmann	Madeleine
11	M26-M27	**Trône** Avenue du	19 Pl. de la Nation	1 Bd de Charonne	Nation
12	M27	**Trône** Avenue du	19 Pl. de la Nation	1 Bd de Charonne	Nation
11	M27	**Trône** Passage du	5 Bd de Charonne	8 Av. Taillebourg	Nation
8	G15-G16	**Tronson du Coudray** Rue	25 R. Pasquier	52 R. d'Anjou	St-Augustin
11	L24	**Trousseau** Rue	R. du Fbg St-Antoine	R. de Charonne	Ledru-Rollin
12	L23	**Trousseau** Square	R. du Faubourg St-Antoine	R. Antoine Vollon	Ledru-Rollin
17	G11-G12	**Troyon** Rue	9 Av. de Wagram	12 Av. Mac Mahon	Ch. de Gaulle-Étoile
13	R20	**Trubert Bellier** Passage	21 R. C. Fourier	65 R. de la Colonie	Corvisart
17	E16	**Truchet** Rue Abel	30 Bd des Batignolles	11 R. Caroline	Place de Clichy
9	E19-F18	**Trudaine** Avenue	77 R. Rochechouart	64 R. Martyrs	Pigalle - Anvers
9	F18	**Trudaine** Square	52 R. Martyrs		St-Georges
12	P25-Q25	**Truffaut** Rue François	Q. de Bercy	R. Baron Le Roy	Cour St-Émilion
17	D15-E16	**Truffaut** Rue	34 R. des Dames	154 R. Cardinet	Place de Clichy
11	J23	**Truillot** Impasse	86 Bd Voltaire	(en impasse)	St-Ambroise
8	I14-I15	**Tuck** Avenue Edward	Crs la Reine	Av. Dutuit	Champs-Elysées-Clem.
13	S20	**Tuffier** Rue du Docteur	52 R. Damesme	43 R. des Peupliers	Maison Blanche
1	J16	**Tuileries** Jardin des	Pl. de la Concorde	Av. du Gal Lemonier	Tuileries - Concorde
1	J15-K16	**Tuileries** Port des	Pont Royal	Q. des Tuileries	Concorde
1	J15-J16	**Tuileries** Quai des	Av. du Gal Lemonnier	Pont de la Concorde	Concorde
18	B18	**Tulipes** Villa des	101 R. Ruisseau	(en impasse)	Porte de Clignancourt
11	L26-M26	**Tunis** Rue de	7 Pl. de la Nation	92 R. de Montreuil	Nation
14	S17-S18	**Tunisie** Avenue de la	Al. de Montsouris	Parc Montsouris	Cité Univ. (RER B)
19	F25	**Tunnel** Rue du	43 R. des Alouettes	54 R. Botzaris	Buttes Chaumont
1	I21-J19	**Turbigo** Rue de	8 R. Montorgueil	199 R. du Temple	Arts et Métiers
2	J19-I21	**Turbigo** Rue de	R. Montorgueil	R. du Temple	Arts et Métiers
3	I20-I21	**Turbigo** Rue de	R. Montorgueil	R. du Temple	Arts et Métiers
3	I22-L21	**Turenne** Rue de	72 R. St-Antoine	70 R. Charlot	St-Sébastien Froissart
4	I22-L21	**Turenne** Rue de	72 R. St-Antoine	70 R. Charlot	St-Sébastien Froissart
9	F19	**Turgot** Rue	32 R. Condorcet	15 Av. Trudaine	Anvers
8	E16-F16	**Turin** Rue de	32 R. de Liège	25 Bd des Batignolles	Place de Clichy
18	D19	**Turlure** Parc de la	R. Lamarck		Château Rouge
19	G23	**Turot** Rue Henri	86 Bd de la Villette	93 Av. S. Bolivar	Colonel Fabien
16	L7	**Turquan** Rue Robert	13 R. de l'Yvette	(en impasse)	Jasmin
11	L26	**Turquetil** Passage	93 R. de Montreuil	43 Av. Philippe-Auguste	Nation
17	B16	**Tzanck** Place Arnault	Av. de la Pte Pouchet	31 R. A. Brechet	Porte de St-Ouen
18	B21-C22	**Tzara** Rue Tristan	35 R. de l'Evangile	Pl. P. Mac Orlan	Porte de la Chapelle

U

Ar.	Plan	Rues / Streets	Commençant	Finissant	Métro
5	N19	**Ulm** Rue d'	9 Pl. Panthéon	51 R. Gay Lussac	Luxembourg (RER B)
17	D12	**Ulmann** Jardin André	Bd de Reims	Av. Brunetière	Pereire
9	E17	**Ulmer** Promenade Georges	39 Bd de Clichy	Place Pigalle	Pigalle
7	K13	**Union** Passage de l'	175 rue de Grenelle	14 R. Champ de Mars	École Militaire
16	I10	**Union** Square de l'	84 rue Lauriston		Boissière
7	J12-K17	**Université** Rue de l'	20 rue Sts-Pères	11 Al. Deschanel	St-Germain-des-Prés
16	L6-M6	**Urfé** Square d'	118 Bd Suchet	33 Av. du Mal Lyautey	Porte d'Auteuil
4	L20	**Ursins** Rue des	2 rue Chantres	1 rue de la Colombe	Cité
5	N18	**Ursulines** Rue des	52 rue Gay Lussac	245 rue St-Jacques	Luxembourg (RER B)
16	H12	**Uruguay** Place de l'	Avenue d'Iéna	Rue J. Giraudoux	Kléber
18	D19-E19	**Utrillo** Rue Maurice	1 rue P. Albert	Rue Cardinal Dubois	Anvers
2	H18-H19	**Uzès** Rue d'	15 R. St-Fiacre	170 R. Montmartre	Grands Boulevards

V

Ar.	Plan	Rues / Streets	Commençant	Finissant	Métro
16	H11-H12	**Vacquerie** Rue Auguste	3 R. Newton	12 R. Dumont d'Urville	Kléber
16	O5-P6	**Vaillant** Avenue Édouard	Av. de la Pte de St-Cloud	Av. F. Buisson	Porte de St-Cloud
20	I27	**Vaillant** Square Édouard	Rue de la Chine	Rue du Japon	Gambetta
14	T17-T18	**Vaillant-Couturier** Av. P.	Avenue Mazagran	Av. L. Descaves	Gentilly
18	E18	**Valadon** Place Suzanne	Rue Foyatier	Rue Tardieu	Anvers - Abbesses
7	K13	**Valadon** Rue	167 R. de Grenelle	10 R. Chp de Mars	École Militaire

Ar.	Plan	**Rues** / Streets	Commençant	Finissant	Métro
5	N18-O18	**Val-de-Grâce** Rue du	Place A. Laveran	137 Bd St-Michel	Port Royal (RER B)
13	T19-T20	**Val-de-Marne** Rue du	Av. Mazagran	R. Gallieni (Gentilly)	Gentilly
5	O19-O20	**Valence** Rue de	2 Av. des Gobelins	19 R. Pascal	Censier-Daubenton
10	F20	**Valenciennes** Place de	112 Bd de Magenta	134 R. La Fayette	Gare du Nord
10	F20	**Valenciennes** Rue de	141 R. du Fbg St-Denis	110 Bd de Magenta	Gare du Nord
7	J12-J13	**Valentin** Rue Edmond	14 Av. Bosquet	23 Av. Rapp	Pont de l'Alma (RER C)
14	R18	**Valentinien** R. de l'Emp.	8 Av. de la Sibelle	R. Thomas Francine	Cité Univ. (RER B)
16	H10-H11	**Valéry** Rue Paul	50 Av. Kléber	27 Av. Foch	Victor Hugo
5	M19	**Valette** Rue	1 R. Lanneau	8 Pl. du Panthéon	Maubert-Mutualité
5	N22	**Valhubert** Place	57 Q. Austerlitz	1 Bd de l'Hôpital	Gare d'Austerlitz
13	N22	**Valhubert** Place	57 Q. Austerlitz	1 Bd de l'Hôpital	Gare d'Austerlitz
15	O8-P9	**Valin** Bd du Gal Martial	Q. d'Issy les Moulineaux	Bd Victor	Balard
12	P27	**Vallée de Fécamp** I. de la	18 R. de Fécamp	(en impasse)	Porte de Charenton
11	L25	**Vallès** Rue Jules	23 R. Chanzy	102 R. de Charonne	Charonne
13	P21	**Vallet** Passage	11 R. Pinel	11 Av. S. Pichon	Nationale
15	P13	**Vallin** Place Charles	139 R. de l'Abbé Groult	60 R. Dombasle	Convention
15	P13	**Vallois** Square Frédéric	3 R. de Vouillé	(en impasse)	Convention
7	K16	**Valmy** Impasse de	40 R. du Bac	(en impasse)	Rue du Bac
10	E22-H22	**Valmy** Quai de	27 R. du Fbg du Temple	230 R. La Fayette	République - Jaurès
8	F14	**Valois** Avenue de	115 Bd Malesherbes	(en impasse)	Villiers
1	I18	**Valois** Galerie de	Gal. de Beaujolais	Palais Royal	Palais Royal-Louvre
1	J18	**Valois** Place de	4 Pl. de Valois	Pas. Vérité	Palais Royal-Louvre
1	I18-J18	**Valois** Rue de	202 R. St-Honoré	1 R. de Beaujolais	Palais Royal-Louvre
8	F13	**Van Dyck** Avenue	Pl. du Gal Brocard	Parc de Monceau	Courcelles
12	N23	**Van Gogh** Rue	62 Q. Rapée	197 R. de Bercy	Gare de Lyon
16	N7-O7	**Van Loo** Rue	Quai L. Blériot	154 Av. de Versailles	Exelmans - Bd Victor (RER C)
12	P28	**Van Vollenhoven** Square	Bd Poniatowski		Porte Dorée
14	R13	**Vandal** Impasse	27 Bd Brune	(en impasse)	Porte de Vanves
14	O15-O16	**Vandamme** Rue	22 R. de la Gaîté	66 Av. du Maine	Gaîté
13	R20	**Vandrezanne** Passage	37 R. Vandrezanne	57 R. du Moulin des Prés	Tolbiac
13	Q20-R20	**Vandrezanne** Rue	42 Av. d'Italie	39 R. du Moulin des Prés	Tolbiac
7	L15	**Vaneau** Cité	63 R. Varenne	12 R. Vaneau	Varenne
7	K15-M15	**Vaneau** Rue	61 R. Varenne	44 R. de Sèvres	Vaneau - Varenne
14	R18	**Vanne** Allée de la	Al. du Lac	Parc Montsouris	Cité Univ. (RER B)
14	R13	**Vanves** Porte de	Bd Périphérique		Porte de Vanves
20	M29	**Var** Square du	7 R. Noël Ballay	8 R. Lippmann	Porte de Vincennes
7	L15	**Varenne** Cité de	51 R. de Varenne	(en impasse)	Rue du Bac
18	B17	**Varenne** Rue Jean	154 Bd Ney	11 Av. de la Pte Montmartre	Porte de St-Ouen
7	K15-L16	**Varenne** Rue de	14 R. de la Chaise	17 Bd des Invalides	Varenne
19	D25	**Varèse** Rue Edgar	12 R. A. Mille	Gal. la Villette	Porte de Pantin
15	O10-O9	**Varet** Rue	197b R. St-Charles	164 R. de Lourmel	Lourmel
2	H18	**Variétés** Galerie des	38 R. Vivienne	28 Gal. St-Marc	Grands Boulevards
20	G28	**Variot** Square du Docteur	Avenue Gambetta	Bd Mortier	Porte des Lilas
16	N6-O6	**Varize** Rue de	104 R. Michel Ange	63 Bd Murat	Porte de St-Cloud
10	F21-F22	**Varlin** Rue Eugène	145 Q. de Valmy	196 R. du Fbg St-Martin	Château Landon
10	F22	**Varlin** Square Eugène	Rue Eugène Varlin	Quai de Valmy	Château Landon
16	J11	**Varsovie** Place de	Bd Delessert	Pont d'Iéna	Trocadéro
15	N15	**Vassilieff** Villa Marie	21 Av. du Maine	(en impasse)	Montparnasse-Bienv.
12	M28	**Vassou** Impasse	37 R. de la Voûte	(en impasse)	Porte de Vincennes
7	L14	**Vauban** Place	5 Av. de Tourville	1 Av. de Breteuil	St-Franç.-Xavier
3	I20	**Vaucanson** Rue	53 R. de Turbigo	29 R. du Vertbois	Arts et Métiers
17	D12	**Vaucluse** Square de	23 Av. Brunetière	(en impasse)	Pereire
11	H23-I24	**Vaucouleurs** Rue de	83 R. Timbaud	28 R. de l'Orillon	Couronnes
7	M13	**Vaudoyer** Rue Léon	40 Av. de Saxe	12 R. Pérignon	Ségur
20	J28	**Vaudrey** Place Pierre	19 R. des Balkans	21 Cité Leclaire	Porte de Bagnolet
15	P11	**Vaugelas** Rue	58 R. O. de Serres	28 R. Lacretelle	Porte de Versailles
15	N15-O14	**Vaugirard** Boulevard de	2 Pl. Raoul Dautry	71 Bd Pasteur	Montparnasse-Bienv.
15	N14-N15	**Vaugirard** Galerie	R. Falguière	Bd Vaugirard	Montparnasse-Bienv.
6	M18-P11	**Vaugirard** Rue de	44 Bd St-Michel	1 Bd Lefebvre	St-Sulpice
15	M18-P11	**Vaugirard** Rue de	44 Bd St-Michel	1 Bd Lefebvre	Convention
5	N19-O19	**Vauquelin** Rue	48 R. Lhomond	70 R. C. Bernard	Censier-Daubenton
18	B16-C17	**Vauvenargues** Rue	65 R. Damrémont	153 Bd Ney	Lamarck-Caulaincourt
18	B17	**Vauvenargues** Villa	82 R. Leibniz	(en impasse)	Porte de St-Ouen
1	J18-J19	**Vauvilliers** Rue	76 R. St-Honoré	R. Berger	Louvre-Rivoli
11	K22	**Vaux** Rue Clotilde De	56 Bd Beaumarchais	47 R. Amelot	Chemin Vert

Ar.	Plan	**Rues** / Streets	Commençant	Finissant	Métro
6	N17	**Vavin** Avenue	84 R. d'Assas	(en impasse)	Vavin
6	N16-N17	**Vavin** Rue	76 R. d'Assas	99 Bd du Montparnasse	Vavin
20	J28	**Veber** Rue Jean	154 Bd Davout	67 R. L. Lumière	Porte de Bagnolet
12	O27-P27	**Véga** Rue de la	257 Av. Daumesnil	118 Av. du Gal M. Bizot	Porte Dorée - M. Bizot
8	F14	**Velasquez** Avenue	Bd Malesherbes	Parc de Monceau	Monceau
13	R23-S23	**Velay** Square du	6 Av. Boutroux	23 Bd Masséna	Porte d'Ivry
10	F22-H22	**Vellefaux** Avenue Claude	24 R. Alibert	1 Pl. du Col. Fabien	Goncourt
7	L16	**Velpeau** Rue	1 R. Babylone	R. de Sèvres	Sèvres-Babylone
12	P27	**Vendée** Square de la	2 R. des Meuniers	37 Bd Poniatowski	Porte de Charenton
1	I16	**Vendôme** Cour	364 R. St-Honoré	7 Pl. Vendôme	Tuileries - Opéra
3	I22	**Vendôme** Passage	16 R. Béranger	3 Pl. de la République	République
1	I16-I17	**Vendôme** Place	237 R. St-Honoré	1 R. des Capucines	Tuileries - Opéra
13	S22	**Vénétie** Place de	18 Av. de Choisy		Porte de Choisy
16	H10	**Vénézuela** Place du	R. Leroux	R. L. de Vinci	Victor Hugo
4	J20	**Venise** Rue de	129 R. St-Martin	54 R. Quincampoix	Rambuteau
14	P14	**Ventadour** R. Bernard De	R. Pernety	7 R. Desprez	Pernety
1	I17	**Ventadour** Rue de	20 R. Thérèse	57 R. Petits Champs	Pyramides
9	F18	**Ventura** Place Lino	R. des Martyrs	Av. Trudaine	Pigalle
14	O15-Q13	**Vercingétorix** Rue	82 Av. du Maine	Bd Brune	Gaîté - Porte de Vanves
9	G18	**Verdeau** Passage	6 R. Grange Batelière	31b R. du Fbg Montmartre	Grands Boulevards
16	M7-M8	**Verderet** Rue	1 R. d'Auteuil	2 R. du Buis	Église d'Auteuil
16	J8	**Verdi** Rue	1 R. Oct. Feuillet	2 R. Franqueville	La Muette
15	Q11	**Verdier** Sq. du Cardinal	R. Thureau Dangin	Bd Lefebvre	Porte de Versailles
10	G21	**Verdun** Avenue de	156 R. du Fbg St-Martin	R. du Terrage	Gare de l'Est
19	D24	**Verdun** Passage de	4b R. de Thionville	5 R. Léon Giraud	Ourcq
17	F9	**Verdun** Place de	82 Av. de la Gde Armée	16 Av. Ch. de Gaulle	Porte Maillot
10	G21	**Verdun** Square de	14 Av. Verdun		Gare de l'Est
15	O12-O13	**Vergennes** Square	279 R. de Vaugirard		Vaugirard
12	P26	**Vergers** Allée des	12 R. des Jardiniers	(en impasse)	Porte de Charenton
13	Q19-S19	**Vergniaud** Rue	99 Bd A. Blanqui	66 R. Brillat Savarin	Corvisart - Glacière
14	P18	**Verhaeren** Allée	23ter R. J. Dolent	(en impasse)	St-Jacques
1	J18	**Vérité** Passage	11 R. des Bons Enfants	7 Pl. de Valois	Palais Royal-Louvre
13	Q20	**Verlaine** Place Paul	49 R. Bobillot	R. de la Butte aux Cailles	Corvisart
19	E25-F25	**Verlaine** Villa Paul	9 R. M. Hidalgo	(en impasse)	Botzaris
3	K22	**Verlomme** Rue Roger	33 R. des Tournelles	6 R. de Béarn	Chemin Vert
19	F26-F27	**Vermandois** Square du	64 Bd Sérurier		Pré St-Gervais
5	O19	**Vermenouze** Square	112 R. Mouffetard	61 R. Lhomond	Censier-Daubenton
11	H23	**Verne** Rue Jules	21 R. de l'Orillon	98 R. du Fbg du Temple	Belleville
8	H12	**Vernet** Rue	21 R. Q. Bauchart	1 R. de Presbourg	George V
7	K16-K17	**Verneuil** Rue de	8 R. Sts-Pères	9 R. de Poitiers	Rue du Bac
17	E11	**Vernier** Rue	50 R. Bayen	9 Bd Gouvion St-Cyr	Porte de Champerret
17	D12	**Verniquet** Rue	86 Bd Péreire	15 Bd Berthier	Pereire
1	J18	**Vero Dodat** Galerie	19 R.Rousseau	2 R. du Bouloi	Palais Royal-Louvre
18	E17	**Véron** Cité	94 Bd Clichy	(en impasse)	Blanche
18	E17-E18	**Véron** Rue	31 R. A. Antoine	26 R. Lepic	Abbesses
13	P20	**Véronèse** Rue	12 R. Rubens	69 Av. des Gobelins	Les Gobelins
4	K20	**Verrerie** Rue de la	13 R. Bourg Tibourg	76 R. St-Martin	Hôtel de Ville
16	L9-O6	**Versailles** Avenue de	2 Q. Blériot	4 Pl. de la Pte St-Cloud	Porte de St-Cloud
15	P10-P11	**Versailles** Porte de	Bd Victor	Bd Lefebvre	Porte de Versailles
18	C19	**Versigny** Rue	103 R. du Mont Cenis	22 R. Letort	Jules Joffrin
1	K18	**Vert Galant** Square du	Pl. du Pont Neuf		Pont Neuf
3	I20	**Vertbois** Passage du	64 R. Vertois	57 R. N.-D. de Nazareth	Arts et Métiers
3	I20-I21	**Vertbois** Rue du	75 R. Turbigo	306 R. St-Martin	Temple
11	J23-K22	**Verte** Allée	58 R. St-Sabin	59 Bd R. Lenoir	Richard-Lenoir
3	I21-J21	**Vertus** Rue des	14 R. Gravilliers	13 R. Réaumur	Arts et Métiers
17	E11-F10	**Verzy** Avenue de	96 Av. des Ternes	39 R. Guersant	Porte Maillot
5	O20	**Vésale** Rue	9 R. Scipion	10 R. de la Collégiale	Les Gobelins
8	F14	**Vézelay** Rue de	20 R. de Lisbonne	66 R. Monceau	Villiers
15	L11-M10	**Viala** Rue	58 Bd Grenelle	31 R. St-Charles	Dupleix
13	S21	**Vialatte** Allée Alexandre	Rue du Tage	R. A. Pieyre de Mand.	Maison Blanche
11	K24	**Viallet** Passage	44 R. R. Lenoir	144 Bd Voltaire	Voltaire
18	E20	**Vian** Rue Boris	18 R. Chartres	7 R. Polonceau	Barbès-Rochechouart
1	J18	**Viarmes** Rue de	18 R. Sauval	Rue C. Royer	Louvre-Rivoli
3	I21	**Vicaire** Rue Gabriel	12 R. Perrée	11 R. Dupetit Thouars	Temple
15	R11-R12	**Vicat** Rue Louis	Pl. Insurgés de Varsovie	Porte Brancion	Malakoff-Plat. Vanves

Ar.	Plan	**Rues** / Streets	Commençant	Finissant	Métro
15	P11	**Vichy** Rue de	6 R. P. Delmet	5 R. Malassis	Convention
10	G22-23	**Vicq d'Azir** Rue	22 R. Grange aux Belles	65 Bd de la Villette	Colonel Fabien
9	G17-G18	**Victoire** Rue de la	43 R. La Fayette	20 R. Joubert	Le Peletier - Trinité
1	I18	**Victoires** Place des	4 R. Catinat	1 R. Vide Gousset	Bourse - Sentier
2	I18	**Victoires** Place des	4 R. Catinat	1 R. Vide Gousset	Bourse - Sentier
15	P10-P9	**Victor** Boulevard	Bd Gal Martial Valin	Pl. de la Pte de Versailles	Porte de Versailles
15	O8	**Victor** Square	Bd Gal Martial Valin	Rue R. Ravaud	Bd Victor (RER C)
1	K19-K20	**Victoria** Avenue	5 Pl. de l'Hôtel de Ville	2 R. Ste-Opportune	Châtelet
4	K19-K20	**Victoria** Avenue	5 Pl. de l'Hôtel de Ville	2 R. Ste-Opportune	Hôtel de Ville
20	H28	**Vidal De La Blache** Rue	78 Bd Mortier	25 R. Le Vau	Porte de Bagnolet
2	I18	**Vide Gousset** Rue	12 Pl. Victoires	2 R. du Mail	Sentier
3	J22-K21	**Vieille du Temple** Rue	36 R. de Rivoli	1 R. de Bretagne	Filles du Calvaire
4	J22-K21	**Vieille du Temple** Rue	36 R. de Rivoli	1 R. de Bretagne	St-Paul - Hôtel de Ville
8	F16-G15	**Vienne** Rue de	8 Pl. H. Bergson	Place de l'Europe	Europe
7	K13	**Vierge** Passage de la	54 R. Cler	75 Av. Bosquet	École Militaire
17	D11	**Vierne** Rue Louis	Rue J. Ibert	(en impasse)	Louise Michel
17	E13	**Viète** Rue	66 Av. de Villiers	145 Bd Malesherbes	Wagram
6	L17	**Vieux Colombier** Rue du	74 R. Bonaparte	1 R. du Cherche Midi	St-Sulpice
15	O14	**Vigée Lebrun** Rue	41 R. Dr Roux	106 R. Falguière	Volontaires
16	K8-L9	**Vignes** Rue des	72 R. Raynouard	13 Av. Mozart	La Muette
20	K27	**Vignoles** Impasse des	78 R. Vignoles	(en impasse)	Buzenval
20	K27-L26	**Vignoles** Rue des	84 Bd de Charonne	44 R. des Orteaux	Buzenval - Avron
8	G16-H16	**Vignon** Rue	Bd Madeleine	26 R. Tronchet	Madeleine
9	G16-H16	**Vignon** Rue	Bd Madeleine	26 R. Tronchet	Madeleine
8	F13	**Vigny** Rue Alfred De	Pl. du Gal Brocard	10 R. Chazelles	Courcelles
17	F13	**Vigny** Rue Alfred De	Pl. du Gal Brocard	10 R. Chazelles	Courcelles
19	E23	**Vigo** Promenade Jean	26 Quai de la Loire	50 Quai de la Loire	Jaurès
11	L23	**Viguès** Cour Jacques	3 Cour St-Joseph	(en impasse)	Ledru-Rollin
11	L23	**Viguès** Cour	R. du Fbg St-Antoine	(en impasse)	Bastille
13	P23	**Vilar** Place Jean	R. Fernand Braudel		Quai de la Gare
20	H24	**Vilin** Rue	29 R. des Couronnes	19 R. Piat	Couronnes
16	N7	**Villa de la Réunion** Grande Avenue de la	122 Av. de Versailles	47 R. Chardon Lagache	Chardon Lagache
15	Q13	**Villafranca** Rue de	54 R. des Morillons	5 R. Fizeau	Porte de Vanves
8	H16-H15	**Village Royal**	Cité Berryer	Rue Royale	Madeleine
16	H10	**Villarceau** Rue Yvon	37 R. Copernic	64 R. Boissière	Victor Hugo
17	G11	**Villaret de Joyeuse** Rue	1 R. des Acacias	5 R. des Acacias	Argentine
17	F11-G11	**Villaret de Joyeuse** Sq.	7 R. Villaret de Joyeuse		Argentine
7	L14	**Villars** Avenue de	3 Pl. Vauban	2 R. D'Estrées	St-Franç.-Xavier
16	H10-H11	**Ville** Rue Georges	61 Av. Victor Hugo	17 R. P. Valéry	Victor Hugo
4	M21	**Villes Compagnons de la Libération** Esplanade des	12 Quai Henri IV	38 Quai Henri IV	Q. de la Rapée - Sully Morland
8	H15	**Ville l'Evêque** Rue de la	9 Bd Malesherbes	Pl. des Saussaies	St-Augustin
2	H19	**Ville Neuve** Rue de la	5 R. Beauregard	35 Bd Bonne Nouvelle	Bonne Nouvelle
17	F11	**Villebois Mareuil** Rue	40 Av. des Ternes	25 R. Bayen	Ternes
1	I17-I18	**Villedo** Rue	41 R. Richelieu	32 R. Ste-Anne	Pyramides
3	K22	**Villehardouin** Rue	24 R. St-Gilles	56 R. de Turenne	Chemin Vert
14	P14-Q15	**Villemain** Avenue	115 R. R. Losserand	148 R. d'Alésia	Plaisance - Pernety
10	G21	**Villemin** Jardin	Rue des Récollets	Allée du Canal	Gare de l'Est
11	J25	**Villermé** Rue René	70 R. de la Folie Regnault	138 R. du Chemin Vert	Père Lachaise
7	K16	**Villersexel** Rue de	53 R. de l'Université	Bd St-Germain	Solférino
10	E22-H23	**Villette** Boulevard de la	137 Faubourg du Temple	56 R. Château Landon	Belleville - Jaurès
19	E22-H23	**Villette** Boulevard de la	137 R. du Fbg du Temple	56 R. Château Landon	Belleville - Jaurès
19	C25-D26	**Villette** Galerie de la	Avenue J. Jaurès	Av. Corentin Cariou	Porte de la Villette
19	C25	**Villette** Parc de la	Bd Macdonald	Bd Sérurier	Porte de la Villette
19	A25	**Villette** Porte de la	Av. de la Pte de la Villette	Pl. A. Baron	Porte de la Villette
19	F25-G25	**Villette** Rue de la	115 R. de Belleville	72 R. Botzaris	Jourdain - Botzaris
7	J13-K13	**Villey** Rue Pierre	92 R. St-Dominique	(en impasse)	École Militaire
17	E11-F14	**Villiers** Avenue de	2 Bd de Courcelles	1 Bd Gouvion St-Cyr	Villiers - Pereire
17	E10	**Villiers** Porte de	Av. de la Porte de Villiers	R. Guersant	Porte de Champerret
20	H27-I26	**Villiers de l'Isle Adam** R.	21 R. Sorbier	81 R. Pelleport	Pelleport - Gambetta
12	N23-O23	**Villiot** Rue	28 Q. de la Rapée	155 R. de Bercy	Gare de Lyon
15	O12	**Villon** Rue François	2 R. d'Alleray	5 R. Victor Duruy	Vaugirard
13	Q22-Q23	**Vimoutiers** Rue de	14 R. Charcot	R. Duchefdelaville	Chevaleret
10	G21	**Vinaigriers** Rue des	89 Q. de Valmy	100 R. du Fbg St-Martin	Jacques Bonsergent

Ar.	Plan	**Rues** / Streets	Commençant	Finissant	Métro
12	M27-M28	**Vincennes** Cours de	Bd de Picpus	141 Bd Soult	Porte de Vincennes
20	M27-M28	**Vincennes** Cours de	Bd de Picpus	141 Bd Soult	Porte de Vincennes
20	M29	**Vincennes** Porte de	Av. de la Pte de Vincennes	Bd Davout	Porte de Vincennes
20	H28	**Vincenot** Place Adjudant	80 R. du Surmelin	96 Bd Mortier	St-Fargeau
14	S17	**Vincent** Rue du Pr Hyac.	R. Émile Faguet	Bd Périphérique	Porte d'Orléans
16	J10-K10	**Vineuse** Rue	1 R. Franklin	35 R. Franklin	Passy - Trocadéro
14	S16	**Vingt-Cinq Août 1944** Pl. du	203 Bd Brune	142 Av. du Gal Leclerc	Porte d'Orléans
17	E11	**Vingt-Deux Nov. 1943** Pl. du	Bd Berthier	R. d'Héliopolis	Pte de Champerret
1	I17	**Vingt-Neuf Juillet** R. du	208 R. de Rivoli	213 R. St-Honoré	Tuileries
12	P25-Q25	**Vins de France** Pl. des	Av. des Terroirs de Fr.	R. des Pirogues de Bercy	Cour St-Émilion
9	E17-F16	**Vintimille** Rue de	64 R. de Clichy	5 Pl. Adolphe Max	Place de Clichy
15	N11	**Violet** Place	R. de Violet	R. des Entrepreneurs	Commerce
15	M11-N11	**Violet** Rue	92 Bd Grenelle	5 Pl. Violet	Commerce
15	N11	**Violet** Square	R. de l'Église	Villa Violet	Commerce
15	N11	**Violet** Villa	80 R. des Entrepreneurs	(en impasse)	Commerce
9	E18-F18	**Viollet-le-Duc** Rue	1 R. Lallier	63 Bd de Rochechouart	Pigalle
16	K8	**Vion Whitcomb** Avenue	86 R. Ranelagh	27 Bd Beauséjour	Ranelagh
14	R16	**Virginie** Villa	66 R. P. Corentin	115 Av. du Gal Leclerc	Porte d'Orléans
15	N12	**Viroflay** Rue de	64 R. Aml Roussin	23 R. Péclet	Vaugirard
6	K17	**Visconti** Rue	24 R. de Seine	19 R. Bonaparte	Mabillon
7	K16	**Visitation** Passage de la	6 R. Saint-Simon	(en impasse)	Rue du Bac
13	R21-S21	**Vistule** Rue de la	73 Av. Choisy	103 Av. d'Italie	Maison Blanche
16	J9-K9	**Vital** Rue	51 R. de la Tour	66 R. de Passy	R. de la Pompe - La Muette
20	J28-K27	**Vitruve** Rue	68 Pl. de la Réunion	171 Bd Davout	Porte de Bagnolet
20	J28-K28	**Vitruve** Square	80 R. Vitruve	147 Bd Davout	Porte de Bagnolet
13	R24	**Vitry** Porte de	Bd Masséna	Av. de la Porte de Vitry	Porte d'Ivry
15	M9-N9	**Vitu** Rue Auguste	14 Av. E. Zola	13 R. S. Mercier	Javel
12	N25-O26	**Vivaldi** Allée	104 R. de Reuilly	(en impasse)	Montgallet
17	E10	**Vivarais** Square du	24 Bd Gouvion St-Cyr	1 Sq. Graisivaudan	Porte de Champerret
5	L19	**Viviani** Square	R. du Fouarre	Q. de Montebello	St-Michel
3	J21	**Vivien** Place Renée	7 R. des Haudriettes	R. du Temple	Rambuteau
2	I18	**Vivienne** Galerie	4 R. Pts Champs	6 R. Vivienne	Bourse
1	I18	**Vivienne** Rue	14 R. Beaujolais	13 Bd Montmartre	Richelieu Drouot
2	I18-H18	**Vivienne** Rue	14 R. Beaujolais	13 Bd Montmartre	Richelieu Drouot
13	S23	**Voguet** Rue André	R. René Villars	R. du Vieux Chemin	Porte d'Ivry
15	O8	**Voisin** Allée des Frères	R. du Col. Pierre Avia	13 Bd F. Voisin	Corentin Celton
15	O8	**Voisin** Bd des Frères	Bd Gallieni	R. Victor Hugo	Corentin Celton
11	K25	**Voisin** Rue Félix	6 R. Gerbier	27 R. de la Folie Regnault	Philippe Auguste
20	L27-L28	**Volga** Rue du	70 R. d'Avron	65 Bd Davout	Porte de Montreuil
12	L23-M23	**Vollon** Rue Antoine	8 R. T. Roussel	106 R. du Fbg St-Antoine	Ledru-Rollin
2	H16-H17	**Volney** Rue	10 R. des Capucines	19 R. Daunou	Opéra
15	N13-O14	**Volontaires** Rue des	59 R. Lecourbe	44 R. Dr Roux	Volontaires
3	I20-I21	**Volta** Rue	8 R. au Maire	31 R. N.-D. de Nazareth	Arts et Métiers
11	I22-M26	**Voltaire** Boulevard	4 Pl. de la République	3 Pl. de la Nation	Nation - Voltaire
11	L25-L26	**Voltaire** Cité	207 Bd Voltaire	(en impasse)	Rue des Boulets
16	N6-N7	**Voltaire** Impasse	Imp. Racine	(en impasse)	Exelmans
6	J16-K17	**Voltaire** Quai	2 R. des Sts-Pères	R. du Bac	Musée d'Orsay (RER C)
7	J16-K17	**Voltaire** Quai	2 R. des Sts-Pères	R. du Bac	Musée d'Orsay (RER C)
11	L25-L26	**Voltaire** Rue	211 Bd Voltaire	55 Av. Philippe-Auguste	Rue des Boulets
13	S19	**Volubilis** Rue des	1 R. des Iris	1 R. des Glycines	Cité Univ. (RER B)
3	K22	**Vosges** Place des	11b R. Birague	1 R. de Béarn	Chemin Vert
4	K22	**Vosges** Place des	11 Bis R. Birague	1 R. du Béarn	Chemin Vert
13	P19-Q19	**Vulpian** Rue	3 R. Champ de l'A.	84 Bd A. Blanqui	Glacière

W

Ar.	Plan	Rues / Streets	Commençant	Finissant	Métro
11	K22	**Wagner** Rue du Pasteur	26 Bd Beaumarchais	7 Bd R. Lenoir	Chemin Vert
8	D13-G12	**Wagram** Avenue de	Place Ch. De Gaulle	1 Pl. de Wagram	Wagram
17	G12-D13	**Wagram** Avenue de	Place Ch. De Gaulle	1 Pl. de Wagram	Wagram
17	D13	**Wagram** Place de	181 Bd Malesherbes	Bd Péreire	Wagram
8	G12	**Wagram St Honoré** Villa	233 R. du Fbg St-Honoré	(en impasse)	Ternes
17	F10	**Waldeck Rousseau** Rue	Bd Péreire	91 Av. des Ternes	Porte Maillot
19	F28	**Wallenberg** Rue Raoul	21 Av. de la Pte des Lilas		Porte des Lilas
13	O21	**Wallons** Rue des	48 Bd de l'Hôpital	Rue Jules Breton	St-Marcel
8	G13-H12	**Washington** Rue	114 Av. des Chps Élysées	179 Bd Haussmann	George V

Ar.	Plan	**Rues** / Streets	Commençant	Finissant	Métro
13	Q24-R24	**Watt** Rue	31 Q. de la Gare	24 R. Chevaleret	Bibl. F. Mitterrand
13	P20-P21	**Watteau** Rue	114 Bd de l'Hôpital	Rue du Banquier	Campo Formio
19	C23	**Wattieaux** Passage	74 R. de l'Ourcq	78 R. Curial	Crimée
12	P27	**Wattignies** Impasse de	76 R. Wattignies	(en impasse)	Porte de Charenton
12	O26-P27	**Wattignies** Rue de	243 R. de Charenton	19 R. C. Decaen	Porte de Charenton
10	H21	**Wauxhall** Cité du	4 Bd de Magenta	27 R. A. Thomas	République
16	G10-G9	**Weber** Rue	38 R. Pergolèse	Bd de l'Amiral Bruix	Porte Maillot
13	R21-R22	**Weil** Rue Simone	108 Av. d'Ivry	Rue Beaudricourt	Porte de Choisy
14	S17	**Weill** Avenue David	32 Bd Jourdan	Avenue A. Rivoire	Cité Univ. (RER B)
15	P13	**Weiss** Rue Charles	45 R. Labrouste	52 R. Castagnary	Plaisance
13	P22-P23	**Weiss** Rue Louise	108 R. Chevaleret	57 Bd V. Auriol	Chevaleret
13	S21-T21	**Widal** Rue Fernand	131 Bd Masséna	30 Av. L. Bollée	Porte d'Italie
16	O7	**Widor** R. Charles-Marie	87 R. Chardon Lagache	77 R. Boileau	Exelmans
16	M8-N8	**Wilhem** Rue	100 Q. L. Blériot	1 R. Chardon Lagache	Mirabeau
20	M29	**Willemetz** Rue Albert	Av. de la Pte Vincennes	R. du Cdt L'Herminier	St-Mandé Tourelle
18	E18-E19	**Willette** Square	Place St-Pierre		Anvers
8	I12-J10	**Wilson** Av. du Président	1 Pl. de l'Alma	1 Pl. Trocadéro	Alma-Marceau
16	J11-I12	**Wilson** Av. du Président	1 Pl. de l'Alma	1 Pl. du Trocadéro	Trocadéro
13	R19	**Wurtz** Rue	17 R. Daviel	40 R. Boussingault	Glacière - Corvisart
14	P14	**Wyszynski** Sq. Cardinal	Rue Alain	Rue Vercingétorix	Pernety

X-Y-Z

Ar.	Plan	**Rues** / Streets	Commençant	Finissant	Métro
13	Q22-Q23	**Xaintrailles** Rue	32 R. Domrémy	16 Pl. Jeanne d'Arc	Bibl. F. Mitterrand-Olympiades
13	Q21	**Yéo Thomas** Rue	151 R. Nationale	196 R. Chât. des R.	Nationale
13	S23	**Yersin** Place du Docteur	Av. de la Porte d'Ivry	23 Av. C. Regaud	Porte d'Ivry
12	P25	**Yonne** Passage de l'	Rue F. Truffaut	R. des Pirogues de Bercy	Cour St-Émilion
16	J10	**Yorktown** Square	Avenue P. Doumer	Place du Trocadéro	Trocadéro
15	L11	**Yourcenar** Al. Marguerite	21 R. Desaix	26 R. Edgar Faure	Dupleix
17	E10-E11	**Yser** Boulevard de l'	3 R. C. Debussy	16 Av. de la Pte de Villiers	Porte de Champerret
15	O12-P13	**Yvart** Rue	16 R. d'Alleray	34 R. d'Alleray	Vaugirard
16	L7	**Yvette** Rue de l'	2 R. Jasmin	29 R. Dr Blanche	Jasmin
16	I8	**Yvon** Rue Adolphe	6 Pl. Tattegrain	65 Bd Lannes	Rue de la Pompe
13	Q22	**Zadkine** Rue	Rue Baudoin	Rue Duchefdelaville	Chevaleret
19	F28	**Zarapoff** Sq. du Général	10 Av. R. Fonck	(en impasse)	Porte des Lilas
14	O15	**Zay** Rue Jean	Avenue du Maine	Rue Jules Guesde	Gaîté
16	K8	**Zédé** Rue Gustave	1 R. du Gal Aubé	72 R. Ranelagh	Ranelagh
19	C26	**Zénith** Allée du	Pl. Fontaine aux Lions	(en impasse)	Porte de Pantin
18	D17	**Ziem** Rue Félix	27 R. Damrémont	22 R. E. Carrière	Lamarck-Caulaincourt
15	M11-M9	**Zola** Avenue Émile	Rd-Pt du Pont Mirabeau	40 R. du Commerce	Javel - Ch. Michels
15	M10	**Zola** Square Émile	87 Av. E. Zola	(en impasse)	Ch. Michels

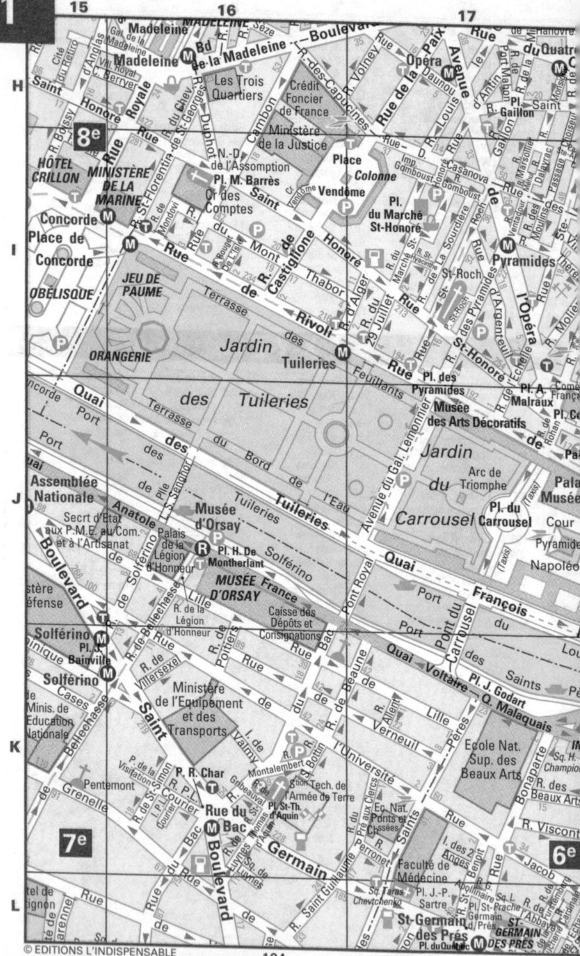
15
16
17
H
I
J
K
L
8e
7e
6e
Madeleine
Bd de la Madeleine
Boulevard
Les Trois Quartiers
Crédit Foncier de France
Ministère de la Justice
Opéra
Rue de la Paix
Avenue de l'Opéra
Rue du Quatre
Pl. Gaillon
Saint Honoré
Rue Royale
HÔTEL CRILLON
MINISTÈRE DE LA MARINE
N.-D. de l'Assomption
Pl. M. Barrès
Cr des Comptes
Place Vendôme
Colonne Vendôme
Pl. du Marché St-Honoré
Rue de Rivoli
Concorde
Place de Concorde
OBÉLISQUE
JEU DE PAUME
ORANGERIE
Terrasse des Feuillants
Jardin des Tuileries
Tuileries
Rue du Mont Thabor
R. de Castiglione
R. d'Alger
R. du 29 Juillet
St-Roch
Pyramides
Rue St-Honoré
Pl. des Pyramides
Pl. A. Malraux
Musée des Arts Décoratifs
Jardin du Carrousel
Arc de Triomphe
Pl. du Carrousel
Cour Napoléon
Pyramide
Avenue du Gal. Lemonnier
Quai des Tuileries
Terrasse du Bord de l'Eau
Port des Tuileries
Port de Solférino
Port de la Concorde
Assemblée Nationale
Quai Anatole France
Secrt d'Etat aux P.M.E. au Com. et à l'Artisanat
Palais de la Légion d'Honneur
Musée d'Orsay
Pl. H. De Montherlant
MUSÉE D'ORSAY
Caisse des Dépôts et Consignations
Pont Royal
Quai François Mitterrand
Port du Louvre
Pont du Carrousel
Port des Saints Pères
Quai Voltaire
Pl. J. Godart
Q. Malaquais
Boulevard Saint Germain
Solférino
Pl. J. Bainville
Rue de Lille
Rue de Bellechasse
R. de Villersexel
Ministère de l'Equipement et des Transports
Rue de Verneuil
Rue de l'Université
Rue du Bac
R. de Beaune
Ecole Nat. Sup. des Beaux Arts
R. Bonaparte
R. des Beaux Arts
R. Visconti
Rue Jacob
Pentemont
Rue de Grenelle
P. R. Char
Rue du Bac
Pl. St-Th. d'Aquin
Stion Tech. de l'Armée de Terre
Ec. Nat. Ponts et Chssées
Faculté de Médecine
Rue des Saints Pères
Pl. J.-P. Sartre
Sq. Taras Chevtchenko
St-Germain des Prés
ST-GERMAIN DES PRÉS
Pl. du Québec
Pl. St-Germain des Prés
Rue Saint Guillaume
R. du Pré aux Clercs
Rue de Varenne
Boulevard Raspail

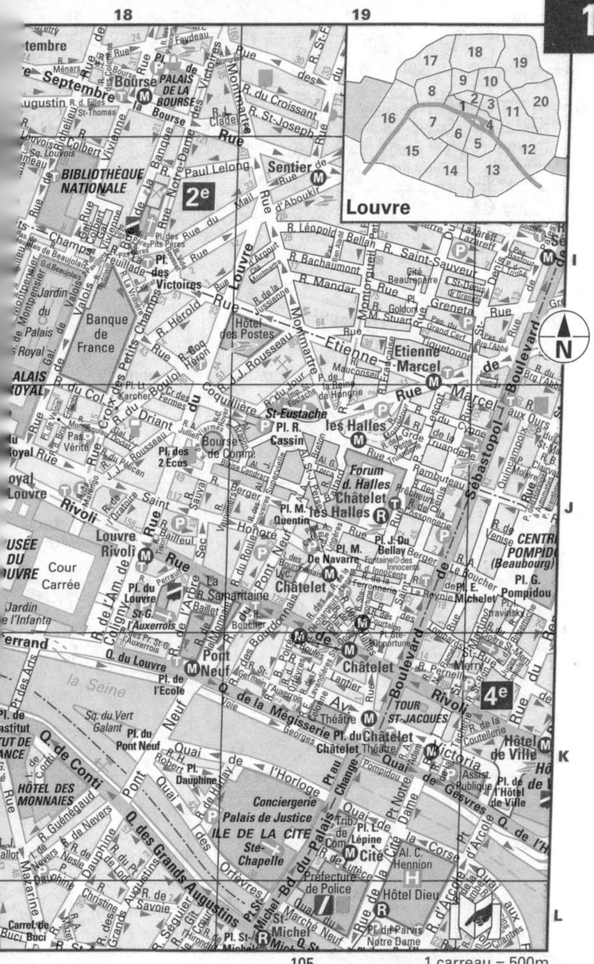

1 carreau = 500m

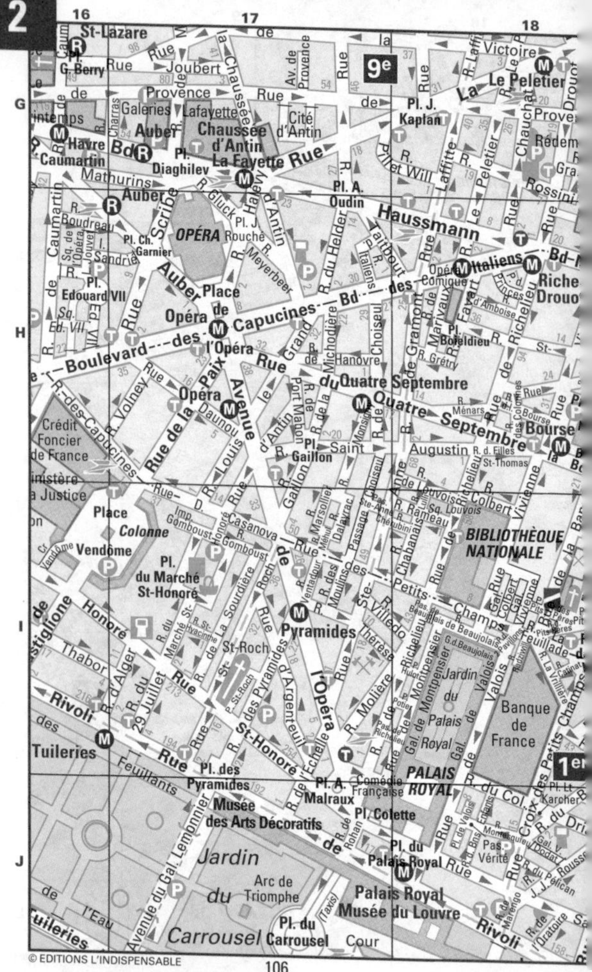
16
17
18
G
H
I
J
9e
1er
St-Lazare
Pl. G. Berry
Rue Joubert
Rue de Provence
Rue la Chaussée d'Antin
Av. de Provence
Victoire
Le Peletier
Drouot
Galeries Lafayette
Printemps
Cité d'Antin
Pl. J. Kaplan
Auber
Havre
Chaussée d'Antin
La Fayette
Bd Haussmann
R. Caumartin
Pl. Diaghilev
Mathurins
R. Pillet Will
R. Laffitte
Rossini
Pl. A. Oudin
R. Gluck
R. Halévy
R. Boudreau
R. Scribe
Pl. Ch. Garnier
OPÉRA
Pl. J. Rouché
R. Meyerbeer
R. du Helder
R. Taitbout
Opéra
Italiens
Richelieu Drouot
Opéra Comique
Bd des Italiens
R. Sandrié
Pl. Edouard VII
Sq. Ed. VII
Place de l'Opéra
Bd des Capucines
Boulevard des Capucines
R. Auber
R. Michodière
R. Choiseul
R. de Gramont
R. Marivaux
R. Favart
R. de Richelieu
Pl. Boieldieu
R. Grétry
R. d'Amboise
R. de Hanovre
Rue du Quatre Septembre
Quatre Septembre
R. Volney
Rue de la Paix
Avenue de l'Opéra
R. Daunou
R. de Port Mahon
R. Monsigny
R. Ménars
R. des Colonnes
Bourse
Crédit Foncier de France
Ministère de la Justice
R. des Capucines
R. Louis le Grand
R. d'Antin
Pl. Gaillon
R. Gaillon
R. Saint Augustin
R. d. Filles St-Thomas
R. Vivienne
R. de Louvois
Sq. Louvois
R. Colbert
R. Rameau
R. Ste-Anne
BIBLIOTHÈQUE NATIONALE
Place Vendôme
Colonne
Imp. Gomboust
R. Gomboust
R. Casanova
R. Danielle
R. Marsollier
R. Méhul
R. Dalayrac
Passage Choiseul
R. Chérubini
R. Chabanais
Pl. du Marché St-Honoré
R. Ventadour
R. des Moulins
R. des Petits Champs
R. Ste-Anne
R. Villedo
Castiglione
Rue St-Honoré
R. du Marché St-Honoré
R. St-Hyacinthe
R. de la Sourdière
R. St-Roch
St-Roch
Pyramides
R. Thérèse
R. de Beaujolais
Gal. de Beaujolais
R. des Pyramides
R. d'Argenteuil
R. de l'Opéra
R. Molière
R. de Montpensier
Gal. de Montpensier
Jardin du Palais Royal
Gal. de Valois
R. de Valois
Banque de France
R. de la Feuillade
R. Radziwill
R. Thabor
R. d'Alger
R. du 29 Juillet
Rivoli
Tuileries
R. des Feuillants
R. de l'Échelle
Pl. des Pyramides
Pl. A. Malraux
Comédie Française
PALAIS ROYAL
R. du Col.
Pl. Lt. Karcher
Musée des Arts Décoratifs
R. de Rohan
Pl. Colette
Pl. du Palais Royal
Pas. Vérité
R. Croix des Petits Champs
R. J.J. Rousseau
R. du Pélican
Jardin du Carrousel
Arc de Triomphe
Avenue du Gal. Lemonnier
Palais Royal Musée du Louvre
Pl. du Carrousel
Cour
(Taxis)
Quai des Tuileries
R. de l'Oratoire
R. de Marengo

19 20

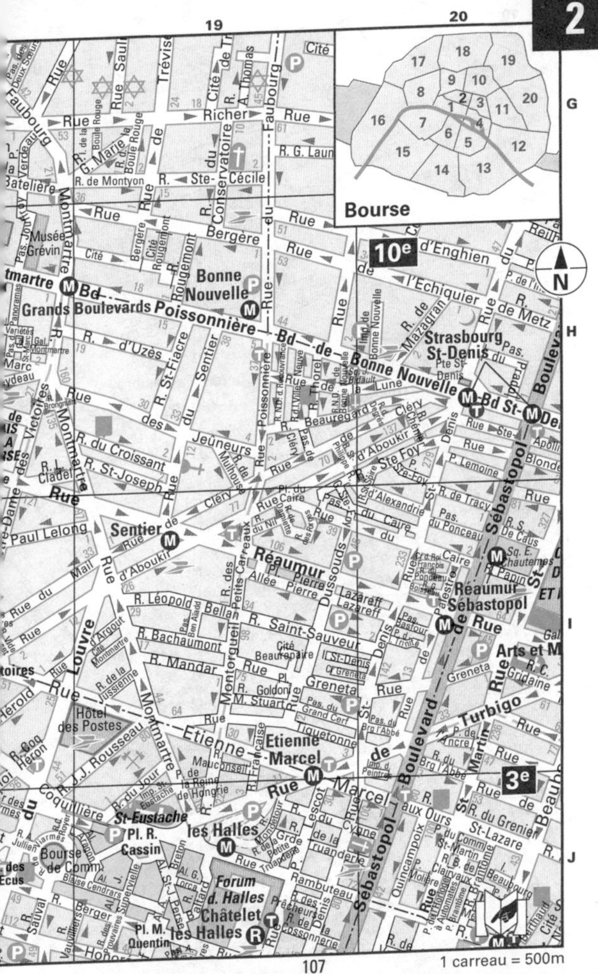

1 carreau = 500m

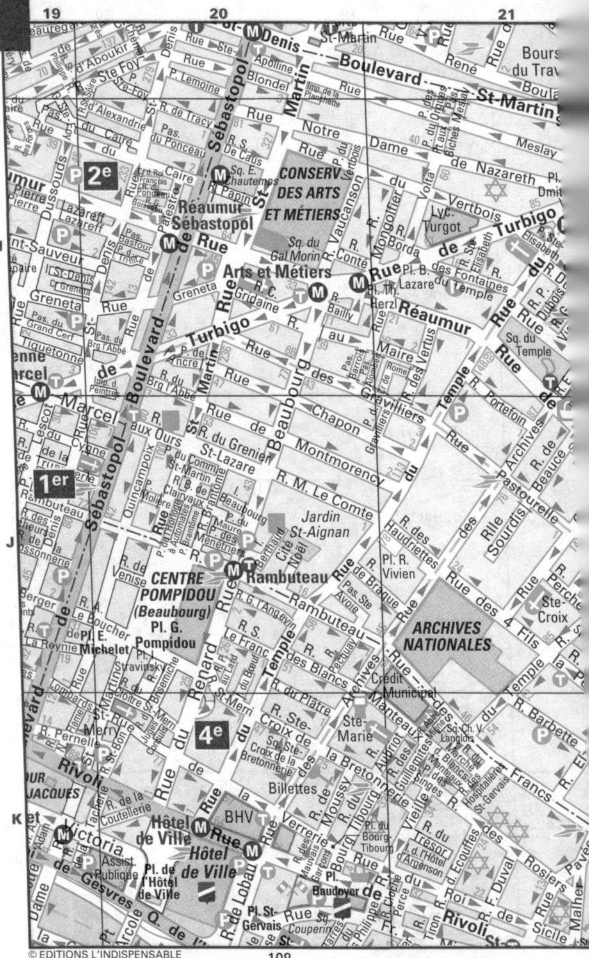
19
20
21
I
J
K
Boulevard St-Martin
Rue René Boulanger
Rue Meslay
Rue Notre Dame de Nazareth
Rue St-Denis
Rue St-Martin
Boulevard de Sébastopol
Rue d'Aboukir
Rue Ste-Foy
Rue d'Alexandrie
Rue du Caire
R. de Tracy
Pas. du Ponceau
R. Lemoine
Rue Blondel
Rue Ste-Apolline
Imp. de la Planchette
Rue Réaumur
Réaumur Sébastopol
Sq. E. Chautemps
R. Papin
CONSERV. DES ARTS ET MÉTIERS
Sq. du Gal Morin
R. Vaucanson
R. Conté
Rue Vertbois
Lyc. Turgot
Rue de Turbigo
Arts et Métiers
R. C. Gridaine
R. Bailly
Rue au Maire
Rue des Gravilliers
R. des Vertus
Rue Volta
Rue Dussoubs
Rue Greneta
Pas. du Grand Cerf
Rue Tiquetonne
Rue Étienne Marcel
2e
1er
4e
Rue Chapon
Rue de Montmorency
R. M. Le Comte
Rue du Grenier St-Lazare
R. aux Ours
Rue Beaubourg
Jardin St-Aignan
Cité Noël
Rue Quincampoix
Rue Rambuteau
CENTRE POMPIDOU (Beaubourg)
Pl. G. Pompidou
Pl. Stravinsky
Pl. E. Michelet
R. de Venise
Rue du Renard
Rue du Temple
R. S. Le Franc
R. G. l'Angevin
Rue des Archives
Rue des Haudriettes
Pl. R. Vivien
Rue de Braque
ARCHIVES NATIONALES
Crédit Municipal
Rue des Francs Bourgeois
Rue des 4 Fils
Ste-Croix
Rue Pastourelle
R. de Beauce
Rlle Sourdis
Sq. du Temple
Rue Charlot
R. Portefoin
Rue Barbette
Sq. Ch. V. Langlois
Rue des Blancs Manteaux
Rue Vieille du Temple
Rue de la Verrerie
Rue Ste-Croix de la Bretonnerie
Rue des Billettes
R. de Moussy
R. du Bourg Tibourg
Pl. du Bourg-Tibourg
Rue des Rosiers
R. F. Duval
R. des Écouffes
Rue de Rivoli
Rue du Roi de Sicile
R. du Trésor
R. Malher
Rue Pavée
BHV
Hôtel de Ville
Pl. de l'Hôtel de Ville
Rue de Lobau
Pl. Baudoyer
Pl. St-Gervais
Sq. Couperin
Victoria
Assist. Publique
Q. de Gesvres
Rue de la Coutellerie
Rue St-Merri
Rue des Lombards
Rue de la Reynie
Rue Aubry le Boucher
St-Merry
Rue Berger
Rue de Turbigo
Rue de Palestro

22
23
10e
11e
Arts et Métiers
Pl. de la République
République
Sq. A. Tollet
Sq. J. Ferry
Sq. F. Lemaître
Bd Jules Ferry
R. de la Folie Méricourt
R. de Malte
Avenue de la République
Boulevard du Temple
Bd des Filles du Calvaire
Boulevard Beaumarchais
Bd Richard Lenoir
Boulevard Voltaire
Rue Oberkampf
Oberkampf
R. J.P. Timbaud
Rue du Grand Prieuré
Crussol
Cirque d'Hiver
Pl. Pasdeloup
Filles du Calvaire
Pl. N. Lemel
Marché du Temple
Pl. O. De Gouges
R. Béranger
R. Charlot
Rue de Turenne
Rue de Saintonge
R. de Bretagne
R. de Normandie
Rue Amelot
Pas. St-Pierre Amelot
Pas. Saint-Sébastien
Rue Saint Sébastien
Sq. R. Lenoir
Saint-Ambroise
Galeries de Paname
St-Sébastien Froissart
R. du Pont aux Choux
Rue de Poitou
LT Weil
Rue Debelleyme
R. Pelée
Rue Moufle
Richard Lenoir
R. Popincourt
R. de l'Asile Popincourt
Imp. Truillot
Rue Folie Méricourt
Cité Popincourt
Allée Verte
Chemin Vert
Rue St-Sabin
R. Froment
Rue Sedaine
R. Boulle
Rue Breguet
Sq. Bréguet Sabin
Bréguet Sabin
Rue Saint Gilles
R. des Minimes
R. du Foin
Rue des Tournelles
R. du Pas de la Mule
PLACE DES VOSGES
CARNAVALET
MUSÉE PICASSO
Pl. de Thorigny
R. du Parc Royal
Rue de Sévigné
R. Payenne
Rue des Francs Bourgeois
R. de Thorigny
Rue Villehardouin
N.-D. d'Espé
1 carreau = 500m
I
J
K
N
12
13
14
15
16
17
18
19
20

109

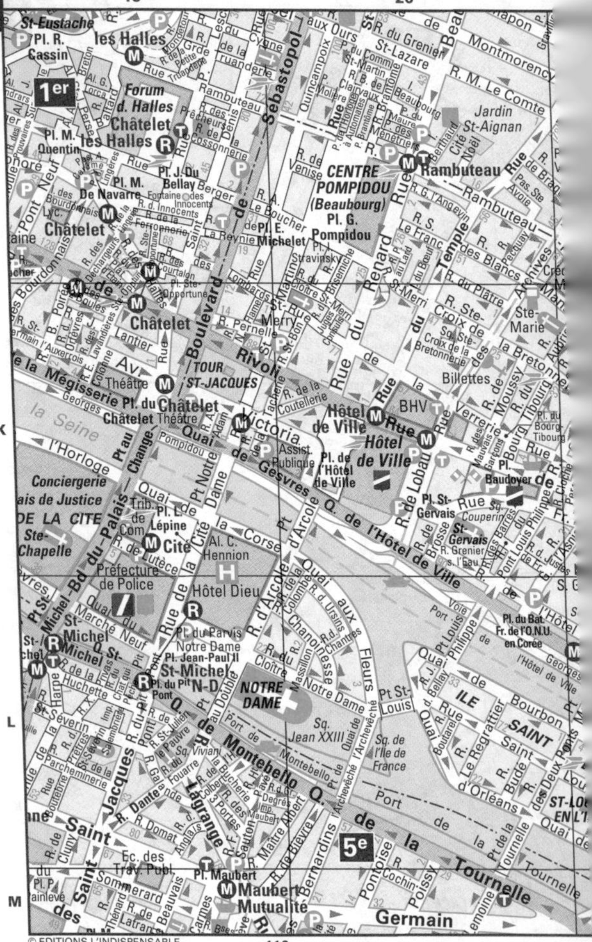
19
20
J
K
L
M
St-Eustache
Pl. R. Cassin
les Halles
1er
Forum d. Halles
Châtelet les Halles
Pl. M. Quentin
Pl. M. De Navarre
Pl. J. Du Bellay
Fontaine des Innocents
R. d. Innocents
R. de la Ferronnerie
Châtelet
Pont Neuf
Rue Rambuteau
R. des Prêcheurs
R. de la Cossonnerie
R. de la Grde Truanderie
Rue Berger
Boulevard de Sébastopol
R. du Cygne
R. de la Truanderie
R. St-Denis
Quincampoix
R. aux Ours
R. du Grenier St-Lazare
Rue de Montmorency
R. M. Le Comte
Jardin St-Aignan
R. Brantôme
R. de Venise
CENTRE POMPIDOU (Beaubourg)
Pl. G. Pompidou
Pl. E. Michelet
Pl. I. Stravinsky
Rambuteau
Rue Rambuteau
R. G. l'Angevin
R. S. Le Franc
R. des Blancs Manteaux
Rue du Temple
R. du Plâtre
R. Ste-Croix de la Bretonnerie
Sq. Ste-Croix de la Bretonnerie
Ste-Marie
Billettes
R. de la Verrerie
R. de Moussy
R. du Bourg Tibourg
Pl. du Bourg-Tibourg
Rue du Renard
R. St-Merri
R. des Lombards
R. de la Reynie
R. St-Martin
R. Pernelle
R. St-Bon
Rue de Rivoli
TOUR ST-JACQUES
Av. Victoria
R. de la Coutellerie
Hôtel de Ville
BHV
Rue de Lobau
Pl. de l'Hôtel de Ville
Assist. Publique
Pl. Baudoyer
Pl. St-Gervais
Rue François Miron
St-Gervais
R. Grenier s. l'Eau
Sq. Couperin
Pl. Ste-Opportune
R. des Halles
R. St-Denis
R. des Lavandières Ste-Opportune
R. Lantier
Théâtre
Quai de la Mégisserie
Pl. du Châtelet
Châtelet Théâtre
Quai de Gesvres
Q. de l'Hôtel de Ville
la Seine
Quai de l'Horloge
Pt au Change
Conciergerie
Palais de Justice
DE LA CITE
Ste-Chapelle
Bd du Palais
Trib. de Com.
Pl. L. Lépine
Cité
R. de Lutèce
Préfecture de Police
Pt Notre Dame
Quai de la Corse
Al. C. Hennion
Hôtel Dieu
Rue de la Cité
Pt d'Arcole
Quai aux Fleurs
R. Chanoinesse
R. d. Ursins
R. de la Colombe
R. des Chantres
R. du Cloître Notre Dame
R. Massillon
Pl. du Parvis Notre Dame
Pl. Jean-Paul II
NOTRE DAME
Sq. Jean XXIII
Quai de l'Archevêché
Sq. de l'Ile de France
Pt St-Louis
Quai de Bourbon
ILE SAINT
Rue Saint Louis
R. Le Regrattier
Quai d'Orléans
Pt Louis Philippe
Voie Georges Pompidou
Port de l'Hôtel de Ville
Pl. du Bat. Fr. de l'O.N.U. en Corée
Pt St-Michel
Quai du Marché Neuf
St-Michel
Q. St-Michel
St-Michel N-D
Pl. du Pt Pont
Petit Pont
R. de la Huchette
R. St-Séverin
R. de la Harpe
Q. de Montebello
Port de Montebello
Sq. Viviani
R. Galande
R. Dante
R. Lagrange
R. de la Bûcherie
Pt de l'Archevêché
Port de la Tournelle
Quai de la Tournelle
5e
Rue St-Jacques
R. Domat
Ec. des Trav. Publ.
Pl. Maubert
Maubert Mutualité
R. de Bièvre
R. Maître Albert
R. des Bernardins
R. de Pontoise
R. de Poissy
R. de Cluny
Pl. P. Painlevé
R. du Sommerard
Germain
R. de Latran
R. de Beauvais
Carmes

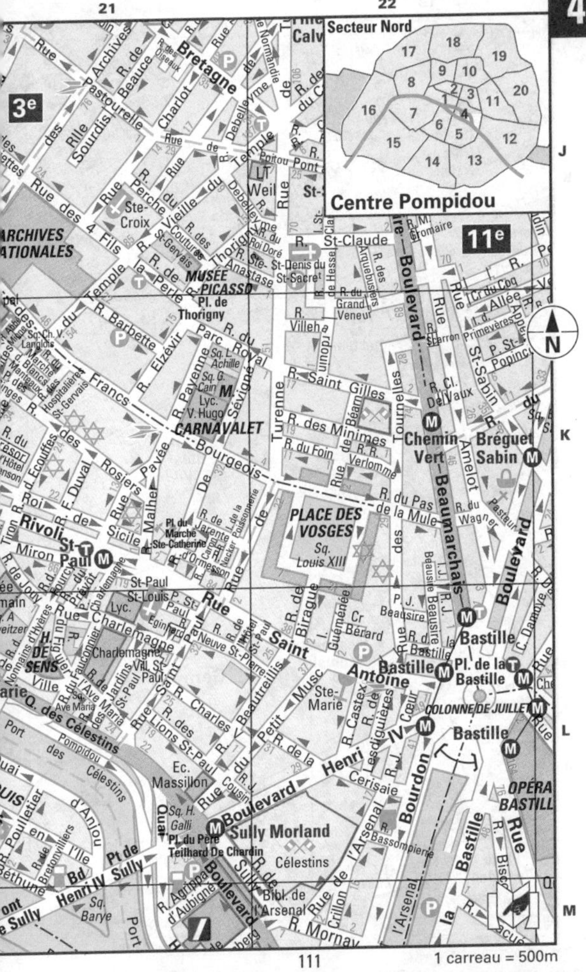

1 carreau = 500m

19
20
K
L
M
Châtelet
Boulevard
Rivoli
TOUR ST-JACQUES
Av. Théâtre
Pl. du Châtelet
Châtelet Théâtre
Quai de Gesvres
Victoria
Hôtel de Ville
BHV
Pl. de l'Hôtel de Ville
Assist. Publique
Q. de l'Hôtel de Ville
Pl. St-Gervais
St-Gervais
Pl. Baudoyer
Billettes
Conciergerie
LA CITE
Cité
Préfecture de Police
Hôtel Dieu
Al. C. Hennion
Quai de la Corse
Pl. du Parvis Notre Dame
Pl. Jean-Paul II
St-Michel-N-D
NOTRE DAME
Sq. Jean XXIII
Sq. de l'Ile de France
Pt St-Louis
ILE SAINT
Q. de Montebello
Port de Montebello
Q. de la Tournelle
Port de la Tournelle
ST-LOUIS EN L'ILE
Quai d'Orléans
Quai de Bourbon
Pl. du Bat. Fr. de l'O.N.U. en Corée
Saint Germain
Pl. Maubert
Maubert Mutualité
Ec. des Trav. Publ.
Rue des Ecoles
Pl. M. Berthelot
Coll. de France
Lyc. L. Le Grand
Coll. Ste-Barbe
Bibl. Ste-Geneviève
Pl. du Panthéon
PANTHÉON
Pl. Abbé Basset
ST-E. DU MONT
Minist. de la Recherche et Technologie
Institut A. Comte
Rue Monge
Pl. M. Audin
Cardinal Lemoine
Pl. Jussieu
Jussieu
INSTITUT DU MONDE ARABE
5e
Faculté des Sciences
R. des Fossés St-Bernard
Lycée Henri IV

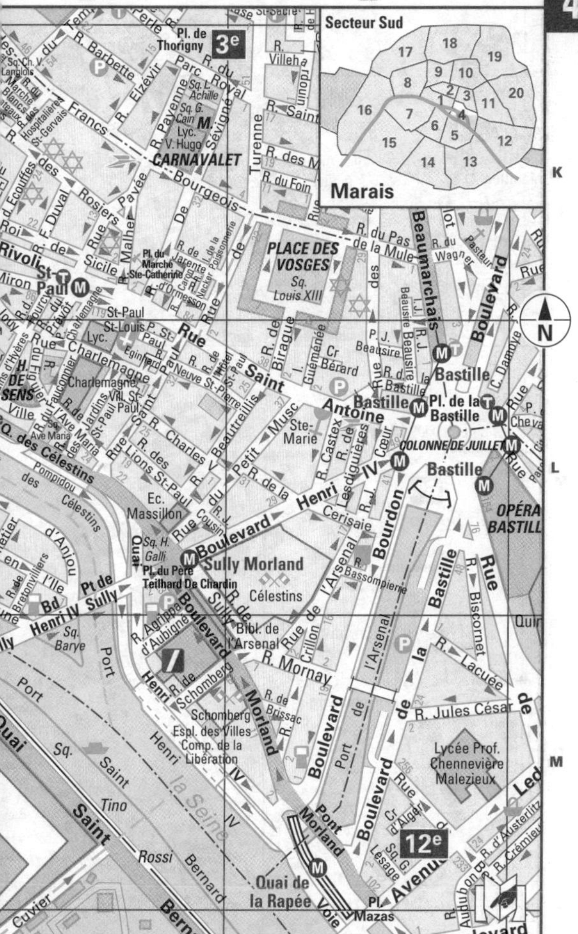

1 carreau = 500m

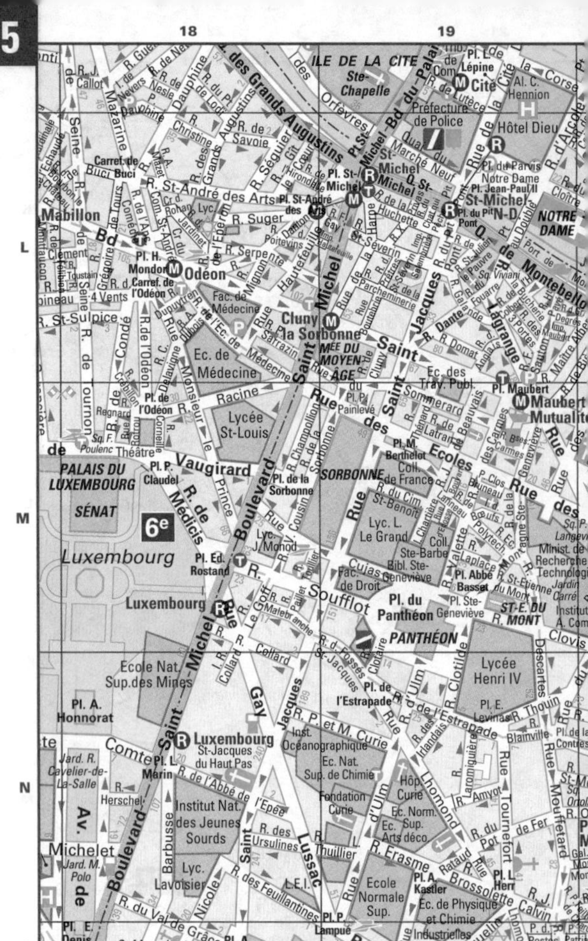

18
19
L
M
N
O
ILE DE LA CITE
Ste-Chapelle
Préfecture de Police
Hôtel Dieu
NOTRE DAME
Odéon
Cluny la Sorbonne
Fac. de Médecine
Ec. de Médecine
Lycée St-Louis
SORBONNE
PALAIS DU LUXEMBOURG
SÉNAT
6e
Luxembourg
Pl. du Panthéon
PANTHÉON
Lycée Henri IV
Ecole Nat. Sup.des Mines
Institut Nat. des Jeunes Sourds
Ecole Normale Sup.
Ec. de Physique et Chimie Industrielles
Boulevard Saint-Michel
Rue des Ecoles
Vaugirard
Soufflot
Maubert Mutualité
Mabillon

20
21
Secteur Nord
Panthéon
4e
INSTITUT DU MONDE ARABE
Faculté des Sciences
Jardin des Plantes
MUSÉUM NATIONAL D'HISTOIRE NATURELLE
MOSQUÉE DE PARIS
ARÈNES DE LUTÈCE
ILE SAINT LOUIS
ST-LOUIS EN L'ILE
H. DE SENS
Ménagerie
Gare d'Austerlitz
Quai de la Tournelle
Quai Saint Bernard
Boulevard Morland
Boulevard Henri IV
Pont de Sully
Sully Morland
Jussieu
Cardinal Lemoine
Pt Marie
Censier
L
M
N
O
1 carreau = 500m

18 19

M

N

O

P

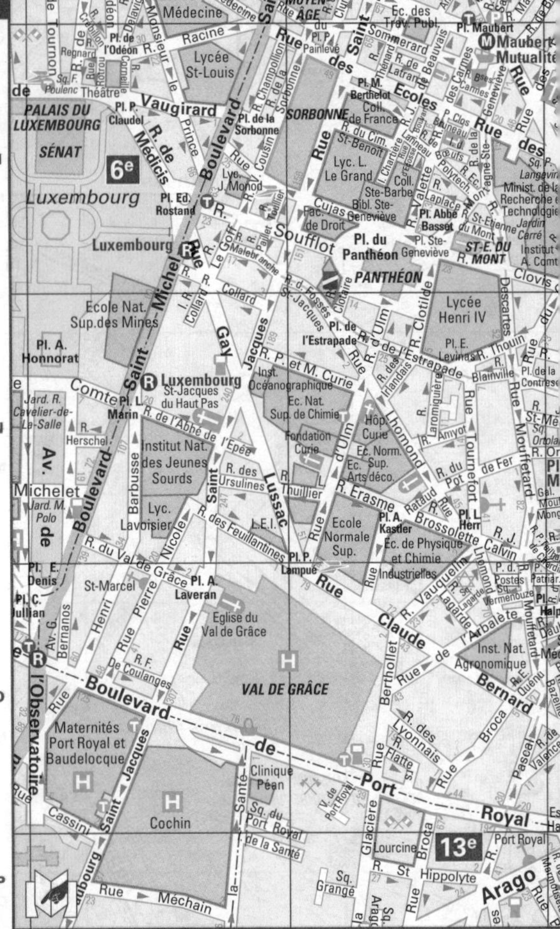

Médecine
Lycée St-Louis
Racine
Pl. de l'Odéon
Regnard
Sq. F. Poulenc
Théâtre
PALAIS DU LUXEMBOURG
SÉNAT
Pl. P. Claudel
Vaugirard
R. de Médicis
6e
Luxembourg
Pl. Ed. Rostand
Luxembourg
Boulevard Saint-Michel
MOYEN ÂGE
Pl. P. Painlevé
Rue des Ecoles
Pl. M. Berthelot
Coll. de France
SORBONNE
Pl. de la Sorbonne
R. Champollion
Sommerard
Ec. des Trav. Publ.
Pl. Maubert
Maubert Mutualité
Rue Saint Jacques
Lyc. J. Monod
Lyc. L. Le Grand
Coll. Ste-Barbe
Bibl. Ste-Geneviève
Fac. de Droit
Cujas
Soufflot
Pl. du Panthéon
PANTHÉON
Pl. Ste-Geneviève
Pl. Abbé Basset
ST-E. DU MONT
R. Clovis
Minist. de la Recherche et Technologie
Sq. P. Langevin
Jardin Carré
Lycée Henri IV
Pl. E. Levinas
R. Thouin
R. Descartes
R. Clotilde
Pl. de l'Estrapade
R. de l'Estrapade
R. d'Ulm
Ecole Nat. Sup. des Mines
Pl. A. Honnorat
R. Gay Lussac
R. P. et M. Curie
Inst. Océanographique
Ec. Nat. Sup. de Chimie
Fondation Curie
Hôp. Curie
Ec. Norm. Sup.
Ec. Arts déco.
Luxembourg
St-Jacques du Haut Pas
Pl. L. Marin
R. de l'Abbé de l'Epée
Institut Nat. des Jeunes Sourds
R. des Ursulines
Lyc. Lavoisier
L.E.I.
R. des Feuillantines
Pl. P. Lampué
Ecole Normale Sup.
Pl. A. Kastler
Ec. de Physique et Chimie Industrielles
R. Erasme
Rue Lhomond
Rue Tournefort
Rue Mouffetard
R. du Pot de Fer
Av. Michelet
Jard. R. Cavelier-de-La-Salle
Jard. M. Polo
Av. de l'Observatoire
R. du Val de Grâce
Pl. A. Laveran
St-Marcel
Eglise du Val de Grâce
VAL DE GRÂCE
Pl. E. Denis
Pl. C. Jullian
Rue Henri Barbusse
Rue Pierre Nicole
R. F. De Coulanges
Rue Claude Bernard
R. Vauquelin
Inst. Nat. Agronomique
Rue Berthollet
R. des Lyonnais
Rue Broca
Boulevard de Port Royal
Maternités Port Royal et Baudelocque
Cochin
Clinique Péan
Sq. du Port Royal
R. de la Santé
Rue Cassini
Rue Méchain
Lourcine
13e
Port Royal
R. St Hippolyte
Sq. Grangé
Arago

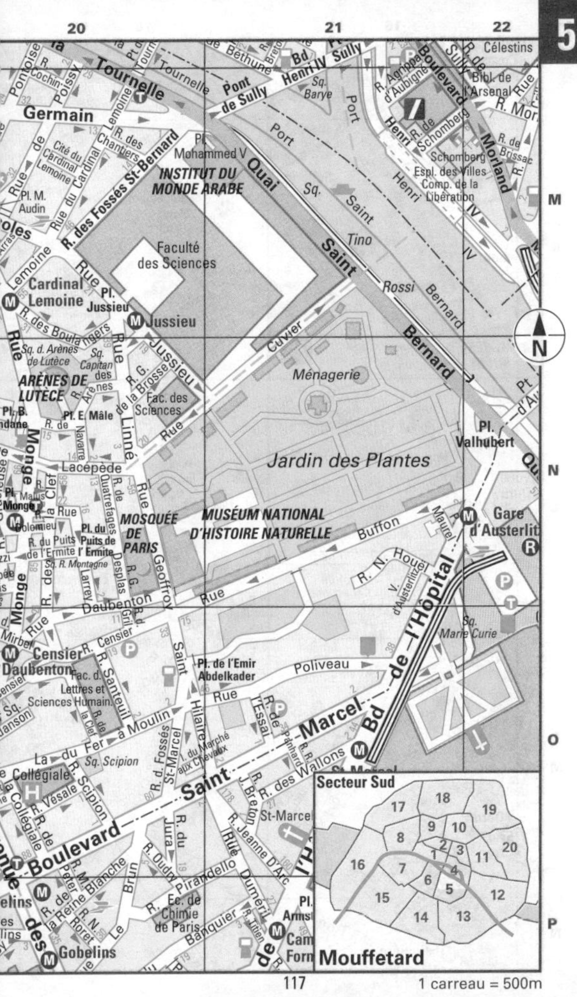

1 carreau = 500m

15 16

K

L

M

N

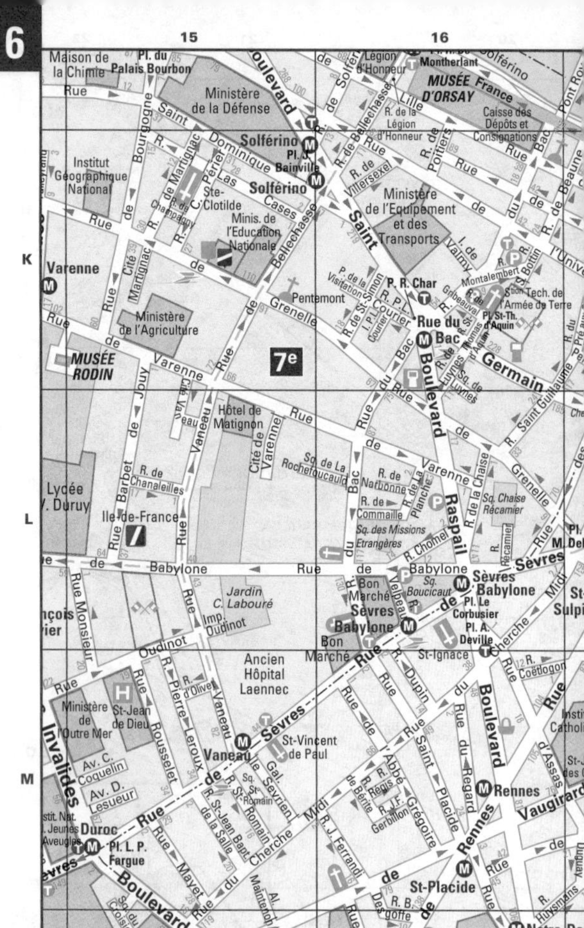
Ministère de la Défense
Solférino
Institut Géographique National
Ste-Clotilde
Minis. de l'Education Nationale
MUSÉE D'ORSAY
Caisse des Dépôts et Consignations
Ministère de l'Equipement et des Transports
Varenne
Pentemont
Rue du Bac
Ministère de l'Agriculture
MUSÉE RODIN
7e
Hôtel de Matignon
Boulevard Raspail
Rue de Grenelle
Rue de Varenne
Lycée V. Duruy
Ile-de-France
Rue de Babylone
Jardin C. Labouré
Sèvres Babylone
Bon Marché
Ancien Hôpital Laennec
Ministère de l'Outre Mer
St-Jean de Dieu
Vaneau
St-Vincent de Paul
Rue de Sèvres
Rennes
Rue de Vaugirard
Duroc
Boulevard des Invalides
St-Placide
Rue de Rennes
Boulevard du Montparnasse
Lycée Tech.
Coll. et Lyc. Stanislas
Notre-Dame des Champs
Falguière

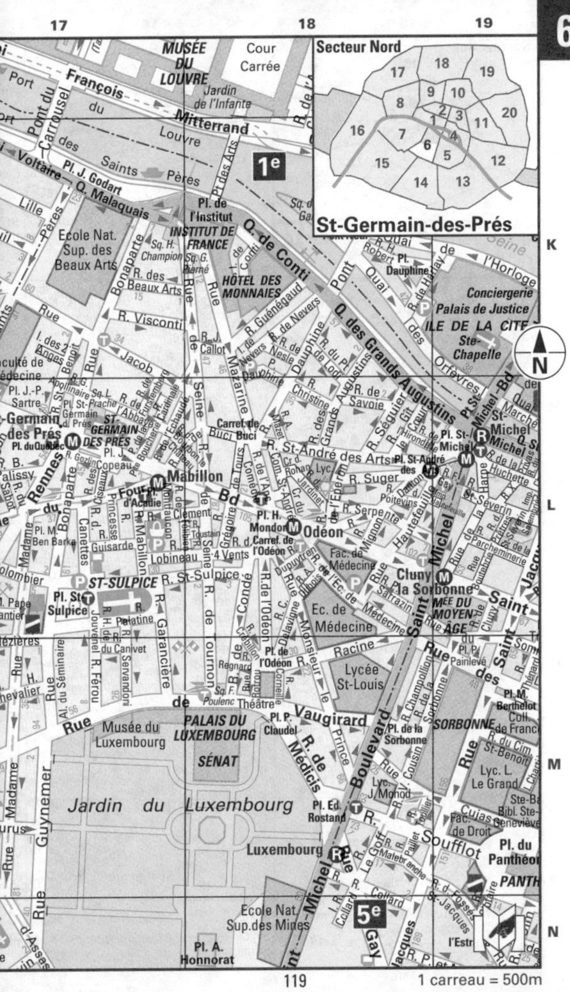

1 carreau = 500m

15 16

L M N O

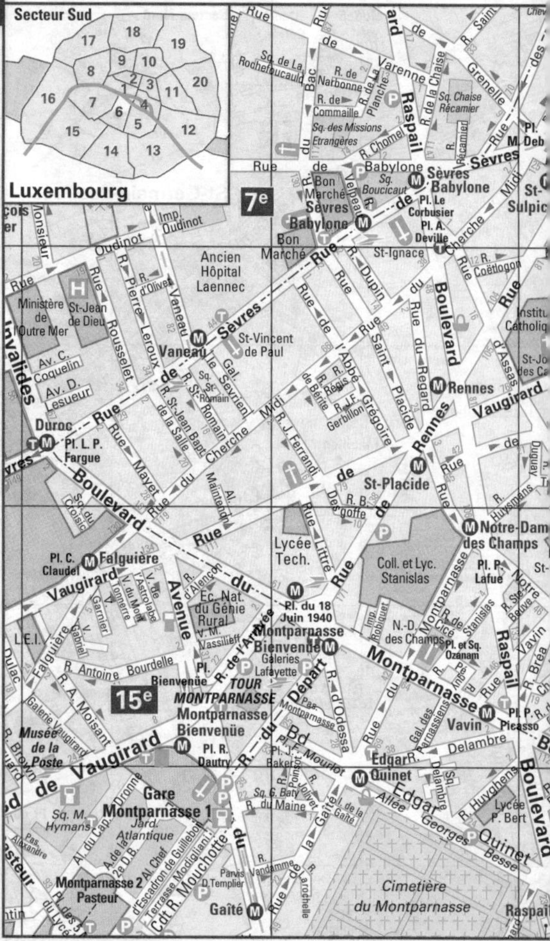
Secteur Sud
17
18
19
9
10
8
2
3
20
16
7
1
11
4
6
5
12
15
14
13
Luxembourg
7e
15e
Rue de Varenne
Sq. de La Rochefoucauld
R. de Narbonne
R. de la Planche
Raspail
R. de la Chaise
Sq. Chaise Récamier
R. de Commaille
Sq. des Missions Étrangères
R. Chomel
Rue du Bac
Grenelle
Rue de Babylone
Sq. Boucicaut
Sèvres Babylone
Rue de Sèvres
Pl. Le Corbusier
Pl. A. Deville
Bon Marché
Sèvres Babylone
Imp. Oudinot
Rue Oudinot
St-Ignace
R. Coëtlogon
Ancien Hôpital Laennec
R. Dupin
Boulevard Raspail
Rue d'Assas
R. d'Olivet
Rue Pierre Leroux
Ministère de l'Outre Mer
St-Jean de Dieu
Rue Rousselet
Vaneau
St-Vincent de Paul
Invalides
Av. C. Coquelin
Av. D. Lesueur
Sq. St-Romain
Gal. Sevrien
Rue de l'Abbé Grégoire
Rue Saint Placide
Rue du Regard
Rennes
Vaugirard
Duroc
Pl. L. P. Fargue
R. St-Jean Bapt. de la Salle
Rue du Cherche Midi
R. de Bérite
R. Régis
R. J.F. Gerbillon
R. J. Ferrandi
Rue Mayet
Al. Maintenon
Rue de Rennes
St-Placide
R. B. Desgoffe
Boulevard du Montparnasse
Sq. du Croisic
Rue Littré
Lycée Tech.
Notre-Dame des Champs
Coll. et Lyc. Stanislas
Pl. P. Lafue
Pl. C. Claudel
Falguière
Rue de Vaugirard
V. de l'Astrolabe
V. du Mont Tonnerre
V. Garnier
R. d'Alençon
Ec. Nat. du Génie Rural
V. M. Vassilieff
Avenue du Maine
Pl. du 18 Juin 1940
Montparnasse Bienvenüe
Galeries Lafayette
Imp. Robiquet
N.-D. des Champs
R. de Cicé
R. Stanislas
Pl. et Sq. Ozanam
R. Vavin
R. Bréa
L.E.I.
V. Gabriel
R. Falguière
R. Antoine Bourdelle
Pl. Bienvenüe
R. de l'Arrivée
TOUR MONTPARNASSE
Rue du Départ
R. d'Odessa
Pas. Montparnasse
Rue du Montparnasse
Vavin
Pl. P. Picasso
R. A. Moisant
Galerie Vaugirard
Musée de la Poste
Dulac
Pl. R. Dautry
Pl. J. Baker
R. Poinsot
R. Jolivet
R. Delambre
Gal. des Parnassiens
Edgar Quinet
Sq. Delambre
R. Huyghens
Lycée P. Bert
Boulevard Raspail
Bd de Vaugirard
Gare Montparnasse 1
Sq. M. Hymans
Jard. Atlantique
R. Dronne
Pas. Alexandre
Al. du Cap.
A. de la 2e D.B.
Al. Chef d'Escadron de Guillebon
Terrasse Modigliani
Cdt R. Mouchotte
Sq. G. Baty
R. du Maine
Rue de la Gaîté
Impasse de la Gaîté
Allée Georges Besse
Boulevard Edgar Quinet
R. Vandamme
Parvis D. Templier
Rue de Larochelle
Gaîté
Montparnasse 2 Pasteur
Cimetière du Montparnasse
Pasteur
Pl. des 5 Martyrs du Lycée

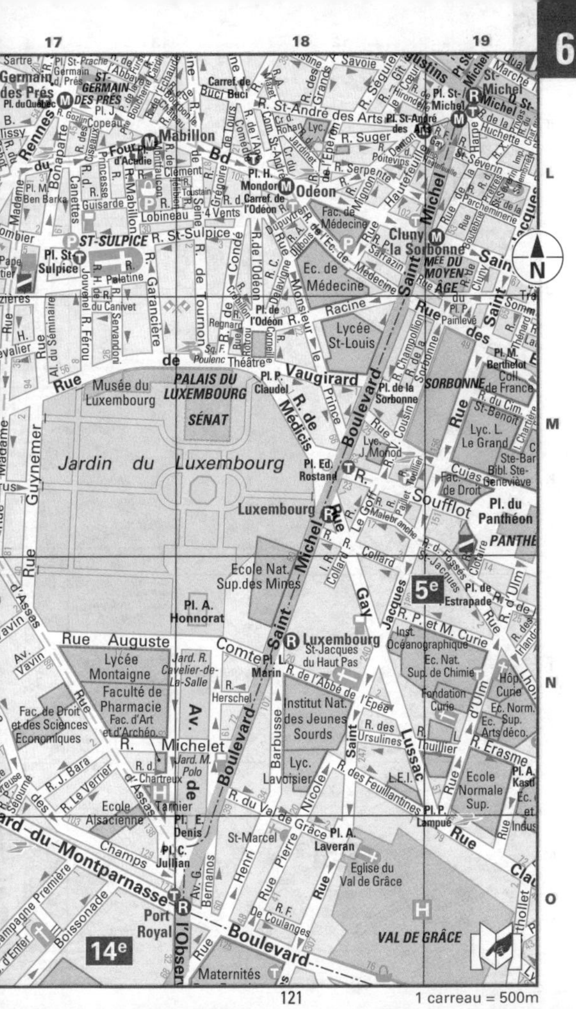
17
18
19
L
M
N
O
St-Germain des Prés
Pl. du Québec
ST-GERMAIN DES PRÉS
Carref. de Buci
R. St-André des Arts
Pl. St-André des Arts
Pl. St-Michel
St-Michel
Q. St-Michel
R. de la Huchette
Mabillon
Four
R. d'Acadie
Bd St-Germain
R. Mabillon
Pl. H. Mondor
Odéon
Carref. de l'Odéon
R. Suger
R. Serpente
R. Danton
R. Hautefeuille
Fac. de Médecine
Cluny la Sorbonne
MÉE DU MOYEN ÂGE
R. St-Séverin
R. St-Sulpice
ST-SULPICE
Pl. St-Sulpice
R. Lobineau
R. Guisarde
R. Princesse
R. Canettes
R. Bonaparte
R. de Rennes
R. Madame
R. Palatine
R. Garancière
R. de Tournon
R. de Condé
R. de l'Odéon
Rue Monsieur le Prince
R. Racine
Ec. de Médecine
Pl. de l'Odéon
Lycée St-Louis
Rue des Écoles
Pl. P. Painlevé
R. Servandoni
R. Férou
Sq. F. Poulenc
Théâtre
Pl. P. Claudel
Rue de Vaugirard
Musée du Luxembourg
PALAIS DU LUXEMBOURG
SÉNAT
R. de Médicis
Boulevard Saint-Michel
Pl. de la Sorbonne
SORBONNE
Pl. M. Berthelot
Coll. de France
Lyc. L. Le Grand
Ste-Barbe
Bibl. Ste-Geneviève
Rue Cujas
Fac. de Droit
R. Soufflot
Pl. du Panthéon
PANTHÉON
Jardin du Luxembourg
Pl. Ed. Rostand
Luxembourg
Rue Guynemer
Rue d'Assas
R. Le Goff
R. Malebranche
R. Collard
5e
Pl. de l'Estrapade
R. d'Ulm
Ecole Nat. Sup. des Mines
Pl. A. Honnorat
Rue Gay Lussac
Rue St-Jacques
R. P. et M. Curie
Inst. Océanographique
Ec. Nat. Sup. de Chimie
Fondation Curie
Rue Auguste Comte
Luxembourg
St-Jacques du Haut Pas
Pl. L. Marin
R. de l'Abbé de l'Epée
Av. Vavin
Lycée Montaigne
Faculté de Pharmacie
Fac. d'Art et d'Archéo.
Jard. R. Cavelier-de-La-Salle
R. Herschel
Institut Nat. des Jeunes Sourds
R. des Ursulines
Hôp. Curie
Ec. Norm. Sup. Arts déco.
Fac. de Droit et des Sciences Economiques
R. Michelet
Jard. M. Polo
Av. de l'Observatoire
Boulevard Saint-Michel
Rue Henri Barbusse
Lyc. Lavoisier
Rue Saint-Jacques
R. des Feuillantines
L.E.I.
R. Thuillier
R. Erasme
Ecole Normale Sup.
R. J. Bara
R. Le Verrier
Ecole Alsacienne
Tarnier
Pl. E. Denis
R. du Val de Grâce
St-Marcel
Pl. A. Laveran
Rue Nicole
Pl. P. Lampué
Rue Claude Bernard
Boulevard du Montparnasse
Rue Campagne Première
R. Boissonade
Champs
Pl. C. Jullian
Av. G. Bernanos
Rue Pierre Nicole
Eglise du Val de Grâce
R. F. De Coulanges
Port Royal
14e
Boulevard de Port-Royal
VAL DE GRÂCE
Maternités
R. d'Enfer
Rue Lhomond
1 carreau = 500m

11
12
13
I
J
K
L
M
8e
16e
15e
MUSÉE GUIMET
PALAIS GALLIERA
PALAIS DE TOKYO
Pl. d'Iéna
Iéna
Pl. de Tokyo
Pl. Rochambeau
Pl. P. Brisson
Alma-Marceau
Pl. de la Reine Astrid
Pl. de l'Alma
Pl. M. Callas
Pont de l'Alma
Pont de l'Alma
Pl. de la Résistance
Pl. François 1er
St-Jean Baptiste
N.-D. de la Consolation
Cours Albert 1er
Pl. du Canada
Port de la Conférence
la Seine
Port du Gros Caillou
Port Debilly
Esplanade Habib Bourguiba
Quai d'Orsay
Pl. de Finlande
Pont des Invalides
D. Roosevelt
Av. de New-York
Quai Branly
Musée
Pont d'Iéna
TOUR EIFFEL
Av. Rapp
Avenue Bosquet
St-Jean
St-Pierre du Gros Caillou
R. Cognacq Jay
Rue de l'Université
Rue St-Dominique
Rue de Grenelle
Pl. S. Allende
La Tour-Maubourg
Caserne de la Tour Maubourg
Av. de la Bourdonnais
Av. de Suffren
Pl. Jacques Rueff
Champ de Mars
Pl. de Sydney
Ecole Militaire
Place de l'Ecole Militaire
Place Joffre
Ecole Supérieure de Guerre
ECOLE MILITAIRE
Avenue de la Motte Picquet
Avenue de Lowendal
Avenue de Ségur
Jardin de l'Intendant
Ministère de la Santé
Ministère du Logement
Pl. de Fontenoy
Pl. P. Laroque
U.N.E.S.C.O.
N.-D. du Bon Conseil
VILLAGE SUISSE
Journal Officiel
Dupleix
La Motte Picquet Grenelle
Boulevard de Grenelle
Cambronne
Pl. Cambronne
Ségur
Boulevard Garibaldi
Sèvres Lecourbe
Av. Emile Zola
Pl. du Commerce
Commerce
St-Pie X
U.N.E.S.C.O. Annexe
Lyc. Tech. Verlomme
Rue Frémicourt
Rue Fondary
Rue Violet
Rue Nivert
Rue de la Fédération
Rue Desaix
Rue Dupleix
Rue Letellier
Rue de la Croix Nivert

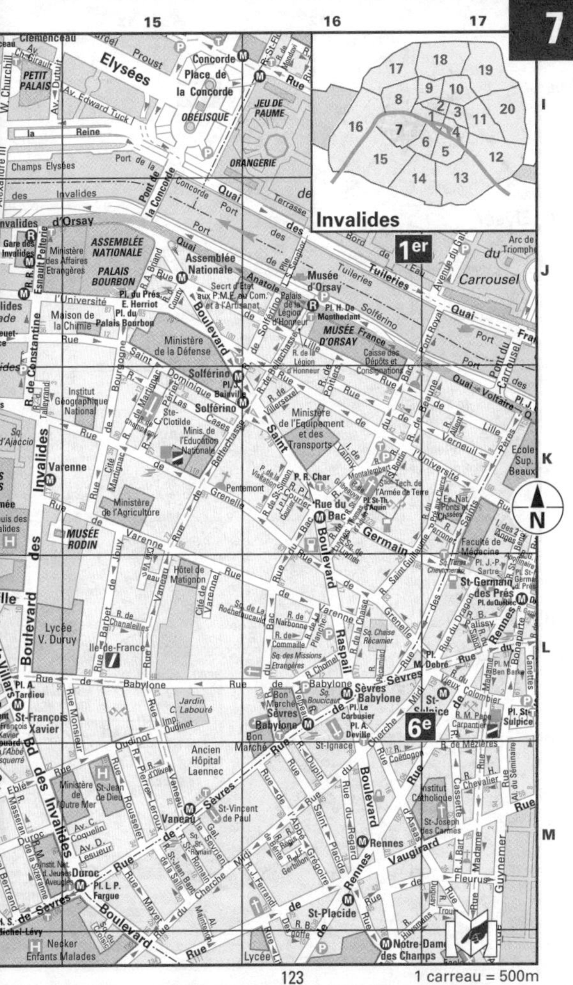

1 carreau = 500m

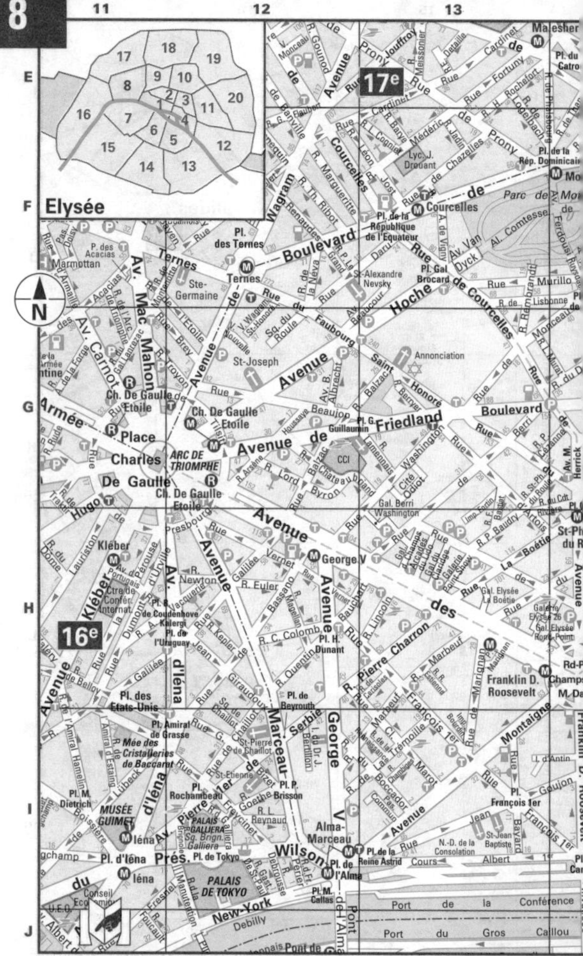

11
12
13
E
F
G
H
I
J
Elysée
17
18
19
9
10
8
2
3
20
1
11
16
7
4
6
5
15
12
14
13
N
17e
16e
Malesherbes
Pl. du Catro
Rue Cardinet
Rue Fortuny
Rue de Prony
Rue Jouffroy
Avenue de Wagram
Rue de Courcelles
Lyc. J. Drouant
Pl. de la Rép. Dominicaine
Parc de Monceau
Al. Comtesse
Av. Van Dyck
Courcelles
Pl. de la République de l'Equateur
Pl. des Ternes
Ternes
Boulevard de Courcelles
Rue Daru
St-Alexandre Nevsky
Pl. Gal Brocard
Avenue Hoche
Rue de Lisbonne
Rue Murillo
Marmottan
P. des Acacias
Av. Mac Mahon
Ste-Germaine
Rue du Faubourg Saint Honoré
Sq. du Roule
Av. Carnot
Avenue des Ternes
Avenue de Friedland
St-Joseph
Annonciation
Av. B. Albrecht
Rue Beaujon
Pl. G. Guillaumin
Rue Balzac
Boulevard Haussmann
Ch. De Gaulle Etoile
Place Charles De Gaulle
ARC DE TRIOMPHE
Avenue de Friedland
CCI
R. Lord Byron
R. Chateaubriand
Cité Odiot
Gal. Berri Washington
Rue Washington
Rue du Faubourg Saint Honoré
Avenue des Champs-Elysées
George V
Rue Presbourg
Kléber
Av. Kléber
Av. d'Iéna
Avenue Marceau
R. Galilée
R. Newton
R. Euler
Rue Vernet
Avenue George V
Rue Bassano
R. Lincoln
R. Pierre Charron
Pl. H. Dunant
R. C. Colomb
Rue Quentin-Bauchart
R. Marbeuf
Rue La Boétie
Gal. Elysée La Boétie
Galerie Elysée 26
Gal. Elysée Rond Point
Ctre de Confér. Internat.
Pl. & de Coudenhove Kalergi
Pl. de l'Uruguay
Rue Dumont d'Urville
Rue Lauriston
Rue de la Pérouse
Rue Kepler
Rue Galilée
Pl. des Etats-Unis
Pl. de Beyrouth
Franklin D. Roosevelt
Champs
Avenue Montaigne
Rue François 1er
Rue Marignan
Pl. Amiral de Grasse
Mée des Cristalleries de Baccarat
St-Pierre de Chaillot
Rue de Chaillot
Rue Pierre 1er de Serbie
St-Etienne
Pl. P. Brisson
Pl. Rochambeau
Pl. M. Dietrich
MUSÉE GUIMET
Iéna
Pl. d'Iéna
PALAIS GALLIERA
Sq. Brign. Galliera
Pl. de Tokyo
PALAIS DE TOKYO
Av. du Président Wilson
Alma-Marceau
Pl. de la Reine Astrid
Pl. de l'Alma
Pl. M. Callas
Avenue Montaigne
Cours Albert 1er
N.-D. de la Consolation
St-Jean Baptiste
Pl. François 1er
Rue Jean Goujon
Rue Bayard
Av. de New-York
Port de la Conférence
Port du Gros Caillou
Pont de l'Alma
Debilly
Conseil Economique
R. Boissière
Rue Freycinet
Rue de la Manutention
R. Fresnel
Av. Albert de Mun

1 carreau = 500m

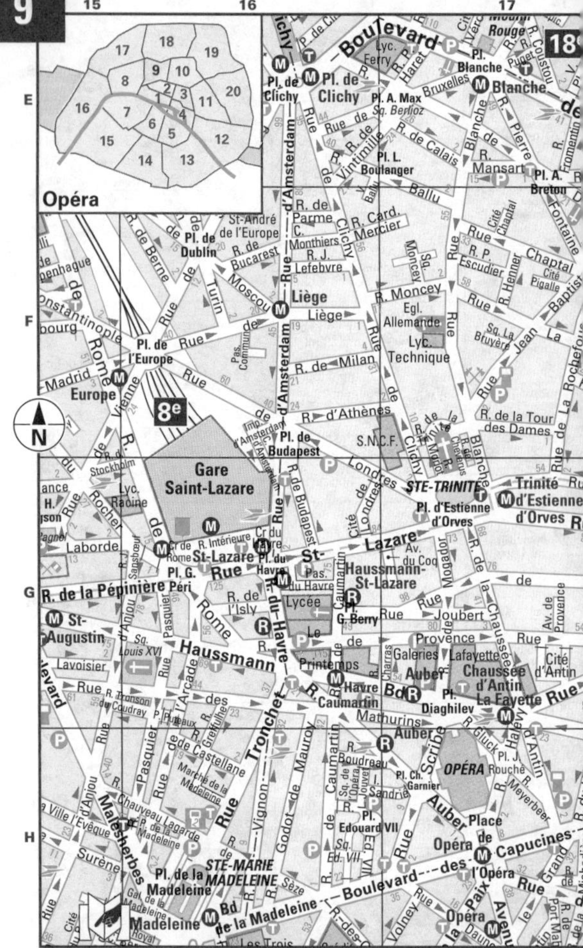
15
16
17
18
E
F
G
H
Opéra
8e
N
Boulevard
Lyc. Ferry
Pl. Blanche
Blanche
Pl. de Clichy
Pl. A. Max
Sq. Berlioz
R. de Calais
Pl. L. Boulanger
Mansart
Pl. A. Breton
Ballu
Rue de Vintimille
R. Card. Mercier
R. de Parme
C. Monthiers
R. J. Lefebvre
St-André de l'Europe
Pl. de Dublin
R. de Bucarest
Moscou
Rue de Berne
Turin
Liège
Rue d'Amsterdam
Sq. Moncey
R. Moncey
Egl. Allemande
Lyc. Technique
Rue Chaptal
Cité Chaptal
R. P. Escudier
R. Henner
Cité Pigalle
Sq. La Bruyère
Jean
Rue La Rochefoucauld
Fontaine
Constantinople
Pl. de l'Europe
Europe
Madrid
Rome
Vienne
Pas. Commun
R. de Milan
R. d'Athènes
Imp. d'Amsterdam
Pl. de Budapest
S.N.C.F.
R. de la Tour des Dames
R. de Stockholm
Gare Saint-Lazare
Lyc. Racine
Rocher
Laborde
Londres
Cité de Londres
R. de Budapest
STE-TRINITÉ
Trinité
Pl. d'Estienne d'Orves
d'Estienne d'Orves
Clichy
R. de Mogador
Cr de Rome
R. Intérieure
Cr du Havre
St-Lazare
Pl. du Havre
Rue St-Lazare
Av. du Coq
Haussmann-St-Lazare
Pl. G. Péri
R. de la Pépinière
R. de l'Isly
Pas. du Havre
Lycée
Pl. G. Berry
Rue Joubert
Av. de Provence
St-Augustin
Sq. Louis XVI
Lavoisier
Haussmann
Le Printemps
R. de Provence
Galeries Lafayette
Chaussée d'Antin
Cité d'Antin
R. de la Chaussée d'Antin
Auber
Havre
Caumartin
Bd Haussmann
Pl. Diaghilev
La Fayette
R. Tronson du Coudray
P. Puteaux
R. Greffulhe
Mathurins
Pasquier
R. d'Anjou
R. de l'Arcade
Tronchet
R. de Castellane
Marché de la Madeleine
R. Boudreau
Pl. Ch. Garnier
OPÉRA
Scribe
R. Gluck
Halévy
Pl. J. Rouché
R. Meyerbeer
Rue Godot de Mauroy
Vignon
R. Chauveau Lagarde
P. de la Madeleine
Malesherbes
Ville l'Évêque
Surène
Sq. de l'Opéra Jouvet
I. Sandrié
Pl. Edouard VII
Sq. Ed. VII
Place de l'Opéra
Capucines
STE-MARIE MADELEINE
Pl. de la Madeleine
Sèze
Boulevard des Capucines
Rue de la Paix
Bd de la Madeleine
Gal. de la Madeleine
Madeleine
Royal
Opéra
Daunou
Volney
Rue Grammont
R. de Port Mahon
Michodière
Les Trois

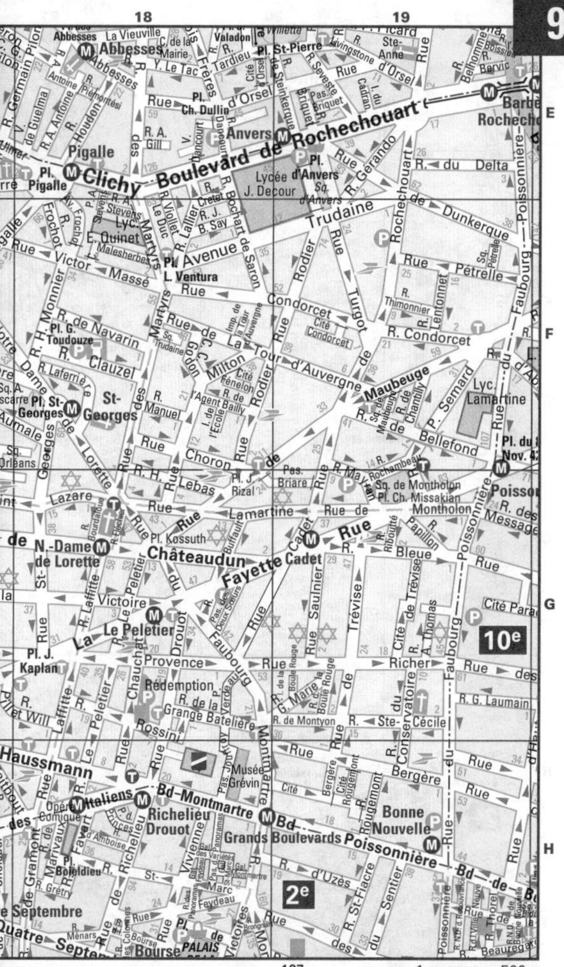

1 carreau = 500m

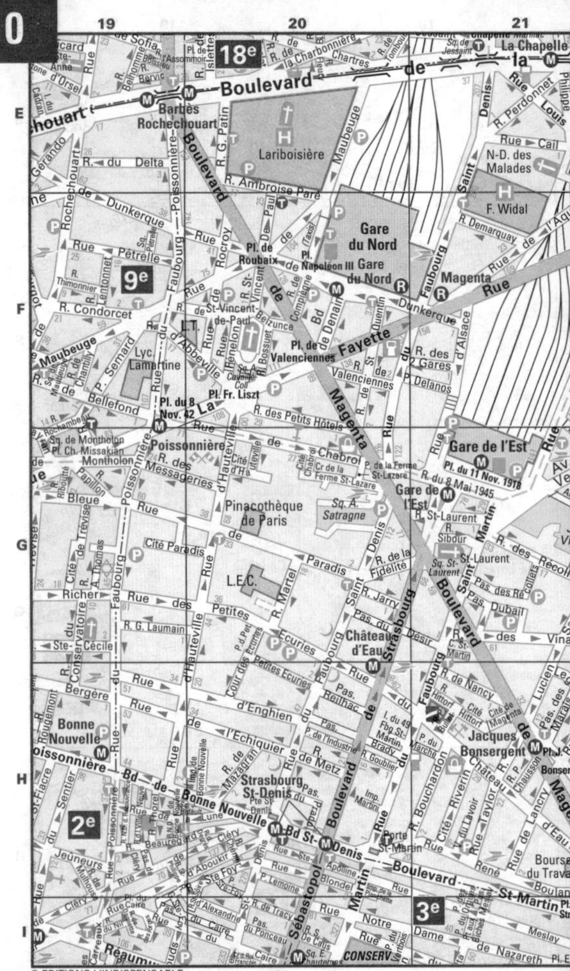
19
20
21
E
F
G
H
I
18e
9e
2e
3e
Boulevard
Barbès Rochechouart
Lariboisière
Gare du Nord
F. Widal
N-D. des Malades
La Chapelle
Magenta
Poissonnière
Gare de l'Est
Pl. du 11 Nov. 1918
Pinacothèque de Paris
Sq. A. Satragne
L.E.C.
Lyc. Lamartine
Château d'Eau
Jacques Bonsergent
Strasbourg St-Denis
Bonne Nouvelle
Bd de Bonne Nouvelle
Boulevard St-Martin
Bourse du Travail
Sq. de Montholon
Pl. Ch. Missakian
Pl. de Roubaix
Pl. Napoléon III
Pl. de Valenciennes
Pl. Fr. Liszt
Pl. du 8 Nov. 42
Rue La Fayette
Rue de Dunkerque
Rue de Maubeuge
Rue de Paradis
Rue des Petites Écuries
Rue d'Enghien
Rue de l'Echiquier
Rue Bergère
Rue Richer
Rue Bleue
Rue de Chabrol
R. des Petits Hôtels
R. Condorcet
Rue Pétrelle
R. du Delta
R. Ambroise Paré
Boulevard de Magenta
Boulevard de Strasbourg
Boulevard de Sébastopol
Rue du Faubourg Poissonnière
Rue d'Hauteville
Rue du Faubourg St-Denis
Rue du Faubourg St-Martin
Porte St-Martin
Rue de Metz
Rue de Cléry
Rue d'Aboukir
Rue du Caire
Rue Réaumur
Rue Notre Dame de Nazareth
Rue Meslay
Rue René Boulanger
Rue de Lancry
Rue du Château d'Eau
Rue des Récollets
Sq. St-Laurent
St-Laurent
Pte St-Denis
CONSERV

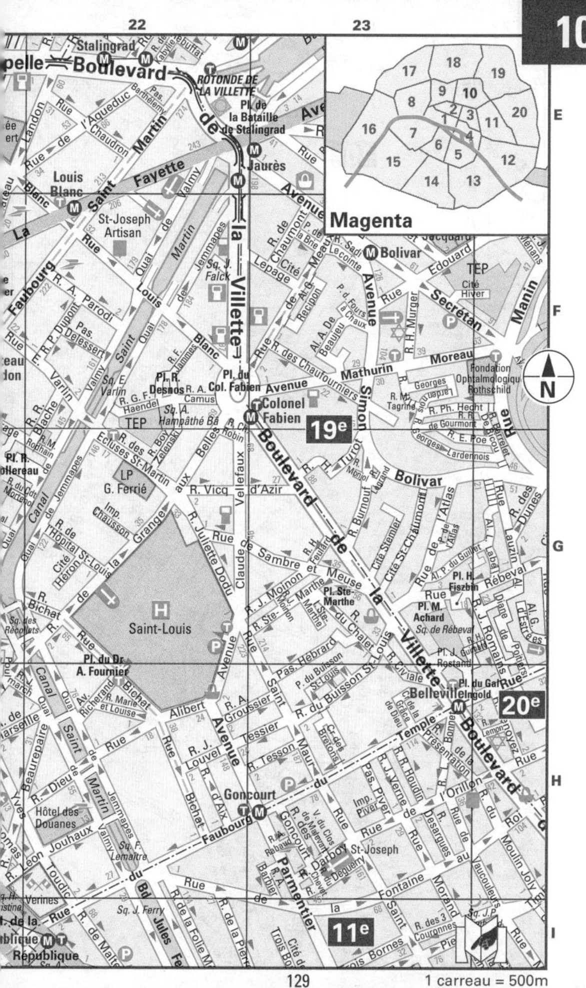

1 carreau = 500m

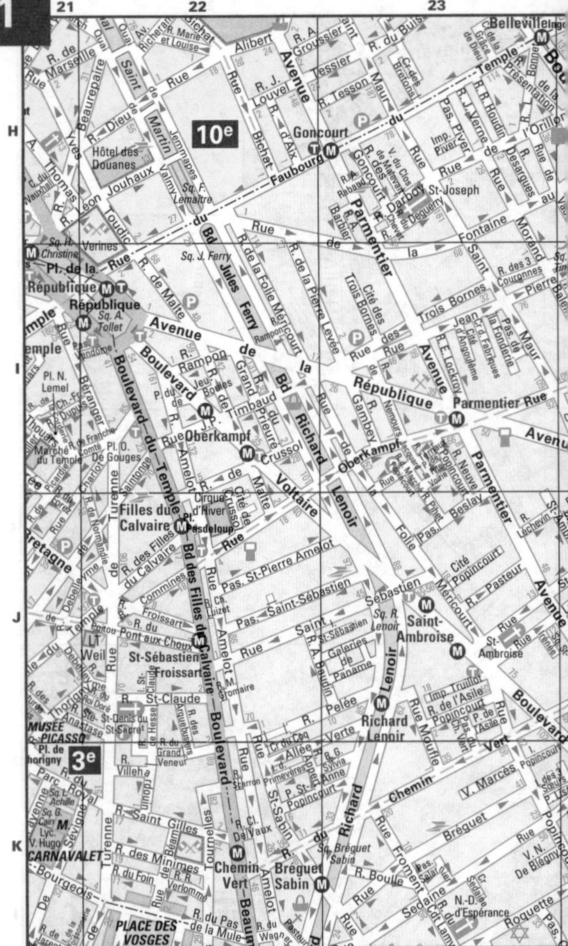
21
22
23
H
I
J
K
10e
3e
Belleville
Goncourt
Hôtel des Douanes
Sq. F. Lemaître
Sq. H. Christine
Pl. de la République
République
Sq. A. Tollet
Sq. J. Ferry
Avenue de la République
Boulevard du Temple
Boulevard
Bd Jules Ferry
Bd Richard Lenoir
Faubourg du Temple
Rue de la Fontaine au Roi
Avenue Parmentier
Parmentier
Rue Oberkampf
Oberkampf
Rue Saint-Maur
St-Joseph
Cité des Trois Bornes
Rue des Trois Bornes
Rue Jean-Pierre Timbaud
Rue de Crussol
Cirque d'Hiver
Pl. Pasdeloup
Filles du Calvaire
Bd des Filles du Calvaire
Boulevard Voltaire
Rue Amelot
Rue de Malte
Rue de Turenne
Rue de Bretagne
Marché du Temple
Pl. O. De Gouges
Pl. N. Lemel
Pas. St-Pierre Amelot
Pas. Saint-Sébastien
Rue Saint-Sébastien
Sq. R. Lenoir
Saint-Ambroise
St-Ambroise
Galeries de Paname
Cité Popincourt
Rue Pasteur
Rue de la Folie Méricourt
Rue Oberkampf
St-Sébastien Froissart
Rue St-Claude
Richard Lenoir
Rue Pelée
Chemin Vert
Rue du Chemin Vert
Rue Saint Gilles
Rue des Minimes
Rue Saint-Sabin
Bréguet Sabin
Sq. Bréguet Sabin
Rue Bréguet
Rue Froment
R. Boulle
Rue Sedaine
N.-D. d'Espérance
Rue de la Roquette
Boulevard Beaumarchais
Rue Amelot
MUSÉE PICASSO
Pl. de Thorigny
CARNAVALET
PLACE DES VOSGES
Rue des Francs Bourgeois
Rue de Sévigné
Sq. L. Achille
Sq. G. Cain
Lyc. V. Hugo
R. du Pas de la Mule
R. du Foin
R. de Béarn
Rue de Jarente
Rue Vieille du Temple
Rue Charlot
Rue de Saintonge
Rue Béranger
Rue Dupuis
Rue de Normandie
Rue Debelleyme
Rue de Poitou
R. du Pont aux Choux
R. des Filles du Calvaire
Rue Froissart
Rue Commines
Rue des Marseille
Rue Beaurepaire
Rue Yves Toudic
R. Léon Jouhaux
Quai de Valmy
Quai de Jemmapes
Rue Bichat
Rue Alibert
Rue Louvel Tessier
R. Tesson
R. de l'Orillon
Rue Jean-Pierre Timbaud
Rue Morand
R. des 3 Couronnes
Rue Moufle
Rue du Grand Prieuré
Rue Rampon
Rue Gambey
Rue de Nemours
R. Neuve Popincourt
Rue Lechevin
Rue Froment
Rue Popincourt
V. N. De Blégny
Rue Saint-Maur
Imp. Piver
Pas. Piver
R. Jules Verne
R. Darboy
Rue de l'Asile Popincourt
Imp. Truillot
V. Marcès

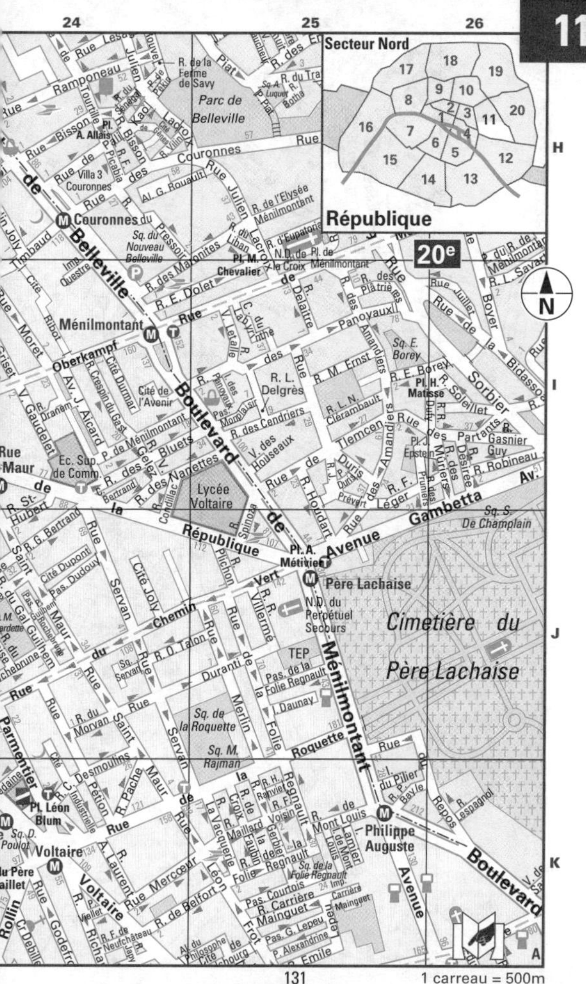

1 carreau = 500m

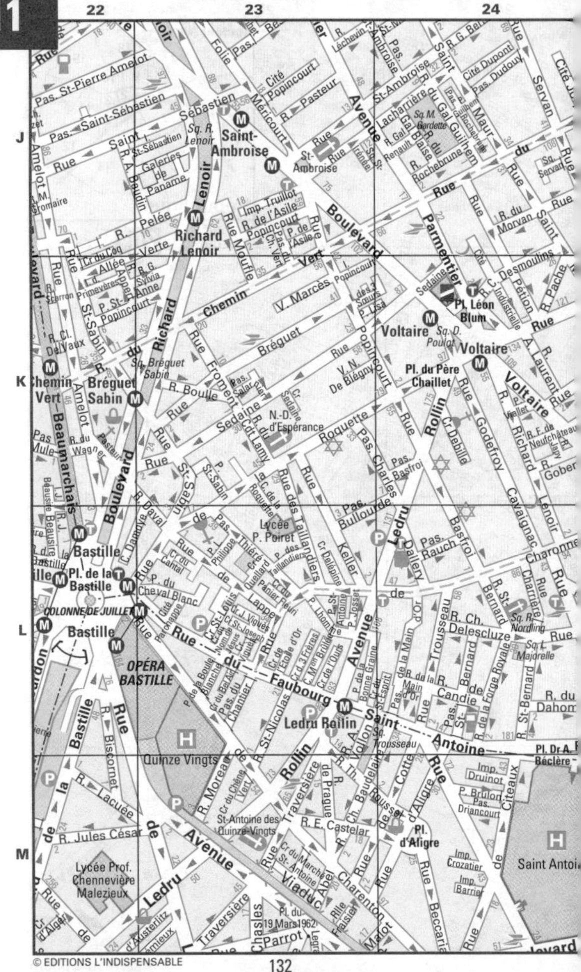
22
23
24
J
K
L
M
Pas. St-Pierre Amelot
Pas. Saint-Sébastien
Rue Saint Sébastien
Sq. R. Lenoir
Saint-Ambroise
Galeries de Paname
Rue Folie Méricourt
Cité Popincourt
R. Pasteur
St-Ambroise
Avenue Parmentier
Rue St-Maur
Cité Dupont
Pas. Dudouy
Rue Servan
Sq. Servan
R. Lacharrière
Sq. M. Gardette
R. du Gal Guilhem
R. Gal Blaise
R. Rochebrune
Boulevard Richard Lenoir
Richard Lenoir
Rue Pelée
Imp. Truillot
R. de l'Asile Popincourt
Rue Moufle
Chemin Vert
Rue du Chemin Vert
R. du Morvan
R. C. Desmoulins
Rue Pétion
R. Pache
Pl. Léon Blum
Cité Industrielle
Voltaire
Sq. D. Poulot
Boulevard Voltaire
Rue Popincourt
V. Marcès
Rue Bréguet
Rue Froment
V. N. De Blégny
Pl. du Père Chaillet
Rue Rollin
Rue Godefroy
Cavaignac
R. Richard Lenoir
R. A. Laurent
Boulevard Beaumarchais
Bréguet Sabin
Sq. Bréguet Sabin
R. Boulle
Rue Sedaine
Cr. Sedaine
N.-D. d'Espérance
Rue de la Roquette
Pas. Charles Dallery
Pas. Basfroi
Rue Basfroi
Rue St-Sabin
P. St-Sabin
R. du Wagner
Rue Pasteur Wagner
Rue Amelot
R. Cl. Del Vaux
Rue des Taillandiers
Rue Keller
Pas. Bullourde
Lycée P. Poiret
Pas. Thiéré
Rue de Lappe
Rue Daval
Rue de Charonne
Pas. Rauch
Bastille
Pl. de la Bastille
COLONNE DE JUILLET
P. du Cheval Blanc
Rue du Faubourg Saint-Antoine
Avenue Ledru Rollin
Ledru Rollin
R. St-Bernard
R. Ch. Delescluze
Sq. R. Nordling
Sq. L. Majorelle
Rue Trousseau
R. de la Main d'Or
R. de Candie
R. de la Forge Royale
R. du Dahomey
Pl. Dr A. Béclère
OPÉRA BASTILLE
Quinze Vingts
Pas. du Chantier
R. St-Nicolas
R. Moreau
Rue de Lyon
R. Th. Roussel
Rue Cotte
Rue d'Aligre
Pl. d'Aligre
Sq. Trousseau
Imp. Druinot
P. Brulon
Pas. Driancourt
Rue de Cîteaux
Saint Antoine
Rue Biscornet
R. Lacuée
R. Jules César
Lycée Prof. Chennevière Malezieux
Avenue Ledru Rollin
Avenue Daumesnil
St-Antoine des Quinze-Vingts
R. E. Castelar
Rue Traversière
Rue de Prague
Rue Abel
Rue de Charenton
R. Ch. Baudelaire
Imp. Crozatier
Imp. Barrier
Rue Beccaria
Pl. du 19 Mars 1962
Rue Chasles
Parrot
Rue Malot
Viaduc

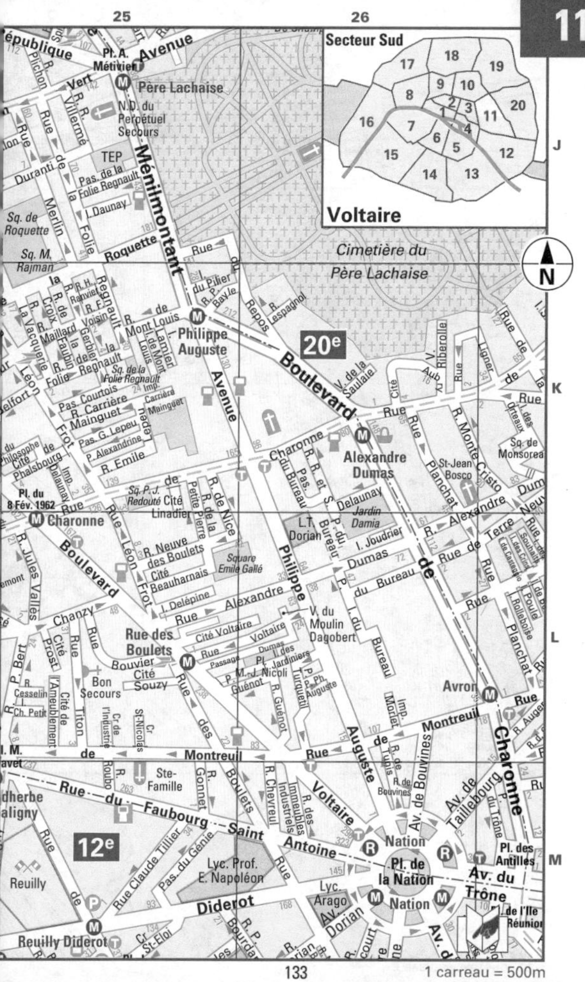

1 carreau = 500m

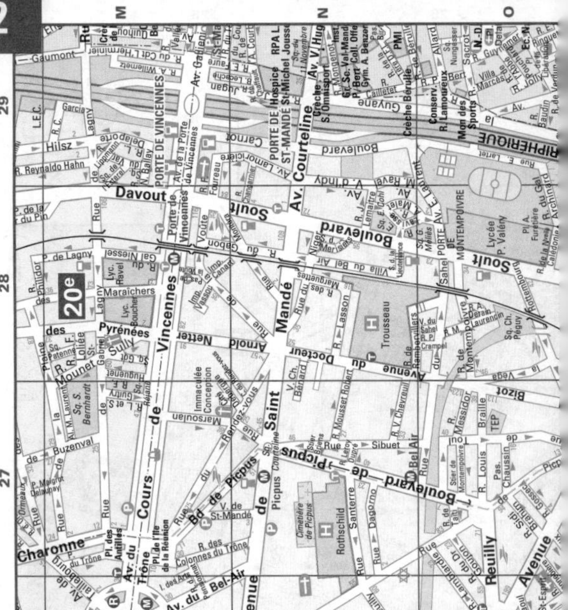
M
N
O
29
28
27
26
25
20e
11e
PORTE DE VINCENNES
PORTE DE ST-MANDÉ
PORTE DE MONTEMPOIVRE
Av. Courteline
Boulevard Davout
Boulevard Soult
Cours de Vincennes
Rue des Pyrénées
Avenue Saint Mandé
Bd de Picpus
Boulevard de Picpus
Rue de Picpus
Avenue du Docteur Arnold Netter
Rue du Rendez-vous
Rue de Charonne
Rue de Lagny
Rue des Maraîchers
Rue de Buzenval
Pl. de la Nation
Nation
Av. du Trône
Av. du Bel-Air
Rue Fabre d'Églantine
Bd Voltaire
Rue du Faubourg Saint Antoine
Bd Diderot
Rue de Reuilly
Reuilly Diderot
Avenue Daumesnil
Boulevard de Reuilly
Rue de Charenton
Rue de Montreuil
Rue Montgallet
Rue Sibuet
Rue de la Gare de Reuilly
Rue du Sergent Bauchat
Rue de Fontenay
Rue Dugommier
Rue de Bercy
Rue Claude Tillier
Rue Marsoulan
Rue Mousset Robert
Rue Lasson
Rue Santerre
Rue Dagorno
Rue Louis Braille
Rue Messidor
Rue de Toul
Rue de la Voûte
Rue Gabon
Rue Niger
Rue Bizot
Rue Vega
Rue Rottembourg
Bd Périphérique
Trousseau
Rothschild
Cimetière de Picpus
Immaculée Conception
Les Diaconesses
Lyc. Ravel
Lyc. Arago
Lyc. Hélène Boucher
Lycée P. Valéry
Lyc. Prof. E. Napoléon
Jard. de Reuilly
Pl. Félix Éboué
Pl. des Antilles
Pl. de l'Île de la Réunion
Picpus
Bel Air
Michel Bizot
Daumesnil
Dugommier
Montgallet
Faidherbe Chaligny
Porte de Vincennes

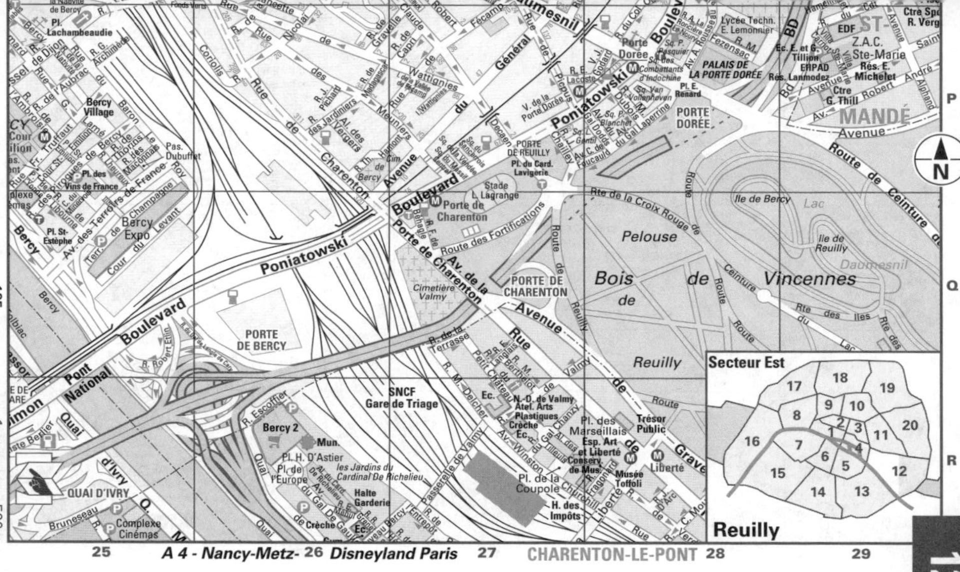

1 carreau = 500m

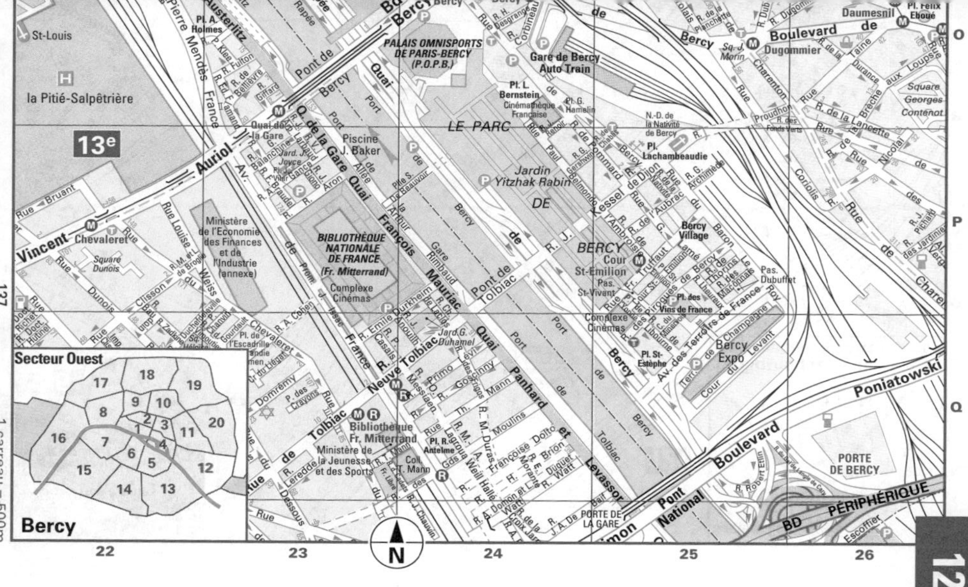

1 carreau = 500m

13

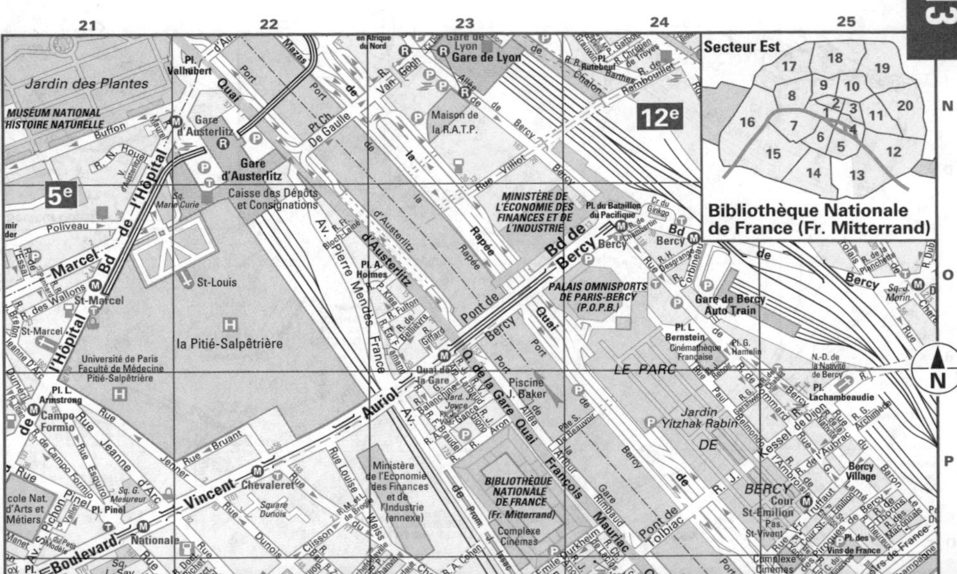

Secteur Est
Bibliothèque Nationale de France (Fr. Mitterrand)
12e
5e
Jardin des Plantes
MUSÉUM NATIONAL HISTOIRE NATURELLE
Gare d'Austerlitz
Gare de Lyon
Maison de la R.A.T.P.
MINISTÈRE DE L'ÉCONOMIE DES FINANCES ET DE L'INDUSTRIE
PALAIS OMNISPORTS DE PARIS-BERCY (P.O.P.B.)
Gare de Bercy Auto Train
LE PARC DE BERCY
Jardin Yitzhak Rabin
Cinémathèque Française
Bercy Village
Cour St-Émilion
BIBLIOTHÈQUE NATIONALE DE FRANCE (Fr. Mitterrand)
Complexe Cinémas
Piscine J. Baker
la Pitié-Salpêtrière
St-Louis
Université de Paris Faculté de Médecine Pitié-Salpêtrière
Caisse des Dépôts et Consignations
Ministère de l'Économie des Finances et de l'Industrie (annexe)
Quai d'Austerlitz
Quai de la Rapée
Quai de Bercy
Q. de la Gare
Quai François Mauriac
Pont de Bercy
Pont de Tolbiac
Bd de Bercy
Bd de l'Hôpital
Bd St-Marcel
Bd Vincent Auriol
Av. Pierre Mendès France
Rue Jeanne d'Arc
Boulevard de l'Hôpital

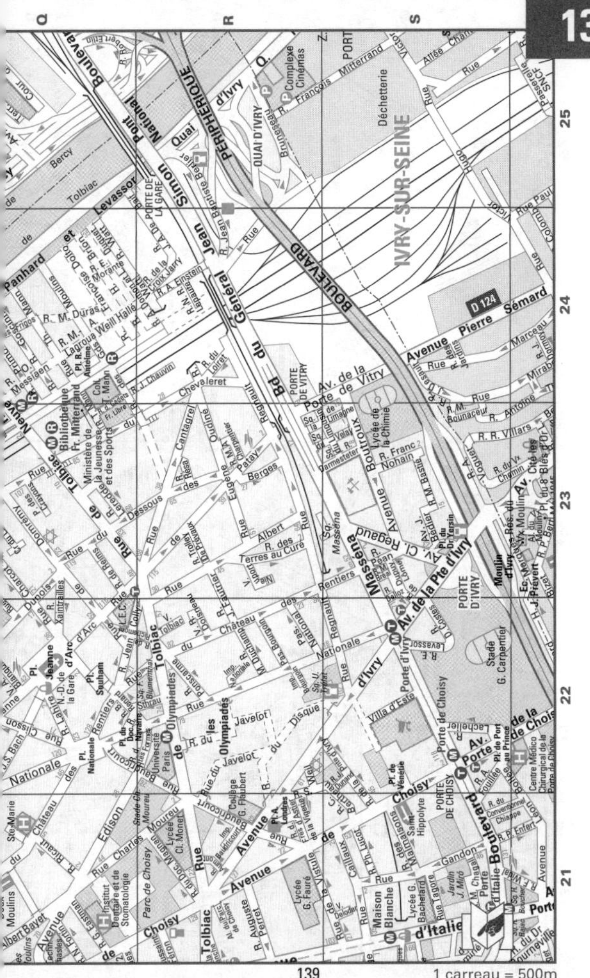

1 carreau = 500m

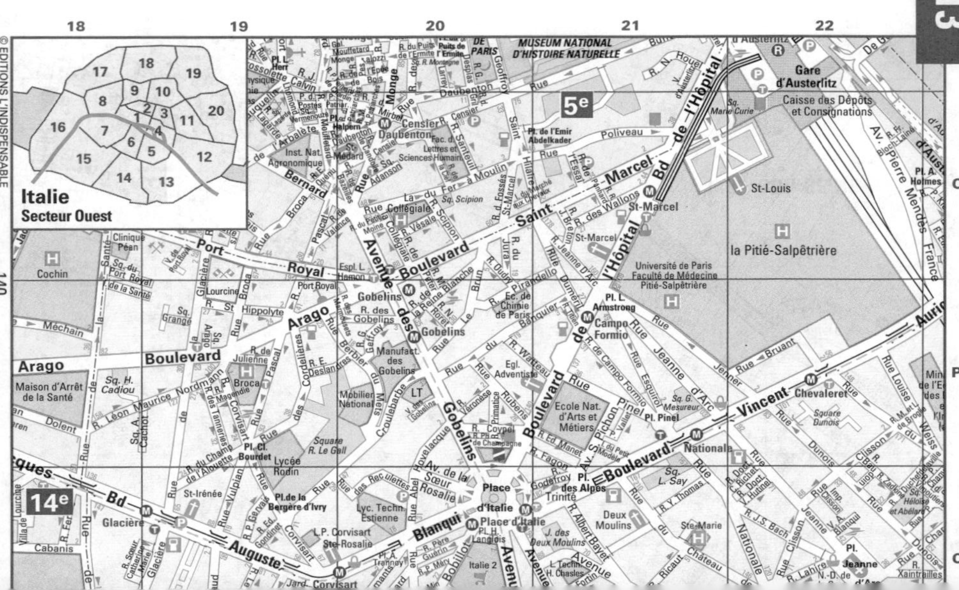

18
19
20
21
22
O
P
Q
Italie
Secteur Ouest
MUSEUM NATIONAL D'HISTOIRE NATURELLE
5e
Gare d'Austerlitz
Caisse des Dépôts et Consignations
Sq. Marie Curie
Av. Pierre Mendès France
St-Louis
la Pitié-Salpêtrière
Université de Paris Faculté de Médecine Pitié-Salpêtrière
Bd de l'Hôpital
Boulevard Saint Marcel
St-Marcel
Rue Geoffroy Saint Hilaire
Poliveau
Pl. de l'Emir Abdelkader
Rue Monge
Censier Daubenton
Rue Daubenton
Inst. Nat. Agronomique
Rue Claude Bernard
Rue Broca
Sq. Scipion
Rue Collégiale
Boulevard de Port Royal
Port Royal
Cochin
Clinique Péan
Lourcine
Boulevard Arago
Maison d'Arrêt de la Santé
Sq. H. Cadiou
R. Léon Maurice Nordmann
Broca
Avenue des Gobelins
Gobelins
Manufact. des Gobelins
Mobilier National
Rue Croulebarbe
Square R. Le Gall
Lycée Rodin
Pl. Cl. Bourdet
St-Irénée
Pl. de la Bergère d'Ivry
Lyc. Techn. Estienne
Av. de la Sœur Rosalie
Place d'Italie
Boulevard Auguste Blanqui
Glacière
Corvisart
14e
Ecole Nat. d'Arts et Métiers
Pl. Pinel
Pl. L. Armstrong
Campo Formio
Rue Jeanne d'Arc
Rue Esquirol
Rue Jenner
Rue Bruant
Boulevard Vincent Auriol
Chevaleret
Nationale
Rue Nationale
Square Dunois
Rue Dunois
Rue Louise Weiss
Rue Clisson
Pl. des Alpes
Deux Moulins
Ste-Marie
Italie 2
R. Albert Bayet
Egl. Adventiste

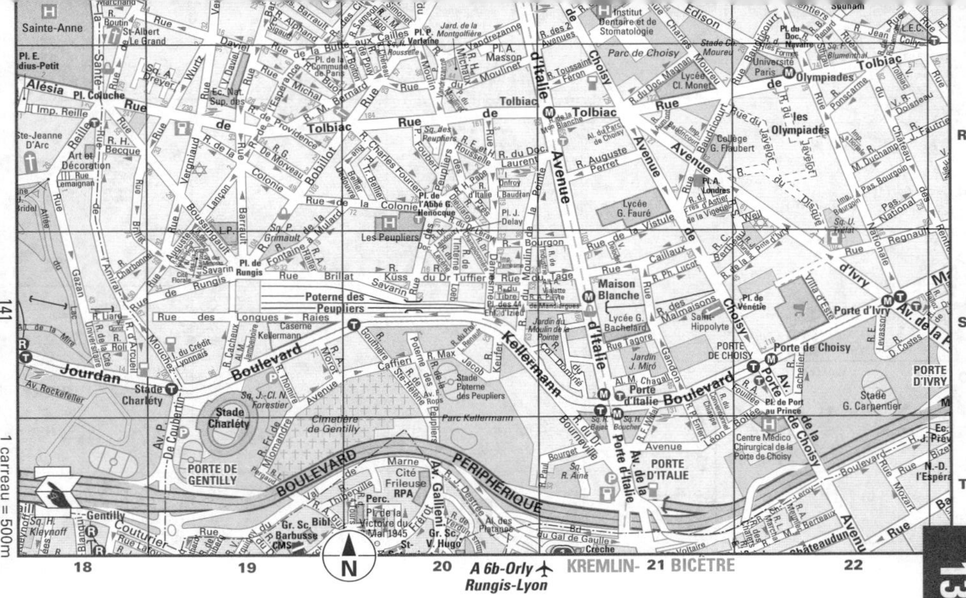

1 carreau = 500m

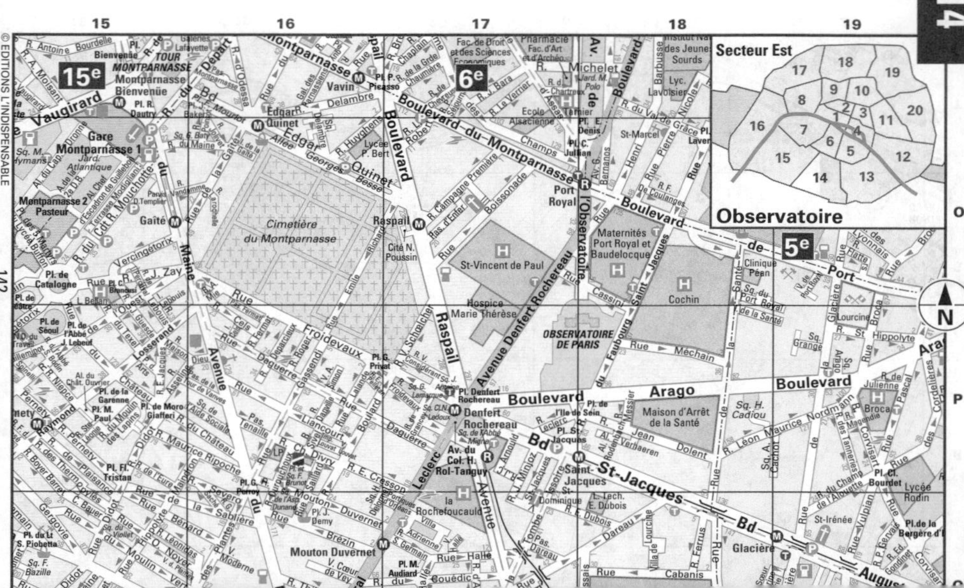
14
15
16
17
18
19
O
P
Secteur Est
Observatoire
15e
6e
5e
TOUR MONTPARNASSE
Montparnasse Bienvenüe
Gare Montparnasse 1
Montparnasse 2 Pasteur
Rue de Vaugirard
Boulevard du Montparnasse
Boulevard Raspail
Boulevard de Port
Avenue Denfert Rochereau
Boulevard Arago
Bd St-Jacques
Avenue du Maine
Rue Froidevaux
Cimetière du Montparnasse
OBSERVATOIRE DE PARIS
St-Vincent de Paul
Hospice Marie Thérèse
Maternités Port Royal et Baudelocque
Cochin
Maison d'Arrêt de la Santé
Port Royal
Vavin
Edgar Quinet
Raspail
Gaîté
Denfert Rochereau
Saint-Jacques
Glacière
Mouton Duvernet
Lycée P. Bert
Ecole Alsacienne
Lycée Rodin
Broca
la Rochefoucauld
Clinique Péan
Sq. H. Cadiou
Rue Méchain
Rue Daguerre
Rue Raymond Losserand
St-Irénée
N

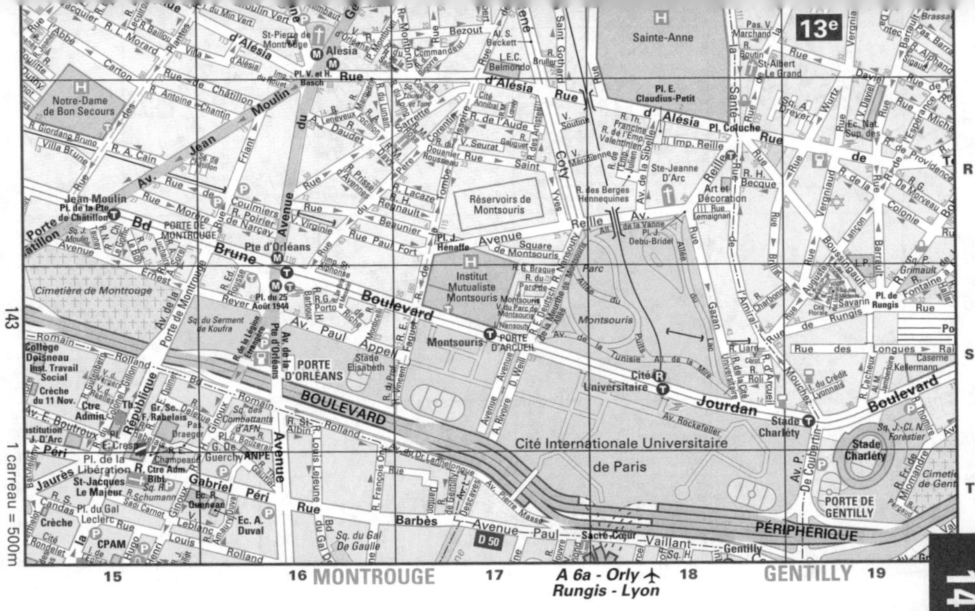

1 carreau = 500m

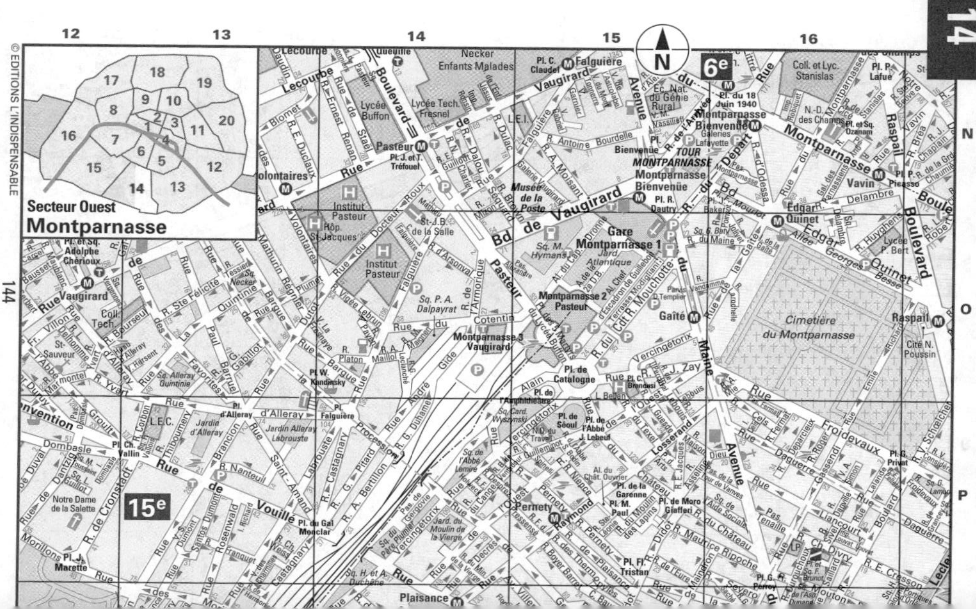
Secteur Ouest
Montparnasse
6e
15e
N
Boulevard du Montparnasse
Bd de Vaugirard
Bd Pasteur
Avenue du Maine
Cimetière du Montparnasse
Gare Montparnasse 1
Montparnasse 2 Pasteur
Montparnasse 3 Vaugirard
TOUR MONTPARNASSE
Institut Pasteur
Lycée Buffon
Lycée Tech. Fresnel
Necker Enfants Malades
Coll. et Lyc. Stanislas
Musée de la Poste
Rue de Vaugirard
Rue Froidevaux
Rue Daguerre
Rue de la Gaîté
Rue de Cronstadt
Rue de Vouillé
Rue Mathurin Régnier
Rue Lecourbe
Rue d'Alleray
Rue Saint-Amand
Rue Castagnary
Rue Vercingétorix
Pl. de Catalogne
Plaisance
Pernety
Gaîté
Edgar Quinet
Vavin
Raspail
Falguière
Pasteur
Volontaires
Vaugirard
Notre Dame de la Salette
12
13
14
15
16
N
O
P

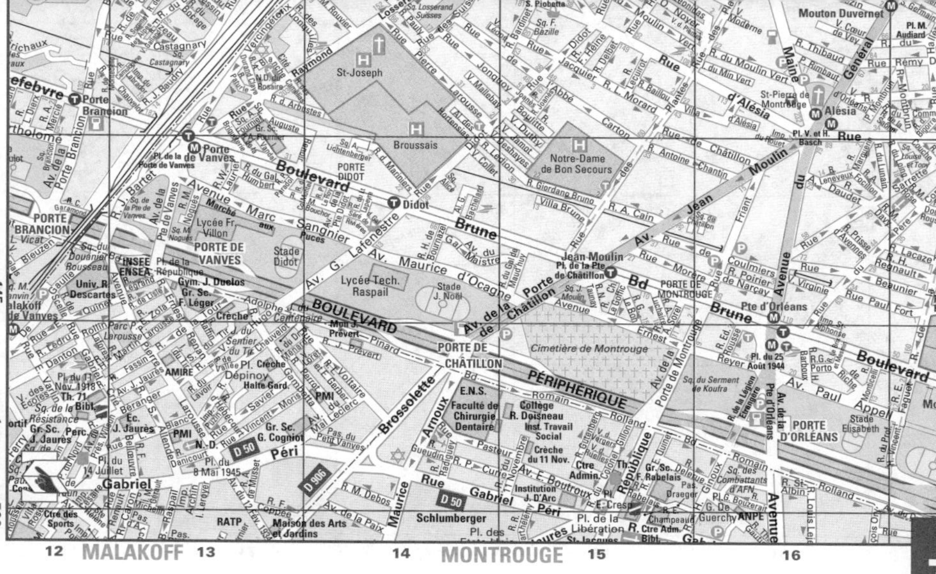

1 carreau = 500m

11 12 13 14 15

L
M
N

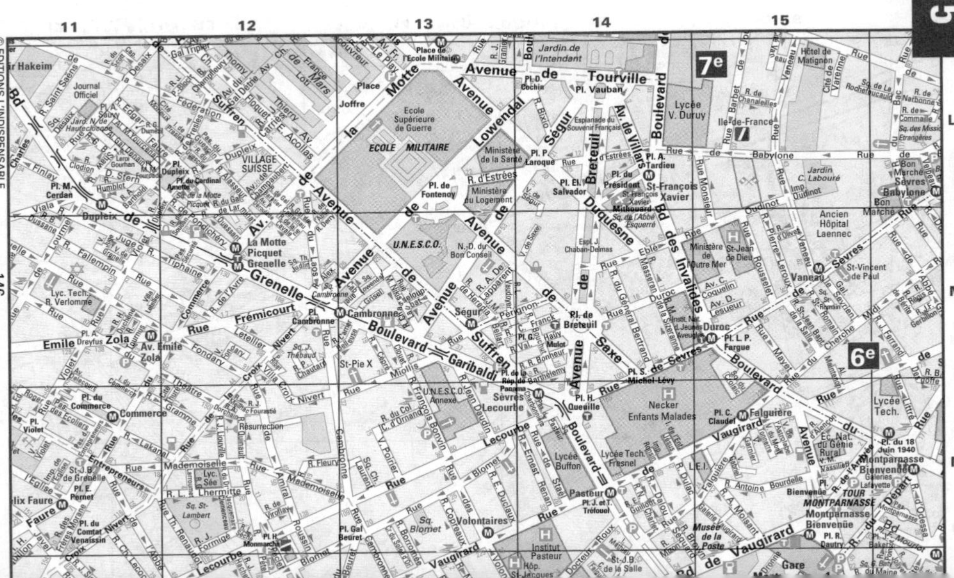

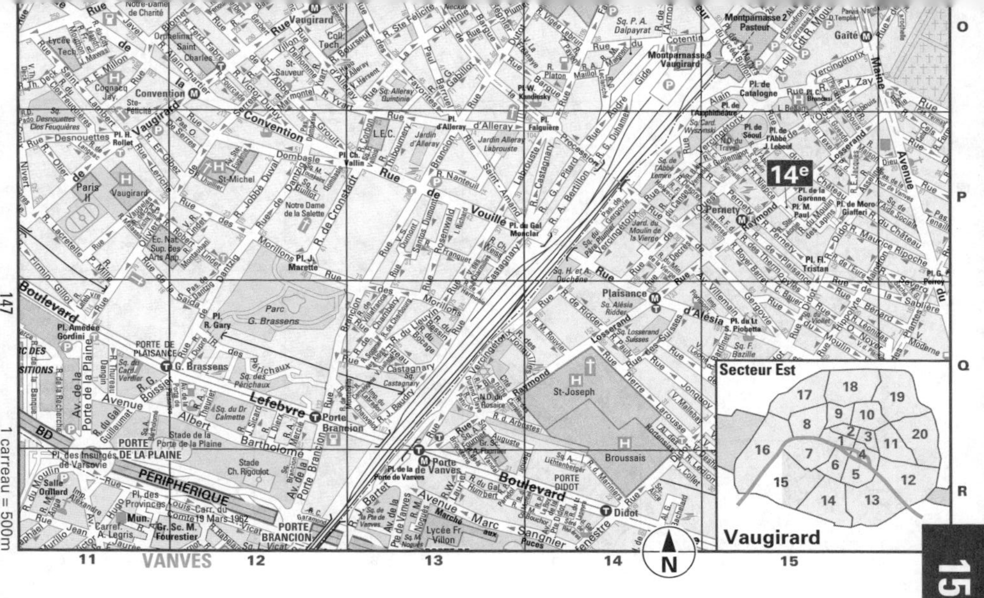

1 carreau = 500m

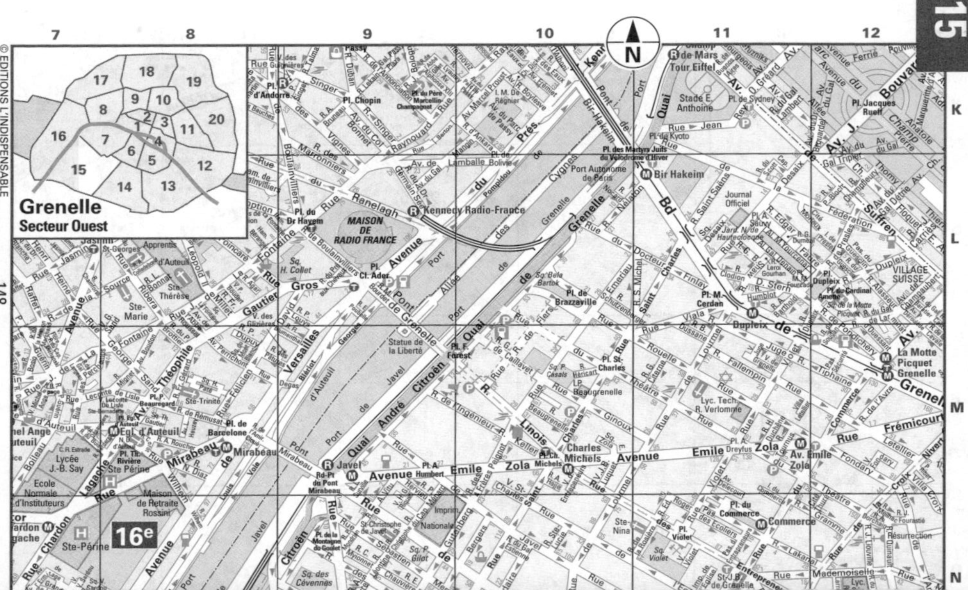
Grenelle
Secteur Ouest
K
L
M
N
7
8
9
10
11
12
16e
MAISON DE RADIO FRANCE
Statue de la Liberté
Stade E. Anthoine
Journal Officiel
VILLAGE SUISSE
Port Autonome de Paris
Quai André Citroën
Bd de Grenelle
Avenue Emile Zola
Rue Saint Charles
Quai de Grenelle
Pont de Grenelle
Pont Mirabeau
Pont de Bir-Hakeim
Port de Javel
Port d'Auteuil
Allée des Cygnes
Avenue de Versailles
Rue de Boulainvilliers
Rue du Ranelagh
Kennedy Radio-France
Bir Hakeim
Dupleix
La Motte Picquet Grenelle
Commerce
Javel
Mirabeau
Egl. d'Auteuil
Lycée J.-B. Say
Ecole Normale d'Instituteurs
Maison de Retraite Rossini
Imprim. Nationale
Ste-Périne
Lyc. Tech. R. Verlomme
Pl. Jacques Rueff
Pl. de Brazzaville
Pl. du Commerce
Sq. Violet
Sq. des Cévennes

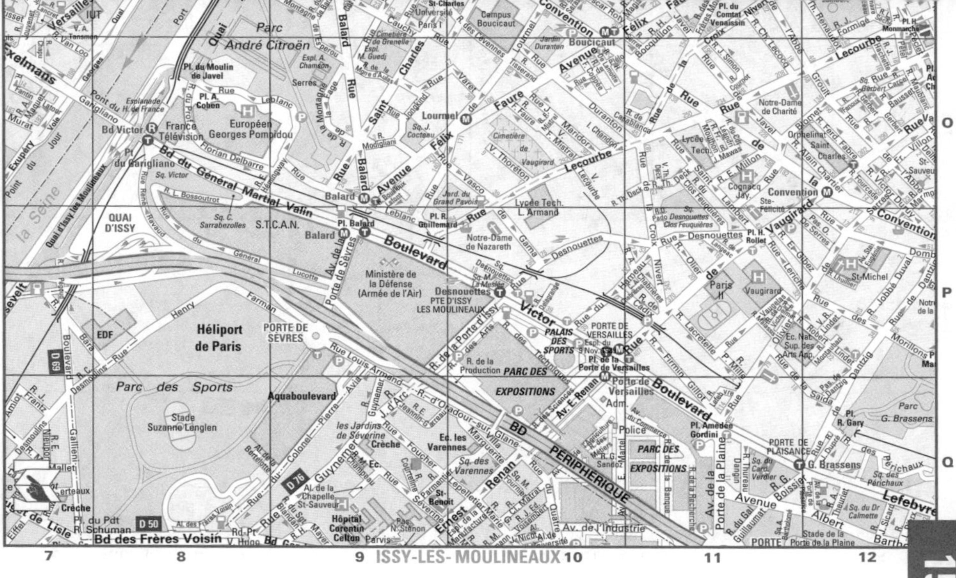

1 carreau = 500m

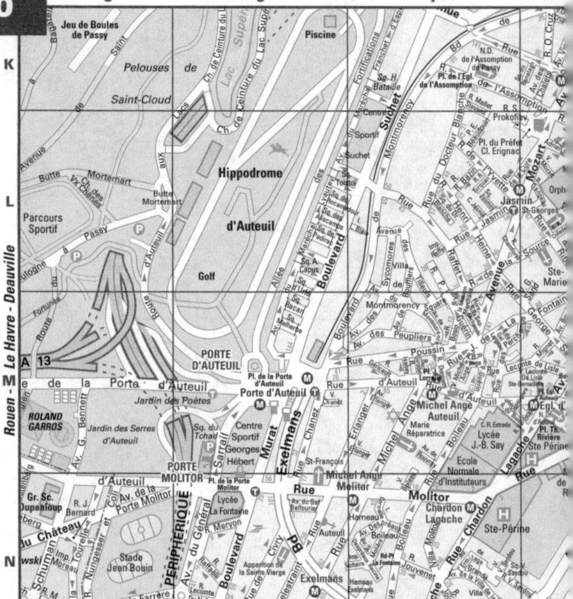
5
6
7
K
L
M
N
O
P
Rouen - Le Havre - Deauville
BOULOGNE-BIILLANCOURT
Jeu de Boules de Passy
Pelouses de Saint-Cloud
Piscine
Hippodrome d'Auteuil
Golf
Parcours Sportif
Butte Mortemart
PORTE D'AUTEUIL
Pl. de la Porte d'Auteuil
Porte d'Auteuil
Jardin des Poètes
Jardin des Serres d'Auteuil
ROLAND GARROS
A 13
Centre Sportif Georges Hébert
PORTE MOLITOR
Michel Ange Molitor
Lycée La Fontaine
Stade Jean Bouin
PÉRIPHÉRIQUE
PARC DES PRINCES
Musée National du Sport
Stade Français
Gr. Sc. Dupanloup
Lyc. Cl. Bernard
Apparition de la Sainte Vierge
Exelmans
Ste Geneviève
Henri Dunant
Pl. du Gal Stefanik
Porte de St-Cloud
Pl. de la Porte de St-Cloud
PORTE DE ST-CLOUD
Stade P. de Coubertin
Central Téléph.
Pl. de l'Abbé Fr. Stock
BOULEVARD
la Seine
QUAI D'ISSY
Quai d'Issy les Moulineaux
Ste-Périne
Lycée J.-B. Say
Ecole Normale d'Instituteurs
Chardon Lagache
Michel Ange Auteuil
Marie Réparatrice
N.D. de l'Assomption de Passy
Pl. de l'Egl. de l'Assomption
Pl. du Préfet Cl. Erignac
Jasmin
Ranelagh
Mozart
Suchet
Montmorency
Villa de Montmorency
Boulevard Murat
Boulevard Exelmans
Rue Molitor
Rue d'Auteuil
Avenue de Versailles
Rue Michel Ange
Av. de la Porte Molitor
Avenue du Parc des Princes
Bd Victor
Pont du Garigliano
Pl. P. Reynaud
IUT
DDE
N 10
Vaillant

1 carreau = 500m

F

Jardin d'Acclimatation
MUSÉE NATIONAL DES ARTS ET TRADITIONS POPULAIRES
Barrès
Porte des Sablons
Boulevard
Erables
Route des Erables
Route de la
Charles
R. Deroulède
Fondation M. A. Lucas
Laffitte
Maillot
R. Nordling
Bd A. Maurois
Porte Maillot
Pl. de Verdun
Av. de Neuilly
PORTE MAILLOT
Place Porte

G

Carr. des Sablons
Mahatma Gandhi
Porte des Sablons à la Porte Maillot
Saint James
Neuilly
Allée des Marronniers
Bouleaux
Route Cavalière
des
Route Sablonneuse
Mare d'Armenonville
Longchamp
Rte de la Pte Dauphine à la Pte des Sablons
Denis
Fortunée
Ch. du Pavillon d'Armenonville
R. du Gal Anselin
Sq. A. et R. Parodi
R. Th. De Martel
Sq. A. De Noailles
Centre Sportif J. P. Wimille
Bd de l'Amiral Bruix
Rue Marbeau
Villa Dupont
Rue Lalo
Villa Saïd
Sq. de l'Avenue Foch
Pas. Souterrain H. Gaillard
Allée de l'Etoile
Route de l'Etoile
Saint
Cavalière des Sablons

H

Bois de Boulogne
Muette à Neuilly
Allée Sablonneuse
Route de Suresnes
Al. Cavalière des Poteaux
Rte des Lacs à la Porte des Sablons
Allée
PORTE DAUPHINE
Pl. du Mal de Lattre de Tassigny
Pl. des Généraux Trentinian
Pl. du Paraguay
Avenue Foch
Porte Dauphine
Pl. du Chancelier Adenauer
Avenue
R. Crevaux
Centre Universitaire
Pas. Souterr. H. Gaillard
Avenue Foch
V. de la Faisanderie
Rue de la Faisanderie
R. Spontini
Rue de Lota
R. Dosne
BOULEVARD PÉRIPHÉRIQUE
Rte de Longchamp au Bout des Lacs
Route
Lacs à la Pte Dauphine
Av. du Maréchal Fayolle
Jard. M. Barlier
Sq. R. Schuman
Av. de Pologne
R. Gal Appert
R. Benouville
R. de Noisiel
R. Emile Ménier
R. Mérimée
R. des Belles Feuilles
Pl. J. Monnet
Rue Hugo

I

Carrefour du Bout des Lacs
Allée Cavalière des Lacs
Inférieur
Route de la Muette à Neuilly
Lac
Pelouses de la Muette
Ceinture du
Jardin du Général Anselin
Jardin Jan Doornik
Lannes
Boulevard
R. de Montevideo
Av. Jardin Cl. Debussy
Chantemesse
Rue Dufrenoy
Av. Flandrin
R. G. Philippe
Av. Louis Barthou
Boulevard Flandrin
R. A. Yvon
Avenue Henri Martin
Pl. Tattegrain
R. de Lota
R. Mony
R. Godard
R. Thiers
Victor Hugo
Av. de Montespan
V. Jocelyn
V. Herran
Sq. Lamartine
R. Spontini
Rue de la Pompe
Rue Decamps
Lycée Janson De Sailly
Rue de la Pompe
Longchamp
R. Herran
Rue G. Courbet
Avenue Henri Martin
Av. Georges

J

Sq. Alexandre 1er de Yougoslavie
PORTE DE LA MUETTE
Pl. de Colombie
Av. de Saint Cloud
Route des Dames
Allée des Fortifications
R. Maunoury
R. E. Hébert
Suchet
Raphaël
O.C.D.E.
Allée Pilâtre
R. de Franqueville
R. E. Labiche
R. Oct. Feuillet
R. E. Fournier
R. H. De Bornier
R. A. Pascal
O.C.D.E.
R. Dehodencq
Sq. A. Dehodencq
Franqueville
R. Magnard
Rue Jules Sandeau
Emile Augier
R. E. About
R. G. de Maupassant
Coeur Immaculé de Marie
Rue de Siam
R. J. Richepin
Clarétie
Rue de la Pompe
Rue
R. E. Delacroix
Langlois Schaeffer
Souchier
V. de la Tour
Rue de la Tour
V. Guibert
Valmore
Desbordes
Rue Nicolo
Rue Cortambert
Annonciation
Sq. Pétrarque
R. Vital
Paul Doumer
R. Scheffer

K

Musée Marmottan Cl. Monnet
Sq. des Écrivains Combattants Morts pour la France
R. L. Boilly
Jardins du Ranelagh
Av. Prudhon
R. de Rozier
R. d'Andigné
R. Maspéro
R. des Cons. Colignon
R. F. Ponsard
R. G. Nadaud
R. F. Hélie
Pl. Possoz
Rue Vital
Hameau Nicolo
R. Massenet
Rue Nicolo
R. F. Manuel
PORTE DE PASSY
Pl. de la Porte de Passy
Lacs à Passy
Bd du Maréchal
Av. du Ranelagh
Chaussée de la Muette
La Muette
Pl. J. Evrard
Rue de Boulainvilliers
Rue de Passy
Pl. de Passy
Avenue Ingres
Avenue Raphaël
Avenue Mozart
Rue Bois le Vent
V. des Rue Guichières
Rue Singer
R. Duban
R. de l'Annonciation
Rue Bolonne
Pl. du Père Marcellin
R. Beauséjour
V. de Beauséjour
O. Cruz
Whitcomb
Sq. Mozart
R. de l'Assomption
Pl. d'Andorre
R. Guichard
R. Charnoviz
Bd

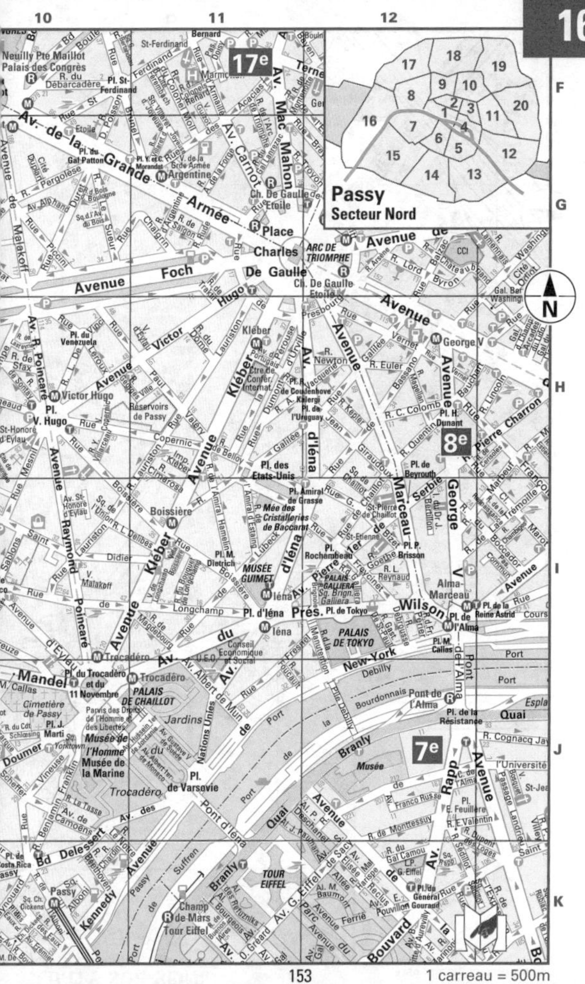
10
11
12
F
G
H
I
J
K
Passy
Secteur Nord
17e
8e
7e
Neuilly Pte Maillot
Palais des Congrès
Av. de la Grande Armée
Argentine
Ch. De Gaulle Etoile
Place Charles De Gaulle
ARC DE TRIOMPHE
Avenue Foch
Avenue Victor Hugo
Av. Mac Mahon
Av. Carnot
Av. de Wagram
Avenue Kléber
Kléber
Av. d'Iéna
Avenue Marceau
Avenue George V
George V
R. Pierre Charron
Avenue Raymond Poincaré
Victor Hugo
Pl. V. Hugo
Boissière
Pl. des Etats-Unis
Pl. d'Iéna
Iéna
MUSÉE GUIMET
PALAIS DE TOKYO
PALAIS GALLIERA
Av. du Président Wilson
Alma-Marceau
Pl. de l'Alma
Pont de l'Alma
Av. de New-York
Trocadéro
Pl. du Trocadéro et du 11 Novembre
PALAIS DE CHAILLOT
Jardins du Trocadéro
Musée de l'Homme
Musée de la Marine
Cimetière de Passy
Pl. de Varsovie
Pont d'Iéna
Quai Branly
Musée
TOUR EIFFEL
Champ de Mars Tour Eiffel
Avenue Rapp
Av. Bosquet
Passy
Bd Delessert
Avenue Kennedy
Av. Paul Doumer
Pl. Général Gouraud
Avenue Bouvard
1 carreau = 500m

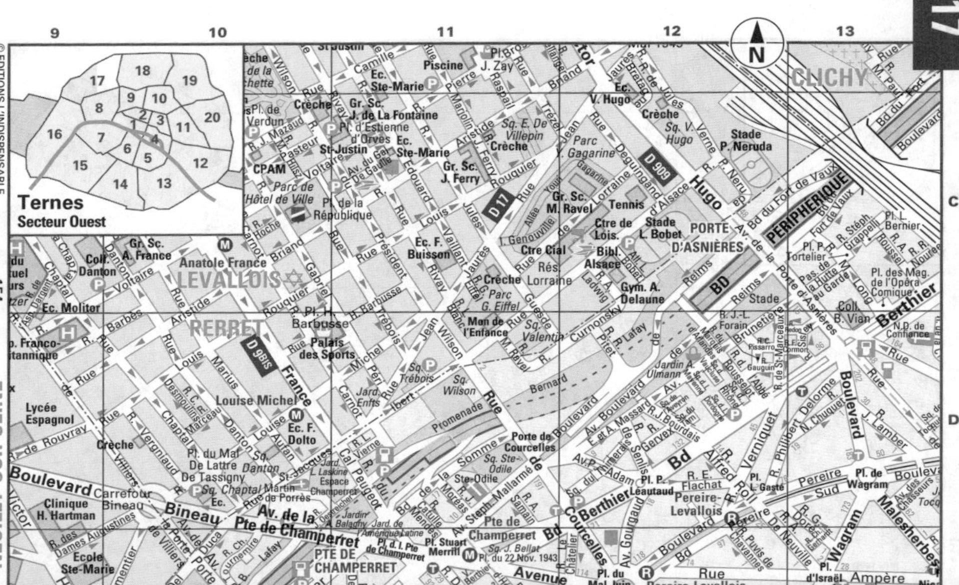

9
10
11
12
13
C
D
N
Ternes
Secteur Ouest
CLICHY
LEVALLOIS
PERRET
PORTE D'ASNIÈRES
PTE DE CHAMPERRET
PERIPHERIQUE
BD
D 909
D 17
D 9BIS
Bd du Fort de Vaux
Av. de la Porte d'Asnières
Berthier
Boulevard
Wagram
Malesherbes
Pereire Sud
Bd Berthier
Courcelles
Av. de la Pte de Champerret
Boulevard Bineau
Carrefour Bineau
Avenue
Rue Pereire-Levallois
Anatole France
Louise Michel
France
Hugo
Stade P. Neruda
Stade L. Bobet
Parc V. Gagarine
Tennis
Ctre de Lois.
Bibl. Alsace
Gym. A. Delaune
Ctre Cial
Rés. Lorraine
Gr. Sc. M. Ravel
Gr. Sc. J. Ferry
Gr. Sc. J. de La Fontaine
Piscine
Ec. Ste-Marie
CPAM
Parc de Hôtel de Ville
Pl. de la République
Ec. F. Buisson
Palais des Sports
Pl. H. Barbusse
Mon de l'Enfance
Sq. Trébois
Sq. Wilson
Promenade
Porte de Courcelles
Ec. F. Dolto
Pl. du Mal De Lattre De Tassigny
Lycée Espagnol
Clinique H. Hartman
Ecole Ste-Marie
Coll. Danton
Gr. Sc. A. France
Ec. Molitor
Coll. B. Vian
N.D. de Confiance
Pl. des Mag. de l'Opéra Comique
Pl. de Wagram
Pl. du Mal Juin
Pl. d'Israël
Pl. du 22 Nov. 1943
Pl. Stuart Merrill
Jardin A. Ulmann
Ste-Odile
Pereire-Levallois

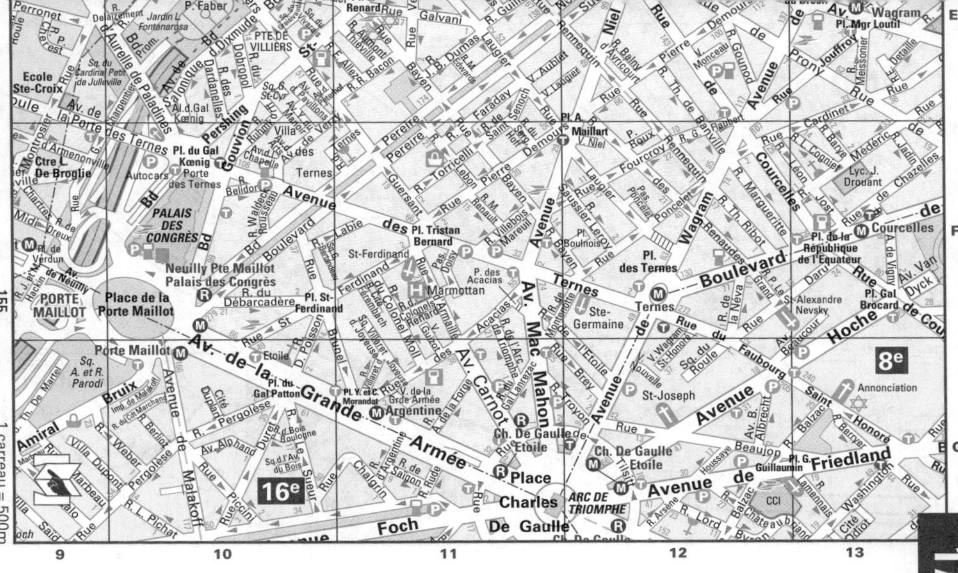

1 carreau = 500m

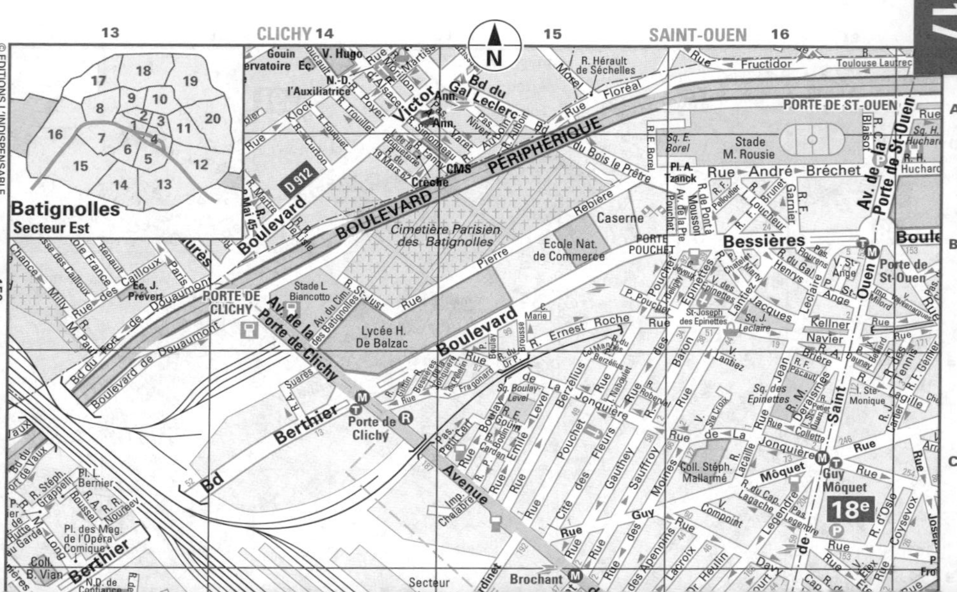

13
CLICHY 14
15
SAINT-OUEN
16
A
B
C
N
Batignolles
Secteur Est
17
18
19
8
9
10
20
2
3
1
11
16
7
4
6
5
12
15
14
13
BOULEVARD PÉRIPHÉRIQUE
PORTE DE ST-OUEN
Stade M. Rousie
Av. de la Porte de St-Ouen
Rue André Bréchet
Bessières
Cimetière Parisien des Batignolles
Caserne
Ecole Nat. de Commerce
PORTE POUCHET
Lycée H. De Balzac
Stade L. Biancotto
PORTE DE CLICHY
Av. de la Porte de Clichy
Porte de Clichy
Boulevard
Berthier
Bd
Avenue
Bd du Gal Leclerc
Victor
V. Hugo
Rue Fructidor
Rue Floréal
R. Hérault de Séchelles
Rue du Bois le Prêtre
Rue Pierre Rebière
R. Ernest Roche
Rue de La Jonquière
Rue Berzélius
Rue Guy Môquet
Guy Môquet
Porte de St-Ouen
Coll. Stéph. Mallarmé
Sq. des Epinettes
St-Joseph des Epinettes
Boulevard de Douaumont
Bd du Fort de Vaux
Ec. J. Prévert
Brochant
Secteur
18e
D 912
Crèche
CMS

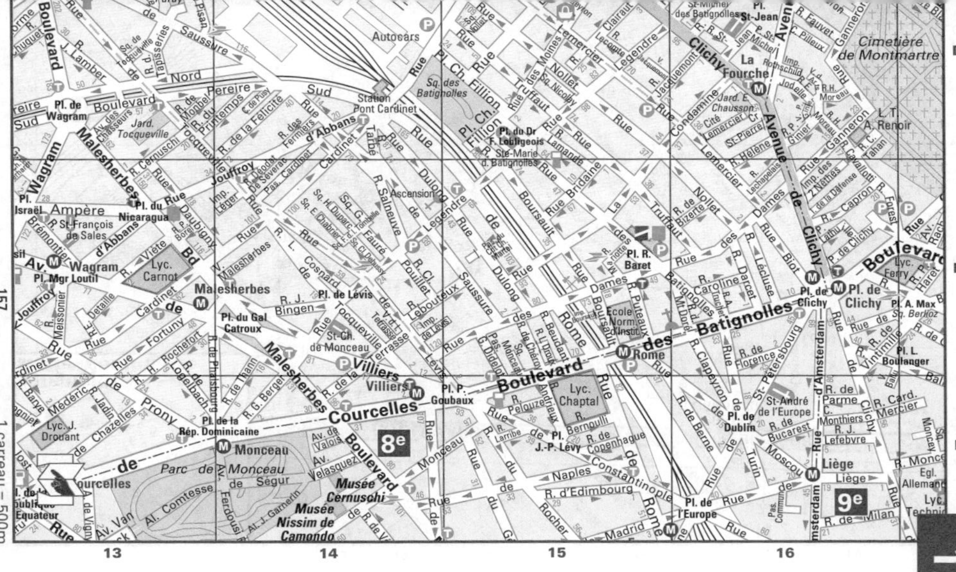

1 carreau = 500m

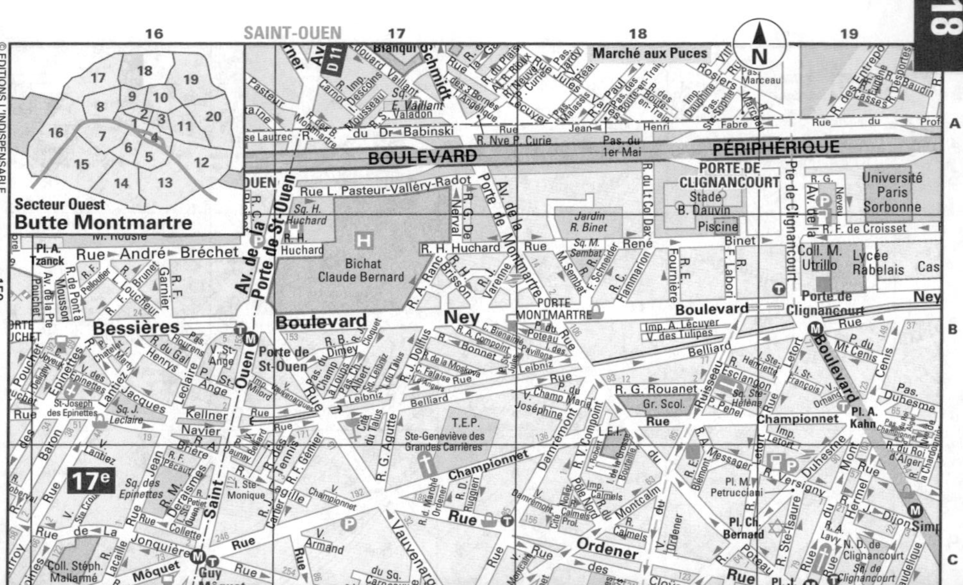
16
SAINT-OUEN
17
18
19
A
B
C
Marché aux Puces
BOULEVARD
PÉRIPHÉRIQUE
PORTE DE CLIGNANCOURT
Stade B. Dauvin
Piscine
Pte de Clignancourt
Université Paris Sorbonne
Coll. M. Utrillo
Lycée Rabelais
Porte de Clignancourt
Jardin R. Binet
Bichat Claude Bernard
Rue L. Pasteur-Vallery-Radot
Av. de la Porte de Montmartre
Av. de la Porte de St-Ouen
PORTE MONTMARTRE
Porte de St-Ouen
Boulevard Ney
Boulevard Bessières
Rue André Bréchet
Rue Championnet
Rue Ordener
Rue Damrémont
Belliard
Leibniz
Vauvenargues
T.E.P.
Ste-Geneviève des Grandes Carrières
Gr. Scol.
R. G. Rouanet
Ruisseau
Letort
Duhesme
Pl. A. Kahn
Pl. M. Petrucciani
Pl. Ch. Bernard
Rue du Poteau
Guy Môquet
Rue de La Jonquière
Coll. Stéph. Mallarmé
Sq. des Epinettes
17e
Saint Ouen
Schmidt
Sq. E. Vaillant
du Dr Babinski
Secteur Ouest
Butte Montmartre
17
18
19
8
9
10
20
16
7
2
3
11
1
4
6
5
12
15
14
13

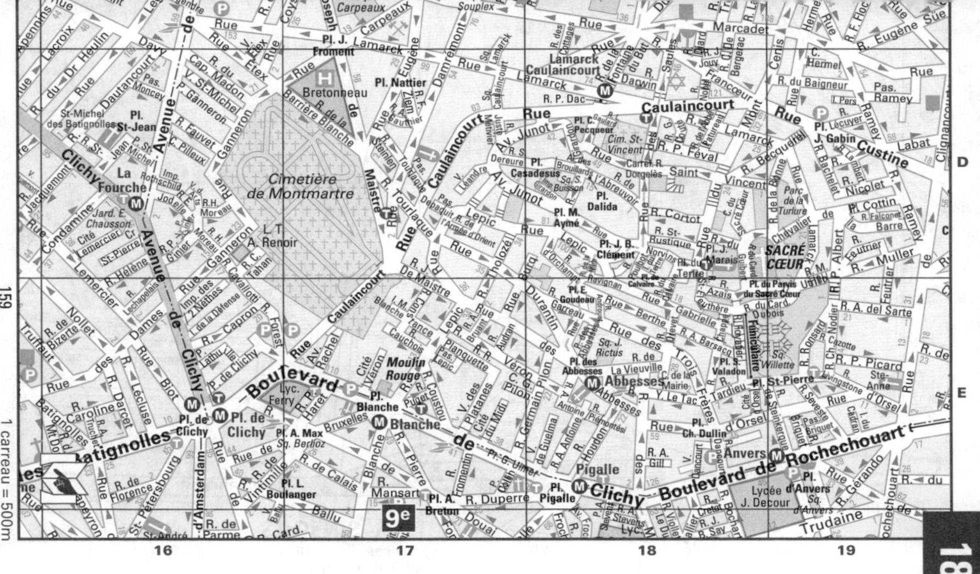

1 carreau = 500m

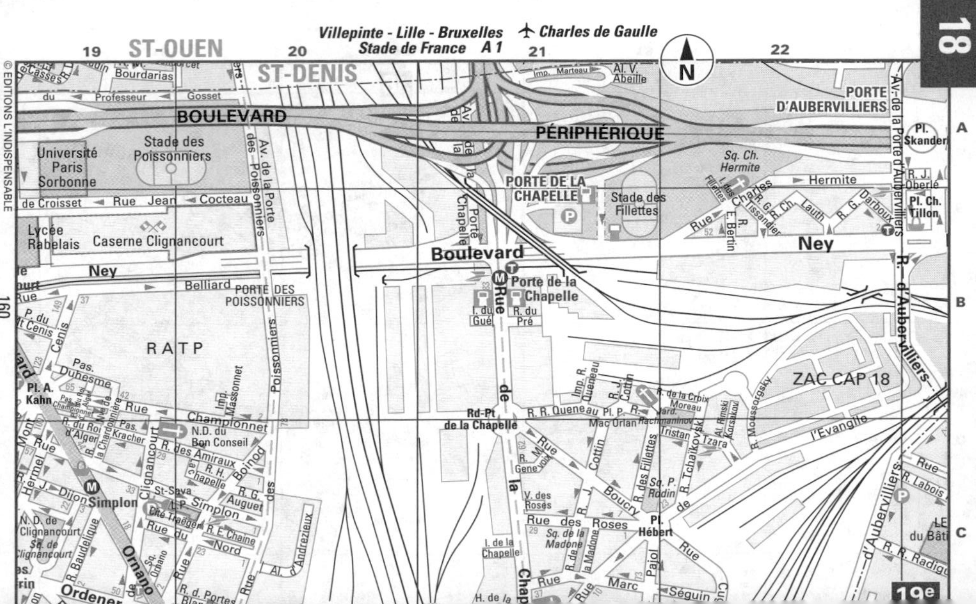
Villepinte - Lille - Bruxelles
Stade de France A 1
Charles de Gaulle
19
20
21
22
A
B
C
ST-OUEN
ST-DENIS
BOULEVARD
PÉRIPHÉRIQUE
PORTE D'AUBERVILLIERS
PORTE DE LA CHAPELLE
PORTE DES POISSONNIERS
Av. de la Porte d'Aubervilliers
R. d'Aubervilliers
Av. de la Porte des Poissonniers
Av. de la Porte de la Chapelle
Boulevard
Ney
Rue de la Chapelle
Porte de la Chapelle
Rd-Pt de la Chapelle
ZAC CAP 18
Stade des Fillettes
Stade des Poissonniers
Université Paris Sorbonne
Lycée Rabelais
Caserne Clignancourt
RATP
Sq. Ch. Hermite
Hermite
R. E. Bertin
R. Moussorgsky
R. Tchaïkovski
R. des Fillettes
Boucry
Rue des Roses
Pl. Hébert
Pajol
Marc Séguin
R. J. Cottin
R. R. Queneau
Imp. R. Queneau
Mac Orlan
Tristan Tzara
l'Evangile
Rue Championnet
Belliard
Rue Jean Cocteau
Boinod
Poissonniers
Clignancourt
Simplon
Ornano
Ordener
R. Baudelique
Al. d'Andrezieux
Pas. Duhesme
Pl. A. Kahn
N.D. du Bon Conseil
R. des Amiraux
Bourdarias
Professeur Gosset
de Croisset
Pl. Skander
R. J. Oberlé
Pl. Ch. Tillon
R. G. Darboux
Lauth
R. Labois
R. R. Radiguet
19e

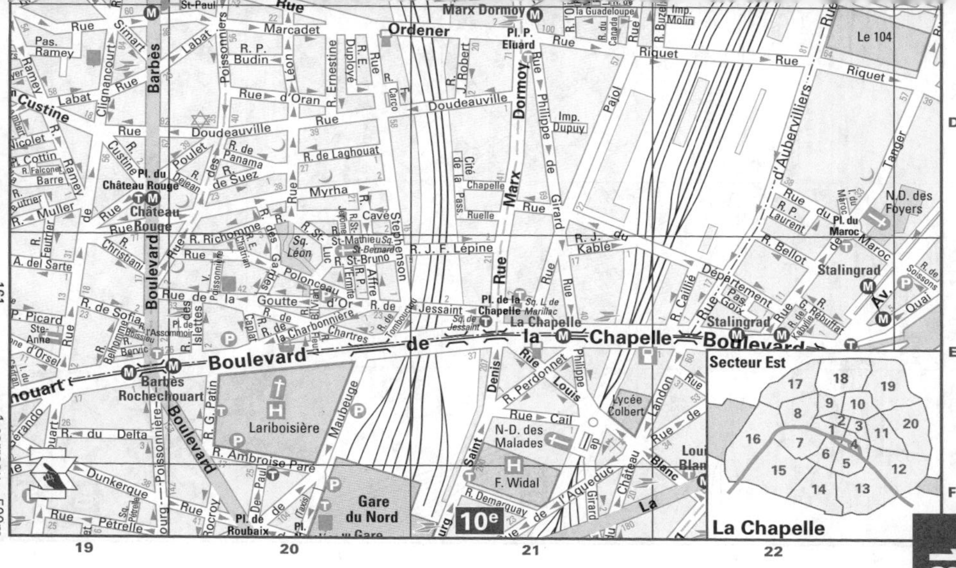

1 carreau = 500m

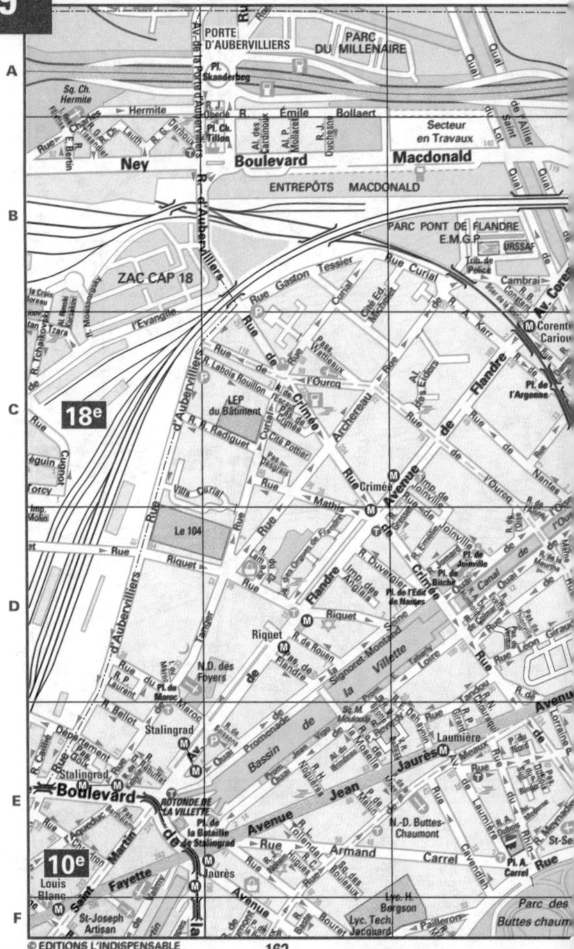
A
B
C
D
E
F
PORTE D'AUBERVILLIERS
PARC DU MILLENAIRE
Pl. Skanderbeg
Sq. Ch. Hermite
Hermite
R. Émile Bollaert
Pl. Ch. Tillon
Secteur en Travaux
Ney
Boulevard
Macdonald
ENTREPÔTS MACDONALD
PARC PONT DE FLANDRE
E.M.G.P.
URSSAF
ZAC CAP 18
Rue Gaston Tessier
Rue Curial
l'Evangile
Quai de l'Oise
Av. Corentin Cariou
Corentin Cariou
Pl. de l'Argonne
18e
LEP du Bâtiment
Rue de Crimée
Cité Pottier
Rue Archereau
Rue de Flandre
Rue de l'Ourcq
Rue de Nantes
Villa Curial
Crimée
Avenue de Flandre
Rue Mathis
Le 104
Rue Riquet
Riquet
R. de Rouen
Rue d'Aubervilliers
N.D. des Foyers
Pl. du Maroc
Rue du Maroc
R. Ballot
Stalingrad
Canal de l'Ourcq
Pl. de Joinville
Pl. de Bitche
Pl. de l'Edit de Nantes
Quai de la Seine
Bassin de la Villette
Laumière
Avenue Jean Jaurès
Boulevard de la Villette
ROTONDE DE LA VILLETTE
Pl. de la Bataille de Stalingrad
Jaurès
Rue Armand Carrel
N.-D. Buttes-Chaumont
Pl. A. Carrel
10e
Louis Blanc
Rue La Fayette
St-Joseph Artisan
Lyc. H. Bergson
Lyc. Tech. Jacquard
Parc des Buttes chaum

1 carreau = 500m

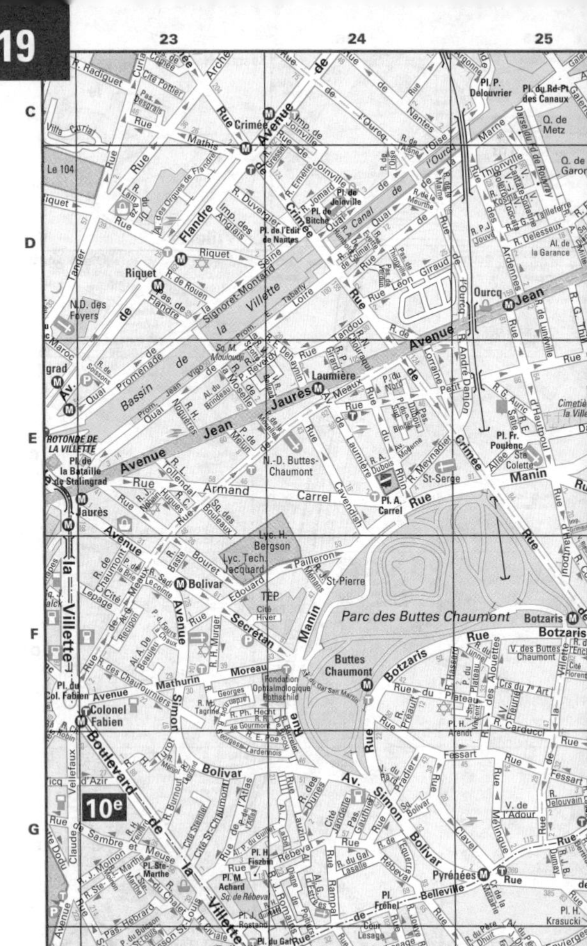
23
24
25
C
D
E
F
G
H
Le 104
Rue Crimée
Avenue de Flandre
Riquet
N.D. des Foyers
Pl. P. Delouvrier
Pl. du Rd-Pt des Canaux
Q. de Metz
Pl. de Joinville
Pl. de Bitche
Pl. de l'Edit de Nantes
Canal de l'Ourcq
Bassin de la Villette
Promenade Signoret-Montand
Quai de la Seine
Quai de la Loire
Ourcq
Laumière
Avenue Jean Jaurès
ROTONDE DE LA VILLETTE
Pl. de la Bataille de Stalingrad
Jaurès
N.-D. Buttes-Chaumont
Rue Armand Carrel
Pl. A. Carrel
St-Serge
Rue Manin
Pl. Fr. Poulenc
Rue de Crimée
Lyc. H. Bergson
Lyc. Tech. Jacquard
Bolivar
Rue Secrétan
TEP
Parc des Buttes Chaumont
Buttes Chaumont
Botzaris
Rue Botzaris
Fondation Ophtalmologique Rothschild
Rue Mathurin Moreau
Colonel Fabien
Pl. du Col. Fabien
Boulevard de la Villette
Avenue Simon Bolivar
10e
Pyrénées
Rue de Belleville
Pl. Fréhel
Belleville
Pl. H. Krasucki
Rue des Envierges
R. du Transvaal
Cimetière de la Villette
Rue d'Hautpoul
Rue de Meaux
Rue de Tanger
Quai de la Marne
Rue de Joinville
Rue Petit
Rue André Danton
Rue Rébeval
Rue Clavel
Rue Fessart
Rue Mélingue
Rue Pradier
Rue de l'Atlas
Rue des Dunes
Cité Jandelle
Pas. Gauthier
R. du Buisson St-Louis
Rue Julien Lacroix
Rue Lesage
Cour Lesage
Pl. Ste-Marthe
Sq. de Rébeval
Rue Rampal
Pl. M. Achard
Pl. J. Rostand

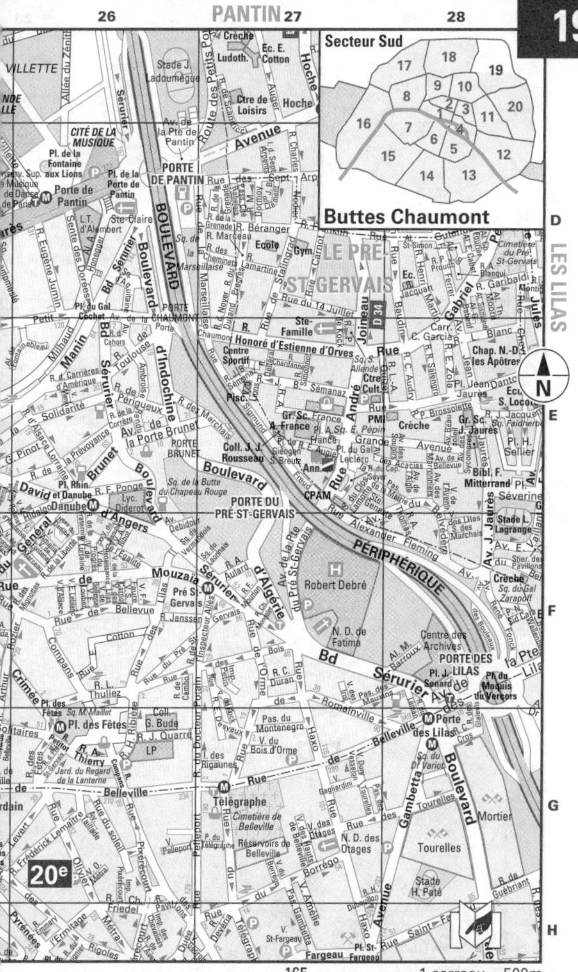

1 carreau = 500m

24
25
26
G
H
I
J
K
N
Secteur Nord
Ménilmontant
19e
11e
Pl. des Fêtes
St-J.B. de Belleville
Jourdain
Pyrénées
Parc de Belleville
Couronnes
Ménilmontant
Boulevard de Belleville
Boulevard de Ménilmontant
Avenue de la République
Avenue Gambetta
Père Lachaise
Cimetière Père Lachaise
Lycée Voltaire
Ec. Sup. de Comm.
Rue St-Maur
Rue Oberkampf
Rue de Crimée
Rue des Solitaires
Rue Fessart
Rue de Belleville
Rue des Pyrénées
Rue de Ménilmontant
Rue des Couronnes
Rue Julien Lacroix
Rue Ramponeau
Rue Bisson
Rue Sorbier
Rue des Amandiers
Rue du Chemin Vert
Rue de la Roquette
Rue Servan
Rue Saint-Maur
Rue Duranti
Sq. de la Roquette
Sq. M. Rajman
Sq. E. Borey
Sq. S. De Champlain
N.D. du Perpétuel Secours
N.D. de la Croix
Pl. Léon Blum
Pl. A. Métivier
TEP
Jard. du Regard de la Lanterne

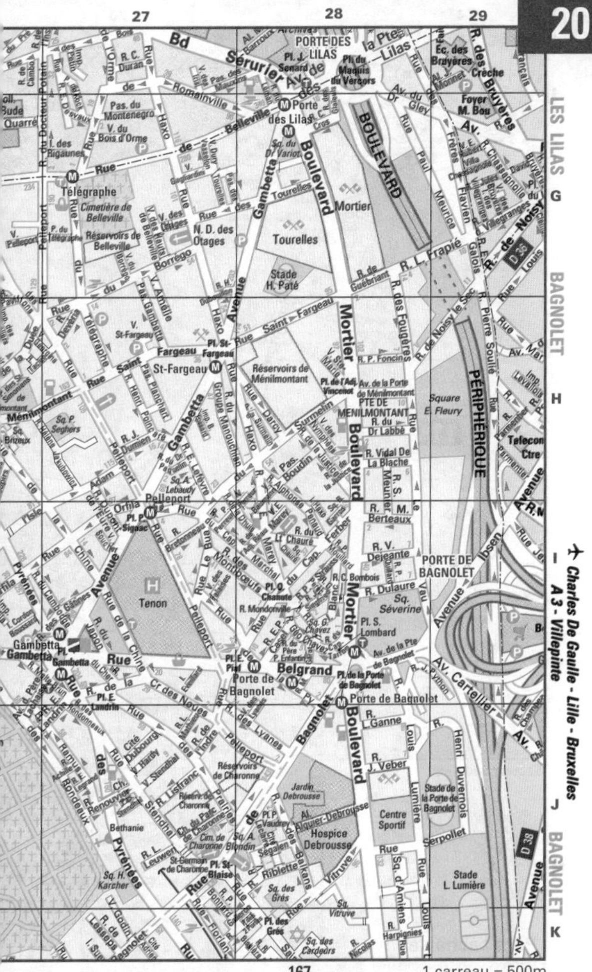
27
28
29
PORTE DES LILAS
Porte des Lilas
Bd Sérurier
Av. de la Pte des Lilas
Pl. du Maquis du Vercors
Rue de Belleville
Rue de Romainville
Boulevard Mortier
BOULEVARD
Av. du Dr Gley
Rue Paul Meurice
Av. de la Porte de Ménilmontant
PTE DE MENILMONTANT
PÉRIPHÉRIQUE
Télégraphe
Cimetière de Belleville
Réservoirs de Belleville
N. D. des Otages
Tourelles
Stade H. Paté
Rue Saint-Fargeau
St-Fargeau
Réservoirs de Ménilmontant
Square E. Fleury
Rue de Ménilmontant
Sq. P. Seghers
Pelleport
Avenue Gambetta
Tenon
Gambetta
Pl. Gambetta
Rue des Pyrénées
PORTE DE BAGNOLET
Sq. Séverine
Belgrand
Porte de Bagnolet
Rue de Bagnolet
Av. Cartellier
Réservoirs de Charonne
Jardin Debrousse
Hospice Debrousse
Centre Sportif
Stade de la Porte de Bagnolet
Stade L. Lumière
Bethanie
Sq. H. Karcher
Sq. des Grés
Pl. des Grés
Sq. des Cardeurs
LES LILAS
BAGNOLET
G
H
I
J
K
Charles De Gaulle - Lille - Bruxelles
A 3 - Villepinte
1 carreau = 500m

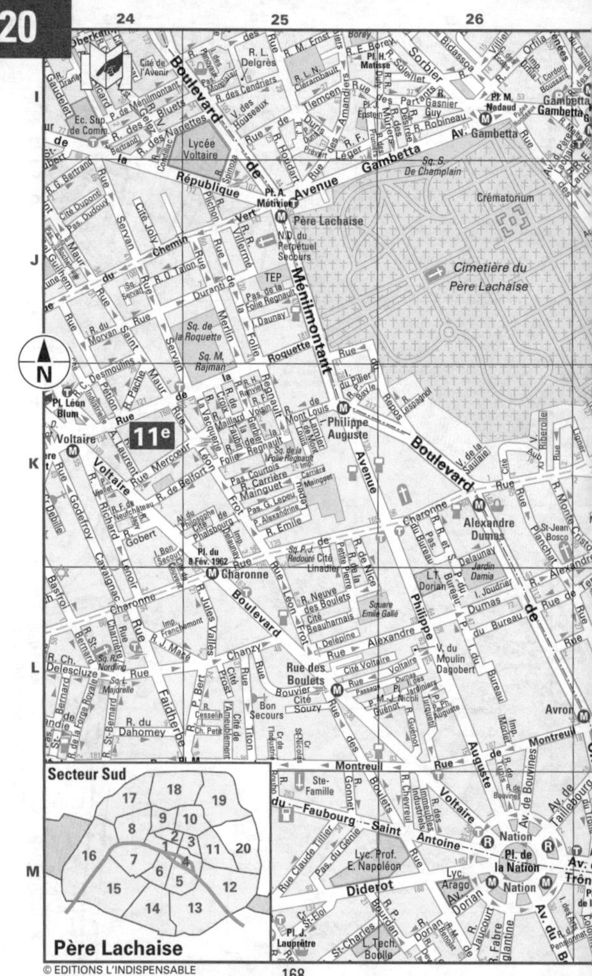
24
25
26
I
J
K
L
M
N
Boulevard de Ménilmontant
Avenue Gambetta
Av. Gambetta
Rue de la République
Lycée Voltaire
Pl. A. Métivier
Père Lachaise
N.D. du Perpétuel Secours
Crématorium
Cimetière du Père Lachaise
Sq. S. De Champlain
Pl. M. Nadaud
Gambetta
R. L. Delgrès
R. des Cendriers
Tlemcen
R. Robineau
R. Sorbier
Bidassoa
Orfila
Cité de l'Avenir
Ec. Sup. de Comm.
R. des Bluets
R. des Nanettes
Chemin Vert
Rue Servan
Cité Joly
Cité Dupont
Rue Duranti
Rue Merlin
Rue de la Folie Regnault
Rue de la Roquette
Sq. de la Roquette
Sq. M. Rajman
TEP
I. Daunay
R. O. Talon
Sq. Servan
Rue Saint Maur
R. du Morvan
R. C. Desmoulins
R. Pache
Pl. Léon Blum
Voltaire
11e
Rue Mercœur
R. de Belfort
Rue Léon Frot
Pas. Courtois
R. Carrière Mainguet
Pas. G. Lepeu
R. Emile
Mont Louis
Philippe Auguste
Avenue Philippe Auguste
Boulevard de Charonne
Rue des Rondeaux
Rue du Repos
R. Lespagnol
I. du Pilier
R. P. Bayle
Alexandre Dumas
St-Jean Bosco
Rue Planchat
R. Monte Cristo
Rue de Charonne
Pas. du Bureau
Jardin Damia
L.T. Dorian
I. Joudrier
Rue des Pyrénées
Bd Voltaire
Av. Voltaire
R. Godefroy Cavaignac
R. Richard Lenoir
R. Gobert
Pl. du 8 Fév. 1962
Charonne
Sq. P.J. Redouté
Cité Lhadier
R. de Nice
R. Neuve des Boulets
Cité Beauharnais
Square Emile Gallé
Rue Alexandre Dumas
Rue du Bureau
R. Jules Vallès
Imp. Franchemont
R. J. Macé
Chanzy
R. Ch. Delescluze
Sq. R. Nordling
Sq. L. Majorelle
Rue Faidherbe
R. du Dahomey
R. St-Bernard
R. de la Forge Royale
R. P. Bert
R. Cesselin
Ch. Petit
Cité Prost
Cité de l'Ameublement
Bon Secours
Titon
Rue des Boulets
Rue Bouvier
Cité Souzy
Cité Voltaire
V. du Moulin Dagobert
Pl. M. J. Nicoli
R. Guénot
Avron
Rue de Montreuil
Montreuil
Ste-Famille
Rue du Faubourg Saint Antoine
Lyc. Prof. E. Napoléon
Rue Claude Tillier
Pas. du Génie
Diderot
R. P. Bourdan
Lyc. Arago
Av. Dorian
Nation
Pl. de la Nation
Av. de Bouvines
Av. de Taillebourg
Av. du Trône
Pl. J. Lauprêtre
St-Charles
L. Tech. Boulle
Cr. St-Eloi
R. Jaucourt
R. Fabre d'Églantine
Secteur Sud
18
17
19
9
10
8
2
3
1
11
20
16
7
4
6
5
15
12
14
13
Père Lachaise

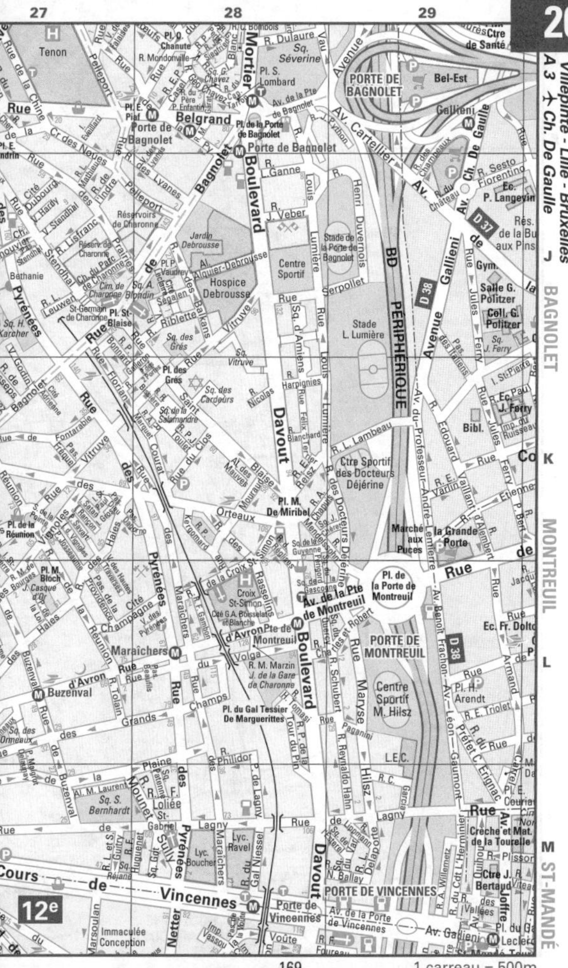

1 carreau = 500m

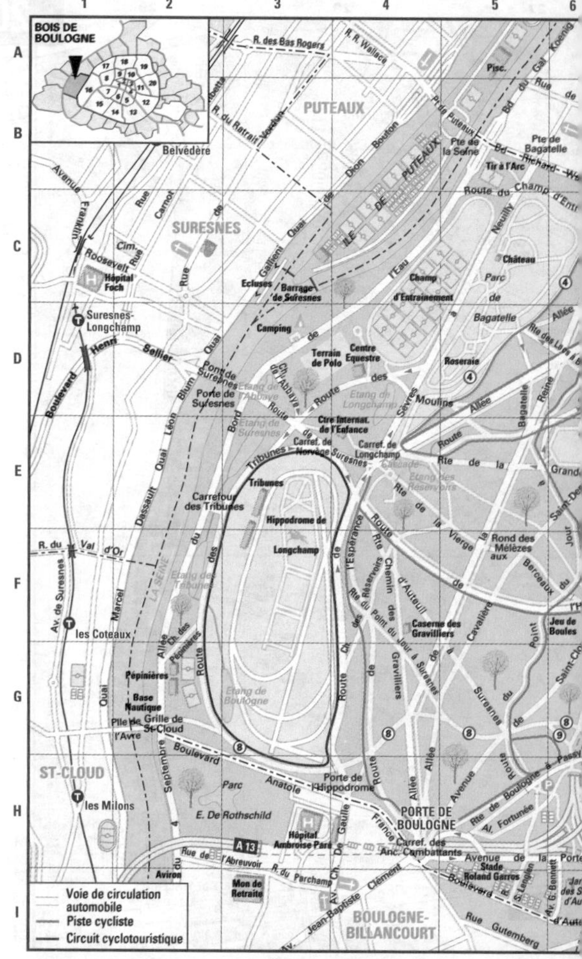

BOIS DE BOULOGNE
PUTEAUX
SURESNES
ST-CLOUD
BOULOGNE-BILLANCOURT
R. des Bas Rogers
R. Wallace
R. du Ratrait
Verdun
Quai de Dion Bouton
ILE DE PUTEAUX
Pisc.
Bd du Gal Koenig
Rue de
Pt de Puteaux
Pte de la Seine
Pte de Bagatelle
Bd Richard-Wallace
Tir à l'Arc
Route du Champ d'Entraînement
Belvédère
Avenue Franklin Roosevelt
Rue Carnot
Rue de
Cim.
Hôpital Foch
Suresnes-Longchamp
Quai Gallieni
Ecluses
Barrage de Suresnes
Camping
Château
Parc de Bagatelle
Champ d'Entraînement
Neuilly
Allée
Rte des Lacs à B
Boulevard Henri Sellier
Quai
Pont de Suresnes
Porte de Suresnes
Etang de l'Abbaye
Ch. de l'Abbaye
Terrain de Polo
Centre Equestre
Route des Moulins
Etang de Longchamp
Roseraie
Bagatelle
Reine
Route de Sèvres
Quai Léon Blum
Bord
Route
Etang de Suresnes
Ctre Internat. de l'Enfance
Carref. de Norvège
Carref. de Longchamp
Route de Suresnes
Cascade
Etang des Réservoirs
Rte de la Grande
Tribunes
Route des Tribunes
Carrefour des Tribunes
Hippodrome de Longchamp
Quai Dassault
Rte de la Vierge
Rond des Mélèzes
Berceaux
Saint-Denis
Jour
R. du Val d'Or
LA SEINE
Etang des Tribunes
Route du
Route de l'Espérance
Rte des Réservoirs
Chemin des Gravilliers
Chemin d'Auteuil
Rte du Point du Jour à Suresnes
Caserne des Gravilliers
Cavaliers
Point
Jeu de Boules
Saint-Cloud
Av. de Suresnes
les Coteaux
Quai Marcel
Allée
Ch. des Pépinières
Pépinières
Base Nautique
Etang de Boulogne
Route de
Suresnes
Pile de l'Avre
Grille de St-Cloud
Boulevard Anatole France
Porte de l'Hippodrome
Septembre
Parc E. De Rothschild
les Milons
Hôpital Ambroise Paré
A 13
Av. Ch. De Gaulle
PORTE DE BOULOGNE
Carref. des Anc. Combattants
Rte de Boulogne à Passy
Al. Fortunée
Avenue de la Porte
Stade Roland Garros
R. S. Lenglen
Av. G. Bennett
Boulevard
Rue de l'Abreuvoir
R. du Parchamp
Aviron
Mon de Retraite
Jean-Baptiste Clément
Rue Gutemberg
Voie de circulation automobile
Piste cyclable
Circuit cyclotouristique

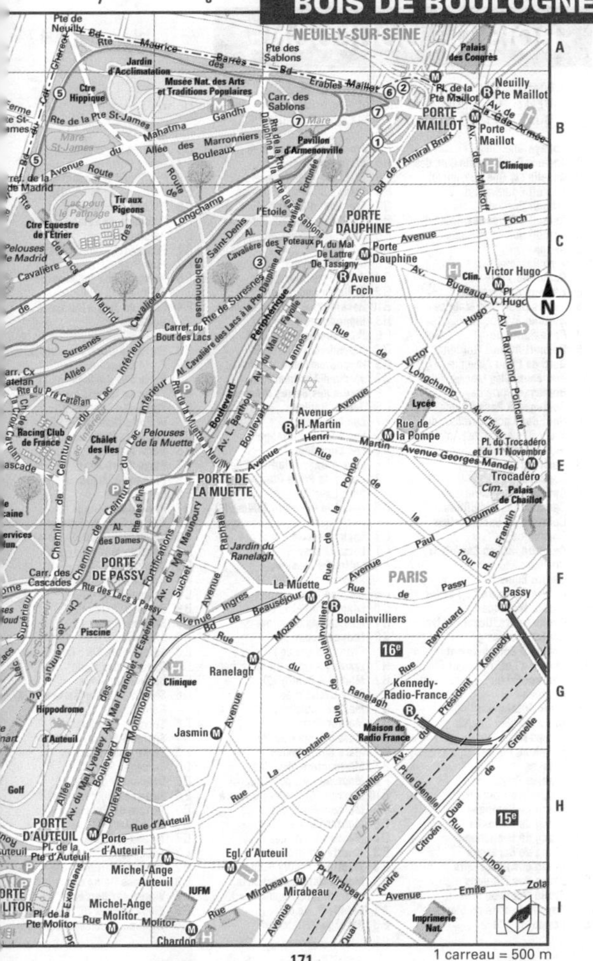

1 carreau = 500 m

BOIS DE BOULOGNE

plan page 171

Métro : Pont de Neuilly - Porte d'Auteuil
RER : C - Neuilly-Pte Maillot - Avenue Foch - Avenue Henri Martin
Bus : 43-123-144-157-176-241-244-344-460

D3 **Abbaye** Chemin de l'
H4 **Anciens Combattants** Carr. des
B10 **Anselin (1)** Rue du Général
I 6 **Auteuil** Boulevard d'
H6 **Auteuil** Porte d'
F4 **Auteuil à Suresnes** Route d'
H6 **Auteuil aux Lacs** Route d'
I 2 **Aviron**
G2 **Avre** Passerelle de l'
B5 **Bagatelle** Porte de
C3 **Barrage de Suresnes**
A8 **Barrès** Boulevard Maurice
E8 **Barthou** Avenue Louis
G2 **Base Nautique**
I 6 **Bennett** Avenue Gordon
E3 **Bord de l'Eau** Allée du
B8 **Bouleaux** Allée Cavalière des
H4 **Boulogne** Porte de
H5 **Boulogne à Passy** Route de
D8 **Bout des Lacs** Carrefour du
B10 **Bruix** Boulevard de l'Amiral
G6 **Butte Mortemart**
D3 **Camping**
E4 **Cascade**
F6 **Cascades** Carrefour des
F4 **Caserne des Gravilliers**
D7 **Ceinture du Lac Inférieur** Chemin de
G7 **Ceinture du Lac Supérieur** Chemin de
D4 **Centre Equestre**
C7 **Centre Equestre de l'Etrier**
B7 **Centre Hippique**
E4 **Centre International l'Enfance**
E7 **Châlet des Iles**
C4 **Champ d'Entrainement**
B5 **Champ d'Entrainement** Rte du
A7 **Charcot** Bd du Commandant
C5 **Château**
D6 **Croix Catelan** Carrefour
D6 **Croix Catelan** Chemin de la
F7 **Dames** Allée des
C9 **Dauphine** Porte
C3 **Ecluses**
B9 **Erables** Route des
F4 **Espérance** Route de l'
G3 **Etang de Boulogne**
D3 **Etang de l'Abbaye**
D4 **Etang de Longchamp**
E3 **Etang de Suresnes**
E4 **Etang des Réservoirs**
F2 **Etang des Tribunes**
C8 **Etoile** Route de l'
D9 **Fayolle** Avenue du Maréchal
B6 **Ferme** Rue de la
F7 **Fortifications** Allée des
H5 **Fortunée** Allée
C9 **Fortunée** Allée Cavalière
H4 **France** Boulevard Anatole
G7 **Franchet d'Espérey** Av. Mal
B8 **Gandhi** Avenue du Mahatma
E6 **Garde Républicaine**
H6 **Golf**
E6 **Grande Cascade** Route de la
G4 **Gravilliers** Chemin des
G2 **Grille de Saint-Cloud**
B10 **Hackin (2)** R. Joseph et Marie
H3 **Hippodrome** Porte de l'
F6 **Hippodrome** Route de l'
G7 **Hippodrome d'Auteuil**
F3 **Hippodrome de Longchamp**
B7 **Jardin d'Acclimatation**
I 6 **Jardin des Serres d'Auteuil**
F6 **Jeu de Boules**
E7 **Lac Inférieur**
C7 **Lac pour le Patinage**
G6 **Lac Supérieur**
D6 **Lacs à Bagatelle** Route des
D8 **Lacs à la Porte Dauphine** Allée Cavalière des
C8 **Lacs à la Porte des Sablons (3)** Route des
C7 **Lacs à Madrid** Route des
F7 **Lacs à Passy** Route des
C9 **Lattre De Tassigny** Place du Maréchal De
I 5 **Lenglen** Rue Suzanne
C8 **Longchamp** Allée de
E4 **Longchamp** Carrefour de
C6 **Longue Queue (4)** Piste Cyclable de la
H7 **Lyautey** Avenue du Maréchal
B7 **Madrid à Neuilly (5)** Piste Cyclable de
B9 **Maillot** Boulevard
B10 **Maillot** Porte
B9 **Mare d'Armenonville**
B7 **Mare Saint-James**
B8 **Marronniers** Allée des
F8 **Maunoury** Av. du Maréchal
B10 **Maurois (6)** Boulevard André
F5 **Mélèzes** Rond des
I 6 **Molitor** Porte
D4 **Moulins** Route des
E8 **Muette** Porte de la
E8 **Muette à Neuilly** Route de la
B8 **Musée National des Arts et Traditions Populaires**
A7 **Neuilly** Porte de
E3 **Norvège** Carrefour de
D5 **Parc de Bagatelle**
F7 **Passy** Porte de
B9 **Pavillon d'Armenonville**
E8 **Pelouses de la Muette**
C6 **Pelouses de Madrid**
F6 **Pelouses de Saint-Cloud**
G2 **Pépinières**
G2 **Pépinières** Chemin des
E7 **Pins** Route des
F5 **Point du Jour à Bagatelle** Route du
F4 **Point du Jour à Suresnes** Route du
H6 **Porte d'Auteuil** Avenue de la
H6 **Porte d'Auteuil** Place de la
B9 **Porte Dauphine à la Porte des Sablons** Rte de la
C6 **Porte de Madrid** Carref. de la
B9 **Porte des Sablons à la Porte Maillot (7)** Rte de la
B10 **Porte Maillot** Place de la
I 6 **Porte Molitor** Place de la
B7 **Porte Saint-James** Rte de la
C9 **Poteaux** Allée Cavalière des
E6 **Pré Catelan**
D7 **Pré Catelan** Route du
E6 **Racing Club de France**
D5 **Reine Marguerite** Allée de la
F4 **Réservoirs** Chemin des
D5 **Roseraie**
H3 **Rothschild** Parc Edmond De
C8 **Sablonneuse** Route
B9 **Sablons** Carrefour des
A9 **Sablons** Porte des
G6 **Saint-Cloud** Avenue de
E6 **Saint-Denis** Allée Cavalière
B6 **Saint-James** Porte
B5 **Seine** Porte de la
G6 **Seine à la Butte Mortemart (8)** Route de la
F6 **Services Municipaux**
D4 **Sèvres à Neuilly** Route de
I 5 **Stade Roland Garros**
D2 **Suresnes** Pont de
D2 **Suresnes** Porte de
E4 **Suresnes** Route de
D3 **Terrain de Polo**
B5 **Tir à l'Arc**
C7 **Tir aux Pigeons**
E3 **Tribunes**
E2 **Tribunes** Carrefour des
E3 **Tribunes** Route des
F5 **Vierge aux Berceaux** Rte de la
G6 **Vieux Chênes (9)** Chemin des
B6 **Wallace** Boulevard Richard

BOIS DE VINCENNES

plan page 175

Métro : Château de Vincennes - Charenton Écoles - Porte Dorée
RER : A - Vincennes - Fontenay sous Bois - Nogent sur Marne -Joinville le Pont
Bus : 46-48-56-86-103-106B-108-110-111-112-115-118-124-180-281-318-325

F5 **Aimable** Route
D2 **Aquarium**
G9 **Arboretum**
F5 **Asile National** Route de l'
G4 **Bac** Route du
H9 **Barrières** Route des
F9 **Base-Ball**
E5 **Batteries** Route des
F11 **Beauté** Carrefour de
C4 **Bel-Air** Avenue de
F7 **Belle Etoile** Rond-Point de la
F7 **Belle Etoile** Route de la
E11 **Belle Gabrielle** Avenue de la
E10 **Bosquet Mortemart** Route du
D10 **Bosquets** Route des
E8 **Bourbon** Route de
F4 **Brasserie** Route de la
D5 **Brulée** Route
F7 **Butte aux Canons** la
F6 **Buttes** Allée des
D9 **Camp de Saint-Maur (1)** Rte du
H10 **Canadiens** Avenue des
I9 **Canadiens** Carrefour des
C6 **Carnot** Square
E10 **Cascade** Route de la
D6 **Caserne Carnot**
D6 **Cavalerie** Route de la
E5 **Cavalière** Allée
F3 **Ceinture du Lac Daumesnil** Route de
D8 **Centre Culturel de la Cartoucherie**
D8 **Centre Equestre**
E8 **Champ de Manoeuvres** Rte du
F1 **Charenton** Porte de
C6 **Château de Vincennes**
D10 **Chênes (2)** Route des
G3 **Cimetière** Chemin du
G3 **Cimetière de Charenton**
E10 **Circulaire** Route
E6 **Club Hippique (UCPA)**
F4 **Conservation** Carrefour de la
E2 **Croix Rouge** Route de la
B8 **Dame Blanche (3)** Route de la
B10 **Dame Blanche** Avenue de la
D9 **Dames** Route des
D5 **Daumesnil** Avenue
E7 **Dauphine** Rond-Point
F7 **Dauphine** Route
D4 **Demi-Lune** Carrefour de la
G7 **Demi-Lune** Route de la
E5 **Dépôt Forestier**
F3 **Dom Pérignon** Route
B8 **Donjon** Route du
E2 **Dorée** Porte
G10 **Ecole d'Horticulture du Breuil**
D5 **Ecole de Chiens-Guide d'Aveugles**
H10 **Ecole de Joinville** Av. de l'
H9 **Ecole de Police**
D5 **Epine** Route de l'
C6 **Esplanade** Route de l'
D4 **Etang** Chausée de l'
E7 **Faluère** Route de la
F10 **Ferme** Route de la
G9 **Ferme de la Faisanderie** Carrefour de la
G8 **Ferme Georges Ville**
B9 **Foch** Avenue
C10 **Fontenay** Avenue de
H9 **Fort de Gravelle (4)** Route du
C7 **Fort Neuf**
H9 **Gerbe (5)** Route de la
C10 **Grand Maréchal** Route du
D9 **Grand Prieur** Route du
E4 **Grand Rocher**
G5 **Gravelle** Avenue de
H9 **Gravelle** Avenue de
D8 **Hall de la Pinède**
G8 **Hippodrome de Vincennes**
B7 **Idalie** Rue d'
E3 **Ile de Bercy**
D10 **Ile de la Porte Jaune**
E3 **Ile de Reuilly**
F3 **Iles** Route des
F3 **Institut Boudhique**
E11 **Institut de Recherche en Agronomie Tropicale CIRAD**
E9 **Institut National des Sports (INSEP)**
C10 **Jaune** Porte
E3 **Lac Daumesnil**
H8 **Lac de Gravelle**
C4 **Lac de Saint-Mandé**
C5 **Lac de Saint-Mandé** Route du
D10 **Lac des Minimes**
E5 **Lapins** Allée des
C5 **Lemoine** Route
C7 **Maréchaux** Cours des
D11 **Ménagerie** Route de la
E10 **Merisiers** Route des
C7 **Minimes** Avenue des
F10 **Mortemart** Plaine des Jeux
F9 **Mortemart** Rond-Point
F10 **Mortemart** Route
H6 **Moulin Rouge (6)** Route du
D11 **Nogent** Avenue de
H7 **Nouvelle** Route
D11 **Odette** Route
G4 **Parc** Route du
D8 **Parc Floral**
E4 **Parc Zoologique**
G7 **Patte d'Oie** Carrefour de la
F2 **Pelouse de Reuilly**
C10 **Pelouses** Route des
B8 **Pelouses Marigny (7)** Rte des
B9 **Pépinière** Avenue de la
G8 **Pesage** Route du
F4 **Plaine** Route de la
F7 **Plaine de la Belle Etoile**
E7 **Plaine de la Faluère**
F10 **Plaine des Jeux de Mortemart**
F8 **Plaine Saint-Hubert**
H8 **Point de Vue (8)** Route du
D6 **Polygone** Avenue du
F5 **Pompadour** Route de la
C10 **Porte Jaune** Route de la
E10 **Porte Noire (9)** Route de la
E8 **Pyramide** Rond-Point de la
G10 **Pyramide** Route de la
F6 **Quatre Carrefours** Allée des
H9 **Redoute de Gravelle**
E6 **Réserve Ornithologique**
E2 **Reuilly** Porte de
E2 **Reuilly** Route de
E6 **Royale** Allée
E7 **Royale de Beauté** Route
G6 **Ruisseau** Route du
C8 **Sabotiers** Carrefour des
C8 **Sabotiers** Route des
F8 **Saint-Hubert** Route
C6 **Saint-Louis** Esplanade
F5 **Saint-Louis** Route
B3 **Saint-Mandé** Porte de
F4 **Saint-Maurice** Avenue de
F4 **Services Municipaux**
H10 **Stade de Joinville**
H10 **Stade J.-P. Garchery**
E1 **Stade Léo Lagrange**
D7 **Stade Municipale de Vincennes**
E9 **Stade Pershing**
H6 **Terrasse** Route de la
D10 **Tilleuls (10)** Avenue des
C5 **Tourelle** Route de la
E10 **Tremblay** Avenue du
G7 **Tribunes** Avenue des
F3 **Vélodrome Jacques Anquetil**
B3 **Vincennes** Porte de

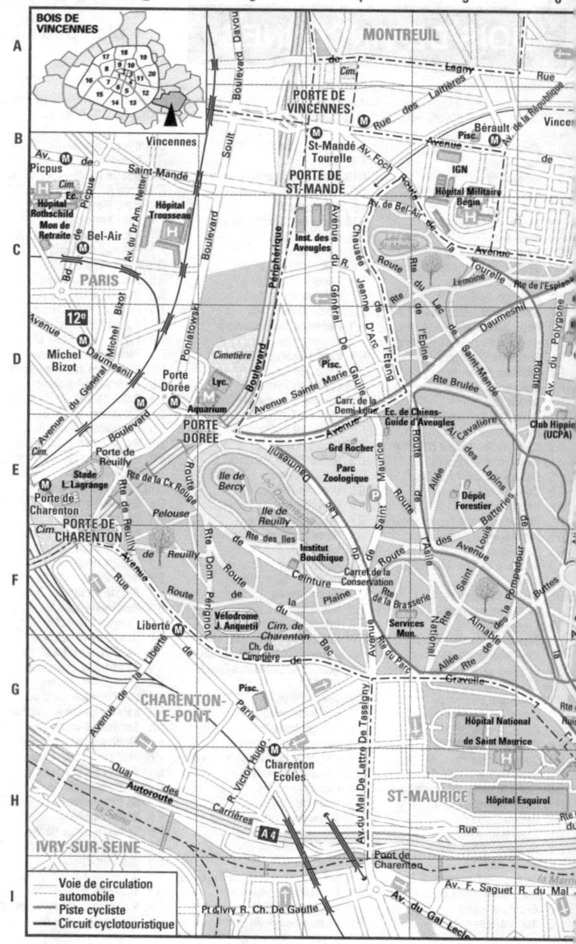
1
2
3
4
5
6
A
B
C
D
E
F
G
H
I
BOIS DE VINCENNES
MONTREUIL
PORTE DE VINCENNES
PORTE DE ST-MANDÉ
PARIS
12e
Michel Bizot
Porte Dorée
PORTE DORÉE
Porte de Reuilly
Porte de Charenton
PORTE DE CHARENTON
Liberté
CHARENTON-LE-PONT
Charenton Ecoles
ST-MAURICE
IVRY-SUR-SEINE
Pont de Charenton
Hôpital Rothschild
Hôpital Trousseau
Inst. des Aveugles
Hôpital Militaire Bégin
IGN
Cimetière
Aquarium
Lyc.
Parc Zoologique
Grd Rocher
Ile de Bercy
Ile de Reuilly
Lac Daumesnil
Pelouse
Institut Boudhique
Vélodrome J. Anquetil
Cim. de Charenton
Services Mun.
Dépôt Forestier
Club Hippique (UCPA)
Ec. de Chiens-Guide d'Aveugles
Hôpital National de Saint Maurice
Hôpital Esquirol
Stade L. Lagrange
Mon de Retraite
Bel-Air
Vincennes
St-Mandé Tourelle
Bérault
Boulevard Périphérique
Avenue Daumesnil
Boulevard Poniatowski
Boulevard Soult
Boulevard Davout
Quai des Carrières
Autoroute
A 4
la Seine
la Marne
Av. du Mal De Lattre De Tassigny
Av. F. Saguet
Av. du Gal Leclerc
Pt d'Ivry R. Ch. De Gaulle
Voie de circulation automobile
Piste cycliste
Circuit cyclotouristique

BOIS DE VINCENNES

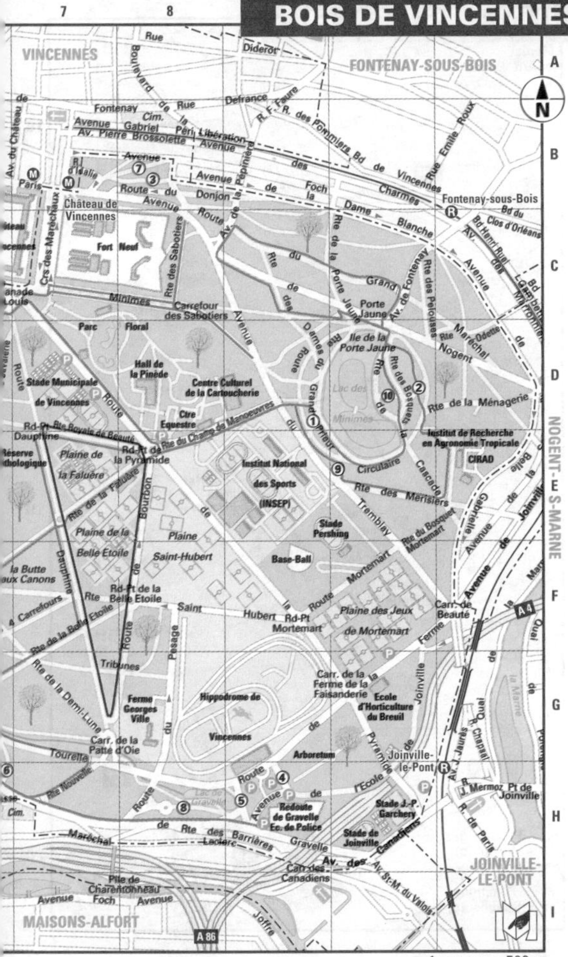

1 carreau = 500 m

FORUM DES HALLES

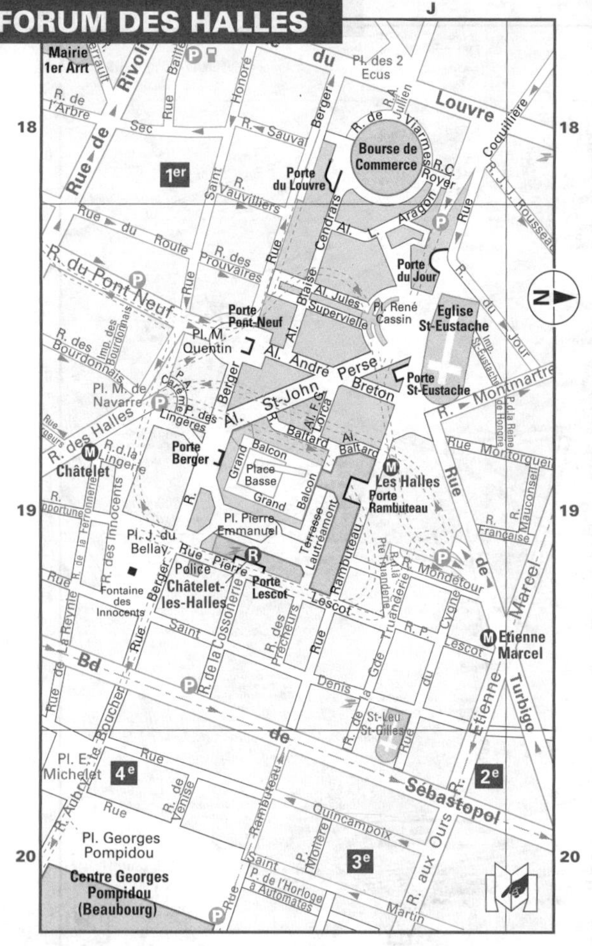

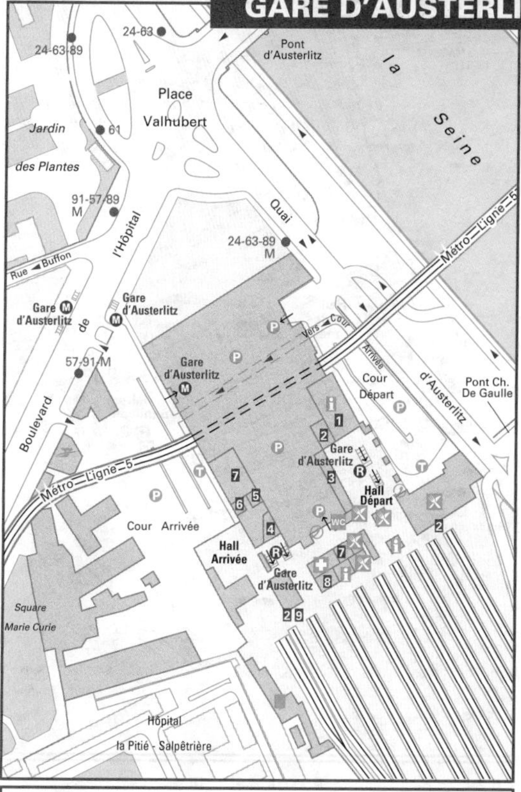

1 Billets - Réservations
2 Accueil Groupe
3 Billets
4 Service Clientèle
5 Office de Tourisme
6 Location Voitures
7 Consignes
8 Salle d'attente
9 Point de Rencontre

Voies réservées aux Bus et aux Taxis

SNCF renseignements Tel: 36 35
(0,34 euro/min.)

GARE DE L'EST

Rue des Deux Gares
← Vers MAGENTA (RER E)
Rue d'Alsace
Alsace
Hall Grandes Lignes
Gare de l'Est
Hall Banlieue
Place du 11 Novembre 1918
Rue du 8 Mai 1945
Rue du Faubourg St-Martin
Boulevard de Strasbourg
Rue St - Laurent
Rue Sibour
Rue des Récollets
Square Villemin
38-46 56-65
30
46-56
350
32
39
31
47
38-54-E
47-E
65
38-39-47-56-65
46-E

1 Billets Grandes Lignes	6 Billets Groupes	11 Service Clientèle - Urgences
2 Réservations	7 Point Rencontre	12 Office du Tourisme - Location Voitures
3 Consignes	8 Salle d'Attente	13 Change
4 Objets trouvés	9 Accès Parking	Zones Réservées au Trafic Banlieue
5 Billets Banlieue	10 Accès Parking	Voies réservées aux Bus et aux Taxis

SNCF renseignements Tel: 36 35

(0,34 euro/min.)

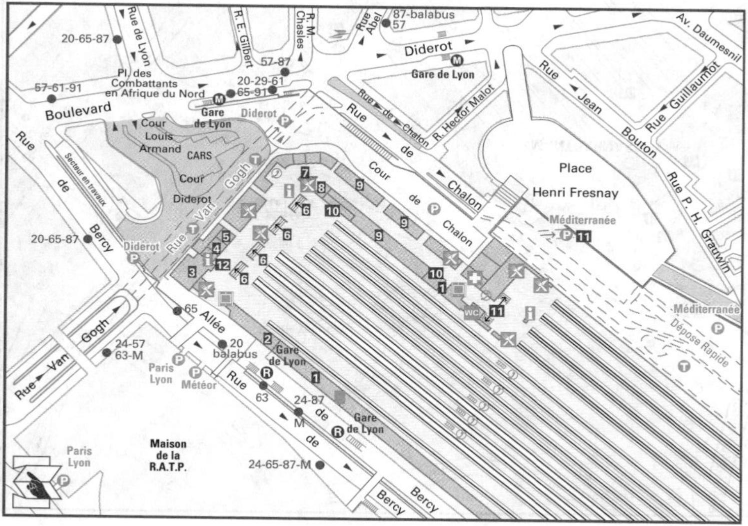

1 Consignes
2 Objets trouvés
3 Hôtel Frantour
4 S.O.S. Solidarité
5 Office du Tourisme
6 Accès Salle Diderot M R P
7 Change
8 Billets Banlieue
9 Billets Grandes Lignes
10 Salle d'Attente
11 Accès Salle Méditerranée M R P
12 Point de Rencontre

R. V. Gogh Voie Souterraine
Paris-Lyon Nom de Parking
Voies réservées aux Bus et aux Taxis

N

SNCF renseignements
Tel: 36 35
(0,34 euro/min.)

Boulevard
Rue de Lyon
R. E. Gilbert
R. M. Chasles
Rue Abel
87-balabus 57
Diderot
Gare de Lyon
Av. Daumesnil
Rue Guillaumot
Rue Jean Bouton
Rue P. H. Grauwin
Place Henri Fresnay
R. Hector Malot
Rue de Chalon
Cour de Chalon
Rue de Chalon
Méditerranée
Dépose Rapide
20-65-87
57-61-91
Pl. des Combattants en Afrique du Nord
57-87
20-29-61
65-91
Gare de Lyon
Diderot
Cour Louis Armand
CARS
Cour Diderot
Rue Van Gogh
Secteur en travaux
Rue de Bercy
20-65-87
Diderot
65
Allée
20 balabus
Gare de Lyon
Rue Van Gogh
24-57
63-M
Paris Lyon
Météor
Rue de Bercy
63
24-87
M
Gare de Lyon
Maison de la R.A.T.P.
24-65-87-M
Bercy
Paris Lyon
WC

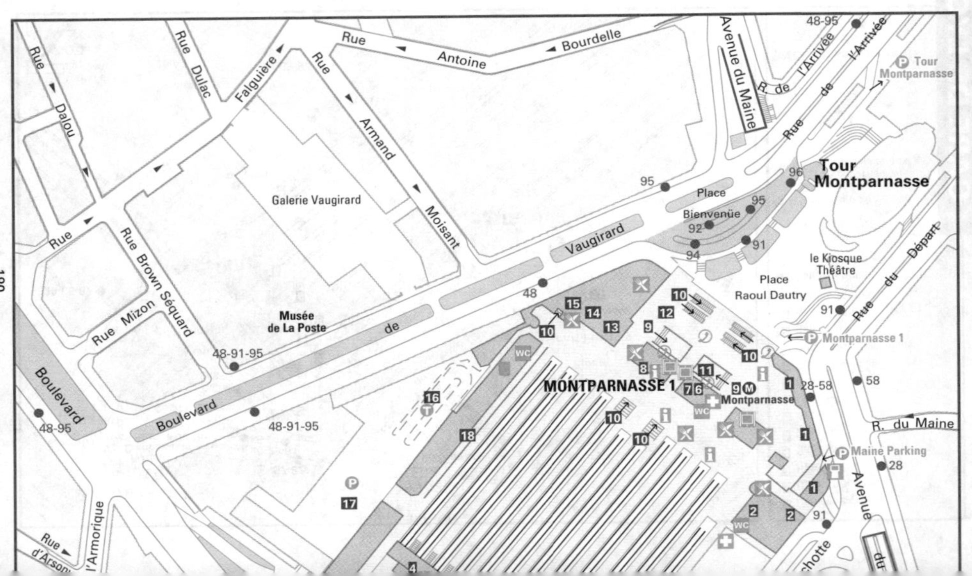

Rue Bourdelle
Rue Antoine
Avenue du Maine
R. de l'Arrivée
Rue de l'Arrivée
Tour Montparnasse
Tour Montparnasse
Rue Dalou
Rue Dulac
Rue Falguière
Rue Armand Moisant
Galerie Vaugirard
Place Bienvenüe
Vaugirard
le Kiosque Théâtre
Place Raoul Dautry
Rue du Départ
Montparnasse 1
Rue Brown Séquard
Rue Mizon
Musée de La Poste
Boulevard de Vaugirard
MONTPARNASSE 1
Montparnasse
R. du Maine
Maine Parking
Avenue
Boulevard
l'Armorique
48-95
95
96
92
94
91
48
58
28-58
28
48-91-95

1 Billets
2 Salle d'Attente
3 Accès aux Quais
4 Consignes
5 Location Voitures
6 Change
7 Accueil Départ
8 Réservation Hôtel
9 Vers Niveau Consigne Ⓜ
10 Vers Niveau Rue Ⓜ
Voies réservées aux Bus et aux Taxis

11 Service Clientèle
12 Point Rencontre
13 Accueil Arrivée
14 Location Voitures
15 S.O.S. Voyageurs
16 Station Taxi (Niveau Rue)
17 Groupes (Niveau Rue)
18 Tapis Roulant
19 Accès à Montparnasse 3
Montparnasse 1 Parking

SNCF renseignements Tel: 36 35

(0,34 euro/min.)

MONTPARNASSE 2 PASTEUR

MONTPARNASSE 3 VAUGIRARD AUTO-TRAIN

Place de Catalogne

Place de Séoul

Place des 5 Martyrs du Lycée Buffon

Parvis Daniel Templier

Square du Cardinal Wyszynski

Place de l'Abbé Jean Lebœuf

Rue du Commandant René Maine

Rue Vercingétorix

Rue Alain

R. du Château

Rue du Cotentin

Rue de Vaugirard

Catalogne P

Montparnasse 2 P

Montparnasse 3 P

Gaîté Ⓜ

GARE DU NORD

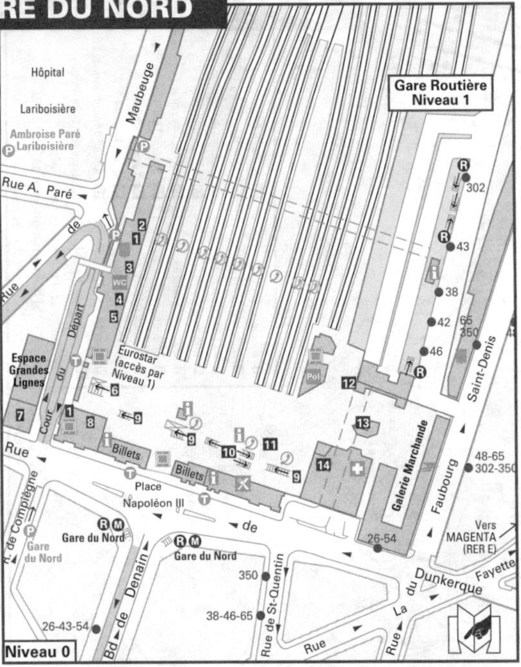

Hôpital
Lariboisière
Ambroise Paré
Lariboisière
Maubeuge
Gare Routière
Niveau 1
Rue A. Paré
de
Rue
Départ
du
Cour
Espace
Grandes
Lignes
Eurostar
(accès par
Niveau 1)
WC
Pol
302
43
38
42
65
350
46
Saint-Denis
Galerie Marchande
Faubourg
48-65
302-350
Billets
Billets
Rue
Place
Napoléon III
de
R. de Compiègne
Gare
du Nord
Gare du Nord
Gare du Nord
Vers
MAGENTA
(RER E)
26-54
Fayette
du
Dunkerque
La
Rue
350
38-46-65
Rue de St-Quentin
26-43-54
Bd de Denain
Rue
Niveau 0

Départ
du
Cour
WC
Billets
Niveau 1 (Eurostar)

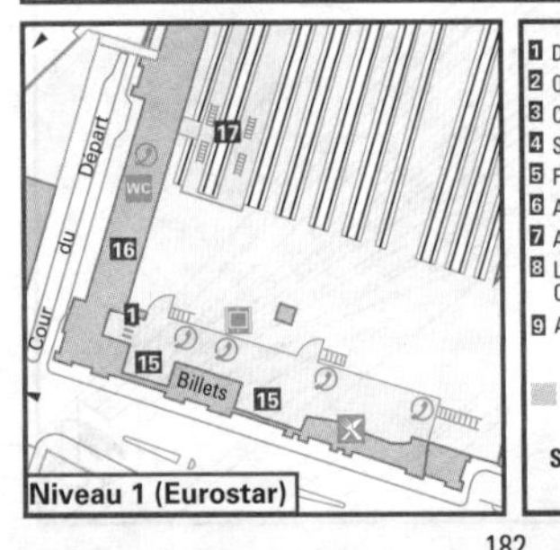

1 Douane
2 Objets Trouvés
3 Consignes
4 Service Clientèle
5 Familles Nombreuses
6 Accès Parking (-1 à -6)
7 Accueil Groupes
8 Location Véhicules Change
9 Accès Niveau 1
10 Accès Niveau -1
11 Point Rencontre
12 Point Accueil
13 Office de Tourisme
14 Orientation
15 Salle d'Attente
16 Salle Londres
17 Passerelle

Zones réservées Voyageurs Eurostar
Voies Réservées aux Bus et aux Taxis
Gare Routière

SNCF renseignements Tel: 36 35
(0,34 euro/min.)

N

GARE ST-LAZARE

R. de Londres
Accès Parking
I. d'Amsterdam
Cour d'Amsterdam
81-95
Place de Budapest
26-43
Rue d'Amsterdam
Rue de Rome
53-66 B
53-66
80-95
80
Rue Intérieure
St-Lazare
Cour de Rome
Hôtel Concorde St-Lazare
Cour du Havre
St-Lazare
Rue du Rocher
28
Place Gabriel Péri
Rue Saint Lazare
29 32
43
22 94 B
Place du Havre
20
Haussmann-St-Lazare
R. de la Pépinière
24
26
21
Rue Pasquier
Rue de l'Isly
81-95
26-43
Rue du Havre
R. de l'Arcade
Rue de Rome
27
29
WC

1 Objets trouvés
2 Billets
3 Change
4 Service Clientèle
5 Galerie Marchande
6 Agence de Voyage
7 Accueil Groupes
8 Service International
9 Accès Parking
10 Accueil

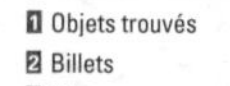
Voies Réservées aux Bus et aux Taxis

SNCF renseignements Tel: 36 35
(0,34 euro/min.)

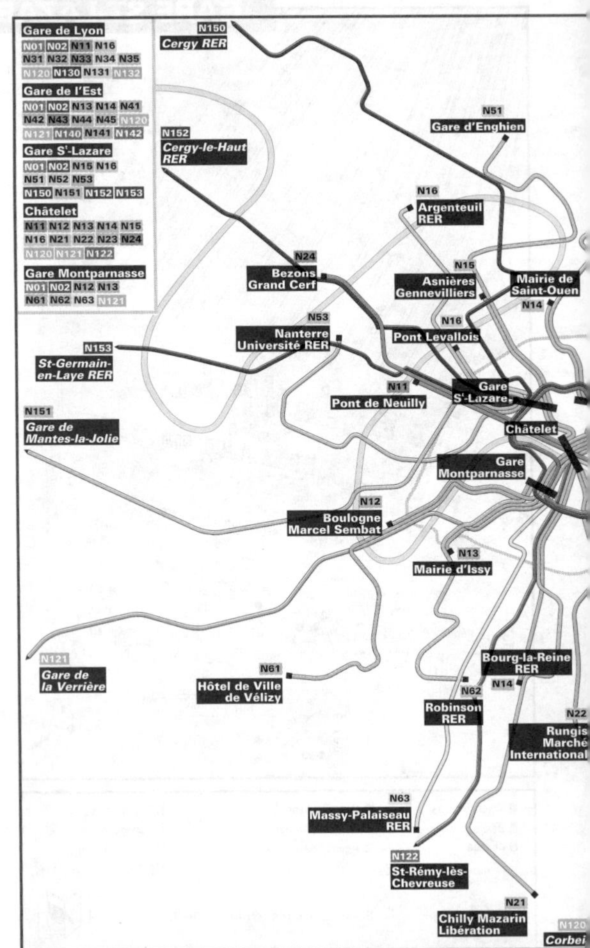

Gare de Lyon
N01 N02 N11 N16
N31 N32 N33 N34 N35
N120 N130 N131 N132
Gare de l'Est
N01 N02 N13 N14 N41
N42 N43 N44 N45 N120
N121 N140 N141 N142
Gare St-Lazare
N01 N02 N15 N16
N51 N52 N53
N150 N151 N152 N153
Châtelet
N11 N12 N13 N14 N15
N16 N21 N22 N23 N24
N120 N121 N122
Gare Montparnasse
N01 N02 N12 N13
N61 N62 N63 N121
N150
Cergy RER
N51
Gare d'Enghien
N152
Cergy-le-Haut RER
N16
Argenteuil RER
N24
Bezons Grand Cerf
N15
Asnières Gennevilliers
Mairie de Saint-Ouen
N14
N53
Nanterre Université RER
N16
Pont Levallois
N153
St-Germain-en-Laye RER
N11
Pont de Neuilly
Gare St-Lazare
Châtelet
N151
Gare de Mantes-la-Jolie
Gare Montparnasse
N12
Boulogne Marcel Sembat
N13
Mairie d'Issy
N121
Gare de la Verrière
N61
Hôtel de Ville de Vélizy
Bourg-la-Reine RER
N14
N62
Robinson RER
N22
Rungis Marché International
N63
Massy-Palaiseau RER
N122
St-Rémy-lès-Chevreuse
N21
Chilly Mazarin Libération
N120

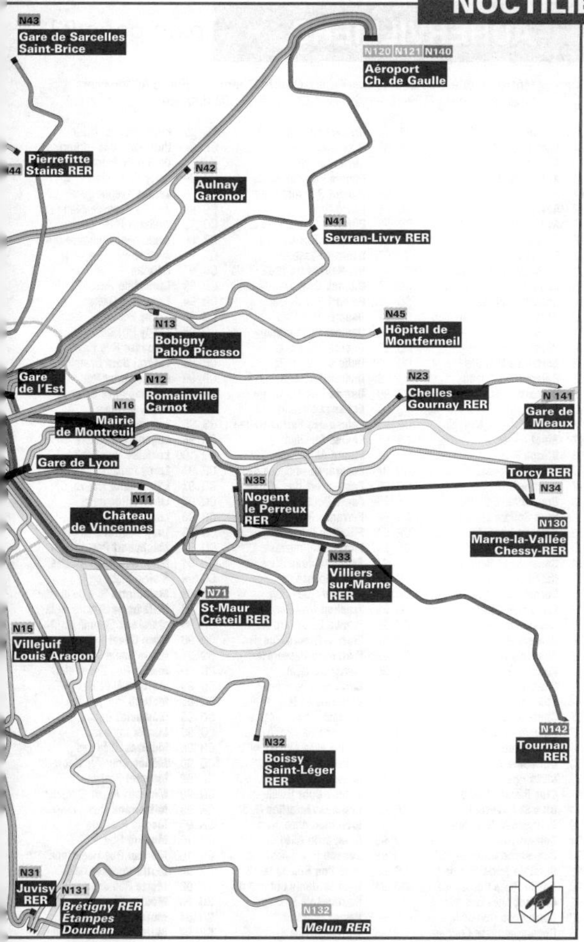

N43
Gare de Sarcelles Saint-Brice

N120 N121 N140
Aéroport Ch. de Gaulle

Pierrefitte Stains RER
44

N42
Aulnay Garonor

N41
Sevran-Livry RER

N13
Bobigny Pablo Picasso

N45
Hôpital de Montfermeil

Gare de l'Est

N12
Romainville Carnot

N23
Chelles Gournay RER

N 141
Gare de Meaux

N16
Mairie de Montreuil

Gare de Lyon

Torcy RER

N35
Nogent le Perreux RER

N34

N11
Château de Vincennes

N130
Marne-la-Vallée Chessy-RER

N33
Villiers sur-Marne RER

N71
St-Maur Créteil RER

N15
Villejuif Louis Aragon

N142
Tournan RER

N32
Boissy Saint-Léger RER

N31
Juvisy RER

N131
Brétigny RER
Étampes
Dourdan

N132
Melun RER

AUBERVILLIERS plan page 231

Métro : Ligne 7 - Aubervilliers-Pantin-Quatre Chemins - Fort d'Aubervilliers
Bus : NE-NF-65-139-150-152-170-173-249-250-302-330-552

Carré	Rue
CQ 98	**Abeille** Rue de l'
CQ 94	**Agnès** Quai Adrien
CQ 94	**Albinet** Rue
CQ 98	**Aubry** Rue Jules
CQ 94	**Augier** Rue Emile
CT 97	**Auvry** Rue
CQ 95	**Avenir** Passage de l'
CQ 98	**Avettes** Allée des
CQ 99	**Balzac** Rue
CR 98	**Barbusse** Rue Henri
CP 99	**Baudelaire** Rue Charles
CP 96	**Beaufils** Impasse
CQ 99	**Becker** Passage Jacques
CQ 94	**Bengali** Rue
CQ 99	**Béranger** Rue
CP 95	**Bergeries** Rue des
CQ 95	**Bernard** Rue Claude
CR 96	**Bernard et Mazoyer** Rue
CR 97	**Bert** Rue Paul
CR 98	**Berthelot** Rue Marcellin
CS 97	**Binot** Impasse
CP 95	**Bisson** Rue
CT 97	**Bordier** Impasse
CT 97	**Bordier** Rue
CQ 98	**Braque** Allée Georges
CQ 97	**Brun** Square Lucien
CQ 99	**Buisson** Impasse du
CQ 99	**Buisson** Rue du
CQ 94	**Canal de St-Denis** Q. du
CP 95	**Carné** Rue Marcel
CS 97	**Carnot** Rue Sadi
CR 97	**Carré** Rue Gaston
CQ 99	**Casanova** Rue Danielle
CR 96	**Chalets** Passage des
CS 97	**Chantilly** Allée de
CQ 97	**Chapon** Rue
CQ 97	**Charron** Rue
CR 97	**Château** Allée du
CP 95	**Chemin Vert** Impasse du
CP 95	**Chemin Vert** Rue du
CS 96	**Chouveroux** Rue
CQ 98	**Cimetière** Avenue du
CS 97	**Cités** Rue des
CR 97	**Clos Bénard** Rue du
CQ 94	**Clos St-Quentin** Rue du
CQ 99	**Cochennec** Rue Hélène
CP 98	**Colbert** Rue
CP 96	**Commerce** Impasse du
CR 96	**Com. de Paris** Rue de la
CQ 98	**Cottin** Place Constance
CQ 98	**Courbet** Allée Gustave
CP 97	**Courneuve** Rue de la
CQ 95	**Cousin** Impasse Charles
CP 96	**Crèvecœur** Impasse de
CP 96	**Crèvecœur** Rue de
CQ 94	**Curie** Rue Pierre
CQ 99	**Daquin** Passage Louis
CP 94	**Daudet** Rue Alphonse
CQ 96	**David** Rue
CP 96	**Défense** Impasse de la
CR 97	**Delalain** Rue Guyard
CT 97	**Démars** Passage
CT 97	**Dix-Neuf Mars 1962** Pl. du
CQ 95	**Djibaou** Quai Jean-Marie
CQ 97	**Domart** Rue Achille
CQ 97	**Doumer** Rue Paul
CQ 97	**Doumer** Square Paul
CQ 99	**Dubois** Cité Emile
CQ 99	**Dubois** Rue Emile
CQ 95	**Dudouy** Passage
CP 99	**Dumas** Rue Alexandre
CQ 95	**Echange** Chemin de l'
CP 95	**Ecluse des Vertus** R. de l'
CS 97	**Ecoles** Rue des
CP 99	**Eluard** Allée Paul
CS 97	**Espérance** Impasse de l'
CQ 95	**Fabien** Rue du Colonel
CR 95	**Faure** Boulevard Félix
CQ 96	**Ferragus** Rue
CR 94	**Fillettes** Rue des
CP 96	**Florentine** Impasse
CS 97	**Fontainebleau** Allée de
CR 98	**Fort** Impasse du
CR 96	**Fourrier** Rue Louis
CQ 95	**Frachon** Mail Benoît
CP 96	**France** Boulevard Anatole
CP 96	**Francs-Tireurs** Rue des
CQ 95	**Fraternité** Passerelle
CT 96	**Gambetta** Quai
CS 95	**Gardinoux** Rue des
CS 95	**Gare** Rue de la
CP 98	**Gargam** Avenue Marcel
CR 96	**Gemier** Rue Firmin
CR 99	**Girard** Allée Albert
CQ 95	**Gosset** Rue Régine
CQ 96	**Goulet** Rue du
CQ 97	**Grande Cour** Ruelle de la
CP 96	**Grandes Murailles** R. des
CQ 99	**Grémillon** Allée Jean
CQ 99	**Grosperrin** Allée Charles
CQ 98	**Guesde** Rue Jules
CS 95	**Haie Coq** Rue de la
CQ 94	**Haut St-Denis** Chemin du
CT 96	**Hautbertois** Passage
CQ 97	**Hemet** Rue
CQ 95	**Heurtault** Rue
CS 95	**Hugo** Avenue Victor
CR 97	**Huit Mai 1945 - Charles De Gaulle** Place du
CP 99	**Jarry** Rue Alfred
CQ 99	**Jaurès** Avenue Jean
CQ 99	**Jaurès** Impasse Jean
CQ 95	**Jouhaux** Rue Léon
CP 99	**Jouis** Allée Alphonse
CQ 94	**Justice** Passage de la
CS 97	**Karman** Rue André
CP 99	**Lamartine** Rue
CQ 94	**Lamy** Rue Gaëtan
CQ 95	**Landy** Pont du
CQ 95	**Landy** Rue du
CS 96	**Larousse** Rue Pierre
CP 95	**Latéral Nord** Chemin
CP 99	**Lautréamont** Rue
CQ 99	**Leblanc** Allée Georges
CS 98	**Lécuyer** Rue
CS 95	**Lefranc** Quai Lucien
CR 96	**Legendre** Impasse
CQ 100	**Lemoine** Rue Désiré
CR 97	**Leroy** Impasse Désiré
CQ 97	**L'Herminier** Rue du Cdt
CQ 99	**Liberté** Rue de la
CR 98	**Lilas** Allée des
CQ 98	**Long Sentier** Rue du
CQ 95	**Machouart** Passage
CT 94	**Mag. Généraux** Av. des
CQ 96	**Mairie** Place de la
CQ 98	**Maladrerie** Rue de la
CQ 98	**Maladrerie** Square de la
CP 95	**Marcreux** Chemin du
CQ 96	**Mare Cadet** Impasse de la
CS 97	**Marin** Impasse
CR 99	**Martin** Rue Lopez et J.
CQ 99	**Matisse** Allée Henri
CQ 95	**Matoub** Rue Lounès
CQ 95	**Maumelat** Impasse
CQ 99	**Mazier** Impasse
CR 98	**Mélèzes** Allée des
CQ 99	**Méliès** Coursive Georges
CP 99	**Meyniel** Passage
CQ 98	**Michaux** Av. du Docteur
CR 95	**Mitterrand** Quai François
CR 95	**Moglia** Passage
CP 100	**Molière** Rue
CQ 100	**Moreau** Rue Hégésippe
CR 98	**Motte** Impasse de la
CR 98	**Motte** Rue de la
CQ 96	**Moutier** Rue du
CQ 94	**Murger** Rue Henri
CP 94	**Murger Prolongée** Rue

AUBERVILLIERS suite (plan page 231)

CR 98 **Myosotis** Allée des
CQ 97 **Nouvelle France** Rue de la
CP 99 **Nouvian** Allée Marcel
CQ 96 **Noyers** Rue des
CO 94 **Palissy** Rue Bernard
CS 96 **Comune de Paris** R. de la
CQ 96 **Pasteur** Rue
CS 97 **Péping** Impasse
CS 96 **Péricat** Impasse
CQ 96 **Pesque** Rue du Docteur
CQ 96 **Pesque** Square du Dr
CR 95 **Pilier** Rue du
CR 96 **Poisson** Rue Edouard
CP 97 **Ponceaux** Avenue des
CQ 98 **Pont Blanc** Impasse du
CP 98 **Pont Blanc** Petit Ch. du
CP 98 **Pont Blanc** Rue du
CQ 95 **Port** Rue du
CP 95 **Port Prolongée** Rue du
CT 97 **Postes** Rue des
CP 97 **Prés Clos** Chemin des
CS 98 **Presles** Rue de
CP 94 **Pressensé** Rue Francis De
CP 97 **Pressin** Impasse du
CT 97 **Prévost** Rue Ernest
CP 100 **Prévoyants** Rue des
CQ 99 **Prual** Allée Pierre
CP 98 **Puits Civot** Impasse du
CT 97 **Quatre Chemins** Rue des
CR 98 **Quentin** Rue
CQ 96 **Quinet** Rue Edgar
CQ 99 **Rabot** Allée Gabriel
CP 95 **Rayer** Rue Nicolas
CR 99 **Rechossière** Rue Léopold
CQ 99 **Reclus** Rue Elisée
CQ 98 **Renoir** Place Jean
CS 97 **République** Av. de la
CT 97 **Reynaud** Rue Emile
CP 99 **Rimbaud** Rue Arthur
CP 98 **Robespierre** Cité
CR 94 **Rochet** Rue Waldeck
CQ 94 **Roger** Sq. du Pasteur H.
CQ 96 **Roosevelt** Av. du Pdt
CQ 96 **Roquedat** Ruelle
CR 98 **Roses** Passage des
CR 98 **Roses** Square des
CQ 97 **Rosso** Impasse
CS 97 **Rozan** Rue du Docteur
CQ 97 **Saint-Christophe** Passage
CP 96 **Saint-Denis** Rue de
CR 94 **Saint-Gobain** Rue de
CP 96 **Schaeffer** Rue
CP 95 **Sivault** Impasse
CT 97 **Solférino** Rue
CQ 98 **Staël** Allée Nicolas De
CS 95 **Stains** Pont de
CR 96 **Stalingrad** Square
CQ 100 **Thierry** Rue Ernest
CR 98 **Tilleuls** Avenue des
CR 95 **Tournant** Rue du
CS 98 **Trevet** Rue
CT 97 **Union** Rue de l'
CP 100 **Vaillant** Bd Edouard
CP 96 **Valmy** Rue de
CQ 99 **Verlaine** Rue Paul
CR 95 **Villebois-Mareuil** Rue
CR 98 **Vivier** Rue du
CQ 99 **Voltaire** Rue
CQ 96 **Waldeck-Rousseau** Rue
CO 94 **Walter** Rue Albert

Principaux Bâtiments

CS 95 ANPE
CQ 94 Bibliothèque
CR 96 Bibliothèque
CT 97 Bibliothèque André Breton
CQ 99 Bibliothèque H. Michaux
CQ 96 Bourse du Travail
CR 99 Caserne
CS 96 Centre des Impôts
CR 96 Centre Nautique
CQ 96 Clinique de l'Orangeraie
CQ 97 Conservatoire
CP 99 Consulat d'Algérie
CS 97 CPAM
CP 98 CPAM
CR 96 Centre Administratif
CR 100 Fort d'Aubervilliers
CQ 100 Gare Routière
CP 96 Gendarmerie
CS 97 Hôpital Européen de Paris
CR 98 la Documentation Française
CQ 97 LP d'Alembert
CQ 97 LP Le Corbusier
CS 98 LP Timbaud
CR 97 Lycée H. Wallon
CS 98 Lycée Marcelin Berthelot
CQ 96 Mairie
CS 96 Ministère des Finances
CR 96 Perception
CQ 96 Perception
CT 95 Police Annexe
CQ 97 Police
CR 96 Pompiers
CT 94 Poste
CT 97 Poste
CR 96 Poste
CQ 99 Poste
CR 96 Stade André Karman
CQ 99 Stade Auguste Delaune
CR 97 Stade Docteur Pieyre
CR 96 Théâtre
CR 99 Théâtre Equestre Zingaro
CT 97 Tour la Villette
CR 96 Tribunal d'Instance
CQ 98 Cimetière

BAGNOLET plan page 233

Métro : Ligne 3 - Gallieni
Bus : NG-76-102-115-122-221-318-351

DA 102 **Acacias** Avenue des
CZ 102 **Alazard** Rue René
CZ 104 **Alembert** Rue D'
DA 101 **Allende** Place Salvador
DA 103 **Anna** Rue
DA 102 **Arts** Avenue des
DD 102 **Avenir** Impasse de l'
DD 102 **Avenir** Rue de l'
DA 103 **Babeuf** Rue
CY 104 **Bac** Rue du
DA 102 **Bachelet** Rue
DC 102 **Bain** Rue
DC 102 **Baldaquins** Sentier des
DA 102 **Barre Nouvelle** Rue de la
DB 102 **Bellevue** Avenue de
CZ 102 **Béranger** Avenue
CZ 102 **Béranger** Rond-Point
DD 102 **Bert** Rue Paul
CZ 104 **Bertin** Impasse Honoré
DB 101 **Berton** Rue Raoul
DC 102 **Blanche** Rue
DC 102 **Blancs Champs** Rue des
CZ 103 **Blanqui** Rue Auguste
DA 103 **Brossolette** Rue Pierre
DB 102 **Camélias** Avenue des
DB 103 **Camélinat** Rue
DC 102 **Capsulerie** Rue de la
DA 102 **Carnot** Rue Sadi
DB 102 **Centre Ville** Place du
DB 101 **Champeaux** Rue des

BAGNOLET suite (plan page 233)

DC 101 **Château** Rue du
CZ 102 **Château de l'Etang** Parc du
DC 101 **Chateaubriand** Avenue
CZ 101 **Clément** R. Jean-Baptiste
DA 101 **Colombier** R. Marie-Anne
DC 102 **Comtois** Impasse des
DA 103 **Condorcet** Rue
DA 103 **Croizat** Rue Ambroise
CZ 102 **Curie** Rue Pierre et Marie
DA 101 **Danton** Rue
DA 103 **Daumier** Rue
CZ 101 **David** Rue Louis
DB 102 **Degeyter** Rue
DB 103 **Delescluze** Rue Charles
DA 103 **Descartes** Rue
CZ 102 **Dhuys** Avenue de la
CZ 101 **Diderot** Rue
DA 102 **Dix-Neuf Mars 1962** Sq. du
DD 102 **Dolet** Rue Etienne
CZ 102 **Dupont** Rue Pierre
DD 102 **Egalité** Rue de l'
DB 102 **Epine** Impasse de l'
DC 102 **Epine** Rue de l'
DC 103 **Epine Prolongée** Rue de l'
DA 103 **Estienne D'Orves** Rue D'
DA 102 **Ferrer** Rue Francisco
DC 101 **Ferry** Rue Jules
DC 101 **Ferry** Square Jules
DC 101 **Fiorentino** Rue Sesto
CY 104 **Fleuri** Passage
DA 102 **Fleurs** Avenue des
DA 103 **Floralies** Résidence les
CY 103 **Floréal** Rue
DA 103 **Fontenelle** Rue
DB 102 **Fosse aux Fraises** Sentier de la
DB 102 **Fossillons** Rue des
CZ 104 **France** Rue Anatole
CZ 103 **Franklin** Rue
DC 102 **Fraternité** Passage de la
DC 102 **Fraternité** Rue de la
DA 101 **Fructidor** Rue
DB 102 **Fusillés De Chateaubriand** Rond-Point des
DC 101 **Gallieni** Avenue
DA 101 **Gambetta** Avenue
DC 101 **Gaulle** Av. du Général De
CZ 103 **Girardot** Rue
DA 101 **Graindorge** Rue Charles
CZ 103 **Grands Champs** Allée des
DA 103 **Grimau** Impasse Julian
DA 102 **Grimau** Rue Julian
DC 102 **Guilands** Sentier des
DA 103 **Helvétius** Rue
DB 102 **Henriette** Avenue
DA 101 **Hoche** Rue
DA 103 **Holbach** Rue d'
CZ 103 **Hornet** Rue Jeanne
DD 102 **Hugo** Passage Victor
DD 102 **Hugo** Rue Victor
DA 103 **Huit Mai 1945** Square du
DA 101 **Hure** Rue Benoît
DC 101 **Italiens** Passage des
DB 102 **Jardins des Buttes** les
DB 101 **Jaurès** Rue Jean
DB 103 **Joliot-Curie** R. Irène et F.
CZ 103 **Krassine** Passage
DB 101 **Lahaye** Rue Adélaïde
CZ 102 **Lebreton** Passage
DB 102 **Leclerc** Rue du Général
DA 103 **Lefebvre** Rue Raymond
DA 103 **Léger** Rue Fernand
CZ 102 **Lejeune** Rue Adrien
DA 102 **Lénine** Rue
DA 101 **Levallois** Impasse
DC 102 **Liberté** Rue de la
CZ 101 **Lilas** Impasse des
DB 103 **Lolive** Rue Jean
DA 102 **Loriettes** Rue des
DA 102 **Malmaison** Rue
DA 101 **Marceau** Rue
DD 102 **Marcel** Rue Etienne
DB 103 **Marx** Rue Karl
CY 104 **Michel** Rue Louise
CZ 102 **Michelet** Rue
CZ 102 **Molière** Rue
DA 102 **Moulin** Rue du
DD 102 **Nicklès** Rue Gustave
CY 102 **Noisy-le-Sec** Rue de
DB 103 **Noue** Rue de la
DC 102 **Nouvelle** Rue
CY 104 **Noyers** Rue des
DA 102 **Onze Novembre 1918** Place du
CZ 103 **Paix** Rond-Point de la
DA 102 **Panier** Rue Antoine
CZ 102 **Pantin** Rue de
CZ 103 **Papin** Rue Denis
DA 101 **Parmentier** Rue
CZ 102 **Pasteur** Avenue
DA 101 **Pernelles** Rue des
DA 101 **Pinacle** Rue du
DB 102 **Plateau** Avenue du
CZ 103 **Raspail** Avenue
DC 102 **Ravins** Sentier des
DC 102 **République** Avenue de la
DA 103 **Résistance** Place de la
CZ 104 **Rigondes** Rue des
DD 102 **Robespierre** Rue
DB 102 **Roses** Avenue des
DD 101 **Ruisseau** Impasse du
DC 102 **Saint-Ange** Impasse
DD 101 **Saint-Pierre** Impasse
CZ 103 **Saint-Simon** Rue
DA 103 **Sampaix** Place Lucien
DA 103 **Sampaix** Rue Lucien
DB 102 **Schnarbach** Square
CZ 102 **Socrate** Rue
CZ 103 **Stalingrad** Avenue de
DC 102 **Thérèse** Impasse
DC 102 **Thérèse** Rue
DC 102 **Thomas** R. du Lieutenant
DA 102 **Thorez** Place Maurice
CZ 103 **Toit et Joie** Cité
CZ 103 **Tranchée** Sentier de la
DD 101 **Vaillant** Rue Edouard
DB 101 **Vaillant-Couturier** R. Paul
DD 101 **Varlin** Rue Eugène
DB 102 **Vercruysse** Rue Jules
DC 102 **Viénot** Impasse Désiré
DC 102 **Viénot** Rue Désiré
CZ 102 **Voltaire** Rue

Principaux Bâtiments

DA 102 ANPE
DD 101 Bibliothèque
CZ 103 Bibliothèque
DA 102 Bibliothèque
DB 103 Bibliothèque la Noue
DA 102 Bourse du Travail
DA 101 Centre Administratif
DA 102 Clinique de la Dhuys
CY 103 Clinique Floréal
DA 102 CPAM
CZ 103 Lycée Professionnel Eugène Hénaff
DA 101 Lycée St-Benoist de l'Europe
DA 101 Mairie
DB 101 Médiathèque
CY 103 Parc des Sports de la Briqueterie
DA 102 Piscine
DB 102 Police
CZ 103 Poste
DB 101 Poste
CZ 104 Stade des Rigondes
DA 102 Stade Malassis
DA 102 Trésorerie Principale
CZ 104 Nouveau Cimetière
CY 102 Ancien Cimetière

BOULOGNE-BILLANCOURT plan page 235

Métro : Ligne 9 - Marcel Sembat - Billancourt - Pont de Sèvres
Ligne 10 - Boulogne J. Jaurès - Boulogne Pont de St-Cloud
Bus : NK-026-52-72-123-126-160-169-171-175-179-189-241-289-389-460-467-571

Carré	Voie
DF 74	**Abondances** Rue des
DF 74	**Abreuvoir** Rue de l'
DG 76	**Adam** Impasse
DG 75	**Aguesseau** Rue d'
DI 75	**Ailes** Place des
DK 76	**Alexandre** Villa
DF 75	**Alexandrine** Villa
DF 75	**Alsace-Lorraine** Rue d'
DH 75	**Ancienne Mairie** Rue de l'
DF 76	**Anciens Cbts** Carr. des
DJ 74	**Aquitaine** Cours
DJ 74	**Aquitaine** Passage
DJ 75	**Arnould** P. du Colonel
DI 78	**Arroseur Arrosé** P. de l'
DF 76	**Arts** Rue des
DG 77	**Auteuil** Boulevard d'
DJ 77	**Avre** Passerelle de l'
DJ 77	**Avre** Square de l'
DF 75	**Bac** Rue du
DI 77	**Badauds** Ste des
DJ 75	**Barbusse** Square Henri
DG 76	**Bartholdi** Rue
DH 76	**Belle Feuille** Allée de la
DI 76	**Belle Feuille** Passage
DH 76	**Belle Feuille** Rue de la
DI 74	**Bellevue** Impasse
DI 74	**Bellevue** Rue de
DI 74	**Bellevue** Square de
DH 77	**Belvédère** Rue du
DF 75	**Béranger** Cour
DH 73	**Béranger** Rue
DG 77	**Bernard** Rue Joseph
DI 75	**Bert** Rue Paul
DG 74	**Berthelot** Allée Marcellin
DI 77	**Bertrand** Villa
DI 75	**Billancourt** Impasse de
DK 77	**Billancourt** Pont de
DG 75	**Billancourt** Rue de
DJ 75	**Bir Hakeim** Place
DJ 76	**Blanchisseuses** Allée des
DI 75	**Blériot** Rue Louis
DG 76	**Blondat** Rue Max
DI 75	**Blondeau** Rue
DH 75	**Blum** Square Léon
DI 75	**Bouveri** Rue Jean
DJ 74	**Bretagne** Passage de
DJ 75	**Brunhes** Rue Jean
DI 77	**Buisson** Avenue Ferdinand
DG 74	**Buzenval** Villa de
DI 77	**Cacheux** Rue
DI 75	**Carnot** Rue
DG 74	**Carpeaux** Al. J.-Baptiste
DI 78	**Casque d'Or** Rue du
DJ 75	**Casteja** Rue
DH 76	**Cent Trois** Passage
DJ 75	**Chagall** Allée Marc
DG 76	**Château** Rue du
DH 75	**Châteaudun** Rue de
DI 77	**Chemin Vert** Rue du
DI 78	**Clair** Place René
DJ 76	**Clamart** Rue de
DF 75	**Clément** Av. Jean-Baptiste
DI 75	**Constans** Rue Paul
DJ 77	**Corneille** Place
DJ 74	**Couchot** Rue
DK 76	**Damiens** Rue
DI 77	**Danjou** Rue
DG 77	**Darcel** Rue
DI 77	**Dassault** Rue Marcel
DG 75	**Delafosse** Rue Maurice
DG 76	**Denfert-Rochereau** Place
DG 76	**Denfert-Rochereau** Rue
DK 76	**Deschandelliers** Passage
DJ 76	**Deschandelliers** Sente
DI 76	**Desfeux** Avenue
DH 77	**Detaille** Rue Edouard
DI 75	**Diaz** Rue
DI 77	**Dôme** Rue du
DJ 76	**Dominicaines** Allée des
DI 75	**Ducellier** Rue Paul
DJ 77	**Duclaux** Rue Emile
DG 74	**Dumas** Allée J.-Baptiste
DG 76	**Dunois** Rue Emile
DF 75	**Durvie** Impasse
DG 75	**Ecoles** Place des
DI 76	**Ecoles** Villa des
DF 75	**Eglise** Rue de l'
DI 78	**Enfants du Paradis** P. des
DI 78	**Enfts du Paradis** Rue des
DG 75	**Escudier** Rue
DJ 74	**Esnault Pelterie** Rue
DH 76	**Est** Rue de l'
DG 77	**Europe** Place de l'
DG 77	**Europe** Square de l'
DI 78	**Fanfan La Tulipe** Rue
DH 74	**Farman** Square des Frères
DI 76	**Fayères** Villa des
DJ 75	**Ferme** Rue de la
DK 76	**Ferry** Rue Jules
DG 75	**Fessart** Rond-Point
DG 75	**Fessart** Rue
DI 77	**Fief** Passage du
DJ 78	**Fief** Rue du
DJ 76	**Fleurs** Villa des
DJ 75	**Forum** Allée du
DF 74	**Fossés St-Denis** Rue des
DI 74	**Fougères** Avenue des
DJ 77	**Fourquemain** Impasse
DF 75	**France** Boulevard Anatole
DF 75	**France Mutualiste** R. de la
DI 74	**Gallieni** Rue
DF 76	**Gambetta** Rue
DI 78	**Gance** Place Abel
DH 75	**Garnier** Rue Tony
DF 76	**Garros** Rue Roland
DF 75	**Gaulle** Avenue Charles De
DI 78	**Grande Illusion** Rue de la
DH 75	**Grand'Place**
DI 77	**Grenier** Avenue Pierre
DJ 76	**Griffuelhes** Rue Victor
DK 76	**Guesde** Place Jules
DH 77	**Guilbaud** Rue du Cdt
DG 77	**Gutenberg** Rue
DG 77	**Gutenberg** Square
DJ 75	**Hameau Fleuri** R. du
DJ 75	**Haute** Place
DK 76	**Heinrich** Rue
DJ 75	**Hemmen** Rue Jean
DI 75	**Henripré** Rue Jules
DI 78	**Herelle** Avenue Félix d'
DJ 75	**Heyrault** Rue
DH 76	**Hoche** Rue Lazare
DH 76	**Hugo** Avenue Victor
DI 76	**Hugo** Passage Victor
DJ 75	**Ile-de-France** P. de l'
DJ 78	**Issy** Pont d'
DJ 76	**Issy** Rue d'
DG 76	**Jacqueline** Rue
DF 74	**Jacquin** Jardin Anna
DG 74	**Jacquin** Rue Anna
DH 75	**Jaurès** Boulevard Jean
DI 76	**Jeanne** Villa
DG 75	**Johannot** Passage
DG 77	**Joséphine** Avenue
DI 78	**Jour se Lève** Avenue le
DI 75	**Juin** Avenue du Maréchal
DK 76	**Kermen** Rue Yves
DH 74	**Koufra** Rue de
DF 76	**La Rochefoucauld** Rue De
DH 75	**Landowski** Espace
DI 76	**Landrin** Rue Emile
DH 73	**Lattre De Tassigny** Avenue du Maréchal De
DG 75	**Laurant** Rue Alfred
DG 76	**Laurenson** Rue Albert
DH 76	**Lauriers** Allée des
DG 74	**Lavandières** Allée des
DH 75	**Le Corbusier** Rue
DI 74	**Le Gallo** Quai Alphonse

BOULOGNE BILLANCOURT **suite** (plan page 235)

DI	76	**Leclerc** Av. du Général
DI	76	**Legrand** Passage
DG	75	**Lemoine** Rue
DJ	76	**Liot** Rue
DF	75	**Longchamp** Allée de
DJ	77	**Longs-Prés** Cours des
DJ	76	**Longs-Prés** Rue des
DJ	76	**Longs-Prés** Square des
DG	77	**Loyau** Rue Marcel
DI	76	**Lumière** Avenue Louis
DF	75	**Mahias** Rue
DI	76	**Maillasson** Rue
DH	74	**Mairie** Villa de la
DH	76	**Maître Jacques** Rue
DH	76	**Maître Jacques** Sente
DH	77	**Malraux** Rd-Point André
DJ	76	**Marché** Place du
DJ	76	**Marché** Rue du
DG	76	**Marguerite** Avenue
DH	76	**Marie-Justine** Villa
DH	77	**Martin** Rue Henri
DH	77	**Martinique** Villa de la
DF	75	**Menus** Rue des
DJ	76	**Meudon** Rue de
DI	74	**Michelet** Rue
DI	74	**Mimosas** Rue des
DJ	76	**Molière** Rue
DF	75	**Mollien** Rue
DF	76	**Monet** Rue Claude
DF	74	**Montmorency** Rue de
DG	77	**Moreau** Impasse
DG	76	**Moreau Vauthier** Rue
DI	76	**Morizet** Avenue André
DJ	77	**Moulineaux** Square des
DJ	76	**Nationale** Rue
DJ	74	**Normandie** Passage de
DG	77	**Nungesser et Coli** Rue
DH	76	**Ouest** Rue de l'
DI	78	**Pagnol** Place Marcel
DG	75	**Paix** Rue de la
DG	74	**Palissy** Place Bernard
DH	77	**Parc** Rue du
DF	75	**Parchamp** Place du
DF	75	**Parchamp** Rue du
DF	75	**Parchamp** Square du
DG	74	**Paris** Rue de
DG	76	**Pasteur** Rue Louis
DH	77	**Pauline** Villa
DG	77	**Pavillon** Rue du
DI	75	**Pelloutier** Rue Fernand
DJ	76	**Peltier** Rue
DH	75	**Perret** Rue Auguste
DF	76	**Persane** Villa
DG	74	**Petibon** Rue
DJ	78	**Peupliers** Rue des
DI	77	**Peupliers** Villa des
DF	76	**Pins** Allée des
DF	76	**Pins** Rue des
DI	74	**Platanes** Villa des
DJ	77	**Point du Jour** Impasse du
DJ	78	**Point du Jour** Quai du
DJ	77	**Point du Jour** Rue du
DK	76	**Pont de Billancourt** Pl. du
DJ	74	**Pont de Sèvres** Rd-Pt du
DJ	74	**Pont de Sèvres** Square du
DG	74	**Port** Rue du
DG	77	**Porte d'Auteuil** Av. de la
DJ	76	**Pouget** Allée Emile
DH	77	**Princes** Rue des
DI	76	**Princes** Villa des
DJ	74	**Provinces** Passage des
DF	75	**Puits** Cour du
DI	75	**Pyramide** Rue de la
DI	75	**Pyramide** Sente de la
DI	76	**Quatre Cheminées** R. des
DF	74	**Quatre Septembre** Q. du
DJ	77	**Racine** Place
DG	76	**Reinach** Rue Salomon
DH	77	**Reine** Route de la
DI	75	**Reinhardt** Rue
DJ	78	**République** Bd de la
DH	74	**Rhin et Danube** Rd-Point
DH	74	**Rhin et Danube** Square
DI	76	**Rieux** Rue
DJ	76	**Ronsard** Villa
DG	76	**Rosendaël** Villa
DI	75	**Rouget De Lisle** Rue
DI	75	**Royale** Rue
DG	73	**Saint-Cloud** Pont de
DG	74	**Saint-Denis** Passage
DG	74	**Saint-Denis** Rue
DJ	76	**Saint-Germain** Rue Neuve
DK	77	**St-Germain des Lgs-Prés** Pl.
DH	77	**Samarcq** Rue
DI	76	**Saussière** Rue de la
DG	77	**Schuman** Avenue Robert
DK	77	**Seine** Rue de
DI	76	**Sembat** Place Marcel
DJ	74	**Sèvres** Pont de
DH	74	**Sèvres** Rue de
DH	74	**Silly** Rue de
DG	76	**Simon** Rue Jules
DH	75	**Six Juin 1944** Rue du
DJ	76	**Solférino** Place de
DJ	76	**Solférino** Rue de
DJ	76	**Solférino** Square de
DI	76	**Sorel** Rue Georges
DI	78	**Stade de Coubertin** Av. du
DK	75	**Stalingrad** Quai de
DF	74	**Sycomores** Allée des
DH	77	**Thiers** Rue
DG	76	**Tilleuls** Rue des
DI	75	**Tilleuls** Villa des
DF	75	**Tisserant** Rue
DG	77	**Tourelle** Rue de la
DF	75	**Trancard** Impasse
DF	75	**Transvaal** Rue du
DK	76	**Traversière** Rue
DI	77	**Vaillant** Avenue Edouard
DI	77	**Vanves** Rue de
DG	76	**Vauthier** Rue
DG	75	**Verdun** Rue de
DJ	75	**Verlaine** Place Paul
DF	74	**Victoires** Rue des
DJ	74	**Vieux Pt de Sèvres** Al. du
DJ	74	**Vieux Pt de Sèvres** P. du
DJ	75	**Vieux Pt de Sèvres** R. du
DI	74	**Vingt-Cinq Août 1944** R. du
DI	78	**Voie Lactée** Avenue de la
DJ	75	**Voisin** Rue Gabriel et Ch.
DH	75	**Wallace** Place
DJ	75	**Zola** Avenue Emile

Principaux Bâtiments

DJ	76	Bibliothèque
DI	78	Bibliothèque
DF	75	Bibliothèque
DG	76	Bibliothèque
DK	76	CCAS
DH	75	CCI
DH	76	Centre Culturel
DJ	75	CIO
DH	77	DDE
DJ	75	Espace Forum
DH	75	Espace Landowski
DJ	74	Gendarmerie
DF	75	Hôpital Ambroise Paré
DH	76	Hôtel des Impôts
DI	77	Hôtel des Impôts
DI	75	Lycée Jacques Prévert
DF	75	Lycée Notre-Dame
DI	74	Lycée Professionnel Etienne-Jules Marey
DI	75	Mairie
DG	73	Musée Albert Kahn
DG	76	Musée P. Landowski
DJ	76	Patinoire
DG	75	Perception
DJ	75	Piscine
DI	76	Police
DJ	74	Police Annexe
DH	76	Pompiers
DG	75	Poste
DH	75	Poste
DI	75	Poste
DJ	76	Poste
DJ	74	Poste
DF	74	Prud'homme
DJ	74	Sous-Préfecture
DH	73	Stade Alphonse Le Gallo
DJ	77	Cimetière de Billancourt
DH	76	Cimetière de Boulogne

CHARENTON-LE-PONT plan page 237

Métro : Ligne 8 Liberté - Charenton-Écoles
Bus : 24-109-111-180-325

DM 101 **Abreuvoir** Rue de l'
DM 101 **Alforville** Passerelle d'
DK 99 **Arcade** Rue de l'
DL 100 **Archevêché** Rue de l'
DK 98 **Astier** Place Henri D'
DK 101 **Bac** Rue du
DL 101 **Basch** Rue Victor
DL 98 **Bercy** Quai de
DL 100 **Bergerac** Villa
DJ 99 **Berthelot** Rue Marcellin
DL 99 **Bobillot** Place
DL 100 **Bordeaux** Rue des
DL 101 **Briand** Place Aristide
DL 101 **Cadran** Rue du
DL 100 **Carrières** Quai des
DL 100 **Cerisaie** Rue de la
DL 100 **Cerisaie** Square de la
DK 99 **Chanzy** Rue du Général
DM 102 **Charenton** Pont de
DL 100 **Charenton** Quai de
DK 99 **Churchill** Av. Winston
DL 100 **Conflans** Parc de
DL 100 **Conflans** Rue de
DK 99 **Coupole** Place de la
DL 101 **Croquette** Rue Arthur
DK 99 **Delcher** Rue Marius
DL 101 **Delmas** Rue du Cdt
DL 101 **Dussault** Place Arthur
DL 101 **Eglise** Place de l'
DL 100 **Eluard** Rue Paul
DL 100 **Eluard** Square Paul
DM 101 **Embarcadère** Rue de l'
DL 99 **Entrepôt** Rue de l'
DK 98 **Escoffier** Rue
DK 101 **Estienne D'Orves** Rue D'
DK 98 **Europe** Place de l'
DL 101 **Fleurs** Villa des
DK 100 **Fragonard** Rue
DK 101 **France** Avenue Anatole
DL 100 **France libre** Allée de la
DL 101 **Gabrielle** Rue
DK 98 **Gaulle** Av. du Général De
DK 100 **Gravelle** Avenue de
DK 98 **Grenet** Rue Robert
DL 101 **Guérin** Rue
DL 101 **Henri IV** Place
DK 98 **Hérault** Rue de l'
DL 101 **Hugo** Rue Victor
DM 100 **Huit Mai 1945** Square du
DL 101 **Jaurès** Avenue Jean
DK 100 **Jeanne D'Arc** Rue
DL 101 **Juin** Rue du Maréchal
DL 100 **Kennedy** R. du Président
DL 101 **Labouret** Rue
DJ 99 **Langlais** Rue Félix
DL 102 **Lattre De Tassigny** Avenue du Maréchal De
DK 98 **Le Marin** Villa
DK 101 **Leclerc** Rue du Général
DL 102 **Lepic** Square
DK 100 **Liberté** Avenue de la
DM 101 **Mairie** Rue de la
DL 99 **Mandela** Pont Nelson
DK 100 **Marseillais** Place des
DM 100 **Martinet** Pont
DL 101 **Marty** Rue Jean-Baptiste
DK 98 **Méhul** Rue Etienne
DL 101 **Mermoz** Square Jean
DL 100 **Moulin** Rue Jean
DK 100 **Mouquet** Rue Camille
DK 99 **Necker** Rue
DK 100 **Nocard** Rue R.
DL 101 **Noël** Square Jules
DK 98 **Nouveau Bercy** Rue du
DL 99 **Onze Novembre 1918** Square du
DK 101 **Ormes** Rue des
DL 102 **Parc** Rue du
DK 100 **Paris** Rue de
DK 100 **Pasteur** Rue
DL 101 **Péri** Rue Gabriel
DJ 99 **Petit Château** Rue du
DL 100 **Pigeon** Rue Jean
DM 102 **Pont** Rue du
DL 99 **Port aux Lions** Rue du
DL 102 **Quatre Vents** I. des
DL 101 **Ramon** Place
DL 101 **République** Rue de la
DK 98 **Richelieu** Allée du Cardinal De
DK 98 **Richelieu** Les Jardins du Cardinal De
DL 100 **Ronsard** Allée
DL 100 **Saint-Pierre** Rue
DL 100 **Saint-Pierre** Villa
DL 101 **Savouré** Rue Alfred
DL 100 **Schumann** Rue Robert
DL 101 **Séjour** Rue du
DL 99 **Sellier** Square Henri
DL 99 **Séminaire de Conflans** Rue du
DK 101 **Stinville** Avenue de
DL 101 **Sully** Rue de
DL 101 **Sully** Square
DJ 99 **Terrasse** Rue de la
DL 102 **Thiébault** Rue
DK 99 **Tilleuls** Allée des
DK 99 **Valmy** Passerelle de
DJ 99 **Valmy** Rue de
DL 101 **Valois** Place de
DK 100 **Verdun** Rue de

Principaux Bâtiments

DK 99 Ateliers Arts Plastiques
DK 98 Bibliothèque
DL 100 Bibliothèque Espinassous
DL 100 CCAS
DL 101 Centre Administratif
DL 100 Centre Culturel Alexandre Portier
DL 98 Clinique
DK 101 Complexe Sportif
DK 99 Conservatoire de Musique
DL 101 CPAM
DK 100 Espace Art et Liberté
DL 101 Espace Médicis
DK 99 Hôtel des Impôts
DK 101 L.P. Jean Jaurès
DL 99 Lycée N.-D. des Missions
DL 101 Mairie
DL 101 Mairie Annexe
DK 100 Musée Toffoli
DL 100 Police
DK 98 Police Municipale
DL 100 Poste
DL 101 Poste Annexe
DM 100 Stade Henri Guérin
DK 100 Théâtre des 2 Rives
DK 100 Trésor Public
DL 101 Tribunal

CLICHY plan page 239

Métro : Ligne 13 - Mairie de Clichy
Bus : NC-TUC E/O-54-66-74-135-138-165-173-174-340-540

CT 84 **Abreuvoir** Rue de l'
CT 87 **Adam** Rue Achille
CT 86 **Alsace** Rue d'
CT 85 **Ancienne Mairie** Rue de l'
CS 85 **Antonini** Rue Alexandre
CT 83 **Asnières** Pont d'
CT 83 **Asnières** Route d'
CT 84 **Asnières** Rue Jeanne D'
CU 87 **Auboin** Rue
CT 85 **Auffray** R. Charles et René
CT 84 **Avenir** Rue de l'
CT 83 **Bac d'Asnières** Rue du
CT 86 **Barbier** Impasse
CU 85 **Barbusse** Rue Henri
CR 86 **Bardin** Rue
CS 85 **Bateliers** Rue des
CT 87 **Belfort** Rue de
CT 84 **Bérégovoy** Rue Pierre
CT 85 **Berthelot** Rue Marcelin
CT 83 **Berthier** Passage
CS 87 **Bigot** Villa Simone
CR 86 **Bloch** Rue Marc
CS 85 **Blum** Rue Léon
CT 87 **Boisseau** Rue Georges
CR 85 **Bonamy** Pl. des Docteurs
CU 86 **Bonnet** Rue
CS 86 **Brandt** Rue Willy
CT 87 **Bréchet** Allée Marie
CU 86 **Briqueterie** Impasse de la
CT 84 **Buisson** Rue Ferdinand
CU 85 **Cailloux** Impasse des
CU 85 **Cailloux** Rue des
CU 85 **Calmette** R. du Dr Albert
CT 84 **Casanova** Place Danièle
CT 85 **Castérès** Rue
CU 85 **Chance-Milly** Rue
CT 84 **Chasses** Passage des
CS 84 **Chemin Vert** Rue du
CS 87 **Citroën** Rue André
CR 84 **Clichy** Pont de
CS 84 **Clichy** Quai de
CS 87 **Clichy** Rue de
CS 85 **Couillard** Rue Alfred
CS 86 **Courteline** Rue Georges
CT 86 **Curie** Rue Pierre
CU 86 **Curton** Rue
CR 85 **Dac** Rue Pierre
CT 85 **Dagobert** Rue
CR 86 **Debussy** Avenue Claude
CT 85 **Dhalenne** Allée Albert
CS 85 **Dix-Huit Juin 1940** R. du
CU 86 **Dix-Neuf Mars 1962** R. du
CS 87 **Dreyfus** Rue Pierre
CS 84 **Droits de l'Homme** R. des
CS 86 **Dumur** Impasse
CS 84 **Eiffel** Rue Gustave
CT 84 **Emile** Villa
CS 85 **Estienne D'Orves** Rue D'
CR 86 **Europe** Allées de l'
CU 84 **Fanny** Rue
CU 85 **Fort de Douaumont** Bd du
CT 86 **Foucault** Rue
CT 86 **Fouquet** Rue
CS 84 **Fournier** Rue
CU 85 **France** Avenue Anatole
CT 86 **Gambetta** Allée Léon
CR 86 **Gennevilliers** Pont de
CT 84 **Gesnouin** Rue
CT 84 **Geulin** Rue
CS 85 **Guichet** Rue du
CT 87 **Hugo** Boulevard Victor
CU 86 **Huit Mai 1945** Rue du
CT 85 **Huntziger** Rue
CU 85 **Jaurès** Boulevard Jean
CS 84 **Jaurès** Villa Jean
CU 85 **Jouffroy-Renault** Cité
CT 86 **Klock** Rue
CS 85 **Landy** Rue du
CR 85 **Lattre De Tassigny** Rue du Maréchal Jean De
CT 87 **Leclerc** Bd du Général
CS 85 **Leriche** Rue du Pr René
CS 84 **Leroy** Rue
CS 85 **Levillain** Square Georges
CR 85 **Lumière** Rue des Frères
CS 85 **Maes** Place Louis-Joseph
CT 85 **Mairie** Place de la
CT 85 **Marché** Place du
CT 86 **Martissot** Rue
CT 85 **Martre** Rue
CT 85 **Martyrs de l'Occupation Allemande** Place des
CS 84 **Médéric** Rue
CT 85 **Méric** Rue Victor
CT 87 **Morel** Rue
CT 86 **Morice** Rue
CT 86 **Morillon** Rue
CS 87 **Mozart** Rue
CT 84 **Neuilly** Rue de
CT 87 **Nivert** Passage
CU 85 **Nouvelle** Cité
CS 85 **Onze Novembre 1918** R. du
CT 85 **Paille** Passage
CT 86 **Palloy** Rue
CS 87 **Palme** Rue Olof
CS 85 **Paradinas** Rue Charles
CT 85 **Paris** Rue de
CT 84 **Passoir** Impasse
CT 84 **Pasteur** Rue
CU 85 **Paul** Rue Marcel
CT 86 **Paymal** Rue Gaston
CR 86 **Pierre** Rue
CT 84 **Pelloutier** Rue Fernand
CS 85 **Péri** Rue Gabriel
CT 84 **Petit** Rue
CS 85 **Petits Marais** Allée des
CS 86 **Poillot** Rue Lucien
CT 86 **Poincaré** Rue Henri
CS 84 **Port** Rue du
CR 86 **Port de Gennevilliers** Route du
CT 86 **Poyer** Rue
CS 87 **Prouvé** Allée Jean
CT 83 **Puits Bertin** Passage du
CS 84 **Quiclet** Rue Georges
CS 87 **Rabin** Rue Yitzhak
CS 85 **Reflut** Passage
CT 86 **République François Mitterrand** Place de la
CR 86 **Roguet** Rue du Général
CU 86 **Rouget De Lisle** Rue
CU 86 **Roux** R. du Docteur Emile
CS 85 **Sangnier** Rue Marc
CT 87 **Sanzillon** Rue Madame De
CR 86 **Seurat** Rue Georges
CR 86 **Signac** Allée Paul
CT 86 **Simonneau** Rue
CU 85 **Sincholle** Rue Bertrand
CT 86 **Soret** Rue Georges
CT 86 **Souchal** Rue
CT 86 **Staël** Rue Madame De
CR 85 **Stepney** Rue de
CR 86 **Tabarly** Quai Eric
CT 86 **Talvas** Rue du Père
CS 84 **Teinturiers** Rue des
CT 87 **Touzet** Rue
CR 86 **Trois Pavillons** Rue des
CT 86 **Trouillet** Rue
CT 84 **Valiton** Rue
CS 87 **Van Gogh** Allée
CU 87 **Varet** Passage Abel
CS 85 **Verne** Place Jules
CS 85 **Véziel** Rue René
CS 86 **Villeneuve** Rue
CR 86 **Walter** Rue Jean

Principaux Bâtiments

CT 84 ANPE
CS 85 CCAS
CT 85 Centre Admininistratif
CS 86 Centre Culturel
CT 86 Conservatoire
CR 85 E.N.R.E.A. Lycée Newton
CU 85 Espace Henry Miller
CS 86 Hôpital Beaujon
CT 86 Hôpital Gouin
CT 84 Lycée Professionnel René Auffray
CT 85 Mairie
CT 86 Mairie Annexe
CR 85 Mairie Annexe Berges de Seine

CT 85 Office de Tourisme
CT 84 Piscine
CT 85 Police
CT 85 Police Municipale
CS 84 Pompiers
CT 85 Poste
CS 85 Poste Annexe
CT 87 Poste Annexe
CS 86 Stade Georges Racine
CT 85 Syndicat d'Initiative
CT 86 Théâtre Rutebeuf
CR 85 Université Paris III
CS 86 Nouveau Cimetière
CU 84 Cimetière Sud

FONTENAY-SOUS-BOIS plan page 241

RER : Lignes A4 et E Val de Fontenay - Ligne A2 Fontenay-sous-Bois
Bus : NG-116-118-122-124-127-301

DF 109 **Albert Ier** Rue
DE 110 **Albrecht** Rue Berthie
DG 110 **Alger** Impasse d'
DG 110 **Alger** Rue d'
DD 113 **Alouettes** Rue des
DE 111 **Amitié entre les Peuples** Place de l'
DD 110 **Ampère** Rue
DF 109 **Ancienne Mairie** Rue de l'
DG 110 **Angles** Rue des
DF 110 **Aubry** R. du Rvd Père L.
DG 109 **Audience** Rue de l'
DD 113 **Auroux** Rue Louis
DE 106 **Avenir** Impasse de l'
DE 107 **Avenir** Rue de l'
DD 109 **Balzac** Rue
DH 110 **Bapaume** Rue de
DE 110 **Barbusse** Allée Henri
DG 110 **Barthélemy** Rue Maurice
DF 108 **Bassé** Rue Charles
DF 109 **Bassée** Boulevard André
DE 109 **Beaudouin** Square Roger
DD 109 **Beaumarchais** Rue
DE 107 **Beaumonts** Rue des
DE 107 **Beaumonts** Villa des
DE 107 **Beauséjour** Avenue
DE 107 **Beauséjour** Villa
DD 107 **Bel-Air** Villa du
DH 109 **Belle Gabrielle** Av. de la
DF 109 **Belles Vues** Rue des
DE 108 **Bellevues** Villa
DF 109 **Bellevues** Villa des
DE 109 **Béranger** Rue
DE 109 **Béranger** Voie
DF 109 **Berceau** Rue du
DE 110 **Bert** Rue Paul
DE 109 **Berthelot** Rue Marcellin
DD 111 **Bicentenaire** Place du
DG 111 **Bir Hakeim** Rue de
DE 112 **Bobet** Avenue Louison
DE 111 **Bois d'Aulnay** Sentier du
DE 113 **Bois des Joncs Marins** Rue du
DC 112 **Bois Galand** Sentier du
DC 113 **Bois Galon** Rue du
DF 108 **Boschot** Rue
DE 107 **Boutrais** Passage Emile
DE 107 **Boutrais** Rue Emile
DF 109 **Bouvard** Rue
DE 111 **Bovary** Allée
DG 110 **Brossolette** Rue Pierre
DE 110 **Buisson** Rue Suzanne
DD 111 **Buisson de la Bergère** R. du
DE 110 **Camus** Allée Albert
DE 112 **Carnot** Rue
DE 107 **Carreaux** Villa des
DF 109 **Carrières** Rue des
DF 109 **Carrières** Voie des
DE 110 **Casanova** Rue Danielle
DF 108 **Castel** Rue
DG 109 **Charles** Rue Gaston
DG 107 **Charmes** Avenue des
DE 108 **Châtelet** Villa du
DD 109 **Chaussade** Impasse de la
DF 109 **Cheval-Rû** Rue du
DF 109 **Chevrette** Rue
DG 109 **Clos d'Orléans** Rue du
DE 106 **Coli** Rue
DE 109 **Comte** Rue Auguste
DG 110 **Corneille** Rue de la
DG 110 **Coteau** Villa du
DE 111 **Cotton** R. Aimé et Eugénie
DF 109 **Couderchet** Rue Maurice
DF 110 **Croix Heurtebise** Rue de la
DG 111 **Croix Pommier** I. de la
DC 109 **Curie** Rue Pierre
DE 109 **Cuvier** Rue
DF 107 **Dalayrac** Rue
DG 107 **Dame Blanche** Av. de la
DG 107 **Dame Blanche** Villa de la
DE 108 **Danton** Avenue
DE 106 **Daumain** Square
DE 106 **Demont** Rue Pierre
DD 110 **Descartes** Rue
DE 106 **Désiré** Voie
DF 109 **Desmarets** Impasse
DH 110 **Deux Communes** Bd des
DE 111 **Dix-Neuf Mars 1962** Pl. du
DC 110 **Doré** Rue Gustave
DF 110 **Douat** Rue Jean
DF 109 **Duhail** Rue du Cdt Jean
DF 108 **Dulac** Rue Pierre
DF 109 **Église** Impasse de l'
DD 111 **Eluard** Rue Paul
DF 110 **Emeris** Rue des
DG 111 **Épivans** Allée des
DG 110 **Epoigny** Rue d'
DG 109 **Espérance** Villa de l'
DE 107 **Estienne D'Orves** Rue D'
DD 111 **Etterbeeck** Place d'
DF 110 **Eugène** Villa
DE 109 **Eugènie** Villa
DD 109 **Fabre D'Eglantine** Rue
DC 112 **Faidherbe** Avenue Louis
DE 108 **Ferry** Rue Jules
DG 109 **Fidélité** Rue de la
DD 113 **Florian** Rue
DG 106 **Foch** Avenue
DG 110 **Fond des Angles** Rue du
DD 112 **Fontaine du Vaisseau** Rue de la
DF 113 **Fontenay** Boulevard de
DG 110 **Fort de Nogent** Rd-Pt du
DE 109 **France** Rue Anatole
DG 110 **Fraternité** Rue de la
DE 108 **Frênes** Villa des
DF 110 **Gallieni** Boulevard
DE 108 **Gambetta** Rue
DE 111 **Garcia** Avenue Charles
DF 108 **Gaucher** R. Marcel et Jacques
DE 111 **Gaulle** Pl. du Général De
DE 109 **Gay-Lussac** Rue
DF 110 **Gorki** Allée Maxime
DF 107 **Gounod** Rue
DE 108 **Grandjean** Villa
DF 113 **Grange** Rue Pierre
DF 109 **Grognard** Rue
DD 110 **Guizot** Rue
DF 112 **Guynemer** Rue
DD 108 **Haze** Villa
DE 107 **Heitz** Villa
DG 108 **Hélène** Villa
DE 108 **Héricourt** Rue Eugène
DF 112 **Hoche** Rue
DC 109 **Honoré** Rue Camille
DF 110 **Hôtel de Ville** Allée de l'
DD 109 **Hugo** Avenue Victor
DE 109 **Huit Mai 1945** Place du
DD 109 **Jaurès** Rue Jean
DE 110 **Joffre** Av. du Maréchal
DG 109 **Joinville** Rue de
DD 110 **King** Av. du Pasteur M.-L.
DE 109 **Kosmos** Square du
DD 110 **La Fontaine** Rue

FONTENAY-SOUS-BOIS suite (plan page 241)

DF 111 **Lacassagne** Rue Gabriel
DD 110 **Lamartine** Rue
DE 111 **Langevin** Rue Paul
DG 109 **Lapie** Villa
DG 110 **Larousse** Rue Pierre
DD 110 **Larris** Place des
DD 112 **Lattre De Tassigny** Avenue du Maréchal De
DE 107 **Laurent** Rue André
DD 109 **Lavoisier** Rue
DE 106 **Le Brix** Rue
DE 106 **Le Tiec** Rue Georges
DF 109 **Leclerc** Place du Général
DF 112 **Léger** Rue Fernand
DG 110 **Legrand** Rue
DE 107 **Legry** Impasse
DF 108 **Lepetit** Rue Jules
DF 110 **Leroux** Rue Guérin
DE 110 **Lesage** Rue
DE 108 **Lespagne** Rue Victor
DE 109 **Letourneur** Villa
DG 109 **Libération** Place de la
DC 109 **Lilas** Villa des
DE 106 **Luat** Rue du
DD 111 **Macé** Rue Jean
DG 109 **Madeleine** Villa
DF 108 **Maison Rouge** Rue de la
DG 108 **Mallier** Rue
DE 106 **Malot** Rue Hector
DF 109 **Mandel** Rue Georges
DD 111 **Mandela** Place Nelson
DD 113 **Marais** Chemin des
DD 112 **Marais** Rue des
DF 112 **Marceau** Rue
DE 111 **Mare à Guillaume** R. de la
DG 111 **Margerie** Rue Gaston
DF 109 **Marguerite** Rue
DH 109 **Marronniers** Avenue des
DE 108 **Martin** Rue Eugéne
DD 111 **Martinie** Rue Jean-Pierre
DF 110 **Martyrs de la Résistance** Place des
DF 107 **Massenet** Rue Jules
DE 108 **Matène** Chemin de la
DE 109 **Matène** Rue de la
DF 109 **Mauconseil** Rue
DE 108 **Maury** Rue Edouard
DE 106 **Médéric** Rue
DG 109 **Mémoris** Villa
DE 110 **Mendès France** Rue
DD 110 **Michel** Rue Louise
DE 109 **Michelet** Place
DE 110 **Michelet** Rue
DE 108 **Mirabeau** Rue
DF 108 **Mocards** Rue des
DG 110 **Molière** Rue
DF 111 **Montesquieu** Rue
DG 108 **Moreau-David** Place
DF 109 **Mot** Rue
DD 111 **Moulin** Rue Jean
DE 108 **Moulin** Villa du
DE 108 **Moulin des Rosettes** Impasse du
DE 108 **Moulins** Rue des
DG 110 **Mussault** Rue Victor
DE 110 **Musset** Rue Alfred De
DF 109 **Naclières** Rue des
DF 112 **Neuilly** Avenue de
DF 110 **Neuilly** Rue de
DF 110 **Nord** Rue du
DF 109 **Notre-Dame** Rue
DE 106 **Nungesser** Rue
DH 109 **Odette** Avenue
DD 112 **Olympiades** Avenue des
DD 111 **Olympiades** Square des
DG 109 **Orléans** Villa d'
DF 110 **Ormes** Rue des
DE 108 **Ormes** Villa des
DE 108 **Ouest** Villa de l'
DE 108 **Paix** Villa de la
DC 110 **Palissy** Rue Bernard
DE 109 **Papin** Rue Denis
DE 106 **Parapluies** Carrefour des
DE 106 **Parapluies** Square des
DE 107 **Parmentier** Avenue
DE 106 **Passeleu** Rue du
DF 107 **Pasteur** Rue
DF 110 **Paul** Square Marcel
DF 108 **Pauline** Rue
DE 109 **Péché** Villa
DG 106 **Pépinière** Avenue de la
DG 110 **Père Thibeaut** Square du
DE 106 **Péri** Rue Gabriel
DE 109 **Philipe** Rue Gérard
DD 111 **Picasso** Avenue Pablo
DF 110 **Planche** Rue de la
DE 108 **Plateau** Villa du
DF 109 **Poil** Rue François
DF 107 **Pommiers** Rue des
DG 107 **Porte Jaune** Avenue de la
DC 109 **Poussin** Rue
DD 113 **Prairie** Chemin de la
DD 113 **Prairie** Sentier de la
DE 107 **Prés Lorets** Rue des
DE 107 **Prés Lorets** Villa des
DE 108 **Prestinari** Villa
DF 112 **Priets** Rue des
DE 107 **Progrès** Villa du
DD 107 **Quatre Ruelles** Rue des
DE 107 **Quatre Ruelles** Villa des
DE 110 **Rabelais** Avenue
DD 109 **Racine** Rue
DF 109 **Raspail** Rue
DG 110 **Regard** Rue du
DD 108 **Renan** Avenue Ernest
DE 107 **Renardière** Impasse de la
DE 107 **Renardière** Rue de la
DE 109 **République** Avenue de la
DF 110 **Résistance** Rue de la
DF 110 **Réunion** Rue de la
DD 109 **Ribatto** Rue Gilbert
DG 110 **Ricard** R. Louis Xavier De
DG 110 **Richebois** Rue Désiré
DD 109 **Rieux** Rue des
DF 107 **Rigollots** Carrefour des
DE 111 **Robespierre** Rue Maximilien De
DG 108 **Roosevelt** Avenue du Président
DD 110 **Rosenberg** Rue
DF 109 **Rosettes** Place des
DE 108 **Rosettes** Rue des
DE 108 **Rosettes** Villa des
DF 110 **Rosny** Rue de
DF 108 **Roublot** Rue
DF 107 **Rousseau** Rue Jean-Jacques
DF 108 **Roux** Rue Emile
DG 109 **Ruel** Boulevard Henri
DE 108 **Ruisseau** Impasse du
DE 108 **Ruisseau** Rue du
DE 109 **Saint-Germain** Rue
DF 109 **Saint-Germain** Villa
DD 112 **Saint-Just** Square
DG 108 **Saint-Louis** Villa
DF 110 **Saint-Maur** Sentier
DG 109 **Saint-Vincent** Rue
DF 112 **Salengro** Rue Roger
DE 106 **Santé** Rue de la
DG 108 **Sémard** Rue Pierre
DE 109 **Sentier du Moulin** Rue du
DD 108 **Seyert** Rue
DG 109 **Simone** Villa
DE 106 **Solidarité** Rue de la
DE 108 **Sources** Chemin des
DG 110 **Squéville** Rue
DE 107 **Stalingrad** Avenue de
DF 110 **Sud** Impasse du
DE 110 **Sue** Allée Eugène
DE 107 **Terres St-Victor** Rue des
DE 109 **Tessier** Rue André
DF 107 **Thérèse** Rue
DD 110 **Timbaud** Rue Jean-Pierre
DD 112 **Tranquille** Allée
DE 106 **Trois Territoires** Rue des
DE 110 **Trontais** Impasse des
DE 107 **Trucy** Rue de
DE 106 **Turpin** Rue
DF 111 **Vaillant** Rue Edouard
DE 112 **Val de Fontenay** Av. du
DE 109 **Val Tidone** Allée du
DG 110 **Vauban** Rue
DD 108 **Védrines** Rue
DE 110 **Verdun** Boulevard de
DG 108 **Vincennes** Boulevard de
DG 110 **Vingt-Cinq Août 1944** Boulevard du
DG 109 **Vitry** Villa
DD 111 **Wallon** Rue Henri
DF 108 **Weber** Passage Pierre
DF 107 **Yvonne** Rue
DD 111 **Zay** Rue Jean
DD 109 **Zola** Rue Emile

FONTENAY-SOUS-BOIS suite (plan page 241)

Principaux Bâtiments

DD 111 ANPE
DE 113 ANPE
DE 112 ASSEDIC
DD 111 Bourse du Travail
DG 111 Caserne
DE 111 Complexe Sportif Salvador Allende
DG 109 Conservatoire de Musique et de Danse
DF 110 CPAM
DC 111 Déchetterie
DE 109 Espace Gérard Philipe
DG 111 Fort de Nogent
DE 109 Lycée Professionnel Michelet
DF 112 LT Louis Armand
DD 111 Lycée Pablo Picasso
DF 110 Mairie
DE 106 Mairie Annexe
DE 113 Mairie Annexe Tassigny
DE 111 Office de Tourisme
DF 110 Police
DF 107 Poste
DE 111 Poste
DE 112 Poste
DE 109 Poste
DF 110 Poste
DE 109 Stade André Laurent
DF 111 Stade Georges Le Tiec
DF 111 Stade Georges Merlen
DC 111 Stade Omnisports Pierre De Coubertin
DE 107 Théâtre
DE 112 Trésor Public
DF 110 Cimetière de Fontenay
DC 111 Cimetière de Vincennes

GENTILLY

plan page 249

RER : Ligne B Gentilly
Bus : 57-125-184-186

DN 91 **Allende** Rue du Président
DM 90 **Amélie** Villa
DM 90 **Anjolvy** Rue René
DN 90 **Arcueil** Rue d'
DM 91 **Barbusse** Place Henri
DN 91 **Bathilde** Rue
DO 91 **Bel Ecu** Rue du
DN 91 **Bensérade** Rue
DN 91 **Berthelot** Rue Marcellin
DN 92 **Bièvre** Rue de la
DN 90 **Blanqui** Impasse Auguste
DM 90 **Blanqui** Rue Auguste
DO 91 **Bonnot** Rue Julien
DN 90 **Bougard** Rue Emile
DO 90 **Boulineau** Rue
DN 91 **Bout du Rang** Rue du
DN 91 **Bouvery** Impasse
DN 92 **Briand** Rue Aristide
DN 89 **Cachin** Place Marcel
DM 92 **Calmus** Rue Charles
DM 92 **Cassin** Allée René
DN 91 **Chamoiserie** Rue de la
DM 90 **Champs Elysées** Rue des
DN 89 **Chaperon Vert** Cité le
DM 90 **Clément** Rue J.-Baptiste
DN 91 **Condorcet** Rue
DN 91 **Croizat** Square
DN 91 **Debray** Rue Nicolas
DM 89 **Dedouvre** Rue
DN 90 **Demand** Villa
DM 92 **Destrée** Rue Jacques
DN 89 **Deuxième** Avenue
DN 91 **Div. du Gal Leclerc** R. de la
DO 90 **Dix-Neuf Mars 1962** Sq. du
DN 92 **Ferry** Rue Jules
DN 90 **Fleming** Al. Sir Alexander
DN 89 **Foubert** Rue
DN 90 **Fraysse** Rue
DM 91 **Freiberg** Rue de
DM 92 **Frérot** Rue Charles
DM 92 **Frileuse** Cité
DM 90 **Gabrielle** Rue
DN 90 **Gaillet** Rue Louis
DM 92 **Gallieni** Avenue
DN 92 **Galloy** Square
DO 90 **Gandilhon** Rue
DM 91 **Gautherot** Rue Henri
DN 91 **Glaisières** Ruelle des
DM 91 **Guilpin** Rue Albert
DN 90 **Hippocrate** Rue
DN 92 **Hugo** Espace Victor
DN 92 **Hugo** Rue Victor
DN 92 **Jaurès** Avenue Jean
DO 91 **Jean-Louis** Rue
DM 90 **Joséphine** Impasse
DM 90 **Kleynoff** Rue Henri
DM 90 **Kleynoff** Square Henri
DN 91 **Labourse** Rue
DM 90 **Lafouge** Rue
DM 91 **Lecocq** Rue
DM 91 **Lefebvre** Rue Raymond
DM 92 **Léger** Allée Fernand
DM 89 **Lénine** Avenue
DM 90 **Malon** Rue Benoît
DM 90 **Marcel** Rue Pierre
DM 91 **Marchand** Rue Robert
DM 91 **Marquigny** Rue Victor
DO 91 **Moulin de la Roche** P. du
DO 91 **Moulin de la Roche** R. du
DM 92 **Paix** Jardin de la
DN 90 **Paix** Rue de la
DN 92 **Paroy** Impasse du
DN 92 **Paroy** Rue du
DN 91 **Pascal** Rue
DN 90 **Pasteur** Avenue
DO 91 **Péri** Rue Gabriel
DN 91 **Picasso** Parc Pablo
DM 92 **Platanes** Allée des
DM 91 **Poste** Rue de la
DN 89 **Première Avenue**
DM 92 **Prévert** Allée Jacques
DM 92 **Quatre Tours** Rue des
DN 89 **Quatrième Avenue**
DM 92 **Raspail** Avenue
DN 90 **Reims** Rue de
DN 91 **Reine Blanche** Cité
DM 89 **Rémond** Villa
DM 92 **République** Avenue de la
DM 90 **Rolland** Rue Romain
DN 91 **Saint-Eloi** Rue
DN 90 **Schweitzer** Rue Albert
DO 91 **Soleil Levant** Place du
DO 91 **Soleil Levant** Rue du
DN 91 **Souvenir** Rue du
DN 92 **Stalingrad** Carrefour
DM 92 **Tanneurs** Allée des
DM 91 **Ténine** Rue du Docteur
DM 91 **Thiberville** Rue
DM 89 **Troisième Avenue**
DM 90 **Vaillant-Couturier** Av. Paul
DM 91 **Val-de-Marne** Rue du
DM 92 **Verdun** Rue de
DN 90 **Verte** Cité
DM 92 **Victoire du Huit Mai 1945** Place de la
DN 91 **Wilson** Rue du Président

Principaux Bâtiments

DN 89 Bibliothèque
DM 91 Bibliothèque
DN 91 Clinique
DN 92 Conservatoire
DN 90 CPAM
DN 91 Hôpital Fondation Vallée
DN 91 LP Val-de-Bièvre
DM 91 Mairie
DM 92 Perception
DN 89 Poste Annexe
DM 91 Poste
DM 89 Stade de la Cité Universitaire
DO 91 Stade Géo André
DN 91 Stade Maurice Baquet

ISSY-LES-MOULINEAUX plan page 243

Métro : Ligne 12 - Corentin-Celton - Mairie d'Issy
Bus : 39-123-126-169-189-190-289-290-323-389-394-589-TUVIM
RER : C - Issy-Plaine - Issy
Tramway T2 : Issy-Val de Seine - Jacques-Henri Lartigue - Les Moulineaux

Plan	Voie
DK 79	**Acacias** Rue des
DL 78	**Accès à la Gare** Chemin d'
DL 81	**Alembert** Place D'
DL 81	**Alembert** Rue D'
DJ 79	**Amiot** Mail Félix
DI 81	**Armand** Rue Louis
DL 78	**Asile** Sentier de l'
DK 78	**Atget** Rue Eugène
DJ 81	**Avia** Rue du Colonel Pierre
DL 79	**Bachaga Boualam** Place
DI 79	**Bara** Rue
DM 80	**Barbès** Rue de
DL 76	**Bas Meudon** Avenue du
DK 79	**Bateau Lavoir** Rue du
DM 81	**Baudin** Impasse
DL 81	**Baudin** Rue
DK 82	**Baudouin** Rue Eugène
DM 80	**Bernard** Rue Claude
DL 78	**Bert** Rue Paul
DJ 79	**Berteaux** Rue Maurice
DL 80	**Berthelot** Rue Marcellin
DK 82	**Berthelotte** Chemin de la
DM 77	**Besnard** Rue Paul
DL 76	**Billancourt** Allée de
DK 80	**Biscuiterie** Rue de la
DJ 81	**Blandan** Rue du Sergent
DJ 79	**Blériot** Square Louis
DL 78	**Blum** Place Léon
DK 81	**Bois Vert** Chemin du
DK 77	**Bonnier** Allée Louis
DL 76	**Boucher** Mail Alfred
DK 79	**Bouin** Avenue Jean
DL 79	**Bourgain** Avenue
DL 80	**Branly** Rue Edouard
DL 77	**Brasserie** Allée de la
DL 80	**Breton** Rue Marius
DL 78	**Briand** Rue Aristide
DL 80	**Brossolette** Rue Pierre
DM 79	**Buisson** Rue Ferdinand
DL 81	**Burgun** R. Georges-Marcel
DL 81	**Buvier** Sentier du
DM 80	**Calmette** Av. du Professeur
DL 81	**Carnot** Rue Lazare
DL 78	**Carrières** Allée des
DJ 79	**Caudron** Rue Gaston et René
DK 81	**Celton** Parvis Corentin
DL 80	**Cerisiers** Villa des
DL 76	**Chabanne** Place
DJ 81	**Champeau** Rue Maurice
DJ 81	**Chapelle Saint-Sauveur** Allée de la
DK 80	**Charlot** Rue
DN 79	**Chemin de Fer** Sentier du
DM 80	**Chemin Vert** Rue du
DL 80	**Chénier** Rue André
DK 80	**Chérioux** Rue Adolphe
DL 81	**Chevalier De La Barre** R. du
DL 81	**Chevreuse** Villa
DL 79	**Citeaux** Allée des
DL 81	**Cloquet** Impasse
DL 77	**Clos** Allée du
DL 81	**Clotilde** Rue
DM 78	**Courbarien** Rue Antoine
DJ 81	**Courteline** Rue
DK 79	**Coutures** Allée des
DL 80	**Cresson** Avenue Victor
DL 80	**Curie** Rue Pierre
DK 80	**Danton** Rue
DL 79	**Défense** Rue de la
DJ 79	**Delagrange** Rue Léon
DK 80	**Delahaye** Rue
DL 81	**Derry** Rue de l'Abbé
DJ 79	**Desmoulins** Rue Camille
DK 80	**Diderot** Rue
DM 77	**Dix-Neuf Mars 1962** Pl. du
DL 81	**Dolet** Rue Etienne
DM 79	**Duployé** Rue Emile
DK 80	**Eboué** R. du Gouv. Général
DL 79	**Ecoles** Allée des
DL 79	**Egalité** Rue de l'
DL 80	**Eglise** Place de l'
DJ 79	**Eiffel** Allée Gustave
DM 79	**Epinettes** Sentier des
DL 79	**Erevan** Rue d'
DK 79	**Estienne D'Orves** Rue D'
DM 78	**Etroites** Sentier des
DI 80	**Farman** Rue Henry
DK 79	**Ferber** Rue du Capitaine
DM 77	**Ferme** Allée de la
DM 77	**Ferme** Parc de la
DL 81	**Ferrer** Villa Francisco
DK 79	**Ferry** Rue Jules
DL 77	**Fleury** Allée de
DL 77	**Flore** Allée de
DL 77	**Follereau** Esplanade Raoul
DK 78	**Foncet** Esplanade du
DK 79	**Fontaine** Allée de la
DK 81	**Fontaine** Place de la
DL 80	**Fort** Rue du
DJ 82	**Foucher-Lepelletier** Rue
DJ 82	**Fournier** Square Marcel
DM 78	**Fragonard** Rue Honoré
DK 80	**France** Rue Anatole
DJ 79	**Frantz** Rue Joseph
DL 79	**Fraternité** Rue de la
DL 79	**Fréret** Impasse
DL 80	**Galerie** Rue de la
DJ 79	**Gallieni** Boulevard
DK 81	**Gambetta** Boulevard
DL 78	**Gare** Rue de la
DL 79	**Garibaldi** Boulevard
DL 81	**Gaulle** Av. du Général De
DJ 82	**Georges-Marie** Rue
DN 79	**Georget** Passage Jean
DL 80	**Gervais** Rue Auguste
DL 77	**Gévelot** Place Jules
DL 80	**Glacière** Rue de la
DJ 79	**Godet** Rue Jacques
DL 81	**Grégoire** Rue de l'Abbé
DJ 79	**Grenelle** Allée de
DL 81	**Guesde** Rue Jules
DM 78	**Guimard** Rond-Point Henri
DJ 81	**Guynemer** Rue
DL 76	**Hameau Normand** Allée du
DK 82	**Hartmann** Rue Maurice
DL 78	**Haussmann** Villa
DM 80	**Haydamilles** Cité des
DK 78	**Hirondelles** Mail des
DK 80	**Hoche** Allée
DK 80	**Hoche** Rue
DJ 80	**Hugo** Rond-Point Victor
DK 81	**Hugo** Rue Victor
DL 80	**Huit Mai 1945** Place du
DL 77	**Iles** Boulevard des
DK 81	**Industrie** Passage de l'
DL 77	**Issy** Allée d'
DJ 78	**Issy** Pont d'
DK 78	**Jacques** Rue René
DL 76	**Jard. de l'Ile** Prom. des
DK 81	**Jarland** Allée du Père
DK 81	**Jassède** Rue Prudent
DK 80	**Jaurès** Avenue Jean
DK 79	**Jazy** Rue Michel
DJ 81	**Jeanne D'Arc** Rue
DJ 81	**Jeannin-Garreau** R. Eliane
DK 79	**Juin** Place du Maréchal
DL 79	**Kennedy** Pl. du Pdt J.-F.
DK 80	**Kléber** Rue
DK 81	**Kléber** Villa
DJ 79	**Lafayette** Place
DK 80	**Lamartine** Rue
DK 78	**Lartigue** R. Jacques-Henri
DL 80	**Lasserre** Rue
DK 79	**Latéral** Chemin
DK 80	**Lattre De Tassigny** Place du Maréchal De
DK 80	**Leca** Place Bonaventure
DL 80	**Lecache** Allée Henri

ISSY-LES-MOULINEAUX suite (plan page 243)

DK 81 **Leclerc** Rue du Général
DL 80 **Liberté** Rue de la
DM 78 **Loges** Sentier des
DL 77 **Lombard** Rue du Docteur
DL 76 **Luce** Allée Maximilien
DK 80 **Lumières** Parvis des
DK 81 **Lycée** Villa du
DM 78 **Madame** Rue
DK 78 **Madaule** Place Jacques
DM 78 **Mademoiselle** Rue
DJ 79 **Mallet** Rue Maurice
DM 79 **Malon** Rue Benoît
DJ 82 **Manufacture** Espl. de la
DK 79 **Maraîchers** Allée des
DK 80 **Marceau** Rue
DL 80 **Marcettes** Sentier des
DJ 82 **Marguerite** Villa
DL 79 **Martelle** Rue de la
DM 78 **Matisse** Allée Henri
DJ 82 **Matrat** Rue Claude
DJ 81 **Mayer** Rue Henri
DK 80 **Menand** Mail Raymond
DL 77 **Meudon** Rue de
DJ 82 **Michelet** Rue
DK 81 **Minard** Rue
DL 77 **Miquel** Rue Marcel
DK 77 **Monnet** Avenue Jean
DL 80 **Montézy** Sentier de la
DM 77 **Montquartiers** Chemin des
DL 81 **Moreau** Rue Madeleine
DM 80 **Moulin** Chemin du
DL 77 **Moulin** Pont Jean
DL 81 **Moulin de Pierre** Rue du
DL 76 **Moulineaux** Allée des
DM 78 **Nahariya** Square
DL 77 **Natter** Rue du Père
DL 79 **Naud** Rue Edouard
DJ 82 **Nicot** Allée Jean
DJ 79 **Nieuport** Rue Edouard
DL 79 **Nouvelle** Impasse
DK 80 **Nouvelle** Voie
DL 80 **Onze Novembre 1918** Place du
DJ 81 **Oradour-sur-Glane** Rue d'
DM 80 **Paix** Avenue de la
DL 80 **Paix** Villa de la
DM 78 **Panorama** Allée du
DL 76 **Pape** Promenade Constant
DL 80 **Parc** Villa du
DK 78 **Parc de l'Europe** Passerelle du
DJ 81 **Parmentier** Rue
DK 78 **Passeur de Boulogne** R. du
DL 79 **Pasteur** Avenue
DM 78 **Pastorale d'Issy** Rue de la
DM 81 **Pensards** Sentier des
DL 80 **Péri** Rue Gabriel
DL 80 **Petit Buvier** Sentier du
DK 79 **Peupliers** Rue des
DL 77 **Poli** Rue Pierre
DL 76 **Ponceau** Rue du
DL 77 **Ponts** Allée des
DL 81 **Popielusko** Allée du Père
DL 82 **Potin** Rue Jean-Baptiste
DK 76 **Promenade Robinson** Rue
DM 77 **Pucelles** Sentier des
DJ 82 **Quatre Septembre** Rue du
DM 78 **Quatre Vents** Impasse des
DM 79 **Rabelais** Rue
DJ 82 **Renan** Rue Ernest
DK 80 **République** Avenue de la
DL 77 **Résistance** Place de la
DL 80 **Robespierre** R. Maximilien
DM 78 **Rodin** Boulevard
DI 79 **Roosevelt** Q. du Président
DJ 79 **Rouget De Lisle** Rue
DL 78 **Rousseau** Rue J.-Jacques
DK 79 **Rousseau** Villa J.-Jacques
DK 79 **Sablons** Allée des
DM 77 **Saint-Cloud** Chemin de
DL 76 **Sainte-Eudoxie** Allée
DL 77 **Sainte-Lucie** Allée
DL 75 **Saint-Germain** Place
DL 80 **Saint-Jean** Passage
DL 77 **Saint-Vincent** Cours
DL 79 **Salengro** Rue Roger
DJ 79 **Schuman** Pl. du Pdt Robert
DM 79 **Sembat** Rue Marcel
DM 79 **Sergent** Rue
DM 79 **Sergent** Villa
DJ 81 **Séverine** Rue
DM 79 **Souvenir Français** Pl. du
DJ 79 **Spectacle** Place du
DK 78 **Stalingrad** Quai de
DJ 81 **Sténon** Passage Nicolas
DL 80 **Tariel** Rue Henri
DL 80 **Telles de la Poterie** Rue
DL 80 **Telles de la Poterie** Villa
DL 80 **Tilleuls** Place des
DL 80 **Tilleuls** Villa des
DL 77 **Timbaud** Rue Jean-Pierre
DM 78 **Tir** Villa du
DM 79 **Tolstoï** Rue
DL 79 **Travailleurs** Rue des
DM 81 **Tricots** Impasse des
DL 81 **Tricots** Sentier des
DM 81 **Trois Beaux-Frères** I. des
DM 78 **Union** Allée de l'
DK 82 **Université** Allée de l'
DK 81 **Vaillant-Couturier** Pl. Paul
DK 81 **Vanves** Rue de
DJ 82 **Varennes** Square des
DM 80 **Vauban** Rue
DK 81 **Vaudétard** Rue
DL 76 **Vaugirard** Rue de
DM 79 **Verdi** Rue
DM 77 **Verdun** Avenue de
DK 80 **Vernet** Rue Horace
DL 77 **Viaduc** Rue du
DM 78 **Vignes** Chemin des
DJ 82 **Voisembert** R. J.-Edouard
DJ 80 **Voisin** Bd des Frères
DK 81 **Voltaire** Boulevard
DK 81 **Voltaire** Rue
DL 76 **Vuillième** Rue du Docteur
DL 80 **Wagner** Impasse
DL 79 **Weiden** Carrefour de
DK 79 **Zacq** Place Léon
DK 79 **Zacq** Square Léon
DM 79 **Zamenhoff** R. du Docteur
DL 80 **Zola** Rue Emile

Principaux Bâtiments

DK 80 Auditorium
DL 79 Caserne Gardes Mobiles
DM 80 Caserne Gardes Mobiles
DK 81 Centre Administratif
DK 80 Centre d'Affaires
DK 80 Clinique
DL 81 Clinique
DK 80 Conservatoire
DL 80 CPAM
DM 79 Fort d'Issy- les-Moulineaux
DK 80 Gendarmerie
DM 79 Halle
DJ 81 Hôpital Corentin Celton
DM 77 Hôpital de Jour
DK 81 Hôpital Suisse de Paris
DL 81 Hôtel des Impôts
DL 78 Lycée Eugène Ionesco
DL 79 Lycée Eugène Ionesco Annexe
DK 80 Mairie
DM 78 Mairie Annexe
DK 78 Maison de la Nature
DK 80 Médiathèque
DL 80 Musée
DK 80 Office de Tourisme
DL 80 Palais des Arts et des Congrès
DK 82 Parc des Expositions
DK 79 Parc Municipal des Sports
DK 79 Piscine
DK 80 Police
DJ 81 Police
DM 78 Police Municipale
DK 80 Pompiers
DK 78 Poste
DL 77 Poste
DM 78 Poste
DK 80 Poste
DJ 81 Poste
DJ 82 Poste
DM 79 Stade Alain Mimoun
DL 76 Stade de l'Ile de Billancourt
DK 80 Stade G. Voisin
DK 79 Stade J. Bouin
DK 79 Stade
DL 78 Technopolis
DK 80 Trésorerie
DK 78 Tri Postal
DM 78 Cimetière d'Issy-les-Moulineaux

IVRY-SUR-SEINE plan page 245

Métro : Ligne 7 - Pierre-Curie - Mairie d'Ivry
RER : Ligne C - Ivry-sur-Seine
Bus : NI-125-132-180-182-183-323-325

DO 95 **Acacias** Square des
DM 96 **Alfonso** Prom. Célestino
DM 96 **Alfonso** Rés. Célestino
DM 96 **Alfonso** Rue Célestino
DM 95 **Alliés** Square des
DN 99 **Ampère** Rue
DN 94 **Andrieux** Rue Paul
DM 98 **Avenir** Impasse de l'
DM 99 **Avenir** Rue de l'
DO 98 **Bac** Villa
DO 100 **Baignade** Rue de la
DM 95 **Barbès** Rue
DO 96 **Barbusse** Avenue Henri
DP 95 **Bastard** Rue Emile
DM 95 **Baudin** Rue
DO 95 **Beauséjour** Résidence
DM 95 **Bert** Rue Paul
DM 94 **Berteaux** Rue Maurice
DN 96 **Berthelot** Rue
DM 95 **Bertrand** Rue Louis
DN 100 **Beuve-Méry** Place Hubert
DM 95 **Bizet** Rue
DO 96 **Blais** Impasse des Frères
DO 97 **Blais** Rue des Frères
DN 97 **Blanqui** Rue
DM 95 **Blés d'Or** Cité les
DN 99 **Blin** Rue Emile
DO 97 **Bonnefoix** Rue Jean
DN 97 **Bouleaux** Place des
DL 95 **Bounaceur** Rue Mohamed
DN 99 **Bourdeau** Passage
DL 98 **Boyer** Quai Marcel
DM 99 **Brandebourg** Boulevard de
DM 96 **Brossolette** Rue Pierre
DK 97 **Bruneseau** Rue
DN 95 **Buessard** Impasse Roger
DN 95 **Buessard** Rue Roger
DO 97 **Butte** Escalier de la
DN 97 **Cachin** Place Marcel
DM 97 **Cachin** Rue Marcel
DP 97 **Calmette** R. du Professeur
DO 95 **Carnot** Rue
DN 96 **Carrières Delacroix** Al. des
DM 96 **Casanova** Avenue Danielle
DM 97 **Casanova** Cité
DM 94 **Chalets** Rue des
DL 97 **Chanteclair** Allée
DM 95 **Chanvin** Impasse
DM 94 **Châteaudun** Rue de
DN 95 **Chaussinand** Rue Alexis
DN 98 **Chevaleret** Cité du
DM 95 **Chocolaterie** Allée de la
DM 94 **Cimetière Parisien** Av. du
DN 97 **Clément** R. Jean-Baptiste
DM 96 **Colomb** Rue Christophe
DO 97 **Colombier** Rue du
DL 98 **Compagnon** Quai Jean
DN 96 **Cornavin** Rue Gaston
DN 99 **Couderchet** Rue Maurice
DM 100 **Coulomb** Rue Charles De
DO 96 **Coutant** Rue Maurice
DP 98 **Cretté** Rue Louise-Aglaë
DN 95 **Curie** Cité Pierre et Marie
DM 95 **Curie** Rue Pierre et Marie
DM 96 **Danton** Place
DO 95 **Degert** Rue Robert
DN 97 **Dereure** Rue Simon
DL 96 **Desault** Rue Pierre-Joseph
DN 97 **Descartes** Rue
DM 100 **Deshaies** Quai Auguste
DO 95 **Dix-Neuf Mars 1962** R. du
DO 95 **Doiret** Rue Roger
DO 97 **Dombrowski** Rd-Pt Jaroslow
DM 96 **Dormoy** Rue Jean
DP 95 **Duchauffour** Rue Eugène
DN 96 **Eglise** Place de l'
DQ 99 **Einstein** Rue Albert
DM 98 **Elisabeth** Rue
DM 97 **Esquirol** Rue du Docteur
DN 96 **Estienne D'Orves** Rue D'
DM 100 **Fabien** Bd du Colonel
DO 97 **Fablet** Rue Louis
DM 100 **Faraday** Rue Michaël
DM 98 **Fauconnières** Cité des
DM 98 **Fauconnières** Placette des
DL 98 **Fauconnières** Prom. des
DM 96 **Ferrer** Rue Francisco
DM 95 **Ferry** Cité Jules
DM 95 **Ferry** Rue Jules
DO 97 **Fort** Promenade du
DP 97 **Fort** Route du
DO 98 **Fouilloux** Rue
DN 97 **Four** Passage du
DN 98 **Gagarine** Allée
DN 98 **Gagarine** Cité
DP 96 **Gagnée** Rue
DM 99 **Galais** Rue Pierre
DM 99 **Galilée** Rue
DM 99 **Gambetta** Place Léon
DM 98 **Gare** Rue de la
DN 95 **Gaulle** Pl. du Général De
DP 99 **Gérard** Passage
DN 97 **Gosnat** Avenue Georges
DN 97 **Gosnat** Promenade Venise
DO 95 **Gournay** Impasse de
DM 98 **Grandcoing** Rue Maurice
DO 96 **Grimau** Cité Julian
DO 97 **Guenet** Place Emile
DN 97 **Guignois** Rue Pierre
DM 99 **Guillou** Rue Edmée
DN 100 **Gunsbourg** Rue Maurice
DO 97 **Guy** Rue Claude
DN 97 **Hachette (1)** Prom. Jeanne
DN 97 **Hachette (2)** Terr. Jeanne
DN 97 **Hachette (3)** Rés. Jeanne
DO 97 **Hartmann** Rue Marcel
DO 95 **Hautes Bornes** I. des
DO 94 **Herbeuses** Impasse des
DO 94 **Herbeuses** Sentier des
DN 95 **Hoche** Impasse
DN 95 **Hoche** Passage
DN 95 **Hoche** Rue
DN 96 **Hoche** Square
DO 96 **Honfroy** Rue Pierre
DL 97 **Hugo** Rue Victor
DM 95 **Huit Mai 1945** Place du
DP 97 **Huon** Rue Amédée
DP 96 **Huon-Coutant** Cité A.-M.
DM 98 **Insurrection** Cité de
BM 98 **Insurrection** Square de l'
DM 98 **Insurrection d'Août 1944** Place de l'
DM 100 **Ivry** Pont d'
DP 99 **Ivry** Rue
DN 96 **Ivry** Villa d'
DM 100 **Ivry-Charenton** Passerelle d'
DN 98 **Ivry-Raspail** Résidence
DL 96 **Jardins** Rue des
DN 99 **Jaurès** Avenue Jean
DN 99 **Jaurès** Place Jean
DN 96 **Jehenne** Rue Georges
DN 95 **Joliot-Curie** Allée Irène
DO 97 **Joséphine** Avenue
DO 97 **Klébert** Rue
DO 97 **Lamant** Rue Marcel
DN 95 **Langevin** Rue Paul
DN 96 **Le Galleu** Cité
DN 96 **Le Galleu** Rue Jean
DN 96 **Leclerc** Av. du Général
DM 97 **Ledru-Rollin** Rue
DO 94 **Lefèvre** Rue Raymond
DN 97 **Léger (4)** Galerie Fernand
DN 97 **Leibnitz** Rue
DM 98 **Lénine** Rue
DM 94 **Leroy** Rue Charles
DM 95 **Liberté** Sentier de la
DN 96 **Liégat** Promenée du
DN 96 **Liégat** Résidence du
DP 98 **Lion d'Or** Passage du

IVRY-SUR-SEINE suite (plan page 245)

DM 95 **Longs-Sillons** Cité des
DN 96 **Malicots** Sentier des
DL 99 **Mandela** Pont Nelson
DO 97 **Marat** Cité
DO 97 **Marat** Espace Vert
DO 97 **Marat** Placette
DN 96 **Marat** Promenée
DO 97 **Marat** Rue
DN 97 **Marat (5)** Résidence
DM 96 **Marceau** Rue
DM 94 **Marchal** Rue Louis
DM 99 **Marne** Allée de la
DM 95 **Marquès** Bd Hippolyte
DN 97 **Marrane** Espl. Georges
DN 96 **Marronniers** Chemin des
DO 95 **Martin** Impasse Henri
DO 95 **Martin** Rue Henri
DN 100 **Mazet** Rue Jean
DM 97 **Mazy** Rue Paul
DM 94 **Meunier** Rue Albert
DO 95 **Michelet** Impasse
DO 95 **Michelet** Rue
DM 96 **Mirabeau** Rue
DL 97 **Mitterrand** Rue François
DM 99 **Moïse** Rue
DM 97 **Molière** Rue
DO 96 **Monmousseau** Espace Vert
DP 96 **Monmousseau** R. Gaston
DM 96 **Moulie** Rue Pierre
DM 96 **Moulin** Cité Jean
DO 96 **Moulin à Vent** Sentier du
DM 94 **Mozart** Rue
DP 98 **Nadaire** Rue Lucien
DO 99 **Nouvelle** Rue
DO 97 **Œillets** Sentier des
DM 99 **Orme au Chat** Place de l'
DP 99 **Oussekine** Place Malik
DO 94 **Paix** Impasse de la
DO 94 **Paix** Rue de la
DN 96 **Palissy** Rue Bernard
DN 97 **Papin** Cité Denis
DN 98 **Papin** Rue Denis
DN 97 **Parc** Allée du
DM 96 **Parc** Cité du
DO 97 **Parmentier** Cité
DO 98 **Parmentier** Place
DM 99 **Parson** Impasse
DM 96 **Pasteur** Rue
DM 99 **Péniches** Rue des
DN 96 **Péri** Cité Gabriel
DN 96 **Péri** Rue Gabriel
DN 95 **Perrin** Rue Jean
DM 96 **Petit Bois** Promenade du
DM 99 **Petits Hôtels** Rue des
DO 96 **Peupliers** Halte des
DO 95 **Peupliers** Impasse des
DN 97 **Philipe** Place Gérard
DN 97 **Philipe** Promenée Gérard
DN 95 **Picard** Rue Gaston
DN 98 **Pioline** Cité Auguste
DM 99 **Postillon** Allée de
DM 95 **Poulmarch** R. Jean-Marie
DN 100 **Pourchasse** Quai Henri
DN 99 **Prudhon** Impasse
DO 95 **Quartier Parisien** Cité du
DO 95 **Quartier Parisien** Rue du
DO 97 **Quincey** Allée Edouard
DO 97 **Raspail** Rue
DO 99 **Renan** Rue Ernest
DP 98 **Renoult** Cité Jean-Baptiste
DP 98 **Renoult** Rue Jean-Baptiste
DP 98 **République** Avenue de la
DN 96 **République** Place de la
DN 98 **Révolution** Rue de la
DN 99 **Rigaud** Rue Pierre
DN 96 **Rivoli** Passage
DO 97 **Robespierre** Cité
DO 96 **Robespierre** Espace Vert
DO 97 **Robespierre** Rue
DN 96 **Robin** Rue René
DO 96 **Rostaing** Rue Georgette
DM 98 **Rousseau** R. Jean-Jacques
DN 96 **Rousseau** Rue Louis
DN 96 **Roussel** Rue Ferdinand
DO 97 **Saint-Frambourg** Sentier
DN 98 **Saint-Just** Rue
DM 100 **Sallnave** Rue Marcel
DM 99 **Seine** Allée de la
DO 96 **Selva** Rue Lucien
DM 96 **Sémard** Avenue Pierre
DN 98 **Simonet** Rue Gustave
DO 99 **Sorbiers** Villa des
DN 97 **Spinoza** Avenue
DN 97 **Spinoza** Cité
DP 96 **Stalingrad** Boulevard de
DN 97 **Supérieure (6)** Promenée
DO 95 **Tellier** Impasse
DN 97 **Terrasses** Promenée des
DN 97 **Théâtre** Chemin du
DM 96 **Thomas** Rue Antoine
DM 95 **Thorez** Avenue Maurice
DN 97 **Thorez** Cité Maurice
DP 98 **Trémoulet** Rue Jean
DO 96 **Trudin** Rue Georges
DN 98 **Truillot** Rue
DM 99 **Vaillant-Couturier** Bd Paul
DL 98 **Vanzuppe** Rue Jules
DM 95 **Vasseur** Rue Edouard
DN 95 **Verdun** Avenue de
DO 94 **Vérollot** Impasse
DO 94 **Vérollot** Rue
DL 95 **Vieux chemin** Rue du
DM 95 **Vieux Moulin** Allée du
DM 95 **Vieux Moulin** Halte du
DM 95 **Vieux Moulin** Résidence du
DL 95 **Villars** Rue René
DL 95 **Voguet** Rue André
DN 99 **Volta** Passage
DN 97 **Voltaire** Place
DN 96 **Voltaire** Rue
DN 97 **Voltaire (7)** Promenée
DM 98 **Westernmeyer** Espace Vert
DM 98 **Westernmeyer** Rue
DO 99 **Witchitz** Rue Robert
DM 98 **Zola** Rue Emile

Principaux Bâtiments

DN 96 ANPE
DO 96 Bibliothèque Gaston Monmousseau
DM 95 Bibliothèque Pierre et Marie Curie
DN 98 CIO
DN 97 Cité Admin. et Technique
DM 96 Clinique Chirurgicale d'Ivry
DM 99 Complexe Sportif de l'Orme au Chat
DN 95 Complexe Sportif Pierre et Marie Curie
DP 97 Complexe Sportif Venise Gosnat
DN 97 Conservatoire de Musique et de Danse Classique
DP 96 CPAM
DN 97 CPAM
DP 96 Centre d'Activités Monmousseau
DN 97 Centre des Impôts
DP 97 Fort d'Ivry
DO 98 Hopital Charles Foix
DN 95 Hôpital Jean Rostand
DP 98 Lycée Tech. d'Ivry-Vitry
DO 96 Lycée Fernand Léger
DP 98 Lycée Romain Rolland
DN 97 Mairie
DN 97 Médiathèque
DO 97 Piscine
DN 97 Police
DN 97 Pompiers
DM 95 Poste
DM 98 Poste
DN 96 Poste
DO 95 Poste
DO 95 Stade Alexis Chaussinand
DP 98 Stade Pillaudin
DO 95 Stade de Gournay
DO 96 Stade des Lilas
DO 97 Stade Edouard Clerville
DM 98 Stade Lénine
DN 98 Stade S.C.P.O.
DN 97 Théâtre
DN 97 Théâtre des Quartiers d'Ivry
DN 97 Tribunal
DN 94 Cimetière
DN 94 Cimetière Parisien d'Ivry

JOINVILLE-LE-PONT

plan page 247

RER : A2 - Joinville-le-Pont
Bus : 106 A-106 B-108 A-108 B-108 N-111-112-281

DM 110 **Alfred** Avenue
DJ 109 **Alger** Avenue d'
DL 110 **Allaire** Avenue Pierre
DJ 110 **Alliés** Boulevard des
DK 109 **Anjou** Quai d'
DK 110 **Arago** Avenue
DN 108 **Bagaudes** Boulevard des
DN 109 **Barbusse** Rue Henri
DM 109 **Barrage** Quai du
DM 109 **Beaubourg** Rue
DL 109 **Berguisch Gladbach** Place
DM 109 **Bernier** Rue
DK 109 **Béthune** Quai de
DK 110 **Bizet** Avenue
DJ 110 **Blois** Rue de
DL 111 **Bourvil** Square
DM 110 **Brétigny** Impasse
DL 108 **Briand** Rue Aristide
DM 109 **Brossolette** Quai Pierre
DK 109 **Calais** Avenue de
DM 108 **Canadiens** Avenue des
DM 108 **Canadiens** Place des
DJ 110 **Canrobert** Rue
DL 110 **Carné** Rue Marcel
DL 110 **Casque d'Or** Place
DN 109 **Chalet** Impasse du
DL 108 **Chapsal** Rue
DN 108 **Chemin Creux** Rue du
DK 110 **Colbert** Avenue
DM 110 **Commune** Place de la
DM 110 **Coursault** Avenue
DL 109 **Courtin** Avenue
DM 110 **Dagoty** Avenue
DJ 109 **Diane** Avenue de
DL 111 **Egalité** Rue de l'
DL 109 **Eglise** Rue de l'
DJ 110 **Elysée** Rue de l'
DK 109 **Estienne D'Orves** Avenue Jean D'
DJ 109 **Etoile** Avenue de l'
DJ 109 **Etoile** Villa de l'
DN 108 **Europe** Boulevard de l'
DL 110 **Familles** Avenue des
DM 111 **Floquet** Avenue Charles
DM 111 **Floquet** Impasse Charles
DK 110 **Foch** Avenue
DM 110 **Fraternité** Rue de la
DK 110 **Gabrielle** Rue
DL 111 **Gallieni** Av. du Général
DL 111 **Gaulle** Square Charles De
DM 110 **Gilles** Avenue
DL 110 **Gisèle** Villa
DK 109 **Gounod** Avenue
DM 109 **Grotte** Villa de la
DJ 110 **Guinguettes** Allée des
DM 108 **Halifax** Rue
DJ 110 **Hameau** Rue du
DL 110 **Henri** Avenue
DL 109 **Hugède** Rue
DM 109 **Huit Mai 1945** Place du
DL 109 **Ile de Fanac** Chemin de l'
DL 110 **Jamin** Avenue
DL 108 **Jaurès** Avenue Jean
DM 109 **Jeanne D'Arc** Avenue
DN 109 **Joinville** Avenue de
DL 109 **Joinville** Pont de
DL 110 **Jougla** Avenue Joseph
DL 110 **Jouvet** Allée Louis
DL 110 **Joyeuse** Avenue
DM 108 **Kennedy** Av. du Pdt John-Fitzgerald
DM 111 **Lagrange** Square Léo
DK 108 **Lapointe** Villa
DN 109 **Leclerc** Boulevard du Maréchal
DM 110 **Lefèvre** Avenue
DM 108 **Lheureux** Allée Edmé
DM 109 **Liberté** Rue de la
DL 110 **Lumière** Rue des Frères
DK 110 **Mabilleau** Rue
DK 109 **Madrid** Avenue de
DK 110 **Marceau** Avenue
DK 110 **Marie-Rose** Rue
DM 109 **Marne** Avenue de la
DK 108 **Marne** Passage de la
DJ 109 **Marne** Quai de la
DN 108 **Mendès France** Av. Pierre
DL 108 **Mermoz** Rue Jean
DJ 109 **Mésange** Avenue de la
DL 111 **Michel** Rue Louise
DM 109 **Molette** Avenue
DK 110 **Môquet** Avenue Guy
DK 110 **Moret** Rue
DM 111 **Moulin** Allée Jean
DM 108 **Moutier** Rue Emile
DK 110 **Mozart** Place
DM 110 **Naast** Avenue
DK 109 **Nantes** Avenue de
DL 110 **Nègre** Allée Raymond
DK 108 **Nouvelle** Rue
DL 110 **Onze Novembre** Avenue du
DL 109 **Oudinot** Avenue
DL 108 **Paix** Rue de la
DM 110 **Palissy** Avenue de
DM 110 **Palissy** Square
DN 109 **Paragon** Parc du
DL 110 **Parc** Avenue du
DM 109 **Paris** Rue de
DN 109 **Pasteur** Rue
DL 109 **Pathé** Rue Charles
DL 110 **Pauline** Avenue
DL 109 **Pégon** Rue Etienne
DM 110 **Péri** Quai Gabriel
DM 111 **Peupliers** Avenue des
DL 111 **Philipe** Square Gérard
DM 108 **Pinson** Rue Hippolyte
DM 110 **Plage** Avenue de la
DL 110 **Platanes** Avenue des
DL 111 **Polangis** Boulevard de
DK 109 **Polangis** Quai de
DL 109 **Pont Olin** Allée du
DL 109 **Port** Rue du
DM 108 **Pourtour des Ecoles** R. du
DM 108 **Presles** Square de
DM 111 **Quarante-Deuxième de Ligne** Rue du
DM 108 **Québec** Square du
DK 110 **Racine** Avenue
DK 110 **Raspail** Rue
DK 110 **Ratel** Avenue
DM 109 **République** Avenue de la
DM 108 **Réservoirs** Rue des
DM 109 **Robard** Rue
DN 109 **Robard** Square
DN 109 **Roseraie** Square de la
DM 109 **Rousseau** Impasse Jules
DM 108 **Rousseau** Villa
DL 109 **Runnymede** Square
DN 111 **Petit Parc** Pont du
DL 111 **Sartre** Allée Jean-Paul
DN 109 **Sévigné** Avenue De
DN 108 **Tati** Allée Jacques
DM 110 **Théodore** Avenue
DM 109 **Tilleuls** Avenue des
DM 109 **Tilleuls** Villa des
DM 109 **Transversale** Rue
DM 108 **Uranie** Place
DK 110 **Vauban** Rue
DM 109 **Vautier** Rue
DM 108 **Vel Durand** Rue Henri
DL 110 **Verdun** Place de
DM 109 **Vergnon** Avenue
DM 108 **Viaduc** Rue du
DM 109 **Voisin** Rue Eugène
DM 111 **Wilson** Av. du Président
DL 111 **Zola** Allée Emile

JOINVILLE-LE-PONT suite (plan page 247)

Principaux Bâtiments

DM 108 ANPE
DL 108 Bibliothèque
DJ 110 Camping-Caravaning
DM 108 CPAM
DM 108 Gymnase
DM 110 Gymnase
DL 108 Lycée ITG Val-de-Beauté
DM 109 Mairie
DL 110 Mairie Annexe
DL 109 Office de Tourisme
DL 110 Police Municipale
DL 108 Pompiers
DM 109 Port de Plaisance
DM 108 Poste
DL 110 Poste
DM 110 Cimetière

LE KREMLIN-BICÊTRE plan page 249

Métro : Ligne 7 - Kremlin-Bicêtre
Bus : NR-47-125-131-185-186-323

DO 91 **Avenir** Rue de l'
DO 94 **Babeuf** Rue
DO 91 **Bellevue** Passage
DP 92 **Bergonié** R. du Professeur
DO 93 **Berthelot** Rue Marcelin
DO 92 **Blum** Rue Léon
DM 94 **Boulodrome** Avenue du
DM 93 **Brossolette** Rue Pierre
DP 91 **Candiotti** Passage
DP 91 **Candiotti** Villa
DO 94 **Carnot** Passage
DO 94 **Carnot** Rue
DO 94 **Cassin** Rue René
DM 94 **Chalets** Rue des
DO 93 **Chastenet De Géry** Bd
DN 93 **Cimetière Communal** Av. du
DN 93 **Clément** R. Jean-Baptiste
DN 93 **Combattant** Place du
DN 93 **Convention** Rue de la
DN 92 **Courteix** Impasse
DM 93 **Curie** Rue Pierre
DN 93 **Danton** Rue
DN 93 **Delescluze** Rue
DO 93 **Deparis** Sq. du Professeur Maurice
DO 92 **Disney** Square Walt
DO 93 **Dix-Neuf Mars 1962** R. du
DN 93 **Dolet** Impasse Etienne
DN 93 **Dolet** Rue Etienne
DP 91 **Égalité** Rue de l'
DP 91 **Einstein** R. du Professeur
DO 93 **Fontainebleau** Avenue de
DO 92 **Fort** Rue du
DO 93 **France** Rue Anatole
DP 91 **Fraternité** Rue de la
DP 91 **Fualdès** Impasse
DO 94 **Fusillés** Rue des
DN 92 **Gambetta** Passage
DN 92 **Gambetta** Rue
DM 93 **Gaulle** Bd du Général De
DO 92 **Gide** Avenue Charles
DM 93 **Guesde** Square Jules
DP 93 **Herriot** Place Edouard
DP 91 **Horizon** Rue de l'
DO 93 **Hugo** Place Victor
DP 91 **Huit Mai** Rue du
DN 93 **Jaurès** Place Jean
DO 92 **Kennedy** R. John-Fitzgerald
DM 93 **Lacroix** Avenue du Docteur Antoine
DO 93 **Lafargue** Rue Paul
DO 93 **Lafargue** Square Paul
DP 91 **Lagrange** Rue Léo
DP 91 **Laurenson** Rue Albert
DN 93 **Leclerc** Rue du Général
DO 91 **Liberté** Rue de la
DN 93 **Malassis** Square Roger
DO 92 **Malon** Rue Benoît
DO 91 **Martinets** Impasse des
DO 92 **Martinets** Rue des
DP 92 **Mermoz** Rue Jean
DN 94 **Michelet** Rue Edmond
DN 93 **Mitterrand** Sq. François
DO 93 **Monnet** Rue Jean
DP 93 **Morinet** Rue du Capitaine
DO 92 **Moulin** Square Jean
DP 91 **Pascal** Rue Blaise
DM 93 **Pasteur** Rue
DO 91 **Péri** Rue Gabriel
DO 91 **Piaf** Square Edith
DP 91 **Pinel** Rue Philippe
DM 93 **Plantes** Passage des
DO 91 **Plateau** Impasse du
DN 93 **Poisat** Square André
DO 94 **Pompidou** Rue Georges
DM 93 **Quatorze Juillet** Rue du
DM 93 **Rabin** Rue Yitzhak
DM 93 **Reclus** Rue Élisée
DN 93 **Repos** Avenue du
DN 93 **République** Place de la
DO 91 **Réunion** Rue de la
DO 91 **Richet** Rue Charles
DN 93 **Rossel** Rue
DP 92 **Saint-Exupéry** Rue Antoine De
DM 93 **Salengro** Rue Roger
DP 92 **Sangnier** Rue Marc
DO 91 **Schuman** Rue Robert
DP 91 **Sémard** Rue Pierre
DO 92 **Sembat** Rue Marcel
DO 92 **Séverine** Rue
DO 92 **Stratégique** Route
DN 93 **Thomas** Avenue Eugène
DN 93 **Vaillant** Rue Edouard
DO 93 **Verdun** Rue de
DM 93 **Voltaire** Rue
DO 94 **Walesa** Rue Lech
DO 94 **Walesa** Square Lech
DM 94 **Zola** Impasse Emile
DM 94 **Zola** Rue Emile

Principaux Bâtiments

DN 93 Bibliothèque
DN 92 C. H. U. Bicêtre
DO 92 COSEC
DO 92 CPAM
DN 93 Centre Admininistratif
DO 93 Esp. Culturel André Malraux
DO 92 Fort de Bicêtre
DP 92 Halle de Sport
DM 93 LP Pierre Brossolette
DP 91 Lycée Darius Milhaud
DN 93 Mairie
DO 92 Mairie Annexe
DO 92 Piscine
DO 91 Police
DN 93 Poste
DP 92 Stade des Esselières
DN 94 Cimetière

LES LILAS

plan page 267

Métro : Ligne 11 - Mairie des Lilas
Bus : NF-105-115-129-170-249-318-Tillbus

CX 103 **Aigle** Sentier de l'
CX 101 **Anglemont** Rue d'
CX 102 **Barbusse** Rue Henri
CX 101 **Bellevue** Passage
CX 101 **Bellevue** Rue de
CX 102 **Bernard** Rue
CX 101 **Bois** Impasse du
CX 102 **Bois** Rue du
CY 101 **Bruyères** Rue des
CZ 101 **Bruyères** Villa des
CY 102 **Calmette** Allée du Docteur
CX 101 **Capus** Allée Alfred
CY 102 **Catric** Rue Jacques
CY 102 **Centre** Rue du
CZ 101 **Chassagnolle** Rue
CZ 101 **Chassagnolle** Villa
CX 102 **Château** Rue du
CX 102 **Clemenceau** Av. Georges
CY 102 **Combattants en Afrique du Nord** Avenue des
CX 101 **Convention** Rue de la
CY 101 **Coq Français** Rue du
CY 102 **Courcoux** Sq. du Docteur
CY 102 **Croix de l'Epinette** R. de la
CY 101 **Cuvier** Rue Esther
CZ 101 **David** Rue Jules
CX 101 **Decros** Boulevard Eugène
CX 102 **Dépinay** Allée Joseph
CW 102 **Déportation** Voie de la
CX 103 **Doumer** Avenue Paul
CX 101 **Duda** Allée Jean
CX 103 **Dumont** Avenue Louis
CY 103 **Dunant** Square Henri
CY 101 **Egalité** Rue de l'
CY 102 **Est** Rue de l'
CY 101 **Fabien** Place du Colonel
CY 101 **Faidherbe** Avenue
CY 101 **Faidherbe** Rue
CY 102 **Floréal** Passage
CY 103 **Floréal** Rue
CX 100 **Fontaine St-Pierre** P. de la
CX 103 **Fraternité** Rue de la
CY 101 **Fromond** Rue Francine
CY 102 **Garde-Chasse** Rue du
CX 102 **Gaulle** Place Charles De
CY 101 **Gaulle** R. G. Anthonioz De
CX 103 **Giraud** Sente
CX 103 **Guynemer** Rue
CY 102 **Hortensia** Passage de l'
CX 102 **Hortensias** Allée des
CZ 101 **Houdart** Passage Félix
CZ 101 **Hubert** Villa Eve
CX 102 **Huit Mai 1945** Rue du
CX 101 **Indy** Allée Vincent D'
CW 103 **Jaurès** Boulevard Jean
CY 102 **Juin** Avenue du Maréchal
CX 101 **Kistemaekers** Allée
CX 102 **Kock** Avenue Paul De
CX 103 **Kœnig** Rue du Maréchal
CY 101 **La Rochefoucauld** Rue de
CX 102 **Langevin** Rue Paul
CY 103 **Lattre De Tassigny** Avenue du Maréchal De
CY 103 **Leclerc** Bd du Général
CX 101 **Lecocq** Allée Charles
CZ 101 **Lecomte** Impasse
CY 102 **Lecouteux** Rue
CY 102 **Liberté** Boulevard de la
CX 103 **Liberté** Rue de la
CZ 101 **Lilas** Passage des
CY 101 **Mairie** Passage de la
CX 101 **Marcelle** Rue
CZ 101 **Marius** Impasse
CX 101 **Meissonnier** Rue
CY 101 **Monnet** Allée Jean
CY 101 **Moulin** Rue Jean
CX 102 **Myosotis** Place des
CY 101 **Noël** Rue Lucien
CZ 101 **Noisy-le-Sec** Rue de
CX 103 **Normandie-Niemen** Rue
CX 102 **Œillets** Sente des
CX 103 **Oies** Sentier des
CX 102 **Onze Novembre 1918** R. du
CX 101 **Paix** Rue de la
CX 101 **Panoramas** Passage des
CX 102 **Paris** Rue de
CZ 101 **Pasteur** Avenue
CY 103 **Patigny** Sente
CX 102 **Péguy** Rue Charles
CY 102 **Pelletier** Impasse
CY 101 **Piquet** Allée du Chanoine
CY 101 **Pompidou** Rue Georges
CZ 101 **Ponsard** Passage
CY 100 **Porte des Lilas** Av. de la
CY 101 **Poulmarch** Rue Jean
CY 101 **Pré Saint-Gervais** Rue du
CX 101 **Prévoyance** Rue de la
CY 101 **Progrès** Rue du
CY 101 **Quatorze Juillet** R. du
CX 101 **Regard** Rue du
CY 102 **Renault** Rue Léon
CY 101 **République** Rue de la
CX 102 **Résistance** Rue de la
CX 101 **Rivoire** Allée André
CY 102 **Rolland** Rue Romain
CY 101 **Romainville** Rue de
CY 102 **Rouget De Lisle** Rue
CY 101 **Sablons** Passage des
CX 102 **Sablons** Rue des
CX 101 **Saint-Germain** Cité
CY 103 **Saint-Germain** Rue
CY 101 **Saint-Paul** Cour
CY 101 **Salez** Rue Raymond
CX 103 **Sangnier** Place Marc
CW 102 **Schuman** R. du Pdt Robert
CY 101 **Sources du Nord** Pl. des
CX 101 **Tapis Vert** Rue du
CZ 101 **Vel'd'Hiv** Place du
CZ 101 **Villegranges** Impasse des
CZ 101 **Villegranges** Rue des
CX 102 **Völklingen** Place de
CX 102 **Waldeck-Rousseau** Rue
CY 101 **Weymiller** Impasse

Principaux Bâtiments

CY 103 CAF
CY 102 CCAS
CX 101 Centre Culturel
CY 103 Centre Culturel H. Dunant
CY 103 Centre Sportif Floréal
CY 102 Clinique
CY 103 Clinique Floréal
CY 102 CPAM
CX 102 Fort de Romainville
CX 102 Lycée Paul Robert
CY 101 Mairie
CY 101 Maternité
CW 102 Parc Municipal des Sports
CY 101 Perception
CY 103 Piscine
CX 101 Police
CY 101 Poste
CY 102 Théâtre
CX 101 Cimetière des Lilas

LEVALLOIS-PERRET plan page 251

Métro : Ligne 3 - Louise Michel - Anatole France - Pont de Levallois-Bécon
Bus : NB-53-93-135-163-164-165-167-174-275-Tuco

CV 84	**Alsace** Rue d'
CU 80	**Asnières** Boulevard d'
CV 82	**Aufan** Rue Marius
CV 82	**Bara** Rue
CW 82	**Barbès** Rue
CW 82	**Barbusse** Place Henri
CW 83	**Barbusse** Rue Henri
CU 82	**Bassot** Pl. Marie-Jeanne
CU 82	**Baudin** Rue
CU 81	**Baudin** Square
CU 82	**Bayard** Rue Clément
CU 83	**Belgrand** Rue
CU 83	**Bellanger** Rue
CW 82	**Bineau** Boulevard
CW 82	**Bineau** Carrefour
CV 83	**Blanc** Rue Louis
CV 84	**Bobet** Allée Louison
CU 84	**Bretagne** Rue de
CU 83	**Briand** Rue Aristide
CU 83	**Brossolette** Rue Pierre
CU 83	**Brossolette** Square
CV 82	**Carnot** Rue
CU 80	**Cassin** Square René
CU 81	**Cerdan** Allée Marcel
CU 81	**Cerdan** Rue Marcel
CV 81	**Chaptal** Rue
CW 82	**Chaptal** Square
CV 81	**Chaptal** Villa
CU 82	**Citroën** Rue André
CV 81	**Cognacq** Rue Ernest
CU 83	**Collange** Rue
CU 81	**Danton** Rue
CW 82	**Danton** Square
CW 81	**Dargent** Rue de l'Aspirant
CV 84	**Deguingand** Rue
CW 82	**Desmoulins** Rue Camille
CT 82	**Deutschmann** Rue Charles
CU 81	**Dix-Neuf Mars 1962** R. du
CV 81	**Dumont** Rue du Docteur
CV 83	**Eiffel** Rue Gustave
CV 83	**Estienne D'Orves** Place D'
CU 82	**Europe** Avenue de l'
CV 83	**Ferry** Rue Jules
CW 82	**France** Rue Anatole
CU 81	**Gabin** Rue Jean
CV 84	**Gagarine** Allée Youri
CV 84	**Gagarine** Parc Youri
CU 84	**Gare** Rue de la
CU 83	**Gare** Square de la
CV 83	**Gaulle** Av. du Général De
CV 83	**Genouville** Impasse
CV 82	**Gey** Allée Daniel
CU 81	**Girault** Rés. Mathilde
CU 82	**Girault** Rue Mathilde
CU 81	**Girault** Square Mathilde
CV 81	**Gratzer** Sq. Jean-Pierre
CU 84	**Gravel** Impasse
CV 81	**Greffulhe** Rue
CU 81	**Grissac** Square Jean De
CU 83	**Guesde** Rue Jules
CV 82	**Hilsz** Rue Maryse
CV 82	**Hoche** Rue
CV 82	**Hôtel de Ville** Parc de l'
CV 84	**Hugo** Rue Victor
CV 84	**Hugo** Square Victor
CU 84	**Huit Mai 1945** Place du
CW 83	**Ibert** Rue Jacques
CU 81	**Ile de la Jatte** Pass. de l'
CT 82	**Jamin** Rue Léon
CT 82	**Jamin** Square Léon
CV 83	**Jaurès** Rue Jean
CU 81	**Juin** Place du Maréchal
CV 82	**Kléber** Rue
CV 84	**Ladwig** Rue Arthur
CW 82	**Lattre De Tassigny** Place du Maréchal De
CU 81	**Le Luron** Rue Thierry
CV 82	**Leclerc** Place du Général
CT 81	**Levallois** Pont de
CV 81	**Libération** Place de la
CV 83	**Lorraine** Résidence
CV 84	**Lorraine** Rue de
CU 81	**Malraux** Avenue André
CW 82	**Marceau** Rue
CU 83	**Marjolin** Rue
CU 82	**Marronniers** Rue des
CT 82	**Matisse** Allée Henri
CV 82	**Mazaud** Rue Jacques
CW 83	**Michel** Rue Louise
CU 81	**Michelet** Quai
CU 80	**Monet** Allée Claude
CU 80	**Monet** Rond-Point Claude
CV 81	**Muller** Villa
CV 84	**Neruda** Rue Pablo
CU 83	**Onze Novembre 1918** Pl. du
CU 82	**Parc** Rue du
CU 80	**Pasquier** Rue
CV 82	**Pasteur** Rue
CU 83	**Pelletan** Rue Camille
CU 83	**Pelletan** Square Camille
CW 83	**Péri** Rue Gabriel
CU 81	**Picasso** Allée Pablo
CU 81	**Picasso** Square
CU 82	**Pompidou** Av. Georges
CU 81	**Pompidou** Place Georges
CX 82	**Porte de Villiers** Av. de la
CU 83	**Raspail** Rue
CW 83	**Ravel** Rue Maurice
CU 83	**Ravel** Square Maurice
CV 82	**Raynaud** Rue Antonin
CU 81	**Renoir** Allée Auguste
CV 82	**République** Place de la
CU 83	**Rivay** Rue
CV 83	**Rouquier** Rue Louis
CU 80	**Sisley** Allée Alfred
CW 83	**Trébois** Rue
CW 83	**Trébois** Square
CU 83	**Trézel** Rue
CU 82	**Vaillant** Rue Edouard
CU 83	**Vaillant-Couturier** R. Paul
CW 83	**Valentin** Square
CV 81	**Vatimesnil** Rue Albert De
CV 82	**Verdun** Place de
CW 82	**Vergniaud** Rue
CV 84	**Verne** Rue Jules
CV 83	**Villepin** Square Edith De
CV 81	**Villiers** Rue de
CV 82	**Voltaire** Rue
CU 82	**Wilson** Résidence
CU 82	**Wilson** Rue du Président
CW 83	**Wilson** Square
CU 83	**Zay** Place Jean

Principaux Bâtiments

CU 82	Archives Municipales
CV 82	Bibliothèque
CV 84	Bibliothèque Alsace
CU 83	Centre Culturel Maurice Ravel
CU 82	Centre des Impôts
CV 82	CPAM
CU 83	Espace Culturel l'Escale
CV 82	Gendarmerie
CV 81	Hopital
CW 81	Hôpital Franco-Britannique
CU 81	Lycée Léonard De Vinci
CV 82	Mairie
CU 81	Médiathèque Albert Camus
CU 80	Musée de la Pêche
CW 82	Palais des Sports
CU 81	Palais des Sports Marcel Cerdan
CU 83	Piscine
CV 83	Police
CV 82	Police Municipale
CU 81	Pompiers
CU 82	Poste
CV 81	Poste
CV 83	Poste
CV 84	Poste
CU 81	Rucher de Levallois
CV 84	Stade Louison Bobet
CV 84	Stade Pablo Neruda
CV 82	Trésor Public
CT 82	Cimetière de Levallois-Perret

MALAKOFF

plan page 287

Métro : Ligne 13 - Malakoff-Plateau de Vanves - Malakoff-Rue E. Dolet
Bus : NL-N-126-189-191-195-199-323-597 **SNCF** : Vanves-Malakoff

Carré	Voie
DM 83	**Adnot** Villa
DL 85	**Allende** Rue Salvador
DL 84	**Ampère** Rue
DM 83	**Arblade** Avenue
DM 85	**Archin** Impasse
DM 85	**Arcole** Passage d'
DN 84	**Arcueil** Villa d'
DM 83	**Avaulée** Rue
DN 82	**Barbusse** Boulevard Henri
DN 82	**Barbusse** Rd-Point Henri
DN 81	**Bas Garmants** Sentier des
DN 82	**Baudelaire** Rue Charles
DM 83	**Bel-Air** Villa
DL 85	**Bellœuvre** Rue François
DL 85	**Béranger** Rue
DM 84	**Bert** Rue Paul
DL 85	**Blanc** Rue Louis
DN 82	**Bouchor** Rue Maurice
DM 83	**Bourgeois** Villa
DN 81	**Brassens** Rue Georges
DN 81	**Brel** Allée Jacques
DL 86	**Brossolette** Avenue Pierre
DM 83	**Cacheux** Villa
DM 84	**Camelinat** Boulevard
DM 84	**Carnot** Impasse
DN 81	**Carnot** Rue
DM 85	**Caron** Rue
DK 85	**Centenaire** Jardin du
DN 81	**Cerisiers** Impasse des
DM 84	**Césaire** Impasse
DM 85	**Châtillon** Impasse de
DL 85	**Chauvelot** Rue
DL 84	**Chemin de Fer** Villa du
DN 84	**Christiane** Impasse
DL 84	**Christophe** Square Eugène
DM 82	**Clos** Impasse du
DN 81	**Clos Montholon** Place du
DL 84	**Coin** Rue André
DN 82	**Commune de Paris** Rond-Point de la
DM 85	**Coppée** Rue François
DL 84	**Corsico** Square de
DL 84	**Crié** Rue Gabriel
DM 83	**Croix** Sentier de la
DM 83	**Curie** Impasse Pierre
DM 83	**Dalou** Rue Jules
DL 85	**Danicourt** Rue
DL 84	**Danton** Rue
DM 83	**David** Rue Raymond
DL 85	**Dépinoy** Place
DN 83	**Dix-Neuf Mars 1962** R. du
DM 84	**Dolet** Rue Etienne
DK 84	**Douanier Rousseau** Sq. du
DL 85	**Douze Février 1934** Av. du
DM 83	**Drouet** Villa
DN 81	**Drouet-Peupion** Rue
DM 84	**Ducellier** Villa
DM 85	**Dumont** Avenue Augustin
DL 84	**Ecoles** Villa des
DN 84	**Economes** Villa des
DN 81	**Eluard** Rue Paul
DN 82	**Espérance** Allée de l'
DN 82	**Fabié** Rue François
DN 81	**Fabien** Bd du Colonel
DN 81	**Fabien** Place du Colonel
DL 85	**Fassin** Rue Raymond
DM 83	**Féburier** Square
DM 84	**Ferri** Impasse
DL 84	**Ferry** Avenue Jules
DM 84	**Fosses Rouges** I. des
DM 84	**Fosses Rouges** Sentier des
DM 85	**Fournier** Rue Frédéric
DM 83	**France** Avenue Anatole
DN 83	**Gagarine** Rd-Point Youri
DM 84	**Gallieni** Rue
DL 85	**Gambetta** Rue
DN 81	**Garmants** Rue des
DN 81	**Garmants** Sentier des
DL 84	**Gaulle** Bd Charles De
DN 81	**Geneviève** Villa
DL 85	**Gérault** Impasse Maria
DL 86	**Gerber** R. Lucien et Ed.
DN 81	**Germaine** Rue
DN 82	**Girard** Rue Louis
DN 82	**Groux** Impasse des
DN 82	**Guesde** Rue Jules
DL 85	**Hébécourt** Rue d'
DN 81	**Henri** Rue Georges
DM 82	**Hoche** Allée
DN 83	**Hoche** Rue
DL 85	**Hugo** Rue Victor
DL 85	**Huit Mai 1945** Place du
DM 84	**Iris** Villa des
DN 81	**Issy** Voie d'
DL 85	**Jaurès** Avenue Jean
DM 83	**Jaurès** Cité Jean
DM 82	**Jeanne** Allée
DM 84	**Joliot-Curie** Av. Irène et F.
DM 84	**Labrousse** Villa
DL 84	**Laforest** Rue
DM 83	**Lahy-Hollebecque** R. Marie
DK 84	**Lanvin** Square Marc
DL 85	**Larousse** Avenue Pierre
DL 85	**Larousse** Passage
DL 85	**Lavoir** Rue du
DL 86	**Leclerc** Av. du Maréchal
DL 84	**Ledru-Rollin** Rue
DN 84	**Léger** Villa
DK 85	**Legrand** Rue
DM 85	**Leroyer** Impasse
DL 86	**Loret** Villa
DM 84	**Lurçat** Rue Jean
DN 82	**Malleret-Joinville** Rue du Général
DN 81	**Malleret-Joinville** Square
DM 84	**Marceau** Impasse
DM 83	**Marguerite** Allée
DM 83	**Marie** Impasse Albert
DM 83	**Marie-Antoinette** Villa
DM 83	**Marie-Jeanne** Allée
DM 83	**Marie-Louise** Allée
DM 84	**Marotte** Villa
DN 83	**Martin** Rue Alexis
DL 85	**Martin** Rue Henri
DN 81	**Mathilde** Rue
DL 85	**Ménard** Rue du Docteur
DO 83	**Mercier** Rue Louis
DN 83	**Mermoz** Rue Jean
DL 85	**Michelin** Passage
DM 83	**Mirabeau** Allée
DN 81	**Montolon** Rue Neuve
DM 84	**Môquet** Rue Guy
DL 85	**Moris** Rue Vincent
DM 84	**Moulin** Rue Jean
DL 85	**Musset** Rue Alfred De
DM 83	**Négriers** Impasse des
DN 84	**Nicomédès-Pascual** Rue
DL 84	**Nord** Passage du
DL 83	**Normandie-Niémen** Square
DM 82	**Nouzeaux** Jardin des
DM 82	**Nouzeaux** Sentier des
DL 84	**Onze Novembre 1918** Place du
DM 85	**Pasteur** Rue
DL 84	**Paul** Square Marcel
DM 83	**Paulette** Villa
DL 85	**Péri** Boulevard Gabriel
DL 85	**Perrot** Rue
DL 86	**Petit Vanves** Passage du
DM 85	**Pierres Plates** Rue des
DO 82	**Pierrier** Passage du
DL 86	**Pinard** Bd Adolphe
DM 84	**Ponscarme** Impasse
DM 85	**Ponscarme** Rue Hubert
DL 86	**Prévert** Rue Jacques
DL 85	**Puzin** Impasse
DL 84	**Quatorze Juillet** Place du
DK 84	**Quinet** Rue Edgar
DL 85	**Raffin** Rue
DM 85	**Raspail** Rue Benjamin
DL 85	**Renan** Rue Ernest
DM 85	**Renault** Rue
DK 85	**République** Place de la
DL 84	**Résistance** Square de la
DM 84	**Ressort** Impasse
DM 85	**Richard** Passage
DN 82	**Rimbaud** Rue Arthur
DN 83	**Rivoire** Rue André
DN 83	**Robespierre** R. Maximilien De
DN 81	**Roissys** Rue des
DN 82	**Rolland** Square Romain

MALAKOFF suite (plan page 287)

- DM 84 **Rose** Villa
- DK 85 **Rouget De Lisle** Rue
- DL 84 **Rousseau** R. Jean-Jacques
- DN 82 **Sabatier** Impasse André
- DN 82 **Sabatier** Rue André
- DN 82 **Sabatier** Sentier André
- DM 83 **Sablonnière** Sentier de la
- DM 83 **Sabot** Villa
- DM 84 **Sainte-Hélène** Impasse
- DL 84 **Salagnac** Rue Léon
- DN 82 **Samain** Rue Albert
- DN 81 **Sandrin** Allée
- DL 85 **Savier** Rue
- DK 84 **Scelle** Rue de
- DN 84 **Seguin** Rue Marc
- DL 85 **Sentier du Tir** Jardin du
- DM 84 **Simon** Impasse Pierre
- DL 84 **Stade** Rue du
- DM 82 **Stalingrad** Boulevard de
- DM 85 **Théâtre** Passage du
- DM 84 **Thorez** Avenue Maurice
- DM 84 **Thorez** Mail Maurice
- DL 85 **Tir** Impasse du
- DL 85 **Tir** Sentier du
- DM 82 **Tissot** Allée
- DL 85 **Tour** Rue de la
- DN 84 **Vaillant-Couturier** R. Paul
- DN 82 **Valéry** Rue Paul
- DM 85 **Valette** Rue Pierre
- DL 85 **Vallée** Rue de la
- DL 84 **Varlin** Rue Eugène
- DM 84 **Vauban** Impasse
- DN 83 **Védrines** Rue Jules
- DN 82 **Verlaine** Rue Paul
- DN 81 **Vigouroux** Bd des Frères
- DL 86 **Voltaire** Rue
- DL 84 **Wilson** Av. du Président
- DM 82 **Yvonne** Villa
- DK 85 **Zola** Rue Emile.

Principaux Bâtiments

- DL 84 Bibliothèque
- DM 84 Centre des Sports
- DN 82 Centre Henri Barbusse
- DL 84 Complexe Sportif Lénine
- DL 84 Conservatoire de Musique
- DM 84 CPAM
- DN 82 EHPAD
- DK 85 ENSEA
- DN 83 Fort de Vanves
- DK 85 INSEE
- DN 82 Lycée Prof. Louis Girard
- DL 84 Mairie
- DL 84 Perception
- DL 84 Police
- DN 84 Polyclinique
- DL 84 Poste
- DM 82 Poste
- DM 83 Stade Marcel Cerdan
- DL 84 Théâtre 71
- DK 84 Université René Descartes
- DM 82 Cimetière

MONTREUIL plan page 253

Métro : Ligne 9 - Robespierre - Croix de Chavaux - Mairie de Montreuil
Bus : NG-102-115-118-121-122-124-127-129-215-301-318-322-461

- DA 109 **Acacia** Rue de l'
- DB 103 **Albrecht** Place Berthie
- DD 101 **Alembert** Rue D'
- DA 107 **Alice** Rue
- DA 107 **Alice** Square
- CZ 108 **Allende** Av. du Pdt Salvador
- CZ 107 **Antoinette** Rue
- DA 106 **Aqueduc** Rue de l'
- DE 103 **Arago** Rue François
- DE 103 **Arago** Villa François
- DE 101 **Arendt** Place Hannah
- DD 108 **Avenir** Villa de l'
- DB 109 **Babeuf** Rue
- CZ 107 **Balzac** Rue Honoré De
- DD 102 **Bara** Rue
- DE 102 **Barbès** Impasse
- DD 102 **Barbès** Rue
- DB 105 **Barbusse** Boulevard Henri
- CZ 109 **Bastié** Villa Maryse
- DE 106 **Bataille** Rue Emile
- DC 110 **Batteries** Rue des
- DB 106 **Baudin** Rue
- CZ 107 **Beaufils** Rue Emile
- DD 103 **Beaumarchais** Rue
- DD 106 **Beaumonts** Parc des
- DC 104 **Beaune** Rue de la
- DB 105 **Beausse** Rue Victor
- DF 103 **Beauvoir** Rue Simone De
- DC 107 **Beethoven** Square
- DC 107 **Bel-Air** Rue du
- DC 109 **Belle Étoile** Impasse de la
- DB 109 **Béranger** R. Pierre-Jean De
- DE 105 **Berger** Rue du
- DA 105 **Berlioz** Avenue
- DC 110 **Bernard** Allée Jean-Pierre
- DA 106 **Bernard** Rue Claude
- DD 101 **Bert** Rue Paul
- DD 104 **Berthelot** Rue Marcellin
- DC 102 **Blanche** Rue
- DB 110 **Blancs Vilains** Rue des
- DF 102 **Blanqui** Rue Auguste
- CZ 109 **Blériot** Allée
- DB 103 **Blois** Rue Moïse
- DD 104 **Bobillot** Rue du Sergent
- CZ 108 **Boissière** Boulevard de la
- DA 108 **Bol d'Air** Impasse du
- DE 103 **Bonouvrier** Rue
- DC 103 **Bons Plants** Rue des
- DB 108 **Bouchor** Rue Maurice
- DA 104 **Bourguignons** Rue des
- DA 106 **Brandon** R. du Dr Roger
- CZ 108 **Branly** Rue Edouard
- DC 110 **Braves** Rue des
- CZ 107 **Briand** Boulevard Aristide
- CZ 109 **Briand** Villa Aristide
- DC 111 **Brossolette** Avenue Pierre
- DA 108 **Brûlefer** Rue
- DB 105 **Buffon** Rue
- DA 104 **Buisson** Avenue Ferdinand
- DD 103 **Buisson** Rue Denise
- DC 103 **Buttes** Sentier des
- DB 105 **Caillots** Rue des
- DB 105 **Calmette** Rue du Docteur
- DB 110 **Camélinat** Rue
- DC 104 **Capsulerie** Rue de la
- DD 105 **Carnot** Place
- DE 105 **Carnot** Rue
- DD 102 **Carrel** Impasse
- DE 101 **Carrel** Rue Armand
- CZ 107 **Casanova** Rue Danielle
- DD 103 **Centenaire** Rue du
- DA 105 **Chantereines** Impasse des
- DA 106 **Chantereines** Rue des
- DD 104 **Chanzy** Boulevard
- DE 106 **Chapons** Rue des
- DA 109 **Charcot** Rue du Docteur
- DD 106 **Charmes** Rue des
- DB 106 **Charton** Rue Désiré
- CZ 107 **Châteaudun** Passage
- DA 105 **Chemin Vert** Rue du
- DA 105 **Chemin Vert** Sentier du
- DD 106 **Chênes** Rue des
- DD 102 **Chéreau** Rue Arsène
- DB 104 **Chevalier** Allée Maurice
- DD 106 **Chevalier** Rue Désiré
- DC 102 **Chevreau** Cité Eugène
- DB 111 **Claire Maison** Rue
- DE 103 **Clarke** Rue Kenny
- CZ 108 **Claudel** Rue Camille
- DB 109 **Clément** R. Jean-Baptiste
- DB 109 **Clos des Arrachis** Rue du
- DB 104 **Clos Français** Rue des
- DC 104 **Colbert** Rue

MONTREUIL suite (plan page 253)

DB 109 **Coli** Rue
DE 106 **Colmet** Impasse
DE 105 **Colmet-Lépinay** Rue
DA 106 **Combette** Rue Fernand
DD 105 **Condorcet** Rue
DC 105 **Convention** Rue de la
DB 111 **Coquelin** Rue Jean
DC 110 **Côte du Nord** Rue de la
DB 103 **Cotton** Allée Eugénie
DC 111 **Courbet** Allée Gustave
DF 101 **Couriau** Place Emma
DA 105 **Couté** Rue Gaston
DC 104 **Couturier** Rue Denis
DC 109 **Curie** Rue Pierre
DE 102 **Cuvier** Rue
DB 106 **Danton** Rue
DA 107 **Daurat** Rue Didier
DF 102 **David-Neel** Mail Alexandra
DD 104 **Debergue** Rue François
DC 110 **Défense** Rue de la
CZ 108 **Degeyter** Impasse Pierre
DB 110 **Delavacquerie** R. Charles
CY 107 **Delescluze** Rue Charles
DE 103 **Delorme** Rue du Colonel
DB 103 **Delpêche** Rue
DD 105 **Demi-Cercle** Rue du
CZ 107 **Demi-Lune** Rue de la
CZ 108 **Demi-Lune** Sentier de la
DB 111 **Dereure** Rue Simon
DE 105 **Desgranges** Rue
DF 103 **Deux Communes** Rue des
DB 110 **Dewerpe** Allée Fanny
CZ 106 **Dhuys** Rue de la
DE 103 **Diderot** Rue
DC 105 **Dix-Huit Août** Rue du
DC 105 **Dix-Neuf Mars 1962** Pl. du
DC 110 **Dodu** Rue Juliette
CZ 109 **Dolet** Rue Etienne
DB 106 **Dombasle** Rue
DD 107 **Doumer** Rue Paul
DD 103 **Douy-Delcupe** Rue
DD 104 **Duclos** Place Jacques
DD 103 **Dufriche** Rue Marcel
DC 109 **Dunant** Rue Henri
DB 109 **Dupont** Rue Pierre
CZ 107 **Ecoles** Passage des
DB 105 **Eglise** Place de l'
DB 105 **Eglise** Rue de l'
DE 102 **Eluard** Rue Paul
DA 105 **Epernons** Rue des
DC 103 **Epine Prolongée** Rue de l'
DF 101 **Erignac** R. du Préfet C.
CZ 107 **Ermitage** Impasse de l'
DA 106 **Ermitage** Rue de l'
DB 111 **Esclangon** R. du Pr.
DA 106 **Estienne D'Orves** Rue D'
CZ 107 **Fabien** Avenue du Colonel
DB 105 **Faidherbe** Avenue
DE 105 **Faltot** Rue Nicolas
DC 110 **Farge** Rue Yves
DE 104 **Fédération** Rue de la
DE 104 **Fédérés** Rue des

DA 107 **Ferme** Rue de la
DB 106 **Ferme** Sentier de la
DD 106 **Ferrer** Rue Francisco
DC 104 **Ferry** Rue Jules
DB 111 **Féry** Allée Daniel
CY 108 **Fleurs** Allée des
DD 105 **Fonderie** Rue de la
CZ 107 **Fontaine** Chemin de la
DA 105 **Fontaine des Hanots** R. de la
DC 104 **Fosse Pinson** Rue de la
DC 105 **Frachon** Esplanade Benoît
DC 108 **France** Rue Anatole
DC 104 **Frank** Rue Anne
DC 105 **Franklin** Rue
DD 102 **Fraternité** Place de la
DD 102 **Fraternité** Rue de la
DF 103 **Fredericks** Rue Carole
DA 104 **Fusée** Impasse
DA 104 **Fusée** Rue
CZ 107 **Gabriel** Rue
DC 105 **Gaillard** Rue Clotilde
DE 105 **Gaillard** Rue Joseph
DC 106 **Galilée** Rue
DC 105 **Gallieni** Rue du Général
DE 103 **Gambetta** Rue
DD 103 **Garibaldi** Rue
DC 109 **Gascogne** Rue de
DA 104 **Gaulle** Pl. du Général De
CZ 108 **Gaulle Anthonioz** Rue Geneviève De
DE 101 **Gaumont** Avenue Léon
DE 103 **Gazomètre** Passage du
DD 104 **Girard** Rue
DC 105 **Girardot** Rue
DC 106 **Glaisière** Passage de la
DA 108 **Glycines** Villa des
DC 107 **Gobétue** Impasse de
DC 110 **Godeau** Allée Anne
DE 104 **Godefroy** Rue du Sergent
DC 106 **Gradins** Rue des
DA 109 **Grand-Air** Impasse du
DA 107 **Grandes Cultures** Rue des
DD 108 **Grands Pêchers** Rue des
DA 105 **Graviers** Rue des
DA 104 **Groseilliers** Rue des
DC 105 **Guernica** Esplanade
DC 111 **Guesde** Rue Jules
DC 103 **Guilands** Parc des
DC 103 **Guilands** Passage des
DC 103 **Guilands** Rue des
DD 103 **Gutenberg** Rue
DC 109 **Guyenne** Rue de
DA 106 **Guynemer** R. du Capitaine
DA 107 **Haies Fleuries** Rue des
DA 106 **Hanots** Rue des
DE 103 **Hayeps** Rue des
DC 104 **Hémard** Rue Ariste
DB 104 **Hoche** Rue
DC 111 **Hugo** Avenue Victor
DC 111 **Hugo** Avenue Victor
DC 105 **Hugo** Rue Victor
DA 106 **Huit Mai 1945** Carr. du

DF 102 **Ibarruri** Rue Dolorès
DD 106 **Infroit** Rue Charles
DE 101 **Jacquart** Rue
DD 107 **Jardin Ecole** Rue du
DB 108 **Jardins Dufour** Rue des
DA 105 **Jardins St-Georges** R. des
DB 107 **Jasmins** Sentier des
DC 105 **Jaurès** Place Jean
DE 105 **Jeanne D'Arc** Boulevard
DB 103 **Joliot-Curie** R. Irène et F.
CY 108 **Joyeuse** Allée
DD 104 **Kléber** Rue
DC 110 **Lafargue** Rue Paul
DA 107 **Laffite** Rue Madeleine
DF 103 **Lagny** Rue de
CZ 107 **Lagrange** Avenue Léo
DA 106 **Lamarck** R. Jean-Baptiste
CZ 106 **Lamaze** Av. du Dr Fernand
DC 109 **Lancelot** Allée
DD 104 **Langevin** Avenue Paul
DC 108 **Largillière** Rue Marcel
DD 106 **Lauriau** Rue Gaston
DE 102 **Lavoisier** Rue
DA 109 **Le Brix** Impasse
DB 110 **Le Morillon** Place
DE 103 **Lebour** Rue
DA 106 **Lecocq** Rue Irénée
DD 108 **Lefèbvre** Rue Raymond
DB 109 **Lefèbvre** Villa Raymond
DD 108 **Legros** Rue Robert
DD 101 **Lemierre** Av. du Pr. André
DC 107 **Lenain De Tillemont** Rue
DB 103 **Lénine** Square
DE 102 **Lenoir** Rue Richard
DB 105 **Lepère** Rue Alexis
DE 105 **Levant** Rue du
DB 103 **Libération** Square de la
DA 103 **Lilas** Rue des
DA 104 **Loiseau** Rue Léon
DA 103 **Lolive** Rue Jean
DA 107 **Louise** Rue
DE 106 **Luat** Rue du
CZ 107 **Madeleine** Rue
DC 104 **Mainguet** Rue
DD 105 **Malot** Rue
DC 106 **Manouchian** Esplanade
DA 104 **Marais** Impasse du
DA 104 **Marais** Rue du
DE 103 **Marceau** Rue
DD 102 **Marcel** Rue Etienne
DD 104 **Marché** Place du
DC 108 **Mare à l'Ane** Rue de la
CZ 107 **Mare aux Petits Pains** Passage de la
DA 106 **Marécages** Sentier des
DA 105 **Margottes** Rue des
CZ 108 **Marguerite** Villa
CZ 109 **Marseuil** Impasse
DB 110 **Martin** Allée Roland
DC 110 **Martorell** Allée Suzanne
CZ 107 **Méliès** Rue Georges
DA 104 **Mélin** Rue René

MONTREUIL suite (plan page 253)

DE 105 **Mercier** Rue Victor
DC 104 **Mériel** Rue
DE 105 **Merlet** Rue
DC 107 **Messager** Impasse André
DC 103 **Messiers** Rue des
DC 103 **Messiers** Sentier des
DE 104 **Meuniers** Rue des
DB 109 **Michel** Rue Louise
DE 104 **Michelet** Rue
DA 105 **Midi** Impasse du
DA 105 **Midi** Rue du
DB 106 **Mirabeau** Rue
DB 105 **Mitterrand** Place François
DD 105 **Molière** Rue
DC 107 **Monmousseau** R. Gaston
CZ 108 **Montagne Pierreuse** R. de la
DC 107 **Montaigne** Allée
DC 108 **Montreuil** Rue Pierre De
DE 102 **Moreau** Impasse
DC 107 **Moulin** Avenue Jean
DA 104 **Moulin à Vent** Rue du
DA 108 **Moulins** Impasse des
CZ 108 **Mutualité** Rue de la
CZ 108 **Nanteuil** Rue de
DE 103 **Navoiseau** Rue
DB 107 **Néfliers** Rue des
CZ 107 **Nerval** Rue Gérard De
DD 108 **Noisetiers** Allée des
CZ 108 **Normandie** Rue de
DB 103 **Noue** Rue de la
DC 108 **Nouvelle France** Rue de la
DA 109 **Nungesser** Rue
DD 106 **Ormes** Rue des
CZ 107 **Oseraies** Rue des
DB 109 **Paix** Impasse de la
DC 110 **Paix** Place de la
DC 110 **Paix** Rue de la
DA 104 **Papillons** Rue des
DD 102 **Paris** Rue de
DC 104 **Parmentier** Rue
DE 106 **Passeleu** Rue du
DB 105 **Pasteur** Avenue
DC 105 **Patriarche** Square
DC 109 **Patte d'Oie** Impasse de la
DC 109 **Patte d'Oie** Rue de la
DA 107 **Pavillons** Rue des
DD 108 **Pêchers** Allée des
DC 106 **Pépin** Rue
DD 105 **Péri** Avenue Gabriel
DA 107 **Péron** Rue Auguste
DC 104 **Pesnon** Rue Alexis
CY 109 **Petit Bois** Rue du
CZ 106 **Pinsons** Villa des
DB 109 **Pivoines** Impasse des
DA 105 **Plateau** Rue du
DE 106 **Plâtrières** Rue des
DA 105 **Pointe** Rue de la
DA 105 **Pointe** Sentier de la
DD 108 **Poiriers** Allée des
DC 109 **Poitou** Rue du
DC 109 **Port-Royal** Allée de
DB 109 **Pottier** Rue Eugène
DA 105 **Poulin** Rue
DD 103 **Préaux** Rue Désiré
DB 106 **Préaux** Rue Léontine
CY 108 **Printemps** Allée du
CY 108 **Processions** Rue des
DE 102 **Progrès** Impasse du
DE 102 **Progrès** Rue du
DD 105 **Quatorze Juillet** Place du
DE 106 **Quatre Ruelles** I. des
DD 107 **Quatre Ruelles** Rue des
DC 104 **Rabelais** Rue
DA 104 **Racine** Rue
CZ 106 **Ramenas** Rue des
DD 105 **Rapatel** Rue
DE 103 **Raspail** Rue
DC 102 **Ravins** Rue des
DD 104 **Raynal** Rue du Colonel
CY 107 **Redoute** Rue de la
CZ 108 **Redoutes** Chemin des
DD 106 **Remblais** Rue des
DD 108 **Renan** Avenue Ernest
CZ 108 **Renardière** Rue de la
DC 109 **Renoult** Rue Daniel
DE 102 **République** Place de la
DE 102 **République** Rue de la
DC 104 **Résistance** Avenue de la
DD 103 **Révolution** Rue de la
DB 105 **Reynaud** Rue Emile
DA 104 **Ricochets** Rue des
CZ 104 **Rigondes** Rue des
DE 102 **Robespierre** Rue
DB 106 **Rochebrune** Rue
DA 108 **Roches** Rue des
DB 110 **Rolland** Allée Romain
DF 102 **Rol-Tanguy** Rue Henri
DA 106 **Romainville** Rue de
DE 105 **Roseraie** Impasse de la
CZ 104 **Rosiers** Rue des
DB 106 **Rosny** Rue de
DD 104 **Rouget De Lisle** Boulevard
DC 104 **Roulettes** Rue des
DE 103 **Rousseau** R. Jean-Jacques
DB 105 **Roux** Rue du Docteur
DC 109 **Ruffins** Passage des
DC 109 **Ruffins** Rue des
DB 111 **Ruines** Rue des
DA 105 **Ruisseau** Rue du
DC 109 **Sacy** Allée de
DE 105 **Saigne** Rue
DB 107 **Saint-Antoine** Rue de
DB 107 **Saint-Antoine** Villa de
CZ 106 **Saint-Denis** Rue
DA 109 **Saint-Exupéry** Cité
DA 109 **Saint-Exupéry** Rue
DB 107 **Saint-Just** Rue
DA 107 **Saint-Victor** Rue de
CZ 106 **Saules Clouet** Villa des
CZ 107 **Saules Clouet** Rue des
DA 105 **Savart** Rue Ernest
DA 104 **Savarts** Impasse des
DC 107 **Schmitt** Rue Henri
DC 104 **Seigneurie** Villa de la
DB 103 **Sémard** Place Pierre
DC 104 **Sembat** Rue Marcel
DB 107 **Signac** Avenue Paul
CZ 109 **Signoret** Rue Simone
DE 102 **Smith** Allée Bessie
DE 106 **Solidarité** Rue de la
DC 106 **Solitaire** Rue du
DD 103 **Sorins** Rue des
DC 102 **Souchet** Villa
DC 106 **Soucis** Rue des
DC 106 **Soupirs** Rue des
DD 109 **Source** Rue de la
DD 106 **Stalingrad** Rue de
DD 109 **Sueur** Bd Théophile
DA 104 **Sureaux** Sentier des
DC 106 **Terrasse** Rue de la
DD 108 **Tillemont** Nouvelle Cité de
DD 106 **Tilleuls** Rue des
DD 108 **Tilliers** Allée des
DB 103 **Timbaud** Pl. Jean-Pierre
DB 105 **Tortueux** Sentier
DE 104 **Tourelle** Villa de la
DC 104 **Tourniquet** Sentier du
DC 110 **Tranchée** Rue de la
DA 105 **Traverse** Rue de la
CZ 106 **Traversière** Rue
DE 101 **Triolet** Rue Elsa
CZ 107 **Tristan** Rue Flora
DE 105 **Trois Territoires** Rue des
DE 104 **Union** Rue de l'
DD 108 **Union** Villa de l'
DD 104 **Vaillant** Rue Edouard
DB 105 **Vaillant-Couturier** Bd Paul
DD 102 **Valette** Rue
DC 111 **Vallès** Rue Jules
DE 102 **Valmy** Rue de
DC 106 **Varlin** Rue Eugène
DA 108 **Verne** Rue Jules
DA 104 **Vert Bois** Rue du
DA 106 **Vignes** Rue des
DB 104 **Villiers** Rue de
DD 104 **Vincennes** Rue de
DC 106 **Vitry** Rue de
DE 102 **Voltaire** Rue
DD 108 **Wallon** Rue Henri
DC 105 **Walwein** Avenue
DC 105 **Wilson** Av. du Président
CZ 106 **Woljung** Rue Maurice
DF 103 **Woolf** Square Virginia
DC 106 **Yourcenar** Rue Marguerite
DB 103 **Zay** Square Jean
DE 102 **Zola** Rue Emile

Principaux Bâtiments

DC 104 ANPE
DC 105 ANPE
DD 104 ASSEDIC
DB 104 Atrium
DC 105 Bibliothèque
DB 110 Bibliothèque
CZ 107 Bibliothèque
DC 104 Bibliothèque

MONTREUIL suite (plan page 253)

DB 104 Bibliothèque
DD 102 Bibliothèque Municipale
DC 106 CAF
DC 105 CCAS
DD 105 CPAM
DB 103 CPAM
DC 110 CPAM
DC 105 Centre Administratif
CY 107 Hôpital Intercommunal André Grégoire
DC 104 Hôtel des Impôts
DC 108 IUT Paris VIII
DE 102 LT-LP ORT
DC 107 Lycée d'Horticulture
DB 106 Lycée Jean Jaurès
DD 105 Lycée Prof. Condorcet
DB 104 Lycée Prof. Eugènie Cotton
DC 105 Mairie
CZ 107 Maison du Théâtre les Roches
DB 109 Musée de l'Histoire Vivante
DD 104 Office de Tourisme
DB 105 Police
DB 105 Pompiers
CZ 106 Poste
DA 107 Poste
DB 109 Poste
DC 104 Poste
DE 101 Poste
DC 103 Stade André Blain
CZ 109 Stade A. Wigishoff
DC 103 Stade des Guilands
DB 109 Stade du Parc Montreau
DC 108 Stade J. Delbert
DA 108 Stade Jules Verne
DD 104 Stade Nautique Maurice Thorez
DC 104 Stade Parmentier
DA 108 Stade R. Barran
DC 108 Stade Roger Legros
DB 110 Stade Romain Rolland
DD 104 Théâtre
DB 104 Théâtre
DB 103 Théâtre de La Noue
DD 104 Trésorerie Principale
DC 105 Tribunal d'Instance
DC 105 URSSAF
DC 106 Cimetière

MONTROUGE plan page 257

Métro : Ligne 13 - Châtillon-Montrouge
Bus : 68-125-126-128-187-188-194-195-197-295-297-323-526

DN 88 **Arcueil** Rue d'
DL 86 **Arnoux** Rue Maurice
DN 85 **Arnoux** Square Maurice
DN 86 **Auber** Rue
DM 85 **Auger** Rue Arthur
DM 89 **Barbès** Rue
DM 86 **Barbusse** Rue Henri
DM 87 **Barthélemy** Rue René
DN 87 **Basch** Rue Victor
DM 87 **Beer** Rue Myrtille
DM 86 **Bert** Rue Paul
DM 87 **Berthelot** Rue Marcellin
DM 87 **Blanche** Rue
DN 87 **Boileau** Rue
DM 86 **Boillaud** Rue Pierre
DN 86 **Bossuet** Villa
DL 87 **Boutroux** Avenue Emile
DL 88 **Bouzerait** Rue Georges
DN 88 **Briand** Avenue Aristide
DL 86 **Brossolette** Avenue Pierre
DM 87 **Candas** Rue Sylvine
DM 87 **Carnot** Rue Sadi
DN 88 **Carvès** Rue
DN 87 **Chaintron** Rue
DM 87 **Champeaud** Rue Edmond
DN 85 **Chateaubriand** Rue
DN 85 **Chéret** Rue Jules
DN 85 **Chopin** Rue
DL 88 **Combattants d'AFN** Sq. des
DN 86 **Corneille** Rue
DM 86 **Couprie** Rue
DL 87 **Cresp** Place Emile
DL 86 **Curie** Rue Pierre
DM 89 **Danton** Rue
DN 85 **Dardan** Rue Germain
DL 86 **Debos** Rue Marie
DL 87 **Delerue** Rue
DN 87 **Descartes** Rue
DN 84 **Dormoy** Avenue Marx
DL 87 **Draeger** Passage
DM 88 **Duval** Rue Amaury
DM 87 **Église** Impasse de l'
DM 88 **Estienne D'Orves** Rue D'
DM 86 **États-Unis** Place des
DN 86 **Fénelon** Rue
DN 88 **Ferry** Place Jules
DN 88 **Ferry** Square Jules
DM 86 **Fleurs** Villa des
DN 87 **Floquet** Rue Charles
DN 88 **Fort** Avenue du
DN 88 **Gambetta** Avenue Léon
DM 88 **Gaulle** Bd du Général De
DM 88 **Gaulle** Sq. du Général De
DM 88 **Gautier** Rue Théophile
DM 89 **Gentilly** Rue de
DL 87 **Gillon** Rue du Colonel
DM 87 **Ginoux** Avenue Henri
DM 88 **Guerchy** Place Gabriel De
DN 85 **Guesde** Rue Jules
DL 86 **Gueudin** Rue
DM 86 **Guillot** Rue
DL 87 **Gutenberg** Rue
DN 86 **Henriette** Villa
DN 87 **Henry** Rue des Frères
DM 87 **Hugo** Rue Victor
DN 86 **Huit Mai 1945** Place du
DN 86 **Isabelle** Villa
DM 87 **Jardins** Impasse des
DM 87 **Jaurès** Avenue Jean
DM 86 **Jaurès** Place Jean
DM 86 **Joséphine** Villa
DM 86 **Juif** Rue Constant
DN 86 **La Bruyère** Rue
DN 87 **La Fontaine** Rue
DN 87 **La Fontaine** Square
DM 89 **Lannelongue** Av. du Dr
DM 87 **Leblanc** Villa
DM 87 **Leclerc** Place du Général
DN 87 **Léger** Villa
DM 88 **Lejeune** Rue Louis
DM 87 **Libération** Place de la
DN 87 **Logeais** Villa Agenor
DM 86 **Manège** Passage du
DM 85 **Marne** Avenue de la
DN 85 **Marne** Square de la
DN 86 **Messier** Rue Georges
DN 86 **Messier** Square Georges
DN 86 **Molière** Rue
DM 86 **Monplaisir** Villa
DN 87 **Morel** Rue
DN 88 **Moulin** Square Jean
DN 86 **Mulin** Rue Hippolyte
DL 87 **Onze Novembre** Rue du
DM 88 **Ory** Rue François
DM 86 **Paix** Avenue de la
DN 87 **Parmentier** Villa
DN 86 **Pascal** Rue
DL 86 **Pasteur** Rue
DM 86 **Pelletan** Rue Camille
DM 88 **Péri** Rue Gabriel
DM 86 **Perier** Rue
DN 85 **Poitou** Rue du
DN 87 **Prévost** Villa
DN 86 **Pugno** Rue Raoul
DL 87 **Quinet** Rue Edgar
DL 87 **Rabelais** Rue
DN 87 **Racine** Rue
DL 86 **Radiguey** Rue

MONTROUGE suite (plan page 257)

DN 87 **Raymond** Passage
DN 85 **Renaudel** Square Pierre
DL 87 **République** Avenue de la
DM 87 **République** Square de la
DN 86 **République** Villa de la
DM 88 **Rolland** Rue Louis
DL 87 **Rolland** Bd Romain
DM 87 **Rondelet** Cité
DL 87 **Ruelles** Villa des
DL 88 **Saint-Albin** Rue
DM 86 **Saisset** Rue de
DN 85 **Salengro** Rue Roger
DM 87 **Schumann** Square Robert
DM 85 **Sembat** Rue Marcel
DN 86 **Sévigné** Rue de
DM 87 **Solidarité** Rue de la
DN 88 **Thalheimer** Rue
DM 87 **Vallet** Rue Jean
DN 86 **Vallière** Allée de la
DM 88 **Vanne** Rue de la
DM 87 **Verdier** Avenue
DN 87 **Verdun** Avenue de
DL 87 **Vergers** Villa des

Principaux Bâtiments

DM 88 ANPE
DM 87 Bibliothèque
DM 87 Centre Administratif
DL 87 Centre Administratif
DM 87 CPAM
DM 86 Déchetterie
DL 86 E.N.S.
DN 86 Espace Colucci
DL 86 Fac. de Chirurgie Dentaire
DN 85 LP Jean Monnet
DN 88 Lycée Maurice Genevoix
DL 87 Mairie
DM 87 Piscine
DL 87 Police
DM 87 Police Municipale
DN 88 Pompiers
DN 88 Poste
DM 85 Poste
DM 87 Poste Principale
DN 86 Stade Jean Lezer
DN 87 Stade Marx Dormoy
DM 86 Stade Maurice Arnoux
DL 87 Théâtre de Montrouge
DM 87 Trésorerie

NEUILLY-SUR-SEINE plan page 259

Métro : Ligne 1 - Porte Maillot - Les Sablons - Pont de Neuilly
Bus : NA-NT-43-73-82-93-157-158-163-164-174-176-557(43N)-576

CX 80 **Acacia** Villa de l'
CY 80 **Ancelle** Rue
CW 80 **Apollinaire** Sq. Guillaume
CW 79 **Argenson** Boulevard d'
CW 79 **Argenson** Square d'
CY 81 **Armenonville** Rue d'
CZ 77 **Bagatelle** Place de
CZ 77 **Bagatelle** Rue de
CW 78 **Bailly** Rue
CY 80 **Barrès** Boulevard Maurice
CY 79 **Barrès** Sq. du Capitaine Claude
CW 78 **Beffroy** Place
CW 78 **Beffroy** Rue
CY 80 **Bellanger** Rue
CW 80 **Beloeuil** Square
CY 80 **Bergerat** Villa Emile
CX 81 **Berteaux Dumas** Rue
CY 78 **Bertereau** Rue Alexandre
CX 78 **Bertier** R. du Gal Henrion
CV 80 **Bineau** Boulevard
CW 82 **Bineau** Carrefour
CX 81 **Blanche** Villa
CX 80 **Bloud** Rue Edmond
CY 78 **Bois de Boulogne** Rue du
CV 79 **Boncour** R. du Lieutenant
CW 80 **Borghèse** Allée
CX 81 **Borghèse** Rue
CU 80 **Bourdon** Boulevard
CX 78 **Boutard** Rue
CZ 77 **Bretteville** Avenue de
CW 79 **Céline** Avenue
CY 78 **Centre** Rue du
CX 79 **Chalons** Allée Pierre
CV 79 **Chanton** Square
CY 78 **Charcot** Bd du Comandant
CX 78 **Charcot** Rue
CW 79 **Chartran** Rue
CY 81 **Chartres** Rue de
CW 79 **Château** Avenue du
CV 80 **Château** Boulevard du
CW 79 **Château** Rue du
CW 78 **Chatrousse** Rue Paul
CW 80 **Chauveau** Rue de
CX 81 **Cherest** Rue Pierre
CW 80 **Chézy** Rue de
CW 80 **Chézy** Square de
CX 80 **Churchill** Place Winston
CV 79 **Constant** Rue Benjamin
CX 80 **Cordonnier** R. du Général
CU 79 **Courbevoie** Pont de
CX 77 **Daix** Rue Victor
CX 81 **Dames Augustines** R. des
CY 78 **Delabordère** Rue
CX 82 **Delaizement** Rue
CX 78 **Delanne** Rue du Général
CY 79 **Deleau** Rue
CZ 77 **Deloison** Rue Ernest
CY 80 **Déroulède** Rue Paul
CX 80 **Devès** Rue
CY 80 **Dulud** Rue Jacques
CW 78 **Eau Albienne** Square de l'
CX 81 **Ecole de Mars** Rue de l'
CX 79 **Eglise** Rue de l'
CY 78 **Fénelon** Rue Salignac
CZ 78 **Ferme** Rue de la
CX 80 **Ferrand** Allée
CX 80 **Fournier** Rue de l'Amiral
CX 80 **Gally** Villa
CW 78 **Garnier** Rue
CY 80 **Gaulle** Avenue Charles De
CX 78 **Gautier** Rue Théophile
CW 79 **Gouraud** Place du Général
CX 79 **Graviers** Rue des
CX 79 **Hôtel de Ville** Rue de l'
CX 78 **Houssay** Villa
CV 81 **Hugo** Boulevard Victor
CX 79 **Huissiers** Rue des
CW 81 **Inkermann** Boulevard d'
CW 79 **Joinville** R. de l'Amiral De
CV 79 **Juin** Pont du Maréchal
CX 77 **Kœnig** Bd du Général
CY 80 **Laffitte** Rue Charles
CX 78 **Lanrezac** Rue du Général
CZ 77 **Lattre De Tassigny** Rue du Maréchal De
CX 81 **Le Boucher** Av. Philippe
CV 79 **Leclerc** Bd du Général
CW 81 **Lesseps** Rue de
CV 81 **Libération** Place de la
CV 80 **Lille** Rue de
CY 77 **Longchamp** Rue de
CX 77 **Longpont** Rue de
CX 80 **Louis Philippe** Rue
CX 78 **Madrid** Avenue de
CX 78 **Madrid** Villa de
CY 81 **Maillot** Boulevard
CY 79 **Maillot** Villa
CY 81 **Marché** Place du
CU 80 **Marine** Rue de la
CW 79 **Massiani** Square M.
CX 81 **Méquillet** Villa
CX 80 **Mermoz** Bd Jean
CY 77 **Metman** R. Charles-Bernard
CX 81 **Michelis** Rue Madeleine

NEUILLY-SUR-SEINE suite (plan page 259)

CY 81 **Midi** Rue du
CY 81 **Montrosier** Rue de
CX 81 **Musset** Rue Alfred De
CX 77 **Neufchâteau** Villa
CW 78 **Neuilly** Pont de
CX 79 **Neuilly-Château** Square
CX 79 **Noir** Rue Victor
CY 81 **Nordling** Rue Raoul
CW 80 **Nortier** Rue Edouard
CX 80 **Orléans** Allée d'
CW 81 **Orléans** Place du Duc D'
CX 80 **Orléans** Rue d'
CV 79 **Parc** Boulevard du
CY 78 **Parc Saint-James** Av. du
CY 81 **Parmentier** Place
CX 82 **Parmentier** Rue
CX 78 **Pascal** Rue Blaise
CW 78 **Pascal** Villa Blaise
CX 77 **Passy** Rue Frédéric
CW 80 **Pasteur** Villa
CX 80 **Peretti** Avenue Achille
CX 79 **Peretti** Place Achille
CW 79 **Perronet** Avenue
CX 81 **Perronet** Rue
CX 81 **Perronet** Square
CY 77 **Peupliers** Villa des
CX 80 **Pierrard** Rue
CX 78 **Pierret** Rue
CY 81 **Pilot** Rue du Commandant
CX 78 **Pinel** Rue Casimir
CY 80 **Poincaré** Place Raymond
CX 79 **Poissonniers** Rue des
CW 78 **Pont** Rue du
CX 82 **Porte de Villiers** Av. de la
CZ 77 **Potin** Boulevard Julien
CW 80 **Puvis de Chavannes** Rue
CX 79 **Rigaud** Rue

CW 81 **Rops** Square Daniel
CX 81 **Roule** Avenue du
CX 81 **Roule** Square du
CX 81 **Roule** Villa du
CW 81 **Rouvray** Rue de
CY 80 **Sablons** Boulevard des
CX 80 **Sablons** Villa des
CY 81 **Sablonville** Rue de
CX 79 **Sainte-Foy** Avenue
CX 79 **Sainte-Foy** Villa
CX 78 **Saint-Ferdinand** Passage
CY 77 **Saint-James** Rond-Point
CY 78 **Saint-James** Rue
CX 78 **Saint-Jean** Square
CV 81 **Saint-Paul** Rue
CX 80 **Saint-Pierre** Rue
CV 80 **Saussaye** Boulevard de la
CW 79 **Saussaye** Rue de la
CU 80 **Seurat** Boulevard Georges
CW 79 **Soyer** Rue
CW 79 **Sylvie** Rue
CV 79 **Terrier** Impasse
CW 78 **Temple de l'Amour** Jard. du
CW 80 **Thézillat** Rue Martin De
CX 80 **Tilleuls** Villa des
CX 80 **Vérien** Rue Angélique
CV 79 **Victor** Bd Paul-Emile
CW 82 **Villers** Rue de
CV 81 **Villiers** Square de
CV 80 **Villiers** Villa de
CY 77 **Vinci** Villa Léonard De
CU 80 **Vital Bouhot** Boulevard
CV 81 **Vogue** Square Philippe De
CZ 77 **Wallace** Bd Richard
CY 77 **Windsor** Rue
CW 78 **Ybry** Rue

Principaux Bâtiments

CX 79 Bibliothèque
CX 80 Bibliothèque
CV 79 Centre Hospitalier
CY 81 Centre Louis De Broglie
CW 80 Clinique
CW 81 Clinique A. Paré
CW 81 Clinique H. Hartman
CX 77 Complexe Sportif
CW 78 CPAM
CY 80 CPAM
CV 80 Hôpital Américain
CX 80 Institut E. Claparède
CX 80 Lycée
CX 78 Lycée de la Folie St-James
CW 81 Lycée Espagnol
CW 80 Lycée Pasteur
CW 81 Lycée Professionnel
CW 79 Lycée St-Dominique
CX 80 Mairie
CV 80 Marymount School
CW 78 Police
CX 80 Police Municipale
CW 80 Poste
CX 78 Poste
CX 80 Poste
CV 78 Stade du Général Monclar
CX 79 Théâtre
CX 80 Théâtre
CX 78 Trésorerie Principale
CY 80 Tribunal d'Instance
CV 80 Université Paris IV
CY 79 Ancien Cimetière de Neuilly

NOGENT-SUR-MARNE plan page 261

RER : Ligne A2 Nogent-sur-Marne - Ligne E Nogent le Perreux
Bus : 113-114-116-120-317

DH 113 **Albert Ier** Boulevard
DH 111 **Ancellet** Rue Alphonse
DH 112 **Ancien Marché (1)** Pl. de l'
DH 109 **André** Villa
DG 110 **Angles** Rue des
DG 112 **Anquetil** Rue
DI 112 **Arboust** Rue de l'
DG 112 **Ardillière** Rue de l'
DH 112 **Armistice** Rue de l'
DH 110 **Aunier** Rue
DH 110 **Bapaume** Rue de
DI 110 **Basch** Rue Victor
DI 111 **Baïyn De Perreuse** Rue
DJ 109 **Beauséjour** Avenue

DI 110 **Beauté** Rue de
DI 111 **Beauté** Villa de
DI 109 **Belle Gabrielle** Avenue de la
DI 112 **Bellevue** Impasse
DI 112 **Bellevue** Sentier de
DH 112 **Bellivier** Rue Lucien
DH 111 **Berger** Impasse
DH 111 **Bert** Rue Paul
DH 111 **Brillet** Rue
DH 110 **Brisson** Rue Emile
DI 111 **Brossolette** Rue Pierre
DH 112 **Cabit** Impasse
DI 111 **Carnot** Rue

DH 111 **Carreau** Rue du Curé
DH 110 **Chanzy** Rue du Général
DJ 110 **Charles V** Avenue
DI 112 **Charles VII** Rue
DI 109 **Châtaigniers** Avenue des
DG 110 **Châteaudun** Rue de
DJ 109 **Chênes** Villa des
DI 112 **Chevalier** Place Maurice
DH 112 **Clamarts** Rue des
DI 109 **Clemenceau** Avenue Georges
DH 112 **Coignard** I. Jean-Baptiste
DH 112 **Coulmiers** Rue de
DH 110 **Courbet** Rue de l'Amiral

NOGENT-SUR-MARNE suite (plan page 261)

DH	111	**Cury** Passage
DH	111	**Cury** Rue
DI	112	**Dagobert** Rue du Roi
DH	112	**Dagobert** Square
DH	112	**Défenseurs de Verdun** Rue des
DH	110	**Deux Communes** Bd des
DJ	109	**Diane** Avenue de
DI	110	**Doumer** Rue Paul
DI	113	**Dunant** Rue Henri
DI	112	**Dupuis** Rue José
DI	110	**Duvelleroy** Avenue
DH	112	**Eléonore** Villa Marie
DG	111	**Epivans** Allée des
DH	112	**Estienne D'Orves** Sq. Jean D'
DH	112	**Europe** Place de l'
DI	112	**Fabien** Rue du Colonel
DH	110	**Faidherbe** Rue du Général
DG	112	**Fayolle** Av. du Maréchal
DH	111	**Ferry** Rue Jules
DG	111	**Foch** Rd-P.t du Maréchal
DI	111	**Fontaine** Square de la
DH	110	**Fontenay** Rue de
DH	111	**Fort** Rue du
DG	112	**Franchet D'Esperey** Avenue du Maréchal
DH	112	**Galbrun** Rue Eugène
DH	111	**Gallieni** Boulevard
DH	109	**Gambetta** Boulevard
DH	112	**Gare** Rue de la
DI	110	**Gaulle** Grande Rue Charles De
DH	112	**Gaulle** Rue Charles De
DG	111	**George V** Boulevard
DH	110	**Grillons** Villa des
DI	111	**Gugnon** Avenue
DI	112	**Guilleminault** R. de l'Abbé
DF	112	**Hauts-Villemains** Sentier des
DI	110	**Henriette** Villa Clémence
DH	112	**Héros Nogentais** Rue des
DI	112	**Hoche** Rue
DH	111	**Honoré** Rue Théodore
DI	110	**Hugo** Rue Victor
DJ	110	**Ile de Beauté** Chemin de l'
DH	111	**Jeu de l'Arc** Rue du
DH	111	**Jeu de Paume** Rue du
DF	112	**Joffre** Av. du Maréchal
DI	109	**Joinville** Avenue de
DG	109	**Joinville** Rue de
DG	112	**Josserand** Rue Raymond
DI	112	**Kablé** Rue Jacques
DI	113	**Kléber** Avenue
DI	110	**Labarbe** Rue Jean-Guy
DH	112	**Lac** Rue du
DI	111	**Lattre De Tassigny** Avenue De
DG	111	**Laurent** Rue Odile
DH	111	**Lebègue** Rue Gustave
DH	110	**Lebègue** Villa
DI	110	**Leclerc** Place du Général
DH	109	**Ledoux** Villa
DH	112	**Lemancel** Rue
DG	112	**Lepoutre** Rue Louis-Léon
DI	110	**Leprince** Rue
DH	111	**Lequesne** Rue
DG	111	**Libération** Rue de la
DH	112	**Lido (2)** Passage du
DI	111	**Luxembourg (3)** I. du
DG	112	**Lyautey** Av. du Maréchal
DH	112	**Mairie** Rue de la
DH	110	**Manessier** Rue
DI	112	**Marceau** Rue
DH	112	**Marcelle** Rue
DI	111	**Marchand** Impasse
DH	110	**Marchand** R. du Cdt
DG	111	**Margerie** Rue Gaston
DH	112	**Marguerite (4)** I. Jeanne
DG	112	**Marlières** Rue des
DJ	110	**Marne** Boulevard de la
DH	109	**Marronniers** Avenue des
DG	111	**Maunoury** Av. du Maréchal
DJ	109	**Merisiers** Avenue des
DI	113	**Mermoz** Place Jean
DH	112	**Monnet** Rue Jean
DH	111	**Môquet** Rue Guy
DH	110	**Moulin** Rue Jean
DI	111	**Muette** Rue de la
DH	113	**Mulhouse** Pont de
DI	112	**Nazaré** Rue de
DJ	109	**Neptune** Avenue de
DJ	112	**Nogent** Pont de
DH	111	**Nord** Impasse du
DI	112	**Nouvelle** Rue
DI	111	**Nungesser et Coli (5)** Esplanade
DH	109	**Odette** Avenue
DH	111	**Ohresser** R. du Lieutenant
DI	111	**Ouest** Impasse de l'
DI	110	**Parc** Villa du
DH	110	**Parmentier** Rue
DH	112	**Pasteur** Rue
DI	112	**Péchinez** Rue Auguste
DI	110	**Péri** Rue Gabriel
DH	112	**Pins** Impasse des
DH	112	**Plaisance** Rue de
DH	109	**Plisson** Rue
DF	112	**Polton** Avenue
DH	112	**Pont Noyelles** Rue du
DH	111	**Pontier** Rue André
DI	113	**Port** Quai du
DI	112	**Port** Rue du
DH	111	**Pressoir** Chemin du
DG	112	**Renard** Rue Edouard
DH	112	**République** Bd de la
DG	111	**Roger** Carrefour Julien
DI	111	**Rolland** Rue François
DJ	110	**Roosevelt** Avenue Franklin
DJ	112	**Rossi** Square Tino
DH	111	**Sainte-Anne (6)** Place
DH	111	**Sainte-Anne (7)** Rue
DI	110	**Sainte-Marthe** Villa
DH	110	**Saint-Quentin** Rue de
DH	111	**Saint-Sébastien** Rue
DI	109	**Sémard** Place Pierre
DH	112	**Siegburg** Rond-Point de
DI	112	**Simone** Avenue
DI	111	**Smith Champion** Avenue Madeleine
DI	111	**Sorel** Impasse Agnès
DI	111	**Sorel** Rue Agnès
DH	110	**Soulès** Rue Jean
DI	109	**Source** Avenue de la
DH	110	**Sous Châteaudun** Sentier
DH	112	**Sous Plaisance** Sentier
DH	111	**Stalingrad** Route de
DH	110	**Strasbourg** Boulevard de
DI	110	**Suzanne** Avenue
DH	112	**Taverne** Impasse de la
DH	113	**Théâtre** Place du
DG	111	**Thiers** Rue
DJ	110	**Tilleuls** Avenue des
DH	112	**Vaillant** Rue du Maréchal
DI	111	**Val de Beauté** Avenue du
DI	113	**Viaduc** Rue du
DI	110	**Vieux Paris** Square du
DG	110	**Viselets** Rue des
DI	112	**Vitry** Rue Edmond
DG	110	**Vivier** R. Guillaume-Achille
DI	109	**Watteau** Avenue
DJ	110	**Yverdon** Square d'
DI	111	**Yvon** Rue
DH	111	**Zola** Rue Emile

Principaux Bâtiments

DH	111	Bibliothèque
DI	109	Clinique
DH	112	CPAM
DH	111	Centre Juridique
DH	110	Hôtel des Finances
DF	112	Lycée Tech. Louis Armand
DH	109	Lycée Albert De Mun
DI	111	Lycée Edouard Branly
DI	111	Lycée Professionnel
DJ	108	Lycée Professionnel
DH	112	Mairie
DH	112	Mairie Annexe
DH	111	Musée
DI	110	Pavillon Baltard
DI	112	Piscine
DI	111	Police
DH	111	Pompiers
DH	112	Poste
DI	112	Poste
DH	112	Scène Watteau
DI	111	Sous-Préfecture
DI	111	Stade Sous-la-Lune

PANTIN plan page 263

Métro : Ligne 5 - Hoche - Église de Pantin - Bobigny-Pantin-R. Queneau
Ligne 7 - Aubervilliers-Pantin-Quatre Chemins - Fort d'Aubervilliers
RER : Pantin
Bus : 134-145-147-150-151-152-170-173-234-247-249-318-330-684

CV 100 **Aisne** Quai de l'
CU 99 **Allende** Pl. du Pdt Salvador
CV 102 **Arago** Rue François
CT 98 **Aubervilliers** Impasse d'
CW 100 **Auffret** Rue Jules
CV 99 **Auger** Rue
CV 99 **Auger** Square
CW 101 **Auray** Rue Charles
CX 101 **Auteurs** Cité des
CV 102 **Balzac** Rue de
CW 102 **Barbusse** Parc Henri
CW 100 **Beaurepaire** Rue
CX 101 **Bel-Air** Rue du
CW 102 **Béranger** Rue
CV 101 **Berges** Rue des
CX 101 **Bernard** Allée Tristan
CW 101 **Bert** Rue Paul
CT 98 **Berthier** Rue
CT 98 **Berthier** Rue Neuve
CV 102 **Boieldieu** Rue
CQ 100 **Boileau** Rue
CX 102 **Bois** Rue du
CV 101 **Borreau** Rue Maurice
CV 103 **Bretagnes** Avenue des
CX 101 **Brieux** Allée Eugène
CV 102 **Brossolette** Rue Pierre
CV 102 **Buttes** Rue des
CW 101 **Candale** Rue de
CX 101 **Candale Prolongée** R. de
CX 101 **Capus** Allée Alfred
CU 99 **Carnot** Rue Sadi
CV 103 **Carrière** Chemin de la
CT 99 **Cartier-Bresson** Rue
CU 101 **Chemin de Fer** Ch. Latéral au
CU 98 **Chemin de Fer** Rue du
CU 101 **Cheval Blanc** Rue du
CV 103 **Cheval Noir** Square du
CX 100 **Chevreul** Rue
CR 99 **Cimetière Parisien** Av. du
CU 99 **Compans** Rue du Général
CS 98 **Condorcet** Rue
CV 99 **Congo** Rue du
CX 101 **Convention** Rue de la
CQ 100 **Copernic** Allée
CV 100 **Cornet** R. Eugène et M.-L.
CT 99 **Cottin** Rue Jacques
CX 101 **Courteline** Allée Georges
CR 101 **Courtillères** Parc des
CQ 100 **Courtillières** Avenue des
CV 101 **Courtois** Rue
CU 99 **Danton** Rue

CS 99 **David** Impasse
CT 98 **Davoust** Rue
CU 98 **Débarcadère** Rue du
CX 101 **Debussy** Allée Claude
CW 102 **Delessert** Rue Benjamin
CV 100 **Delizy** Pont
CU 100 **Delizy** Rue
CW 101 **Déportation** Voie de la
CT 100 **Diderot** Impasse
CS 98 **Diderot** Parc
CT 99 **Diderot** Rue
CV 100 **Distillerie** Rue de la
CQ 100 **Division Leclerc** Av. de la
CU 100 **Dix-Neuf Mars 1962** Square du
CX 101 **Donnay** Allée Maurice
CW 102 **Doré** Rue Alix
CX 101 **Ducas** Allée Paul
CV 101 **Eglise** Place de l'
CV 101 **Eglise** Square de l'
CW 100 **Estienne D'Orves** Rue Honoré D'
CQ 101 **F** Voie
CV 102 **Fabien** Avenue du Colonel
CW 102 **Faguet** Rue Cécile
CY 100 **Faidherbe** Avenue
CX 101 **Fauré** Allée Gabriel
CW 100 **Ferry** Rue Jules
CX 101 **Flers et Caillavet** Allée de
CV 99 **Florian** Rue
CV 102 **Formagne** Rue
CV 102 **Formagne** Square
CS 98 **Foyers** Cité des
CV 102 **France** Avenue Anatole
CW 99 **Franklin** Rue
CW 100 **Gambetta** Rue
CX 101 **Ganne** Allée Louis
CU 99 **Gare** Avenue de la
CU 98 **Gare de Marchandises** Place de la
CV 101 **Gaulle** Mail Charles De
CX 101 **Giraudoux** Allée Jean
CV 102 **Gobaut** Rue Roger
CW 100 **Grilles** Impasse des
CW 100 **Grilles** Rue des
CW 102 **Guillaume Tell** Rue
CW 100 **Gutenberg** Rue
CX 101 **Hahn** Allée Reynaldo
CV 99 **Hoche** Rue
CT 98 **Honoré** Rue
CU 99 **Hôtel de Ville** Rue de l'

CV 100 **Hugo** Rue Victor
CV 101 **Huit Mai 1945** Avenue du
CV 102 **Jacquart** Rue
CS 98 **Jardins** Villa des
CV 102 **Jaslin** Rue Jules
CS 98 **Jaurès** Avenue Jean
CS 98 **Josserand** Rue Gabrielle
CW 101 **Kléber** Rue
CQ 100 **La Fontaine** Rue
CV 100 **Lakanal** Rue
CR 100 **Lamartine** Rue
CT 98 **Lapérouse** Rue
CT 98 **Lapérouse** Square
CQ 100 **Laplace** Square
CW 101 **Lavoisier** Rue
CT 101 **Leclerc** Av. du Général
CV 101 **Leducq** Rue Théophile
CV 102 **Lépine** Rue
CW 100 **Lesault** Rue
CS 98 **Lesieur** Avenue Alfred
CV 99 **Liberté** Rue de la
CV 100 **Lolive** Avenue Jean
CT 98 **Magenta** Rue
CU 99 **Mairie** Place de la
CV 99 **Marcel** Rue Etienne
CX 101 **Marcelle** Rue
CQ 101 **Marché** Place du
CT 99 **Marie-Louise** Rue
CV 102 **Marie-Thérèse** Rue
CU 99 **Marine** Rue de la
CW 101 **Méhul** Square
CW 100 **Méhul** Rue
CW 101 **Meissonnier** Rue
CX 101 **Messager** Allée André
CW 100 **Michelet** Rue
CX 101 **Mirbeau** Allée Octave
CV 99 **Montgolfier** Rue
CW 100 **Montigny** Rue
CW 100 **Moscou** Rue de
CR 101 **Musset** Rue Alfred De
CU 101 **Nadot** Rue Louis
CT 99 **Neuve** Rue
CQ 100 **Newton** Allée
CV 101 **Nicot** Rue Jean
CW 99 **Nodier** Rue Charles
CV 103 **Noisy** Route de
CT 101 **Noue** Chemin de la
CU 102 **Nouvelle** Rue
CV 100 **Onze Novembre 1918** R. du
CU 100 **Ourcq** Quai de l'
CV 101 **Paix** Rue de la

PANTIN suite (plan page 263)

CV 102 **Palestro** Rue de
CT 99 **Papin** Rue Denis
CV 102 **Parmentier** Rue
CT 98 **Pasteur** Rue
CV 101 **Pellat** Rue du Docteur
CV 102 **Petit Pantin** Impasse du
CX 101 **Pommiers** Rue des
CQ 100 **Pont de Pierre** Rue du
CW 99 **Pré Saint-Gervais** Rue du
CR 101 **Racine** Rue
CX 101 **Ravel** Allée Maurice
CW 101 **Regnault** Rue
CV 102 **Renan** Rue Ernest
CQ 101 **Renard** Rue Edouard
CW 102 **République** Parc de la
CW 102 **Résistance** Voie de la
CV 99 **Roche** Passage
CW 101 **Romainville** Impasse de
CX 101 **Rostand** Allée Edmond
CW 100 **Rouget De Lisle** Rue
CT 98 **Sainte-Marguerite** Rue
CV 101 **Saint-Louis** Rue
CR 101 **Sand** Rue George
CX 101 **Sardou** Allée Victorien
CV 99 **Scandicci** Rue
CV 101 **Seita** Parc
CW 99 **Sept Arpents** Impasse des
CW 99 **Sept Arpents** Rue des
CX 101 **Société des Auteurs** Place de la

CV 100 **Stalingrad** Parc
CR 100 **Stendhal** Rue
CX 101 **Terrasse** Allée Claude
CX 101 **Thalie** Avenue
CU 100 **Timisoara** Rue de
CT 99 **Toffier-Decaux** Rue
CU 99 **Vaillant** Avenue Edouard
CW 100 **Vaucanson** Rue
CT 103 **Vignes** Chemin des
CR 101 **Vigny** Rue Alfred De
CT 98 **Weber** Avenue
CV 102 **Westermann** Rue

Principaux Bâtiments

CV 101 ANPE
CV 102 ASSEDIC
CT 98 Auditorium
CV 100 Bibliothèque
CT 98 Bibliothèque
CU 99 Bibliothèque
CR 100 Bibliothèque
CQ 100 Bibliothèque
CU 100 Caserne
CR 99 Caserne
CW 100 Centre International de l'Automobile
CU 99 Centre National de la Danse
CU 99 Cité Administrative
CV 100 Clinique
CU 99 Conservatoire de Musique
CV 99 CPAM
CQ 101 CPAM
CV 100 LP Félix Faure
CV 100 LP Simone Weil
CS 98 Lycée Marcelin Berthelot
CU 99 Mairie
CU 99 Mairie Annexe
CW 99 Maison de Justice
CV 101 Office de Tourisme
CV 100 Piscine
CU 99 Piscine
CV 100 Police
CU 100 Pompiers
CT 98 Poste
CV 100 Poste
CV 102 Poste
CQ 100 Stade ASPTT
CW 101 Stade Charles Auray
CR 99 Stade Marcel Cerdan
CW 101 Stade Méhul
CU 99 Stade Sadi Carnot
CU 99 Théâtre
CU 100 Tribunal
CX 101 Cimetière de Pantin
CS 100 Cimetière Parisien de Pantin Bobigny

LE PRÉ-SAINT-GERVAIS plan page 267

Bus : 61-170-249

CX 100 **Acacias** Avenue des
CX 100 **Aigle** Avenue de l'
CX 99 **Allende** Square Salvador
CX 100 **Audry** Rue Colette
CX 99 **Augier** Rue Emile
CX 100 **Avenir** Villa de l'
CW 100 **Babeuf** Allée Gracchus
CW 100 **Baudin** Rue
CX 100 **Beau Soleil** Avenue
CX 100 **Bellevue** Avenue de
CX 100 **Belvédère** Avenue du
CW 99 **Béranger** Rue
CX 100 **Blanc** Rue Louis
CW 100 **Blanqui** Rue Auguste
CY 100 **Blum** Place Léon
CX 100 **Brossolette** Rue Pierre
CW 100 **Cabet** Allée Etienne
CW 99 **Carnot** Rue

CX 99 **Chardanne** Rue
CW 100 **Chevreul** Rue
CW 99 **Cité Rabelais** la
CW 99 **Clément** R. Jean-Baptiste
CX 99 **Clos Lamotte** Sente du
CY 100 **Cornettes** Sentier des
CX 100 **Danton** Rue
CX 99 **Deltéral** Rue
CW 99 **Dormoy** Rue Marx
CX 99 **Estienne D'Orves** Rue Honoré D'
CY 100 **Faidherbe** Avenue
CX 100 **Faidherbe** Square
CW 100 **Ferrer** Avenue Francisco
CW 100 **Fourier** Allée Charles
CX 99 **France** Place Anatole
CX 99 **France** Rue Anatole
CW 99 **Franklin** Rue

CX 100 **Garcia** Carrefour Cristino
CW 100 **Garibaldi** Rue
CX 99 **Geneste** Sente
CX 99 **Giengen-sur-Breutz** Pl. de
CX 99 **Grande Avenue**
CW 100 **Gutenberg** Rue
CW 100 **Jacquart** Rue
CX 100 **Jacquemin** Rue Jules
CX 100 **Jaurès** Avenue Jean
CX 100 **Jaurès** Place Jean
CX 99 **Joineau** Rue André
CX 99 **Kock** Rue Paul De
CW 99 **Lamartine** Rue
CX 99 **Leclerc** Place du Général
CY 100 **Lilas** Villa des
CX 99 **Lions** Villa des
CX 100 **Mairie** Passage de la
CW 99 **Marceau** Rue

LE PRÉ-SAINT-GERVAIS suite (plan page 267)

CY 100 **Marchais** Sentier des
CX 100 **Marronniers** Avenue des
CW 100 **Martin** Rue Henri
CW 100 **Moore** Allée Thomas
CW 99 **Nodier** Rue Charles
CY 100 **Paris** Rue de
CY 100 **Pavillons** Sentier des
CX 99 **Pépin** Square Edmond
CW 100 **Péri** Rue Gabriel
CW 99 **Progrès** Rue du
CW 100 **Proudhon** R. Pierre-Joseph
CW 99 **Quatorze Juillet** Rue du
CX 99 **Quizet** Rue Léon-Alphonse
CW 100 **Salengro** Rue Roger
CX 100 **Sellier** Place Henri
CX 99 **Sémanaz** R. Jean-Baptiste
CW 99 **Sept Arpents** Rue de
CX 100 **Séverine** Place
CX 99 **Simonnot** Rue
CW 100 **Sismondi** Allée
CX 100 **Soupirs** Avenue des
CX 99 **Soyer** Rue du Capitaine
CW 99 **Stalingrad** Rue de
CX 100 **Sycomores** Avenue des
CX 100 **Thomas** Rue Albert
CY 100 **Trou-Marin** Sentier du
CX 100 **Vaillant** Avenue Edouard
CX 100 **Zola** Rue Emile

Principaux Bâtiments

CX 100 Bibliothèque François Mitterrand
CX 99 Centre Sportif
CX 99 CPAM
CX 99 Centre Culturel
CX 99 Mairie
CX 99 Piscine
CX 99 Police
CX 100 Poste
CY 100 Stade Léo Lagrange
CW 100 Cimetière du Pré-Saint-Gervais

PUTEAUX plan page 269

Métro : Ligne 1 - Esplanade de la Défense - La Défense-Grande Arche
RER : A - La Défense-Grande Arche
Bus : NA-Balabus-73-141-144-157-158-159-161-174-175-176-178-258-262-272-275-276-278-360-378-Buséolien
Tramway T2 : La Défense - Puteaux **SNCF** : La Défense

* *voir plan de La Défense*

CY 75 **Agathe** Rue
CZ 75 **Ampère** Rue
CZ 74 **Ancien Château** Rés. de l'
CX 76 **Appel du Dix-Huit Juin 1940** Rue de l'
CX 76* **Arago** Rue
CX 76 **Arcades** Résidence des
CV 75* **Arche** Allée de l'
CZ 75 **Arsenal** Rue de l'
CY 73 **Bas Roger** Rue des
CW 77 **Bellini** Résidence
CW 77* **Bellini** Rue
CW 77* **Bellini** Terrasse
CX 73 **Bergères** Résidence des
CX 73 **Bergères** Rd-Point des
CY 75 **Bert** Rue Paul
CW 74 **Berthelot** Rés. Marcelin
CW 74 **Berthelot** Rue Marcelin
CY 75 **Bicentenaire** Rue du
CY 75 **Blanche** Rue Auguste
CY 75 **Blanchisseurs** Rue des
CX 76 **Blum** Rue Léon
CX 76 **Blum** Square Léon
CW 75* **Boieldieu** Jardins
CW 75* **Boieldieu** Terrasse
CY 76 **Bourgeoise** Rue
CV 74* **Bouvets** Boulevard des
CX 75 **Brazza** Rue de
CV 75 **Caen** Rue de
CX 75 **Carnot** Rue Sadi
CV 75* **Carpeaux** Place
CV 75* **Carpeaux** Rue
CW 74 **Carré Vert (1)** Rés. du
CX 74 **Cartault** Rue
CX 74 **Champs Moisiaux** Sq. des
CX 75 **Chantecoq** Rue
CW 73 **Charcot** Rue
CW 74 **Chemin Vert** Square du
CX 75 **Chenu** Rue Charles
CY 74 **Chigneux** Passage des
CW 75* **Circulaire** Boulevard
CY 75 **Collin** Rue
CX 73 **Compagnie des Eaux** Chemin de la
CY 74 **Courtault (2)** Résidence
CX 73 **Curie** Rue Pierre
CW 75 **Dame Blanche (3)** Sq. de la
CW 75* **Défense** Place de la
CW 76* **Défense** Rond-Point de la
CW 75* **Degrés** Place des
CW 76* **Delarivière-Lefoullon** Rue
CV 75* **Demi-Lune** Route de la
CX 74 **Deux Horloges (4)** Rés. des
CX 74 **Deux Horloges (4)** Sq. des
CZ 75* **Dion-Bouton** Quai de
CV 75* **Division Leclerc** Av.de la
CV 75* **Dôme** Place du
CZ 76 **Ecluse** Allée de l'
CY 76 **Eglise** Rue de l'
CY 75 **Eichenberger** Rue Eugène
CX 73 **Faure** Avenue Félix
CV 74* **Ferry** Rue Jules
CW 74 **Fontaines** Rue des
CW 74 **Fontaines (5)** Rés. des
CY 76 **Four** Rue du
CX 75 **France** Rue Anatole
CX 75 **France (6)** Rés. Anatole
CX 73 **Fusillés de la Résistance 1940-1944** Rue des
CW 76 **Gallieni** Rue
CW 76* **Gallieni** Square
CX 75 **Gambetta** Rue
CW 77* **Gaudin** Boulevard Pierre
CW 75* **Gaulle** Av. du Général De
CW 76* **Gaulle** Espl. du Gal De
CY 75 **Gerhard** Rue
CY 75 **Gerhard prolongée** Rue
CY 76 **Godefroy** Rue
CX 76 **Godefroy** Square
CW 76 **Guesde** Rue Jules
CY 76 **Guibert** R. de l'Abbé Maurice
CX 74 **Gutenberg** Avenue
CX 74 **Hanet** Passage
CX 77 **Hassoux** Voie Georges

PUTEAUX suite (plan page 269)

CW 74*	**Hoche** Rue
CW 75*	**Horlogerie** Voie de l'
CX 75	**Hôtel de Ville** Espl. de l'
CX 75	**Hugo** Rue Victor
CX 75	**Hugo (7)** Résidence Victor
CY 75	**Huit Mai 1945** Place du
CY 76	**Huit Mai 1945** Rue du
CY 76	**Huit Mai 1945 (8)** Sq. du
CX 74	**Imprimeurs** Allée des
CX 76	**Jacotot** Rue Marius
CY 75	**Jaurès** Rue Jean
CW 75	**Joumel** Square Marcel
CZ 75	**Keighley** Place
CV 74*	**Kupka** Boulevard Franck
CW 74	**Kupka** Square Franck
CX 76*	**Lafargue** Rue Paul
CX 75	**Larrys** Square des
CX 75	**Lavoisier** Rue
CX 77	**Lebaudy** Parc
CX 73	**Lechevallier** Square
CX 75	**Leclerc** Cours du Maréchal
CY 76	**Leclerc** Rue André
CW 76	**Leclerc** Rue du Général
CZ 75	**Legagneux** Rue Georges
CW 76	**Liberté** Rond-point de la
CW 75	**Loges** Sentier des
CX 74	**Lorilleux** Rés. Charles
CX 74	**Lorilleux** Rue Charles
CX 74	**Lorilleux A (9)** Square
CX 74	**Lorilleux B (10)** Square
CX 74	**Lorilleux C (11)** Square
CY 76	**Malon** Rue Benoît
CY 76	**Manissier** Rue
CX 75	**Marché** Allée du
CX 75	**Marché** Passage du
CW 74	**Marées (12)** Square des
CY 75	**Mars et Roty** Rue
CY 75	**Martin** Rue Henri
CX 74	**Martyrs de la Résistance** Square des
CW 77*	**Michelet** Cours
CW 76*	**Michelet** Rue
CW 75*	**Michets-Petray** Rue des
CW 74	**Moissan (13)** Résidence
CX 75	**Monge** Rue
CX 75	**Montaigne** Rue
CW 75	**Moulin** Avenue Jean
CX 74	**Moulin** Parc du
CX 73	**Moulin** Résidence du
CX 74	**Moulin** Rue du
CW 74	**Nélaton** Rue
CY 75	**Nenning** Rue Jean
CW 78*	**Neuilly** Pont de
CX 76	**Oasis** Rue de l'
CX 74	**Offenbach** Parc
CX 74	**Palissy** Rue Bernard
CX 74	**Palissy (14)** Rés. Bernard
CW 76*	**Paradis** Rue du
CY 75	**Parmentier** Rue
CV 75*	**Parvis** Le
CX 73	**Pasteur** Rue
CX 76	**Pavillons** Rue des
CX 75	**Pelloutier** Rue Fernand
CW 74	**Pergola** Square de la
CV 75*	**Perronet** Avenue
CY 75	**Pitois** Rue
CW 76	**Platanes** Résidence les
CZ 75	**Pompidou** Av. Georges
CW 75	**Pouey** Résidence Louis
CW 75*	**Pouey** Rue Louis
CZ 75	**Pressensé** Rue Francis De
CW 75	**Prony** Rue de
CW 74	**Prony (15)** Square
CY 74	**Puits** Rue du
CY 76	**Puits** Square du
CZ 76	**Puteaux** Pont de
CW 74*	**Pyat** Rue Félix
CW 76*	**Pyramide** Place de la
CW 74	**Quinet** Rue Edgar
CY 76	**Rabelais** Rue
CX 74	**République** Rue de la
CZ 75	**Rives de Seine** Résidence
CV 74*	**Ronde** Place
CX 76	**Roque De Fillol** Rue
CX 77	**Roseraie** Jardin La
CW 74	**Rosiers** Résidence des
CW 74	**Rosiers** Rue des
CW 74	**Rosiers (16)** Square des
CY 74	**Rouget De Lisle** Rue
CX 76	**Rousselle** Rue
CY 76	**Saulnier** Rue
CW 76*	**Sculpteurs** Voie des
CX 74	**Sellier** Allée Henri
CX 77	**Soljenitsyne** Bd Alexandre
CX 74	**Souvenir Français** Pl. du
CZ 76	**Sports** Allée des
CX 75	**Stalingrad** Place de
CX 75	**Station** Chemin de la
CW 76*	**Sud** Place du
CY 75	**Théâtre** Square du
CX 73	**Tilleuls** Avenue des
CV 74	**Trois Places** Passage des
CW 75*	**Turpin** Square André
CW 76	**Vaillant** Rue Edouard
CV 74*	**Valmy** Cours
CV 74*	**Valmy** Passage
CV 75*	**Valmy** Rue de
CY 75	**Verdun** Résidence
CY 75	**Verdun** Rue de
CW 74	**Verne** Rue Jules
CY 76	**Vieille Eglise** Place de la
CY 76	**Vieille Eglise (17)** Résidence de la
CY 74	**Vieux Lavoir (18)** Rés. du
CW 74	**Villes Jumelées** Al. des
CW 76*	**Villon** Rue Jacques
CX 75	**Voilin** Rue Lucien
CZ 75	**Volta** Rue
CY 75	**Voltaire** Passage
CY 75	**Voltaire** Rue
CY 76	**Wallace** Bd Richard
CX 73	**Wilson** Av. du Président

Principaux Bâtiments

CX 75	Bibliothèque
CX 75	Bourse du Travail
CW 75	Centre Commercial les Quatre Temps
CY 76	Centre Hospitalier
CV 75	CNIT
CX 74	Conservatoire
CX 74	CPAM
CY 75	Espace Auguste Blanche
CY 76	Hall des Sports
CV 75	la Grande Arche
CY 75	Lycée de l'Agora
CX 75	Lycée Professionnel Lucien Voilin
CX 75	Mairie
CW 74	Médiathèque
CX 74	Musée Paul Gauguin
CY 76	Naturoscope
CX 75	Palais de la Culture
CY 74	Palais de la Danse
CX 74	Palais des Arts Plastiques
CX 75	Palais des Congrès
CY 76	Piscine
CX 76	Piscine
CX 74	Piscine
CX 75	Police
CX 75	Police Municipale
CY 75	Pompiers
CV 75	Poste
CW 74	Poste
CW 75	Poste
CX 77	Poste
CX 75	Poste
CY 77	Stade Léon Rabot
CY 77	Stade Paul Bardin
CY 75	Théâtre
CW 74	Trésorerie
CX 75	Tribunal d'Instance
CY 74	Cimetière Anc. (Voltaire)

SAINT-CLOUD plan page 271

Tramway T2 : Parc de St-Cloud - Les Milons - Les Coteaux
Bus : 52-72-126-144-160-175-241-244-360-420-460-467
SNCF : Val d'Or - St-Cloud - Garches-Marne la Coquette

DE 73 **Albert 1er** Rue
DG 70 **Alouettes** Passage des
DC 71 **Antonat** Allée Nico
DE 73 **Aqueduc** Avenue de l'
DG 72 **Arcade (1)** Rue de l'
DF 72 **Armengaud** Rue
DE 72 **Arnex** Rue Bory D'
DG 73 **Aude** Rue
DG 71 **Avelines** Jardin des
DD 71 **Avre** Jardin de l'
DE 73 **Avre** Passerelle de l'
DE 71 **Avre** Rue de l'
DF 72 **Bad-Godesberg** Allée de
DF 73 **Béarn** Rue de
DE 71 **Beausoleil** Résidence
DD 71 **Bel-Air** Square du
DD 72 **Belmontet** Avenue Alfred
DD 71 **Bérengère** Carrefour de la
DD 71 **Bérengère** Parc de la
DD 71 **Bérengère** Résidence de la
DD 73 **Blum** Rue Charles
DE 72 **Bois de Boulogne** Rue du
DE 72 **Bonaparte** Parc Marie
DE 72 **Bonaparte** Rue Marie
DF 71 **Bucourt** Rue
DF 71 **Buzenval** Rue de
DF 72 **Calvaire** Rue du
DD 71 **Camp Canadien** Rue du
DF 73 **Carnot** Quai du Président
DE 71 **Caroline** Avenue
DG 72 **Centre** Avenue du
DG 72 **Cerisiers** Place des
DG 71 **Chalets** Avenue des
DF 70 **Chanioux** Allée des
DG 71 **Château d'Eau** Square du
DF 70 **Chartier** Rue Ferdinand
DC 71 **Chaveton** Avenue Francis
DG 71 **Chemin de Fer** Avenue du
DF 72 **Chevrillon** Avenue André
DF 69 **Chieze** Voie Jean
DF 71 **Chrétien** Place Henri
DD 72 **Cicerone** Avenue
DG 73 **Clemenceau** Pl. Georges
DD 72 **Clodoald** Avenue
DG 72 **Clos** Sente du
DE 72 **Coteaux** Allée des
DF 71 **Cottage Picard** Allée du
DF 72 **Coutureau** Rue Alexandre
DG 72 **Crillon** Rue de
DC 71 **Croix du Roy** Carrefour de la
DG 73 **Dailly** Rue
DG 73 **Dantan** Rue
DC 73 **Dassault** Quai Marcel
DG 72 **Desfossez** Rue du Docteur
DF 73 **Dix-Huit Juin** Rue du

DD 72 **Duval Le Camus** Avenue
DD 72 **Duval Le Camus** Rd-Point
DG 72 **Ecoles** Rue des
DH 71 **Edeline** Rue
DG 72 **Eglise** Place de l'
DG 72 **Eglise** Rue de l'
DF 73 **Eugénie** Avenue
DG 72 **Faïencerie** Rue de la
DF 73 **Feudon** Rue
DD 72 **Flore** Avenue de
DF 70 **Foch** Allée du Maréchal
DF 71 **Foch** Avenue du Maréchal
DC 71 **Fouilleuse** Avenue de la
DE 73 **Franay** Rue Marius
DG 72 **Frascati** Allée de
DG 70 **Frênes** Allée des
DF 70 **Gaillons** Rue des
DG 70 **Garches** Rue de
DG 70 **Garenne** Rue de la
DE 72 **Gâte-Ceps** Rue des
DF 72 **Gâtine** Square de la
DH 69 **Gaulle** Bd du Général De
DG 72 **Gaulle (2)** Place Charles De
DE 71 **Girondins** Rue des
DG 72 **Gounod** Rue
DG 72 **Gounod** Square
DE 70 **Grands Champs** I. des
DC 71 **Guinard** Square André
DC 71 **Gymnases** Allée des
DG 72 **Hébert** Rue Anatole
DE 71 **Heures Claires** Square des
DC 71 **Hippodrome** Rés. de l'
DC 71 **Hippodrome** Square de l'
DG 70 **Hirondelles** Passage des
DG 72 **Ile-de-France (3)** Sq. de l'
DE 70 **Jacoulet** Le Clos
DF 71 **Jacoulet** Rue
DG 72 **Jeanne** Rue
DG 72 **Joffre** Square
DG 71 **Joséphine** Rue
DH 73 **Juin** Quai du Maréchal
DF 71 **Kelly** Square
DH 70 **Lambert** Rue Joseph
DG 71 **Lareinty** R. du Commandant
DG 72 **Latouche** Rue Gaston
DE 72 **Lattre De Tassigny** Avenue du Maréchal De
DG 72 **Lauer** Rue Charles
DH 70 **Laval** Rue
DG 70 **Leclerc** Av. du Général
DF 70 **Leguay** Rue Joseph
DG 70 **Lelégard** Rue
DG 72 **Lessay** Place de
DG 72 **Libération** Rue de la
DH 72 **Lilas** Allée des

DD 73 **Longchamp** Avenue de
DD 72 **Longchamp** Rond-Point de
DF 70 **Longchamps** Allée des
DC 71 **Loucheur** Boulevard Louis
DG 70 **Magenta** Place
DG 72 **Maïdenhead** Allée de
DG 70 **Marbeau** Rue
DG 72 **Maréchaux** Allée des
DD 73 **Marelle** Square de la
DG 72 **Marronniers** Avenue des
DG 70 **Médicis** Villa
DF 73 **Milons** Rue des
DF 73 **Milons** Square des
DF 72 **Milons** Sente des
DE 72 **Moguez** Avenue Alphonse
DE 72 **Moguez** Passage Alphonse
DE 72 **Mont Valérien** Rue du
DG 72 **Montesquiou** Rue de
DF 71 **Montretout** Rue de
DG 72 **Moustier** Place du
DJ 67 **Mur de Ville d'Avray** Ch. du
DG 71 **Nancy** Avenue de
DD 73 **Nicoli** Rue du Docteur
DG 72 **Nogent** Rue de
DJ 70 **Nord** Sente du
DF 71 **Ollendorff** Rue Paul
DG 72 **Orléans** Rue d'
DG 72 **Palais** Avenue du
DD 73 **Palissy** Avenue Bernard
DH 72 **Parc** Avenue du
DD 71 **Parc de la Bérangère** Résidence du
DG 72 **Paris** Avenue de
DI 70 **Paris à Versailles** Rte de
DF 72 **Parc de Béarn** Rés.du
DG 72 **Pas de Saint-Cloud (4)** Place du
DG 71 **Passerelle** Avenue de la
DG 70 **Pasteur** Rue
DG 70 **Pasteur** Villa
DE 73 **Pâtures** Avenue des
DG 72 **Pavée (5)** Rue
DF 71 **Pavillons Sévin** Av. des
DF 73 **Peltier** Boulevard Jules
DE 72 **Peltier** Square Jules
DF 71 **Pervenches** Villa des
DD 72 **Pierrier** Rue du
DF 71 **Pigache** Rue
DE 72 **Pommeraie** Avenue de la
DE 72 **Pommeraie** Passage de la
DF 71 **Pommiers Rouges** Sente des
DF 70 **Porte Jaune** Rue de la
DG 72 **Pozzo di Borgo** Avenue
DF 71 **Preschez** Rue
DG 71 **Preschez** Villa

SAINT-CLOUD suite (plan page 271)

DG 71 **Ravel** Avenue Maurice
DF 71 **Redoute** Rue de la
DE 71 **Regnault** Rue Henri
DF 70 **René** Avenue
DE 71 **République** Bd de la
DH 70 **Rollin** Rue Gaston
DD 72 **Romand** Avenue
DD 72 **Romand** Rond-Point
DG 70 **Roses** Allée des
DG 72 **Rouen** Rue de
DG 72 **Royale** Rue
DG 73 **Saint-Cloud** Pont de
DI 73 **Saint-Cloud** Rue de
DG 72 **Saint-Cloud Floride (6)** Passage de
DG 72 **Saint-Cloud Minnesota (7)** Passage de
DG 72 **Sainte-Clotilde** Square
DD 72 **Salles** Rue Michel
DD 72 **Santos-Dumont** Place
DE 72 **Schmitt** Allée Florent
DE 73 **Sénard** Boulevard
DG 70 **Sévin** Rue Vincent
DG 72 **Silly** Place de
DG 70 **Source** Rue de la
DD 73 **Suresnes** Avenue de
DF 70 **Tahère** Rue
DF 70 **Tennerolles** Rue des
DG 71 **Terres Fortes** Rue des
DF 71 **Tissot** Rue Ernest
DG 73 **Tour** Passage de la
DD 72 **Tourneroches** Jardin des
DG 70 **Tourterelles** Place des
DE 72 **Traversière** Rue
DC 72 **Treille** Allée de la
DE 72 **Trois Pierrots** Pont des
DF 72 **Trois Pierrots** Chemin des
DC 72 **Val d'Or** Rue du
DD 72 **Val d'Or** Square du
DG 73 **Vauguyon** Place
DG 73 **Vauguyon** Rue
DG 71 **Verhaeren** Rue Emile
DD 73 **Verrerie** Rue de la
DE 73 **Verrerie** Square de la
DJ 73 **Verte** Allée
DK 73 **Vieux Port** Rue du
DD 72 **Vignes** Avenue des
DE 72 **Villarmains** Rue des
DF 71 **Villes Jumelées** Av. des
DD 73 **Viris** Rue des
DF 71 **Weill** Rue René
DG 72 **Wittenheim (8)** Square de
DE 73 **Yser** Rue de l'

Principaux Bâtiments

DC 71 Caserne
DG 71 Centre des Impôts
DG 70 Clinique du Val-d'Or
DG 71 Conservatoire de Musique
DG 72 CPAM
DH 72 DGA Centre Sully
DD 70 Hippodrome de St-Cloud
DG 72 Hopital de Saint-Cloud
DG 72 IUT
DF 72 Lycée Florent Schmitt
DH 69 Lycée Professionnel Santos-Dumont
DG 72 Mairie
DG 71 Médiathèque
DH 72 Musée du Parc de St Cloud
DJ 73 Musée National de Céramique
DJ 72 Pavillon de Breteuil
DE 72 Piscine
DF 72 Police
DF 71 Pompiers
DD 72 Poste
DG 72 Poste
DG 71 Poste
DD 73 Stade des Côteaux
DI 69 Stade Français la Faisanderie
DH 70 Stade Intercommunal du Pré Saint-Jean
DF 73 Stade Martine Tacconi
DF 70 Cimetière

SAINT-DENIS plan page 275

Métro : Ligne 13 - Carrefour Pleyel - St-Denis-Porte de Paris - Basilique de St-Denis - St-Denis-Université

Bus : NC-ND-139-153-154-156-168-170-173-174-177-178-253-254-255-256-261-268-302-356-361-552

Tramway T1 : St-Denis - Th. G. Philipe - Marché de St-Denis - Basilique de St-Denis - Cimetière de St-Denis - Hôpital Delafontaine - Cosmonautes

RER : D - Stade de France-St-Denis - Saint-Denis
B - La Plaine-Stade de France

CL 93 **Abélard** Passage Pierre
CQ 93 **Abu-Jamal** Rue Mumia
CL 94 **Acacias** Allée des
CO 93 **Aiguillles** Mail des
CO 94 **Aït-Segueur** Jardin
CM 96 **Alembert** Rue D'
CJ 92 **Alexandre** Allée Jeanne
CJ 94 **Allende** Cité Salvador
CL 93 **Alouette** Place de l'
CJ 95 **Amiens** Chemin d'
CO 90 **Ampère** Rue
CM 93 **Ancien Hôtel-Dieu (1)** Place de l'
CL 93 **Ancienne Tannerie (2)** Passage de l'
CK 95 **Andilly** Rue d'
CL 96 **Apollinaire** Rue Guillaume
CL 93 **Aqueduc** Passage de l'
CL 93 **Arbalétriers (3)** Cour des
CL 93 **Arbalétriers (4)** P. des
CK 94 **Argenteuil** Rue d'
CK 95 **Arnouville** Rue d'
CQ 93 **Arts et Métiers** Av. des
CK 95 **Asturias** Al. Miguel-Angel
CN 92 **Aubert** Rue
CO 95 **Aubervilliers** Chemin d'
CM 94 **Audin** Rue Maurice
CK 96 **Aulnay** Rue d'
CK 96 **Aulnes** Rue des
CR 92 **Bailly** Rue du
CL 95 **Barbusse** Cité Henri
CL 95 **Barbusse** Rue Henri
CL 93 **Bas Prés** Chemin des
CK 97 **Basilique** Promenade de la
CK 93 **Baudelaire** Rue Charles
CN 93 **Baudet** Rue
CM 94 **Baum** Sentier Joseph

SAINT-DENIS suite (plan page 275)

Carreau	Voie
CO 91	**Beaumonts** Rue des
CN 94	**Bec à Loué** Rue du
CN 94	**Bel-Air** Place
CN 94	**Bel-Air** Villa du
CQ 91	**Berline** Place de la
CK 93	**Berne** Rue
CL 95	**Berthelot** Rue
CK 96	**Bizet** Rue Georges
CL 93	**Blanqui** Rue Auguste
CR 93	**Blés** Rue des
CK 95	**Bleuets** Rue des
CL 95	**Bloch** Allée Jean-Richard
CN 93	**Bobillot** Rue du Sergent
CQ 93	**Boise** Impasse
CQ 93	**Boise** Passage
CK 95	**Bonneuil** Rue de
CL 93	**Bonnevide** Rue
CK 97	**Borodine** Rue
CK 92	**Boucher** Passage Henri
CM 92	**Boucheries** Impasse des
CM 92	**Boucheries** Rue des
CM 92	**Boucheries (5)** I. des
CO 93	**Boughera El Ouafi** R. Ahmed
CM 93	**Boulangerie** Rue de la
CK 94	**Boulogne** Rue de
CL 95	**Bourget** Rue du
CO 91	**Bréchon** Passage
CO 93	**Brennus** Rue de
CP 93	**Bretons** Rue des
CK 90	**Briche** Rue de la
CL 91	**Brise Echalas** Rue
CL 91	**Brise Echalas** Square
CK 91	**Brossolette** Rue Pierre
CL 94	**Cachin** Avenue Marcel
CL 94	**Cachin** Cité Marcel
CQ 90	**Cachin** Rue Marcel
CN 93	**Caillard** Rue de l'Amiral
CO 91	**Calon** Rue
CJ 92	**Camélinat** Allée
CP 92	**Campra** Rue André
CN 93	**Canal** Rue du
CN 92	**Canal** Passage du
CN 94	**Canal de St-Denis** Quai du
CL 93	**Caquet** Place du
CK 96	**Carémé** Rue Léon
CM 92	**Carmélites** Rue des
CL 92	**Carnot** Boulevard
CO 94	**Casanova** Rue Danielle
CJ 91	**Catelas** Allée Jean
CM 92	**Catulienne** Rue
CN 93	**Cayeux** Rue
CK 97	**Cézanne** Rue Paul
CK 96	**Cézanne** Square
CK 95	**Chantilly** Cité
CK 94	**Chantilly** Rue de
CL 91	**Chanut** Impasse
CK 95	**Char** Rue René
CM 94	**Charles** Impasse
CL 92	**Charronnerie** Rue de la
CM 91	**Châteaudun** Impasse
CS 93	**Chaudron** Impasse
CL 92	**Chaumettes** Rue des
CJ 94	**Che Guevara** Allée
CR 91	**Chemin de Fer** Rue du
CK 96	**Chemin Vert** Rue du
CQ 92	**Cheminots** Rue des
CP 92	**Cherubini** Rue Luigi
CS 92	**Chevalier** Impasse
CK 95	**Chevalier De La Barre** R. du
CP 93	**Chimie** Rue de la
CK 95	**Choisy** Rue de
CK 96	**Chopin** Rue
CN 92	**Christ** Rue du
CT 93	**Cimetière** Avenue du
CL 94	**Clément** Rue J.-Baptiste
CO 94	**Clos Saint-Quentin** R. du
CL 95	**Coatanroch** Rue Robert
CK 94	**Cocteau** Rue Jean
CM 91	**Coignet** Impasse
CP 93	**Cokerie** Impasse de la
CP 93	**Cokerie** Rue de la
CJ 93	**Collerais** Rue Louis
CL 91	**Colmar** Rue Thomas De
CL 91	**Colombe** Passage de la
CL 93	**Commune de Paris** Bd de la
CK 94	**Compiègne** Rue de
CN 92	**Compoint** Passage
CM 92	**Connoy** Rue Emile
CL 92	**Corbillon** Rue du
CP 94	**Cornillon** Chemin du
CO 94	**Cornillon** Place du
CK 96	**Corot** Rue
CM 96	**Cosmonautes** Cité des
CQ 90	**Cotrel** Passage
CM 93	**Cotte (6)** Place Robert De
CK 91	**Couqueberg** Square
CN 96	**Courneuve** Route de la
CL 96	**Courses** Rue des
CL 92	**Courte** Rue
CK 96	**Courtille** Cité la
CO 93	**Couture Saint-Quentin** Rue de la
CR 93	**Croix Faron** Rue de la
CL 91	**Croizat** Rue Ambroise
CN 94	**Cros** Rue Charles
CM 93	**Croult** Chemin du
CK 95	**Croxo** Rue Marcel
CM 96	**Curie** Rue Pierre
CM 93	**Cygne** Rue du
CL 93	**Dagobert (7)** Place
CL 91	**Dalmas** Rue de
CM 91	**Danré** Villa
CQ 90	**Daunay** Impasse Jules
CL 95	**Delafontaine** Rue du Dr
CO 93	**Delaunay** Rue Henri
CJ 92	**Delaune** Cité Auguste
CL 91	**Delaune** Rue Auguste
CO 91	**Deleuze** Rue Martin
CM 92	**Denfert-Rochereau** Rue
CL 94	**Desnos** Rue Robert
CK 95	**Deuil** Rue de
CL 93	**Deux Pichets (8)** Pl. des
CL 91	**Dézobry** Rue
CK 95	**Dib** Rue Mohammed
CL 95	**Diderot** Rue
CS 93	**Diderot** Square
CK 94	**Digue du Croult** Rés. la
CJ 92	**Dix-Neuf Mars 1962** R. du
CN 93	**Dohis** Rue
CO 95	**Dolto** Allée Françoise
CJ 93	**Double Couronne** Cité de la
CK 92	**Dourdin** Cité Gaston
CK 92	**Dourdin** Place Gaston
CK 91	**Dourdin** Résidence
CK 92	**Dourdin** Rue Gaston
CR 93	**Drapiers** Rue des
CQ 93	**Droits de l'Enfant** Jard. des
CP 93	**Droits de l'Homme** Pl. des
CN 93	**Dubois** Rue Marie
CK 91	**Duclos** Cité Jacques
CK 91	**Duclos** Rue Jacques
CQ 94	**Dupont** Passage
CL 93	**Dupont** Rue Pierre
CO 91	**Duval** Impasse
CJ 95	**Eaubonne** Rue d'
CN 93	**Ecluse** Esplanade de l'
CN 93	**Ecluse** Passerelle de l'
CL 95	**Ecoles** Passage des
CK 95	**Ecouen** Rue d'
CS 93	**Eglise** Place de
CS 93	**Eiffel** Rue Gustave
CM 94	**Einstein** Rue Albert
CO 93	**Ellipse** Mail de l'
CK 91	**Eluard** Cité Paul
CK 91	**Eluard** Place Paul
CL 91	**Eluard** Rue Paul
CL 93	**Emaillerie** Passage de l'
CR 93	**Encyclopédie** Rue de l'
CO 95	**Enfance** Square de l'
CK 95	**Enghien** Rue d'
CL 92	**Equerre d'Argent** Passage de l'
CK 95	**Ermenonville** Allée d'
CK 91	**Ermitage** Place de l'
CK 91	**Ermitage** Résidence de l'
CK 95	**Ermont** Rue d'
CL 92	**Étoffes** Passage des
CQ 92	**Étoiles** Place aux
CL 93	**Etuves** Passage des
CK 95	**Ezanville** Rue d'
CK 92	**Fabien** Avenue du Colonel
CJ 91	**Fabien** Cité
CK 92	**Fabien** Square
CJ 93	**Fabre** Rue Ernest
CK 97	**Falla** Rue de
CP 90	**Faraday** Rue Michaël
CR 93	**Faron** Impasse
CL 93	**Faure** Boulevard Félix
CL 93	**Fédérés (9)** Place des
CQ 92	**Fellini** Rue Federico
CL 95	**Ferme** Impasse de la
CL 95	**Ferme** Rue de la
CK 95	**Ferrer** Rue

SAINT-DENIS suite (plan page 275)

CO 90 **Féry** Allée Daniel
CO 91 **Féry** Square Daniel
CL 96 **Feuillade** Rue Louis
CQ 94 **Fillettes** Rue des
CP 90 **Finot** Boulevard
CP 90 **Finot** Rue du Docteur
CK 96 **Floréal** Cité
CL 95 **Folie Briais** Rue de la
CL 92 **Fontaine** Rue
CM 94 **Fontaine** Rue Arthur
CJ 90 **Fort de la Briche** Ch. du
CK 90 **Fort de la Briche** Rue du
CN 94 **Fort de l'Est** Rue du
CM 93 **Four Bécard** Rue du
CK 92 **Fournière** Rue Eugène
CQ 92 **Fraizier** Rue
CN 95 **Franc Moisin** Avenue du
CP 90 **France** Boulevard Anatole
CQ 90 **France** Villa Anatole
CM 92 **Franciade** Rue
CO 94 **Franc-Moisin** Passerelle
CO 94 **Franc-Moisin** Pont du
CO 94 **Francs Moisins** Cité les
CM 92 **Franklin** Impasse
CM 92 **Franklin** Rue
CQ 92 **Fratellini** Rue Annie
CK 96 **Fresnes** Rue des
CN 92 **Frontier** Impasse
CK 92 **Fructidor** Passage
CL 93 **Frühling** Al. du Profeseur
CP 92 **Fruitiers** Avenue des
CQ 92 **Fruitiers** Chemin des
CN 94 **Gabriel** Villa
CM 96 **Gagarine** Place Youri
CM 96 **Gagarine** Rue Youri
CN 94 **Gallieni** Passage
CL 91 **Gambon** Rue Ferdinand
CQ 94 **Garcia** Rue Cristino
CM 91 **Gare** Place de la
CK 97 **Garenne** Rue de la
CQ 93 **Gauguières** Passage des
CO 94 **Gaulle** Av. du Général De
CQ 94 **Gaz** Impasse du
CQ 94 **Gaz** Passage du
CP 93 **Gazomètres** Rue des
CN 92 **Génin** Rue
CO 91 **Génovési** Rue Jules
CK 92 **Germinal** Passage
CL 91 **Gesse** Rue de
CN 92 **Geyter** Passage Pierre De
CM 92 **Geyter** Square Pierre De
CM 92 **Gibault** Rue
CN 94 **Giffard** Rue Pierre
CL 92 **Gillot** Rue Auguste
CL 91 **Gisquet** Rue
CK 97 **Gorki** Boulevard Maxime
CR 94 **Gouges** Rue Olympe De
CK 97 **Granados** Rue
CP 94 **Grenier** Rue Fernand
CJ 91 **Grimau** Place Julian
CM 96 **Grissom** Rue Virgil

CP 90 **Grumes** Place aux
CK 92 **Guernica** Allée
CL 92 **Guesde** Boulevard Jules
CM 94 **Gutenberg** Allée
CJ 93 **Guynemer** Cité
CJ 93 **Guynemer** Rue
CL 92 **Haguette** Passage
CN 93 **Haguette** Rue
CT 93 **Hainguerlot** Pont
CL 93 **Halle** Place de la
CP 94 **Hameau du Cornillon** Ch. du
CP 91 **Harpe** Passage de la
CJ 93 **Haut des Tartres** Ch. le
CK 96 **Haydn** Rue
CL 93 **Héloïse (10)** Passage
CJ 92 **Hénaff** Rue Eugène
CM 93 **Hugo** Place Victor
CK 95 **Hugues** Place Clovis
CK 95 **Hugues** Rue Clovis
CL 92 **Huit Mai 1945** Place du
CL 90 **Ile Saint-Denis** Pont de l'
CK 96 **Ile-de-France** Allée de l'
CK 96 **Ile-de-France** Square de l'
CR 93 **Imprimerie** Rue de l'
CO 91 **Industrie** Rue de l'
CK 95 **Isle Adam** Allée de l'
CK 92 **Jacob** Rue Max
CM 92 **Jambon** Rue du
CS 93 **Jamin** Rue
CO 95 **Jardins Ouvriers** Allée des
CL 93 **Jaurès** Rue Jean
CL 92 **Jaurès** Place Jean
CN 94 **Jeanne D'Arc** Avenue
CR 93 **Jeumont** Rue
CL 92 **Joffrin** Rue Jules
CM 94 **Joinville** Rue du Général
CM 94 **Joliot-Curie** Avenue Irène et Frédéric
CM 94 **Joliot-Curie** Cité
CJ 92 **Joncherolles** Villa des
CL 93 **Jouy** Passage de la
CR 93 **Justice** Rue de la
CM 96 **Komarov** Rue Vladimir
CL 93 **Lacroix** Passage
CP 94 **Lafargue** Rue Paul
CM 95 **Lamaze** Av. du Docteur
CQ 91 **Landy** Rue du
CQ 90 **Landy** Square du
CK 93 **Langevin** Cité Paul
CK 93 **Langevin** Place Paul
CQ 92 **Langlier-Renaud** Rue
CO 95 **Languedoc** Rue du
CM 93 **Lanne** Place
CM 92 **Lanne** Rue
CK 94 **Larivière** Rue Louis
CJ 94 **Las Casas** Allée
CL 93 **Lautréamont** Place
CM 92 **Leblanc** Rue Nicolas
CK 92 **Leclerc** Place du Général
CM 93 **Légion d'Honneur** R. de la
CM 93 **Légion d'Honneur (11)** Place de la

CM 92 **Lelay** Rue Désiré
CL 94 **Lénine** Avenue de
CL 94 **Lénine** Square
CM 96 **Léonov** Rue Alexis
CN 94 **Leroy Des Barres** Avenue
CN 94 **Lesne** Rue
CM 90 **Libération** Boulevard de la
CK 94 **Liberté** Rue de la
CK 95 **Livry** Rue de
CN 92 **Lorget** Rue
CK 95 **Lormier** Rue
CO 95 **Lorraine** Rue de
CJ 93 **Loubet** Rue
CQ 90 **Louis** Impasse
CK 91 **Lurçat** Rue Jean
CN 95 **Lyautey** Rue du Maréchal
CN 93 **Macé** Rue Jean
CT 94 **Magasins Généraux** Av. des
CL 92 **Mallarmé** Allée Stéphane
CL 93 **Mallarmé** Place Stéphane
CQ 94 **Maraîchers** Rue des
CL 92 **Marcenac** Rue Jean
CP 90 **Marchand** Rue Louis
CQ 93 **Marché** Place du
CQ 92 **Margaritis** Rue Gilles
CK 97 **Marialles** Square des
CK 96 **Marnaudes** Rue des
CL 94 **Marronniers** Rue des
CT 93 **Marteau** Square
CJ 94 **Marti** Allée José
CJ 91 **Martyrs de Châteaubriant** Rue des
CK 97 **Marville** Chemin de
CL 96 **Massenet** Rue
CK 92 **Mauriac** Rue François
CO 91 **Mazé** Rue Edouard
CO 94 **Médici** Rue Angéla
CN 90 **Meissonnier** Cité
CL 94 **Menand** Rue
CK 94 **Mériel** Rue de
CK 92 **Mermoz** Rue Jean
CK 92 **Messidor** Place
CK 94 **Métairie** Chemin de la
CK 94 **Métairie** Cité la
CK 94 **Métairie** Rue de la
CR 93 **Métallurgie** Avenue de la
CL 96 **Metz** Impasse de
CN 92 **Meunier** Passage
CM 94 **Michard** Rue Etienne
CP 94 **Michel** Impasse
CN 90 **Michels** Rue Charles
CM 90 **Michels** Square Charles
CO 94 **Milliat** Rue Alice
CP 92 **Mitterrand** Avenue François
CO 93 **Mondial 1998** Rue du
CK 96 **Monet** Rue
CM 95 **Monjardin** Villa
CI 92 **Monmousseau** R. Gaston
CK 95 **Montjoie** Domaine
CR 93 **Montjoie** Rue de la
CK 95 **Montmagny** Rue de

SAINT-DENIS suite (plan page 275)

CK 94 **Montmorency** Rue de
CK 93 **Môquet** Rue Guy
CM 92 **Moreau** Rue
CK 94 **Moulin** Avenue Jean
CM 96 **Moulin Basset** Chemin du
CM 93 **Moulin de Choisel** Pas. du
CK 93 **Moulin de la Trinité** Al. du
CK 91 **Moulins Gémeaux** Rés.
CL 91 **Moulins Gémeaux** Rue des
CK 97 **Muande** Square de la
CN 94 **Muguets** Rue des
CP 95 **Murger** Rue Henri
CP 94 **Murger Prolongée** R. Henri
CK 91 **Myosotis** Allée des
CL 91 **Nay** Rue
CK 94 **Neruda** Cité Pablo
CK 96 **Nerval** Rue Gérard De
CK 94 **Neuilly** Rue de
CK 95 **Noailles** Allée de
CK 95 **Nord** Rue du
CN 94 **Nouveau** Rue Germain
CN 94 **Œillets** Rue des
CO 93 **Olympisme** Rue de l'
CQ 91 **Ornano** Boulevard
CO 94 **Ostermeyer** Rue Micheline
CO 94 **Owens** Rue Jesse
CK 95 **Palmiers** Villa des
CQ 90 **Parc** Rue du
CP 93 **Parc à Charbon** Rue du
CM 92 **Parmentier** Place
CK 96 **Pasteur** Rue
CN 92 **Paul** Esplanade Marcel
CK 93 **Péri** Cité Gabriel
CL 92 **Péri** Rue Gabriel
CK 93 **Péri** Square Gabriel
CN 94 **Périgord** Rue du
CR 92 **Petits Cailloux** Ch. des
CL 92 **Philipe** Rue Gaston
CP 90 **Pianos** Place des
CK 92 **Picasso** Cité
CK 92 **Picasso** Square
CK 92 **Picot** Passage Georges
CN 93 **Picou** Impasse
CQ 93 **Pilier** Impasse du
CN 93 **Pinel** Rue
CL 94 **Platanes** Allée des
CP 91 **Pleyel** Place
CQ 91 **Pleyel** Rue
CK 96 **Plouich** Rue du
CP 91 **Poiré** Rue du Docteur
CT 92 **Poissonniers** Rue des
CL 94 **Politzer** Résidence
CL 94 **Politzer** Rue Georges
CL 93 **Pont Godet** Rue du
CK 91 **Pont Saint-Lazare** Rue du
CM 91 **Port** Quai du
CL 91 **Port** Rue Basse du
CM 91 **Port** Rue du
CN 93 **Porte de Paris** Place de la
CL 96 **Postillons** Chemin des
CL 96 **Postillons** Rue des

CK 91 **Poterie** Rue de la
CI 92 **Pottier** Cité Eugène
CI 92 **Pottier** Rue Eugène
CP 91 **Poulbot** Rue Francisque
CL 93 **Poulies** Chemin des
CL 93 **Poulies** Place des
CK 92 **Poullain** Rue Auguste
CK 92 **Poullain** Square Auguste
CM 90 **Poulmarch** Place Jean
CK 92 **Prairial** Rue
CL 95 **Prairie** Rue de la
CO 91 **Pralet-Lefèvre** Rue
CK 92 **Prés de la Conge** Al. des
CN 95 **Presov** Avenue de
CP 93 **Pressensé** Rue Francis De
CL 96 **Prévert** Rue Jacques
CQ 93 **Procession** Rue de la
CN 94 **Progrès** Rue du
CS 93 **Proudhon** Rue
CP 93 **Puits** Impasse des
CN 92 **Quatre Septembre** Rue du
CP 92 **Queune** Impasse
CL 91 **Quinsonnas** Rue de
CN 92 **Raspail** Rue
CL 92 **Renan** Rue Ernest
CQ 90 **Renouillères** Rue des
CJ 91 **République** Avenue de la
CL 92 **République** Rue de la
CM 92 **Résistance** Place de la
CO 91 **Révolte** Pont de la
CO 91 **Révolte** Route de la
CM 92 **Riant** Rue
CJ 92 **Riboulet** Impasse
CK 93 **Rimbaud** Rue Arthur
CO 93 **Rimet** Rue Jules
CL 92 **Robespierre** Square
CM 92 **Rochereau** Rue
CL 96 **Rolland** Avenue Romain
CL 95 **Rolland** Cité Romain
CQ 93 **Rol-Tanguy** Rue
CL 92 **Rosalie** Galerie
CK 95 **Rouillon** Rue du
CL 96 **Rousseau** R. Jean-Jacques
CL 92 **Roussel** Rue
CK 95 **Rousval** Rue Yves
CN 94 **Rû de Montfort** Cours du
CN 94 **Rû de Montfort** Résidence
CQ 94 **Rubiano** Rue Léonor
CI 92 **Sacco et Vanzetti** Rue
CL 93 **Saint-Barthélemy (12)** Passage
CL 91 **Saint-Clément** Impasse
CL 93 **Saint-Eloi (13)** Place
CN 94 **Saint-Exupéry** Allée Antoine De
CM 93 **Saint-Jean** Impasse
CS 93 **Saint-Just** Place
CS 93 **Saint-Just** Rue
CJ 95 **Saint-Léger** Chemin de
CK 94 **Saint-Léger** Résidence

CM 93 **Saint-Michel du Degré** Passage
CO 90 **Saint-Ouen** Quai de
CM 94 **Saint-Rémy** Avenue de
CL 95 **Saint-Rémy Nord** Cité
CM 94 **Saint-Rémy Sud** Cité
CK 92 **Sampaix** Place Lucien
CN 92 **Samson** Rue
CR 94 **Sand** Avenue George
CN 92 **Sands** Rue Bobby
CN 94 **Sarcey** Rue Francisque
CK 96 **Saules** Allée des
CL 93 **Saulger** Passage du
CO 92 **Saulnier** Rue Jules
CK 96 **Saussaie** Cité la
CK 95 **Saussaie** Rue de la
CP 90 **Seine** Allée de
CL 90 **Seine** Quai de
CK 93 **Sellerie** Allée de la
CJ 92 **Sémard** Cité Pierre
CJ 92 **Sémard** Place Pierre
CJ 93 **Sémat** Avenue Roger
CN 92 **Sembat** Boulevard Marcel
CK 96 **Sevran** Rue de
CK 96 **Sevran** Square
CM 96 **Sheppard** Rue Alan
CK 92 **Siegfried** Passage
CN 93 **Simon** Rue
CL 96 **Simonet** Rue Camille
CJ 94 **Siquéiros** Rue David
CK 97 **Sisley** Rue
CL 93 **Six Chapelles (14)** Al. des
CQ 93 **Soissons** Pont de
CL 93 **Soleil Levant (15)** Pl. du
CQ 91 **Sorin** Rue
CN 95 **Sports** Place des
CN 92 **Square** Quai du
CN 92 **Square Pierre De Geyter** Place du
CK 92 **Stade** Résidence du
CP 93 **Stade de France** Av. du
CO 93 **Stades** Passage des
CK 93 **Stalingrad** Cité
CJ 94 **Stalingrad** Avenue de
CL 94 **Strasbourg** Rue de
CN 94 **Suger** Résidence
CL 91 **Suger** Rue
CK 94 **Suresnes** Rue de
CN 93 **Taittinger** Rue
CK 94 **Tartres** Rue des
CL 93 **Temps des Cerises (16)** Pl. du
CM 96 **Terechkova** Rue Valentina
CN 94 **Thierry** Villa
CM 92 **Thiers** Impasse
CN 92 **Thiers** Passerelle
CK 92 **Thorez** Avenue Maurice
CL 95 **Tilleuls** Villa des
CJ 92 **Timbaud** Rue Jean-Pierre
CM 96 **Titov** Rue Guerman
CQ 90 **Torpédo** Rue de la
CM 93 **Toul** Rue de

SAINT-DENIS suite (plan page 275)

CM 94 **Tournelle Saint-Louis** Résidence la
CO 93 **Tournoi des Cinq Nations** Rue du
CJ 94 **Toussaint-Louverture** Rue
CL 93 **Tramway (17)** Passage du
CM 93 **Traverse** Rue
CP 93 **Trémies** Rue des
CS 92 **Trézel** Impasse
CL 91 **Triolet** Rue Elsa
CQ 91 **Tunis** Rue de
CM 92 **Ursulines** Rue des
CL 96 **Vaché** Rue Jacques
CM 94 **Vachette** Rue Rolland
CL 93 **Vaillant** Rue Edouard
CM 94 **Vaillant-Couturier** Av. Paul
CL 93 **Vallès** Passage Jules
CJ 92 **Vanhollebeke** Al. Fernand
CK 96 **Vanniers** Place des
CL 93 **Varlin** Passage Eugène
CJ 93 **Védrines** Rue Jules
CK 92 **Vendémiaire** Rue
CK 94 **Verdun** Avenue de
CL 93 **Verlaine** Rue Paul
CL 92 **Verte** Allée
CM 94 **Victimes du Franquisme** Rue des
CK 96 **Vieille Mer** Prom. de la
CL 95 **Vieille Mer** Rue de la
CK 95 **Villiers** Rue de
CM 94 **Vinci** Allée Léonard De
CL 91 **Viollet-Le-Duc** Rue
CN 93 **Voisine** Rue
CO 90 **Volta** Rue
CM 95 **Voltaire** Rue
CL 93 **Walter** Rue Albert
CP 90 **Watt** Rue James
CM 96 **White** Rue Edouard
CQ 93 **Wilson** Av. du Président
CL 93 **Woog** Rue Jacques
CK 94 **Yacine** Rue Kateb
CJ 90 **Yser** Rue de l'
CL 94 **Zola** Rue Emile

Principaux Bâtiments

CQ 91 Acad. Nat. des Arts du Cirque A. Fratellini
CM 93 ANPE
CK 92 ASSEDIC
CM 93 Basilique
CS 93 Bibliothèque
CL 95 Bibliothèque
CJ 93 Bibliothèque
CN 92 Bourse du Travail
CN 95 Caserne Gardes Mobiles
CJ 90 Caserne Pompiers
CK 93 Centre Nautique
CL 92 CIO
CN 92 Clinique
CK 91 Clinique
CN 95 Complexe Sportif Franc Moisin
CP 93 Complexe sportif Nelson Mandela
CQ 93 Conservatoire National des Arts et Métiers
CM 92 Conservatoire
CM 92 CPAM
CK 94 CPAM
CK 92 Centre des Impôts
CP 93 DDE
CM 94 DDE
CN 95 Fort de l'Est
CJ 90 Fort de la Briche
CL 91 Gare Routière
CJ 94 Gare Routière
CL 93 Gendarmerie
CK 93 GRETA
CN 93 Hôpital Danielle Casanova
CM 95 Hôpital Intercommunal Delafontaine
CR 93 I.U.T.
CM 92 Impôts
CL 92 Inspection Education Nationale
CL 92 IUFM
CL 92 IUT Paris XIII
CO 93 le Petit Stade
CK 94 LP Bartholdi
CM 92 LP Dionysien
CL 92 LPA ENNA
CK 93 Lycée Paul Eluard
CN 94 Lycée Suger
CL 93 Mairie
CM 93 Médiathèque
CK 96 Médiathèque
CM 92 Musée
CN 91 Musée Bouilhet-Christofle
CL 92 Office de Tourisme
CJ 92 Palais des Sports Auguste Delaune
CL 96 Piscine de Marville
CQ 92 Police
CK 92 Police
CR 93 Poste
CR 93 Poste
CO 94 Poste
CK 92 Poste
CL 92 Poste
CL 95 Poste
CK 96 Poste
CL 93 Sous-Préfecture
CJ 92 Stade Auguste Delaune
CO 93 Stade de France
CQ 90 Stade du Landy
CL 91 Théâtre
CO 92 Tour Akzo
CP 91 Tour Pleyel
CM 93 Trésorerie Principale
CL 93 Tribunal d'Instance
CK 93 Université Paris VIII
CJ 93 Université Paris VIII
CJ 94 Vélodrome
CL 94 Cimetière Communal
CT 93 Cimetière Parisien de la Chapelle

SAINT-MANDÉ plan page 279

Métro : Ligne 1 - Saint Mandé-Tourelle
Bus : NH-46-56-86-325

DG 102 **Acacias** Allée des
DH 101 **Allard** Rue
DH 101 **Alouette** Rue de l'
DH 101 **Alphand** Avenue
DH 101 **Baudin** Rue
DH 101 **Bert** Rue Paul
DG 101 **Bérulle** Rue de
DG 101 **Bir Hakeim** Passage
DH 101 **Brière de Boismont** Rue
DG 101 **Cailletet** Rue
DI 101 **Carnot** Villa
DG 102 **Cart** Rue
DG 102 **Catalpas** Square des
DG 101 **Courbet** Rue de l'Amiral
DI 102 **Daumesnil** Avenue
DH 101 **Delahaye** Place Lucien
DI 101 **Demi-Lune** Carrefour de la
DG 101 **Digeon** Place Charles
DH 101 **Durget** Rue
DH 101 **Epinette** Rue de l'
DI 102 **Etang** Chaussée de l'
DG 102 **Etang** Villa de l'
DH 102 **Faidherbe** Passage
DH 102 **Faidherbe** Rue

SAINT-MANDÉ suite (plan page 279)

DF 102 **Faÿs** Rue
DG 102 **Foch** Avenue
DF 101 **Gallieni** Avenue
DG 102 **Gambetta** Avenue
DH 101 **Gaulle** Av. du Général De
DH 102 **Grandville** Rue
DG 101 **Guyane** Boulevard de la
DH 101 **Guynemer** Rue
DI 101 **Hamelin** Rue
DI 102 **Herbillon** Avenue
DG 101 **Hugo** Avenue Victor
DI 102 **Jeanne D'Arc** Rue
DF 101 **Joffre** Avenue
DH 101 **Jolly** Rue
DG 102 **Lac** Rue du
DF 102 **Lagny** Rue de
DF 102 **Leclerc** Place du Général
DH 102 **Lévy** Rue Benoît
DH 101 **Libération** Place de la
DG 102 **Liège** Avenue de
DH 101 **Marcès** Villa
DH 101 **Mermoz** Rue Jean
DG 103 **Minimes** Avenue des
DG 101 **Mongenot** Rue
DH 101 **Mouchotte** R. du Cdt René
DH 101 **Nungesser** Square
DG 101 **Onze Novembre** Square du
DG 102 **Ormes** Square des
DG 102 **Parc** Rue du
DG 103 **Paris** Avenue de
DG 102 **Pasteur** Avenue
DI 102 **Pelouse** Avenue de la
DG 102 **Platanes** Allée des
DF 101 **Plisson** Rue
DG 102 **Poirier** Rue
DH 101 **Pouchard** Rue de l'Abbé
DG 101 **Première Division Française Libre** Rue de la
DF 101 **Quihou** Avenue
DH 102 **Renault** Rue
DH 101 **Ringuet** Rue Eugène
DH 101 **Sacrot** Rue
DI 101 **Sainte-Marie** Avenue
DI 101 **Sainte-Marie** Villa
DG 102 **Sorbiers** Square des
DG 101 **Suzanne** Villa
DF 101 **Talus du Cours** Rue du
DG 102 **Tourelle** Route de
DG 102 **Tourelle** Villa de la
DF 101 **Vallées** Rue des
DH 101 **Verdun** Rue de
DF 101 **Viteau** Rue
DI 101 **Vivien** Av. Robert-André

Principaux Bâtiments

DG 102 Bibliothèque
DH 102 Clinique Jeanne D'Arc
DH 101 Conservatoire Robert Lamoureux
DG 102 CPAM
DG 102 Centre Culturel
DI 101 Centre Georges Thill
DF 101 Centre Jean Bertaud
DG 102 Centre Pierre Cochereau
DG 101 Centre Pierre Grach
DI 101 Centre Sportif R. Vergne
DG 103 Hôpital Bégin (Militaire)
DG 102 IGN
DG 101 Institut Le Val-Mandé
DG 102 Mairie
DH 101 Piscine
DG 102 Police
DH 101 Poste
DG 103 Stade des Minimes
DF 102 Cimetière Nord

SAINT-MAURICE plan page 281

Bus : 24-111-281-325

DM 108 **Acacias** Allée des
DL 102 **Amandiers** Rue des
DN 107 **Bateaux Lavoirs** Allée des
DL 102 **Béclard** Rue Jules
DM 107 **Belbeoch** Avenue Joseph-François
DM 107 **Biguet** Allée Jean
DM 107 **Biguet** Square Jean
DN 108 **Bir Hakeim** Quai
DM 104 **Bois** Ruelle du
DM 108 **Briand** Rue Aristide
DM 108 **Canadiens** Avenue des
DM 107 **Canadiens** Carrefour des
DN 107 **Canal** Promenade du
DM 107 **Canotiers** Allée des
DM 102 **Charenton** Pont de
DM 105 **Charentonneau** Pass. de
DM 105 **Charentonneau** Pass. de
DM 108 **Chemin de Presles** Av. du
DL 102 **Chenal** Rue Marthe
DL 102 **Cuif** Rue
DL 102 **Cuif** Square
DM 107 **Curtarolo** Place
DL 102 **Damalix** Rue Adrien
DL 103 **Decorse** Rue du Docteur
DL 102 **Delacroix** Rue Eugène
DN 108 **Dufy** Square Raoul
DM 107 **Ecluse** Place de l'
DM 102 **Ecluse** Square de l'
DM 103 **Eglise** Square de l'
DL 102 **Epinettes** Rue des
DL 102 **Epinettes** Villa des
DM 102 **Erables** Allée des
DM 107 **Fragonard** Rue
DM 107 **Gabin** Rue Jean
DN 107 **Gabin (1)** Villa Jean
DM 103 **Gaulle** Place Charles De
DL 104 **Gravelle** Avenue de
DM 104 **Gredat** Rue Maurice
DN 107 **Guinguettes** Allée des
DM 105 **Halage** Chemin de
DM 107 **Ile des Corbeaux** Al. de l'
DM 102 **Jaurès** Place Jean
DM 103 **Junot** Impasse
DM 108 **Kennedy** Av. du Pdt John-Fitzgerald
DL 102 **Lattre De Tassigny** Avenue du Maréchal De
DM 103 **Leclerc** Rue du Maréchal
DM 108 **Lumière** Allée des Frères
DM 107 **Martinets** Belvédère des
DM 108 **Montgolfier** Place
DM 107 **Montgolfier (2)** Villa
DM 107 **Moulin des Corbeaux** Allée du
DM 104 **Moulin Rouge** Square du
DL 102 **Nocard** Rue Edmond
DN 107 **Petit Bras** Allée du
DN 108 **Pirelli** R. Giovanni-Battista
DN 108 **Platanes** Allée des
DL 102 **Pompe** Rue de la
DM 102 **Pont** Rue du
DM 107 **Renoir** Rue Jean
DM 102 **République** Quai de la
DM 108 **Réservoirs** Rue des
DN 107 **Saint-Louis** Rue
DM 104 **Saint-Maurice** Passerelle de
DM 108 **Saint-Maurice du Valais** Av.

SAINT-MAURICE suite (plan page 281)

DL 102 **Saules** Rue des
DL 102 **Sureaux** Rue des
DL 104 **Terrasse** Rue de la
DK 103 **Tilleuls** Square des
DM 108 **Turenne** Place de
DL 103 **Vacassy** Allée
DL 104 **Vacassy** Villa
DL 102 **Val d'Osne** Impasse du
DL 102 **Val d'Osne** Rue du
DK 102 **Val d'Osne** Square du
DL 102 **Verdun** Avenue de
DM 108 **Verlaine** Rue Paul
DM 107 **Viacroze** Passage Jean
DM 108 **Viacroze** Rue Jean
DM 107 **Vignes** Villa des
DN 107 **Villa Antony** Allée de la
DM 107 **Villa Antony** Av. de la

Principaux Bâtiments

DM 102 Bibliothèque
DN 107 Centre Omnisport
DL 103 Ecole Nationale de Kinésithérapie et de Rééducation
DM 102 Espace Delacroix
DL 103 Hôpital Esquirol
DL 103 Hopital Saint-Maurice
DL 103 Institut National de Réadaptation
DM 103 Mairie
DM 103 Maternité
DM 102 Poste
DM 107 Poste
DM 104 Stade
DM 107 Stade
DM 102 Théâtre
DL 104 Cimetière

SAINT-OUEN plan page 283

Métro : Ligne 13 - Garilbadi - Mairie de Saint-Ouen
RER : Saint-Ouen
Bus : 85-137-137 N-139-166-173-174-255-334-337-340-537-540

CS 90 **Achille** Rue
CR 89 **Alembert** Rue D'
CQ 90 **Allende** Rue Salvador
CR 89 **Alliance** Rue de l'
CQ 91 **Amélie** Passage
CR 89 **Ampère** Rue
CT 89 **Angélique** Impasse
CR 89 **Anselme** Rue
CS 88 **Arago** Rue
CR 88 **Ardoin** Rue
CQ 89 **Armes** Place d'
CR 90 **Aubert** Impasse
CR 90 **Auguste** Impasse Jacques
CT 89 **Babinsky** Rue du Docteur
CS 89 **Bachelet** Rue Alexandre
CS 89 **Barbusse** Rue Henri
CQ 89 **Basset** Rue du Dr Léonce
CR 88 **Bateliers** Rue des
CT 91 **Baudin** Rue
CS 90 **Bauer** Rue du Docteur
CS 90 **Beer** Rue Myrtille
CT 90 **Bert** Rue Paul
CS 90 **Berthe** Rue
CS 91 **Berthoud** Rue Eugène
CS 90 **Biron** Boulevard
CT 90 **Biron** Rue
CT 91 **Biron** Villa
CS 89 **Blanc** Rue Louis
CS 90 **Blanqui** Rue
CR 90 **Bonnafous** Passage
CT 89 **Bons Enfants** Rue des
CT 91 **Bourdarias** Rue Marcel
CT 90 **Boute-en-Train** P. des
CT 90 **Boute-en-Train** Rue des
CT 89 **Buttes Montmartre** R. des
CQ 90 **Cachin** Rue Marcel
CQ 89 **Cagé** Rue
CT 89 **Carnot** Rue
CT 91 **Casses** Rue
CR 89 **Cendrier** Villa
CP 90 **Cent-Deux Rue St-Denis** Passage du
CS 89 **Centre** Villa du
CT 88 **Cerisiers** Villa des
CQ 89 **Chantiers** Rue des
CS 90 **Charletty** Passage
CP 89 **Châteaux** Rue des
CT 88 **Chéradame** Impasse
CQ 91 **Chevalier** Impasse
CS 91 **Cimetière** Avenue du
CQ 89 **Cipriani** Rue Amilcar
CT 87 **Claudel** Rue Camille
CS 89 **Clément** R. Jean-Baptiste
CS 88 **Clichy** Rue de
CR 90 **Clotilde** Villa
CS 89 **Compoint** Impasse
CT 91 **Condorcet** Villa
CR 90 **Cordon** Rue Emile
CR 90 **Croizat** Rue Ambroise
CT 90 **Curie** Rue Marie
CT 90 **Curie** Rue Neuve Pierre
CS 90 **Curie** Rue Pierre
CT 90 **Dain** Rue Louis
CT 90 **Dauphine** Impasse
CT 92 **Debain** Rue
CT 89 **Descoins** Impasse
CT 91 **Desportes** Rue
CQ 89 **Dhalenne** Rue Albert
CR 89 **Diderot** Rue
CS 90 **Dieumegard** Rue Louis
CR 90 **Dix-Neuf Mars 1962** Pl. du
CS 88 **Docks** Rue des
CS 90 **Dolet** Rue Etienne
CR 87 **Dreyfus** Rue Pierre
CS 88 **Dumas** Rue Alexandre
CR 89 **Ecoles** Rue des
CP 89 **Egalité** Rue de l'
CT 88 **Elisabeth** Passage
CT 91 **Entrepôts** Rue des
CS 90 **Entrepreneurs** Rue des
CR 90 **Ernestine** Villa
CS 89 **Estienne D'Orves** Rue D'
CT 91 **Eugène** Rue
CT 90 **Fabre** Rue Jean-Henri
CS 89 **Farcot** Rue
CS 90 **Ferry** Rue Jules
CS 90 **Frayce** Avenue
CT 88 **Fructidor** Rue
CT 89 **Gaîté** Rue de la
CS 87 **Galien** Rue
CS 89 **Gambetta** Rue
CS 89 **Garibaldi** Rue
CS 90 **Garnier** Rue Charles
CQ 89 **Gendarmerie** Impasse de la
CS 91 **Germaine** Impasse
CT 89 **Glarner** Av. du Capitaine
CS 88 **Glarner** Place du Capitaine
CR 90 **Goddefroy** Rue
CR 90 **Godillot** Rue
CT 92 **Gosset** Rue du Professeur
CT 92 **Graviers** Rue des
CP 89 **Grégoire** Place de l'Abbé
CS 87 **Guendouz** Rue Nadia
CR 89 **Guesde** Rue Jules
CS 91 **Guinot** Impasse Claude

SAINT-OUEN suite (plan page 283)

CS 91 **Guinot** Rue Claude
CP 89 **Hainaut** Rue Fernand
CR 90 **Helbronner** Rue Alphonse
CR 90 **Helbronner** Sq. Alphonse
CS 89 **Hermet** Rue de l'
CR 89 **Hugo** Boulevard Victor
CR 89 **Huit Mai 1945** Place du
CR 89 **Industrie** Villa de l'
CT 90 **Jardy** Passage
CQ 90 **Jaurès** Boulevard Jean
CR 89 **Jaurès** Place Jean
CR 89 **Jean** Rue
CT 91 **Jeanne D'Arc** Passage
CT 88 **Juif** Impasse
CR 90 **Juliette** Villa
CT 89 **Kléber** Rue
CT 88 **La Fontaine** Rue
CT 88 **Lacour** Passage
CR 89 **Lafargue** Rue Paul
CQ 87 **Lamonta** Impasse Henri De
CQ 89 **Landy** Rue du
CP 89 **Landy Prolongée** Rue du
CQ 89 **Langevin** Rue Paul
CT 92 **Leclerc** Rue du Maréchal
CT 89 **Lécuyer** Rue
CS 92 **Lesesne** Rue Adrien
CT 88 **Levasseur** Rue Martin
CR 90 **Louisa** Villa
CS 89 **Lumeau** Rue Eugène
CS 87 **Maar** Rue Dora
CS 90 **Madeleine** Rue
CT 90 **Malassis** Passage
CT 90 **Marceau** Passage
CT 90 **Marceau** Rue
CR 90 **Marcelle** Villa
CS 90 **Marguerite** Villa
CS 89 **Marie** Passage
CS 90 **Mariton** Rue
CS 89 **Marmottan** Square
CR 90 **Marronniers** Avenue des
CP 89 **Martin** Rue Jean
CR 89 **Martyrs de la Déportation** Rue des
CS 89 **Mathieu** Rue
CR 89 **Meslier** Rue Adrien
CQ 88 **Mézières** Parc Abel
CR 91 **Michelet** Avenue
CR 90 **Miston** Rue René
CT 91 **Molière** Passage
CR 90 **Monet** Rue Claude
CT 91 **Morand** Rue
CT 87 **Morel** Rue

CT 89 **Mousseau** Impasse
CP 89 **Moutier** Rue du
CP 89 **Nicolau** Rue Pierre
CS 89 **Nicolet** Rue
CT 88 **Noether** Rue Emmy
CS 89 **Ottino** Rue Alfred
CS 91 **Palaric** Rue Vincent
CS 88 **Palouzié** Rue
CQ 89 **Parc** Rue du
CR 89 **Parmentier** Rue
CT 88 **Pasteur** Rue
CT 88 **Payret** Place
CS 89 **Péri** Avenue Gabriel
CS 91 **Pernin** Rue Jean
CT 88 **Pierre** Passage
CT 89 **Plaisir** Rue du
CP 89 **Planty** Rue
CT 92 **Poissonniers** Rue des
CT 90 **Premier Mai** Passage du
CP 89 **Pressensé** Rue Francis De
CS 89 **Prévoyance** Villa de la
CR 90 **Progrès** Rue du
CS 89 **Quinet** Rue Edgar
CS 89 **Quinet** Villa Edgar
CQ 89 **Rabelais** Rue
CS 89 **Raspail** Rue
CT 90 **Réant** Villa
CR 89 **Renan** Rue Ernest
CR 89 **République** Place de la
CT 89 **Rioux** Allée René
CT 88 **Robespierre** Passage
CS 90 **Rodin** Rue Auguste
CR 90 **Roger** Villa
CR 91 **Rolland** Rue
CT 90 **Rosiers** Rue des
CS 89 **Rosiers** Villa des
CP 89 **Rousseau** R. Jean-Jacques
CP 89 **Saint-Denis** Rue
CT 90 **Sainte-Sophie** Passage
CP 88 **Saint-Ouen** Pont de
CT 89 **Schmidt** Rue Charles
CQ 87 **Seine** Quai de
CS 90 **Sembat** Rue Marcel
CR 91 **Séverine** Rue
CT 90 **Simon** Impasse
CQ 89 **Soubise** Rue
CR 90 **Taupin** Allée Paul
CP 89 **Ternaux** Rue
CT 88 **Toulouse-Lautrec** Rue
CT 87 **Touzet-Gaillard** Passage
CT 89 **Trois Bornes** Impasse des
CS 90 **Trois Entrepreneurs** R. des

CS 91 **Trubert** Impasse
CR 90 **Union** Rue de l'
CT 89 **Vaillant** Rue Edouard
CT 89 **Vaillant** Square Edouard
CT 89 **Valadon** Rue Suzanne
CR 90 **Valentine** Villa
CT 90 **Vallès** Rue Jules
CT 88 **Verne** Rue Jules
CT 90 **Voltaire** Rue
CT 88 **Zola** Rue Emile

Principaux Bâtiments

CR 91 ANPE
CT 89 ASSEDIC
CT 88 Bibliothèque
CR 89 Bibliothèque
CS 91 Bibliothèque L. Aubrac
CR 89 CCAS
CR 90 Centre Administratif Claude Monet
CR 89 Centre des Impôts
CQ 90 Centre Sportif Pablo Neruda
CQ 88 Château Musée
CQ 88 Conservatoire
CT 89 CPAM
CQ 88 CPAM
CS 89 Espace 1789
CS 91 Gendarmerie
CT 89 Lycée Auguste Blanqui
CR 89 Lycée Jean Jaurès
CP 90 Lycée Professionnel M. Cachin
CR 89 Mairie
CR 89 Office de Tourisme
CR 89 Patinoire
CR 89 Perception
CR 89 Piscine
CS 90 Police
CS 90 Pompiers
CS 88 Poste
CP 89 Poste
CR 89 Poste
CS 91 Poste
CS 90 Stade Bauer Red Star 93
CR 90 Stade Biron
CS 90 Stade Joliot-Curie
CS 91 Stade Michelet
CR 89 Tribunal
CS 91 Cimetière Parisien de Saint-Ouen
CR 90 Cimetière

SURESNES plan page 285

Bus : 93-141-144-157-160-241-244-360-541
Tramway T2 : Suresnes-Longchamp - Belvédère
SNCF : Suresnes-Mont Valérien

DA 73 **Abbaye (1)** Promenade de l'
DB 71 **Acquevilles** Rue des
DB 73 **Ancien Pont (2)** Allée de l'
DC 73 **Appay** Rue Georges
DA 74 **Bac** Rue du
CZ 73 **Bartoux** Rue des
CY 73 **Bas Rogers** Rue des
DA 73 **Baudin** Rue
DC 72 **Beau Site** Allée du
CY 73 **Beauséjour** Rue
CZ 73 **Bel-Air** Passage du
CZ 72 **Bel-Air** Rue du
DA 74 **Belle Gabrielle** Av. de la
CZ 73 **Bellevue** Avenue de
CZ 72 **Bellevue** Rue de
CY 73 **Bels Ebats** Square des
DA 72 **Bernard** Av. du Professeur Léon
CY 73 **Bert** Rue Paul
DA 73 **Berthelot** Rue
DC 71 **Bizet** Allée Georges
DC 73 **Blériot** Rue Louis
DB 74 **Blum** Quai Léon
CY 73 **Bochoux** Allée des
CY 73 **Bochoux** Rue des
DC 71 **Bombiger** R. du Dr Marc
DB 71 **Bons Raisins** Rue des
DA 74 **Bourets** Rue des
DA 74 **Bourets (3)** Impasse des
DB 70 **Bourgeois** Avenue Léon
DC 70 **Bourgeois** Square Léon
DC 70 **Briand** Boulevard Aristide
CY 73 **Burgod** Rue Claude
DA 72 **Calvaire** Impasse du
DA 72 **Calvaire** Rue du
DA 73 **Carnot** Rue
DB 71 **Caron** Rue Albert
DB 72 **Carrières** Rue des
DA 73 **Ceriseraie** Rue de la
CY 72 **Charpentier** Rue Hubert
DB 73 **Château** Parc du
CY 74 **Chavois** Jardin Dominique
DB 73 **Chemin Vert** Rue du
CY 73 **Chênes** Rue des
CY 73 **Cherchevets** Impasse des
CY 73 **Cherchevets** Rue des
CY 73 **Chevalier De La Barre** R. du
CY 72 **Chèvremonts** Rue des
DB 73 **Chevreul** Rue de
CZ 74 **Chevrolet** Allée Louis
DB 71 **Citronniers** Allée des
DC 73 **Clavel** Rue Frédéric
DA 73 **Clos des Ermites** Rue du
DA 73 **Clos des Seigneurs** I. du
DB 72 **Closeaux** Passage des
DA 72 **Cluseret** Rue
CY 73 **Colin** Rue Emilien
DC 70 **Concorde** Square de la
DA 74 **Conférences de Suresnes** Avenue des
DC 72 **Cosson** Rue Raymond
CY 72 **Cottages** Rue des
DA 73 **Courtieux** Esplanade des
DC 72 **Couvaloux** Rue des
DB 72 **Criolla** Avenue de la
DC 71 **Croix du Roy** Carrefour de la
CY 75 **Curie** Rue Pierre
DA 73 **Cygne (4)** Impasse du
DC 71 **Cytises** Allée des
DA 73 **Dames (5)** Cour des
DB 71 **Dancourt** Rue Florent
CY 73 **Danton** Rue
DA 73 **Darracq** Rue Alexandre
DC 73 **Dassault** Quai Marcel
CZ 73 **Decour** Rue Jacques
CZ 72 **Delestrée** Av. du Colonel Herbert
DA 73 **Desbassayns De Richemont** Rue
DA 74 **Diderot** Rue
DC 72 **Diederich** Rue Victor
DA 73 **Dolet** Rue Etienne
CY 75 **Duclaux** Rue Emile
DB 73 **Dupont** Rue Pierre
DB 74 **Ecluse** Allée de l'
CZ 73 **Estienne D'Orves** Rue Honoré D'
DC 70 **Estournelles De Constant** Avenue D'
CZ 72 **Faussart** Rue Guillemette
CZ 72 **Fécheray** Rue du
CZ 72 **Fécheray** Terrasse du
CY 73 **Ferber** Rue du Capitaine
CZ 72 **Ferrié** Square du Général
DA 73 **Ferry** Allée Jules
DA 73 **Ferry** Rue Jules
DA 73 **Fizeau** Rue
DB 71 **Fleurs** Rue des
DA 74 **Flourens** Rue Gustave
DA 72 **Fontaine du Tertre** Av. de la
DC 72 **Forest** Rue Fernand
DC 71 **Fouilleuse** Avenue de la
DA 74 **Four** Impasse du
DA 73 **Fournier (6)** Allée et Place Edgar
CZ 72 **Fusillés de la Résistance 1940-1944** Route des
DA 74 **Gallieni** Quai
CZ 73 **Gambetta** Rue
CZ 73 **Gardenat Lapostol** Rue
DA 73 **Gare de Suresne-Longchamp (7)** Rue et Passage de la
DA 73 **Gare de Suresnes-Longchamp** Place de la
DC 72 **Garibaldi** Rue
DA 73 **Gauchère** Rue de la
DA 73 **Gaulle** Av. du Général Charles De
DC 72 **Genteur** Avenue Arthème
DC 72 **Gounod** Allée Charles
DC 71 **Gros Buissons** Allée des
DC 70 **Grotius** Rue
DA 74 **Henri IV** Place
DC 72 **Hippodrome** Rue de l'
DB 72 **Hocquettes** Chemin des
CZ 73 **Huché** Rue
DA 73 **Huchette (8)** Place de la
CZ 73 **Hugo** Rue Victor
DA 73 **Huit Mai 1945** Allée du
DA 73 **Huit Mai 1945 (9)** Place du
DC 71 **Jaurès** Avenue Jean
DC 71 **Jaurès** Place Jean
CY 73 **Jonquilles** Allée des
DB 71 **Joyeux** Rue Robert
DB 73 **Juin** Rue du Maréchal
DC 70 **Kant** Rue Emmanuel
CZ 75 **Keighley** Place de
DC 70 **Kellogg** Rue
DB 71 **Lakanal** Rue
DA 72 **Landes** Avenue des
DA 72 **Landes** Parc des
DA 71 **Landes** Rue des
DB 72 **Lattre De Tassigny** Bd du Maréchal De
DA 74 **Leclerc (10)** Pl. du Général
DA 74 **Ledru-Rollin** Rue
CZ 73 **Legras** Place Marcel
DA 73 **Lenoir** Rue Guillaume
CZ 73 **Leroy** Rue
CY 72 **Liberté** Passage de la
CZ 73 **Liberté** Rue de la
DB 72 **Lilas** Allée des
DC 70 **Locarno** Rue de
DB 73 **Longchamp** Allée de
DC 72 **Loti** Passage Pierre
DC 71 **Loucheur** Boulevard Louis

SURESNES suite (plan page 285)

DC 72 **Lully** Allée Jean-Baptiste
CZ 74 **Macé** Rue Jean
DA 73 **Madeleine** Cour
DC 73 **Magnan** Rue du Docteur
DB 70 **Maistrasse** Av. Alexandre
DA 74 **Malon** Rue Benoît
DA 73 **Maraîchers (11)** Allée des
DC 71 **Marronniers** Allée des
DC 70 **Mazaryk** Place Jean
DA 73 **Melin** Allée
DA 73 **Merlin De Thionville** Rue
DB 73 **Meuniers** Rue des
CZ 74 **Michelet** Rue
CZ 74 **Mimosas** Allée des
DC 73 **Monge** Rue Marcel
DA 71 **Mont Valérien** Espl. du
DA 71 **Mont Valérien** Parc Départemental du
DA 73 **Mont Valérien** Rue du
DC 71 **Montretout** Rue de
DA 72 **Motte** Chemin de la
CY 73 **Mouettes** Allée des
DB 73 **Moulineaux** Rue des
DA 73 **Moutier (12)** Place du
CY 73 **Myosotis** Allée des
DA 73 **Nassau (13)** Pl. Marguerite
DA 74 **Nieuport** Rue Edouard
DB 72 **Nouvelles** Rue des
DC 72 **Offenbach** Allée Jacques
DA 72 **Oliviers** Allée des
DB 71 **Orangers** Allée des
DA 74 **Pagès** Rue
DB 70 **Paix** Place de la
DB 72 **Panorama** Passage du
CY 73 **Paréchaux** Rue des
CZ 72 **Parigots** Rue des
DB 72 **Pas Saint-Maurice** I. du
DB 71 **Pas Saint-Maurice** Rue du
CZ 73 **Passerelle** Rue de la
DC 73 **Pasteur** Rue
CZ 72 **Patriotes Fusillés** Carrefour des
CY 73 **Pavillons** Rue des
CZ 73 **Payret Dortail** R. Maurice
DB 73 **Péguy** Rue Charles
DC 70 **Penn** Allée William
DB 72 **Pépinière** Allée de la
DA 73 **Péri** Avenue Gabriel
DA 73 **Perronet** Rue
DC 72 **Petits Clos** Impasse des
DC 72 **Petits Clos** Passage des
CZ 72 **Philippe** Rue Gabriel
CY 73 **Pinsons** Allée des
DC 71 **Platanes** Allée des
DB 71 **Point Haut** Rue du
CZ 75 **Pompidou** Av. Georges
DA 74 **Port aux Vins** Rue du
DC 71 **Poterie** Rue de la
CY 73 **Primevères** Allée des
DA 71 **Procession** Rue de la
CZ 73 **Puits** Rue des
DA 73 **Puits d'Amour (14)** Pl. du
DB 72 **Raguidelles** Rue des
CY 74 **Ratrait** Place du
CZ 74 **Ratrait** Rue du
DC 71 **Ravel** Allée Maurice
DC 72 **Regnault** Rue Henri
DB 73 **République** Place de la
DB 73 **République** Rue de la
DB 74 **Rives de Bagatelle** Al. des
CZ 74 **Rivière** R. du Commandant
DA 73 **Roosevelt** Avenue Franklin
CY 73 **Roses** Allée des
DB 72 **Roses** Chemin des
CZ 74 **Rothschild** R. Salomon De
CY 74 **Rouget De Lisle** Rue
DB 73 **Rousseau** R. Jean-Jacques
DB 72 **Roux** R. du Docteur Emile
DB 73 **Saint-Cloud** Rue de
DA 73 **Saint-Leufroy (15)** Prom.
DB 70 **Saint-Pierre** Av. de l'Abbé
DC 71 **Saint-Saëns** Allée Camille
CY 74 **Salengro** Rue Roger
CY 74 **Santos-Dumont** Allée
DA 73 **Scheurer-Kestner (16)** Al.
DB 73 **Seaux d'Eau (17)** Allée des
DB 72 **Sellier** Boulevard Henri
CZ 74 **Sentou** Impasse
DB 73 **Sèvres** Rue de
DB 72 **Sommeliers de la Groue** Impasse des
DC 71 **Sorbiers** Sente des
DB 74 **Sources** Allée des
DC 70 **Stalingrad** Place de
DA 72 **Station** Villa de la
DA 71 **Stock** Espl. de l'Abbé Franz
DC 70 **Stresemann** Av. Gustave
DB 73 **Sue** Place Eugène
DB 70 **Sully** Avenue de
DB 74 **Suresnes** Pont de
DB 71 **Syndicat des Cultivateurs** Rue du
CZ 72 **Terrasse** Rue de la
DA 72 **Terres Blanches** P. des
DA 72 **Terres Blanches** Rue des
DA 72 **Tertre** Rue du
DC 71 **Tilleuls** Allée des
DC 72 **Tourneroches** Rue des
CY 73 **Tourterelles** Square des
DC 71 **Troènes** Rue des
DC 72 **Tuilerie** Rue de la
DC 71 **Vaillant** Avenue Edouard
DC 72 **Val d'Or** Passage du
DC 72 **Val d'Or** Rue du
CZ 73 **Velettes** Rue des
DB 73 **Venelle** Allée de la
CZ 74 **Verdun** Rue de
DB 72 **Vignerons** Impasse des
DB 71 **Vignes** Rue des
DA 74 **Village Anglais** Allées Haute du
DA 74 **Village Anglais (18)** Allées Basse du
CY 73 **Violettes** Allée des
CY 73 **Voltaire** Rue
CZ 72 **Washington** Boulevard
DB 73 **Willaumez** Rue de l'Amiral
DC 70 **Wilson** Av. du Président
DA 73 **Worth** Rue
DA 73 **Zola** Rue Emile

Principaux Bâtiments

CZ 73 Bibliothèque
CZ 71 Caserne
DC 70 Conservatoire de Musique et de Danse
DA 74 CPAM
DC 71 CPAM
CZ 73 Espace Gambetta
CZ 71 Fort du Mont Valérien
DA 73 Hôpital Foch
DA 73 Hôtel des Impôts
CZ 73 Lycée Paul Langevin
CZ 74 Lycée Professionnel Louis Blériot
DA 73 Mairie
CY 73 Mairie Annexe
CZ 74 Mairie Annexe
DB 73 Mairie Annexe
DC 71 Mairie Annexe
DA 74 Médiathèque
DA 71 Mémorial National
DA 73 Musée
DB 73 Office de Tourisme
DB 72 Piscine
DA 73 Police
CY 73 Poste
DA 73 Poste
DB 70 Poste
DC 70 Théâtre Jean Vilar
DA 74 Trésorerie
DA 72 Cimetière Militaire Américain
CY 73 Nouveau Cimetière

VANVES plan page 287

Métro : Ligne 13 Malakoff-Plateau de Vanves
Bus : NL-58-89-126-189
SNCF : Vanves-Malakoff

DK 83 **Alexandre** Impasse
DM 83 **Arcueil** Villa d'
DM 81 **Arnaud** Av. du Dr François
DM 81 **Avenir** Rue de l'
DM 82 **Bagneux** Impasse de
DL 83 **Barbès** Rue
DL 83 **Basch** Avenue Victor
DM 82 **Baudelaire** Allée
DK 82 **Baudouin** Rue Eugène
DK 82 **Berthelot** Rue Marcellin
DL 83 **Besseyre** Rue Mary
DL 82 **Blanc** Rue Louis
DK 84 **Bleuzen** Rue Jean
DM 82 **Briand** Rue Aristide
DL 82 **Cabourg** Rue Jacques
DL 82 **Carnot** Impasse Sadi
DK 84 **Carnot** Rue Sadi
DM 82 **Chapelle** Rue des Frères
DM 82 **Châtillon** Rue de
DL 81 **Chevalier De La Barre** R. du
DM 82 **Clemenceau** Rue Georges
DM 81 **Clos Montholon** I. du
DM 80 **Clos Montholon** Rue du
DM 83 **Coche** Rue René
DL 83 **Colsenet** Villa
DL 83 **Combattants d'Afrique du Nord et des Territoires d'Outre-Mer** Square des
DK 83 **Comte** Rue Auguste
DM 83 **Culot** Place Albert
DK 84 **Danton** Rue
DL 82 **Dardenne** Rue Louis
DM 82 **Diderot** Rue
DK 84 **Dix-Neuf Mars 1962** Carrefour du
DM 82 **Drouet** Villa Eugène
DL 83 **Dupont** Villa
DL 82 **Eglise** Rue de l'
DK 82 **Estrées** Rue Gabrielle D'
DM 82 **Eugénie** Villa
DL 82 **Falret** Rue
DL 83 **Ferme** Allée de la
DL 83 **François Ier** Rue
DM 82 **Franco-Russe** Villa
DL 83 **Fratacci** Rue Antoine
DK 84 **Gambetta** Rue
DL 83 **Gare** Villa de la
DL 82 **Gaudray** Rue
DL 81 **Gaulle** Av. du Général De
DL 83 **Gaulle** Square Charles De

DM 81 **Gresset** Rue
DM 81 **Hoche** Rue
DK 83 **Hugo** Avenue Victor
DK 84 **Huit Mai 1945** Carr. du
DL 83 **Insurrection** Square de l'
DL 83 **Insurrection** Carrefour de l'
DK 81 **Issy** Rue d'
DL 82 **Jacquet** Rue Valentine
DK 83 **Jarrousse** Square Étienne
DK 83 **Jaurès** Rue Jean
DM 81 **Jeanne** Villa
DL 83 **Jézéquel** Avenue Jacques
DK 82 **Jullien** Rue
DL 82 **Kennedy** Pl. du Président
DL 82 **Kléber** Rue
DM 82 **Lafosse** Rue du Dr Georges
DL 82 **Lamartine** Rue
DL 82 **Larmeroux** Impasse
DM 82 **Larmeroux** Rue
DL 82 **Lattre De Tassigny** Place du Maréchal De
DL 83 **Laval** Rue Ernest
DK 82 **Leclerc** Place du Général
DK 83 **Lefèvre** Rue Paul
DL 83 **Léger** Villa
DK 83 **Legris** Carrefour Albert
DL 82 **Léopoldine** Allée
DL 83 **Lucien** Villa
DK 82 **Lycée** Boulevard du
DK 81 **Lycée** Villa du
DK 83 **Mailfaire** Rue du Docteur
DM 81 **Mansart** Rue
DK 83 **Marceau** Rue
DL 83 **Marcheron** Rue Raymond
DK 83 **Martin** Rue Henri
DL 83 **Martinie** Avenue Marcel
DM 82 **Matrais** Sentier des
DM 82 **Matrais** Villa des
DK 83 **Michel-Ange** Rue
DK 83 **Michelet** Rue Jules
DM 82 **Minard** Impasse
DL 83 **Mitterran** Square François
DK 82 **Monge** Rue
DL 82 **Monnet** Square Jean
DL 83 **Môquet** Avenue Guy
DK 83 **Moulin** Rue du
DK 83 **Murillo** Rue
DM 82 **Nouzeaux** Villa des
DK 84 **Onze Novembre 1918** Square du

DM 81 **Paix** Avenue de la
DL 82 **Parc** Avenue du
DK 83 **Pasteur** Avenue
DL 82 **Platane** Allée du
DL 82 **Potin** Rue Jean-Baptiste
DM 83 **Progrès** Allée du
DK 83 **Provinces** Place des
DL 82 **Pruvot** Rue
DK 82 **Quatre Septembre** Rue du
DL 82 **Quincy** Villa
DK 84 **Rabelais** Rue
DK 84 **Rabelais** Villa
DK 83 **Raphäel** Rue
DL 82 **République** Place de la
DL 82 **République** Rue de la
DL 83 **Sahors** Rue René
DL 82 **Sangnier** Rue Marc
DK 83 **Solférino** Rue
DL 83 **Verdun** Avenue de
DM 81 **Verne** Allée
DK 84 **Vicat** Rue Louis
DK 84 **Vicat** Square Louis
DL 82 **Vieille Forge** Rue
DL 83 **Wills** Villa Juliette De
DK 83 **Yol** Rue Marcel

Principaux Bâtiments

DL 82 Bibliothèque
DL 83 Centre Administratif
DM 83 CPAM
DM 83 DDE
DK 84 Espace Albert Gazier
DL 83 Impôts
DK 82 Lycée Michelet
DL 82 Lycée Professionnel Louis Dardenne
DL 83 Mairie
DK 82 Parc des Expositions
DM 81 Parc Municipal des Sports André Roche
DM 81 Piscine Municipale
DL 83 Police
DK 83 Police Muinicipale
DJ 82 Poste
DL 83 Poste
DL 82 Théâtre
DL 83 Trésorerie
DL 82 Tribunal d'Instance
DL 83 Cimetière de Vanves

VINCENNES

plan page 279

Métro : Ligne 1 Saint-Mandé-Tourelle - Bérault - Château de Vincennes
RER : A - Vincennes
Bus : NH-46-56-112-114-115-118-124-210-318-325

DF 107 **Alphand** R. J.-C.-Adolphe
DF 103 **Aubert** Allée
DF 103 **Aubert** Avenue
DF 107 **Bainville** Allée Jacques
DF 107 **Barillon** Allée Paul
DF 103 **Basch** Rue Victor
DG 104 **Bastide** Passage Jean
DF 103 **Beauséjour** Villa
DF 103 **Belfort** Rue de
DF 103 **Bérault** Place
DG 104 **Besquel** Rue Louis
DF 106 **Bienfaisance** Rue de la
DG 107 **Blanche** Av. de la Dame
DF 102 **Blot** Rue Eugène
DF 107 **Boutrais** Rue Emile
DF 105 **Brossolette** Avenue Pierre
DG 104 **Carnot** Avenue
DG 104 **Carnot** Place
DG 104 **Charles V** Allée
DG 106 **Charmes** Avenue des
DF 104 **Château** Avenue du
DF 104 **Château** Avenue du
DF 102 **Clemenceau** Av. Georges
DE 103 **Clerfayt** Rue Gilbert
DG 103 **Colmar** Rue de
DF 106 **Combattants d'Afrique du Nord** Square des
DF 105 **Condé-sur-Noireau** Rue de
DF 107 **Cotte** Square Robert de
DE 105 **Crébillon** Rue
DG 103 **Daguerre** Allée Jacques
DE 104 **Daumesnil** Rue
DF 104 **Daumesnil** Square
DE 105 **David** Villa
DF 107 **Defrance** Rue
DF 107 **Deloncle** Allée Charles
DF 106 **Dequen** Rue Emile
DF 107 **Déroulède** Avenue Paul
DF 103 **Deux Communes** Rue des
DF 106 **Diderot** Place
DE 105 **Diderot** Rue
DF 102 **Dohis** Rue
DG 104 **Donjon** Rue du
DF 104 **Du Temple** Rue Raymond
DF 107 **Dunant** Allée Henri
DF 103 **Egalité** Rue de l'
DF 104 **Eglise** Rue de l'
DF 104 **Estienne D'Orves** Rue D'
DE 105 **Faie Felix** Villa
DE 105 **Faie Félix** Rue
DF 107 **Faluère** R. Alexandre De La
DF 107 **Faure** Rue Félix
DF 106 **Fayolle** Avenue
DF 102 **Faÿs** Rue
DF 105 **Foch** Avenue
DF 105 **Fontenay** Rue de
DG 103 **France** Avenue Anatole
DF 104 **Fraternité** Rue de la
DE 105 **Gaillard** Rue Joseph
DG 104 **Gaulle** Av. du Général De
DF 104 **Gérard** Rue Eugène
DF 104 **Giraudineau** Rue Robert
DF 107 **Gounod** Rue
DF 106 **Guynemer** Rue
DF 104 **Hautières** Sq. des Frères
DG 103 **Heitz** Rue du Lieutenant
DF 102 **Huchon** Rue Georges
DF 103 **Huit Mai 1945** Mail du
DG 105 **Idalie** Rue d'
DG 105 **Idalie** Villa d'
DF 106 **Industrie** Rue de l'
DF 106 **Jarry** Rue de la
DG 104 **Jaurès** Square Jean
DF 103 **Lagny** Rue de
DF 102 **Laitières** Rue des
DF 105 **Lamarre** Villa
DF 104 **Lamartine** Avenue
DF 106 **Lamouret** Rue Georges
DG 103 **Landucci** Square
DF 105 **Lattre De Tassigny** Square du Maréchal De
DF 103 **Lebel** Rue du Docteur
DF 105 **Leclerc** Place du Général
DF 104 **Lejemptel** Rue
DF 106 **Lemaître** Place Jean-Spire
DF 107 **Lemayre** Al. Léonard-Marie
DF 103 **Lenain** Impasse
DE 105 **Leroyer** Rue
DF 106 **Libération** Boulevard de la
DF 105 **Liberté** Rue de la
DF 103 **Lœuil** Rue Eugène
DG 103 **Lumière** Cours Louis
DG 107 **Luzy** Allée Augustin de
DF 106 **Lyautey** Place du Maréchal
DF 107 **Mabille** Allée Nicolas
DE 106 **Maladrerie** Sentier de la
DH 104 **Malraux** Square André
DF 105 **Marigny** Cours
DF 102 **Marinier** Rue Charles
DF 105 **Marseillaise** Rue de la
DF 107 **Massenet** Rue Jules
DF 103 **Massue** Rue
DG 103 **Maunoury** R. du Maréchal
DG 103 **Méliès** Allée Georges
DE 104 **Meuniers** Rue des
DF 104 **Midi** Rue du
DH 104 **Minimes** Avenue des
DE 104 **Mirabeau** Rue
DF 103 **Monmory** Rue de
DF 104 **Montreuil** Rue de
DG 104 **Moulin** Rue Jean
DE 106 **Mowat** R. du Commandant
DF 107 **Murs du Parc** Avenue des
DG 103 **Nadar** Allée Félix
DG 103 **Nadar** Square Félix
DG 103 **Niepce** Allée Nicéphore
DG 105 **Nogent** Avenue de
DF 105 **Onze Novembre** Square du
DF 104 **Paix** Rue de la
DG 104 **Paris** Avenue de
DF 107 **Pasteur** Rue
DF 104 **Pathé** Rue Charles
DF 106 **Péri** Avenue Gabriel
DG 103 **Petit Parc** Avenue du
DG 102 **Piscine** Passage de la
DF 107 **Pommiers** Rue des
DF 104 **Pompidou** Allée Georges
DF 102 **Prévoyance** Place de la
DF 102 **Prévoyance** Rue de la
DE 105 **Quennehen** Rue du Lt
DF 103 **Quinson** Avenue Antoine
DF 107 **Quinson** Rés. Antoine
DF 106 **Renardière** Rue de la
DF 105 **Renaud** Rue Eugène
DF 102 **Renon** Place
DF 102 **Renon** Rue
DE 104 **République** Avenue de la
DF 107 **Rigollots** Carrefour des
DF 102 **Robert** Rue Céline
DG 104 **Roosevelt** Avenue Franklin
DF 106 **Sabotiers** Rue des
DF 106 **Sabotiers** Square des
DF 103 **Saint-Joseph** Villa
DF 102 **Saint-Louis** Square
DF 103 **Saint-Méry** Passage
DF 103 **Saint-Méry** Passerelle
DF 104 **Saulpic** Rue
DF 107 **Schweitzer** Al. du Docteur
DG 103 **Segond** Rue
DF 104 **Sémard** Place Pierre
DF 106 **Serre** Villa du Dr Louis-Georges
DE 105 **Silvestri** Rue Charles
DE 105 **Solidarité** Rue de la
DE 104 **Strasbourg** Rue de
DE 105 **Trois Territoires** Rue des
DE 104 **Union** Rue de l'
DE 103 **Varennes** Passage des
DE 105 **Verdun** Rue de
DF 106 **Viénot** Rue Clément
DG 103 **Vignerons** Impasse des
DG 103 **Vignerons** Passage des
DG 103 **Vignerons** Rue des
DF 104 **Villebois-Mareuil** Rue
DF 105 **Vorges** Avenue de

VINCENNES suite (plan page 279)

Principaux Bâtiments

DF	103	ANPE
DF	106	Bibliothèque
DG	103	Bibliothèque
DF	102	Bibliothèque de l'Ouest
DG	104	Château de Vincennes
DF	104	CPAM
DF	104	Centre Georges Pompidou
DF	105	Centre Pierre Souweine
DG	104	Donjon
DG	104	Gendarmerie
DF	106	Hôtel des Impôts
DF	103	LP Jean Moulin
DF	103	Lycée Hector Berlioz
DF	105	Mairie
DF	104	Médiathèque
DG	105	Office de Tourisme
DG	104	Pavillon du Roi
DF	103	Piscine
DF	104	Police
DF	104	Police Municipale
DF	106	Pompiers
DF	104	Pompiers
DF	102	Poste
DF	106	Poste
DF	104	Poste
DF	106	Stade
DF	103	Trésor Public
DF	104	Tribunal d'Instance
DF	105	Anc. Cimetière

LÉGENDE

	Axe Rouge	Clear way	Parken verboten
	Voie Piétonne	Pedestrian street	Fußgängerstraße
	Sens unique	One way street	Einbahnstraße
27	Numéro d'Immeuble	Building number	Hausnummer
M R	Station de métro, RER	Underground station, RER	Metrostation, RER
T	Station de tramway	Tramway station	Haltestelle Tram
P	Parking	Car park	Parkplatz
	Station service 24 / 24	Petrol station 24 / 24	Tankstelle 24 Std.
	Station service de Jour	Petrol station open day time	Tankstelle nur Tag
T	Station de taxi	Taxi rank	Taxistand
T	Borne d'appel taxi	Taxi rank with telephone	Taxistand mit Telefon
	Eglise	Church	Katholische Kirche
	Temple	Temple	Evangelische Kirche
	Synagogue	Synagogue	Synagoge
	Mosquée	Mosque	Moschee
	Préfecture	Préfecture	Präfektur
	Hôtel de Ville - Mairie	Townhall	Rathaus
	Gendarmerie - Police	Police	Gendarmerie-Polizei
	Poste	Post office	Postamt
	Centre commercial	Shopping centre	Einkaufszentrum
	Marché couvert	Covered market	Markthalle
	Marché découvert	Market	Markt
H	Hôpital - Clinique	Hospital	Krankenhaus
	Caserne pompiers, Caserne	Fire Station - Barracks	Feurwehr - Kaserne

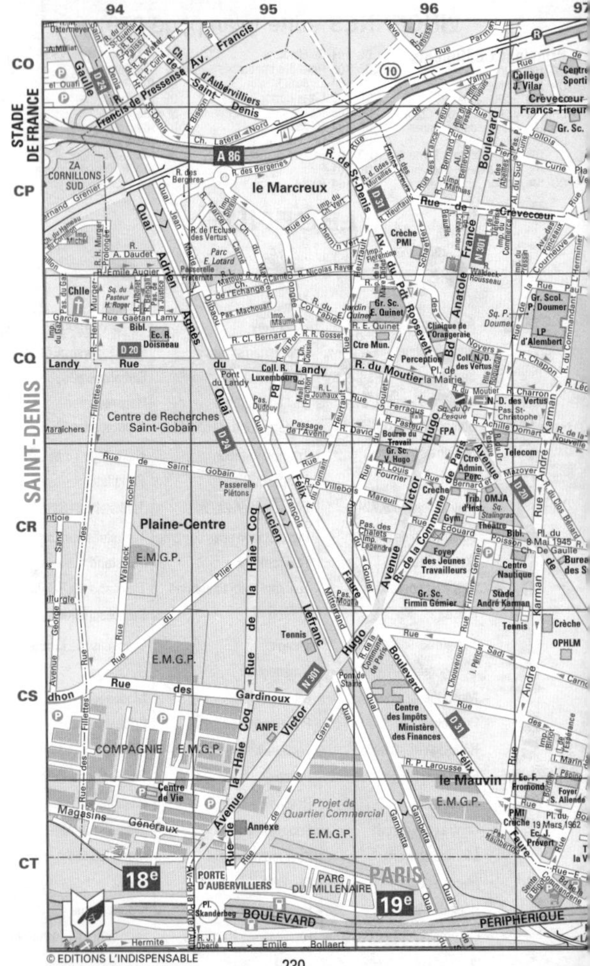

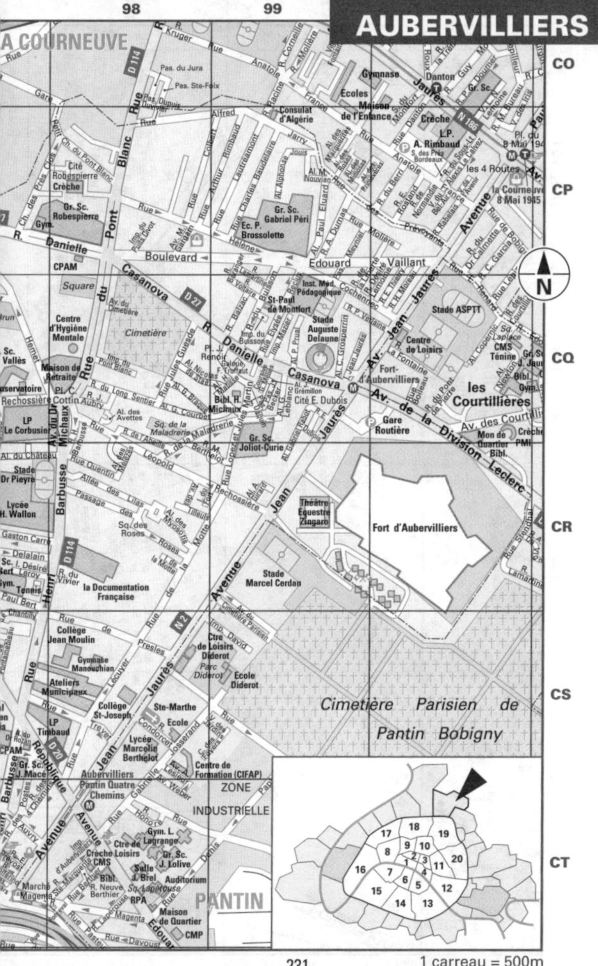

1 carreau = 500m

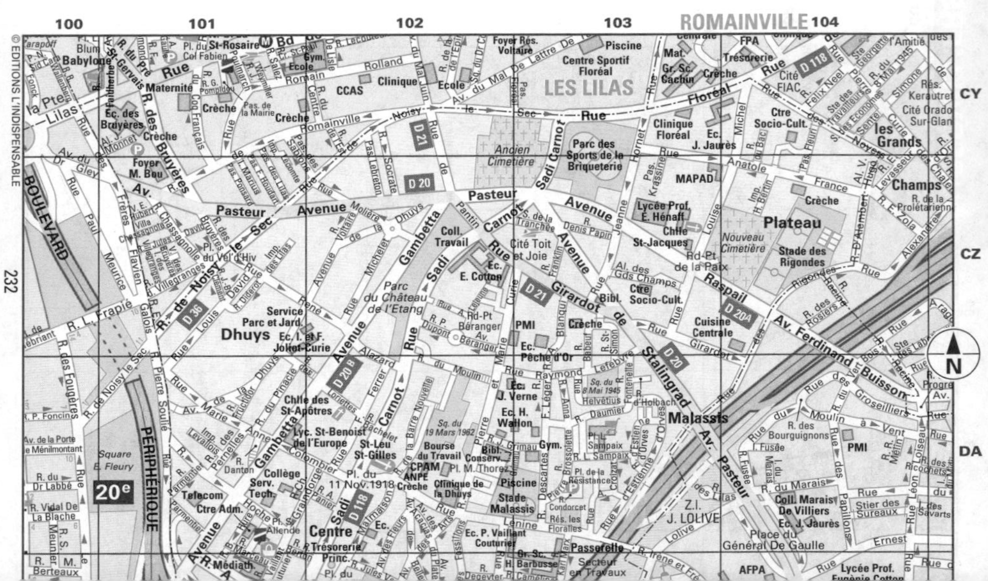

100
101
102
103
ROMAINVILLE
104
CY
CZ
DA
LES LILAS
Centre Sportif Floréal
Piscine
Parc des Sports de la Briqueterie
Ancien Cimetière
Plateau
Nouveau Cimetière
Stade des Rigondes
les Grands Champs
Parc du Château de l'Etang
Dhuys
Service Parc et Jard.
Malassis
Stade Malassis
Z.I. J. LOLIVE
Place du Général De Gaulle
Centre
Av. Pasteur
Avenue Pasteur
Av. Ferdinand Buisson
Rue Sadi Carnot
Avenue Gambetta
Girardot
Stalingrad
Raspail
R. de Noisy le Sec
R. des Bruyères
Rue Floréal
Square E. Fleury
20e
PÉRIPHÉRIQUE
BOULEVARD
R. des Fougères

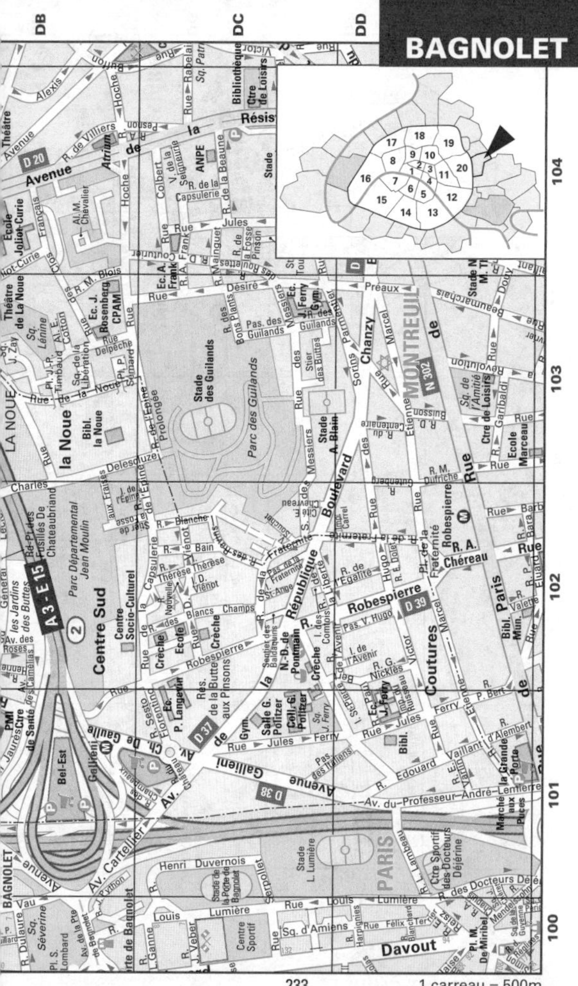

1 carreau = 500m

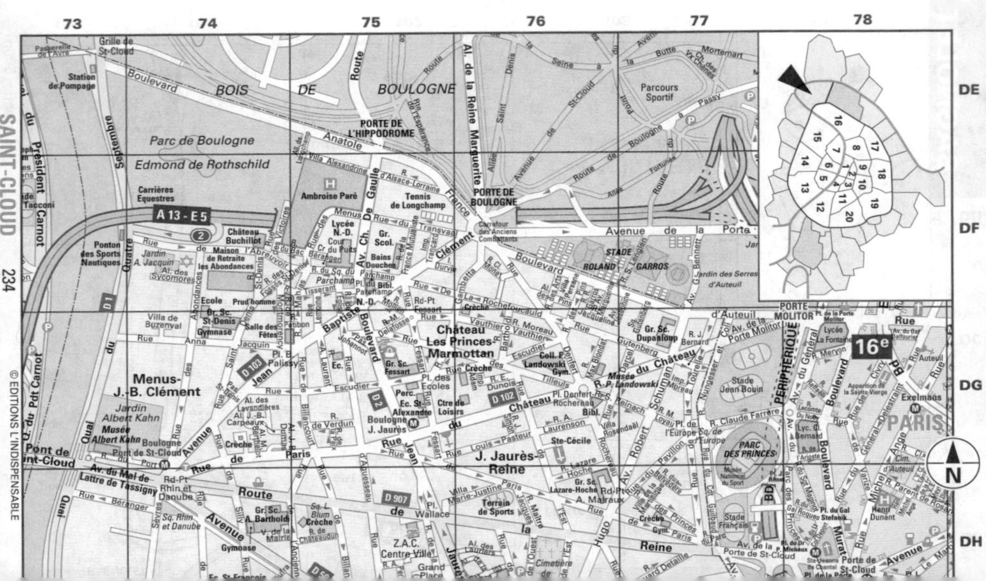

73
74
75
76
77
78
DE
DF
DG
DH
PARIS
16e
BOIS DE BOULOGNE
Parc de Boulogne
Edmond de Rothschild
Parcours Sportif
PORTE DE L'HIPPODROME
PORTE DE BOULOGNE
PORTE MOLITOR
PÉRIPHÉRIQUE
PARC DES PRINCES
STADE ROLAND GARROS
Stade Jean Bouin
Stade Français
Jardin des Serres d'Auteuil
Al. de la Reine Marguerite
Avenue de la Porte d'Auteuil
Château Les Princes-Marmottan
Ambroise Paré
Tennis de Longchamp
Menus-J.-B. Clément
Jardin Albert Kahn
Musée Albert Kahn
Boulogne Pont de St-Cloud
Boulogne J. Jaurès
J. Jaurès-Reine
Pont de St-Cloud
Quai du Président Carnot
A13 - E5
Carrières Equestres
Station de Pompage
Passerelle de l'Avre
Ponton des Sports Nautiques
Exelmans
Murat
Porte de St-Cloud

BOULOGNE-BILLANCOURT

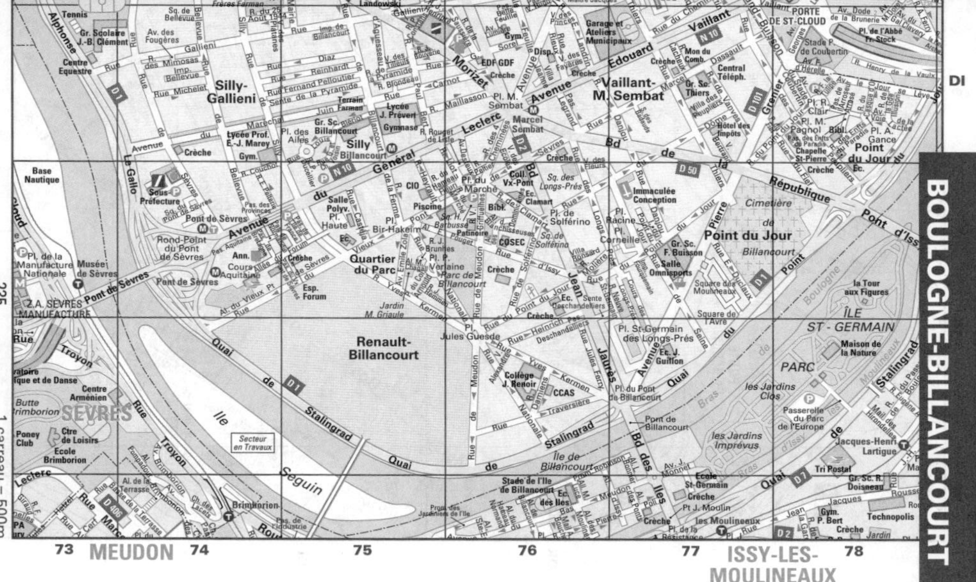

1 carreau = 500m

97
98
99
DJ
DK
DL
DM

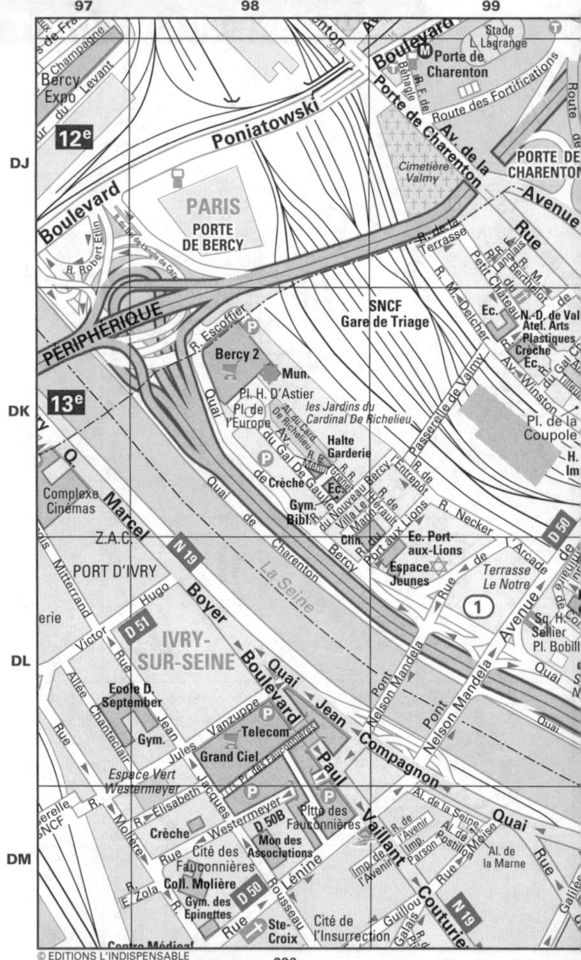

CHARENTON-LE-PONT

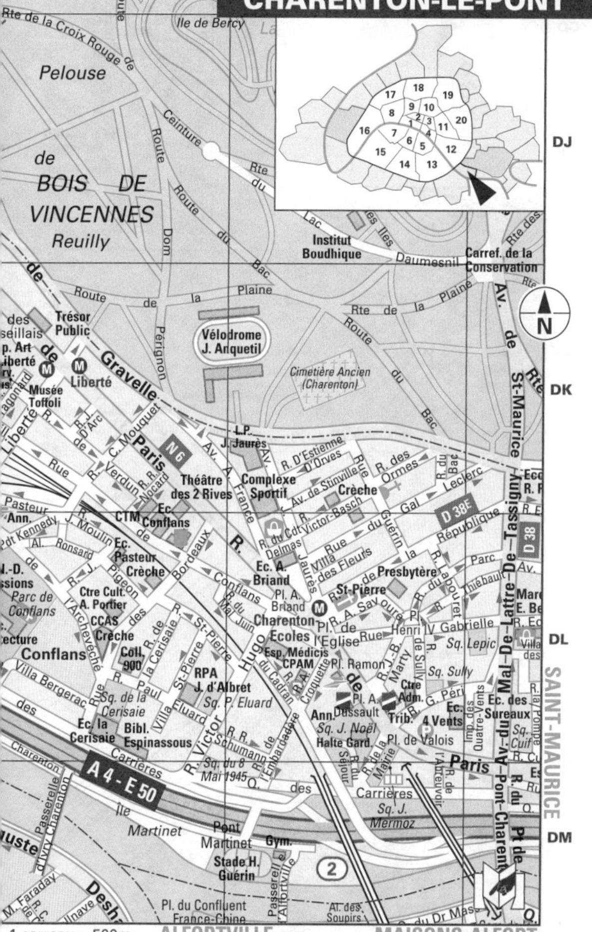

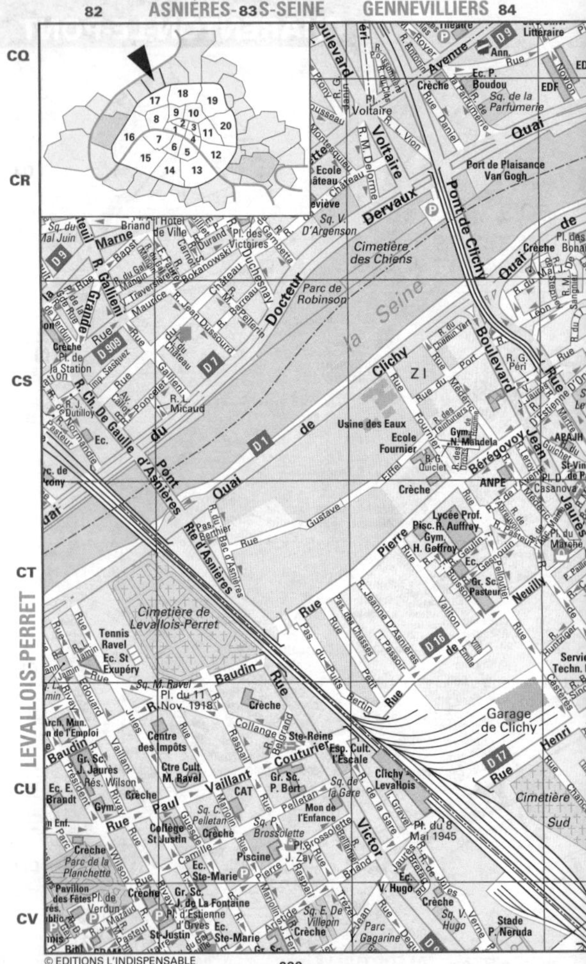
CQ
CR
CS
CT
CU
CV
LEVALLOIS-PERRET
17
18
19
8
9
10
2
3
1
4
11
20
16
7
6
5
12
15
14
13
Boulevard
Péri
Théâtre
Littéraire
Avenue
Ann.
Rue
Ec. P.
Boudou
Crèche
EDF
Sq. de la Parfumerie
Pl. Voltaire
Voltaire
R. L. Vion
Quai
Port de Plaisance Van Gogh
Ecole
Dervaux
Sq. V. D'Argenson
Hôtel de Ville
Marne
Briand
Sq. du Mal Juin
Pl. des Victoires
Cimetière des Chiens
Pont de Clichy
Crèche
Pl. des Bonar
Parc de Robinson
Docteur
la Seine
Duchesnay
R. Barreau
R. M. Pellerin
R. Jean Dussourd
Rue Galliéni
Grande Rue
D 909
Crèche
Pl. de la Station
Imp. Sasquez
D 7
R. du Chemin Vert
Boulevard
Clichy
Z I
R. G. Péri
R. L. Micaud
R. J. Dutilloy
R. Ch. De Gaulle
du Pont d'Asnières
Usine des Eaux
Ecole Fournier
Gym. N. Mandela
Bérégovoy
Jean Jaurès
APAJH
D 1
de
Quai
R. G. Quiclet
Crèche
ANPE
Pl. D. Casanova
Lycée Prof.
Pisc. R. Auffray
Gym. H. Geffroy
Pierre
Pl. du Marché
Rue Gustave
Rte d'Asnières
Bac d'Asnières
Ec.
Gr. Sc. Pasteur
Neuilly
Vallon
R. Jeanne D'Asnières
Pas. des Chasses
I. Passoir
D 16
Cimetière de Levallois-Perret
Tennis Ravel
Ec. St Exupéry
Rue Baudin
Sq. M. Ravel
Pl. du 11 Nov. 1918
Crèche
Servic. Techn.
Garage de Clichy
Henri
D 17
Rue
Cimetière Sud
Centre des Impôts
Collange
Ste-Reine
Esp. Cult. l'Escale
Couturier
Ctre Cult. M. Ravel
Gr. Sc. J. Jaurès
Rés. Wilson
Ec. E. Brandt
Crèche
Gym.
Paul
Vaillant
CAT
Gr. Sc. P. Bert
Sq. de la Gare
Clichy - Levallois
Mon de l'Enfance
Rue
Collège St Justin
Sq. C. Pelletan
Crèche
Sq. P. Brossolette
Pl. Brossolette
Victor
Pl. du 8 Mai 1945
Crèche
Parc de la Planchette
Piscine
J. Zay
Ec. Ste-Marie
Ec. V. Hugo
Crèche
Sq. V. Hugo
Pavillon des Fêtes
Pl. de Verdun
Crèche
Gr. Sc. J. de La Fontaine
Pl. d'Estienne d'Orves
Ec. Ste-Marie
St-Justin
Sq. E. De Villepin
Crèche
Parc Y. Gagarine
Stade P. Neruda

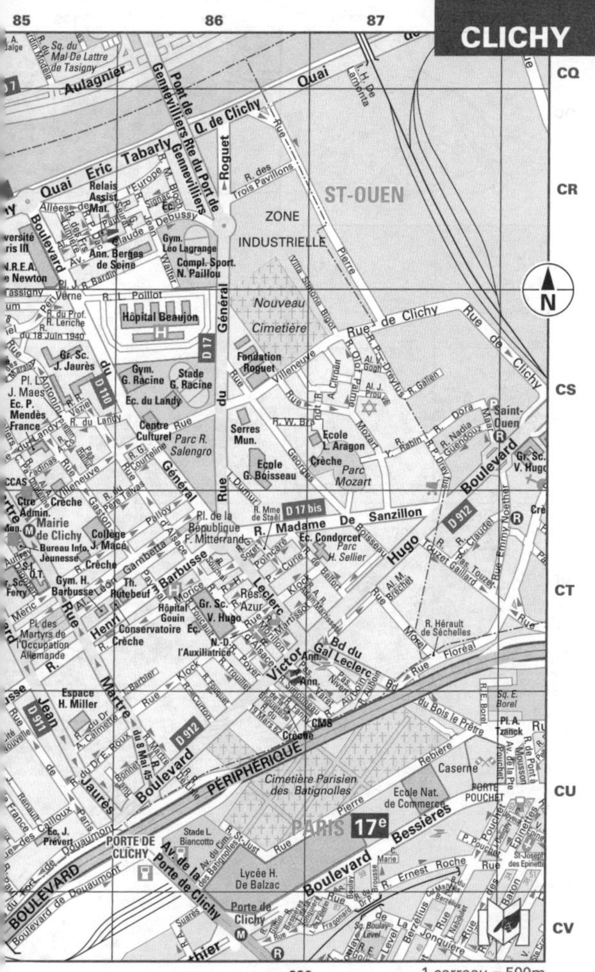

1 carreau = 500m

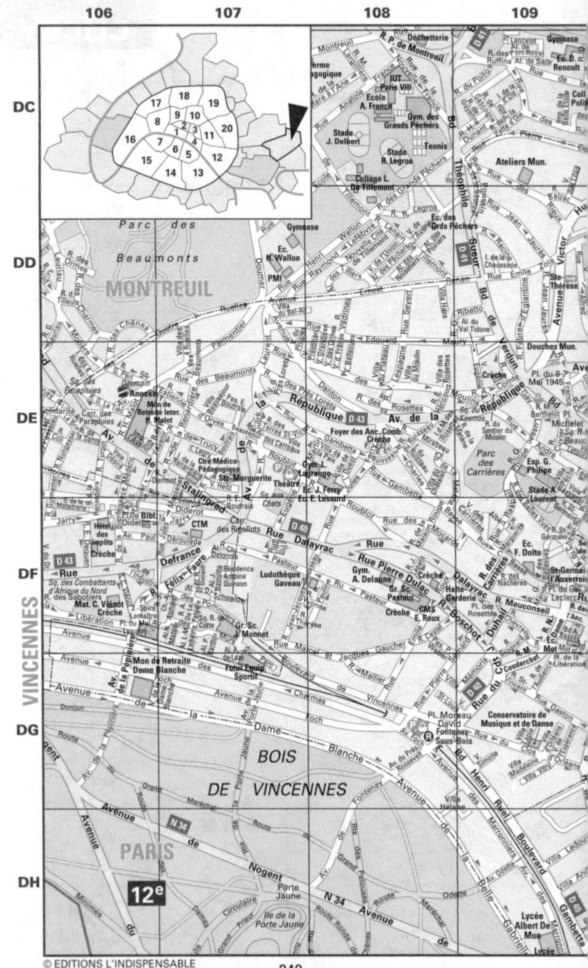
106
107
108
109
DC
DD
DE
DF
DG
DH
18
17
19
8
9
10
2
3
20
1
11
16
7
4
6
5
12
15
14
13
R. P. de Montreuil
Déchetterie
Montreuil
IUT
Paris VIII
Ecole
A. France
Gym. des
Grands Pêchers
Stade
J. Delbert
Stade
R. Legros
Tennis
Collège L.
De Tillemont
Gymnase
Ateliers Mun.
Parc des
Beaumonts
MONTREUIL
Gymnase
Ec.
H. Wallon
PMI
Ec. des
Grds Pêchers
Ste-
Thérèse
Douches Mun.
Annexe
Mon de
Retraite Inter.
H. Malot
Av. de la République
Foyer des Anc. Comb.
Crèche
Parc
des
Carrières
Esp. G.
Philipe
Stade A.
Laurent
Ctre Médico-
Pédagogique
Ste-Marguerite
Théâtre
Ec. J. Ferry
Ec. E. Lesourd
Av. de Stalingrad
Pl. de Bibl.
Diderot
CTM
Hôtel
des
Impôts
Crèche
Rue Dalayrac
Ec.
F. Dolto
Ludothèque
Gaveau
Gym.
A. Delaune
Rue Pierre Dulac
Crèche
Halte-
Garderie
Gr. Sc.
Pasteur
Crèche
CMS
E. Roux
Mat. C. Vignot
Crèche
Gr. Sc.
J. Monnet
Mon de Retraite
Dame Blanche
Futur Equip.
Sportif
VINCENNES
Boulevard de Vincennes
Pl. Moreau
David
Fontenay-
Sous-Bois
Conservatoire de
Musique et de Danse
BOIS
DE VINCENNES
Avenue de Nogent
PARIS
12e
N 34
Porte
Jaune
Ile de la
Porte Jaune
Bd Henri Ruel
Boulevard Gallieni
Lycée
Albert De
Mun
Avenue de la Belle Gabrielle

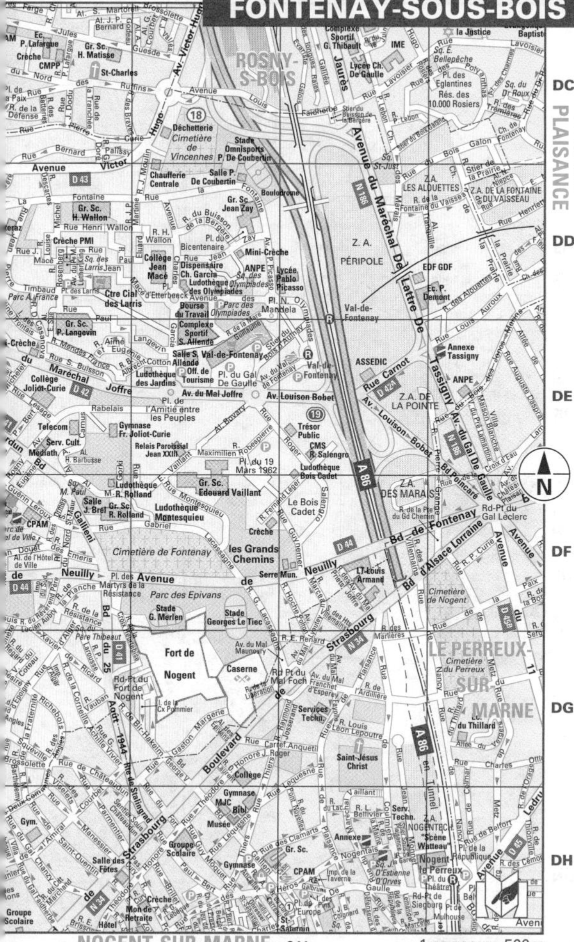

FONTENAY-SOUS-BOIS

DC DD DE DF DG DH

NEUILLY-PLAISANCE

ROSNY-S-BOIS

LE PERREUX-SUR-MARNE

Avenue du Maréchal De Lattre De Tassigny

Z.A. PÉRIPOLE

Val-de-Fontenay

Z.A. LES ALOUETTES

Z.A. DE LA FONTAINE DU VAISSEAU

Z.A. DE LA POINTE

Z.A. DES MARAIS

Cimetière de Vincennes

Cimetière de Fontenay

Parc des Epivans

Fort de Nogent

Cimetière de Nogent

Cimetière du Perreux

Stade Omnisports P. De Coubertin

Stade G. Merlen

Stade Georges Le Tiec

Av. du Mal Joffre

Av. Louison Bobet

Bd de Fontenay

Bd d'Alsace Lorraine

Bd de Strasbourg

Avenue de Neuilly

Rd-Pt du Gal Leclerc

Nogent-le Perreux

Saint-Jésus Christ

A 86

N 186

D 43

D 44

N

1 carreau = 500m

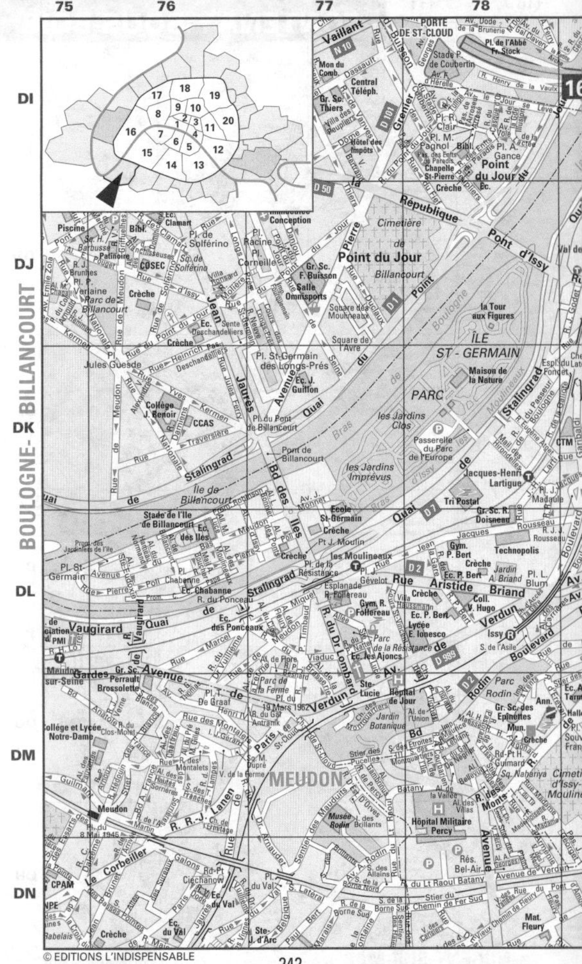
75
76
77
78
DI
DJ
DK
DL
DM
DN
BOULOGNE-BILLANCOURT
PORTE DE ST-CLOUD
Stade P. de Coubertin
Pl. de l'Abbé Fr. Stock
Central Téléph.
Hôtel des Impôts
Point du Jour
Cimetière de Point du Jour
Billancourt
République
Pont d'Issy
Immaculée Conception
Pl. de Solférino
Pl. Racine
Pl. Corneille
Gr. Sc. F. Buisson
Salle Omnisports
Parc de Billancourt
Square des Moulineaux
Square de l'Avre
Pl. Jules Guesde
Pl. St-Germain des Longs-Prés
Collège J. Renoir
CCAS
Pont de Billancourt
Quai de Stalingrad
Île de Billancourt
la Tour aux Figures
ÎLE ST-GERMAIN
Maison de la Nature
PARC
les Jardins Clos
Passerelle du Parc de l'Europe
les Jardins Imprévus
Jacques-Henri Lartigue
Tri Postal
Technopolis
Stade de l'Ile de Billancourt
Ecole St-Germain
les Moulineaux
Pl. de la Résistance
Esplanade R. Follereau
Rue Aristide Briand
Coll. V. Hugo
Lycée E. Ionesco
Issy
Quai de Vaugirard
Boulevard de Verdun
Parc de la Résistance
Hôpital de Jour
Parc Rodin
Jardin Botanique
Avenue de Verdun
Pl. du 19 Mars 1962
Collège et Lycée Notre-Dame
MEUDON
Musée Rodin
Hôpital Militaire Percy
Rés. Bel-Air
Pl. du 8 Mai 1945
Rd-Pt Ciechanow
Ec. du Val
Chemin de Fer Sud
Mat. Fleury

1 carreau = 500m

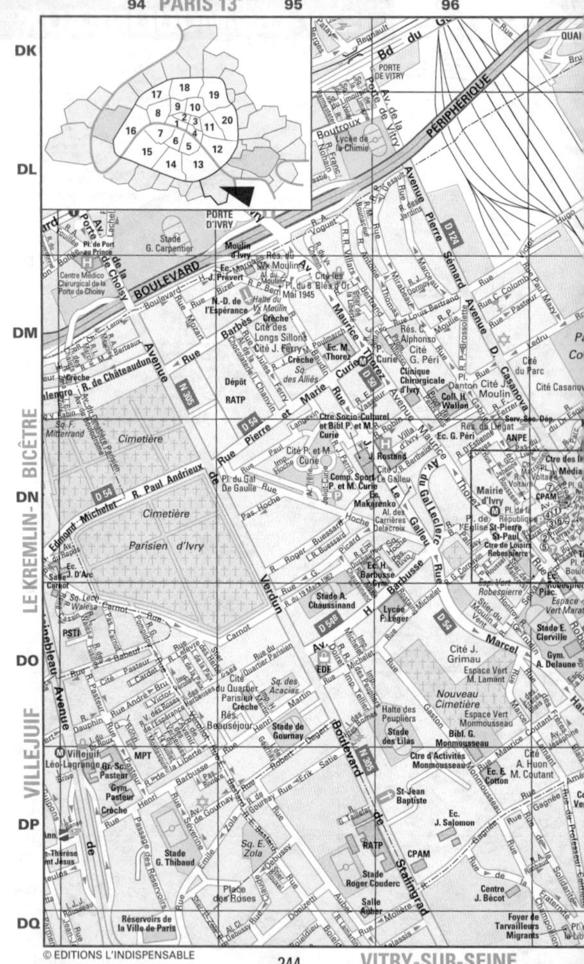
DK
DL
DM
DN
DO
DP
DQ
LE KREMLIN-BICÊTRE
VILLEJUIF
PÉRIPHÉRIQUE
Bd du
PORTE DE VITRY
Av. de la Porte de Vitry
Boutroux
Lycée de la Chimie
QUAI
PORTE D'IVRY
Stade G. Carpentier
Pl. de Port au Prince
Centre Médico Chirurgical de la Porte de Choisy
Av. Porte de Choisy
BOULEVARD
Moulin d'Ivry
Rés. du Vx Moulin
Ec. Marques
H. J. Prévert
Cité les Blés d'Or
Pl. du 8 Mai 1945
N.-D. de l'Espérance
Halte du Vx Moulin
Crèche
Cité des Longs Sillons
Cité J. Ferry
Ec. M. Thorez
Sq. des Alliés
Dépôt RATP
Rue Barbès
Avenue Pierre Sémard
Avenue D. Casanova
Rés. C. Alphonso
Cité G. Péri
Clinique Chirurgicale d'Ivry
Coll. H. Wallon
Pl. Danton
Cité J. Moulin
Cité du Parc
Cité Casanova
Avenue Maurice Thorez
Rue Marie Curie
Avenue
R. de Châteaudun
Sq. F. Mitterrand
Cimetière
Ctre Socio-Culturel et Bibl P. et M. Curie
Cité P. et M. Curie
J. Rostand
Ec. G. Péri
Rés. du Liégat
ANPE
Serv. Soc. Dép.
Pl. du Gal De Gaulle
Comp. Sport P. et M. Curie
Ec. Makarenko
Av. du Gal Leclerc
Mairie d'Ivry
Pl. de la République
Pl. de l'Eglise
St-Pierre St-Paul
Ctre de Loisirs Robespierre
CPAM
R. Paul Andrieux
Rue Pierre et Marie Curie
Rue de Verdun
Edmond Michelet
Cimetière Parisien d'Ivry
Pas. Hoche
R. Roger Buessard
Ec. H. Barbusse
Gym.
Ec. J. D'Arc
Salle Carnot
Sq. Lech Walesa
Stade A. Chaussinand
Lycée F. Léger
Esp. Vert Robespierre
Pisc.
Espace Vert Marat
Stade E. Clerville
Gym. A. Delaune
Rue Marcel
Cité J. Grimau
Espace Vert M. Lamant
Nouveau Cimetière
Espace Vert Monmousseau
Bibl. G. Monmousseau
Halte des Peupliers
Stade des Lilas
Ctre d'Activités Monmousseau
Cité A. Huon
Ec. E. Cotton
M. Coutant
PSTI
Rue Babeuf
Cité Pasteur
Cité du Quartier Parisien
Sq. des Acacias
Crèche
Rés. Beauséjour
Stade de Gournay
EDF
Boulevard de Stalingrad
Villejuif Léo-Lagrange
MPT
Gr. Sc. Pasteur
Gym. Pasteur
Crèche
St-Jean Baptiste
Ec. J. Salomon
RATP
CPAM
Stade Roger Couderc
Salle Auber
Centre J. Bécot
Foyer de Travailleurs Migrants
Stade G. Thibaud
Sq. E. Zola
Place des Roses
Réservoirs de la Ville de Paris
Passage des Réservoirs
Rue Erik Satie
17
18
19
8
9
10
16
7
2
3
11
20
1
4
6
5
12
15
14
13

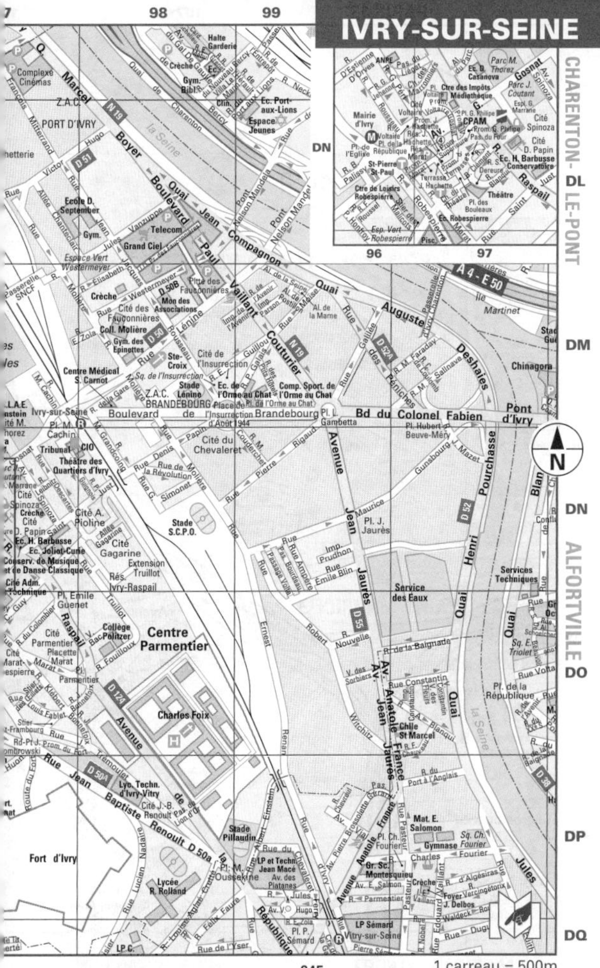

1 carreau = 500m

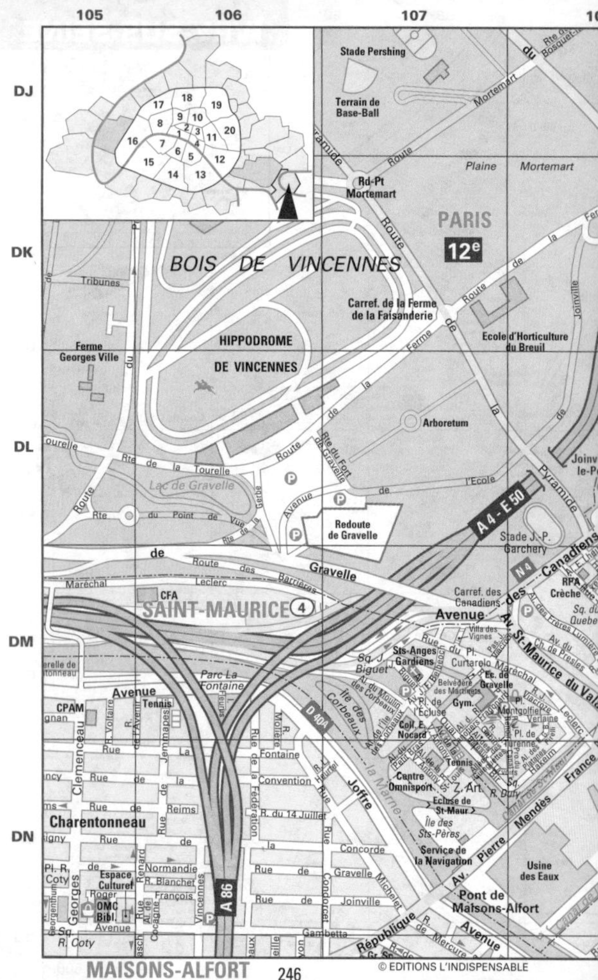

105
106
107
DJ
DK
DL
DM
DN
Stade Pershing
Terrain de Base-Ball
Plaine
Mortemart
Rd-Pt Mortemart
PARIS
12e
BOIS DE VINCENNES
Carref. de la Ferme de la Faisanderie
Ecole d'Horticulture du Breuil
HIPPODROME
DE VINCENNES
Ferme Georges Ville
Tribunes
Arboretum
Lac de Gravelle
Redoute de Gravelle
A 4 - E 50
Stade J.-P. Garchery
CFA
SAINT-MAURICE
Carref. des Canadiens
Avenue des Canadiens
Av. St-Maurice du Valais
Sts-Anges Gardiens
Parc La Fontaine
CPAM
Tennis
D 404
Île des Corbeaux
Coll. E. Nocard
Centre Omnisport
Ecluse de St-Maur
Île des Sts-Pères
Service de la Navigation
Charentonneau
Espace Culturel
OMC Bibl.
A 86
Usine des Eaux
Pont de Maisons-Alfort
Av. Pierre Mendès France

NOGENT-S- 109 MARNE
JOINVILLE-LE-PONT
CHAMPIGNY-SUR-MARNE
DJ
DK
DL
DM
DN
N
Lycée Prof.
Carrefour de Beauté
Camping-Caravaning
Bd des Alliés
Tennis
Parc
Polangis
Place Mozart
Collège J. Ferry
Crèche
Ile Fanac
Tennis
Portofino
Ec. de Musique
Ecole
Ecole Polangis
Ste-Anne
Ann. Mun.
PMI
Pont de Joinville
Avenue du Général Gallieni
N 4
Pl. B. Gladbach
Lycée ITG Val-de-Beauté
St-Charles Borromée
RPA
Bibl.
S. P. et J. Prévert
Capitainerie
Port de Plaisance
Sq. Runnymede
Pl. Casque d'Or
CMP
Crèche
RPA
Crèche
Ecole
Gym.
Palissy
Ecole Palissy
Cimetière
Pl. de la Commune
Sq. Léo Lagrange
CPAM
Ecole
Gym.
ANPE
Place du 8 Mai 1945
Crèche
Coll. J. Charcot
Boulevard du Maréchal Leclerc
N 186
D 47
la Marne
Sq. Palissy
RPA
Quai de la Marne
Barrage de Joinville
D 45
R. des Bons Enfants
Sq. Robard
Parc du Paragon
Ec.
Foyer Dép. de l'Enfance
Ecole Paragon
Lycée
St-Nicolas
Maison de Retraite
Abbaye
Tour Rabelais
Sq. de l'Abbaye
Centre Equestre
OPHLM
Dépôt RATP
Lycée M. Berthelot
Ec.
Ecole Marinville
Gym.
D 47
SAINT-MAUR-DES- 247 FOSSES
1 carreau = 500m

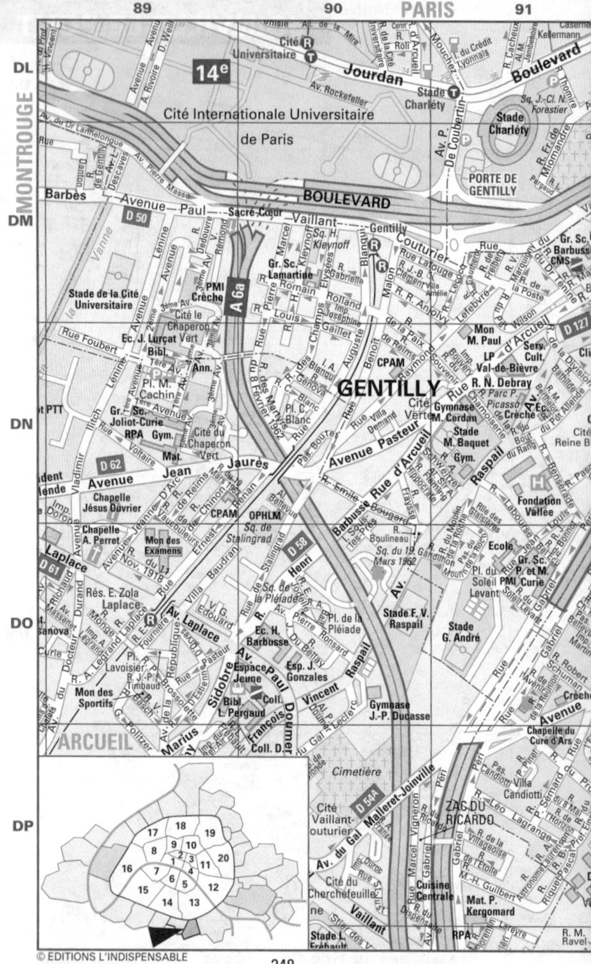
89
90
PARIS
91
DL
DM
DN
DO
DP
MONTROUGE
14e
Cité Internationale Universitaire
de Paris
Boulevard Jourdan
Stade Charléty
PORTE DE GENTILLY
BOULEVARD
Avenue Paul Vaillant Couturier
GENTILLY
Stade de la Cité Universitaire
Avenue Jean Jaurès
Avenue Pasteur
Rue d'Arcueil
Av. Laplace
Av. Paul Doumer
Av. Raspail
Fondation Vallée
Stade F. V. Raspail
Stade G. André
Cimetière
ZAC DU RICARDO
Av. du Gal Malleret-Joinville
ARCUEIL
18
17
19
8
9
10
2
3
1
20
16
7
4
11
6
5
12
15
14
13

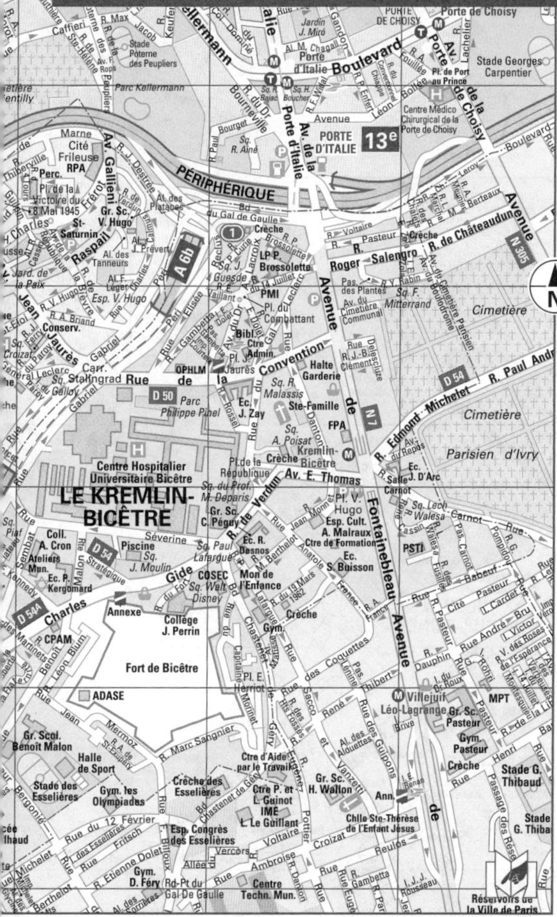

GENTILLY - LE KREMLIN-BICÊTRE

DL

DM

DN

DO

DP

IVRY-SUR-SEINE

N

LE KREMLIN-BICÊTRE
PORTE D'ITALIE
13e
PÉRIPHÉRIQUE
Porte de Choisy
PORTE DE CHOISY
Jardin J. Miró
Porte d'Italie
Boulevard
Stade Georges Carpentier
Pl. de Port au Prince
Centre Médico Chirurgical de la Porte de Choisy
Av. de la Porte de Choisy
Av. de la Porte d'Italie
Avenue
Sq. R. Aîné
Stade Poterne des Peupliers
Parc Kellermann
Cité Frileuse RPA
Marne
Perc.
Pl. de la Victoire du 8 Mai 1945
Av. Gallieni
Gr. Sc. V. Hugo
St-Saturnin
Raspail
Al. des Tanneurs
Al. des Platanes
A 6b
Bd du Gal de Gaulle
Crèche
LP P. Brossolette
PMI
Pl. du Combattant
Bibl.
Ctre Admin.
Pl. J. Jaurès
OPHLM
Rue de la Convention
Halte Garderie
Sq. R. Malassis
Ste-Famille
FPA
N7
Avenue de Fontainebleau
Sq. A. Poisat
Kremlin-Bicêtre
Pl. de la République
Crèche
Av. E. Thomas
R. Roger Salengro
R. de Châteaudun
Avenue
N 305
R. Pasteur
Crèche
Sq. F. Mitterrand
Cimetière
Cimetière Parisien
Pas. des Plantes
Av. du Cimetière Communal
D 54
R. Paul André
R. Edmond Michelet
Cimetière Parisien d'Ivry
Ec. J. D'Arc
Salle Carnot
Sq. Lech Walesa
Carnot
PSTI
Jean Jaurès
Conserv.
Esp. V. Hugo
R. A. Briand
Sq. Stalingrad
Rue de la
D 50
Parc Philippe Pinel
Ec. J. Zay
Centre Hospitalier Universitaire Bicêtre
Sq. du Prof. M. Deparis
Gr. Sc. C. Péguy
R. de Verdun
Pl. V. Hugo
Esp. Cult. A. Malraux
Ctre de Formation
Ec. S. Buisson
Ec. R. Desnos
Sq. Paul Lafargue
Séverine
Piscine
Sq. J. Moulin
D 54
Coll. A. Cron
Ateliers Mun.
Ec. P. Kergomard
Sq. Piaf
COSEC
Sq. Walt Disney
Mon de l'Enfance
R. du 19 Mars 1962
Crèche
Gym.
Gide
Charles
D 54A
Annexe
Collège J. Perrin
CPAM
Fort de Bicêtre
ADASE
Pl. E. Herriot
R. Léon Blum
Rue des Coquettes
Avenue
Villejuif Léo-Lagrange
Gr. Sc. Pasteur
Gym. Pasteur
Crèche
MPT
Stade G. Thibaud
Rue Babeuf
Cité Pasteur
Rue André Bru
Gr. Scol. Benoît Malon
Halle de Sport
Stade des Esselières
Gym. les Olympiades
Crèche des Esselières
R. Marc Sangnier
Ctre d'Aide par le Travail
Ctre P. et L. Guinot
IME
L. Le Guillant
Gr. Sc. H. Wallon
Chlle Ste-Thérèse de l'Enfant Jésus
Ann.
Esp. Congrès des Esselières
Rue du 12 Février
Gym. D. Féry
Rd-Pt du Gal De Gaulle
Centre Techn. Mun.
Rue des Guipons
Sacco et Vanzetti
Rue Voltaire
Croizat
Reulos
Ambroise
Réservoirs de la Ville de Paris
Stade G. Thiba

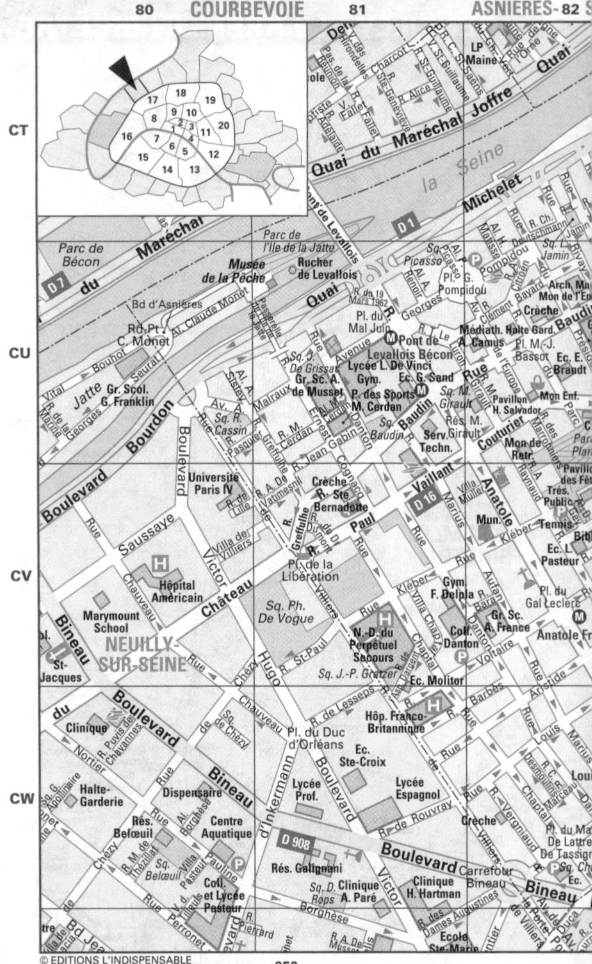

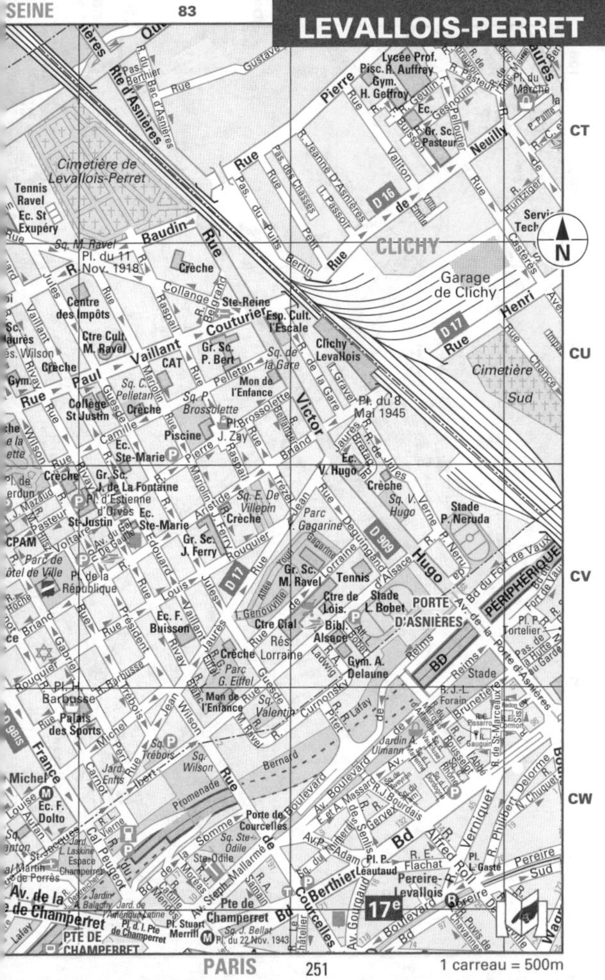
Cimetière de Levallois-Perret
CLICHY
Garage de Clichy
Clichy-Levallois
Cimetière Sud
Stade P. Neruda
PORTE D'ASNIÈRES
PÉRIPHÉRIQUE
Parc Y. Gagarine
Palais des Sports
Porte de Courcelles
Pte de Champerret
PTE DE CHAMPERRET
Pereire-Levallois
17e
CT
CU
CV
CW
N

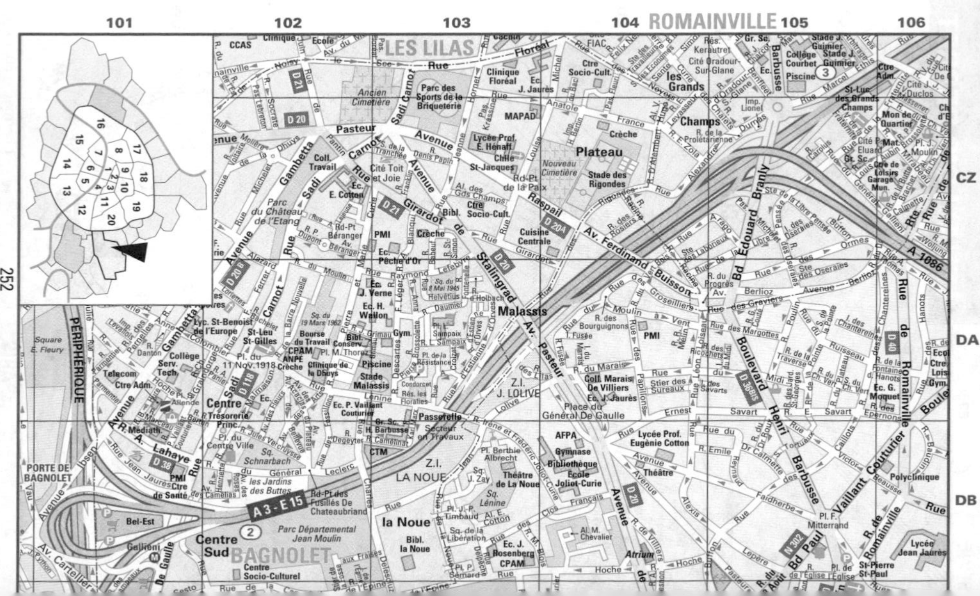

101
102
103
104
ROMAINVILLE
105
106
CZ
DA
DB
LES LILAS
BAGNOLET
PÉRIPHÉRIQUE
PORTE DE BAGNOLET
A 1086
A 3 - E 15
Rue de Romainville
Boulevard Henri Barbusse
Bd Edouard Branly
Av. Ferdinand Buisson
Av. Pasteur
Stalingrad
Malassis
Plateau
les Grands Champs
Nouveau Cimetière
Ancien Cimetière
Parc des Sports de la Briqueterie
Stade des Rigondes
Z.I. LA NOUE
Z.I. J. LOLIVE
Place du Général De Gaulle
Parc Départemental Jean Moulin
Parc du Château de l'Etang
Square E. Fleury
Centre Sud
Bel-Est
Gallieni
Lycée Jean Jaurès
Polyclinique
Lycée Prof. Eugènie Cotton
Théâtre de La Noue
Bibl. la Noue
Centre Socio-Culturel
Collège Courbet
Piscine
Stade Malassis
D 20
D 21
D 40
D 36bis
D 20A
D 20 B
D 118
D 38
N 302
16
15
7
8
17
14
6
1
9
18
2
5
3
10
13
4
11
19
12
20

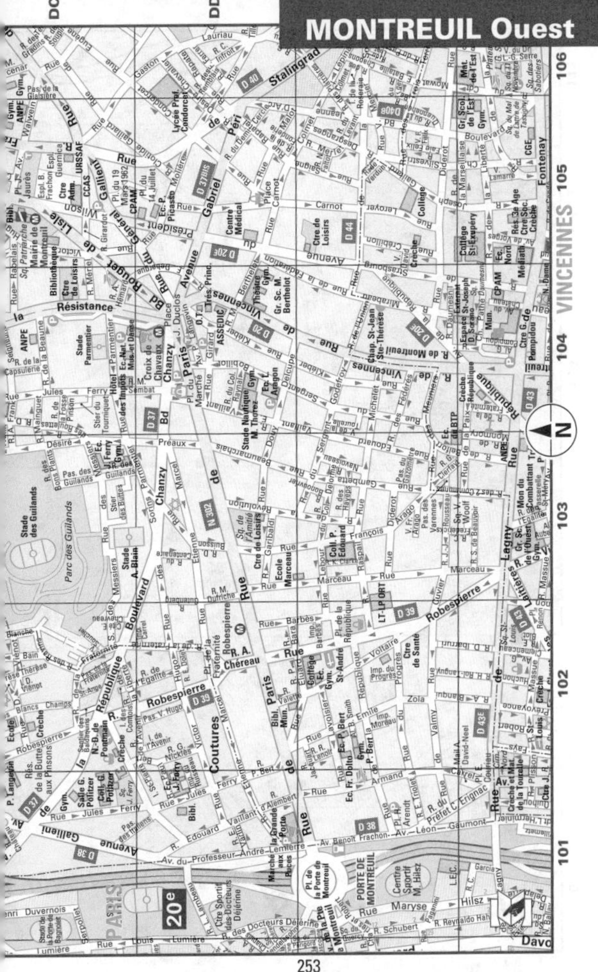
DC
DD
101
102
103
104
105
106
VINCENNES
PARIS
20e
Stalingrad
Rue de Vincennes
Avenue Gabriel Péri
Bd Rouget de Lisle
Rue du Général Gallieni
Avenue Pasteur
Rue de Paris
Bd Chanzy
Rue Robespierre
Boulevard de la République
Rue des Couturès
Avenue Gallieni
Av. du Professeur André Lemierre
Rue Marcel Sembat
Rue de la Résistance
Stade des Guilands
Parc des Guilands
Stade Parmentier
Stade A. Blain
Mairie de Montreuil
Bibliothèque
Ctre de Loisirs
Centre Médical
Lycée Prof. Condorcet
Croix de Chavaux
Place J. Duclos
Pl. de la Porte de Montreuil
PORTE DE MONTREUIL
Marché aux Puces
Centre Sportif M. Hilsz
Ctre Sportif des Docteurs Déjérine
Stade Nautique M. Thorez
Coll. P. Eluard
Collège St-André
Rue Marceau
Rue Carnot
Rue Diderot
Rue de Lagny
Fontenay
Rue Maryse Hilsz
Rue des Docteurs Déjérine
Rue Louis Lumière
Rue Henri Duvernois
D 37
D 38
D 39
D 40
D 44
D 43
N 302

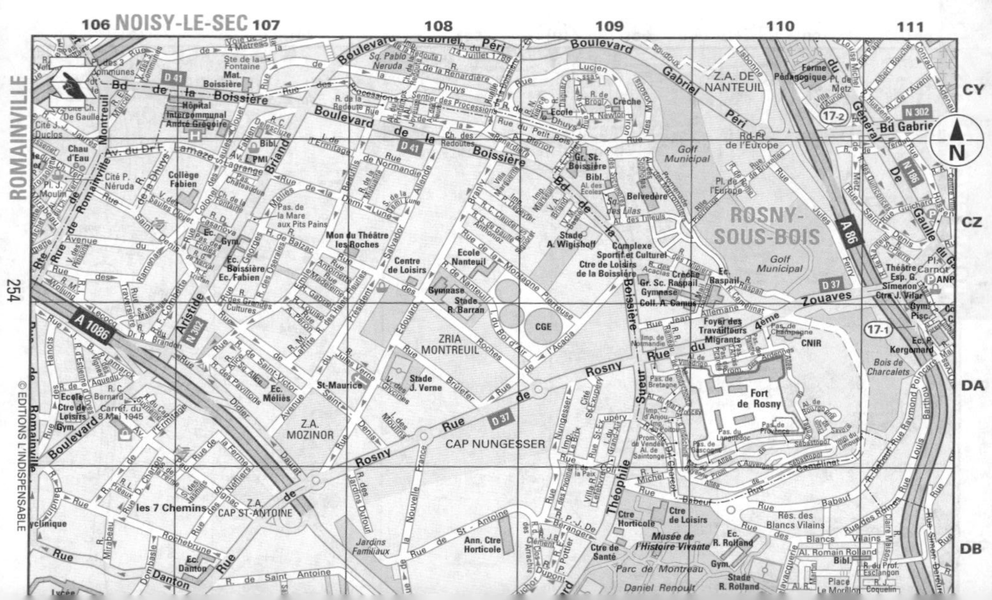
106
NOISY-LE-SEC
107
108
109
110
111
CY
CZ
DA
DB
ROMAINVILLE
N
ROSNY-SOUS-BOIS
Z.A. DE NANTEUIL
ZRIA MONTREUIL
CAP NUNGESSER
Z.A. MOZINOR
Z.A. CAP ST-ANTOINE
les 7 Chemins
Fort de Rosny
Golf Municipal
Bois de Charcalets
Parc de Montreau
Musée de l'Histoire Vivante
Hôpital Intercommunal André Grégoire
Collège Fabien
Stade A. Wigishoff
Stade R. Barran
Stade J. Verne
Stade R. Rolland
Complexe Sportif et Culturel
Ctre de Loisirs de la Boissière
Bd de la Boissière
Boulevard Gabriel Péri
Boulevard de la Boissière
Rue de Rosny
Rue du 4ème Zouaves
Rue Théophile Sueur
Aristide Briand
Bd Gabriel Général De Gaulle
Rue de Romainville
Rue Danton
Jardins Familiaux
A 86
A 1086
D 37
D 41
N 186
N 302
CGE
CNIR

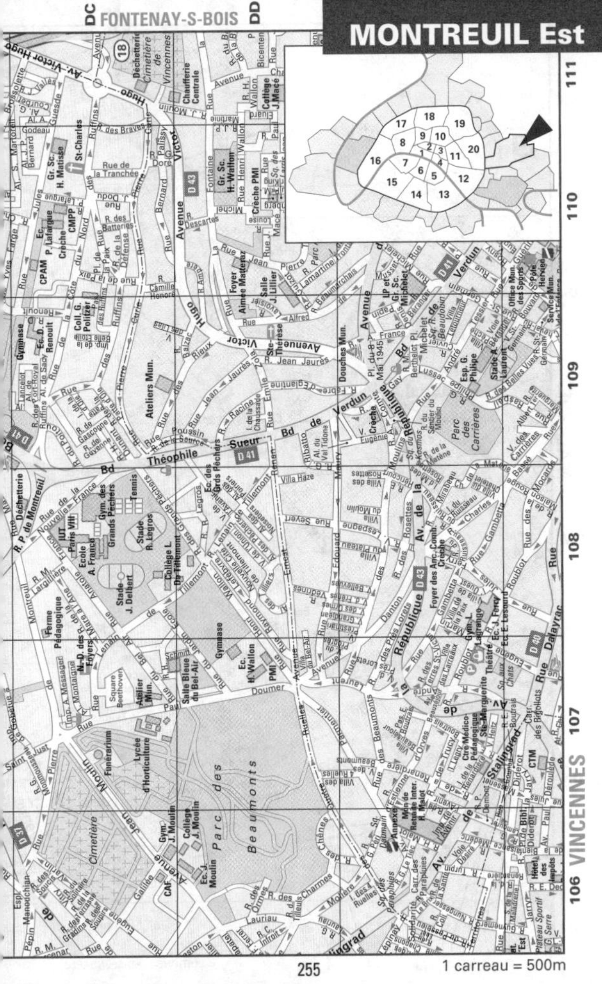

1 carreau = 500m

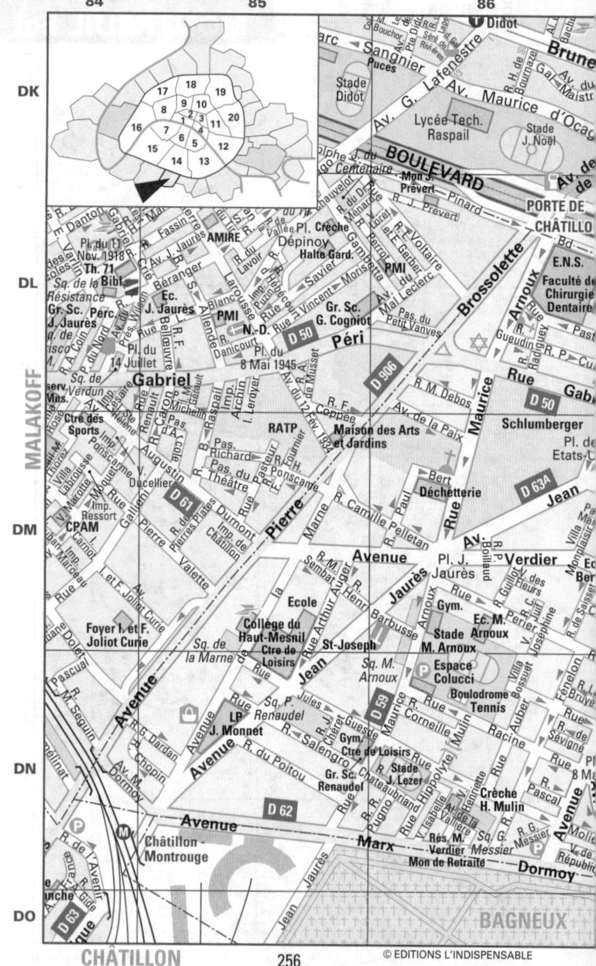
84
85
86
DK
DL
DM
DN
DO
MALAKOFF
CHÂTILLON
BAGNEUX
Didot
Brune
Sangnier
Puces
Stade Didot
Av. G. Lafenestre
Av. Maurice d'Ocagne
Lycée Tech. Raspail
Stade J. Noël
BOULEVARD
Mon J. Prévert
R. J. Prévert
Pinard
PORTE DE CHÂTILLON
E.N.S.
Faculté de Chirurgie Dentaire
Brossolette
Arnoux
Gueudin
Radiguey
Pl. du 11 Nov. 1918
Th. 71
Bibl.
Sq. de la Résistance
Gr. Sc. J. Jaurès
Perc.
Ec. J. Jaurès
Av. J. Jaurès
Béranger
Fassin
AMIRE
Pl. Dépinoy
Crèche
Halte Gard.
R. du Lavoir
Savier
Gambetta
PMI
Voltaire
Mal Leclerc
Pas. du Petit Vanves
Gr. Sc. G. Cogniot
N.-D.
D 50
Péri
Pl. du 8 Mai 1945
Pl. du 14 Juillet
Gabriel
Sq. de Verdun
Ctre des Sports
Augustin
Ducellier
D 906
D 61
R. M. Debos
Av. de la Paix
Rue Maurice
Rue Gabriel
D 50
Schlumberger
Pl. des Etats-Unis
RATP
Maison des Arts et Jardins
R. F. Coppée
Pas. Richard
Pas. du Théâtre
Ponscarme
Pierre
Dumont
Bert
Déchetterie
Jean
D 63A
R. Camille Pelletan
Marne
Paul
CPAM
Rue Pierre Valette
Av. Verdier
Avenue
Pl. J. Jaurès
Jaurès
R. M. Sembat
Rue Arthur Auger
R. Henri Barbusse
Ecole
Collège du Haut-Mesnil
Ctre de Loisirs
St-Joseph
Gym.
Ec. M. Arnoux
Stade M. Arnoux
Espace Colucci
Boulodrome
Tennis
Sq. M. Arnoux
Foyer I. et F. Joliot Curie
Sq. de la Marne
Sq. P. Renaudel
LP J. Monnet
Jules Guesde
R. Salengro
R. du Poitou
Gr. Sc. Renaudel
Stade J. Lezer
Chateaubriand
Corneille
Racine
Mulin
Hippolyte
Crèche H. Mulin
D 59
D 62
Avenue
Marx
Dormoy
Rés. M. Verdier
Mon de Retraite
Sq. G. Messier
Châtillon - Montrouge
R. Séguin
R. G. Dardan
R. Chopin
Av. M. Dormoy
Pascal
D 63
Jean Jaurès

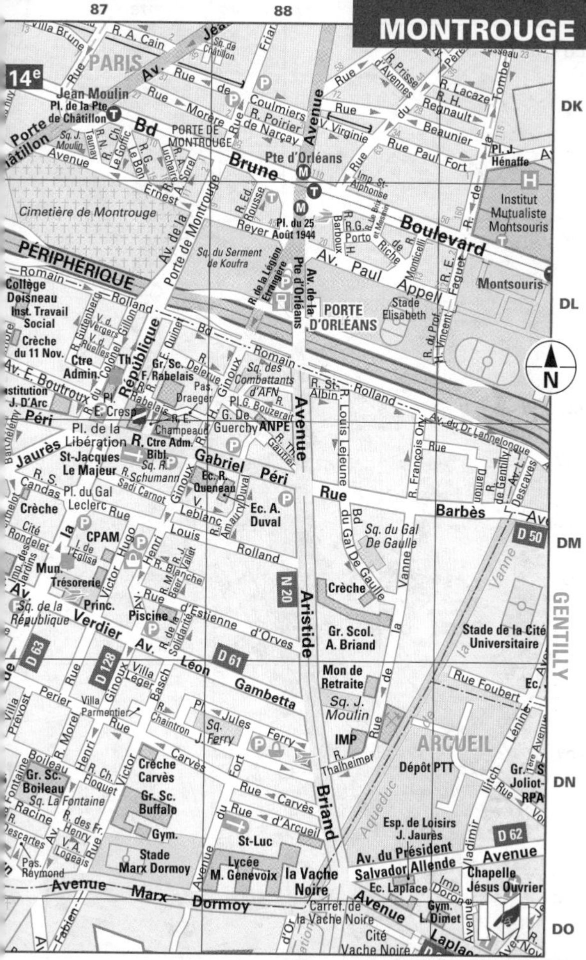

87 88

DK DL DM DN DO

14e

PARIS

GENTILLY

ARCUEIL

Jean Moulin
Pl. de la Pte de Châtillon
Porte de Châtillon
PORTE DE MONTROUGE
Pte d'Orléans
Bd Brune
Boulevard
Cimetière de Montrouge
PÉRIPHÉRIQUE
Sq. du Serment de Koufra
Pl. du 25 Août 1944
Institut Mutualiste Montsouris
Montsouris
PORTE D'ORLÉANS
Stade Elisabeth
Av. Paul Appell
Collège Doisneau
Inst. Travail Social
Crèche du 11 Nov.
Ctre Admin.
Th.
Gr. Sc. F. Rabelais
Sq. des Combattants d'AFN
Av. du Dr Lannelongue
Institution J. D'Arc
Pl. de la Libération
Ctre Adm.
Bibl.
St-Jacques Le Majeur
Ec. R. Queneau
Ec. A. Duval
ANPE
Avenue Gabriel Péri
Rue Barbès
Pl. du Gal Leclerc
Crèche
CPAM
Mun.
Trésorerie
Princ.
Piscine
Sq. de la République
Av. Verdier
Sq. du Gal De Gaulle
Bd du Gal De Gaulle
Crèche
Gr. Scol. A. Briand
Stade de la Cité Universitaire
Avenue Aristide Briand
Av. Léon Gambetta
Mon de Retraite
Sq. J. Moulin
Sq. J. Ferry
IMP
Rue Foubert
Dépôt PTT
Crèche Carvès
Gr. Sc. Buffalo
Gr. Sc. Boileau
Sq. La Fontaine
Gym.
Stade Marx Dormoy
St-Luc
Lycée M. Genevoix
la Vache Noire
Esp. de Loisirs J. Jaurès
Av. du Président Salvador Allende
Chapelle Jésus Ouvrier
Ec. Laplace
Gym. L. Dimet
Carref. de la Vache Noire
Cité Vache Noire
Avenue Marx Dormoy
Aqueduc de la Vanne
D 50 D 61 D 62 D 63 D 128 N 20

1 carreau = 500m

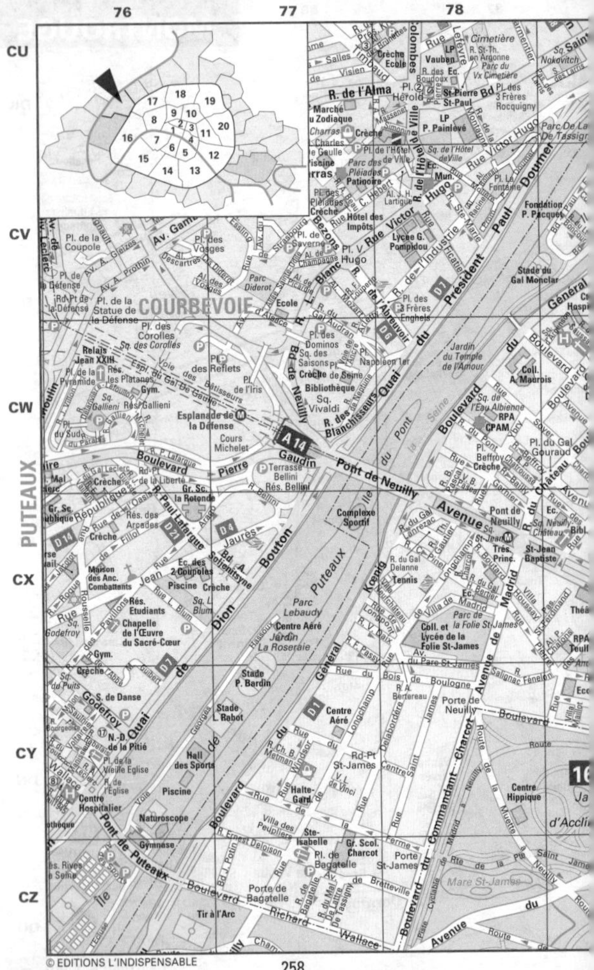

76
77
78
CU
CV
CW
CX
CY
CZ
PUTEAUX
COURBEVOIE
R. de l'Alma
Pl. de la Coupole
Pl. des Vosges
Pl. de la Défense
Pl. de la Statue de la Défense
Pl. des Corolles
Sq. des Corolles
Relais Jean XXIII
Pl. de la Pyramide
Rés. les Platanes
Esplanade de la Défense
Cours Michelet
Boulevard Pierre Gaudin
Terrasse Bellini
Rés. Bellini
Pont de Neuilly
Avenue
Quai du Président Paul Doumer
Boulevard de Neuilly
Quai de Dion Bouton
Boulevard du Général Kœnig
Île de Puteaux
Parc Lebaudy
Centre Aéré
Jardin La Roseraie
Stade P. Bardin
Stade L. Rabot
Hall des Sports
Piscine
Naturoscope
Gymnase
Pont de Puteaux
Boulevard Richard Wallace
Porte de Bagatelle
Tir à l'Arc
Pl. de Bagatelle
Porte St-James
Porte de Neuilly
Centre Hippique
Mare St-James
Coll. et Lycée de la Folie St-James
Parc de la Folie St-James
Stade du Gal Monclar
Jardin du Temple de l'Amour
Coll. A. Maurois
Boulevard Commandant Charcot
Avenue de Madrid
Centre Hospitalier
N.-D. de la Pitié
Chapelle de l'Œuvre du Sacré-Cœur
Rés. Etudiants
Maison des Anc. Combattants
Gr. Sc. la Rotonde
Complexe Sportif
Lycée G. Pompidou
Hôtel des Impôts
Bibliothèque
Sq. Vivaldi
Rd-Pt St-James
Centre Aéré

1 carreau = 500m

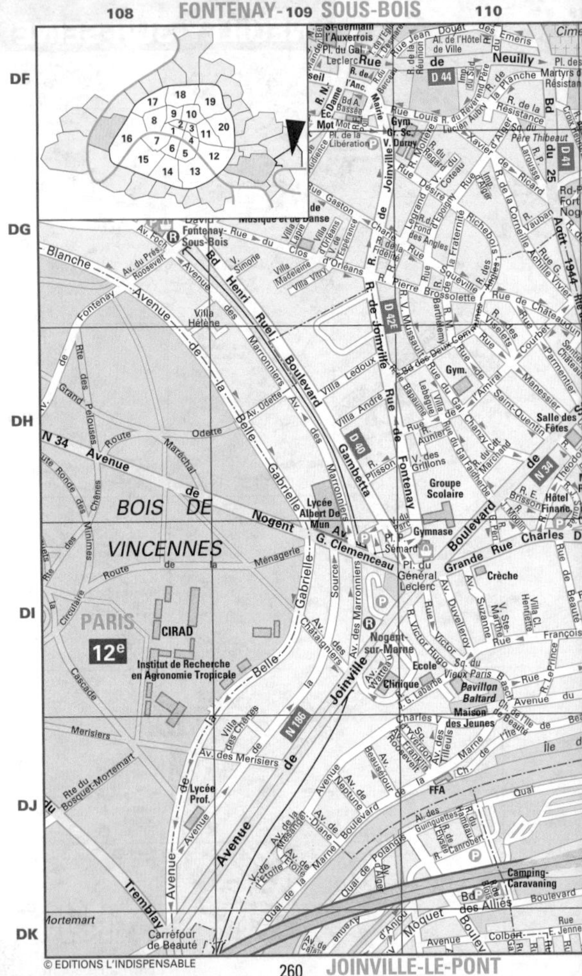
DF
DG
DH
DI
DJ
DK
BOIS DE VINCENNES
PARIS
12e
CIRAD
Institut de Recherche en Agronomie Tropicale
Fontenay-Sous-Bois
Nogent-sur-Marne
Avenue de Nogent
Boulevard Gambetta
Bd Henri Ruel
Rue de Fontenay
Rue de Joinville
Grande Rue Charles De
Lycée Albert De Mun
Groupe Scolaire
Gymnase
Pl. du Général Leclerc
Pl. Sémard
Crèche
Ecole
Clinique
Pavillon Baltard
Maison des Jeunes
Lycée Prof.
Camping-Caravaning
Carrefour de Beauté
Avenue de Joinville
Avenue du Tremblay
Route de la Ménagerie
Av. des Merisiers
Quai de Polangis
Salle des Fêtes
Hôtel Financ.
FFA
Rue de Neuilly
Gr. Sc. V. Duruy
Pl. de la Libération

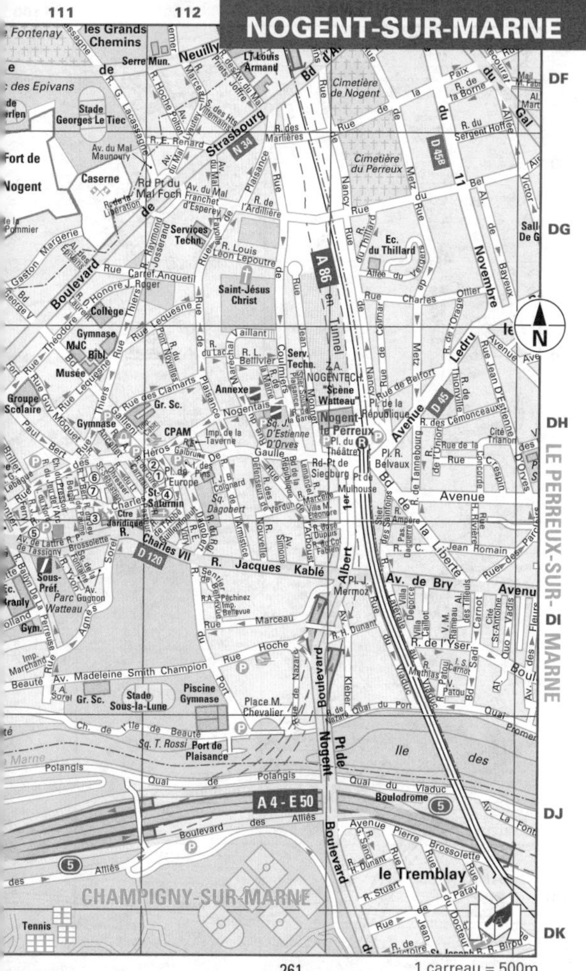

1 carreau = 500m

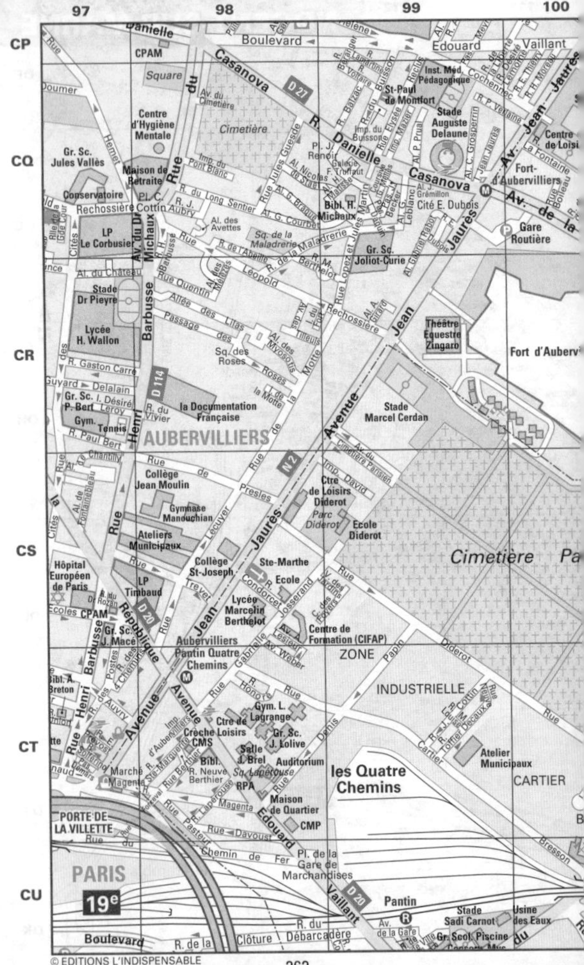

97
98
99
100
CP
CQ
CR
CS
CT
CU
Boulevard
Edouard
Vaillant
Casanova
D 27
R. Danielle
Casanova
CPAM
Square
Av. du Cimetière
Cimetière
Centre d'Hygiène Mentale
Gr. Sc. Jules Vallès
Maison de Retraite
Conservatoire
Pl. C. Cottin
Rechossière
LP Le Corbusier
Av. du Dr Michaux
Rue du Long Sentier
Al. des Avettes
Sq. de la Maladrerie
R. de l'Abeille
R. de la Maladrerie
Bibl. H. Michaux
Gr. Sc. Joliot-Curie
St-Paul de Montfort
Inst. Méd. Pédagogique
Stade Auguste Delaune
Pl. J. Renoir
Galerie F. Truffaut
Imp. du Buisson
Cité E. Dubois
Centre de Loisi
Fort-d'Aubervilliers
Gare Routière
Av. Jean Jaurès
Av. de la
Al. du Château
Stade Dr Pieyre
Lycée H. Wallon
Rue Henri Barbusse
Rue Quentin
Allée des Lilas
Passage des Roses
Sq. des Roses
Al. des Myosotis
Rechossière
Av. des Tilleuls
Théâtre Equestre Zingaro
Fort d'Auberv
Avenue Jean
R. Gaston Carré
Delalain
Gr. Sc. P. Bert
Gym.
Tennis
R. Paul Bert
D 114
la Documentation Française
AUBERVILLIERS
Stade Marcel Cerdan
Av. du Cimetière Parisien
Rue de Presles
Rue de la Motte
N 2
Collège Jean Moulin
Gymnase Manouchian
Ateliers Municipaux
Ctre de Loisirs Diderot
Parc Diderot
Ecole Diderot
Cimetière Pa
Hôpital Européen de Paris
CPAM
LP Timbaud
D 20
Gr. Sc. J. Macé
Collège St-Joseph
Ste-Marthe
Ecole
Lycée Marcelin Berthelot
Centre de Formation (CIFAP)
Rue Diderot
ZONE
INDUSTRIELLE
Aubervilliers Pantin Quatre Chemins
Avenue de la République
Avenue Jean Jaurès
Bibl. A. Breton
Gym. L. Lagrange
Ctre de Loisirs
Crèche CMS
Gr. Sc. J. Lolive
Salle J. Brel
Auditorium
Bibl.
Sq. Lapérouse
RPA
Maison de Quartier
CMP
Marché Magenta
les Quatre Chemins
Atelier Municipaux
CARTIER
PORTE DE LA VILLETTE
Rue Pasteur
Rue Davoust
Chemin de Fer
Pl. de la Gare de Marchandises
Avenue Edouard Vaillant
PARIS
19e
Pantin
Stade Sadi Carnot
Usine des Eaux
Boulevard
R. de la Clôture
R. du Débarcadère
Bresson

1 carreau = 500m

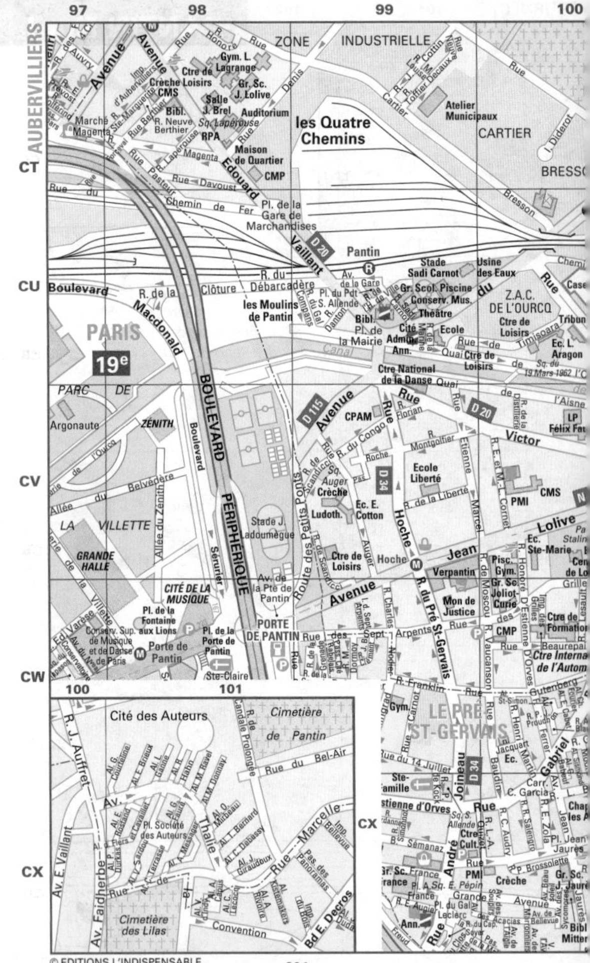

97
98
99
100
AUBERVILLIERS
CT
CU
CV
CW
CX
ZONE INDUSTRIELLE
Gym. L. Lagrange
Ctre de Loisirs
Crèche CMS
Gr. Sc. J. Lolive
Salle J. Brel
Auditorium
Sq. Lapérouse
Bibl.
R. Neuve Berthier
RPA
Marché Magenta
Maison de Quartier
CMP
les Quatre Chemins
Atelier Municipaux
CARTIER
BRESSO
Rue Davoust
Rue du Chemin de Fer
Pl. de la Gare de Marchandises
Vaillant
D 20
Pantin
Stade Sadi Carnot
Usine des Eaux
Z.A.C. DE L'OURCQ
Boulevard
R. de la Clôture
R. du Débarcadère
Macdonald
les Moulins de Pantin
Pl. du Pdt S. Allende
Gr. Scol. Piscine
Conserv. Mus.
Théâtre
Bibl.
Pl. de la Mairie
Cité Admin. Ann.
Ecole
Ctre de Loisirs
Ctre de Loisirs
Ctre National de la Danse
PARIS
19e
PARC DE
Argonaute
ZÉNITH
BOULEVARD PÉRIPHÉRIQUE
D 115
Avenue
CPAM
D 20
Victor
LP Félix Fa
Allée du Belvédère
LA VILLETTE
GRANDE HALLE
Allée du Zénith
Stade J. Ladoumègue
Sq. Auger
Crèche
Ludoth.
Ec. E. Cotton
D 34
Ecole Liberté
R. de la Liberté
PMI
CMS
Lolive
Ec. Ste-Marie
Route des Petits Ponts
Ctre de Loisirs
Hoche
Jean
Verpantin
Pisc. Gym.
Gr. Sc. Joliot-Curie
CITÉ DE LA MUSIQUE
Pl. de la Fontaine aux Lions
Conserv. Sup. de Musique et de Danse de Paris
Porte de Pantin
Pl. de la Porte de Pantin
Av. de la Pte de Pantin
PORTE DE PANTIN
Rue des Sept Arpents
Mon de Justice
R. du Pré St-Gervais
CMP
Ctre de Formation
Ctre Interna de l'Autom
Ste-Claire
101
Cité des Auteurs
Cimetière de Pantin
Rue du Bel-Air
R. J. Auffret
Pl. Société des Auteurs
Thalie
Rue Marcelle
Av. E. Vaillant
Av. Faidherbe
Cimetière des Lilas
Convention
Bd E. Decros
LE PRÉ ST-GERVAIS
R. Franklin
Gym.
Rue du 14 Juillet
Ste-Famille
Joinville
D 34
Jacquart
Ec.
Gabriel
C. Garcia
Rue André Joineau
Ctre Cult.
PMI
Crèche
Gr. Sc. J. Jaurès
Gr. Sc. France
Pl. A. Sq. E. Pépin
Pl. du Gal Leclerc
Ann.
Bibl. Mitter

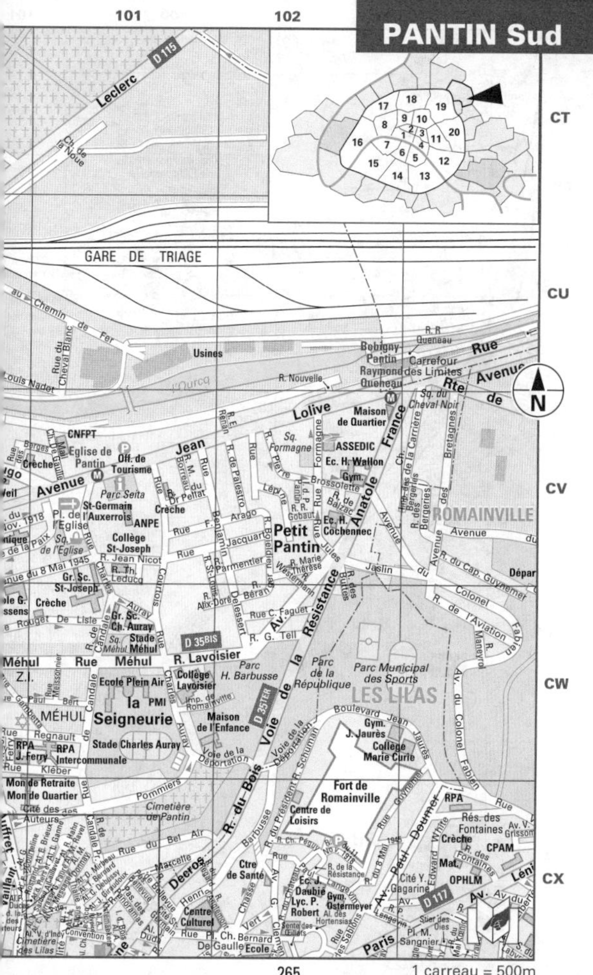

1 carreau = 500m

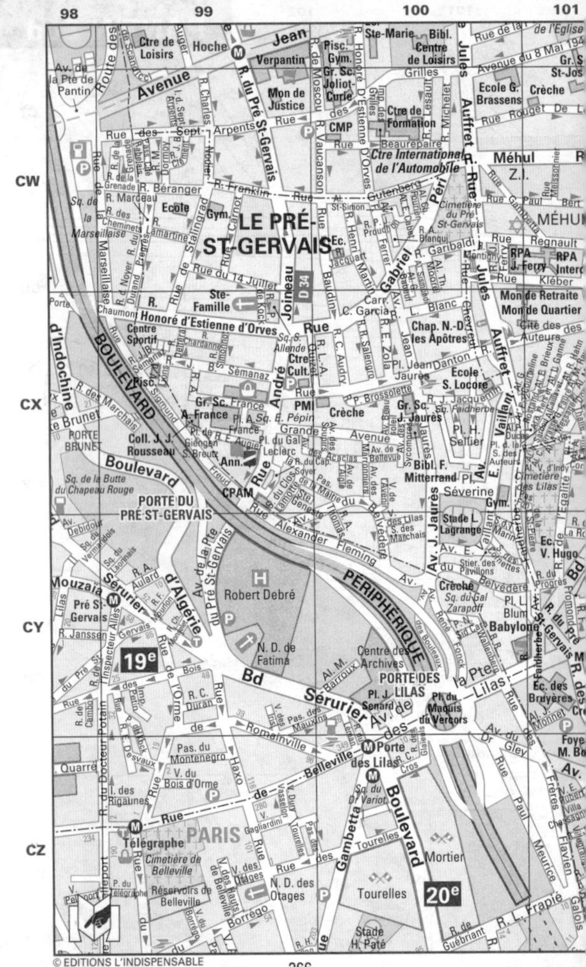
98
99
100
101
CW
CX
CY
CZ
LE PRÉ-ST-GERVAIS
PORTE DU PRÉ ST-GERVAIS
PORTE BRUNET
PORTE DES LILAS
PARIS
19e
20e
BOULEVARD PÉRIPHÉRIQUE
Hoche
Ctre de Loisirs
Av. de la Pte de Pantin
Avenue Jean Jaurès
Verpantin
Pisc.
Gym.
Gr. Sc. Joliot-Curie
Mon de Justice
CMP
Ctre de Formation
Ctre International de l'Automobile
Ste-Marie
Bibl. Centre de Loisirs
Ecole G. Brassens
Crèche
Méhul Z.I.
Cimetière du Pré St-Gervais
RPA J. Ferry
Mon de Retraite
Mon de Quartier
Cité des Auteurs
R. du Pré St-Gervais
Rue des Sept Arpents
Rue Franklin
R. Béranger
R. Marceau
Ecole
Gym.
Ec.
Sq. de la Marseillaise
Rue de la Marseillaise
R. Lamartine
R. Stalingrad
Rue du 14 Juillet
R. Gabriel Péri
R. Garibaldi
Rue Jules Auffret
Ste-Famille
D 34
R. Honoré d'Estienne d'Orves
Centre Sportif
R. Sémanaz
Pisc.
Ctre Cult.
Rue André Joineau
PMI
Crèche
Chap. N.-D. les Apôtres
Pl. Jean Jaurès
Ecole S. Locore
Gr. Sc. J. Jaurès
Pl. H. Sellier
Gr. Sc. A. France
Coll. J. J. Rousseau
Ann.
CPAM
Grande Avenue
Bibl. F. Mitterrand
Pl. Séverine
Gym.
Stade L. Lagrange
Cimetière des Lilas
Ec. V. Hugo
Boulevard d'Indochine
Boulevard Sérurier
Sq. de la Butte du Chapeau Rouge
Rue Alexander Fleming
Av. du Belvédère
Crèche
Sq. du Gal Zarapoff
Pl. L. Blum
Babylone
Mouzaïa
Pré St-Gervais
Av. de la Pte du Pré St-Gervais
H
Robert Debré
N. D. de Fatima
Centre des Archives
Pl. J. Senard
Pl. du Maquis du Vercors
Av. de la Pte des Lilas
Ec. des Bruyères
Foyer M. Bo
R. Janssen
Bd d'Algérie
R. C. Duran
Rue de Romainville
Pas. du Montenegro
V. du Bois d'Orme
I. des Rigaunes
Rue Haxo
Rue de Belleville
Porte des Lilas
Sq. du Dr Variot
Boulevard Mortier
Rue Gambetta
Télégraphe
Cimetière de Belleville
Réservoirs de Belleville
N. D. des Otages
Rue des Tourelles
Tourelles
Mortier
Stade H. Paté
R. de Guébriant
R. L. Frapié
Rue Paul Meurice
R. du Docteur Potain
Quarré
Rue Borrégo

LE PRÉ-SAINT-GERVAIS - LES LILAS

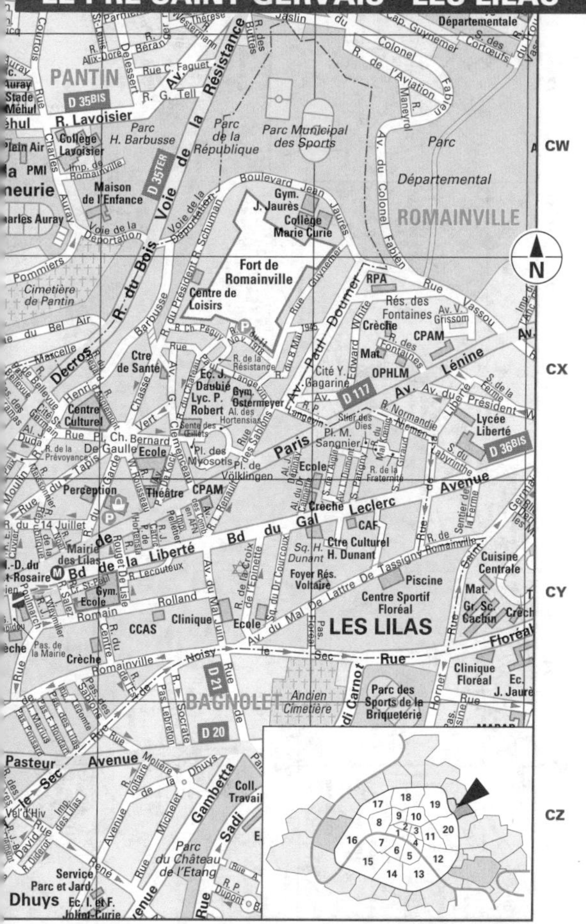

1 carreau = 500m

73
74
75
76
77
COURBEVOIE
CU
CV
CW
CX
NANTERRE
LA DÉFENSE
La Défense - Grande Arche
la Grande Arche
CNIT
les Quatre Temps
Parc Nord
Cimetière de Puteaux
Nouveau Cimetière de Neuilly
Stade des Bouvets
Pôle Universitaire Léonard de Vinci
Z.A.C. DANTON
N.-D. de Pentecôte
Av. de la Div. Leclerc
Boulevard Circulaire
Bd de Neuilly
A 14
N 13
Esplanade de la Défense
Cours Michelet
Bibliothèque
Complexe Sportif
Puteaux
Rue Anatole Fr
Bd A. Soljenitsyne
R. Paul Lafargue
Avenue du Général De Gaulle
Pablo Picasso
Av. du Rond-Point
Pdt Wilson
Rés. des Bergères
Théâtre
Tennis
Gr. Sc. M. Gorki
Stade J. Guimier
Gymnase
RPA du Parc
Auditorium
Ctre de Loisirs
Gr. Sc. E. Triolet
CPAM 92
Nanterre Préfecture
Ecole Architecture
Trésorerie
Halte-Gard.
Ec. Défense 2000
Bourse du Travail
Maison des Anc. Combattants

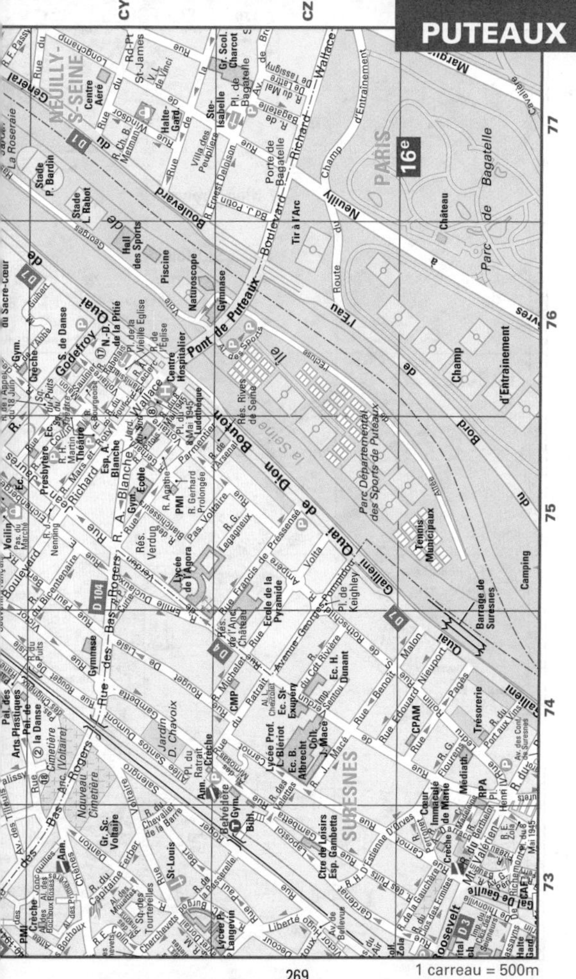

1 carreau = 500m

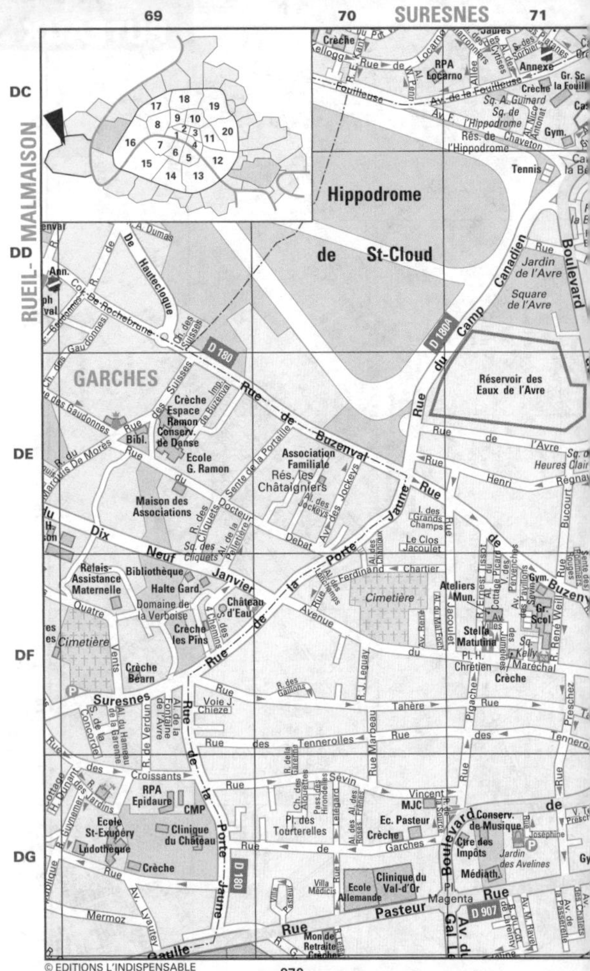
69
70
SURESNES
71
DC
DD
DE
DF
DG
RUEIL-MALMAISON
GARCHES
Hippodrome
de St-Cloud
Réservoir des
Eaux de l'Avre
Jardin
de l'Avre
Square
de l'Avre
Rue du Camp Canadien
D 1804
D 180
D 907
Rue de Buzenval
Rue de la Porte Jaune
Rue du Dix Neuf Janvier
Avenue du Maréchal
Rue Tahère
Rue des Tennerolles
Rue des Croissants
Rue Sévin
Rue Vincent
Rue de Garches
Rue Pasteur
Rue Henri Régnault
Rue de l'Avre
Boulevard de Lattre
Av. de la Fouilleuse
Av. F. l'Hippodrome
Rés. de l'Hippodrome
RPA
Locarno
Crèche
Annexe
Tennis
Gym.
Sq. A. Guinard
Sq. de l'Hippodrome
Col. de Rochebrune
R. de Hautecloque
Ch. des Suisses
R. des Gaudonnes
Bibl.
Crèche
Espace
Ramon
Conserv.
de Danse
Ecole
G. Ramon
Association
Familiale
Rés. les
Châtaigniers
Av. des Jockeys
Maison des
Associations
Rue du Docteur Debat
R. des Cliquets
Sq. des Cliquets
Relais-
Assistance
Maternelle
Bibliothèque
Halte Gard.
Domaine de
la Verboise
Château
d'Eau
Crèche
les Pins
Cimetière
Crèche
Béarn
Rue des Quatre Vents
Suresnes
I. des
Grands
Champs
Le Clos
Jacoulet
Rue Ferdinand Chartier
Ateliers
Mun.
Gr.
Scol.
Stella
Matutina
Pl. H.
Chrétien
Crèche
Sq.
Kelly
Voie J.
Chieze
R. des Gaillons
R. J. Leguay
Rue Marbeau
RPA
Epidaure
CMP
Clinique
du Château
Ecole
St-Exupéry
Ludothèque
Crèche
Pl. des
Tourterelles
MJC
Ec. Pasteur
Crèche
Conserv.
de Musique
Ctre des
Impôts
Jardin
des Avelines
Médiath.
Clinique du
Val-d'Or
Ecole
Allemande
Villa
Médicis
Pl. Magenta
Mon de
Retraite
Av. Lyautey
Mermoz
Gaulle

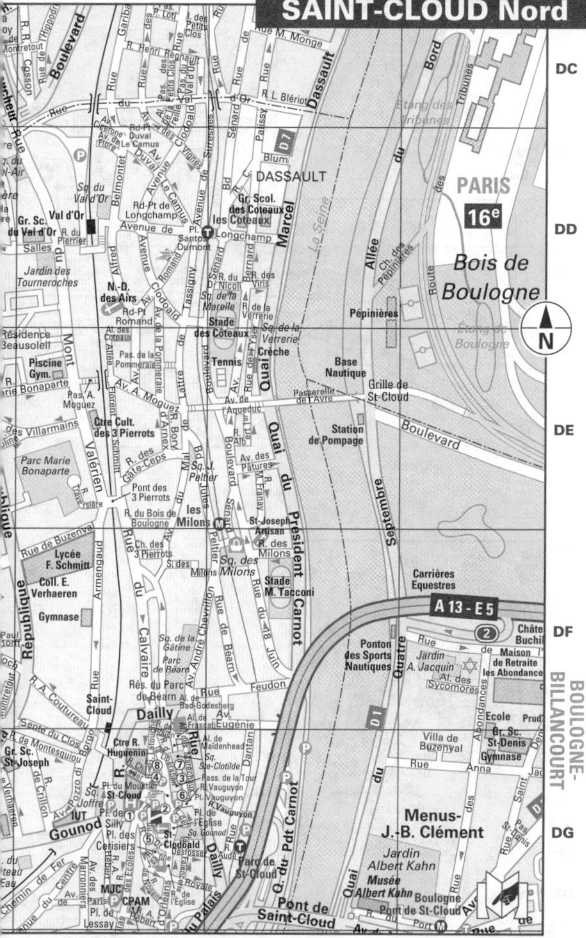

SAINT-CLOUD Nord

Voir agrandissement du centre page suivante

1 carreau = 500m

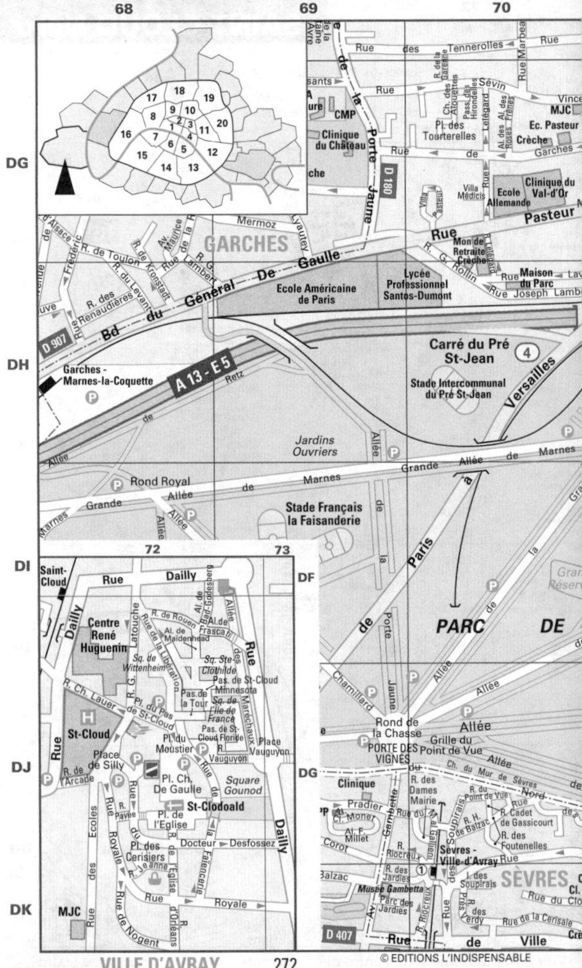

68
69
70
DG
DH
DI
DJ
DK
GARCHES
Bd du Général De Gaulle
Ecole Américaine de Paris
Lycée Professionnel Santos-Dumont
Carré du Pré St-Jean
Stade Intercommunal du Pré St-Jean
Garches - Marnes-la-Coquette
A 13 - E5
Jardins Ouvriers
Rond Royal
Grande Allée de Marnes
Stade Français la Faisanderie
PARC DE
Clinique du Château
CMP
Clinique du Val-d'Or
Ecole Allemande
Mon de Retraite Crèche
Maison du Parc
Rue Joseph Lamb
Rue Pasteur
Rue des Tennerolles
Rue de Garches
Pl. des Tourterelles
Ec. Pasteur
Crèche
MJC
Rond de la Chasse
PORTE DES VIGNES
Grille du Point de Vue
Clinique
Sèvres - Ville-d'Avray
SÈVRES
Musée Gambetta
Rue de Ville
72
73
DF
DG
Saint-Cloud
Rue Dailly
Centre René Huguenin
St-Cloud
Sq. de Wittenheim
Sq. Ste-Clothilde
Pas. de St-Cloud Minnesota
Pl. du Moustier
Place de Silly
Place Vauguyon
Pl. Ch. De Gaulle
Square Gounod
St-Clodoald
Pl. de l'Eglise
Pl. des Cerisiers
Rue du Docteur Desfossez
Rue Royale
Rue des Ecoles
Rue de Nogent
MJC

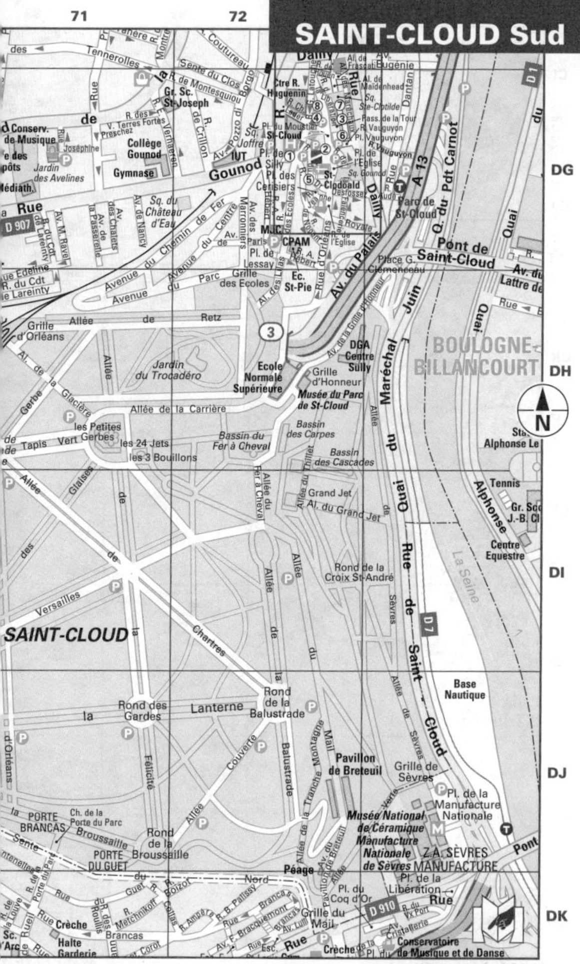

1 carreau = 500m

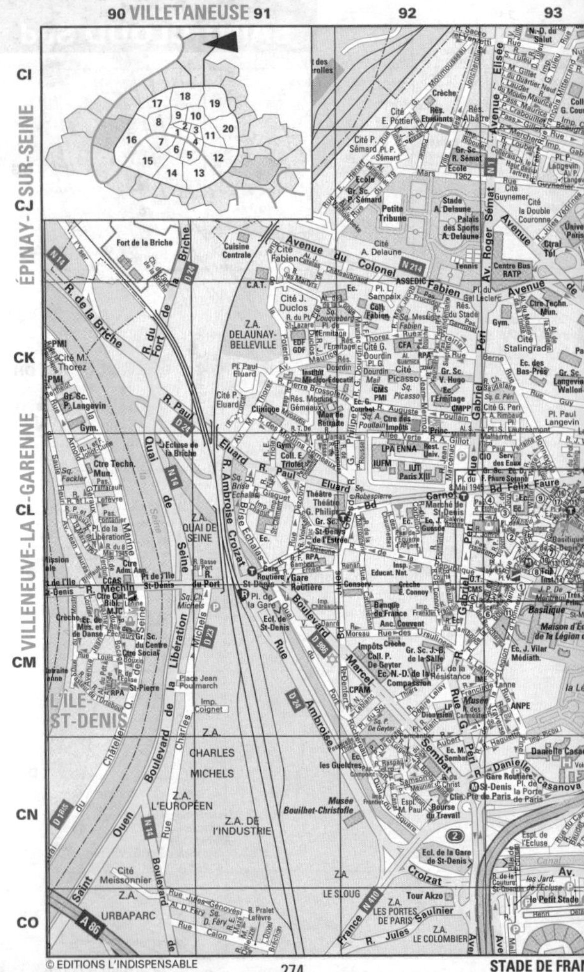
CI
CJ
CK
CL
CM
CN
CO
ÉPINAY-SUR-SEINE
VILLENEUVE-LA-GARENNE
17
18
19
8
9
10
16
7
1
2
3
4
11
20
6
5
15
14
13
12
Fort de la Briche
R. de la Briche
R. du Fort de la Briche
Cuisine Centrale
Avenue du Colonel Fabien
Cité Fabien
C.A.T.
Cité J. Duclos
Z.A. DELAUNAY-BELLEVILLE
Pl. Paul Eluard
Cité P. Eluard
R. Paul Eluard
R. Pierre Brossolette
Clinique
Maison de Retraite
Institut Médico-Educatif
Cité G. Dourdin
Cité Picasso
Gr. Sc. V. Hugo
CMPP
Cité G. Peri
Cité Stalingrad
Ec. des Bas-Prés
Gr. Sc. Langevin Wallon
Pl. Paul Langevin
Gym.
Coll. Fabien
ASSEDIC
Pl. du Gal Leclerc
Tennis
Centre Bus RATP
Ctre Techn. Mun.
Cité P. Sémard
Pl. P. Sémard
Petite Tribune
Stade A. Delaune
Palais des Sports A. Delaune
Cité A. Delaune
Cité E. Pottier
Rés. Etudiants
Rés. Albâtre
Crèche
Gr. Sc. R. Sémat
Ecole 1962
Av. Roger Sémat
Avenue Elisée
Cité Guynemer
Cité la Double Couronne
N.-D. du Salut
Av. Gabriel Peri
Rue Gabriel Peri
Ecluse de la Briche
Quai de Seine
Z.A. QUAI DE SEINE
R. Ambroise Croizat
Théâtre G. Philipe
Gr. Sc. St-Denis de l'Estrée
Gare Routière
LPA ENNA
IUFM
IUT Paris XIII
Carnot
Marché de St-Denis
Bd Félix Faure
Basilique
Maison d'Éducation de la Légion d'Honneur
Pl. du 8 Mai 1945
Ec. J. Vilar Médiath.
CIO
Mairie
Banque de France
Anc. Couvent
Impôts
Coll. P. De Geyter
Gr. Sc. J.-B. de la Salle
Ec. N.-D. de la Compassion
Pl. de la Résistance
CPAM
Musée
ANPE
Boulevard Marcel Sembat
Boulevard Jules Guesde
Rue Danielle Casanova
Gare Routière St-Denis
Pl. de la Porte de Paris
Clin. Pte de Paris
Bourse du Travail
Musée Bouilhet-Christofle
les Gueldres
Ecl. de la Gare de St-Denis
Rue Croizat
Tour Akzo
Z.A. LES PORTES DE PARIS
R. Jules Saulnier
Z.A. LE COLOMBIER
Z.A. LE SLOUG
le Petit Stade
Espl. de l'Ecluse
Canal
Quai de la Marine
Mission Locale
Méchin
Ctre Cult. Bibl. MJC
Gr. Sc. du Centre
Ctre Social
Pl. de l'Ile St-Denis
L'ILE-ST-DENIS
Pl. de la Libération
Gr. Sc. P. Langevin
Ctre Techn. Mun.
Boulevard de la Libération
Place Jean Poulmarch
Imp. Coignet
Z.A. CHARLES MICHELS
Z.A. L'EUROPÉEN
Z.A. DE L'INDUSTRIE
Boulevard Ouen
Cité Meissonnier
Z.A. URBAPARC
Rue Jules Génovési
Rue Calon
R. Pralet Lefèvre
Rue Charles Michels
la Seine
N 14
N 214
N 410
N 1
D 24
D 23
D 986
A 86

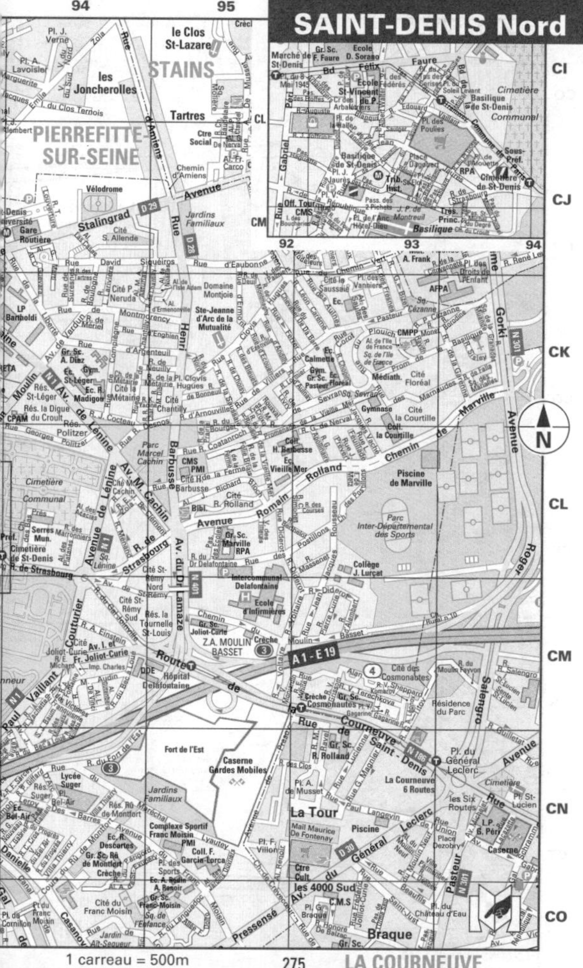

1 carreau = 500m

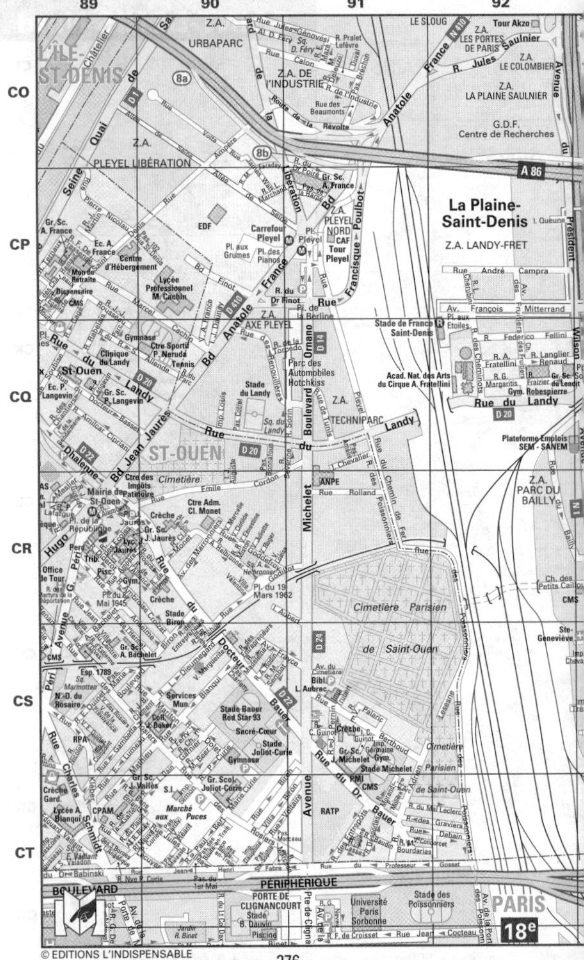

89
90
91
92
CO
CP
CQ
CR
CS
CT
L'ÎLE-ST-DENIS
Quai de Seine
Quai du Châtelier
Z.A.
URBAPARC
Z.A. DE l'INDUSTRIE
Rue Jules-Génovési
Al. D. Féry
Sq. D. Féry
R. Pralet
Lefèvre
Rue Calon
R. de l'Industrie
Rue des Beaumonts
Route de la Révolte
Pas. Bréchon
LE SLOUG
N 410
Tour Akzo
Z.A. LES PORTES DE PARIS
R. Jules Saulnier
Z.A. LE COLOMBIER
Z.A. LA PLAINE SAULNIER
G.D.F. Centre de Recherches
Avenue du Président Wilson
Anatole France
A 86
8a
8b
D 1
Z.A. PLEYEL LIBÉRATION
Allée de Seine
Rue Ampère
Rue Volta
R. du Dr Poiré
Gr. Sc. A. France
Pas. de la Harpe
Bd Libération
Bd Anatole France
Z.A. PLEYEL NORD
CAF
Tour Pleyel
Pl. Pleyel
Carrefour Pleyel
Pl. aux Grumes
Pl. des Pianos
EDF
Rue Francisque Poulbot
La Plaine-Saint-Denis
Z.A. LANDY-FRET
Rue André Campra
Av. François Mitterrand
Stade de France Saint-Denis
Pl. aux Etoiles
R. Federico Fellini
R. A. Fratellini
R. Langlier Renaud
R. G. Margaritis
Acad. Nat. des Arts du Cirque A. Fratellini
Gym. Robespierre
Gr. Sc. du Lendit
Rue du Landy
D 20
Plateforme Emplois SEM - SANEM
Z.A. PARC DU BAILLY
N 1
Gr. Sc. A. France
Ec. A. France
Centre d'Hébergement
Lycée Professionnel M. Cachin
Mon de Retraite
Dispensaire
CMS
Rue Pierre Nicolau
Bd Finot
Rue Marcel Cachin
D 410
R. du Dr Finot
Pl. de la Berline
Z.A. AXE PLEYEL
Rue des Renouillères
D 14
Parc des Automobiles Hotchkiss
Stade du Landy
Sq. du Landy
Z.A. TECHNIPARC
Gymnase
Ctre Sportif P. Neruda
Tennis
Clinique du Landy
Rue du Landy
Gr. Sc. P. Langevin
Ec. P. Langevin
Rue du Docteur Bauer
R. Amilcar Cipriani
Rue du Landy
ST-OUEN
Bd Jean Jaurès
D 22
D 20
Boulevard Ornano
Boulevard Michelet
Rue du Chemin de Fer
R. des Poissonniers
ANPE
Rue Rolland
Cimetière
Rue Emile Cordon
Ctre des Impôts
Patinoire
Mairie de St-Ouen
Ctre Adm. Cl. Monet
Crèche
Pl. Jaurès
Gr. Sc. J. Jaurès
Lyc. J. Jaurès
Pl. de la République
Hugo
Perd.
Trib.
Pisc.
Gym.
Office de Tour.
Av. des Marronniers
Rue Godillot
Pl. du 19 Mars 1962
Pl. du 8 Mai 1945
Crèche
Stade Biron
Cimetière Parisien de Saint-Ouen
Ch. des Petits Cailloux
CMS
Ste-Geneviève
Rue du Docteur Bauer
D 24
D 22
Av. du Cimetière
Bibl.
L. Aubrac
Gr. Sc. A. Bachelet
Esp. 1789
Sq. Marmottan
N.-D. du Rosaire
Services Mun.
Rue Blanqui
Stade Bauer Red Star 93
Sacré-Cœur
Stade Joliot-Curie
Gymnase
Coll. J. Baker
RPA
Rue Charles Schmidt
Rue Palaric
Crèche
Gr. Sc. J. Michelet
Gym.
Stade Michelet
PMI
CMS
Rue Berthoud
Cimetière Parisien de Saint-Ouen
Gr. Sc. J. Vallès
Gr. Scol. Joliot-Curie
S.I.
Marché aux Puces
RATP
Crèche Gard.
Lycée A. Blanqui
CPAM
Rue des Rosiers
Rue Biron
Avenue Michelet
R. du Mal Leclerc
R. des Graviers
Rue Debain
R. M. Bourdarias
Rue du Professeur Gosset
R. Nve P. Curie
Pas. du 1er Mai
E. Vaillant
Rue Henri Fabre
BOULEVARD PÉRIPHÉRIQUE
PORTE DE CLIGNANCOURT
Stade B. Dauvin
Piscine
Jardin R. Binet
Université Paris Sorbonne
Stade des Poissonniers
Av. de la Porte des Poissonniers
R. F. de Croisset
Rue Jean Cocteau
PARIS
18e

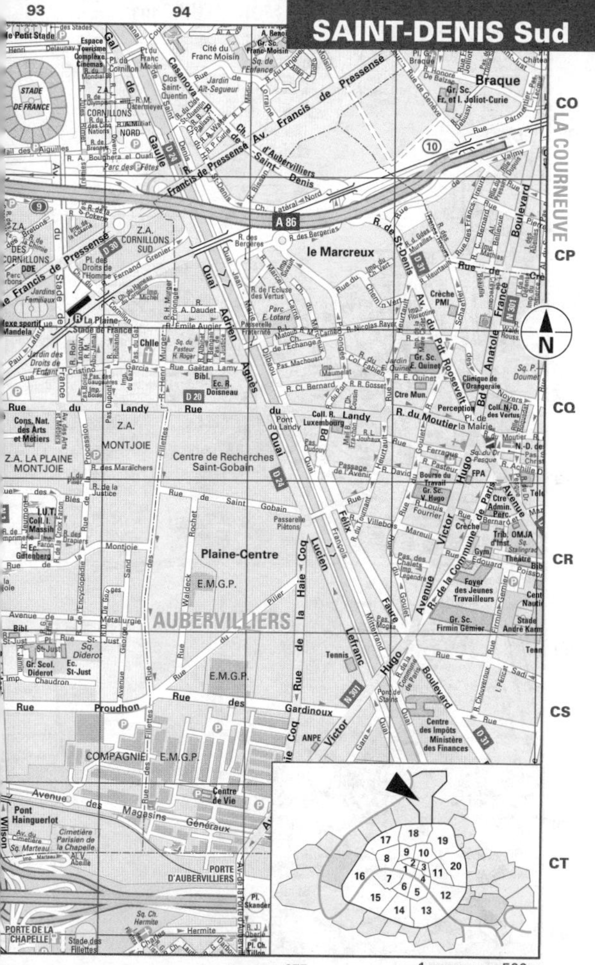

1 carreau = 500m

DE

DF

DG

DH

DI

DJ

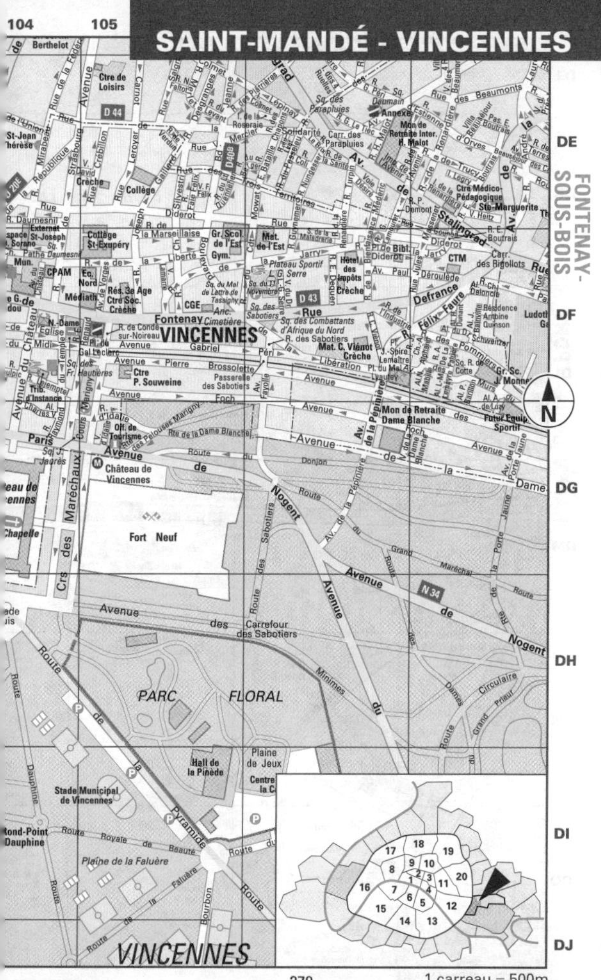

1 carreau = 500m

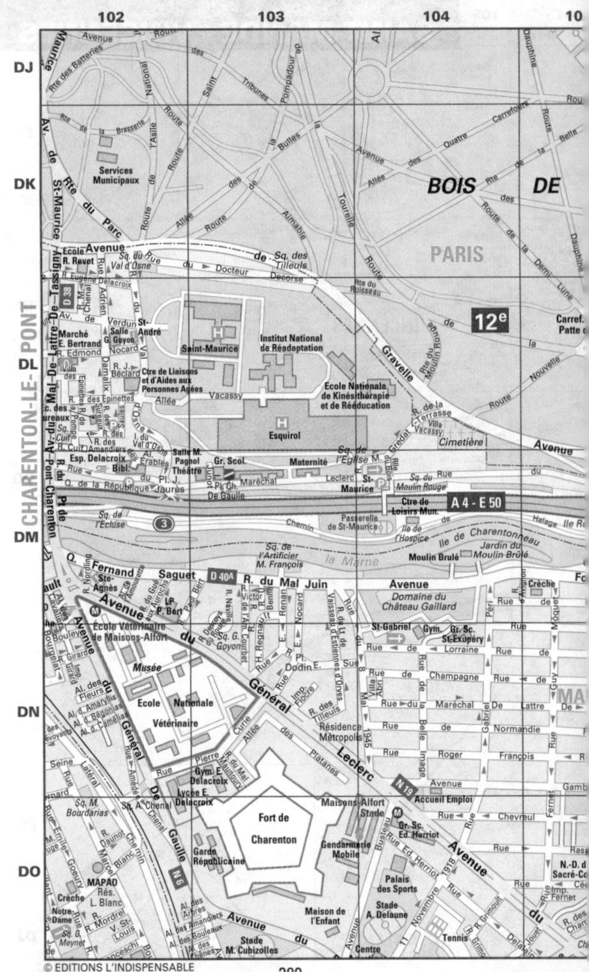
102
103
104
DJ
DK
DL
DM
DN
DO
CHARENTON-LE-PONT
BOIS
DE
PARIS
12e
Services Municipaux
Institut National de Réadaptation
Saint-Maurice
Esquirol
Ecole Nationale de Kinésithérapie et de Rééducation
Ctre de Liaisons et d'Aides aux Personnes Agées
Maternité
Cimetière
A 4 - E 50
Ctre de Loisirs Mun.
la Marne
Ile de Charentonneau
Moulin Brulé
Domaine du Château Gaillard
Ecole Vétérinaire de Maisons-Alfort
Musée
Ecole Nationale Vétérinaire
Fort de Charenton
Garde Républicaine
Gendarmerie Mobile
Palais des Sports
Stade A. Delaune
Maison de l'Enfant
Stade M. Cubizolles
Avenue du Général Leclerc
Avenue du Général De Gaulle
Maisons-Alfort Stade
Accueil Emploi
Résidence Métropolis
MAPAD

106
107
DK
DL
DM
DN
DO
JOINVILLE-LE-PONT
VINCENNES
HIPPODROME DE VINCENNES
Arboretum
Ecole d'Horticulture du Breuil
Redoute de Gravelle
Lac de Gravelle
Joinville-le-Pont
Stade J.-P. Garchery
Carref. des Canadiens
Avenue des Canadiens
Av. St-Maurice du Valais
Route de Gravelle
Parc La Fontaine
Île des Corbeaux
Centre Omnisport
Ecluse de St-Maur
Île des Sts-Pères
Service de la Navigation
Usine des Eaux
Pont de Maisons-Alfort
Avenue Pierre Mendès France
Avenue de la République
Avenue Joffre
Avenue de Verdun
Canal de St-Maurice
les Planètes
A 86
A 4 - E 50
N 4
D 404
D 48E
Coll. E. Nocard
Sts-Anges Gardiens
CFA
1 carreau = 500m

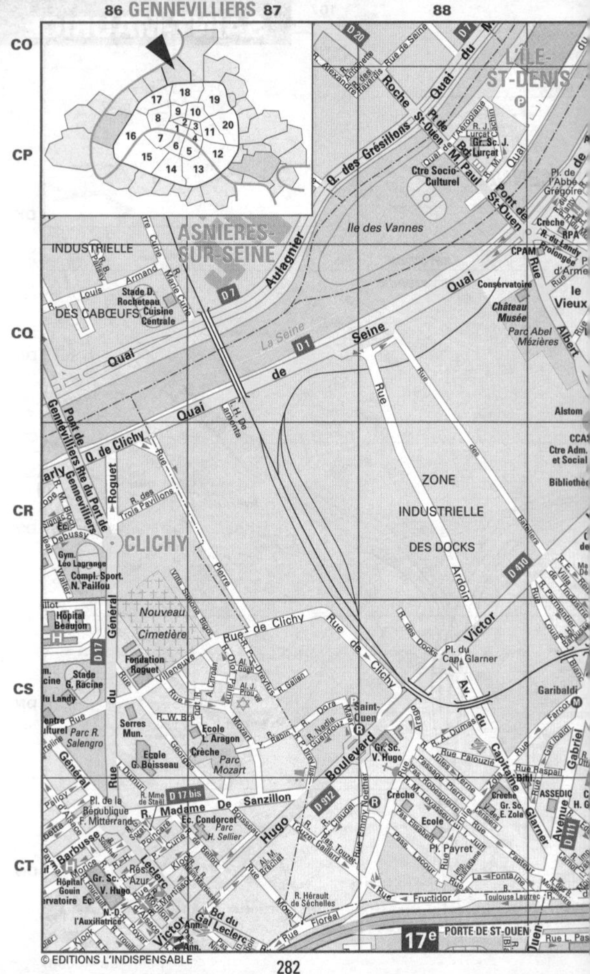
CO
CP
CQ
CR
CS
CT
L'ÎLE-ST-DENIS
ASNIÈRES-SUR-SEINE
INDUSTRIELLE
DES CABŒUFS
Quai de Seine
La Seine
Ile des Vannes
Q. des Grésillons
Aulagnier
Pont de St-Ouen
Ctre Socio-Culturel
Conservatoire
Château Musée
Parc Abel Mézières
Alstom
ZONE
INDUSTRIELLE
DES DOCKS
CLICHY
Nouveau Cimetière
Fondation Roguet
Stade G. Racine
Hôpital Beaujon
Gym. Léo Lagrange
Compl. Sport. N. Paillou
Q. de Clichy
Pont de Gennevilliers
Rue de Clichy
Boulevard Victor Hugo
Pl. du Cap. Glarner
Av. du Capitaine Glarner
Saint-Ouen
Garibaldi
Pl. de la République F. Mitterrand
Pl. Payret
Rue Fructidor
17e
PORTE DE ST-OUEN

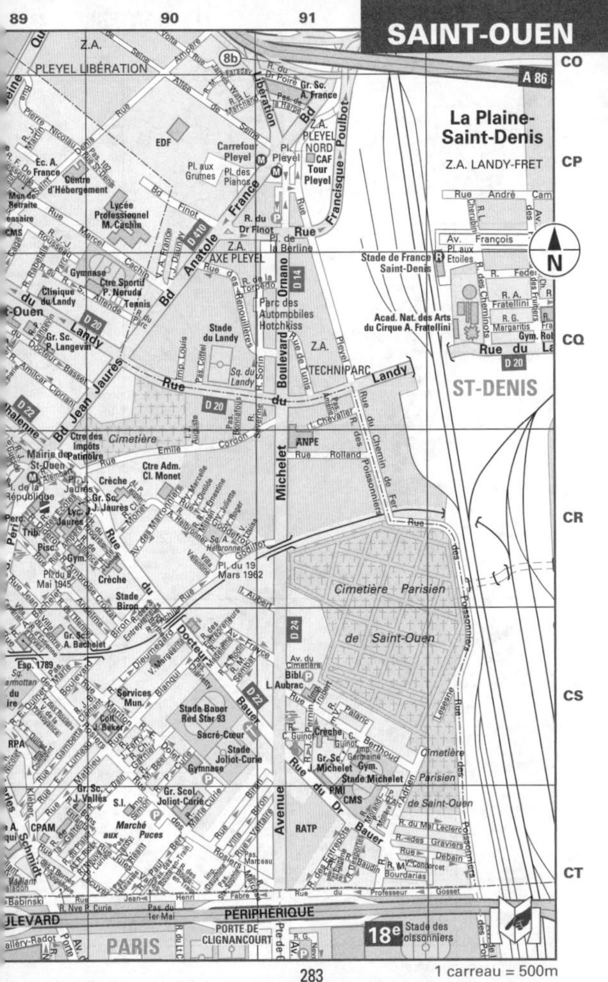
89
90
91
CO
CP
CQ
CR
CS
CT
A 86
La Plaine-Saint-Denis
Z.A. LANDY-FRET
Z.A. PLEYEL LIBÉRATION
Z.A. PLEYEL NORD
Z.A. AXE PLEYEL
Z.A. TECHNIPARC
ST-DENIS
Stade de France Saint-Denis
Acad. Nat. des Arts du Cirque A. Fratellini
Carrefour Pleyel
Pl. Pleyel
Tour Pleyel
EDF
Lycée Professionnel M. Cachin
Parc des Automobiles Hotchkiss
Stade du Landy
Cimetière
Mairie de St-Ouen
Ctre Adm. Cl. Monet
Cimetière Parisien de Saint-Ouen
Stade Bauer Red Star 93
Marché aux Puces
PÉRIPHÉRIQUE
PORTE DE CLIGNANCOURT
PARIS
18e
Stade des Poissonniers
Bd Anatole France
Boulevard Ornano
Avenue Michelet
Rue du Landy
Bd Jean Jaurès
Rue du Docteur Bauer
Rue du Chemin de Fer
Rue des Poissonniers
1 carreau = 500m

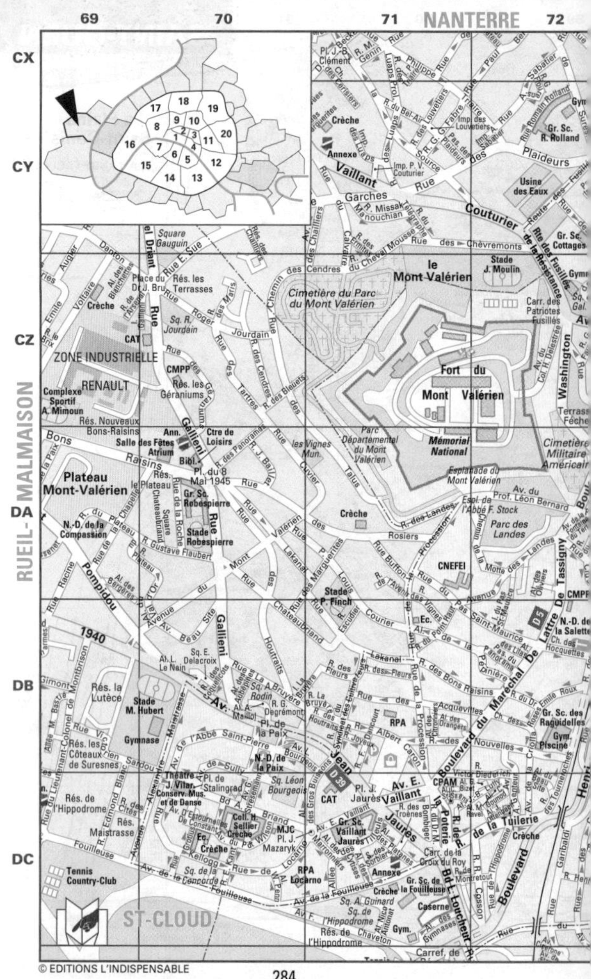

69
70
71
NANTERRE
72
CX
CY
CZ
DA
DB
DC
RUEIL-MALMAISON
ST-CLOUD
le Mont Valérien
Fort du Mont Valérien
Cimetière du Parc du Mont Valérien
Mémorial National
Plateau Mont-Valérien
ZONE INDUSTRIELLE
RENAULT
Complexe Sportif A. Mimoun
Stade M. Hubert
Stade J. Moulin
Stade P. Finch
Stade Robespierre
Tennis Country-Club
Parc des Landes
Cimetière Militaire Américain
Boulevard du Maréchal De Lattre De Tassigny
Bd L. Loucheur
Av. Jean Jaurès
Rue Gallieni
Rue Pompidou
Rue de la Tuilerie

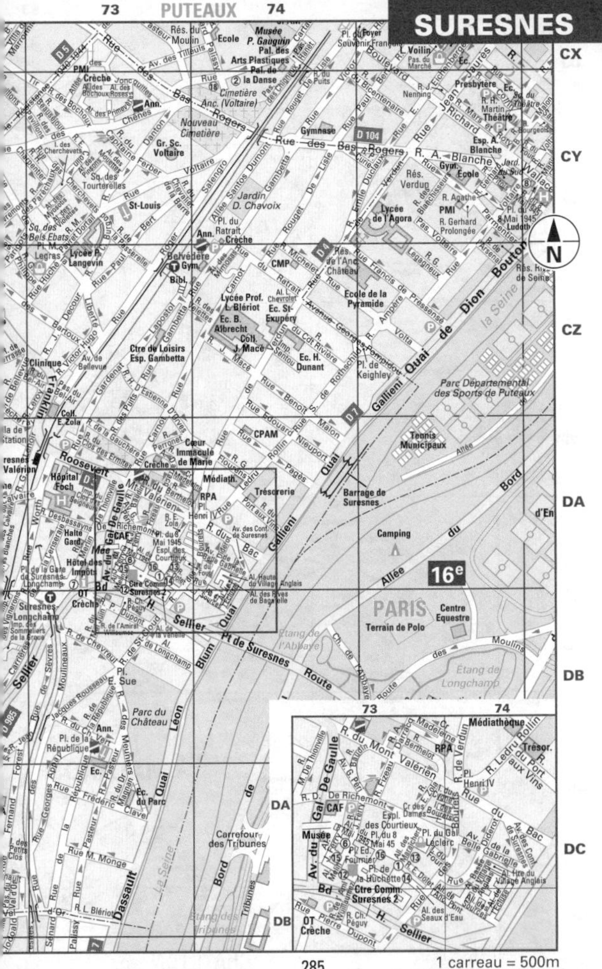
PUTEAUX
73
74
CX
CY
CZ
DA
DB
DC
N
Rue des Bas Rogers
Nouveau Cimetière
Cimetière Anc. (Voltaire)
Boulevard Henri Sellier
Quai Gallieni
Quai de Dion Bouton
Quai Léon Blum
Rue Jean Jaurès
Bd Franklin Roosevelt
Lycée P. Langevin
Lycée de l'Agora
Lycée Prof. L. Blériot
Hôpital Foch
Parc Départemental des Sports de Puteaux
Tennis Municipaux
Barrage de Suresnes
Camping
Allée du Bord
16e
PARIS
Centre Equestre
Terrain de Polo
Etang de l'Abbaye
Etang de Longchamp
Pt de Suresnes
Route des Moulins
Parc du Château
Carrefour des Tribunes
Suresnes-Longchamp
Musée P. Gaugin
Jardin D. Chavoix
Ecole de la Pyramide
Médiathèque
Trésorerie
CAF
Musée
Ctre Comm. Suresnes 2
Av. du Gal De Gaulle
R. du Mont Valérien
Rue du Bac
R. Ledru Rollin
1 carreau = 500m

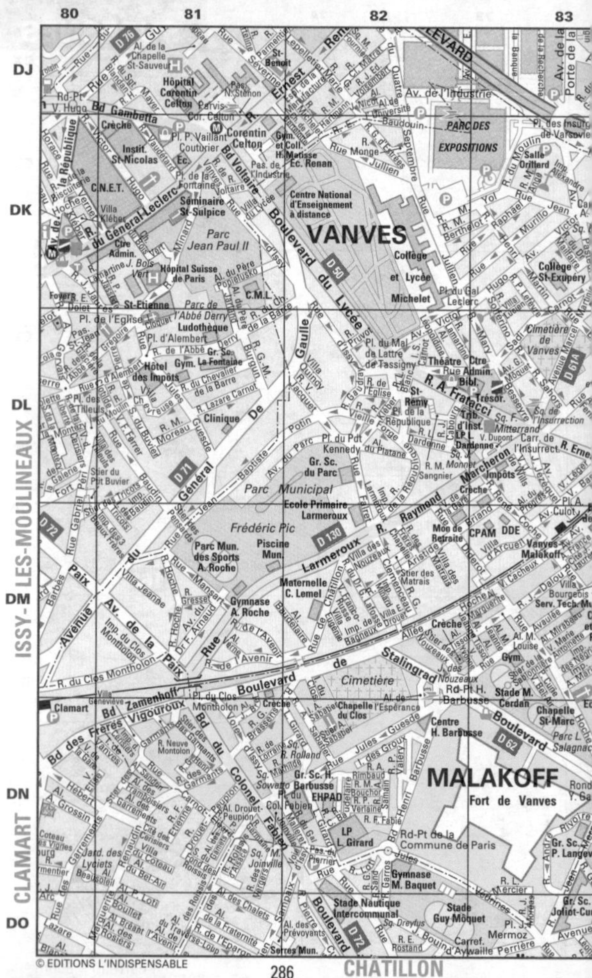
80
81
82
83
DJ
DK
DL
DM
DN
DO
ISSY-LES-MOULINEAUX
CLAMART
VANVES
MALAKOFF
CHATILLON
Hôpital Corentin Celton
Corentin Celton
Bd Gambetta
Crèche
Instit. St-Nicolas
C.N.E.T.
Séminaire St-Sulpice
Parc Jean Paul II
Hôpital Suisse de Paris
C.M.L.
St-Etienne
Ludothèque
Hôtel des Impôts
Gr. Sc. La Fontaine
Clinique
Boulevard du Lycée
Centre National d'Enseignement à distance
Collège et Lycée Michelet
Collège St-Exupéry
Cimetière de Vanves
Théâtre
Ctre Admin.
Bibl.
Trésor.
Trib. d'Inst.
LP L. Dardenne
Impôts
Crèche
St-Remy
PARC DES EXPOSITIONS
Av. de l'Industrie
Salle Oriliard
Rue Monge
Gr. Sc. du Parc
Parc Municipal Frédéric Pic
Ecole Primaire Larmeroux
Parc Mun. des Sports A. Roche
Piscine Mun.
Gymnase A. Roche
Maternelle C. Lemel
Mon de Retraite
CPAM
DDE
Vanves-Malakoff
Serv. Tech. Mu
Cimetière
Boulevard de Stalingrad
Clamart
Bd des Frères Vigouroux
Bd Zamenhoff
Chapelle du Clos
Centre H. Barbusse
Stade M. Cerdan
Chapelle St-Marc
Gr. Sc. H. Barbusse
EHPAD
LP L. Girard
Rd-Pt de la Commune de Paris
Gymnase M. Baquet
Stade Nautique Intercommunal
Stade Guy Môquet
Fort de Vanves
Gr. Sc. P. Langev
Gr. Sc. Joliot-Cur
Serres Mun.
Boulevard Colonel Fabien
Général De Gaulle
R. Raymond Marcheron
R. A. Fratacci
Pl. du Mal de Lattre de Tassigny
Pl. du Pdt Kennedy
Rd-Pt H. Barbusse
Carref. Mermoz

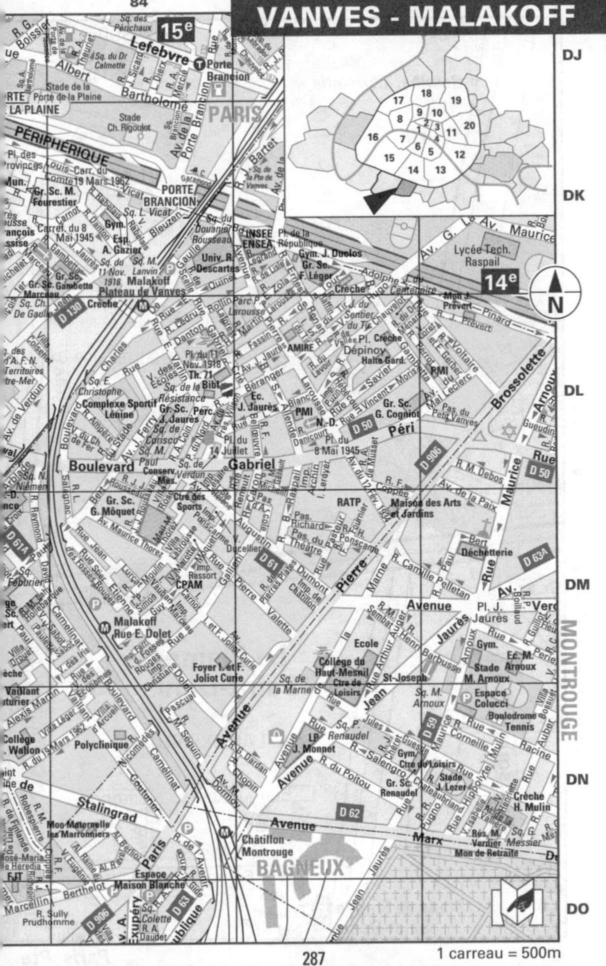
DJ
DK
DL
DM
DN
DO
PARIS
15e
14e
Lefebvre
Porte Brancion
Stade de la Porte de la Plaine
Stade Ch. Rigoulot
PÉRIPHÉRIQUE
PORTE BRANCION
Plateau de Vanves
Malakoff
INSEE ENSEA
Univ. R. Descartes
Lycée Tech. Raspail
Boulevard Gabriel Péri
Complexe Sportif Lénine
Brossolette
Maison des Arts et Jardins
RATP
Déchetterie
CPAM
Malakoff Rue E. Dolet
Collège du Haut-Mesnil
Stade M. Arnoux
Espace Colucci
Polyclinique
Stalingrad
Châtillon - Montrouge
BAGNEUX
MONTROUGE
Avenue Marx Dormoy
Espace Maison Blanche
1 carreau = 500m

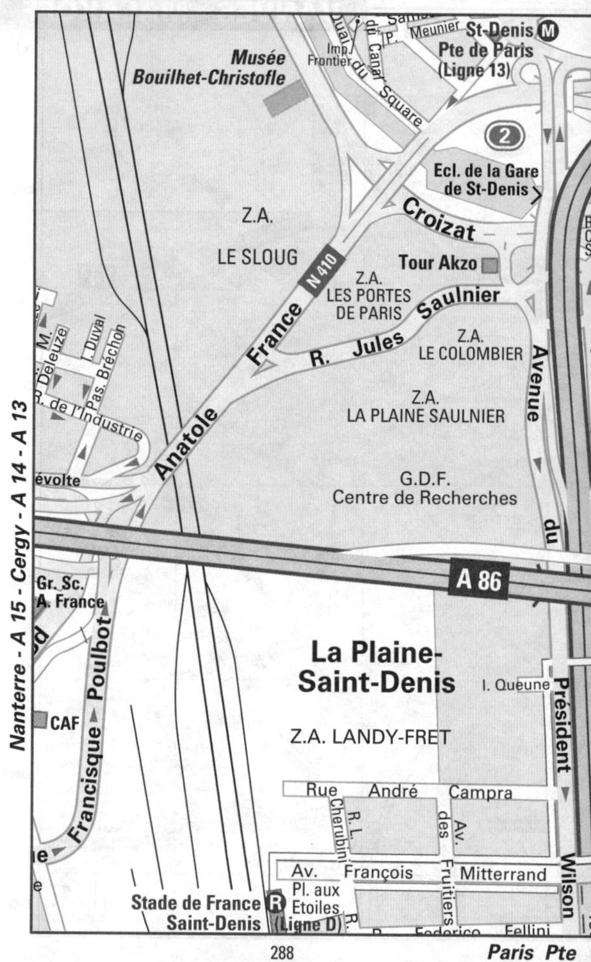
Musée
Bouilhet-Christofle
Imp. Frontier
Quai du Canal
du Square
P.
Meunier
St-Denis
Pte de Paris
(Ligne 13)
2
Ecl. de la Gare
de St-Denis
Croizat
Z.A.
LE SLOUG
N 410
Tour Akzo
Z.A.
LES PORTES
DE PARIS
Saulnier
R. Jules
Z.A.
LE COLOMBIER
Anatole France
R. Deleuze
I. Duval
Pas. Bréchon
R. de l'Industrie
évolte
Z.A.
LA PLAINE SAULNIER
Avenue du Président Wilson
G.D.F.
Centre de Recherches
A 86
Gr. Sc.
A. France
Francisque Poulbot
La Plaine-
Saint-Denis
I. Queune
CAF
Z.A. LANDY-FRET
Rue André Campra
R. Cherubini
R. L.
Av. des Fruitiers
Av. François Mitterrand
Pl. aux
Etoiles
Stade de France
Saint-Denis
(Ligne D)
R. Federico Fellini
Nanterre - A 15 - Cergy - A 14 - A 13

STADE DE FRANCE

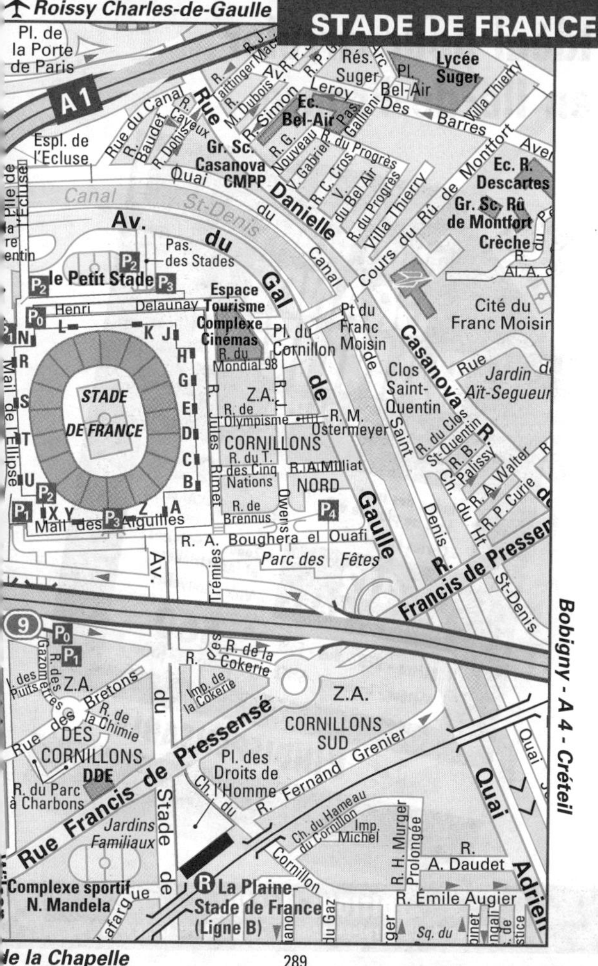

Stade
Jean Bouin
Rue
Pl. de
l'Europe
Rue Claude Farrère
Accès
Tribune
Auteuil
N
Entrée
Principale
E
F
D
C
B
A
Tribune Présidentielle
Tribune
Auteuil
PARC
DES PRINCES
Tribune Paris
Tribune
Boulogne
G
H
I
J
K
Avenue
du
Parc
des
Princes
R. du Sgt
Maginot
Pl.
Jules
Rimet
Accès
Tribunes
(Scolaires)
MUSÉE
NATIONAL
DU SPORT
Rue
de
la
Tourelle
Rue
du
Commandant
Guilbaud
Accès
Tribune
Boulogne
Bd Périphérique
Stade
Français
R. du
Parc
Porte de
St-Cloud
P
Rte de
la Reine
Av. de la
Porte de St-Cloud
Place du Dr
P. Michaux
Porte de St-Cloud
BOULOGNE
Av. F. Buisson
Av. E. Vaillant
Rue Gallieni

PARIS EXPO porte de Versailles

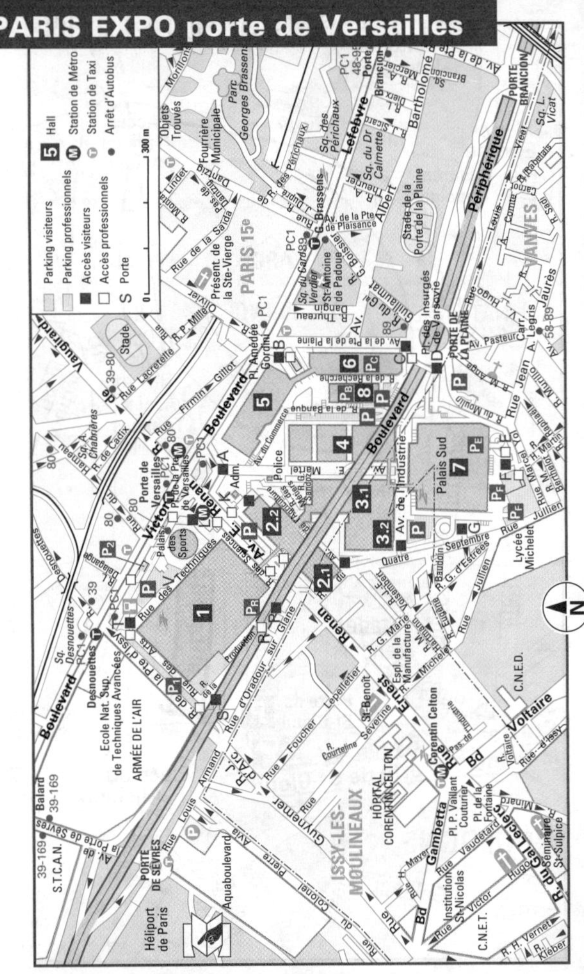

PARIS NORD VILLEPINTE

Parking Visiteurs
Parking Exposants
Parking Poids Lourds
Zone de démonstration
Salle de Conférences
Accès Visiteurs (piétons)
6 Hall
P 2 Numéro de Parking
Taxi
Navette Bus
Arrêt d'autobus
Information Parc
SK Navette Automatisée

0 — 300 m

DW
DX
DY
DZ
EA
A 10 - Bordeaux
A 6 - Lyon
PTE DE PARIS
Boulevard Circulaire
Cimetière Intercommunal
Rd-Pt des Roses
Espace Rungis
PTE DE CHEVILLY-LARUE
Péage
Parc des Sports
ZONE DELTA
PORTE DU DELTA
DDE
Hôtels
PONDORLY
FRESNES
Services Techniques
Espace du Sport
les Closeaux
Carrefour de l'Europe
Hôtel
Rd-Pt de Versailles
A 6
A 106
D 65
(Marché d

93

MARCHÉ DE RUNGIS

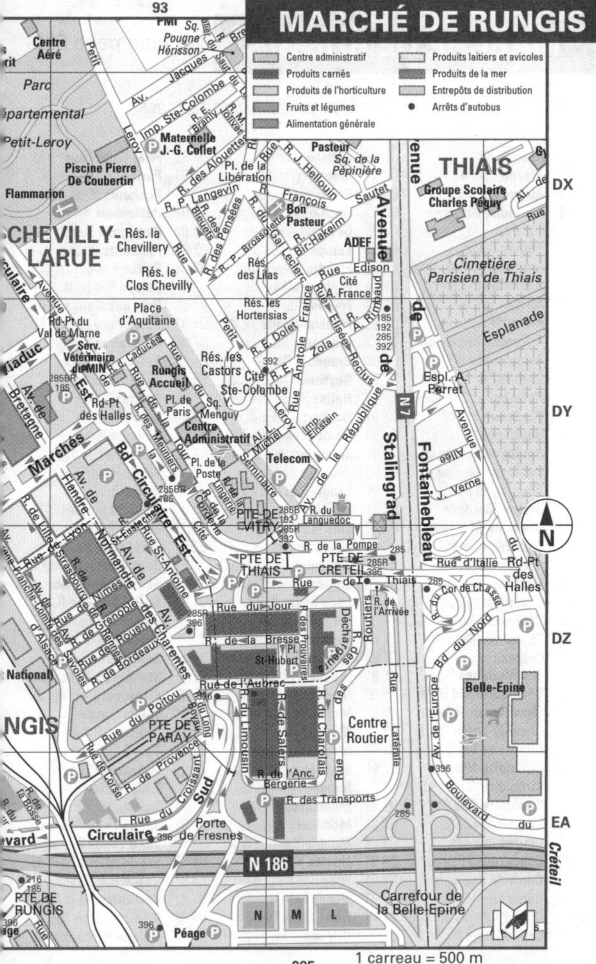

1 carreau = 500 m

MARCHÉ DE RUNGIS

plan page 295

Bus : 185-192-215-216-285-258B-285R-285BR-292-396

DY 91 **Agen** Rue d'
DZ 92 **Alsace** Cour d'
DZ 92 **Alsace** Cours d'
EA 94 **Ancienne Bergerie** Rue de l'
DY 92 **Angers** Rue d'
EB 93 **Antilles** Rue des
DY 93 **Aquitaine** Place d'
DZ 94 **Arrivée** Rue de l'
DZ 93 **Aubrac** Rue de l'
DZ 92 **Auvergne** Avenue d'
DY 92 **Avignon** Rue d'
DZ 91 **Baltard** Rue
EA 94 **Belle Épine** Carr. de la
DZ 93 **Bordeaux** Rue de
EA 92 **Bosse** Rue de la
DZ 92 **Boulogne** Avenue de
DZ 92 **Boulogne** Quai de
DY 91 **Bourgogne** Av. de
DZ 93 **Bresse** Rue de la
DY 92 **Bretagne** Avenue de
DY 93 **Caducée** Rue du
DY 92 **Carpentras** Rue de
DY 91 **Cavaillon** Rue de
DX 92 **Chambourcy** Rue de
DZ 93 **Charentes** Av. des
DZ 94 **Charolais** Rue du
DX 92 **Château des Alouettes** Pl. du
DY 92 **Châteaurenard** R. de
DX 92 **Chevilly-Larue** Bd de
DY 91 **Chevilly-Larue** Pte de
EA 93 **Circulaire Est** Bd
DW 91 **Circulaire Nord** Bd
DZ 91 **Circulaire Ouest** Bd
EA 93 **Circulaire Sud** Bd
DY 93 **Cité** Avenue de la
EA 92 **Claires** Rue des
EA 92 **Concarneau** Rue de
DY 93 **Corderie** Rue de la
EA 93 **Corse** Rue de
DX 92 **Côte d'Azur** Av. de la
DZ 91 **Côte d'Ivoire** Av. de la
DY 92 **Cottage** Cour du
DZ 94 **Créteil** Porte de
EA 93 **Croissant** Rue du
DZ 94 **Déchargeurs** Rue des
DZ 90 **Delta** Boulevard du
EB 93 **Europe** Avenue de l'
DY 93 **Flandre** Avenue de
DY 94 **Fontainebleau** Av. de
EA 92 **Four** Rue du
DZ 92 **Franche-Comté** Av. de
EB 93 **Glacières** Rue des
DZ 93 **Grenoble** Rue de
DZ 90 **Guynemer** Av. Georges
DY 93 **Halles** Rond-Point des
DX 91 **Hochart** Rue Paul
DX 92 **Ile-de-France** Quai d'
DX 91 **Jardiniers** Rue des
DZ 93 **Jour** Rue du
DY 94 **Languedoc** Rue du
DZ 94 **Latérale** Rue
DY 92 **Lille** Rue de
DZ 93 **Limousin** Rue du
EA 91 **Lindbergh** Av. Charles
DY 93 **Lingerie** Rue de la
DZ 93 **Long Boyau** Rue du
EA 92 **Lorient** Quai de
DY 92 **Lorraine** Avenue de
DZ 93 **Lyon** Rue de
DY 91 **Lyonnais** Avenue du
DY 92 **Maraîchers** Av. des
DY 92 **Marseille** Cour de
DY 93 **Menguy** Place Yan
DY 93 **Meuniers** Rue des
DZ 91 **Mondétour** Rue
DY 91 **Montauban** Rue de
DX 92 **Montesson** Rue de
DX 92 **Montlhéry** Rue de
DY 92 **Montpellier** Rue de
DX 91 **Nantes** Rue de
DY 91 **Nice** Rue de
DZ 93 **Nîmes** Rue de
DZ 93 **Normandie** Av. de
DX 92 **Orléanais** Av. de l'
DZ 93 **Paray-Vieille-Poste** Pte de
DY 93 **Paris** Place de
DZ 91 **Pêcheurs** Place des
DX 92 **Pépinières** Av. des
DY 92 **Perpignan** Rue de
EB 93 **Planteurs** Place des
DZ 93 **Poitou** Rue du
DZ 94 **Pompe** Rue de la
DZ 91 **Pont des Halles** R. du
DY 93 **Poste** Place de la
DZ 94 **Prouvaires** Rue des
EA 93 **Provence** Rue de
EA 92 **Relais** Place du
DZ 93 **Rennes** Rue de
DY 94 **République** Av. de la
EB 93 **Réunion** Rue de la
EA 92 **Rochelle** Rue de La
DY 91 **Roses** Rond-Point des
DZ 93 **Rouen** Rue de
DZ 94 **Routiers** Rue des
EA 92 **Rungis** Porte de
DZ 93 **Saint-Antoine** Rue
DZ 93 **Saint-Eustache** Rue
DZ 94 **Saint-Hubert** Place
DY 91 **St-Pol De Léon** R. de
DZ 94 **Salers** Rue de
DZ 93 **Savoies** Avenue des
DY 93 **Séminaire** Rue du
DW 94 **Stalingrad** Avenue de
DZ 93 **Strasbourg** Rue de
DZ 94 **Thiais** Rue de
DY 92 **Toulouse** Rue de
DY 93 **Tour** Rue de la
EA 94 **Transports** Rue des
DY 93 **Trois Marchés** Av. des
EC 93 **Tropiques** Rue des
DY 91 **Val de Loire** Quai du
DX 92 **Val d'Yvette** Rue du
DY 93 **Val-de-Marne** Rd-Pt du
EA 92 **Vanne** Rue de la
EA 92 **Versailles** Rd-Pt de
DY 92 **Viaduc** Avenue du
DX 92 **Villette** Avenue de la

LA DÉFENSE : INDEX

Rues

Secteur	Plan	Nom	Secteur	Plan	Nom	Secteur	Plan	Nom
1	C4	Aigle Passerelle de l'	1	C4	Dominos Place des	9	C3	Paradis Rue
3	B4	Alsace Avenue d'	7	C2	Douces Voie des	4-6-7	B2	Parvis Le
3	C4	Alsace Passerelle d'	1	C4	Doumer Plle du Président	4	B2	Perronet Avenue
1	C4	Ancre Voie de l'	1	C4	Doumer Quai du Président	8	C2	Pouey Rue Louis
Puteaux	D4	Arago Rue	7	B1	Ellipse Place de l'	4	B3	Prothin Avenue André
12	B2	Arche Allée de l'	5	B4	Essling Rue d'	Puteaux	C1	Pyat Rue Félix
Courbevoie	A2	Arche Avenue de l'	7	B1	Ferry Rue Jules	2	C3	Pyramide Place de la
Courbevoie	A2	Arche Faubourg de l'	9	C3	Gallieni Passerelle	Courbevoie	B2	Rabelais Rue François
Courbevoie	C4	Audran Rue du Général	9	C3	Gallieni Square	2	C3	Reflets Place des
2	C3-C4	Bâtisseurs Voie des	Courbevoie	B3	Gambetta Avenue	2	C3	Reflets Terrasse des
11	D4	Bellini Rue	11	C3-C4	Gaudin Boulevard Pierre	6	B3	Regnault Place Henri
11	C4	Bellini Terrasse	Puteaux	C1-C2	Gaulle Av. du Général De	6	B3	Regnault Rue Henri
Courbevoie	B4-C4	Blanc Rue Louis	2-9-10	C3-C4	Gaulle Espl. du Général De	6	B3	Regnault Square Henri
8	C2	Boieldieu Jardins	6	B3	Gleizes Avenue Albert	Courbevoie	A2-B2	Renaissance Rue de la
8	C2	Boieldieu Terrasse	7	B1	Hémicycle Place de l'	7	B1	Ronde Place
7	B1	Bouvets Boulevard des	7	C1	Hoche Rue	5	B4	Sainte-Odile Allée
12	B2	Carpeaux Place	8	C2	Horlogerie Voie de l'	1	C4	Saisons Place des
6	B2	Carpeaux Rue	2	C4	Iris Passerelle de l'	1	C4	Saisons Square des
2	B3	Corolles Place des	2	C4	Iris Place de l'	9-10	C3-C4	Sculpteurs Voie des
2	C3-C4	Corolles Square des	2	C4	Iris Terrasse de l'	Courbevoie	A3	Ségoffin Rue
7	B1	Couchant Passerelle du	7	B1	Jetée La	1	C4	Seine Place de
6	B3	Coupole Place de la	7	B1	Kupka Boulevard Frank	6	B3	Serpentine Rue
1	C4	Damiers Galerie des	10	C3	Lafargue Rue Paul	5	B4	Strasbourg Rue de
4	C2-C3	Défense Place de la	Courbevoie	A2	Léonard De Vinci Avenue	9	C3	Sud Place du
4	C3	Défense Rond-Point de la	Nanterre	B1	Longues Raies Rue des	11	C4	Terres Blanches Plle des
7	C2	Degrés Place des	Courbevoie	B2	Michel-Ange Rue	Puteaux	C2	Turpin Square André
Puteaux	C3	Delarivière-Lefoullon Rue	10	C3	Michelet Cours	7	B1	Valmy Cours
7	B2	Demi-Lune Route de la	10	C3	Michelet Rue	Courbevoie	B2	Valmy Rue de
5	B4	Diderot Cours	7	C2	Michets-Pétray Rue des	7	B1	Valmy Terrasse
5	B4	Diderot Parc	Courbevoie	B2	Mona Lisa Esplanade	10	C3	Vignes Passerelle des
Puteaux	D4	Dion Bouton Quai De	8	C2-C3	Moulin Avenue Jean	9	C3	Villon Rue Jacques
6	B2	Division Leclerc Av. de la	8	C2-C3	Moulin Passerelle Jean	1	C4	Vivaldi Square
6	B2-B3	Division Leclerc Plle de la	1	C4	Neuilly Boulevard de	5	B3	Vosges Allée des
7	B2	Dôme Place du	10	C4	Orme Passerelle de l'	5	B3	Vosges Place des

Résidences

Secteur	Plan	Nom	Secteur	Plan	Nom	Secteur	Plan	Nom
1	C4	Ancre Résidence de l'	6	B3	Dauphins Résidence les	Courbevoie	A2	Métropolitains les
Courbevoie	A2	Appolonia	8	C2	Défense Résidence la	Puteaux	D3	Minerve
8	C2	Boieldieu Résidence	8	C2	Défense 2000	2	C4	Neuilly-Défense Résidence
1	C4	Cartel Résidence	9	C3	Eve	1	C4	Orion Résidence
1	C4	Damiers d'Anjou les	6	B3	Gambetta Tour	9	C3	Platanes Résidence les
1	C4	Damiers de Bretagne les	1	C4	Harmonie Résidence	8	C2	Pouey Résidence Louis
1	C4	Damiers de Champagne les	6	B3	Leclerc Rés. Maréchal	6	B3	Sirène Résidence de la
1	C4	Damiers de Dauphiné les	2	C3	Lorraine Résidence	2	C3	Vision 80
Courbevoie	A2	Danton le	2	C3	Manhattan Square Rés.			

Administrations, Sociétés, Tours

Secteur	Plan	Nom	Secteur	Plan	Nom	Secteur	Plan	Nom
10	C4	Acacia	Puteaux	C3	Diamant le	2	C4	Manhattan
Fbg Arche	B2	Adria	8	C3	EDF	10	C3	Michelet le
10	C4	AGF Athéna	Fbg Arche	A2	Egée	7	B2	Ministère de l'Équipement
1	C4	AGF Neptune	5	B3	Ellipse	3	C4	Miroirs les
2	C3	AIG	7	C2	Elysée - La Défense	5	B3	Monge
6	B3	Ampère	7	B1	Espace 21	5	B3	Monnet Jean
6	B3	Areva	3	C4	Eurocourtage	5	B4	Newton
9	C3	Ariane	2	B3	Europe	7	B1	Pacific la
9	C3	Atlantique	4	B3	Europlaza	12	B2	Palatin 1 le
10	C3	Atofina	2	B3	France Télécom	7	C2	Pascal
2	C3	Aurore	8	C2	Franklin	7	B2	Passage de l'Arche
1	C4	Axa	Puteaux	C3	Galion le	Courbevoie	B4	Poissons les
5	B4	Balzac	2	C4	GAN	1	C4	Saisons les
Courbevoie	A3	Berkeley Building	7	B2	Grande Arche la	8	C2	Scor
2	C3-C4	Bureau Véritas	Puteaux	C1	Guillaumet le	6	B2	Séquoia
Puteaux	C1	CBC	2	C3	Haworth	7	B1	Société Générale
Fbg Arche	A2	Cèdre	9	C3	Ile-de-France	6	B3	Total Coupole
8	C2	Centre de Gestion	11	C4	Initiale	10	C3	Total Galilée
3	B4	CES	2	C4	Iris l'	10	C3	Total Michelet
4	B3	Cœur Défense	7	B1	KPMG	12	B2	Triangle de l'Arche
10	C3	Coface	7	C1	Kupka	8	C2	Utopia
Fbg Arche	A2	Colisée le	5	B3	La Fayette	7	C2	Voltaire
12	B2	Collines de l'Arche les	5	B3	Lavoisier	8	C2	Winterthur
6	B3	Delalande	Puteaux	C3	Linéa le			
5	B3	Descartes	Courbevoie	A3	Lotus			

Services, Hôtels, Loisirs

Secteur	Plan	Nom	Secteur	Plan	Nom	Secteur	Plan	Nom
6	B2	CNIT	4	B2	Mairie Annexe	7	B1	Renaissance
7	B2	Colline de La Défense la	2-10	C4	Métro Espl. de La Défense	4	B2	RER La Défense-Gde Arche
4	B3	Commissariat	4	B2	Métro La Défense-Gde Arche	4	B2	SNCF La Défense-Gde Arche
4	B2	Eglise N.-D. de Pentecôte	1	C4	Novotel Hôtel	10	C3	Sofitel Défense Hôtel
7	B1	Espace Info Défense (véhicules)	Courbevoie	A2	Pôle Univ. L. De Vinci	6	B2	Sofitel Grande Arche Hôtel
4	B3	Espace Info Défense Parvis (piétons)	6	B3	Pompiers	5-8	B3-C2	Station Service
6	B2	Hilton la Défense Hôtel	2-4-7	C3-B2-C2	Poste	1-4-6-8-10	B2-B3-C2-C4	Taxis
1	C4	Ibis Hôtel	7	C2	Quatre Temps les	Fbg Arche	A2	Tempolodge Hôtel
			9	C3	Relais Jean XXIII	4	B2	Tramway T2

Parkings

Secteur	Plan	Nom	Secteur	Plan	Nom	Secteur	Plan	Nom
7	B1	Autocars	2	C3	Corolles les	2	C3	Reflets les
11	C4	Bellini	6	B3	Coupole Regnault la	1	C4	Saisons les
8	C2	Boieldieu	2	C4	Iris l'	7	B1	Valmy
4	B3	Central	10	C3	Michelet	9	C3	Villon
6	B2	CNIT	7	C2	Quatre Temps les	8	C2	Wilson

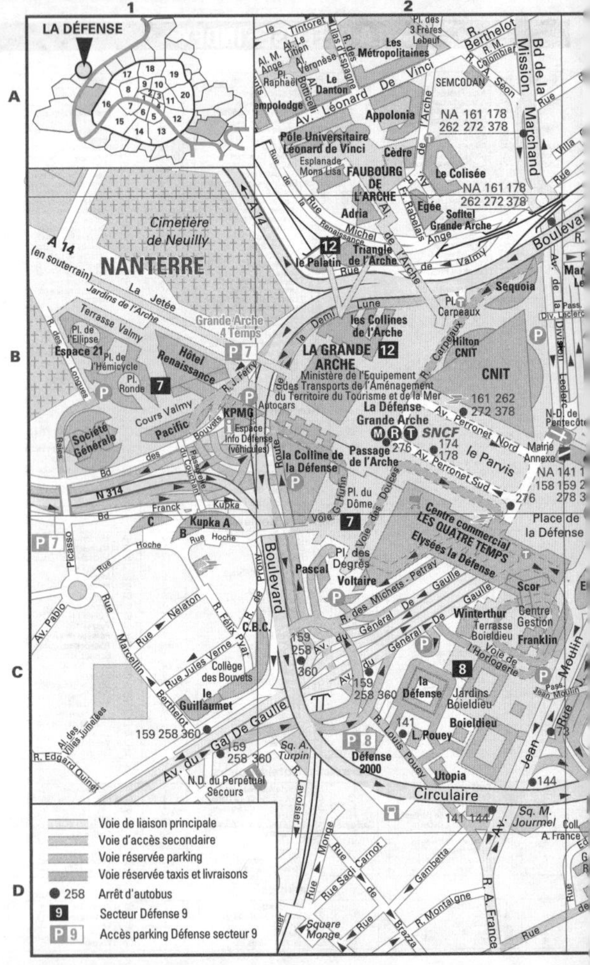
1
2
A
B
C
D
LA DÉFENSE
NANTERRE
Cimetière de Neuilly
A 14 (en souterrain)
LA GRANDE ARCHE
Ministère de l'Equipement des Transports de l'Aménagement du Territoire du Tourisme et de la Mer
La Défense Grande Arche
SNCF
CNIT
Hilton CNIT
le Parvis
Centre commercial LES QUATRE TEMPS
Elysées la Défense
Place de la Défense
Boulevard Circulaire
Av. Léonard De Vinci
Pôle Universitaire Léonard de Vinci
FAUBOURG DE L'ARCHE
Les Métropolitaines
Appolonia
Le Colisée
Sofitel Grande Arche
Triangle de l'Arche
les Collines de l'Arche
Hôtel Renaissance
Espace 21
Société Générale
Pacific
KPMG
Espace Info Défense (véhicules)
la Colline de la Défense
Passage de l'Arche
Kupka A
Pascal
Voltaire
Winterthur
Franklin
Scor
Jardins Boieldieu
Boieldieu
L. Pouey
Utopia
Défense 2000
Le Guillaumet
Collège des Bouvets
C.B.C.
N.D. du Perpétuel Secours
Av. du Gal De Gaulle
N 314
Voie de liaison principale
Voie d'accès secondaire
Voie réservée parking
Voie réservée taxis et livraisons
258 Arrêt d'autobus
9 Secteur Défense 9
P 9 Accès parking Défense secteur 9

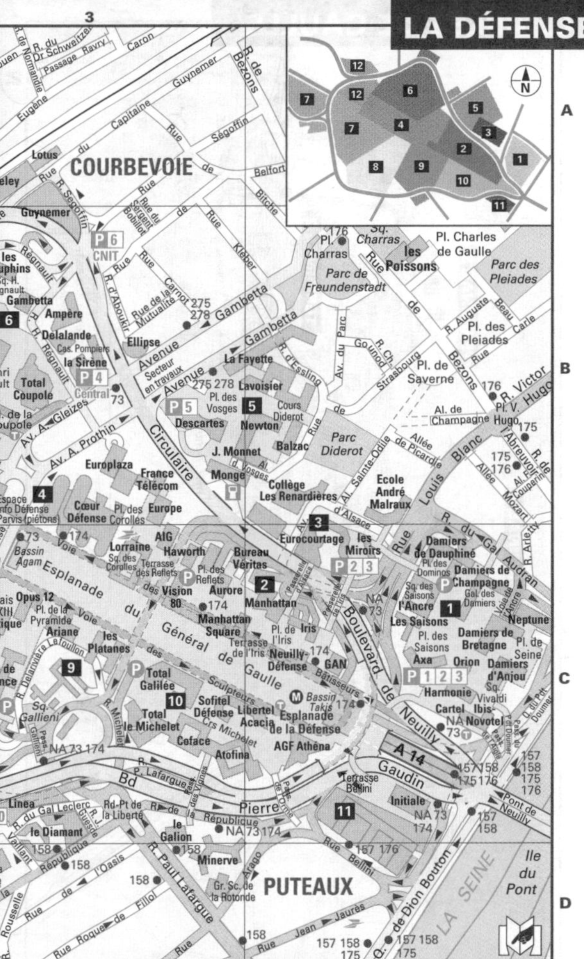
3
A
B
C
D
COURBEVOIE
PUTEAUX
Esplanade du Général de Gaulle
Boulevard Circulaire
Boulevard de Neuilly
Avenue Gambetta
Parc de Freundenstadt
Parc Diderot
Parc des Pleiades
Pl. Charles de Gaulle
Pl. de Saverne
Ecole André Malraux
Collège Les Renardières
CNIT
Europlaza
France Télécom
Cœur Défense
Espace Info Défense
AIG
Lorraine
Haworth
Bureau Véritas
Manhattan
Eurocourtage
les Miroirs
Damiers de Dauphiné
Damiers de Champagne
Damiers de Bretagne
Damiers d'Anjou
Neptune
Les Saisons
Axa
Orion
Harmonie
Total Galilée
Sofitel Défense
Esplanade de la Défense
AGF Athéna
Atofina
Ceface
Total le Michelet
Initiale
Terrasse Bellini
Le Diamant
Linea
le Galion
Minerve
Gr. Sc. de la Rotonde
LA SEINE
Ile du Pont
A 14
Pont de Neuilly

✈ CHARLES DE GAULLE

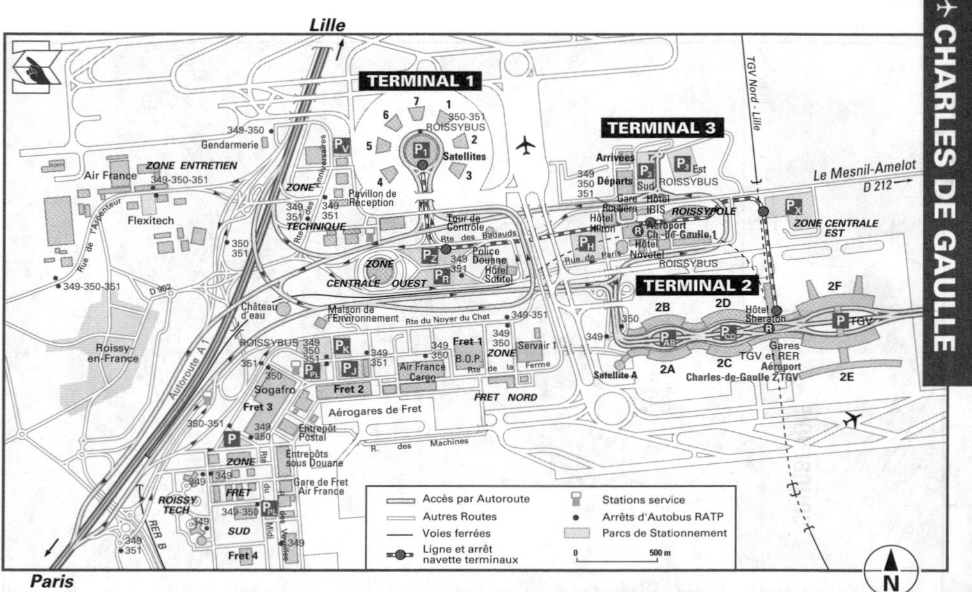

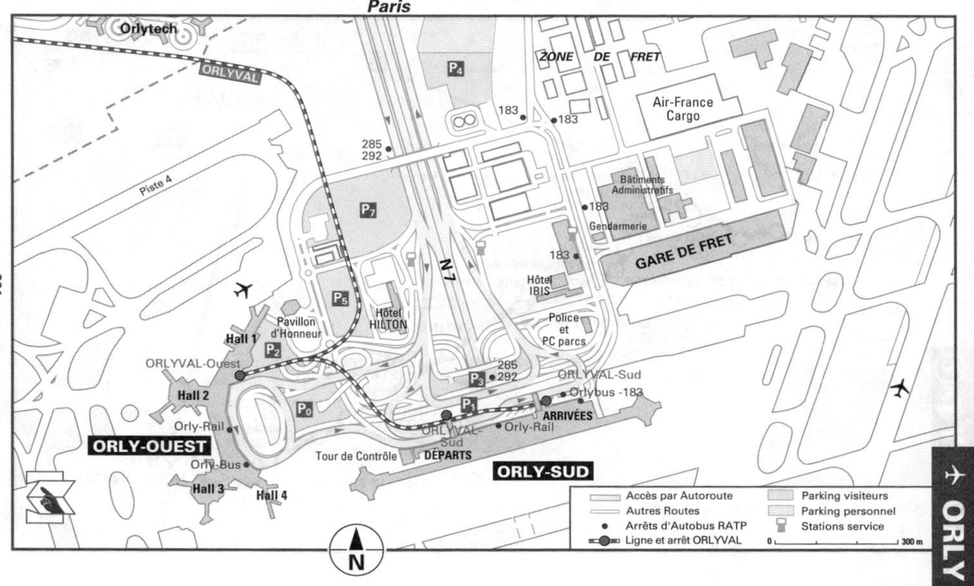

Paris
Orlytech
ORLYVAL
ZONE DE FRET
P4
183
183
Air-France Cargo
285 292
Piste 4
P7
Bâtiments Administratifs
183
Gendarmerie
183
GARE DE FRET
N 7
Hôtel IBIS
P5
Hôtel HILTON
Pavillon d'Honneur
Police et PC parcs
Hall 1
P2
ORLYVAL-Ouest
285 292
P3
ORLYVAL-Sud
Orlybus -183
Hall 2
P0
P1
ARRIVÉES
Orly-Rail
ORLYVAL-Sud
Orly-Rail
ORLY-OUEST
Tour de Contrôle
DÉPARTS
Orly-Bus
ORLY-SUD
Hall 3
Hall 4
Accès par Autoroute
Autres Routes
Arrêts d'Autobus RATP
Ligne et arrêt ORLYVAL
Parking visiteurs
Parking personnel
Stations service
0
300 m
N

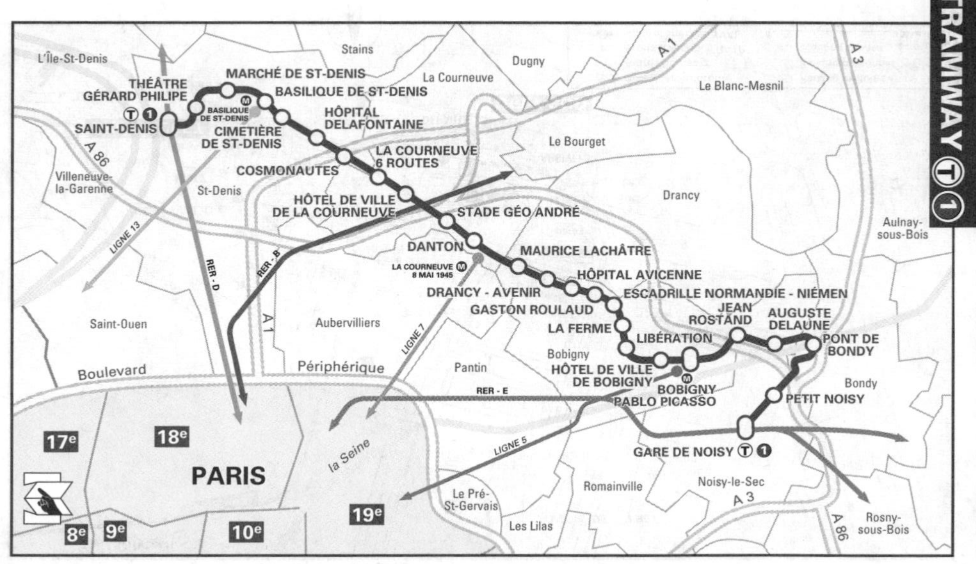
SAINT-DENIS
THÉÂTRE GÉRARD PHILIPE
MARCHÉ DE ST-DENIS
BASILIQUE DE ST-DENIS
BASILIQUE DE ST-DENIS
CIMETIÈRE DE ST-DENIS
HÔPITAL DELAFONTAINE
COSMONAUTES
LA COURNEUVE 6 ROUTES
HÔTEL DE VILLE DE LA COURNEUVE
STADE GÉO ANDRÉ
DANTON
LA COURNEUVE 8 MAI 1945
MAURICE LACHÂTRE
DRANCY - AVENIR
HÔPITAL AVICENNE
GASTON ROULAUD
ESCADRILLE NORMANDIE - NIÉMEN
LA FERME
LIBÉRATION
HÔTEL DE VILLE DE BOBIGNY
JEAN ROSTAND
BOBIGNY PABLO PICASSO
AUGUSTE DELAUNE
PONT DE BONDY
PETIT NOISY
GARE DE NOISY
L'Île-St-Denis
Villeneuve-la-Garenne
Stains
Dugny
La Courneuve
Le Bourget
Le Blanc-Mesnil
Drancy
Aulnay-sous-Bois
Bondy
Rosny-sous-Bois
Noisy-le-Sec
Romainville
Les Lilas
Le Pré-St-Gervais
Bobigny
Pantin
Aubervilliers
St-Denis
Saint-Ouen
Boulevard
Périphérique
la Seine
PARIS
17e
8e
9e
18e
10e
19e
A 1
A 3
A 86
RER - B
RER - D
RER - E
LIGNE 5
LIGNE 7
LIGNE 13

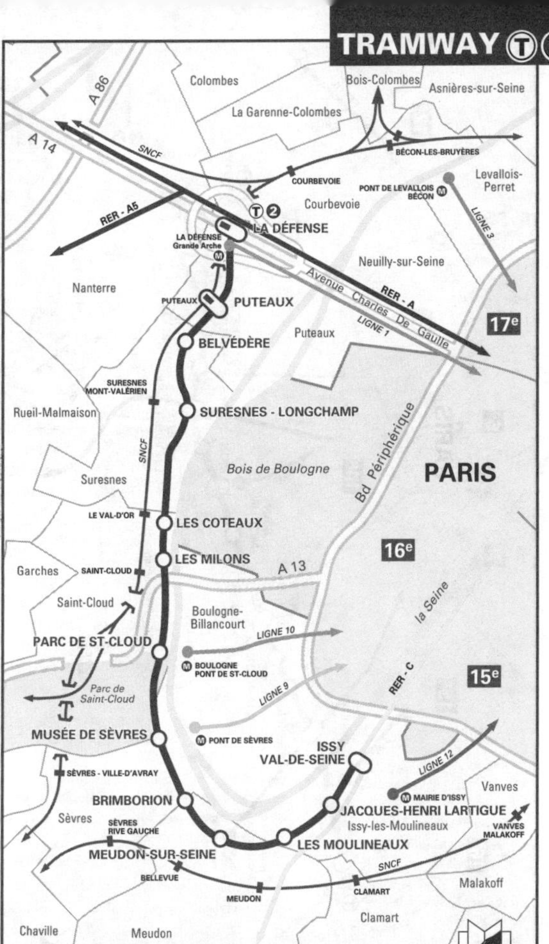
Colombes
Bois-Colombes
Asnières-sur-Seine
La Garenne-Colombes
A 86
A 14
SNCF
BÉCON-LES-BRUYÈRES
COURBEVOIE
Levallois-Perret
PONT DE LEVALLOIS BÉCON
Courbevoie
RER - A5
T2 LA DÉFENSE
LA DÉFENSE Grande Arche
LIGNE 3
Neuilly-sur-Seine
Nanterre
Avenue Charles De Gaulle
RER - A
PUTEAUX
PUTEAUX
17e
LIGNE 1
Puteaux
BELVÉDÈRE
SURESNES MONT-VALÉRIEN
Rueil-Malmaison
SURESNES - LONGCHAMP
Bd Périphérique
SNCF
Bois de Boulogne
PARIS
Suresnes
LE VAL-D'OR
LES COTEAUX
16e
LES MILONS
Garches
SAINT-CLOUD
A 13
Saint-Cloud
Boulogne-Billancourt
la Seine
LIGNE 10
PARC DE ST-CLOUD
BOULOGNE PONT DE ST-CLOUD
RER - C
15e
Parc de Saint-Cloud
LIGNE 9
MUSÉE DE SÈVRES
PONT DE SÈVRES
ISSY VAL-DE-SEINE
SÈVRES - VILLE-D'AVRAY
LIGNE 12
Vanves
BRIMBORION
MAIRIE D'ISSY
JACQUES-HENRI LARTIGUE
Sèvres
SÈVRES RIVE GAUCHE
Issy-les-Moulineaux
VANVES MALAKOFF
LES MOULINEAUX
MEUDON-SUR-SEINE
SNCF
BELLEVUE
Malakoff
MEUDON
CLAMART
Clamart
Chaville
Meudon

TRAMWAY T 3

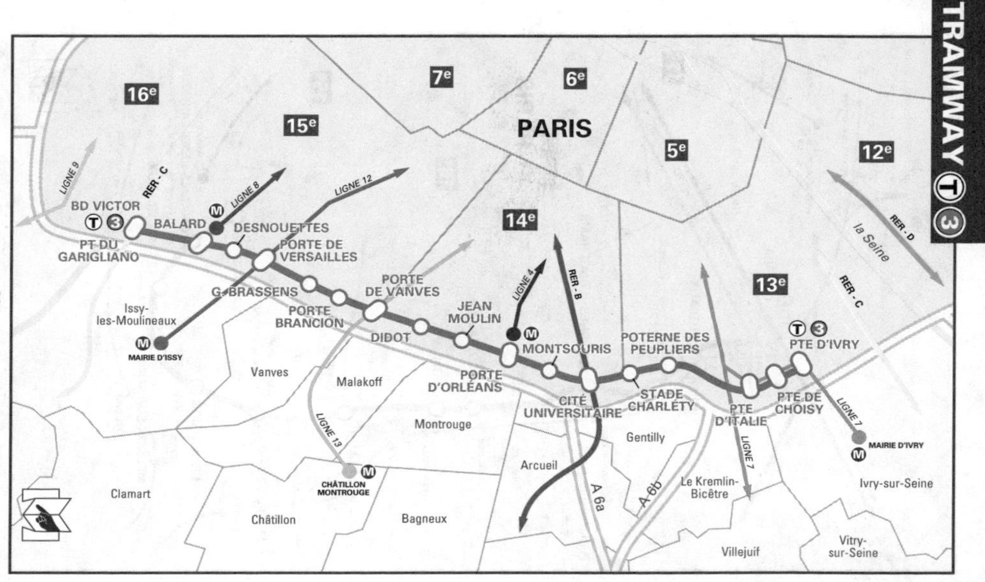

16e
7e
6e
15e
PARIS
5e
12e
LIGNE 9
RER - C
LIGNE 8
LIGNE 12
BD VICTOR
T 3
BALARD
DESNOUETTES
PT DU GARIGLIANO
PORTE DE VERSAILLES
14e
RER - D
la Seine
G-BRASSENS
PORTE DE VANVES
LIGNE 4
RER - B
13e
RER - C
Issy-les-Moulineaux
PORTE BRANCION
JEAN MOULIN
MAIRIE D'ISSY
DIDOT
MONTSOURIS
POTERNE DES PEUPLIERS
T 3 PTE D'IVRY
Vanves
Malakoff
PORTE D'ORLÉANS
STADE CHARLETY
PTE DE CHOISY
CITÉ UNIVERSITAIRE
PTE D'ITALIE
LIGNE 13
Montrouge
LIGNE 7
Gentilly
LIGNE 7
MAIRIE D'IVRY
Arcueil
CHÂTILLON MONTROUGE
Clamart
A 6a
A 6b
Le Kremlin-Bicêtre
Ivry-sur-Seine
Châtillon
Bagneux
Villejuif
Vitry-sur-Seine

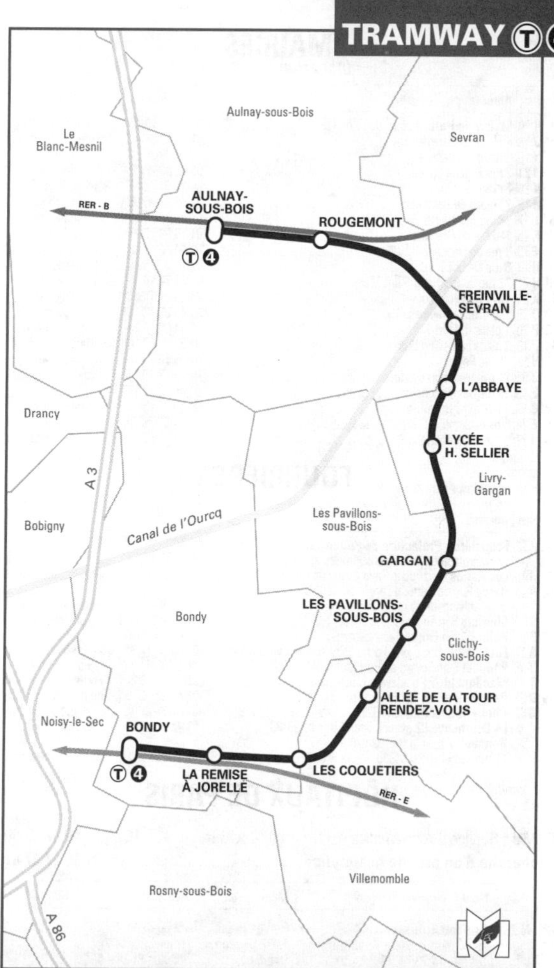
Aulnay-sous-Bois
Le Blanc-Mesnil
Sevran
RER - B
AULNAY-SOUS-BOIS
T 4
ROUGEMONT
FREINVILLE-SEVRAN
L'ABBAYE
Drancy
LYCÉE H. SELLIER
Livry-Gargan
A 3
Les Pavillons-sous-Bois
Canal de l'Ourcq
Bobigny
GARGAN
LES PAVILLONS-SOUS-BOIS
Bondy
Clichy-sous-Bois
ALLÉE DE LA TOUR RENDEZ-VOUS
Noisy-le-Sec
BONDY
T 4
LA REMISE À JORELLE
LES COQUETIERS
RER - E
Villemomble
Rosny-sous-Bois
A 86

Mairies
Alcaldías

MAIRIES
(par arrondissement)

Arr.	Plan	Adresse	Téléphone	Métro
4	**K** 20	**Mairie de Paris** 4 place de l'Hôtel de Ville	01 42 76 40 40	Hôtel de Ville
1	**J** 18	4 place du Louvre	01 44 50 75 01	Louvre-Rivoli, Pt Neuf
2	**I** 18	8 rue de la Banque	01 53 29 75 02	Bourse
3	**I** 21	2 rue Eugène Spuller	01 53 01 75 03	Temple
4	**K** 20	2 place Baudoyer	01 44 54 75 04	Hôtel de Ville, St Paul
5	**M** 19	21 place du Panthéon	01 56 81 75 05	Luxembourg
6	**L** 17	78 rue Bonaparte	01 40 46 75 06	Saint-Sulpice
7	**K** 15	116 rue de Grenelle	01 53 58 75 07	Varenne, Solférino
8	**F** 15	3 rue de Lisbonne	01 44 90 75 08	Europe
9	**H** 18	6 rue Drouot	01 71 37 75 09	Richelieu-Drouot
10	**H** 21	72 rue du Faubourg Saint-Martin	01 53 72 10 10	Château d'Eau
11	**K** 24	12 Place Léon Blum	01 53 27 11 11	Voltaire
12	**O** 25	130 avenue Daumesnil	01 44 68 12 12	Dugommier
13	**P** 20	1 place d'Italie	01 44 08 13 13	Place d'Italie
14	**P** 16	2 place Ferdinand Brunot	01 53 90 67 14	Mouton-Duvernet
15	**N** 12	31 rue Péclet	01 55 76 75 15	Vaugirard
16	**J** 9	71 avenue Henri Martin	01 40 72 16 16	Rue de la Pompe
17	**E** 15	16 rue des Batignolles	01 44 69 17 17	Rome
18	**C** 19	1 place Jules Joffrin	01 53 41 18 18	Jules Joffrin
19	**E** 24	5 place Armand Carrel	01 44 52 29 19	Laumière
20	**I** 27	6 place Gambetta	01 43 15 20 20	Gambetta

Car pounds
Depósitos de vehiculos incautados

FOURRIÈRES

Arr.	Plan	Adresse	Téléphone	Métro
		Fourrrière - Préfecture de Police www.prefecture-police-paris.interieur.gouv.fr	0 891 01 22 22* *(*0,23€/mn)*	
1	**J** 19	**Les Halles** Parc Public Saint-Eustache - 5e sous-sol	01 40 39 12 20	Châtelet-Les Halles
12	**R** 26	**Bercy** Rue du Général Langle de Cary (sous échangeur de la Pte de Bercy)	01 53 46 69 20	Porte de Charenton
13	**S** 19	**Charlety** Rue Thomire		Gentilly (RER)
15	**P** 9	**Balard** 1 rue Ernest Hemingway	01 45 58 70 30	Balard
16	**G** 11	**Foch** Parc Public Étoile-Foch - 2e ss-sol vis à vis 8 Av. Foch	01 53 64 11 80	Ch. De Gaulle - Étoile
17	**B** 15	**Pouchet** 8 boulevard du Bois le Prêtre	01 53 06 67 68	Porte de Clichy
19	**B** 23	**Macdonald** 221 boulevard Macdonald	01 40 37 79 20	Porte de la Chapelle
19	**D** 27	**Pantin** 15 rue de la Marseillaise	01 44 52 52 15	Pte de Pantin - Hoche
	CS 83	**Clichy** 32 quai de Clichy 92110	01 47 31 22 15	Mairie de Clichy
		La Courneuve 92 avenue Jean Mermoz 93120	01 48 38 31 63	Le Bourget (RER)
		Bonneuil Z.I. de la Haie Griselle 11 rue des Champs 94380 Angle RN 19	01 45 13 61 40	Boissy-St-Léger (RER)

Paris hospitals
Hospitales de París

HÔPITAUX DE PARIS

SAMU : **S**ervice d'**A**ide **M**édicale d'**U**rgence : ....**15** ou **01 45 67 50 50**

Recherche d'un proche hospitalisé : **01 40 27 37 81**

Arr.	Plan	**Nom** / Adresse / Téléphone	Métro	Autobus	**RER** / *SNCF*
12	**N** 28	**Armand Trousseau** 26 avenue Docteur A. Netter Tél.: 01 44 73 74 75	Bel Air, Picpus, Pte de Vincennes, Daumesnil	29-56-62-PC2 Hôp. Trousseau, Avenue St-Mandé	

HÔPITAUX DE PARIS

Paris hospitals
Hospitales de París

Arr.	Plan	**Nom** / Adresse / Téléphone	Métro	Autobus	**RER** / *SNCF*
18	**B** 17	**Bichat-Claude Bernard** 46 rue Henri Huchard Tél.: 01 40 25 80 80	Porte de Saint-Ouen	81-60-95-PC3 Pte de Saint-Ouen, Pte de Montmartre	
18	**D** 17	**Bretonneau** 23 rue Joseph de Maistre Tél.: 01 53 11 18 00	Guy Môquet	80-95 Pl. J. Froment	
13	**P** 19	**Broca** 54-56 rue Pascal Tél.: 01 44 08 30 00	Gobelins, Corvisart, Glacière	21-83-91 Gobelins	
14	**R** 14	**Broussais** 96 rue Didot Tél.: 01 43 95 95 95	Plaisance	62-58-PC1 Alésia-Didot, Hôpital Broussais	
14	**O** 18	**Cochin** 27 rue du Fbg Saint-Jacques Tél.: 01 58 41 41 41	Saint-Jacques	21-38-83-91 Observatoire, Port-Royal	**B** **Port-Royal**
15	**O** 11	**Cognacq-Jay** Rue Eugène Millon Tél.: 01 45 30 80 50	Convention	62 Convention	
20	**L** 28	**Croix Saint-Simon** 125 rue d'Avron Tél.: 01 44 64 16 00	Porte de Montreuil	26-57-PC2 Maraîchers, Porte de Montreuil	
12	**N** 26	**Des Diaconesses** 18 rue du Sergent Bauchat Tél.: 01 44 74 10 10	Montgallet	46 Montgallet	
15	**O** 8	**Européen G. Pompidou** 20 rue Leblanc Tél.: 01 56 09 20 00	Balard	88-42-PC1	**C - Bd Victor**
10	**F** 21	**Fernand Widal** 200 rue du Fbg Saint-Denis Tél.: 01 40 05 45 45	Gare du Nord, La Chapelle	26-42-43-46-47-48 54-65-350 Cail-Demarquay	**B** **Gare du Nord**
16	**O** 6	**Henry Dunant** (Croix Rouge) 95 rue Michel Ange Tél.: 01 40 71 24 24	Porte de Saint-Cloud	22-62-72-PC1 Michel-Ange	
4	**L** 19	**Hôtel-Dieu** 1 place du Parvis Notre-Dame Tél.: 01 42 34 82 34	Cité, St-Michel, Châtelet, Hôtel de ville	21-24-27-38-47 70-72-74-85-96	**B-C** **St-Michel** **N. Dame**
5	**N** 19	**Institut Curie** (Hôp. Claudius-Régaud) 25 rue d'Ulm Tél.: 01 44 32 40 00	Place Monge	21-27-84-89 Feuillantines Panthéon	
14	**S** 17	**Institut Mutualiste Montsouris** 42 boulevard Jourdan Tél.: 01 56 61 62 63	Porte d'Orléans	88-PC1 Porte d'Arcueil	**B** **Cité Universitaire**
5	**O** 20	**La Collégiale** 33 rue du Fer à Moulin Tél.: 01 45 35 28 35	Gobelins	24-47-83 Gobelins	
10	**E** 20	**Lariboisière** 2 rue Ambroise Paré Tél.: 01 49 95 65 65	Gare du Nord, Barbès-Rochechouart	26-30-31-38-42 43-46-48-54-56-85 Gare du Nord	**B** **Gare du Nord**

HÔPITAUX DE PARIS

Arr.	Plan	**Nom** / Adresse / Téléphone	Métro	Autobus	**RER** / *SNCF*
14	**Q** 17	**La Rochefoucauld** 15 avenue du Gal Leclerc Tél.: 01 44 08 30 00	Denfert- Rochereau	38-68-88	**B** **Denfert-** **Rochereau**
14	**O** 15	**Léopold Bellan** 19 rue Vercingétorix Tél.: 01 40 48 68 68	Gaîté	28-58-91-88	*Gare* *Montparnasse*
17	**F** 11	**Marmottan** 17 rue d'Armaillé Tél.: 01 45 74 00 04	Argentine	43	**A** **Ch.-de-Gaulle** **Étoile**
14	**O** 18	**Maternités Baudelocque** **et Port-Royal(Cochin)** 123 Bd Tél.: 01 58 41 20 47	Saint-Jacques	38-83-91 Observatoire, Port-Royal	**B** **Port-Royal**
15	**N** 14	**Necker** (Enfants Malades) 149 rue de Sèvres Tél.: 01 44 49 40 00	Duroc Sèvres-Lecourbes	28, 39, 70, 82, 87 89, 92	
14	**R** 15	**Notre-Dame de Bon Secours** 66 rue des Plantes Tél.: 01 40 52 40 52	Alésia Pte d'Orléans	58 Hôpital N.-D. de Bon Secours	
15	**N** 14	**Pasteur (Institut)** 211 rue de Vaugirard Tél.: 01 45 68 81 14	Pasteur Volontaires	39-70-89	*Gare* *Montparnasse*
6	**N** 17	**Pavillon Tarnier (Cochin)** 89 rue d'Assas Tél.: 01 58 41 18 11 ou 01 58 41 18 12	N-D des Champs	38-91-83 Observatoire	**B** **Port-** **Royal**
13	**O** 22	**Pitié-Salpêtrière** 47-83 boulevard de l'Hôpital Tél.: 01 42 16 00 00	Austerlitz, Saint-Marcel, Chevaleret	24-27-57-61-63-67-89-91 St-Marcel-La Pitié, Jard. des Plantes	*Gare* *d'Aust.*
12	**M** 23	**Quinze-Vingts** (Ophtalmologie) 28 rue de Charenton Tél.: 01 40 02 15 20	Ledru-Rollin, Bastille	20-29-65-69-76 86-87-91 Bastille	
19	**F** 27	**Robert Debré** 48 boulevard Sérurier Tél.: 01 40 03 20 00	Porte des Lilas, Pré St-Gervais	48-PC2-PC3 Porte des Lilas, Robert Debré	
12	**N** 27	**Rothschild** 33 boulevard de Picpus Tél.: 01 40 19 30 00	Picpus, Bel Air	29-56 Picpus-Square, Courteline	
12	**M** 24	**Saint-Antoine** 184 rue du Faubourg St-Antoine Tél.: 01 49 28 20 00	Faidherbe- Chaligny, Reuilly Diderot	46-57-86 Ledru-Rollin, Saint-Antoine	
14	**Q** 18	**Sainte-Anne** 1 rue Cabanis Tél.: 01 45 65 80 00	Glacière St-Jacques	21-62-88 Glacière	**B** **Denfert-** **Rochereau**
14	**Q** 14	**Saint-Joseph** 185 rue Raymond Losserand Tél.: 01 44 12 33 33	Plaisance Pte de Vanves	62-58-PC1 Alésia Didot	
10	**G** 22	**Saint-Louis** 1 avenue Claude Vellefaux Tél.: 01 42 49 49 49	Goncourt	46-75 Hôpital St-Louis, Pl. du Col Fabien	
15	**P** 12	**Saint-Michel** 33 rue Olivier de Serres Tél.: 01 40 45 63 63	Convention	39-62-89 Convention, Charles Vallin	

HÔPITAUX DE PARIS

Paris hospitals
Hospitales de París

Arr.	Plan	**Nom** / Adresse / Téléphone	Métro	Autobus	**RER** / *SNCF*
16	**N** 7	**Ste-Périne (Gr. Hospitalier)** 11 rue Chardon Lagache Tél.: 01 44 96 31 31	Ch. Lagache	22-62-72-52 Pont Mirabeau, Wilhem	
14	**O** 17	**Saint-Vincent-de-Paul** 74-82 avenue Denfert-Rochereau Tél.: 01 40 48 81 11	Port Royal D.-Rochereau	38-68-91-83 St-Vincent-de-Paul, Victor Considérant,	**B** **Port-Royal**
20	**I** 27	**Tenon** 4 rue de la Chine Tél.: 01 56 01 70 00	Gambetta Pelleport Pte de Bagnolet	26-61-69-102-PC2 Place Gambetta, Porte de Bagnolet	
5	**O** 19	**Val de Grâce** 74 boulevard Port-Royal Tél.: 01 40 51 40 00	Les Gobelins	21-38-83-91 Port-Royal, Observatoire	**B** **Port-Royal**
15	**P** 11	**Vaugirard - Gabriel Pallez** 10 rue Vaugelas Tél.: 01 40 45 80 00	Convention, Porte de Versailles	39-80 Hôpital de Vaugirard, Porte de Versailles	

HÔPITAUX DE BANLIEUE

Suburban hospitals
Hospitales del extrarradio

Dép.	**Nom** / Adresse / Ville / Téléphone	Métro	Autobus	**RER** / *SNCF*
91	**Georges Clemenceau** Champcueil Tél.: 01 69 23 20 20			**D** **Mennecy,** **Ballancourt**
91	**Joffre - Dupuytren** 1 rue Louis Camatte Draveil Tél.: 01 69 83 63 63		17	*Juvisy,* *Ris Orangis*
92	**Ambroise Paré** 9 avenue Charles de Gaulle Boulogne Tél.: 01 49 09 50 00	Porte d'Auteuil, Boulogne, Jean Jaurès	123-482 Ambroise Paré, Eglise de Boulogne	
92	**Antoine Béclère** 157 rue de la Porte de Trivaux Clamart Tél.: 01 45 37 44 44		189-190-195-295-390 Antoine Béclère, La Cavée	
92	**Beaujon** 100 Bd du Général Leclerc Clichy Tél.: 01 40 87 50 00	Mairie de Clichy, Pte de Clichy	74-138 A Hôpital Beaujon, Cimetière Nouveau	
92	**Corentin Celton** 4 parvis C. Celton Issy-les-Moulineaux Tél.: 01 58 00 40 00	Corentin- Celton	123-126-189-190 Corentin Celton, Mairie d'Issy	**C** **Issy Ville,** **Issy Plaine**
92	**Hôpital Américain** 63 Bd Victor Hugo Neuilly-sur-Seine Tél.: 01 46 41 25 25	Porte Maillot Pt de Levallois	43-82-93 163-164-174	
92	**Louis Mourier** 178 rue des Renouillers Colombes Tél.: 01 47 60 61 62		304-235 B Louis Mourier, Ile Marante	**A -Nanterre** **Université** *Colombes*
92	**Raymond Poincaré** 104 Bd Raymond Poincaré Garches Tél.: 01 47 10 79 00		26-360-460 Raymond Poincaré	*Garches-* *Marnes la* *Coquette*

Suburban hospitals
Hospitales del extrarradio

HÔPITAUX DE BANLIEUE

Dép.	**Nom** / Adresse / Ville / Téléphone	Métro	Autobus	**RER** / *SNCF*
93	**Avicenne** 125 rue de Stalingrad Bobigny Tél.: 01 48 95 55 55	La Courneuve, Bobigny-Pablo Picasso	Tramway T1 Hôpital Avicenne	
93	**Bigottini** 3 avenue du Clocher Aulnay-sous-Bois Tél.: 01 41 52 59 99			**B** **Aulnay-s/s-Bois**
93	**Jean Verdier** Avenue du 14 Juillet Bondy Tél.: 01 48 02 66 66		**147-247-616** Jean Verdier, Pasteur	*Gare de Bondy*
93	**René Muret-Bigottini** 52 avenue du Dr Schaeffner Sevran Tél.: 01 41 52 59 99		**618** Cité Rougemont, René Muret	
93	**Robert Ballanger** Bd Robert Ballanger Aulnay-sous-Bois Tél.: 01 49 36 71 23		147-15-15a-607a 607b-01-618-45-634	**B** **Sevran-Beaudottes**
94	**Albert Chenevier** 40 rue de Mesly Créteil Tél.: 01 49 81 31 31	Créteil-Université	**14 -217** Albert Chenevier Eglise ou Château	
94	**Bicêtre** 78 rue du Gal Leclerc Le Kremlin-Bicêtre Tél.: 01 45 21 21 21	Le Kremlin-Bicêtre	**47-125-131-323** Bicêtre Convention Jaurès	
94	**Charles Foix** 7 avenue de la République Ivry-sur-Seine Tél.: 01 49 59 40 00	Mairie d'Ivry	**182** Hôpital Ch. Foix	**C - Vitry**
94	**Émile Roux** 1 avenue de Verdun Limeil Brévannes Tél.: 01 45 95 80 80	Créteil-l'Echat	**STRAV . K** Place le Naoures	**A2** **Boissy-Saint-Léger**
94	**Henri Mondor** 51 avenue du Mal de Lattre de Tassigny Créteil Tél.: 01 49 81 21 11	Créteil l'Echat	**104-172-217-281** Henri Mondor, Créteil Eglise	
94	**Jean Rostand** 39 rue Jean Le Galleu Ivry-sur-Seine Tél.: 01 49 59 70 00	Bibliothèque F. Mitterrand	125-132-323	**C** **Ivry-sur-Seine**
94	**Paul Brousse** 12 avenue P. Vaillant Couturier Villejuif Tél.: 01 45 59 30 00	P. Vaillant Couturier	**162-185** Hôpital Paul Brousse	
95	**Charles Richet** Av. Charles Richet Villiers-le-Bel Tél.: 01 34 29 23 00		**268** Hôpital Charles Richet	**D** **Villiers le Bel**
95	**La Roche Guyon** 1 rue de l'Hospice La Roche Guyon Tél.: 01 30 63 83 30			*Mantes-la-Jolie*

ÉGLISES

Churches
Iglesias

Arr.	Plan	**Nom** / Adresse	Métro
8	**H** 15	**Archevêché** 8 rue de la Ville l'Evêque	Madeleine
20	**I** 26	**Auxiliatrice (chapelle)** 15 rue du Retrait	Gambetta
11	**K** 26	**Bon Pasteur** 177 rue de Charonne	Alexandre Dumas
20	**I** 28	**Cœur Eucharistique** 22 rue du Lieutenant Chauré	Porte de Bagnolet
12	**M** 27	**Immaculée Conception** 34 rue du Rendez-Vous	Picpus
8	**H** 16	**Madeleine** Place de la Madeleine	Madeleine
16	**M** 8	**Notre-Dame d'Auteuil** 2 place d'Auteuil	Eglise d'Auteuil
12	**P** 25	**Notre-Dame de Bercy (presbytère)** 11 rue de la Nativité	Dugommier
2	**H** 19	**Notre-Dame de Bonne-Nouvelle** 25 rue de la Lune	Bonne-Nouvelle
18	**C** 19	**Notre-Dame de Clignancourt** 2 place Jules Joffrin	Jules Joffrin
17	**D** 13	**Notre-Dame de Confiance (chapelle)** 164 rue de Saussure	Pereire-Levallois
15	**M** 11	**Notre-Dame de Grâce** 6 rue Fondary	Dupleix
16	**K** 9	**Notre-Dame de Grâce de Passy** 10 rue de l'Annonciation	Passy
17	**F** 10	**Notre-Dame de la Compassion** place du Général Koening	Porte Maillot
20	**H** 25	**Notre-Dame de la Croix** 2 bis rue Julien Lacroix	Ménilmontant
13	**Q** 22	**Notre-Dame de la Gare** Place Jeanne d'Arc	Bib. F. Mitterrand
7	**L** 16	**Notre-Dame de la Médaille Miraculeuse (chapelle)** 140 rue du Bac	Sèvres-Babylone
15	**P** 12	**Notre-Dame de la Salette** 27 rue de Dantzig	Convention
15	**P** 13	**Notre-Dame de l'Arche de l'Alliance** 81 rue d'Alleray	Voltaire
16	**K** 7	**Notre-Dame de l'Assomption** 88 rue de l'Assomption	Ranelagh
11	**K** 23	**Notre-Dame de l'Espérance** 47 rue de la Roquette	Bréguet-Sabin
9	**G** 18	**Notre-Dame de Lorette** 18 bis rue de Châteaudun	N-D de Lorette
20	**H** 27	**Notre-Dame de Lourdes** 130 rue Pelleport	Pelleport
15	**P** 10	**Notre-Dame de Nazareth** 351 rue Lecourbe	Balard
4	**L** 19	**Notre-Dame de Paris (Cathédrale)** 6 place du parvis Notre-Dame	Cité
6	**M** 16	**Notre-Dame des Anges (chapelle)** 102 bis rue Vaugirards	Saint-Placide
4	**K** 21	**Notre-Dame des Blancs-Manteaux** 12 rue des Blancs-Manteaux	Hôtel de Ville
19	**E** 24	**Notre-Dame des Buttes Chaumont** 80 rue de Meaux	Laumière
6	**N** 16	**Notre-Dame des Champs** 91 boulevard du Montparnasse	Montparnasse-B.
19	**D** 22	**Notre-Dame des Foyers** 18 rue de Tanger	Stalingrad
10	**E** 21	**Notre-Dame des Malades (chapelle)** 15 rue Philippe de Girard	Louis Blanc
20	**G** 27	**Notre-Dame des Otages** 81 rue Haxo	Télégraphe
2	**I** 18	**Notre-Dame des Victoires (basilique)** Place des Petits Pères	Bourse
19	**G** 24	**Notre-Dame du Bas Belleville (chapelle)** 5 allée Gabrielle d'Estrée	Belleville
18	**C** 19	**Notre-Dame du Bon Conseil** 140 rue de Clignancourt	Simplon
15	**N** 13	**Notre-Dame du Lys** Rue Blomet	Blomet
11	**J** 25	**Notre-Dame du Perpétuel Secours** 55 boulevard Ménilmontant	Père-Lachaise
14	**Q** 13	**Notre-Dame du Rosaire** 194 rue Raymond Losserand	Porte de Vanves
16	**I** 9	**Notre-Dame du Saint-Sacrement (chapelle)** 20 rue Cortembert	Rue de la Pompe
14	**P** 15	**Notre-Dame du Travail** 59 rue Vercingétorix	Gaîté
11	**H** 24	**Notre-Dame Réconciliatrice** 57 boulevard Belleville	Belleville
18	**D** 18	**Sacré-Cœur (basilique)** Place du Parvis du Sacré-Coeur	Anvers
11	**J** 23	**Saint-Ambroise de Popincourt** 71 bis boulevard Voltaire	Saint-Ambroise
8	**F** 16	**Saint-André de l'Europe** 24 bis rue de Saint-Pétersbourg	Place de Clichy
15	**Q** 11	**Saint-Antoine de Padoue** 52 boulevard Lefebvre	Porte de Versailles
12	**M** 23	**Saint-Antoine des Quinze-Vingts** 66 avenue Ledru Rollin	Ledru-Rollin
8	**G** 15	**Saint-Augustin** Place Saint-Augustin	Saint-Augustin
18	**E** 20	**Saint-Bernard de la Chapelle** 11 rue Affre	La Chapelle
14	**O** 15	**Saint-Bernard de Maine Montparnasse** 34 avenue du Maine	Montparnasse-B.
20	**L** 28	**Saint-Charles de la Croix St-Simon (chapelle)** 16 bis rue Croix St-Simon	Porte de Montreuil
17	**E** 14	**Saint-Charles de Monceau** 22 bis rue Legendre	Malesherbes
15	**N** 9	**Saint-Christophe de Javel** 28 rue de la Convention	Javel

ÉGLISES

Arr.	Plan	**Nom** / Adresse	Métro
18	**C** 21	**Saint-Denis de la Chapelle** 16 rue de la Chapelle	Marx-Dormoy
3	**J** 22	**Saint-Denis du Saint-Sacrement** 68 bis rue de Turenne	St-Séb.-Froissart
14	**Q** 17	**Saint-Dominique** 18 rue de la Tombe Issoire	Saint-Jacques
13	**R** 20	**Sainte-Anne de la Maison Blanche** 186 rue de Tolbiac	Tolbiac
12	**M** 29	**Sainte-Bernadette (chapelle)** 12 avenue Porte de Vincennes	Pte de Vincennes
16	**M** 8	**Sainte-Bernadette (chapelle)** 4 rue d'Auteuil	Eglise d'Auteuil
4	**K** 19	**Sainte-Chapelle** Boulevard du Palais	Cité
19	**D** 26	**Sainte-Claire** 179 boulevard Serurier	Porte de Pantin
7	**K** 15	**Sainte-Clotilde** 23 bis rue Las Cases	Solférino
19	**E** 25	**Sainte-Çolette des Buttes Chaumont** 14 allée Darius Milhaud	Ourcq
3	**I** 21	**Sainte-Élisabeth** 195 rue du Temple	Temple
18	**C** 17	**Sainte-Geneviève des Grandes Carrières** 174 rue Championnet	Guy Moquet
18	**B** 18	**Sainte-Hélène** 102 rue du Ruisseau	Pte Clignancourt
18	**C** 21	**Sainte-Jeanne d'Arc** 18 rue de la Chapelle	Marx-Dormoy
16	**O** 6	**Sainte-Jeanne de Chantal** Place de la Porte de Saint-Cloud	Porte de St-Cloud
12	**N** 25	**Saint-Eloi** 3 place Maurice de Fontenoy	Montgallet
11	**L** 24	**Sainte-Marguerite** 36 rue Saint-Bernard	Faidherbe-Chaligny
17	**D** 15	**Sainte-Marie des Batignolles** 77 place du Docteur Félix Lobligeois	Rome
17	**D** 11	**Sainte-Odile** 2 avenue Stéphane Mallarmé	Porte Champerret
9	**N** 13	**Sainte-Rita (chapelle)** 65 boulevard de Clichy	Pigalle
13	**Q** 19	**Sainte-Rosalie** 50 boulevard Auguste Blanqui	Corvisart
12	**P** 26	**Saint-Esprit** 1 rue Cannebière	Daumesnil
5	**M** 19	**Saint-Étienne du Mont** 1 place Sainte-Genneviève	Cardinal Lemoine
9	**G** 19	**Saint-Eugène Sainte Cécile** 4 bis rue Sainte-Cécile	Bonne Nouvelle
1	**J** 19	**Saint-Eustache** 2 rue du Jour	Chât.-Les Halles
17	**F** 11	**Saint-Ferdinand des Ternes** 27 rue d'Armaillé	Argentine
14	**R** 17	**Saint-François (chapelle)** 7 rue Marie-Rose	Alésia
19	**F** 26	**Saint-François d'Assise** 7 rue de la Mouzaïa	Botzaris
16	**N** 6	**Saint-François de Molitor** 27-28 rue Michel-Ange Molitor	M.-Ange Molitor
17	**E** 13	**Saint-François de Sales (ancienne)** 6 rue Brémontier	Wagram
17	**E** 13	**Saint-François de Sales (nouvelle)** 15-17 rue Ampère	Wagram
7	**L** 14	**Saint-François Xavier** Place du Président Mithouard	St-François-Xavier
20	**M** 28	**Saint-Gabriel** 5 rue des Pyrénées	Pte de Vincennes
19	**F** 23	**Saint-Georges** 114 avenue Simon Bolivar	Bolivar
20	**J** 27	**Saint-Germain de Charonne** 4 place Sainte-Blaise	Gambetta
6	**L** 17	**Saint-Germain des Prés** 3 place Saint-Germain des Prés	St-Germain-des-Prés
1	**J** 18	**Saint-Germain l'Auxerrois** 2 place du Louvre	Louvre
4	**K** 20	**Saint-Gervais Saint-Protais** Place Saint-Gervais	Hôtel-de-Ville
13	**S** 21	**Saint-Hippolyte** 27 avenue de Choisy	Porte de Choisy
16	**H** 10	**Saint-Honoré d'Eylau (ancienne)** 9 place Victor Hugo	Victor Hugo
16	**H** 10	**Saint-Honoré d'Eylau (nouvelle)** 66 bis avenue Raymond Poincaré	Victor Hugo
6	**L** 16	**Saint-Ignace** 33 rue de Sèvres	Sèvres-Babylone
5	**N** 18	**Saint-Jacques du Haut Pas** 252 bis rue Saint-Jacques	Luxembourg
19	**D** 24	**Saint-Jacques Saint-Christophe de la Villette** Place Bitche	Crimée
20	**K** 26	**Saint-Jean Bosco** 79 avenue Alexandre Dumas	Alexandre Dumas
15	**O** 11	**Saint-Jean de Dieu (chapelle)** 223 rue Lecourbe	Convention
18	**E** 18	**Saint-Jean de Montmartre** 19 rue des Abbesses	Abbesses
13	**O** 21	**Saint-Jean des Deux Moulins** 185 rue du Château des Rentiers	Nationale
3	**J** 21	**Saint-Jean Saint-François** 6 bis rue Charlot	Filles du Calvaire
19	**G** 25	**Saint-Jean-Baptiste de Belleville** 139 rue de Belleville	Jourdain
15	**N** 11	**Saint-Jean-Baptiste de Grenelle** 23 place Etienne Pernet	Félix-Faure
15	**O** 14	**Saint-Jean-Baptiste de la Salle** 9 rue Docteur Roux	Pasteur

ÉGLISES

Churches
Iglesias

Arr.	Plan	Nom / Adresse	Métro
10	F 22	**Saint-Joseph Artisan** 214 rue Lafayette	Louis-Blanc
6	M 16	**Saint-Joseph des Carmes** 70 rue de Vaugirard	Saint-Placide
17	C 15	**Saint-Joseph des Épinettes** 40 rue Pouchet	Brochant
11	H 23	**Saint-Joseph des Nations** 161 rue Saint-Maur	Goncourt
5	L 19	**Saint-Julien le Pauvre** 1 rue Saint-Julien le Pauvre	Saint-Michel
15	O 12	**Saint-Lambert de Vaugirard** rue Gerbert	Vaugirard
10	G 21	**Saint-Laurent** 68 boulevard Magenta	Gare de l'Est
15	L 12	**Saint-Léon** 1 place Cardinal Amette	Dupleix
1	J 19	**Saint-Leu Saint-Gilles** 92 rue Saint-Denis	Etienne Marcel
9	G 16	**Saint-Louis d'Antin** 63 rue Caumartin	Havre-Caumartin
7	L 13	**Saint-Louis de l'Ecole Militaire** 13 place Joffre	Ecole Militaire
7	K 14	**Saint-Louis des Invalides** 2 avenue de Tourville	Varenne
4	L 21	**Saint-Louis en l'Ile** 19 bis rue Saint-Louis en l'Ile	Pont-Marie
19	C 23	**Saint-Luc** 80 rue de l'Ourcq	Crimée
13	O 21	**Saint-Marcel de la Salpêtrière** 82 boulevard de l'Hôpital	Saint-Marcel
10	H 21	**Saint-Martin des Champs** 36 rue Albert Thomas	J. Bonsergent
5	O 21	**Saint-Médard** 141 rue Mouffetard	Censier-Daubenton
4	K 20	**Saint-Merry** 76 rue Saint-Martin	Hôtel-de-Ville
17	D 16	**Saint-Michel des Batignolles** 12 bis rue Saint-Jean	La Fourche
3	I 20	**Saint-Nicolas des Champs** 252 bis rue Saint-Martin	Arts-et-Métiers
5	M 20	**Saint-Nicolas du Chardonnet** 23 rue des Bernardins	Maubert-Mutu.
4	L 21	**Saint-Paul Saint-Louis** 99 rue Saint-Antoine	Saint-Paul
8	G 14	**Saint-Philippe-du-Roule** 154 rue du Faubourg Saint-Honoré	St-Ph.-du-Roule
18	D 18	**Saint-Pierre de Montmartre** 2 rue du Mont-Cenis	Abbesses
14	Q 16	**Saint-Pierre de Montrouge** 82 avenue du Général Leclerc	Alésia
7	J 13	**Saint-Pierre du Gros Caillou** 92 rue Saint-Dominique	La Tour-Maubourg
16	I 12	**Saint-Pierre-de-Chaillot** 31 avenue Marceau	Alma-Marceau
1	I 17	**Saint-Roch** 296 rue Saint-Honoré	Pyramide
5	L 19	**Saint-Séverin Saint Nicolas** 1 rue des Prêtres Saint-Séverin	Saint-Michel
6	L 17	**Saint-Sulpice** Place Saint-Sulpice	Saint-Sulpice
7	K 16	**Saint-Thomas d'Aquin** Place Saint-Thomas d'Aquin	Rue du Bac
10	F 20	**Saint-Vincent de Paul** Place Franz Liszt	Poissonnière
9	G 17	**Trinité** Place d'Estiennes d'Orves	Trinité
5	O 18	**Val-de-Grâce** 1 place du Val de Grâce	Port-Royal

CULTE CATHOLIQUE ÉTRANGER

Foreign catholic churches
Culto católico extranjero

Arr.	Plan	Nom / Adresse	Métro
6	L 16	**Église Diocésaine des Etrangers** 33 rue de Sèvres	Sèvres Babylone
6	L 17	**Église Gréco-Catholique Ukrainienne** 61 rue des Saints-Pères	St-Germ.-des-Prés
8	I 13	**Apostolique Arménienne** 15 rue Jean Goujon	Alma-Marceau
6	M 17	**Aumônerie Africaine et Asiatique** 6 rue Madame	Saint-Sulpice
6	N 15	**Aumônerie Japonaise** 16 rue Jean-Baptiste de la Salle	Duroc
14	O 17	**Aumônerie Suisse** 32 rue de l'Observatoire	Denfert-Rochereau
16	H 9	**Chapelle Albert le Grand (Allemand)** 38 rue Spontini	Porte Dauphine
8	G 12	**Chapelle du Corpus Christi (Espagnol)** 23 avenue de Friedland	Georges-V
11	M 25	**Sainte Famille (Chapelle Italienne)** 46 rue de Montreuil	Faidherbe Chaligny
8	I 12	**Église Américaine de la Ste Trinité** 23 avenue Georges-V	Alma-Marceau
16	J 9	**Cœur Immaculé de Marie (Espagnol)** 51 bis rue de la Pompe	Rue de la Pompe

Foreign catholic churches
Culto católico extranjero

CULTE CATHOLIQUE ÉTRANGER

Arr.	Plan	Nom / Adresse	Métro
5	N 19	**Église des Maronites (libanais)** 15 rue d'Ulm	Luxembourg
16	L 8	**Église des Maronites (roumain)** 38 rue Ribera	Jasmin
17	F 13	**Église Suédoise** 9 rue Médéric	Courcelles
10	E 22	**Mission Belge** 228 rue Lafayette	Louis-Blanc
10	H 20	**Mission Chinoise** 12 rue de l'Echiquier	Strg-Saint-Denis
6	N 17	**Mission Coréenne** 8 rue Joseph Bara	Vavin
17	D 16	**Mission Hollandaise** 39 rue du Docteur Heulin	La Fourche
10	H 21	**Mission Hongroise** 42 rue Albert Thomas	République
1	I 16	**Mission Polonaise** 263 bis rue Saint-Honoré	Madeleine
8	I 13	**Notre-Dame de Consolation (italien)** 23 rue Jean Goujon	Alma-Marceau
19	H 25	**Notre-Dame de Fatima sanctuaire (portugais)** 48 bis boulevard Serurier	Porte des Lilas
1	I 16	**Notre-Dame de l'Assomption (polonais)** Place Maurice Barrès	Concorde
5	N 19	**Notre-Dame du Liban Maronite** 17 rue d'Ulm	Luxembourg
13	Q 18	**Saint-Albert le Grand (allemand)** 122 rue Glacière	Glacière
10	E 22	**Saint-Joseph Luxembourgeoise** 214 rue Lafayette	Louis-Blanc
8	G 12	**Saint-Joseph'Church (anglais)** 50 avenue Hoche	Ch. de Gaulle-Etoile
15	M 13	**Saint-Pie X (italien)** 36 rue Miollis	Cambronne
16	N 7	**Sainte-Geneviève (polonais)** 18 rue Claude-Lorrain	Exelmans

Baptist churches
Baptistas Iglesias

ÉGLISES BAPTISTES

Arr.	Plan	Nom / Adresse	Métro
7	K 16	**Évangile Baptiste** 48 rue de Lille	Bac
12	N 27	**Évangile Baptiste** 32 rue Victor Chevreuil	Bel-Air
8	F 15	**Association Évangélique** 22 rue de Naples	Villiers
14	P 16	**Évangile Baptiste** 123 avenue Maine	Gaîté
9	G 17	**Évangile Baptiste Coréenne** 42 rue de Provence	Ch.-d'Ant. La Fayette
18	B 17	**Église Tabernacle** 163 bis rue Belliard	Porte de St-Ouen
7	M 15	**Église Paris Centre** 72 rue de Sèvres	Duroc
14	R 16	**Église Baptiste du Centre** 123 rue Beaunier	Porte d'Orléan

Foreign prostestant churches
Culto protestante extranjero

CULTE PROTESTANT ÉTRANGER

Arr.	Plan	Nom / Adresse	Métro
7	J 13	**American Church** 65 quai d'Orsay	Alma-Marceau
8	I 12	**Cathédrale Américaine Holy Trinity** 23 avenue Georges V	Alma-Marceau
9	F 17	**Église Allemande** 25 rue Blanche	Trinité-Blanche
8	H 15	**Église Anglicane St-Michaël** 5 rue d'Aguesseau	Madeleine
8	G 12	**Église Danoise** 17 rue Lord Byron	Georges-V
8	I 13	**Église Écossaise** 17 rue Bayard	Franklin-Roosevelt
13	P 21	**Église Hollandaise** 172 boulevard Vincent Auriol	Place d'Italie
15	O 9	**Église Malgache** 170 rue Lourmel	Balard
9	F 16	**Église Malgache** 47 rue de Clichy	Place de Clichy
11	H 24	**Église Protestante Chinoise de Paris** 28 rue du Moulin Joly	Couronnes
17	F 13	**Église Suédoise** 9 rue Médéric	Coucelles
17	G 10	**l'Etoile** 54 avenue de la Grande Armée	Porte Maillot
16	H 12	**Saint-Georges (anglaise)** 7 rue Auguste Vacquerie	Kléber
15	O 12	**Saint-Sauveur (luthérienne)** 105 rue de l'Abbé Groult	Convention
2	H 19	**Sainte Hélène** 19 rue Beauregard	Bonne Nouvelle

ÉGLISES ÉVANGÉLIQUES

Evangelical churches
Iglesias Evangélicas

Arr.	Plan	**Nom** / Adresse	Métro
15	**M** 11	**Assemblée de Dieu** 25 rue Fondary	Emile Zola
11	**L** 23	**Église Évangélique de Paris** 44 rue de la Roquette	Bastille
11	**L** 26	**Centre Évangélique Philadelphia** 9 passage du Bureau	Alexandre Dumas
11	**K** 24	**Église Évangelique Internationale de Paris** 9-11 cour Debille	Voltaire
14	**P** 15	**Église ADD** 105 rue Raymond Losserand	Pernety
2	**H** 19	**Église de Pentecôte** 10 rue du Sentier	Sentier-B. Nouvelle
19	**E** 23	**Église de Pentecôte** 14 rue de Clovis Hugues	Jaurès
13	**P** 20	**Église Évangélique** 3 bis rue des Gobelins	Les Gobelins
17	**E** 14	**Église Évangélique** 20 rue Lebouteux	Villiers
2	**H** 19	**Église Évangélique** 10 rue du Sentier	Sentier
9	**F** 17	**Église Évangélique Allemande** 25 rue Blanche	Trinité
18	**D** 16	**Église Évangélique de la Grace de Paris** 19 rue Ganneron	Fourche
3	**I** 21	**Église Évangélique des Disciple Chinois** 6 rue Vertbois	Arts et Métier
14	**R** 16	**Église Évangélique Libre** 85 rue d'Alésia	Alésia-Plaisance
15	**M** 10	**Église Évangélique Paris 15e** 16 rue des Quatre Frères Peignot	Javel, Ch.Michels
13	**P** 21	**Paris Évangile** 15 rue de Campo Formio	Campo Formio

ÉGLISES ÉVANGÉLIQUES LUTHÉRIENNES

Lutherian churches
Luterano Iglesias

Arr.	Plan	**Nom** / Adresse	Métro
17	**E** 14	**Église de l'Ascension** 47, rue Dulong	Rome - Villiers
4	**K** 20	**Église des Billettes** 22, rue des Archives	Hôtel-de-Ville
12	**L** 25	**Église de Bon-Secours** 20, rue Titon	Rue des Boulets
9	**G** 18	**Église de la Rédemption** 16, rue Chauchat	Le Peletier
15	**N** 12	**Église de la Résurrection** 6, rue Quinault	Commerce
7	**K** 13	**Église Saint-Jean** 147, rue de Grenelle	La Tour Maubourg
5	**O** 18	**Église Saint-Marcel** 24, rue Pierre Nicole	Port-Royal RER
18	**D** 19	**Église Saint-Paul** 90, boulevard Barbès	Marc.-Poissonniers
13	**Q** 21	**Église de la Trinité** 172, boulevard Vincent Auriol	Place d'Italie
19	**F** 24	**Église Saint-Pierre** 55, rue Manin	Bolivar

ÉGLISES RÉFORMÉES

Reformed churches
Iglesias reformadas

Arr.	Plan	**Nom** / Adresse	Métro
16	**N** 6	**Auteuil** 53 rue Erlanger	M.-Ange-Auteuil
17	**E** 15	**Batignolles** 44 boulevard des Batignolles	Rome
20	**H** 24	**Belleville** 97 rue Julien Lacroix	Belleville
20	**J** 27	**Béthanie** 185 rue des Pyrénées	Gambetta
10	**G** 20	**La Rencontre** 17 rue des Petits Hôtels	Gare du Nord
11	**K** 22	**Foyer de l'Ame** 7 bis rue Pasteur Wagner	Bréguet-Sabin
17	**G** 10	**L'Étoile** 54 avenue de la Grande Armée	Argentine
15	**M** 12	**Le Foyer Grenelle** 19 rue de l'Avre	M.-Piquet-Grenelle
6	**M** 17	**Luxembourg** 58 rue Madame	Saint-Sulpice
5	**N** 19	**Maison Fraternelle** 37 rue Tournefort	Place Monge
18	**C** 18	**Maison Verte** 127 rue Marcadet	Lamarcq-Caulaincourt
1	**J** 18	**Oratoire du Louvre** 145 rue Saint-Honoré	Louvre-Rivoli
16	**J** 9	**Passy-Annonciation** 19 rue Cortambert	Rue de la Pompe
7	**K** 15	**Pentemont** 106 rue de Grenelle	Rue du Bac

Reformed churches
Iglesias reformadas

ÉGLISES RÉFORMÉES

Arr.	Plan	**Nom** / Adresse	Métro
14	P 15	**Plaisance** 95 rue de l'Ouest	Pernety
13	P 19	**Port-Royal** 18 boulevard Arago	Les Gobelins
8	G 15	**Saint-Esprit** 5 rue Roquépine	Saint-Augustin
4	L 22	**Le Marais** 17 rue Saint-Antoine	Bastille

Orthodox churches
Culto ortodoxo

CULTE ORTHODOXE

Arr.	Plan	**Nom** / Adresse	Métro
16	N 6	**Église de l'Apparition de la Vierge (russe)** 87 boulevard Exelmans	Exelmans
15	P 11	**Église de la Présentation de la Vierge au Temple** 91 rue Olivier de Serre	Convention
9	F 17	**Église Saint-Jean Caasien Sainte Geneviève (copte)** 15 rue de Douai	Pigale
15	N 13	**Égl. St-Séraphin de Sarov et de l'Intercession de la Vierge** 91 R. Lecourbe	Volontaires
4	K 19	**Église Orthodoxe Française** 30 boulevard Sébastopol	Châtelet
8	F 12	**Saint-Alexandre Nevsky (russe)** 12 rue Daru	Courcelles
18	C 19	**Saint-Dava (serbe)** 23 rue du Simplon	Simplon
13	Q 19	**Sainte-Irénée (russe)** 96 boulevard Auguste Blanqui	Glacière
15	N 10	**Sainte Nina (georgien)** 6-8 rue de la Rosière	Charles Michels
16	I 12	**Saint-Etienne (grecque)** 7 rue Georges Bizet	Alma-Marceau
8	I 13	**Saint-Jean-Baptiste (arménien)** 15 rue Jean-Goujon	Alma-Marceau
9	F 18	**Saints Constantin et Hélène (grecque)** 2 bis rue Laférrière	Saint-Georges
5	M 19	**Saints-Archanges (roumain)** 9 bis rue Jean de Beauvais	Maubert-Mut.
19	E 24	**Saint-Serge (russe)** 93 rue de Crimée	Botzaris
16	O 7	**Tous les Saints de la Terre Russe** 19 rue Claude Lorrain	Exelmans
15	O 12	**Trois Saints-Hiérarques (russe)** 5 rue Pétel	Vaugirard

Mosques
Mosques

CULTE MUSULMAN

Arr.	Plan	**Nom** / Adresse	Métro
5	N 20	**Mosquée de Paris** 2 place du Puits de l'Ermite	Place Monge
11	H 24	**Mosquée Abou Bakr As Saddiq** 39 boulevard de Belleville	Belleville
10	G 20	**Mosquée 'Ali Ibn Al Khattab** 83 rue du Faubourg Saint-Denis	Strg-Saint-Denis
10	H 20	**Centre Culturel Islamique** 23 rue du Faubourg Saint-Denis	Strg-Saint-Denis
19	D 22	**Mosquée Da' oua** 39 rue de Tanger	Stalingrad
18	E 20	**Mosquée du 18 ème** 8 rue des Poissonniers	Château Rouge
10	H 20	**Mosquée Al-Fatih** 64 rue du Faubourg Saint-Denis	Château d'Eau
11	L 24	**Mosquée** 12 rue Godefroy Cavaignac	Charonne
11	J 24	**Mosquée (turque)** 35 passage Cité Industrielle	Voltaire
11	I 24	**Mosquée** 79 rue Jean-Pierre Timbaud	Couronnes
15	N 13	**Mosquée (Ligue Islamique Mondiale)** 22 rue François Bonvin	Sèvres-Lecourbe
18	D 20	**Mosquée Abdel Majid** 23 rue Léon	Château Rouge
18	D 20	**Mosquée Khalid Ibn El Walid** 28 rue Myrha	Château Rouge
18	C 22	**Mosquée** 3-9 rue Marc Séguin	Marx Dormoy
18	D 20	**Mosquée** 74 rue Myrha	Château Rouge
20	L 27	**Mosquée** 61 rue d'Avron	Buzenval
20	I 28	**Mosquée des Comoriens** 27 rue Etienne Marey	Pelleport

CULTE ISRAÉLITE

Jewish religious centers
Culto israelita

Arr.	Plan	**Nom** / Adresse	Métro
9	**G** 18	**Consistoriale Israélite de Paris** 44 rue de la Victoire	Le Peletier
9	**G** 18	**Association Consistoriale Israélite de Paris** 17 rue Saint-Georges	N-D de Lorette
3	**I** 21	**Synagogue** 15 rue Notre-Dame de Nazareth	Temple
4	**K** 22	**Synagogue** 21 bis rue des Tournelles	Chemin-Vert
4	**K** 21	**Synagogue (orthodoxe)** 10 rue Pavée	Saint-Paul
4	**K** 21	**Synagogue Adath Yechouroun** 25 rue des Rosiers	Saint-Paul
4	**K** 22	**Synagogue** 14 place des Vosges	Saint-Paul
4	**K** 21	**Oratoire Fleishman** 18 rue des Ecouffes	Saint-Paul
4	**K** 20	**Synagogue** 24 rue du Bourg Tibourg	Hôtel de Ville
5	**O** 19	**Synagogue** 9 rue Vauquelin	Censier-Daubenton
8	**G** 13	**Synagogue Elie Dray** 218 rue du Faubourg Saint-Honoré	St-Phil. du Roule
9	**G** 18	**Synagogue** 44 rue de la Victoire	Le Peletier
9	**G** 19	**Synagogue** 6 rue Ambroise Thomas	Poissonnière
9	**G** 18	**Synagogue** 18 rue Saint-Lazare	N-D-de-Lorette
9	**G** 18	**Synagogue** 8 rue Lamartine	N-D-de-Lorette
9	**G** 18	**Synagogue** 28 rue Buffault	Cadet
9	**G** 19	**Synagogue Beth Israël** 4 rue Saulnier	Cadet
10	**G** 20	**Synagogue** 4 rue Martel	Château-d'Eau
10	**E** 20	**Synagogue** 9 rue Guy-Patin	B. Rochechouard
11	**K** 24	**Synagogue Don Isaac Abravanel** 84 rue de la Roquette	Voltaire
11	**K** 24	**Synagogue** 18 rue Basfroi	Voltaire
11	**K** 24	**Synagogue Adath Israël** 36 rue Basfroi	Voltaire
13	**R** 22	**Synagogue Avoth Ouvanim** 66 avenue d'Ivry	Porte d'Ivry
13	**R** 19	**Synagogue Sidi Fredj Halimi** 61-65 rue Vergniaud	Glacière
14	**P** 14	**Synagogue** 223 rue Vercingétorix	Porte de Vanves
15	**M** 13	**Synagogue** 14 rue Chasseloup Laubat	Cambronne
15	**M** 11	**Synagogue Fondary-Grenelle** 13 rue Fondary	Emile Zola
16	**I** 8	**Synagogue Ohel Abraham** 31 rue de Montevidéo	Rue de la Pompe
16	**H** 11	**Synagogue** 24 rue Copernic	Victor-Hugo
17	**E** 11	**Synagogue** 19 rue Galvani	Pte de Champerret
18	**C** 19	**Synagogue de Montmartre** 13 rue Sainte-Isaure	Jules Joffrin
18	**D** 18	**Synagogue** 42 rue des Saules	L. Caulincourt
18	**D** 20	**Synagogue** 80 rue de Doudeauville	Château Rouge
19	**B** 24	**Synagogue** 11 rue Curial	Corentin-Cariou
19	**F** 23	**Oratoire** 70 rue Secrétan	Bolivar
20	**K** 28	**Synagogue Beth Yaacov Yossef** 5 square des Cardeurs	Porte de Montreuil
20	**H** 24	**Synagogue** 75 rue Julien Lacroix	Couronnes
20	**H** 24	**Synagogue** 120 boulevard de Belleville	Jourdain

AUTRES CULTES

Others religious centers
Otros cultos

Arr.	Plan	**Nom** / Adresse	Métro
13	**P** 21	**Église Adventiste** 130 boulevard de l'Hôpital	Campo-Formio
20	**M** 28	**Église Adventiste** 35 rue des Maraîchers	Maraîchers
16	**H** 12	**Église Anglicane Saint-Georges** 7 rue Auguste Vacquerie	Kléber
18	**D** 20	**Église du Nazaréen** 36 rue Myrha	Château Rouge
4	**K** 21	**Église Vieille Catholique Mariavite de Pologne** 7 rue Aubriot	Hôtel-de-Ville
4	**K** 20	**Église Jésus-Christ des Saints Derniers Jours** 12 rue Saint-Merri	Hôtel-de-Ville
11	**J** 24	**Centre Messianique TMPI** 1 rue Omer Talon	Père Lachaise
11	**K** 24	**Juifs Messianiques** 120 Boulevard Voltaire	Voltaire

Others religious centers
Otros cultos

AUTRES CULTES

Arr.	Plan	**Nom** / Adresse	Métro
12	**M** 24	**Juifs Messianiques** 11 rue Crozatier	Reuilly-Diderot
11	**H** 22	**Mission Philippins** 54 rue du Faubourg du Temple	Goncourt
12	**O** 26	**Paris Daumesnil** 3 rue Wattignies	Daumesnil
6	**M** 15	**Quakers Société Religieuse** 114 rue de Vaugirard	Saint-Placide
12	**P** 28	**Rencontre Espérence** 275 avenue Daumesnil	Porte Dorée
10	**G** 23	**Sans Logis** 22 rue Sainte-Marthe	Belleville

Cimeteries
Cementerios

CIMETIÈRES

Arr.	Plan	**Nom** / Adresse	Métro
		Cimetières parisiens intra-muros	
12	**P** 26	**Bercy** 329 rue de Charenton	Pte de Charenton
14	**O** 16	**Montparnasse** 3 boulevard Edgar Quinet	Raspail
15	**O** 9	**Grenelle** 174 rue Saint-Charles	Charles-Michels
15	**O** 10	**Vaugirard** 318-320 rue Lecourbe	Lourmel
16	**O** 6	**Auteuil** 57 rue Claude Lorrain	Hôtel de Ville
16	**J** 10	**Passy** 2 rue du Commandant Schloesing	Trocadéro
17	**B** 14	**Batignolles** 8 rue Saint-Just	Porte de Clichy
18	**D** 18	**Montmartre le Calvaire** 2 rue du Mont-Cenis	Lamarck-Caulainc.
18	**E** 17	**Montmartre Nord** 20 avenue Rachel	Blanche
18	**D** 18	**Saint-Vincent** 6 rue Lucien Gaulard	Lamarck-Caulainc.
19	**E** 25	**La Villette** 46 rue d'Hautpoul	Ourcq
20	**G** 27	**Belleville** 40 rue du Télégraphe	Télégraphe
20	**J** 27	**Charonne** 119 rue de Bagnolet (40 place Saint-Blaise)	Gambetta
20	**J** 26	**Père Lachaise** 8 boulevard de Ménilmontant et 16 rue du Repos	Père Lachaise
		Cimetières parisiens extra-muros	
92	**DN** 86	**Bagneux** 46 avenue Max Dormoy	Chat.-Montrouge
93	**CS** 99	**Pantin-Bobigny** 164 avenue Jean Jaurès 93500	Fort d'Aubervilliers
92	**DJ** 77	**Boulogne Billancourt** 48 avenue Pierre Grenier 92100	Marcel Sembat
93	**CS** 91	**Saint-Ouen** 13 avenue du Cimetière 93400	Pte de la Chapelle
93	**CT** 93	**La Chapelle** 38 avenue du Président Wilson 93210 La Plaine-Saint-Denis	Pte de la Chapelle
94	**DN** 94	**Ivry** 32 et 44 avenue de Verdun 94200	Porte de Choisy
94	**DY** 95	**Thiais** 261 avenue de Fontainebleau 94320	
		Autres cimetières dans Paris	
12	**N** 27	**Picpus** 35 rue de Picpus	Picpus
12	**O** 28	**Saint-Mandé** Rue Général Archinard	Porte Dorée
12	**Q** 27	**Valmy** Avenue de la Porte de Charenton	Pte de Charenton
13	**T** 20	**Gentilly** 7 rue Sainte-Hélène	Porte d'Italie
14	**S** 15	**Montrouge** Avenue de la Porte Montrouge	Porte d'Orléans
		Cimetières en proche banlieue	
92	**DJ** 77	**Boulogne-Billancourt** 48 avenue Pierre Grenier 92100	Marcel Sembat
92	**DH** 76	**Boulogne-Billancourt** 1 rue de l'Ouest 92100	Marcel Sembat
92	**CU** 85	**Clichy** Rue Chance Milly 92100	Porte de Clichy
92	**CS** 86	**Clichy** 84 rue du Général Roguet 92100	Porte de Clichy
92	**CT** 83	**Levallois** Rue Baudin 92300	Clichy-Levallois
92	**CX** 79	**Neuilly** Rue Victor Noir 92200	Les Sablons
92	**DL** 83	**Vanves** Avenue Marcel Martinie 92170	Malakoff Plaine de
93	**CX** 101	**Lilas** Avenue Faidherbe 93260	Mairie des Lilas
93	**CW** 100	**Pré-Saint-Gervais** Rue Gabriel Péri 93310	Église de Pantin

MONUMENTS

Monuments
Monumentos

Arr.	Plan	**Nom** / Adresse	Métro
8	G 12	**Arc-de-Triomphe** Place Charles de Gaulle	Ch. de Gaulle-Étoile
1	J 17	**Arc-de-Triomphe du Carrousel** Place du Carrousel	Palais-Royal-Louvre
3	J 21	**Archives Nationales** 60 rue des Francs-Bourgeois	Rambuteau
5	N 20	**Arènes de Lutèce** 49 rue Monge	Jussieu
7	J 15	**Assemblée Nationale (Palais Bourbon)** 29 à 35 quai d'Orsay	Ass. Nationale
11	L 22	**Bastille (Colonne de Juillet)** Place de la Bastille	Bastille
4	J 20	**Beaubourg (Centre Georges Pompidou)** Place Georges Pompidou	Rambuteau
13	P 23	**Bibliothèque Nationale de France** 11 quai François Mauriac	Bib. F. Mitterrand
2	I 18	**Bibliothèque Nationale de France** 58 rue de Richelieu	Pyramides, Bourse
2	H 18	**Bourse** Place de la Bourse	Bourse
14	P 17	**Catacombes** 1 place Denfert-Rochereau	Denfert-Rochereau
8	G 16	**Chapelle Expiatoire** 59 boulevard Haussmann	Saint-Lazare
20	J 26	**Cimetière du Père Lachaise** 16 rue du Repos	Père Lachaise
1	I 17	**Colonne Vendôme** Place Vendôme	Opéra
1	K 19	**Conciergerie (Palais de Justice)** 1 quai de l'Horloge	Cité, St-Michel
7	L 13	**École Militaire** 1 à 23 place Joffre	École Militaire
1	J 19	**Forum des Halles** Rue Pierre Lescot	Chât.-Les-Halles
19	C 25	**Géode (Parc de La Villette)** 26 avenue Corentin-Cariou	Porte de la Villette
13	P 19	**Gobelins (Manufacture des)** 42 avenue des Gobelins	Les Gobelins
8	I 14	**Grand Palais** Avenue Winston Churchill	Ch.-Éysées-Clem.
		Grande Arche de la Défense Parvis de la Défense	Gde Arche
4	K 20	**Hôtel de Ville** Place de l'Hôtel de Ville	Hôtel-de-Ville
6	K 18	**Hôtel des Monnaies** 11 quai de Conti	Pont-Neuf
6	K 18	**Institut de France** 23 quai de Conti	Pont-Neuf
5	M 20	**Institut du Monde Arabe** Rue des Fossés Saint-Bernard	Cardinal Lemoine
7	K 14	**Invalides** 2 avenue de Tourville, place des Invalides	Varenne
8	H 16	**Madeleine (Eglise de la)** Place de la Madeleine	Madeleine
16	L 9	**Maison de Radio France** 116 avenue du Président Kennedy	Av. du Pr. Kennedy
5	N 20	**Mosquée de Paris** Place du Puits de l'Ermite	Jussieu
7	J 16	**Musée Orsay** 1 rue de la Légion d'Honneur	Musée d'Orsay
4	L 19	**Notre Dame de Paris** 6 place du Parvis Notre-Dame	Cité, St-Michel
8	I 15	**Obélisque de la Concorde** Place de la Concorde	Concorde
14	P 17	**Observatoire de Paris** 61 avenue de l'Observatoire	Port-Royal
12	L 22	**Opéra Bastille** 130 rue de Lyon	Bastille
7	J 15	**Palais Bourbon (Assemblée Nationale)** 29 à 35 quai d'Orsay	Ass.Nationale
16	J 10	**Palais de Chaillot (Trocadéro)** Place du Trocadéro	Trocadéro
8	H 15	**Palais de l'Élysée** 55-57 rue du Faubourg Saint-Honoré	Ch.-Éysées-Clem.
1	K 19	**Palais de Justice** 1 boulevard du Palais	Cité, St-Michel
1	J 18	**Palais du Louvre**	Palais-Royal-Louvre
6	M 18	**Palais du Luxembourg (Sénat)** 15-19 rue de Vaugirard	Odéon
9	H 17	**Palais Garnier (Opéra)** Place de l'Opéra	Opéra
1	I 18	**Palais Royal** Place du Palais-Royal	Palais-Royal-Louvre
5	M 19	**Panthéon** Place du Panthéon	Luxembourg
8	I 14	**Petit Palais** Avenue Winston Churchill	Ch.-Éysées-Clem.
4	K 22	**Place des Vosges**	Bastille
1	J 17	**Pyramide du Louvre** Palais du Louvre	Palais-Royal-Louvre
19	E 22	**Rotonde de la Villette** Place de la Bataille de Stalingrad	Stalingrad
18	D 18	**Sacré-Cœur (Basilique du)** Rue du Chevalier de La Barre (Butte Montmartre)	Anvers
1	K 19	**Sainte-Chapelle (Palais de Justice)** 4 boulevard du Palais	Cité, St-Michel
6	M 18	**Sénat (Palais du Luxembourg)** 15-19 rue de Vaugirard	Odéon
5	M 19	**Sorbonne** 47 rue des Écoles	Cluny-la-Sorbonne
7	K 11	**Tour Eiffel** Champs-de-Mars	Trocadéro
15	N 15	**Tour Montparnasse** Rue de l'Arrivée	Montpar-Bienvenüe
4	K 19	**Tour Saint-Jacques** 41 rue de Rivoli	Châtelet

Monuments
Monumentos

MONUMENTS

Arr.	Plan	**Nom** / Adresse	Métro
7	**K** 11	**Tour Eiffel** Champs-de-Mars	Trocadéro
2		**Tour Jean Sans Peur** 20 rue Etienne Marcel	Étienne Marcel
15	**N** 15	**Tour Montparnasse** Rue de l'Arrivée	Montp.-Bienvenüe
4	**K** 19	**Tour Saint-Jacques** 41 rue de Rivoli	Châtelet
7	**M** 13	**UNESCO** 9 place de Fontenoy	Ségur
5	**O** 18	**Val-de-Grâce** 277 bis rue Saint-Jacques	Port-Royal

Museums
Museos

MUSÉES

Arr.	Plan	**Nom** / Adresse	Téléphone	Métro
1	**J** 17	**Arts Décoratifs** (Mode et Textile) 107 rue de Rivoli	01 44 55 57 50	Palais Royal-Louvre
1	**J** 17	**Mode et Textile** 107 rue de Rivoli	01 44 55 57 50	Palais Royal-Louvre
1	**K** 19	**Conciergerie** 1 quai de l'Horloge	01 53 40 60 97	Cité
1	**I** 16	**Jeu de Paume** (Galerie Nle du) 1 place de la Concorde	01 47 03 12 50	Concorde, Tuileries
1	**J** 18	**Louvre** (Cour du Carrousel) Entrée par la Pyramide	01 40 20 50 50	Palais Royal-Louvre
1	**I** 16	**Orangerie** Jardin des Tuileries	01 42 61 30 82	Concorde, Tuileries
1	**J** 18	**Publicité** 107 rue de Rivoli	01 44 55 57 50	Palais Royal-Louvre
2	**I** 18	**Médailles et antiques** (Musée des) (Bibliothèque Nationale) 58 rue de Richelieu	01 53 79 59 59	Richelieu-Drouot
3	**J** 20	**Art et d'Histoire du Judaïsme** 71 rue du Temple	01 53 01 86 53	Rambuteau
3	**I** 20	**Arts et Métiers** (Musée National des Techniques) 60 rue Réaumur	01 53 01 82 00	Arts-et-Métiers
3	**K** 21	**Carnavalet** 23 rue de Sévigné	01 44 59 58 58	St-Paul, Chemin Vert
3	**J** 21	**Chasse et nature** (Hôtel Guénégaud) 60 rue des Archives	01 53 01 92 40	Rambuteau
3	**K** 21	**Cognacq-Jay** 8 rue Elzévir	01 40 27 07 21	St-Paul
3	**J** 21	**Histoire de France** (Archives Nationales) 60 rue des Francs-Bourgeois	01 40 27 60 00	Rambuteau
3	**J** 21	**Picasso** (Hôtel Salé) 5 rue de Thorigny	01 42 71 25 21	St-Séb.Froissart
3	**J** 20	**Poupée** Impasse Berthaud	01 42 72 73 11	Rambuteau
4	**L** 21	**Arsenal** (Pavillon de l') (Urbanisme et Architecture de Paris) 21 Bd Morland	01 42 76 33 97	Sully-Morland
4	**L** 19	**Crypte archéologique** 1 place Parvis Notre-Dame	01 55 42 50 10	Cité
4	**L** 21	**Curiosité et magie** 11 rue Saint-Paul	01 42 72 13 26	St-Paul
4	**K** 21	**Maison Européenne de la Photographie** 5 rue de Fourcy	01 44 78 75 00	St-Paul
4	**K** 21	**Mémorial de la Shoah** (ex-Mémorial du Martyr Juif Inconnu) 17 rue Geoffroy L'Asnier	01 42 77 44 72	St-Paul
4	**L** 19	**Notre-Dame** Place du Parvis Notre-Dame	01 44 32 16 72	Cité
4	**J** 20	**Pompidou** (Centre Georges) Musée National d'Art Moderne Beaubourg Place Georges Pompidou	01 44 78 12 33	Rambuteau
4	**K** 22	**Victor Hugo** (Maison de) 6 place des Vosges	01 42 72 10 16	Bastille, Chem. Vert
5	**L** 20	**Assistance Publique** (Hôpitaux de Paris) 47 Q. de la Tournelle	01 40 27 50 05	St-Michel
5	**M** 20	**Institut du Monde Arabe** 1 rue des Fossés St-Bernard	01 40 51 38 38	Jussieu

MUSÉES

Museums
Museos

Arr.	Plan	**Nom** / Adresse	Téléphone	Métro
5	**L** 19	**Institut Océanographique** 195 rue St-Jacques	01 44 32 10 70	Cluny-la Sorbonne
5	**L** 19	**Moyen Âge** (Thermes de Cluny) 6 place Paul Painlevé	01 53 73 78 16	Cluny-la Sorbonne
5	**N** 20	**Muséum National d'Histoire Naturelle** 57 rue Cuvier	01 40 79 30 00	Pl. Monge, Jussieu
5	**M** 19	**Police** 4 rue de la Montagne Ste-Geneviève	01 44 41 52 50	Maubert-Mutualité
5	**M** 21	**Sculpture en plein-air** (Sq. Tino Rossi) Quai St-Bernard		Gare d'Austerlitz
6	**M** 15	**Ernest Hébert** (Hôtel de Montmorency-Bours) 85 rue du Cherche-Midi	01 42 22 23 82	Duroc
6	**L** 17	**Eugène Delacroix** 6 rue de Furstemberg	01 44 41 86 50	St-Germ.-des-Prés
6	**L** 18	**Histoire de la Médecine** (Université Descartes) 12 rue de l'École de Médecine	01 40 46 16 93	Odéon
6	**M** 18	**Luxembourg** 19 rue de Vaugirard	01 42 34 25 95	St-Sulpice
6	**N** 18	**Minéralogie de l'École des Mines** 60 Bd St-Michel	01 40 51 91 39	Luxembourg
5	**N** 20	**Minéralogie du Muséum** (Jardin des Plantes) 36 rue Geoffroy-St-Hilaire	01 40 79 30 00	Jussieu
6	**K** 18	**Monnaie de Paris** 11 quai de Conti	01 40 46 55 35	St-Michel, Odéon
6	**N** 17	**Zadkine** 100 bis rue d'Assas	01 55 42 77 20	Vavin
7	**K** 14	**Armée** (Hôtel des Invalides) 129 rue Grenelle	01 44 42 37 72	Varenne
7	**J** 13	**Égouts** 93 quai d'Orsay	01 53 68 27 81	Alma-Marceau
7	**K** 14	**Historial De Gaulle** (Hôt. des Invalides) 129 rue de Grenelle	01 44 42 38 77	Invalides
7	**J** 16	**Légion d'Honneur et des Ordres de Chevallerie** (Palais de la) (Hôtel de Salm) 2 rue de la Légion d'Honneur	01 40 62 84 25	Solférino
7	**L** 16	**Maillol** 61 rue de Grenelle	01 42 22 59 58	Rue du Bac
7	**K** 14	**Ordre de la Libération** (Hôtel des Invalides) 51 bis boulevard de la Tour-Maubourg	01 47 05 04 10	La Tour-Maubourg,
7	**J** 16	**Orsay** 1 rue de la Légion d'Honneur	01 40 49 48 14	Solférino - Orsay
7	**K** 14	**Plans-reliefs** (Hôtel des Invalides) 129 rue de Grenelle	01 45 07 11 07	Invalides, Varenne
7	**K** 14	**Rodin** 77 rue de Varenne	01 44 18 61 10	Varenne
8	**G** 12	**Arc de Triomphe** Place Charles de Gaulle	01 55 37 73 77	Ch.-de-Gaulle-Étoile
8	**F** 14	**Cernuschi** 7 avenue Vélasquez	01 45 63 50 75	Villiers
8	**I** 14	**Grand-Palais** (Galeries nationales du) 3 avenue du Général Eisenhower	01 44 13 17 30	Ch.-Élysées-Clem.
8	**G** 14	**Jacquemart André** 158 Bd Haussmann	01 45 62 11 59	Miromesnil
8	**F** 14	**Nissim de Camondo** 63 rue de Monceau	01 53 89 06 40	Villiers
8	**I** 14	**Palais de la Découverte** Avenue Franklin D. Roosevelt	01 56 43 20 21	F. D. Roosevelt
8	**I** 14	**Petit-Palais** Avenue Winston Churchill		Champs-Élysées-Clem.
9	**G** 19	**Grand-Orient de France** 16 rue Cadet	01 45 23 20 92	Cadet
9	**H** 18	**Grévin** 10 boulevard Montmartre	01 47 70 85 05	Gds Boulevards
9	**F** 17	**Gustave Moreau** 14 rue de La Rochefoucauld	01 48 74 38 50	Trinité
9	**H** 17	**Opéra de Paris** (Palais Garnier) Place de l'Opéra	01 40 01 17 89	Opéra
9	**H** 17	**Parfum** 9 rue Scribe	01 47 42 04 56	Opéra
9	**F** 17	**Vie Romantique** (Hôtel Scheffer-Renan) 16 rue Chaptal	01 48 74 95 38	Pigalle
10	**H** 20	**Éventail** (Atelier Hoguet) 2 Bd de Strasbourg	01 42 08 90 20	Strasbg-St-Denis
10	**G** 20	**Pinacothèque de Paris** 30 bis rue de Paradis	01 43 25 71 41	Gare de l'Est

Museums
Museos

MUSÉES

Arr.	Plan	**Nom** / Adresse	Téléphone	Métro
12	**P** 28	**Palais de la Porte Dorée** (Aquarium) 293 avenue Daumesnil .	01 44 74 84 80	Porte Dorée
12	**P** 28	**Cité Nationale de l'Histoire de l'Immigration** 293 avenue Daumesnil	01 53 59 58 60	Porte Dorée
13	**P** 20	**Gobelins** (Manufacture des) 42 avenue des Gobelins	01 44 08 52 00	Gobelins
15	**N** 15	**Bourdelle** 18 rue Antoine Bourdelle	01 49 54 73 73	Montp. Bienvenüe
15	**O** 15	**Jean Moulin** - Mémorial du Maréchal Leclerc (Gare Montparnasse) Jardin Atlantique - 23 allée de la 2e D.B. .	01 40 64 39 44	Montp. Bienvenüe
15	**O** 15	**Montparnasse** 21 avenue du Maine	01 42 22 91 96	Mont.. Bienvenüe
15	**O** 14	**Pasteur** 25 rue du Dr Roux	01 45 68 82 82	Pasteur
15	**N** 15	**Poste** 34 boulevard de Vaugirard	01 42 79 23 00	Mont.. Bienvenüe
16	**H** 10	**Arménien** (fermé pour travaux) 59 avenue Foch	01 45 53 57 96	Pte Dauphine
16	**I** 12	**Art Moderne de la Ville de Paris** (Palais de Tokyo) 11 avenue du Président Wilson	01 53 67 40 00	Iéna, Alma-Marceau
16	**G** 7	**Arts et Traditions Populaires** 6 avenue du Mahatma Ghandi	01 44 17 60 00	Les Sablons
16	**I** 11	**Baccarat** (Galerie-Musée) 11 place des États-Unis	01 40 22 11 00	Boissière, Iéna
16	**K** 9	**Balzac** (Maison de) 47 rue Raynouard	01 55 74 41 80	Passy
16	**L** 7	**Bouchard** (Musée-Atelier) 25 rue de l'Yvette	01 46 47 63 46	Jasmin
16	**J** 10	**Cité de l'Architecture et du Patrimoine** (ex-Monuments Français -Palais de Chaillot) 1 place du Trocadéro (provisoire : Palais Porte Dorée)	01 58 51 52 00	Trocadéro
16	**J** 10	**Clemenceau** 8 rue Benjamin Franklin	01 45 20 53 41	Passy
16	**H** 9	**Contrefaçon** 16 rue de la Faisanderie	01 56 26 14 00	Pte Dauphine
16	**H** 10	**Dapper** 35 rue Paul Valéry	01 45 00 01 50	Victor Hugo
16	**H** 10	**Ennery** 59 avenue Foch	01 53 70 40 68	Victor Hugo
16	**I** 12	**Galliéra** (Musée de la Mode et du Costume) 10 avenue Pierre-1er-de-Serbie	01 56 52 86 00	Iéna
16	**I** 11	**Guimet** 6 place d'Iéna	01 56 52 53 00	Iéna
16	**J** 10	**Homme** (Palais de Chaillot) 17 place du Trocadéro	01 44 05 72 72	Trocadéro
16	**J** 10	**Marine** (Palais de Chaillot) Place du Trocadéro	01 53 65 69 69	Trocadéro
16	**J** 7	**Marmottan** - Claude Monet 2 rue Louis Boilly	01 44 96 50 33	La Muette
16	**F** 7	**Musée en Herbe** Jardin d'Acclimatation	01 40 67 97 66	Les Sablons
16	**I** 12	**Palais de Tokyo** (Site de création contemporaine) 13 avenue du Président Wilson	01 47 23 54 01	Iéna
16	**L** 9	**Radio-France** 116 avenue du Pdt Kennedy	01 56 40 15 16	Kennedy
16	**N** 5	**Sport** (Parc des Princes) 24 rue du Cdt Guilbaud	01 40 71 45 48	Pte St Cloud
16	**K** 10	**Vin** Rue des Eaux, 5 square Charles Dickens	01 45 25 63 26	Passy
17	**E** 13	**Jean-Jacques Henner** 43 avenue de Villiers	01 47 63 42 73	Malesherbes
18	**D** 18	**Espace Dalí-Montmartre** 11 rue Poulbot	01 42 64 40 10	Abesses
18	**E** 19	**Halle Saint-Pierre** (Art naïf - Max Fourny) 2 rue Ronsard	01 42 58 72 89	Anvers
18	**D** 18	**Montmartre** 12 rue Cortot	01 46 06 61 11	Lamarck
19	**B** 25	**Cité des Sciences et de l'Industrie** Parc de la Villette 30 avenue Corentin Cariou	01 40 05 80 00	P. de la Villette
19	**D** 26	**Musique** 221 avenue Jean-Jaurès	01 44 84 44 84	Pte de Pantin

AÉROPORTS

Airports
Aeropuerto

Services	Téléphone
Air France *(Renseignements Air France)*	36 54 *(0,34€/mn)*
Aéroport de Roissy-Charles-de-Gaulle *(Renseignements)*	39 50 *(0,34€/mn)*
Aéroport d'Orly *(Renseignements)*	39 50 *(0,34€/mn)*
Horaires des vols	0 892 68 15 15
Aéroport du Bourget	01 48 62 12 12
Cars Air France	0 892 350 820
Orlybus-Roissybus-Orlyval RATP	0 892 68 77 14
RER B - RER C SNCF	0 890 36 10 10

POUR SE RENDRE AUX AÉROPORTS

Roissy

Cars Air-France *: Étoile - Porte Maillot - Roissy / Montparnasse - Gare de Lyon - Roissy*
Roissybus *: Rue Scribe (Opéra) - Roissy*
Autobus 350 *: Gare de l'Est - Gare du Nord - Porte de la Chapelle - Roissy*
Autobus 351 *: Nation - Porte de Bagnolet - Roissy*
RER B3 *: Roissy Rail*

Orly

Cars Air-France *: Invalides - Montparnasse - Orly / Étoile - Orly*
Orlybus *: Denfer-Rochereau - Porte de Gentilly - Orly*
RER B4 *: Antony* ***+ Orlyval*** *: Orly*

PARCS DE LOISIRS

Parks
Parques

Arr.	Plan	Adresse	Téléphone	Métro
1	**J** 19	**Jardin des enfants aux Halles** 105 rue Rambuteau	01 45 08 07 18	Les-Halles
1	**G** 16	**Jardin des Tuileries** Rue de Rivoli	01 40 20 90 43	Tuileries, Concorde
2	**H** 17	**La Tête dans les nuages** 5 Bd des Italiens (Passage des Princes)	01 42 44 19 19	Richelieu-Drouot
5	**N** 21	**Jardin des Plantes** Rue Buffon	01 40 79 30 00	Gare d'Austerlitz
12	**O** 32	**Parc Floral de Paris** Esplanade du Château (voir Bois de Vincennes)	01 55 94 20 20	Château de Vincennes
12	**P** 30	**Parc Zoologique de Paris** 53 avenue de Saint-Maurice (voir Bois de Vincennes)	01 44 75 20 10	Pte Dorée, St-Mandé
15	**P** 9	**Aquaboulevard Forest Hill** 4-6 rue Louis-Armand	01 40 60 10 00	Balard
16	**G** 9	**Fête à Neuneu (jusqu'en octobre)** Av. de l'Amiral Bruix Entre Porte Dauphine et Porte Maillot		
16	**F** 7	**Jardin d'Acclimatation** Bois de Boulogne (voir Bois de Boulogne)	01 40 67 90 82	Les-Sablons
19	**D** 26	**Parc de la Villette** 221 avenue Jean-Jaurès	01 40 03 75 00	Porte de Pantin
60		**Astérix (jusqu'en octobre)** 60128 Plailly A1 sortie "Parc Astérix" / RER B3 Roissy-Ch.-de-Gaulle 2 + bus	0 826 30 10 40	
60		**Mer de Sable (de mars à sept)** 60950 Ermenonville	03 44 54 00 96	A1 sortie n°7
77		**Disneyland Paris** 77777 Marne-la-Vallée	0 825 30 60 30*	A4 sortie n°14 RER A terminus

* *0,15€/mn*

LIGNES DE BUS PARIS

Renseignements RATP : 08 92 68 77 14 ou 3615 RATP

Ligne	Départ / Principaux arrêts / Terminus
20	Gare Saint-Lazare - *Opéra - République* - Gare de Lyon
21	Gare Saint-Lazare - *Opéra - Châtelet - Luxembourg - Glacière* - Porte de Gentilly
22	Opéra - *Charles-de-Gaulle-Etoile - Trocadéro* - Porte de Saint-Cloud
24	Gare St-Lazare - *Concorde - Gare d'Austerlitz - Charenton Écoles* - École. Vétérinaire de Maisons-Alfort
26	Gare St-Lazare - *Gare du Nord - Buttes Chaumont - Pyrénées* - Cours de Vincennes
27	Gare St-Lazare - *Opéra - Pont Neuf - Luxembourg - Pl. d'Italie* - Pte d'Ivry - Cl. Regaud
28	Gare St-Lazare - *Invalides - Ecole Militaire - Gare Montparnasse* - Pte d'Orléans
29	Gare St-Lazare - *Opéra - Grenier St-Lazare - Bastille - Daumesnil* - Porte de Montempoivre
30	Gare de l'Est - *Barbès - Place de Clichy - Charles-de-Gaulle-Etoile* - Trocadéro
31	Gare de l'Est - *Barbès - Mairie du XVIIIe - Brochant Cardinet* - Charles-de-Gaulle-Etoile
32	Gare de l'Est - *Gare Saint-Lazare - Champs-Elysées La Boétie - Trocadéro* - Porte d'Auteuil
38	Porte d'Orléans - *Denfert-Rochereau - Gare du Luxembourg - Châtelet* - Gare du Nord
39	Gare de l'Est - *Richelieu - St-Germain-des-Prés - Hôpital Enfants Malades - Balard* - Issy -Val de Seine
42	Gare du Nord - *Opéra - Concorde - Alma-Marceau - Champs de Mars* - Hôpital Européen G. Pompidou
43	Gare du Nord - *Gare St-Lazare - Palais des Congrès - Pont de Neuilly* - Neuilly-Bagatelle
46	Gare du Nord - *Gare de l'Est - Voltaire Léon Blum - Daumesnil - Pte Dorée* - Château de Vincennes
47	Gare de l'Est - *Châtelet - Maubert Mutualité - Pl. d'Italie* - Fort du Kremlin-Bicêtre
48	Palais Royal - Musée du Louvre- *Gds Boulevards - Gare du Nord - Stalingrad - Pl. des Fêtes* - Porte des Lilas
52	Opéra - *Charles-de-Gaulle-Etoile - La Muette - Gare d'Auteuil* - Parc de Saint Cloud
53	Opéra - *Gare Saint-Lazare - Porte d'Asnières* - Pont de Levallois
54	Pte d'Aubervilliers - *Gare de l'Est - Pigalle - Pte de Clichy* - Asnières Gennevilliers Gabriel Péri
56	Porte de Clignancourt - *Gare de l'Est - République - Nation* - Château de Vincennes
57	Porte de Bagnolet - *Gare de Lyon - Gare d'Austerlitz - Mairie de Gentilly* - Arcueil-Laplace RER
58	Châtelet - *Gare Montparnasse - Mairie du XIVe - Porte de Vanves* - Vanves Lycée Michelet
60	Gambetta - *Botzaris - Crimée - Mairie du XVIIIe* - Porte de Montmartre
61	Gare d'Austerlitz - *Gare de Lyon - Mairie du XXe - Pte des Lilas* - Pré-St-Gervais Jean-Jaurès
62	Cours de Vincennes - *Pont de Tolbiac - Italie-Tolbiac- Alésia - Convention - Javel* - Pte de St Cloud
63	Gare de Lyon - *Gare d'Austerlitz - St Germain des Prés - Solférino - Alma* - Pte de La Muette
64	Place Gambetta - *Parc de Bercy* - Place d'Italie
65	Gare de Lyon - *Bastille - Gare de l'Est - Pte de la Chapelle* - Mairie d'Aubervilliers
66	Opéra - *Gare Saint Lazare - Batignolles - Porte Pouchet* - Clichy - Victor Hugo
67	Pigalle - *Hôtel de Ville - Place d'Italie Mairie du XIIIe* - Porte de Gentilly
68	Place de Clichy - *Opéra - Denfert-Rochereau - Porte d'Orléans* - Châtillon-Montrouge Métro
69	Gambetta - *Bastille - Hôtel de Ville - Pont du Carrousel - Solférino* - Champ de Mars
70	Hôtel de Ville - *St-Germain - Hôpital des Enfants Malades - Mairie du XVe* - Radio France
72	Hôtel de Ville - *Concorde - Alma - Pont Mirabeau - Porte de Saint-Cloud* - Parc de St-Cloud
73	La Défense-Gde Arche - *Pt de Neuilly - Pte Maillot - Ch.-de-Gaulle-Etoile - Concorde* - Mus. d'Orsay

LIGNES DE BUS PARIS

Ligne	Départ / Principaux arrêts / Terminus
74	Hôtel de Ville - *Richelieu 4 Septembre - Pl. de Clichy - Pte de Clichy* - Clichy Berges de Seine
75	Pont-Neuf - *République - Mairie du XIXe - Porte de Pantin* - Porte de la Villette
76	Louvre Rivoli - *Bastille - Charonne - Pte de Bagnolet - Mairie de Bagnolet* - Bagnolet-Louise Michel
80	Pte de Versailles - *Mairie du XVe - Alma-Marceau - Gare St-Lazare* - Mairie du XVIIIe Jules Joffrin
81	Châtelet - *Palais-Royal - Opéra - Gare Saint-Lazare - La Fourche* - Porte de Saint-Ouen
82	Luxembourg - *Pl. du 18 Juin 1940 - Ecole Militaire - Pte Maillot* - Neuilly Hôpital Américain
83	Friedland-Haussmann - *Invalides - Sèvres Babylone - Place d'Italie* - Porte d'Ivry - Cl. Regaud
84	Panthéon - *Luxembourg - Solférino - Concorde - Courcelles* - Porte de Champerret
85	Luxembourg - *Louvre Rivoli - Porte de Clignancourt* - Mairie de Saint Ouen
86	St-Germain-des-Prés - *Bastille - Nation - Pyrénées - Pte de Vincennes* - St-Mandé-Demi Lune - Parc Zoologique
87	Champ de Mars - *Bonaparte-St Germain - Bastille - Gare de Lyon* - Porte de Reuilly
88	Denfert-Rochereau - *Parc Montsouris - Montparnasse 2 TGV* - Hôpital Européen G. Pompidou
89	Bibliothèque Nationale de France - *Luxembourg - Maine Vaugirard - Cambronne* - Gare de Vanves-Malakoff
91	Montparnasse 2 TGV - *Observatoire - Les Gobelins - Gare d'Austerlitz - Gare de Lyon* - Bastille
92	Gare Montparnasse - *Ecole Militaire - Charles-de-Gaulle-Etoile* - Porte de Champerret
93	Invalides - *St-Philippe-du-Roule - Pte de Champerret* - Suresnes - De Gaulle
94	Gare Montparnasse - *Solférino - Concorde - Gare St-Lazare - Porte d'Asnières* - Levallois Louison Bobet
95	Pte de Vanves - *Gare Montparnasse - Palais Royal - Opéra - Gare St-Lazare* - Pte de Montmartre
96	Gare Montparnasse - *St-Michel - Hôtel-de-Ville - République - Pyrénées* - Porte des Lilas
PC1	Porte de Champerret Berthier - Pont du Garigliano
PC2	Porte d'Italie - Porte de la Villette
PC3	Porte des Lilas - Porte Maillot Pershing
	Balabus - La Défense Grande Arche - *Ch.-de-Gaulle-Etoile - Pt Neuf - Gare d'Austerlitz* - Gare de Lyon (dimanches et jours fériés d'avril à septembre)
	Montmartrobus - Pigalle - *Place du Tertre - Lamarck* - Mairie du XVIIIe Jules Joffrin
	Traverse de Charonne - Gambetta - *Lagny-Maraîchers* - Gambetta.

LIGNES DE BUS BANLIEUE

Renseignements RATP : 08 92 68 77 14 ou 3615 RATP

Ligne	Départ / Principaux arrêts / Terminus
026	**Traverciel** - La Celle-St-Cloud SNCF - *Vaucresson SNCF* - Pont de Sèvres
027	**Traverciel** - La Celle-St-Cloud SNCF/Vaucresson SNCF - Rousseau/Rueil-Malmaison SNCF
101	Joinville-le-Pont RER - Champigny Camping International
102	Gambetta - *Pte de Bagnolet - Mairie de Montreuil* - Rosny-Bois Perrier RER-Rosny 2
103	École Vétérinaire de Maisons Alfort - *Mairie d'Alfortville* - Choisy-le-Roi
104	École Vétérinaire de Maisons Alfort - *Les Juilliottes* - Bonneuil-Place des Libertés
105	Porte des Lilas - *Noisy-le-Sec* - Mairie des Pavillons-sous-Bois
106	Joinville-le-Pont - *Champigny Egalité* - Gare Villiers-sur-Marne
107	École Vétérinaire de Maisons Alfort - *Saint-Maur Créteil* - St-Maur La Pie
108	Joinville-le-Pont Gare RER - *Champigny Mairie* - Champigny-Jeanne Vacher
109	Charenton-Pont Nelson Mandela - *Bercy 2* - Paris-Terroirs de France
110	Joinville-Le-Pont Gare RER - *Mairie de Champigny* - Gare de Villiers sur Marne RER
111	Terroirs de France - *Charenton Ecoles - Pont de Créteil* - Champigny-St-Maur RER
112	Château de Vincennes - *Joinville-le-Pont - Pont de Créteil* - La Varenne-Chennevières
113	Nogent RER - *Neuilly Plaisance RER - Pointe de Gournay* - Chelles 2-Centre Commercial
114	Château de Vincennes - *Nogent RER - Plateau d'Avron* - Villemomble-Les Coquetiers
115	Porte des Lilas - *Mairie de Montreuil* - Château de Vincennes
116	Gare Rosny-B. Perrier-Rosny 2 - *Nogent-LePerreux RER* - Champigny-Saint-Maur RER
117	Champigny - Saint-Maur - *Mairie de Bonneuil* - Créteil Préfecture
118	Château de Vincennes - *Val de Fontenay SNCF - RER* - Rosny-sous-Bois Van Derheyden
119	Gare de Massy-Palaiseau RER - *Marché du Pileu* - Les Baconnets RER
120	Nogent-sur-Marne RER - *Pont de Bry - Noisy-le-Grand Mont d'Est RER* - Mairie de Noisy-le-Grand
121	Mairie de Montreuil - *Mairie de Villemomble* - Villemomble Lycée Clemenceau
122	Gallieni Métro - *Croix de Chavaux - Mairie de Montreuil* - Val de Fontenay RER-SNCF
123	Porte d'Auteuil Métro - *Ile Saint-Germain* - Mairie d'Issy Métro
124	Château de Vincennes - *Ancienne Mairie* - Val de Fontenay RER-SNCF
125	Porte d'Orléans - *Mairie d'Ivry* - Ecole Vétérinaire de Maisons Alfort
126	Parc de Saint-Cloud - *Corentin Celton* - Porte d'Orléans
127	Montreuil-Croix de Chavaux - *Cimetière de Vincennes* - Neuilly-sur-Marne Ile-de-France
128	Porte d'Orléans - *Cimetière Parisien (Bagneux) - Fontenay-aux-Roses RER* - Robinson RER
129	Porte des Lilas - *Carnot* - Mairie de Montreuil
131	Porte d'Italie - *Chevilly-Larue Mairie* - Rungis Vauban-SILIC
132	Bibliothèque François Mitterrand - *Porte d'Ivry - Vitry Hôtel de Ville* - Vitry Cité du Moulin Vert
133	Sarcelles Bois d'Ecouen - *Gare de Sarcelles* - Le Bourget RER
134	***(Avec la 234)*** Fort d'Aubervilliers - *Bobigny-Pablo Picasso Métro-Tramway* - Bondy Jouhaux Blum
135	Pont de Levallois Métro - *Asnières SNCF* - Asnières-sur-Seine Mourinoux
137	Porte de Clignancourt - *Mairie de Saint-Ouen* - Villeneuve-la-Garenne Z.I. Nord
138	Porte de Clichy - *Asnières-Gennevilliers-Gabriel Péri Métro* - Gare d'Ermont-Eaubonne RER
139	Saint-Ouen RER - *La Plaine Stade de France RER* - Porte de La Villette
140	Gare d'Argenteuil RER- *Quatre Routes* - Asnières Gennevilliers Gabriel Péri Métro
141	La Défense - Lycée de Rueil-Malmaison

LIGNES DE BUS BANLIEUE

Ligne	Départ / Principaux arrêts / Terminus
143	La Courneuve Aubervilliers RER- *Le Bourget RER* - Rosny-sous-Bois RER
144	La Défense- *Suresnes Longchamp Tramway* - Rueil-Malmaison RER
145	Eglise de Pantin *Noisy-le-Sec Jeanne-d'Arc* - Cimetière de Villemomble
146	Le Bourget RER- *Bobigny Pablo Picasso Métro-Tramway* - Le Raincy Rond-Point Thiers
147	Eglise de Pantin - *Sevran Livry RER* - Sevran avenue Ronsard
148	Bobigny P. Picasso Métro-Tramway - Le Blanc-Mesnil Musée de l'Air (Aulnay-s/s-Bois Garonor)
150	Porte de La Villette Métro- *Mairie de Stains* - Pierrefitte Stains RER
151	Porte de Pantin *Drancy Place du 19 mars 1962* - Bondy Jouhaux Blum
152	Pte de La Villette - *Pl du 8 Mai 45 - Aéroport Musée de l'Air* - Le Blanc-Mesnil- Fr. Lumière
153	Porte de la Chapelle - *Saint-Denis Cité Floréal* - Stains Moulin Neuf
154	Gare d'Enghien-les-Bains SNCF - *Gare de Saint-Denis RER SNCF* - St-Denis Porte de Paris
156	Gare d'Epinay Villetaneuse - Gare de Saint-Denis
157	Pont de Neuilly - *Nanterre Ville RER* - Nanterre Boulevard de Seine
158	Rueil-Malmaison RER - *Place de la Boule* - Pont de Neuilly
159	Nanterre Cité du Vieux Pont - *Nanterre Ville RER* - La Défense
160	Pont de Sèvres - *Nanterre Ville RER* - Nanterre Préfecture RER
161	La Défense Métro - RER- Gare d'Argenteuil
162	Villejuif Aragon Métro- *Arcueil Cachan RER - Châtillon Gal de Gaulle RER* - Meudon Val-Fleury RER
163	Porte de Champerret Métro - *Place de Belgique* - Bezons Grand Cerf
164	Argenteuil Collège Claude Monet - *Eglise de Colombes* - Porte de Champerret Métro
165	Porte de Champerret Métro - *Quai de Clichy* - Asnières Robert Lavergne
166	Colombes Audra - *Gennevilliers RER* - Porte de Clignancourt
167	Nanterre Ville RER - *Eglise de Colombes* - Pont de Levallois Métro
168	Garges Sarcelles RER - *Villetaneuse Cimetière des Joncherolles* - St-Denis Pte de Paris Métro
169	Balard - *Val Fleury RER* - Pont de Sèvres Métro
170	Porte des Lilas - *Mairie d'Aubervilliers* - Gare de Saint-Denis
171	Pont de Sèvres Métro - *Chaville rue Salengro* - Versailles Château
172	Bourg-la-Reine RER - *Villejuif L. Aragon* - Créteil l'Echat Parking
173	Porte de Clichy - *Mairie de St-Ouen - Mairie d'Aubervilliers* - La Courneuve 8 Mai 45 Métro
174	La Défense Métro - RER- *Mairie de Saint-Ouen* - Gare de Saint-Denis Métro RER
175	Porte de St-Cloud Métro - *Pont de Neuilly* - Asnières Gennevilliers Gabriel Péri Métro
176	Pont de Neuilly Métro- Colombes Petit Gennevilliers
177	Asnières Gennevilliers G. Péri Métro - *Gare St-Denis RER* - Saint-Denis-Porte de Paris
178	La Défense Métro - RER - *Gennevilliers RER* - Gare de Saint-Denis RER
179	Pont de Sèvres - *Vélizy-Villacoublay Europe Sud - Robinson Résistance* - Robinson RER
180	Charenton Ecole Métro - *Vitry-sur-Seine RER* - Villejuif Louis-Aragon Métro
181	Ecole Vétérinaire de Maisons-Alfort Métro- *Préfecture du Val-de-Marne* - Créteil la Gaîté
182	Mairie d'Ivry - Gare de Villeneuve - Triage
183	Porte de Choisy Métro - *Voie des Saules RER - Pont de Rungis RER* - Aéroport Orly Sud
184	Porte d'Italie Métro - *Mairie de Cachan* - L'Haÿ-les-Roses Les Blondeaux
185	Porte d'Italie Métro - *Villejuif Louis Aragon* - Rungis Marché International

LIGNES DE BUS BANLIEUE

Ligne	Départ / Principaux arrêts / Terminus
185 v	**Passepartout -** Villejuif - Louis Aragon *(Circulaire)*
186	Porte d'Italie Métro - *CHU de Bicêtre - l'Haÿ-les-Roses Jouhaux* - Chevilly-Larue Louis Blériot
187	Porte d'Orléans Métro - *Cachan Mairie - Maison d'Arrêt* - Fresnes Charcot Zola
188	Porte d'Orléans Métro - Bagneux Rosenberg
189	Porte de Saint-Cloud Métro - *Marché de Clamart* - Clamart Georges Pompidou
190	Mairie d'Issy Métro - *Hôpital Percy- Marché de Clamart* - Vélizy 2
191	Porte de Vanves - *Malakoff Etienne Dolet* - Clamart pl. du Garde
192	Robinson RER - *Bourg-la-Reine RER - Mairie de Chevilly-Larue* - Rungis Marché International
194	Pte d'Orléans Métro - *Châtillon Montrouge - Robinson RER* - Châtenay-Malabry Lycée Polyvalent
195	Robinson RER - *Butte Rouge Cité Jardins - Clamart Fontenay Division Leclerc* - Châtillon Montrouge
196	Massy-Palaiseau RER - Verrières-le-Buisson Amblainvilliers - Antony RER Orlyval
197	Porte d'Orléans Métro - *Bourg-la-Reine RER* - Massy Opéra Théâtre
199	Massy-Palaiseau RER - Longjumeau La Rocade Lycée
201	Joinville-le-Pont RER - Champigny Diderot La Plage
203	*(Avec la 214)* Neuilly Plaisance RER - *Épi d'Or* - Neuilly sur Marne Cité des Bouleaux
206	Noisy-le-Grand Mont d'Est RER - Place Gambetta - Gare de Pontault Combault SNCF
207	Noisy-le-Grand Mont d'Est RER - *Mairie du Plessis-Trévise* - Hôpital de La Queue en Brie
208abs	Champigny RER - *Champigny Pl. de la Résistance - Chennevières* - Le Plessis-Trévise Gambetta
210	Château de Vincennes Métro - *Pont de Bry* - Gare de Villiers sur Marne
211	Chelles 2 - Centre Commercial - *Noisiel RER - Lognes RER* - Torcy RER
212	Champs-sur-Marne Pointe de Champs - *Noisy-Champs RER* - Gare d'Emerainville-Pontault Combault
213	Chelles - Gournay RER - *Noisy-Champs Descartes RER - Noisiel RER* - Lognes Village
214	(*Avec le 203)* Neuilly Plaisance RER - *Neuilly -s- Marne Cité des Bouleaux - Le Chénay Gagny RER* - Gagny R. Salengro
215	Porte de Montreuil - Vincennes RER - République
216	Denfert-Rochereau Métro RER- *Porte de Gentilly* - Rungis Marché International
217	Mairie d'Alfortville - *Les Julliottes* - Hôtel-de-Ville de Créteil
220	Bry-sur-Marne RER - *Noisy-le-Grand Mairie - Champs Mairie - Noisiel RER* - Torcy RER
221	Gallieni Métro - *Gagny RER* - Gagny Pointe de Gournay
234	*(Avec la 134)* Fort d'Aubervilliers - *Pablo Picasso Préfecture* - Mairie de Livry-Gargan
235	Asnières Gennevilliers Gabriel-Péri Métro - Colombes Europe
237	Mairie de Saint-Ouen Métro - Ile St Denis Parc Départemental-Collège Sisley
238	Gabriel-Péri Asnières Gennevilliers - *Dequevauvilliers* - St-Gratien RER
240	Gare d'Argenteuil - Gennevilliers RER
241	Rueil-Malmaison RER - *Charles-de-Gaulle RER* - Porte d'Auteuil Métro
244	Porte Maillot - *Rueil Ville RER* - Rueil-Malmaison RER
249	Porte des Lilas Métro- *Porte de La Villette - Hôtel de Ville de La Courneuve* - Dugny Centre Ville
250	Fort d'Aubervilliers Métro - *La Courneuve Aubervilliers* - Gonesse La Fontaine Cypière ZI
251	Bobigny - Benoît Frachon - *Bobigny Pablo Picasso Métro-Tram* - Gare d'Aulnay-sous-Bois RER

LIGNES DE BUS BANLIEUE

Ligne	Départ / Principaux arrêts / Terminus
252	Porte de la Chapelle - Garges Sarcelles RER
253	La Plaine - Stade de France RER - Mairie de Stains
254	Pierrefitte Stains RER - *Université Paris XIII - Pierrefitte-Stains RER* - St-Denis-Porte de Paris
255	Porte de Clignancourt - *Porte de Paris* - Stains Les Prévoyants-Garges
256	Gare d'Enghien - *Porte de Paris Métro* - La Courneuve - Aubervilliers RER
258	St-Germain-en-Laye RER - *Pont de Bougival* - La Défense Métro-RER
261	Eglise de Franconville - Saint-Denis-Université Métro
262	Maisons-Laffitte RER - *Paul Bert* - La Défense Métro-RER
267	Gare de Nanterre Université - *Pont de Bezons* - Gare d'Argenteuil
268	St-Denis - Université - Porte de Paris Métro - *Mairie de Pierrefitte* - Villiers-le-Bel RER
269	Garges Sarcelles RER - *Gare d'Écouen-Ézanville* - Hôtel de Ville d'Attainville
270	Garges Sarcelles - *Parc Industriel* - Villiers le Bel RER
272	Sartrouville De Gaulle - *Gare de La Garenne* - La Défense Métro RER
275	La Défense Métro RER - *Mairie de Courbevoie* - Pont de Levallois
276	La Défense - *Port de Gennevilliers - Gennevilliers RER* - Gabriel Péri-Asnières-Gennevilliers
278	La Défense Métro RER - *Mairie de Courbevoie* - Courbevoie Europe
279	Pont de Sèvres - Meudon-la-Forêt-Pasteur/Europe Nord *par Vélizy Zone Industrielle*
281	Joinville RER - *Créteil l'Echat métro* - - Créteil La Source - Créteil Europarc
285	Villejuif L.ouis Aragon Métro - *Pont de Rungis RER* - Gare de Juvisy RER
286	Antony RER - *Henri Thirard Léon Jouhaux RER* - Villejuif Louis Aragon Métro
289	Porte de Saint-Cloud - Clamart - Cité de la Plaine - Eglise de Meudon la Forêt
290	Mairie d'Issy Métro - *Clamart G. Pompidou* - Meudon la Forêt - Europe Nord
291	Pont de Sèvres - Vélizy-Europe Sud
292	Rungis Marché International - *Orly Sud* - Savigny-sur-Orge-ZAC Les Gâtines
294	Igny RER - *Grands Chênes - Robinson RER* - Châtillon Montrouge
295	Porte d'Orléans - *Châtillon Montrouge - Clamart Division Leclerc RER - Clamart G. Pompidou RER* - Velizy 2
297	Porte d'Orléans - Antony RER - *Chilly-Mazarin RER* - Longjumeau place Charles Stéber
299	Porte d'Orléans - Morangis place Lucien Boilleau
301	Gare de Val-de-Fontenay RER - *Fort de Rosny* - Bobigny Pablo Picasso Métro-Tram
302	Gare du Nord - *Porte de La Chapelle - La Plaine Voyageurs RER* - La Courneuve 6 Routes Tram
303	Bobigny-Pablo Picasso - *Gagny RER* - Noisy-le-Grand Mont d'Est RER
304	Nanterre pl. de la Boule - *Université RER* - Asnières Gennevilliers G. Péri Métro
306	Saint Maur - Créteil RER - *Villiers-sur-Marne SNCF* - Noisy Le Grand-Mont d'Est RER
307	**La Navette de Villiers** - Gare de Villiers-sur-Marne - Les Richardets
308	Créteil Préfecture du Val de Marne - *Mairie de Bonneuil - Sucy Bonneuil RER* - Gare de Villiers-sur-Marne
312	Gare de Chelles Gournay - *Pablo Picasso* - Noisy Champs Descartes RER
317	Créteil Hôtel-de-Ville - *Créteil Université* - Gare de Nogent Le Perreux
318	Château de Vincennes Métro - *Mairie de Bagnolet* - Romainville les Chantaloups
319	Massy-Palaiseau RER - *Massy Opéra Théâtre - Pont de Rungis RER* - Rungis MIN

LIGNES DE BUS BANLIEUE

Ligne	Départ / Principaux arrêts / Terminus
320	Boucle Noisy-le-Gd Mont d'Est RER - Noisy-le-Gd Collège des Yvris
321	Lognes RER - *Lognes Aérodrome* - Croissy Beaubourg Z I Pariest
322	Mairie de Montreuil - *Carnot* - Bobigny Pablo Picasso Métro-Tram
323	Issy - Val de Seine- *Châtillon Montrouge RER - Laplace RER - Le Kremblin Bicêtre* - Ivry RER
325	Paris Bibliothèque Fr.-Mitterrand RER - *Ecole Vétérinaire - St Mandé Tourelle* - Château de Vincennes Métro
330	Fort d'Aubervilliers - *Pantin RER* - Pantin Raymond Queneau-Anatole France
333	Garges Sarcelles RER - *Hôtel de Ville de Garges* - Place du 19 Mars 1962 - Gare l'Argentière
334	Boucle Pavillon-sous-Bois - Rd-Pt R. Schuman
340	Asnières Gennevilliers G. Péri Métro - *Mairie de Clichy* - Hôpital Beaujon - St-Ouen RER
346	Rosny II Nord- *Gare de Bondy - Drancy RER* - Le Blanc Mesnil
347	Bobigny Pablo Picasso Métro-Tram- *Eglise de Pavillons-sous-Bois* - Hôpital de Montfermeil
348	Le Blanc-Mesnil-Place de la Libération - *Drancy RER* - Bondy Jouhaux Blum
349	Parc des Expositions RER - *Aérogare 2 - Roissypole Gare RER* - Route de l'Arpenteur ADP
350	Gare de l'Est - *Aéroport du Bourget* - Roissypole Gare RER
351	Nation Métro RER- *Bagnolet Gallieni* - Roissypole Gare RER
354	Épinay-sur-Seine RER - *Epinay Villetaneuse SNCF* - Pierrefitte Stains RER
355	Bois d'Ecouen - *Mairie de Sarcelles* - Gare de Sarcelles St-Brice Sous-Préfecture
356	Deuil-la-Barre - Marché des Mortefontaines - Saint-Denis Université
358	Rueil Ville - *Préfecture RER* - Courbevoie Europe
360	Hôpital de Garches - *Saint Cloud Gare - Hôpital Foch* - La Défense Métro-RER
361	Gare d'Argenteuil RER - Saint-Denis Université Métro
363	Lycée de Carrière-sur-Seine - *Houilles RER* - Pont de Bezons Rive Droite
366	Colomb' Bus Transport Urbain de Colombes
367	Rueil-Malmaison RER - *Nanterre Ville RER* - Gare de Colombes
368	Boucle Garges Sarcelles RER - Mairie de Sarcelles
370	Marché de Saint-Brice - *Théodore Bullier*- Villiers-le-Bel RER
372	Maisons-Alfort Alfortville SNCF - *Maisons Alfort Stade Métro*- Maisons Alfort L. Fliche
378	La Défense Métro-RER- *Gennevilliers RER* - Mairie de Villeneuve La Garenne
379	Vélizy II Centre Commercial- *Croix de Berny RER* - Fresnes Rond Point Roosevelt
385	Juvisy RER - *Pyramide de Juvisy - Savigny RER - Savigny Toulouse Lautrec* - Epinay RER
388	Châtillon Montrouge Métro - *Martyrs de Châteaubriant* - Bourg la Reine RER
389	Pont de Sèvres Métro - Meudon la Forêt - Centre Administratif
390	Vélizy-Villacoublay Hôtel-de-Ville - *Clamart Georges Pompidou RER* - Bourg La Reine RER
391	Boucle Bagneux Dampierre - Bourg La Reine RER
392	Savigny-sur-Orge ZAC Les Gâtines - *Savigny-sur-Orge RER*- Paray Vieille Poste Centre Commercial
393	Villejuif L. Aragon - *Choisy le Roi RER* - Sucy Bonneuil RER
394	Issy-Val de Seine RER - *Châtillon Division Leclerc - Fontenay-aux-Roses RER* - Bourg-la-Reine RER
395	*(Avec la 595)* Clamart Georges Pompidou RER - *Robinson RER* - Antony RER
396	Antony RER - *Belle Epine RER* - Choisy le Roi RER
399	Massy Palaiseau RER - *Place de la Libération* - Juvisy RER

LIGNES DE BUS BANLIEUE

Ligne	Départ / Principaux arrêts / Terminus
421	Vaires-Torcy SNCF - *Torcy RER* - Émerainville Pontault-Combault SNCF
459	**Traverciel** Reuil-Malmaison - Henri Regnault - St-Cloud Gare
460	**Traverciel** Vaucresson Gare SNCF - *Garches Hôpital - Rhin et Danube* - Boulogne Gambetta
467	Rueil-Malmaison RER - Pont de Sèvres Métro
469	**Traverciel** Hauts de Sèvres - *Sèvres-Ville d'Avray SNCF* - Porte des Hauts-de-Seine
471	**Traverciel** Versailles Gare SNCF Rive Droite - *St-Cloud SNCF* - St-Cloud-Les Coteaux
485	Athis Mons Centre Commercial - *Place Henri Deudon* - Juvisy RER
486	Juvisy RER - *Athis-Mons Plein Midi* - Paray Vieille Poste Mairie
487 abc	Juvisy RER - Place Henri Deudon - *Athis-Mons Centre Commercial* - Athis-Mons Les Oiseaux
487 d	Juvisy RER - *Cité Mozart* - Athis-Mons Place Henri Deudon
492	Chilly Mazarin Place de la Libération - *Eiffel Lesseps* - Gare de Savigny-sur-Orge
499	Savigny-sur-Orge ZAC Les Gâtines - *Gare de Savigny RER* - Gare de Juvisy RER
514	**Navette Nogent-sur-Marne** Maréchal Foch - Val de Beauté
520	Bry-sur-Marne RER - *INA* - Les Hauts de Bry-SFP
538	Gennevilliers RER - Direction du Port - Silos
540	Porte de Clignancourt Métro - *Porte de Saint-Ouen Métro - Colisée - Hérault-de-Seychelles*
552	La Plaine-Stade de France RER - *St-Denis/Aubervilliers Magasins Généraux* - Porte de la Chapelle
556	Deuil-la-Barre Zone Artisanale du Mourier - Deuil-la-Barre Les Aubépines
557	Neuilly Bagatelle - Pont de Neuilly
595	(Avec la 395) Le Plessis-Robinson La Boursidière - Robinson RER
601 ab	Le Raincy-Villemomble RER - *La Pelouse* - Hôpital de Montfermeil
602	Le Raincy-Villemomble RER - *Hôtel de Ville de Montfermeil* - Coubron Stade
603	Le Raincy-Villemomble RER - *Mairie de Coubron* - Courtry Debussy
604	Gagny RER - *Maison Rouge* - Hôpital de Montfermeil
605	Gare d'Aulnay RER - *Sevran Livry RER* - Gare du Raincy - Villemomble
607 ab	La Courneuve 8 Mai 1945 Métro Tram- Vert Galant RER - Roissypole RER
609 ab	Drancy Cité Gagarine/La Courneuve 8 Mai 1945 - *Rd-Pt P. Neruda* - Aulnay-ss-Bois le Tennis /Coll. Debussy
613	Aulnay-sous-Bois RER - *Hôtel de Ville*- Gare de Chelles - Gournay
614	Aulnay-sous-Bois Alfred Nobel - Les Mardelles Maurice de Broglie - Aulnay-sous-Bois RER
615	Bobigny Pablo Picasso Métro Tram- *Aulnay-sous-Bois RER* - Villepinte RER
616 ab	Gare de Bondy SNCF - Aulnay-sous-Bois RER
617	Aulnay-sous-Bois RER - *Villepinte RER* - Roissypole RER
617	*soirée :* Sevran Beaudottes RER - *Aulnay-sous-Bois RER* - Villepinte RER
618	Aulnay-sous-Bois RER - Sevran Général de Gaulle
619	Tremblay-en-F. - Centre Postal - Petit Tremblay - Maison d'Arrêt - Vert Galant RER - Bretagne
620	Le Blanc-Mesnil Ch. Notre-Dame-Cité Jacques Decour - Bobigny Pablo Picasso Métro Tram
623	Sevran-Livry - *Eglise Notre Dame* - Clichy-sous-Bois Frédéric Ladrette - Gare du Chenay-Gagny RER
627	Aulnay-sous-Bois Garonor - *Croix Rouge* - Aulnay-sous-Bois RER
634	Aulnay-sous-Bois - Matisse - Delacroix- *Henri Mondor* - Sevran - Beaudottes RER
637	Boucle Gare d'Aulnay-sous-Bois RER - Louvois

LIGNES DE BUS BANLIEUE

Ligne	Départ / Principaux arrêts / Terminus
640	Villepinte Parc des Expositions RER - *Pyramide* - ZAC de Paris Nord II
641	Parc des Expositions - Desserte Nord du Parc d'Activités Paris Nord II
642ab	Le Raincy Villemomble RER/Hôpital de Montfermeil - *Vert Galant RER* - Villepinte RER/Parc des Expositions
670	Boucle Tremblay-en-France G. du Vert Galant - Salengro
680	Aulnay-sous-Bois RER - PSA Aulnay-sous-Bois
683	Villepinte RER - PSA Aulnay-sous-Bois
684	Porte de Pantin - *Drancy* - PSA Aulnay-sous-Bois
686	La Courneuve 8 Mai 1945 - *Le Blanc-Mesnil* - PSA Aulnay-sous-Bois
690 b	Bobigny Cité Administrative 1 - Bobigny Cité Administrative 2

SERVICES URBAINS ET AUTRES

Audonienne (L') - Saint-Ouen Payret - *Mairie de Saint-Ouen* - Saint-Ouen Debain
Autobus Suresnois - 3 boucles à partir de Suresnes-Général De Gaulle
Buséolien - Puteaux Cimetière Nouveau - Île de Puteaux *ou* Puteaux Bellini
Choisybus - Choisy-le-Roi RER - *Rue Pompadour - Rue du Four*
Désiré Hôtel de Ville - Transport Urbain d'Asnières
La Navette Le Bus Fontenaysien - Gare de Val de Fontenay RER - Fontenay-ss-Bois les Parapluies
La Navette - Neuilly Hôtel de Ville - *Place de Bagatelle - Hôpital Américain*
Le Fontenaisien - Clamart-Fontenay Division Leclerc- Fontenay-aux-R. Église des Blagis
Le P'tit bus du Pré - Le Pré St-Gervais Marché Mairie
Lilobus - L'île-St-Denis - *Marques Avenue - Cimetière*
Montbus - Montrouge St-Jacques - Châtillon-Montrouge Métro
Nanterre Service Urbain - 2 circuits entre Nanterre Ville RER - *Place de la Boule* - Parc du Mont Valérien
Navette t-IGR - Laplace RER - *Villejuif-Institut Gustave Roussy* - Villejuif-Louis Aragon Métro
Noisy-le-Sec - Noisy-le-Sec Jeanne d'Arc- *Place Saint-Martin - Noisy-le-Sec RER-Tramway*
Orlybus - Denfert Rochereau Métro RER - *Orly Ouest* - Orly Sud
Pavillons-sous-Bois - Ancien Cimetière - Stade Léo Lagrange
Roissybus - Opéra Métro - Aéroport Charles de Gaulle 1, 2 et 3
SUBB - Boulogne Billancourt Hôtel de Ville - *Pont de Billancourt* - Hôpital Ambroise Paré
Tillbus - Les Lilas Place du Vel'd'Hiv' - *Mairie des Lilas*
Tim - Meudon Val Fleury - *Gare de Meudon* - Gare de Bellevue
Titus - 5 circuits à partir de Rosny-sous-bois RER
TUB - Transport Urbain Bondynois
TUC - 2 boucles à partir de Rue Martre-Mairie de Clichy - Gare de Clichy-Levallois
TUVIM - 2 circuits dans Issy-les-Moulineaux
Tvm Rungis MIN - *Choisy le Roi RER* - Saint-Maur Créteil RER
Tramway T1 - Noisy-le-Sec RER-Tram *Bobigny P. Picasso Métro Tram - La Courneuve-8 Mai 1945* - St-Denis RER
Tramway T2 La Défense RER - *Suresnes - Longchamp - Musée de Sèvres* - Issy Val-de-Seine RER
Tramway T4 Aulnay-sous-Bois - *Les Pavillons-sous-Bois* - Bondy

NOCTILIEN

voir plan page 185

(toutes les nuits de 1h à 5h, départ toutes les heures)

Ligne	Départ - Terminus
N01	Circulaire intérieure
N02	Circulaire extérieure
N11	Pont de Neuilly - Château de Vincennes
N12	Boulogne-Billancourt - Marcel Sembat Romainville - Carnot
N13	Mairie d'Issy - Bobigny - Pablo Picasso
N14	Bourg-la-Reine RER - Mairie de St-Ouen
N15	Villejuif - Louis Aragon - Asnières - Gennevilliers
N16	Pont de Levallois - Mairie de Montreuil
N21	Châtelet - Chilly-Mazarin RER
N22	Châtelet - Marché de Rungis
N23	Châtelet - Chelles - Gournay RER
N24	Châtelet - Bezons - Grand-Chef
N31	Gare de Lyon - Juvisy RER
N32	Gare de Lyon - Boissy-Saint Léger RER
N33	Gare de Lyon - Villiers-sur-Marne RER
N34	Gare de Lyon - Torcy RER
N35	Gare de Lyon - Nogent - Le Perreux RER
N41	Gare de l'Est - Sevran - Livry RER
N42	Gare de l'Est - Aulnay - Garonor
N43	Gare de l'Est - Gare de Sarcelles - St-Brice
N44	Gare de l'Est - Pierrefitte - Stains RER
N45	Gare de l'Est - Bobigny-Pablo Picasso - Hôpital de Montfermeil

Ligne	Départ - Terminus
N51	Gare Saint-Lazare - Gare d'Enghien
N52	Gare Saint-Lazare - Argenteuil RER
N53	Gare St-Lazare - Nanterre Université RER
N61	Gare Montparnasse - Vélizy Hôtel-de-Ville
N62	Gare Montparnasse - Robinson RER
N63	Gare Montparnasse - Massy - Palaiseau RER
N71	Rungis M.I.N. - St-Maur-Créteil RER
N120	Aéroport Ch.-de-Gaulle - Corbeil RER
N121	Aéroport Charles-de-Gaulle - Gare de la Verrière
N122	Châtelet - Porte d'Orléans - St-Rémy-lès-Chevreuse
N130	Gare de Lyon - Noisy-le-Grand RER - Marne-la-Vallée-Chessy RER
N131	Gare de Lyon - Brétigny RER
N132	Gare de Lyon - Melun RER
N140	Gare de l'Est - Aéroport Ch.-de-Gaulle
N141	Gare de l'Est - Chelles-Gournay RER - Gare de Meaux
N142	Gare de l'Est - Roissy-en-Brie RER - Tournan RER
N150	Gare St-Lazarre - Cergy RER
N151	Gare St-Lazare - Gare de Mantes-la-Jolie
N152	Gare Saint-Lazare - Maisons-Laffitte RER - Cergy-le-Haut RER
N153	Gare Saint-Lazare - Nanterre-Ville RER - St-Germain-en-Laye RER

Bus de soirée derniers départs de 23 h 30 à 0 h 30 environ :
21-24-26-27-31-38-43n-52-62-63-67-72-74-80-85-91-92-95-96-PC1-PC2-PC3-Orlybus-Roissybus

Objets trouvés : 36 rue des Morillons - Téléphone : 0 821 00 25 25 *(0,12€/min)*

TRANSPORTS FERROVIAIRES

Arr.	Plan	Nom / Adresse	Téléphone	Métro
		SNCF		
		Grandes lignes	36 35*	
		Paris Île-de-France	01 53 90 20 20	
13	**N** 22	**Austerlitz** 55 Quai d'Austerlitz	36 35*	Gare d'Austerlitz
12	**O** 24	**Bercy** 48 boulevard de Bercy	36 35*	Bercy
10	**G** 21	**Est** place du 11 Novembre 1918	36 35*	Gare de l'Est
12	**N** 23	**Lyon** place Louis Armand	36 35*	Gare de Lyon
15	**O** 15	**Montparnasse** Place Raoul Dautry	36 35*	Montpar. Bienv.
10	**F** 20	**Nord** 18 rue de Dunkerque	36 35*	Gare du Nord
8	**G** 16	**Saint-Lazare** Rue Saint-Lazare	36 35*	Saint-Lazare
		RATP		
		Renseignements	0 892 68 77 14*	
		Renseignements in English	0 892 68 41 14*	**0,12€/min*

Paris Police Stations
Comisarias de Paris

COMMISSARIATS
(d'arrondissement)

Arr.	Plan	Adresse	Téléphone	Métro
1	**I** 17	45 place du Marché Saint-Honoré	01 47 03 60 00	Pyramides
2	**H** 19	18 rue du Croissant	01 44 88 18 00	Bourse
3	**J** 20	4-6 rue aux Ours	01 42 76 13 00	Rambuteau
4	**L** 22	27 boulevard Bourdon	01 40 29 22 00	Bastille
5	**M** 19	4 rue Montagne Sainte-Geneviève	01 44 41 51 00	Maubert-Mutualité
6	**L** 17	78 rue Bonaparte	01 40 46 38 30	Saint-Sulpice
7	**J** 14	9 rue Fabert	01 44 18 69 07	Invalides
8	**I** 14	1 avenue du Général Eisenhower	01 53 76 60 00	Chps Elysées-Clem.
9	**G** 18	14 bis rue Chauchat	01 44 83 80 80	Richelieu-Drouot
10	**F** 22	26 rue Louis Blanc	01 53 19 43 55	Louis Blanc
11	**L** 24	12-14 passage Charles Dallery	01 53 36 25 00	Voltaire
12	**N** 24	80 avenue Daumesnil	01 44 87 50 12	Gare de Lyon
13	**P** 21	144 boulevard de l'Hôpital	01 40 79 05 05	Place d'Italie
13	**N** 22	Gare d'Austerlitz	01 44 23 22 30	
14	**P** 16	114-116 avenue du Maine	01 53 74 14 06	Gaîté
15	**O** 13	250 rue de Vaugirard	01 53 68 81 00	Vaugirard
16	**L** 8	58 avenue Mozart	01 55 74 50 00	Ranelagh
17	**E** 15	19-21 rue Truffaut	01 44 90 37 17	Place de Clichy
18	**D** 19	79 rue de Clignancourt	01 53 41 50 00	Marcadet-Poiss.
19	**E** 25	3-9 rue Erik Satie	01 55 56 58 00	Ourcq
20	**I** 27	48 avenue Gambetta	01 40 33 34 00	Gambetta
4	**L** 19	**Préfecture de Police de Paris** 9 boulevard du Palais	01 53 71 53 71	Cité, St-Michel

Theatres of Paris
Theatros de Paris

THÉÂTRES

Arr.	Plan	**Nom** / Adresse	Téléphone	Métro
15	**N** 15	**Agitakt** 21 avenue du Maine	01 45 44 78 75	Montparn.-Bienv.
15	**O** 14	**Aire Falguière** 55 rue de la Procession	01 56 58 02 32	Pasteur
11	**J** 24	**Aktéon Théâtre** 11 rue du Général Blaise	01 43 38 74 62	Saint-Ambroise
18	**C** 19	**Alambic** 12 rue Neuve de la Chardonnière	01 42 23 44 66	Simplon
10	**H** 20	**Antoine** 14 boulevard de Strasbourg	01 42 08 77 71	Strasbg St-Denis
9	**G** 18	**Antre-Acte** 50 rue Saint-Georges	06 13 13 03 01	Saint-Georges
11	**K** 24	**Artistic Athevains** 45 rue Richard Lenoir	01 43 56 38 32	Voltaire
18	**E** 18	**Atalante** 10 place Charles Dullin	01 46 06 11 90	Anvers
18	**E** 18	**Atelier** 1 place Charles Dullin	01 46 06 49 24	Anvers
18	**E** 17	**Atelier-Théâtre de Montmartre** 7 rue Coustou	01 46 06 53 20	Blanche
15	**O** 13	**Atelier-Théâtre Frédéric Jacquot** 43 rue Mathurin Régnier	06 76 81 19 70	Volontaires
9	**H** 16	**Athénée-Théâtre Louis Jouvet** 4 square de l'Opéra-Louis Jouvet	01 53 05 19 19	Opéra, Auber
11	**K** 23	**Bastille** 76 rue de la Roquette	01 43 57 42 14	Bastille
14	**O** 16	**Bobino** 20 rue de la Gaîté	01 43 27 75 75	Gaité, Edgar-Quinet
10	**E** 21	**Bouffes du Nord** 37 bis boulevard de la Chapelle	01 46 07 34 50	Gare du Nord
2	**H** 17	**Bouffes Parisiens** 4 rue Monsigny	01 42 96 92 42	Quatre Septembre
19	**F** 23	**Bouffon** 28 rue de Meaux	01 42 38 35 53	Colonel Fabien
11	**L** 23	**Café de la Danse** 5 passage Louis-Philippe	01 47 00 57 59	Bastille
4	**J** 20	**Café de la Gare** 41 rue du Temple	01 42 78 52 51	Hôtel de Ville

THÉÂTRES

Theatres of Paris
Theatros de Paris

Arr.	Plan	Nom / Adresse	Téléphone	Métro
12	P 34	**Cartoucherie-Théâ. de l'Aquarium** Rte du Champ de Manœuvre.	01 43 74 99 61	Chau de Vincennes
12	P 34	**Cartouch.-Théâ. de l'Epée de Bois** Rte du Champ de Manœuvre.	01 48 08 39 74	Chau de Vincennes
12	P 34	**Cartoucherie-Théâtre du Soleil** Route du Champ de Manœuvre..	01 43 98 16 96	Chau de Vincennes
12	P 34	**Cartoucherie-Théâtre Tempête** Route du Champ de Manœuvre...	01 43 28 36 36	Chau de Vincennes
9	F 17	**Casino de Paris** 16 rue de Clichy	01 49 95 99 99	Trinité
20	L 27	**Centr'Anim** 12 rue Planchat	01 43 79 81 96	Avron
4	J 20	**Centre Wallonie-Bruxelles** 46 rue Quincampoix	01 53 01 96 96	Châtelet
16	J 10	**Chaillot (Théâtre National de)** 1 place du Trocadéro	01 53 65 30 00	Trocadéro
1	K 19	**Châtelet - Théâtre Musical de Paris** 1 place du Châtelet	01 40 28 28 40	Châtelet
18	D 18	**Ciné 13 Théâtre** 1 avenue Junot	01 42 54 15 12	Lamarck-Caul.
13	Q 20	**Cinq Diamants** 8 rue des Cinq Diamants	01 45 80 51 31	Place d'Italie
19	G 25	**Clavel** 3 rue Clavel	01 46 66 14 06	Pyrénées
20	I 26	**Colline** 15 rue Malte Brun	01 44 62 52 52	Gambetta
10	H 20	**Comédia** 4 boulevard de Strasbourg	01 42 38 22 22	Strasbourg St-Denis
11	K 22	**Comédie Bastille** 5 rue Nicolas Appert	01 48 07 52 07	Richard-Lenoir
9	H 16	**Comédie Caumartin** 25 rue Caumartin	01 47 42 43 41	Havre-Caumartin
20	I 27	**Comédie de la Passerelle** 102 rue Orfila	01 43 15 03 70	Pelleport
9	E 17	**Comédie de Paris** 42 rue Fontaine	01 42 81 00 11	Blanche
8	I 13	**Comédie des Champs Elysées** 15 avenue Montaigne	01 53 23 99 19	Alma-Marceau
1	J 17	**Comédie Française - Salle Richelieu** 1 place Colette	0 825 10 1680	Palais-Royal-Louvre
1	J 17	**Comédie Fse - Studio Théâtre** 99 rue de Rivoli (Car. du Louvre)....	01 44 58 98 58	Palais-Royal-Louvre
6	L 17	**Comédie Française - Vieux Colombier** 21 R. du Vieux Colombier.	01 44 39 87 00	Saint-Sulpice
14	O 16	**Comédie Italienne** 17 rue de la Gaîté	01 43 21 22 22	Gaité, Edgar-Quinet
19	D 24	**Cyber Act** 5 passage de Thionville	01 48 03 49 92	Laumière
19	E 25	**Darius Milhaud** 80 allée Darius Milhaud	01 42 01 92 26	Porte de Pantin
2	H 17	**Daunou** 7 rue Daunou	01 42 61 69 14	Opéra
1	J 19	**Déchargeurs (Les)** 3 rue des Déchargeurs	01 42 36 00 02	Châtelet
3	I 22	**Dejazet** 41 boulevard du Temple	01 48 87 52 55	République
18	E 17	**Dix Heures** 36 boulevard de Clichy	01 46 06 10 17	Pigalle
13	Q 23	**Dunois** 108 rue Chevaleret	01 45 84 72 00	Chevaleret
14	N 16	**Edgar (Théâtre/Café d')** 58 boulevard Edgar Quinet	01 42 79 97 97	Edgar Quinet
9	H 16	**Edouard VII** 10 place Edouard VII	01 47 42 59 92	Madeleine
11	J 23	**Epouvantail** 6 rue de la Folie Méricourt	01 43 55 14 80	Saint-Ambroise
10	E 21	**Espace Château Landon** 31 rue du Château Landon	01 46 07 85 77	Stalingrad
4	L 22	**Espace Marais** 22 rue Beautreillis	01 48 04 91 55	Saint-Paul
8	I 15	**Espace Pierre Cardin** 1 avenue Gabriel	01 44 56 00 13	Concorde
5	N 19	**Espace Quartier Latin** 37 rue Tournefort	0142 93 61 37	Place Monge
4	J 20	**Essaïon** 6 rue Pierre au Lard	01 42 78 46 42	Hôtel de Ville
20	H 27	**Est Parisien** 159 avenue Gambetta	01 43 64 80 80	Saint-Fargeau
18	C 17	**Etoile du Nord** 16 rue Georgette Agutte	01 42 26 47 47	Guy Môquet
17	E 16	**Européen Staccato** 3 rue Biot	01 43 87 97 13	Place de Clichy
11	L 24	**Fenêtre (La)** 77 rue de Charonne	01 40 09 70 40	Charonne
9	F 17	**Fontaine** 10 rue Fontaine	01 48 74 74 40	Pigalle
18	D 18	**Funambule** 53 rue des Saules	01 42 23 88 83	Lamarck-Ca
14	O 16	**Gaîté Montparnasse** 26 rue de la Gaîté	01 43 22 16 18	Gaité, Edgar-Quinet
14	O 15	**Guichet Montparnasse** 15 rue du Maine	01 43 27 88 61	Gaîté
10	H 19	**Gymnase Marie Bell** 38 boulevard Bonne Nouvelle	01 40 27 82 05	Bonne Nouvelle
17	E 15	**Hébertot** 78 bis boulevard des Batignolles	01 43 87 23 23	Rome, Villiers
5	L 19	**Huchette** 23 rue de la Huchette	01 43 26 38 99	Saint-Michel
9	F 17	**La Bruyère** 5 rue La Bruyère	01 48 74 76 99	Saint-Georges
18	D 20	**Lavoir Moderne** 35 rue Léon	01 42 52 09 14	Château Rouge
6	N 17	**Lucernaire** 53 rue Notre-Dame des Champs	01 45 44 57 34	N-D des Champs
8	H 15	**Madeleine** 19 rue de Surène	01 42 65 07 09	Madeleine
3	I 21	**Marais** 37 rue Volta	01 44 78 98 90	Arts et Métiers

THÉÂTRES

Arr.	Plan	**Nom** / Adresse	Téléphone	Métro
8	H 14	**Marigny** Carré Marigny	01 53 96 70 00	Chps Elysées-Clem.
20	I 26	**Maroquinerie** 23 rue Boyer	01 40 33 30 60	Ménilmontant
8	G 16	**Mathurins** 36 rue des Mathurins	01 42 65 90 00	Havre-Caumartin
12	N 29	**Maurice Ravel** 6 avenue Maurice Ravel	01 44 75 60 32	Porte de Vincennes
2	I 19	**Mélo d'Amélie** 4 rue Marie Stuart	01 40 26 11 11	Etienne Marcel
20	I 26	**Ménilmontant** 15 rue du Retrait	01 46 36 98 60	Gambetta
8	G 16	**Michel** 38 rue des Mathurins	01 42 65 35 02	Havre-Caumartin
18	D 17	**Michel Galabru** 4 rue de l'Armée de l'Orient	01 42 23 15 85	Abbesses
2	H 17	**Michodière** 4 bis rue de La Michodière	01 47 42 95 22	Quatre Septembre
9	G 17	**Mogador** 25 rue de Mogador	01 53 32 32 00	Trinité
3	J 20	**Molière - Maison de la Poésie** 157 rue St-Martin, Pas. Molière	01 44 54 53 00	Rambuteau
14	O 16	**Montparnasse** 31 rue de la Gaîté	01 43 22 77 74	Gaîté, Edgar Quinet
5	N 19	**Mouffetard** 73 rue Mouffetard	01 43 31 11 99	Place Monge
6	K 18	**Nesle** 8 rue de Nesle	01 46 34 61 04	Odéon
9	H 18	**Nord-Ouest** 13 rue du Faubourg Montmartre	01 47 70 32 75	Grands Boulevards
9	H 19	**Nouveautés** 24 boulevard Poissonnière	01 47 70 52 76	Grands Boulevards
17	C 14	**Odéon - Aux Ateliers Berthier** 8 boulevard Berthier	01 44 85 40 00	Porte de Clichy
6	M 18	**Odéon (Théâtre de l'Europe) (en travaux)** 1 place Paul Claudel	01 44 85 40 40	Odéon
9	F 16	**Œuvre** 55 rue de Clichy	01 44 53 88 88	Place de Clichy
9	H 16	**Olympia** 28 boulevard des Capucines	01 47 42 25 49	Madeleine
12	L 23	**Opéra Bastille** 120 rue de Lyon	08 92 69 78 68	Bastille
2	H 18	**Opéra Comique - Salle Favart** Place Boieldieu	0 825 00 00 58	Richelieu-Drouot
12	N 24	**Opprimé Augusto Boal** 78 rue du Charolais	01 43 40 44 44	Reuilly Diderot
17	F 10	**Palais des Congrès** 2 place de la Porte Maillot	01 40 68 00 05	Porte Maillot
10	H 22	**Palais des Glaces** 37 rue du Faubourg du Temple	01 42 02 27 17	Goncourt, Républ.
9	H 17	**Palais Garnier** Place de l'Opéra	08 92 69 78 68	Opéra
1	I 18	**Palais Royal** 38 rue de Montpensier	01 42 97 59 81	Palais-Royal-Louvre
19	D 26	**Paris Villette** 211 avenue Jean Jaurès	01 42 02 02 68	Porte de Pantin
2	H 17	**Pépinière Opéra** 7 rue Louis le Grand	01 42 61 44 16	Opéra
9	F 17	**Petit Théâtre de Paris** 15 rue Blanche	01 42 80 01 81	Trinité D'Est. D'Orves
18	B 20	**Pixel** 18 rue Championnet	01 42 54 00 92	Simplon
6	N 16	**Poche** 75 boulevard du Montparnasse	01 45 48 92 97	Montparn.-Bienv.
10	H 21	**Porte Saint-Martin** 18 boulevard Saint-Martin	01 42 08 00 32	Strasbourg St-Denis
11	K 25	**Proscenium** 170 rue de Charonne	01 40 09 77 19	Alexandre Dumas
16	L 9	**Ranelagh** 5 rue des Vignes	01 42 88 64 44	La Muette
10	H 20	**Renaissance** 20 boulevard Saint-Martin	01 42 08 18 50	Strasbourg St-Denis
4	K 20	**Renard (Théâtre du)** 12 rue du Renard	01 42 71 46 50	Hôtel de Ville
14	O 16	**Rive Gauche** 6 rue de la Gaîté	01 43 35 32 31	Edgar Quinet
8	I 14	**Rond-Point** 2 bis avenue Franklin-D.-Roosevelt	01 44 95 98 10	Franklin D. Roosevelt
9	F 18	**Saint-Georges** 51 rue Saint-Georges	01 48 78 63 47	Saint-Georges
15	Q 12	**Silvia Monfort** 106 rue Brancion	01 56 08 33 88	Porte de Vanves
10	H 20	**Splendid** 48 rue du Faubourg Saint-Martin	01 42 08 21 93	Strasbourg St-Denis
8	I 13	**Studio des Champs Elysées** 15 avenue Montaigne	01 53 23 99 19	Alma Marceau
18	C 19	**Sudden Théâtre** 14 bis rue Sainte-Isaure	01 42 62 35 00	Jules Joffrin
13	Q 19	**Théâtre 13** 103 A boulevard Auguste Blanqui	01 45 88 62 22	Glacière
14	R 13	**Théâtre 14 Jean-Marie Serreau** 20 avenue Marc Sangnier	01 45 45 49 77	Porte de Vanves
4	K 19	**Théâtre de la Ville** 2 place du Châtelet	01 42 74 22 77	Châtelet
18	E 18	**Théâtre de la Ville/Les Abbesses** 31 rue des Abbesses	01 42 74 22 77	Abbesses
19	C 25	**Théâtre International de Langue Française** 211 Av. J. Jaurès	01 40 03 93 95	Porte de Pantin
18	E 17	**Théâtre ouvert** 4 bis cité Véron	01 42 62 59 49	Blanche
15	O 11	**Théo Théâtre** 20 rue Théodore Deck	01 45 54 00 16	Convention
18	E 18	**Tremplin** 39 rue des Trois Frères	01 42 54 91 00	Abbesses
9	G 19	**Trévise** 14 rue de Trévise	01 45 23 35 45	Cadet
18	E 18	**Trianon** 80 boulevard de Rochechouart	01 48 65 97 90	Anvers

THÉÂTRES

Theatres of Paris
Theatros de Paris

Arr.	Plan	**Nom** / Adresse	Téléphone	Métro
8	F 15	**Tristan Bernard** 64 rue du Rocher	01 45 22 08 40	Villiers
11	I 23	**Trois Bornes** 32 rue des Trois Bornes	01 43 57 68 29	Parmentier
2	H 18	**Variétés** 7 boulevard Montmartre	01 42 33 09 92	Grands Boulevards
20	I 25	**Vingtième Théâtre** 7 rue des Plâtrières	01 43 66 01 13	Ménilmontant

AGENCES DE THÉÂTRES

Theatres ticket agencies
Agencias theatrales

Arr.	Plan	**Nom** / Adresse	Téléphone	Métro
1	I 17	**Quotidien Spectacles** 61 rue des Petits Champs	01 55 35 35 25	Pyramides
2	H 18	**Agence Marivaux** 7 rue de Marivaux	01 42 97 46 70	Quatre Septembre
8	H 16	**Agence Perrossier** 6 place de la Madeleine	01 42 60 26 87	Madeleine
8	H 16	**Kiosque Madeleine (ts les jrs y compris les jours fériés)** 15 pl. de la Madeleine (Terre-plein Ouest de l'égl. de la Madeleine)..		Madeleine
8	H 16	**SOS Théâtres** 6 place de la Madeleine	01 44 77 88 55	Madeleine
9	G 18	**Agence Chèque Théâtre** 33 rue Le Peletier	01 42 46 72 40	Le Peletier
9	G 17	**Opéra Théâtre** 7 rue de Clichy	01 42 81 98 85	Trinité
10	G 20	**Amis du Spectacle** 11 rue Martel	01 48 24 51 45	Château d'Eau
15	N 15	**Kiosque Montparnasse (ts les jrs y compris les jrs fériés)** Place Raoul Dautry (devant la gare Montparnasse 1) **(fermé le lundi) entre 12h30 et 20h00 (16h00 le dimanche)**		Montparn. Bienven

SALONS-EXPOSITIONS

Salons, exhibition halls
Salones de exposition

Arr.	Plan	**Nom** / Adresse	Téléphone	Métro / **RER**
12	Q 25	**Bercy Expo** 40 avenue des Terroirs de France	01 44 74 50 00	Cour Saint-Emilion
1	J 17	**Carrousel du Louvre** 99 rue de Rivoli	01 43 95 37 00	Palais Royal - Louvre
13	O 22	**Espace Austerlitz** 30-32 quai d'Austerlitz	01 53 82 60 00	Gare d'Austerlitz
17	D 10	**Espace Champerret** 6 rue Jean Oestreicher	01 43 95 37 00	L. Michel, Pte de Ch
19	D 26	**Grande Halle de la Villette** 211 avenue Jean Jaurès	01 40 03 75 00	Porte de Pantin
17	F 10	**Palais des Congrès** 2 place de la Porte Maillot	01 40 68 00 05	Porte Maillot
16	N 5	**Parc des Princes** 24 rue du Commandant Guilbaud	01 49 48 90 00	Porte de Saint-Cloud
15	P 10	**Paris Expo** Porte de Versailles	01 43 95 37 00	Porte de Versailles
92	B 2	**CNIT (Centre National des Industries et Techniques)** 2 place de la Défense	01 43 95 37 00	La Déf.-Gde Arche
92	B 2	**Espace Grande Arche** Parvis de la Défense	01 43 95 37 00	La Déf.-Gde Arche
93		**Paris Nord Villepinte** Dir. Lille, sortie Parc des Expositions	01 48 63 30 30	**B-Parc des Expos.**
93	CR 93	**Plaine Saint-Denis** 144-146 avenue du Président Wilson	01 48 09 47 47	**B-La Pl. Sde de Fr.**

OFFICES DE TOURISME

Arr.	Plan	Pays / Adresse	Téléphone	Métro
8	G 14	**Afrique du Sud** 61 rue La Boétie (prix d'un appel local)	0 810 20 34 03	Miromesnil
2	H 17	**Allemagne** 47 avenue de l'Opéra	01 40 20 01 88	Opéra
1	I 17	**Andorre (Principauté d')** 26 avenue de l'Opéra	01 42 61 50 55	Pyramides
8	G 12	**Antigua et Barbuda** 43 avenue de Friedland	01 53 75 15 71	Ch. de Gaulle-Et.
8	F 14	**Autriche** *Uniquement par tél.*	0 811 60 10 60	Monceau
10	G 20	**Barbade** 48 rue des Petites Écuries	01 47 70 82 84	Château-d'Eau
6	P 12	**Bahamas** 113 rue du Cherche Midi	01 45 26 62 62	Duroc
8	I 13	**Brésil** Ambassade du Brésil 34 cours Albert 1er	01 45 61 63 00	Alma-Marceau
2	H 16	**Belgique** 21 boulevard des Capucines	01 47 42 41 18	Opéra
16	K 10	**Bolivie** 12 avenue du Président Kennedy	01 42 24 93 44	Passy
16	I 8	**Cambodge** 4 rue Adolphe Yvon	01 45 03 00 60	Av. Henri Martin
16	I 11	**Cameroun** 26 rue de Longchamp	01.45.05.96.48	Iéna
6	L 18	**Catalogne (Maison de la)** 4 cour du Commerce Saint-André	01 40 46 84 85	Odéon
6	M 15	**Chili** 114 rue de Vaugirard	01 45 44 56 80	Montpar. Bienven.
8	H 13	**Chine** 15 rue de Berri	01 56 59 10 10	St-Philip. du Roule
8	H 15	**Colombie** Ambassade de Colombie 22 rue de l'Elysée	01 42 65 46 08	Chps Elysées-Clem.
2	H 17	**Chypre** 15 rue de la Paix	01 42 61 42 49	Opéra
15	R 15	**Corée** Tour Maine-Montparnasse 33 avenue du Maine	01 45 38 71 23	Montpar. Bienven.
16	H 11	**Croatie** 48 avenue Victor Hugo	01 45 00 99 55	Victor Hugo
8	H 15	**Danemark** 18 boulevard Malesherbes	01 53 43 26 26	Madeleine
14	P 17	**Cuba** 280 boulevard Raspail	01 45 38 90 10	Denfert-Rochereau
8	H 13	**Dubai** 15 bis rue de Marignan	01 44 95 85 00	F.-D.-Roosevelt
8	H 13	**Egypte** 90 avenue des Champs-Elysées	01 45 62 94 42	George V
16	J 9	**Espagne** 43 rue Decamps	01 45 03 82 50	Rue de la Pompe
8	I 15	**Etats-Unis** 2 avenue Gabriel *(appel supérieur à 1,21€)*	0 899 702 470	Concorde
9	G 16	**Finlande** *Uniquement par tél.*	01 55 17 42 70	Havre-Caumartin
9	H 14	**Grande-Bretagne** *Uniquement par tél.*	01 58 36 50 50	St-Philip. du Roule
1	I 17	**Grèce** 3 avenue de l'Opéra	01 42 60 65 75	Pyramides
8	F 13	**Guatemala** 73 rue de Courcelles	01 42 27 78 63	Courcelles
17	F 13	**Guernesey** 35 rue de Chazelles	01 42 27 17 89	Courcelles
9	H 17	**Pays-Bas** 7 rue Auber	01 43 12 34 20	Opéra
16	I 9	**Hongrie** 140 avenue Victor Hugo	01 53 70 67 17	Victor Hugo
1	I 16	**Île de Wight** 2 rue Duphot	01 49 27 06 68	Madeleine
8	G 14	**Île Maurice** 124 boulevard Haussmann	01 44 69 34 50	Saint-Augustin
9	H 18	**Inde** 13 boulevard Haussmann	01 45 23 30 45	Chaussée d'Antin
8	G 14	**Irlande** 33 rue de Miromesnil	01 70 20 00 20	Miromesnil
16	H 11	**Islande** *Uniquement par tél.*	01 53 64 80 50	Ch. de Gaulle-Et.
9	G 16	**Israël** 99 rue Saint-Lazare	01 42 61 01 97	Opéra
2	H 17	**Italie** 23 rue de la Paix	01 42 66 66 48	Opéra
2	H 17	**Kenya** 5 rue Volney	01 42 60 66 88	Opéra
8	H 14	**Liban** 124 rue du Faubourg Saint-Honoré	01 43 59 10 36	St-Philippe du Roule
1	I 17	**Japon** 4 rue Ventadour	01 42 96 20 29	Pyramides
2	H 16	**Luxembourg** 21 boulevard des Capucines	01 47 42 90 56	Opéra
1	I 17	**Malaisie** 29 rue des Pyramides	01 42 97 41 71	Pyramides
9	G 19	**Malte** 9 cité Trévise	01 48 00 03 79	Cadet
1	I 17	**Martinique** 2 rue des Moulins	01 44 77 86 00	Pyramides
1	J 18	**Maroc** 161 rue Saint-Honoré	01 42 60 63 50	Palais-Royal- Louvre
2	I 18	**Mexique** 4 rue Notre-Dame des Victoires	01 42 86 96 13	Bourse
11	L 26	**Népal** 55 boulevard de Charonne	01 43 43 62 69	Avron
8	I 13	**Norvège** 28 rue Bayard	01 53 23 00 50	F.-D.-Roosevelt
16	H 11	**Pérou** 50 avenue Kléber	01 53 70 42 00	Kléber
2	H 17	**Pologne** 9 rue de la Paix	01 42 44 19 00	Opéra

OFFICES DE TOURISME

Tourist offices
Oficinas de turismo

Arr.	Plan	Pays / Adresse	Téléphone	Métro
8	G 14	**Portugal** 135 boulevard Haussmann	01 56 88 30 80	Saint-Augustin
9	H 16	**République Dominicaine** 11 rue Boudreau	01 43 12 91 91	Havre-Caumartin
8	H 13	**Réunion** 90 rue La Boétie	01 40 75 02 79	St-Philip. du Roule
2	K 14	**Roumanie** 7 rue Gaillon	01 40 20 99 33	Opéra
1	J 18	**Singapour** Centre affaires le Louvre 168 rue de Rivoli	01 42 97 16 16	Palais-Royal- Louvre
2	H 18	**Sri Lanka** 19 rue du Quatre Septembre	01 42 60 49 99	Quatre Septembre
3	K 21	**Suède** 11 rue Payenne	01 53 01 84 85	Saint-Paul
9	H 17	**Suisse** 11 bis rue Scribe	01 44 51 65 41	Havre-Caumartin
5	M 20	**Tahiti** 38 boulevard Saint-Germain	01 55 42 64 34	Maubert-Mutualité
8	H 12	**Thaïlande** 90 avenue des Champs Élysées	01 53 53 47 00	George V
2	H 17	**Tunisie** 32 avenue de l'Opéra	01 47 42 72 67	Opéra
8	H 12	**Turquie** 102 avenue des Champs-Élysées	01 45 62 78 68	George V
16	H 11	**Vénézuéla** 11 rue Copernic	01 45 53 29 98	Boissière
1	K 19	**Espace du Tourisme d'Ile de France** 99 rue de Rivoli *(0,15€/mn maxi)*	0 803 81 80 00	Châtelet
1	J 17	**Isère** 2 place André Malraux	01 42 96 0843	Palais-Royal- Louvre
8	H 12	**Office de Tourisme et des Congrès de Paris** 127 avenue des Champs Elysées *(0,45€/mn maxi)*	0 836 68 31 12	Ch. de Gaulle-Et.
18	D 18	**Syndicat d'Initiative de Montmartre** 21 place du Tertre	01 42 62 21 21	Lamarck-Caulainc.

STADES

Stadiums
Estadios

Arr.	Plan	Nom / Adresse	Téléphone	Métro
12	Q 27	**Léo Lagrange** 68 boulevard Poniatowski	01 46 28 31 57	Pte de Charenton
12	O 24	**Palais Omnisports de Paris Bercy** 8 Bd de Bercy	0 892 390 490*	Bercy
12	Q 27	**Vélodrome Jacques Anquetil** 2 avenue de Gravelle	01 43 68 01 27	Liberté
13	S 19	**Sébastien Charlety** 99 boulevard Kellermann	01 44 16 60 60	B Cité Univers.
16	N 5	**Jean Bouin** 26 avenue Général Sarrail	01 46 51 55 40	Porte d'Auteuil
16	N 5	**Parc des Princes** 24 rue du Commandant Guilbaud ***(plan page 291)***	01 42 30 03 60	Pte de St-Cloud
16	P 6	**Pierre de Coubertin** 82 avenue Georges Lafont	01 45 27 79 12	Pte de St-Cloud
16	M 5	**Roland Garros (Tennis)** 2 avenue Gordon Bennett	01 47 43 48 00	Porte d'Auteuil
16	O 5	**Stade Français** 2 rue du Commandant Guilbaud	01 40 71 33 33	Pte de St-Cloud
93	CO 93	**Stade de France** Z.A. Cornillons Nord 93200 St-Denis ***(plan pages 288-289)***	01 55 93 00 00	B-La Plaine-Stade de France

Dans le but d'améliorer la qualité de nos produits, nous vous serions reconnaissants de nous adresser par courrier vos remarques ainsi que la description de modifications qui pourraient intervenir sur les plans et les rubriques du présent ouvrage.

Adresser votre courrier à l'adresse suivante :
ÉDITIONS L'INDISPENSABLE
16-18 rue de l'Amiral-Mouchez
75014 PARIS

Swimming pools
Piscinas

PISCINES PUBLIQUES

Arr.	Plan	Nom / Adresse	Téléphone	Métro
1	J 19	**Suzanne Berlioux** 10 place de la Rotonde, Forum des Halles	01 42 36 98 44	Châtel.-Les Halles
4	K 20	**Saint-Merri** 16 rue du Renard	01 42 72 29 45	Hôtel de Ville
5	N 19	**Jean Taris** 16 rue Thouin	01 55 42 81 90	Cardinal Lemoine
5	M 20	**Pontoise (Quartier latin)** 19 rue de Pontoise	01 55 42 77 88	Maubert-Mutualité
6	L 17	**Saint-Germain** 12 rue Lobineau	01 43 29 08 15	Mabillon
9	F 18	**Drigny** 18 rue Bochart de Saron	01 45 26 86 93	Anvers
9	F 19	**Valeyre** 22 rue de Rochechouart	01 42 85 27 61	Cadet
10	F 21	**Château Landon** 31 rue du Château Landon	01 55 26 90 35	Stalingrad
11	J 22	**Cour des Lions** 11 rue Alphonse Baudin	01 43 55 09 23	Richard Lenoir
11	K 25	**Georges Rigal** 115-119 boulevard de Charonne	01 44 93 28 18	Alexandre Dumas
11	I 24	**Oberkampf** 160 rue Oberkampf	01 43 57 56 19	Ménilmontant
12	N 25	**Reuilly** 13 rue Antoine Julien Hénard	01 40 02 08 08	Mong. Dugommier
12	N 29	**Roger Le Gall** 34 boulevard Carnot	01 44 73 81 12	Porte de Vincennes
13	Q 20	**Butte aux Cailles** 5 place Paul Verlaine	01 45 89 60 05	Place d'Italie
13	Q 21	**Château des Rentiers** 184 rue du Château-des-Rentiers	01 45 85 18 26	Nationale
13	P 22	**Dunois** 70 rue Dunois	01 45 85 44 81	Chevaleret
13	P 23	**Joséphine Baker** Quai François Mauriac	01 56 61 96 50	Quai de la Gare
14	Q 16	**Aspirant Dunand** 20 rue Saillard	01 45 45 50 37	Mouton-Duvernet
14	R 14	**Didot** 22 avenue Georges Lafenestre	01 45 39 89 29	Porte de Vanves
15	P 9	**Aquaboulevard** 4-6 rue Louis Armand	01 40 60 10 00	Balard
15	N 15	**Armand Massard** 66 Bd du Montparnasse, Centre Commercial	01 45 38 65 19	Montpar.Bienven.
15	N 13	**Blomet** 17 rue Blomet	01 47 83 35 05	Volontaires
15	K 11	**Emile Anthoine** 9 rue Jean Rey	01 53 69 61 59	Bir-Hakeim
15	M 10	**Keller** 14 rue de l'Ingénieur Robert Keller	01 45 77 12 12	Charles Michels
15	Q 11	**Porte de la Plaine** 13 rue du Général Guillaumat	01 45 32 34 00	Porte de Versailles
15	M 10	**R. et A. Mourlon** 19 rue Gaston de Caillavet	01 45 75 40 02	Charles Michels
16	K 6	**Auteuil (Bois de Boulogne)** Hippodrome, Rte des Lacs à Passy	01 42 24 07 59	Ranelagh
16	H 8	**Henry de Montherlant** 32 boulevard Lannes	01 40 72 28 30	Av. Henri Martin
17	C 15	**Bernard Lafay** 79 rue de La Jonquière	01 42 26 11 05	Porte de Clichy
17	D 12	**Champerret** 36 boulevard de Reims	01 47 66 49 98	Pte de Champeret
18	B 18	**Bertrand Dauvin** 12 rue René Binet	01 44 92 73 42	Pte de Clignanc.
18	C 21	**Hébert** 2 rue des Fillettes	01 46 07 60 01	Marx Dormoy
18	C 20	**Les Amiraux** 6 rue Hermann Lachapelle	01 46 06 46 47	Simplon
19	E 25	**Georges Hermant** 15 rue David d'Angers	01 42 02 45 10	Danube
19	C 23	**Mathis** 15 rue Mathis	01 40 34 51 00	Crimée
19	C 24	**Rouvet** 1 rue Rouvet	01 40 36 40 97	Corentin Cariou
20	G 28	**Georges Vallerey** 148 avenue Gambetta	01 40 31 15 20	Porte des Lilas

Ice skating rinks
Pistas de patinaje

PATINOIRES

Arr.	Plan	Nom / Adresse	Téléphone	Métro / **RER**
12	O 24	**POPB Patinoire Sonja Henie** 8 boulevard de Bercy	01 40 02 60 60	Bercy
92	DJ 76	**Patinoire de Billancourt** 1 rue V. Griffuehes Boul. Billanc.	01 41 41 95 24	Marcel Sembat
94	DE 111	**Patinoire de Fontenay-ss-Bois** 8 avenue Charles Garcia	01 48 75 62 11	**Val-de-Fontenay**
93	CR 89	**Patinoire de Saint-Ouen** 4 rue du Dr Bauer St-Ouen	01 40 11 43 38	Mairie de St-Ouen
4	S 19	**France Patinoires** (renseignements) 99 Bd Kellermann	01 44 16 60 00	Hôtel de Ville

MARCHÉS SPÉCIALISÉS

Specialized markets
Mercados espacializados

Arr.	Plan	**Nature** / Adresse ou localisation / Spécialités / *Jours*	**Téléphone**	Métro
		Biologique		
6	**M** 16	Bd Raspail, entre rues du Cherche-Midi et de Rennes. *Dimanche de 9h/14h*		Rennes
8	**E** 15	Boulevard des Batignolles. *Samedi de 9h/4h*		Rome
14	**O** 15	Place Constantin Brancusi. *Samedi de 9h/14h*		Gaîté
		Fleurs		
4	**K** 19	**Île de La Cité** : Pl. Louis Lépine et quais adjacents. *Tlj de 8/19h30 sauf dim.*		Cité
8	**H** 16	**Madeleine** : Place de la Madeleine. *Tlj 8h/19h30 sauf lundi*		Madeleine
17	**F** 12	**Ternes** : Place des Ternes. *Tlj 8h/9h30, sauf lundi*		Ternes
		Salles des ventes (Enchères)		
9	**G** 18	**Drouot Montaigne** : 15 avenue Montaigne	**01 48 00 20 20**	Richelieu Drouot
8	**I** 13	**Hôtel Drouot** : 9 rue Drouot	**01 48 00 20 80**	F. D. Roosevelt
18	**D** 20	**Drouot Nord** : 64 rue Doudeauville	**01 48 00 20 99**	Marcadet-Poisson.
		Tissus, vêtements		
3	**I** 21	**Carreau du Temple** : 2 rue Perrée. *Tlj de 9h/12h sauf lundi*		Temple
3	**I** 21	**Temple** : angle rues E. Spuller & Dupetit-Thouars. *Tlj 9h/19h sauf lundi*		Temple
12	**M** 24	**Beauvau St-Antoine** : Place d'Aligre. *Tlj 7h30/12h30*		Ledru-Rollin
14	**Q** 16	Rues Brezin, Saillard, Mouton Duvernet, Boulard *Mardi, vendredi, dimanche 10h30/19h30 d'Octobre à Mars*		Mouton Duvernet
18	**E** 19	**Marché Saint-Pierre** : Rue Charles Nodier, rue Livingstone *Mardi à samedi de 10h/18h30. Lundi 13h30/18h30*	**01 46 06 92 25**	Anvers
		Animaux		
4	**K** 19	**Oiseaux**: Place Louis Lepine *Le dimanche 9 h/19 h*		Cité
1	**K** 19	**Oiseaux, chiens, chats, poissons** : Quai de la Mégisserie. *Tlj 10h/19h*		Pont Neuf
		Antiquités, Brocante		
2	**J** 18	**Louvre des Antiquaires** : 2 place du Palais-Royal. *Mar. à Dim. 11h/19h*		Palais-Royal
12	**M** 24	Place d'Aligre. *Tlj sauf lundi 7h30/13h30*		Ledru-Rollin
14	**R** 13	**Puces de Vanves** : Avenue de la Porte de Vanves et rue Marc Sangnier *Samedi, dimanche de 14/19h30 (neuf) et 7h/19h30 (brocante)*		Porte de Vanves
18	**A** 19	**Puces de Saint-Ouen** : Av. de la Porte de Clignancourt - *Les plus grandes.* *Vernaison, Paul Bert, Biron, Cambo, Jules Vallès, Rosiers, Malassis, Malik* Centre d'information : 154 rue des Rosiers. *Sam., dim, lun 7h/19h.*		Pte de Clignancourt
18	**A** 18	**Puces : marché à la ferraille** : les 2 côtés de la rue Jean-Henri Fabre *Samedi, dimanche, lundi de 7 h à 19 h*		Pte de Clignancourt
20	**L** 29	**Puces de Montreuil** : Avenue de la Porte de Montreuil *Samedi, dimanche, lundi de 7 h à 18h30*		Pte de Montreuil
		Vieux papiers		
8	**H** 14	**Timbres Champs-Elysées** : A l'angle des avenues Marigny et Gabriel *Jeudi, samedi, dimanche et jours fériés toute la journée*		Ch. El. Clemenceau
15	**Q** 12	**Livres anciens** : Parc G. Brassens-rue Brancion. *Sam. et dim 9h30/18h*		Pte de Vanves
94	**DF** 102	Avenue de Paris (à St-Mandé). *Mercredi 9h/18h*		St Mandé-Tourelle
		Art, création, galeries, métiers d'art		
1	**J** 19	**Village St-Honoré** : 91 rue St-Honoré. *Lundi au samedi*		Louvre-Rivoli
4	**K** 21	**Village St-Paul** : Rues St-Paul & de l'Ave Maria. *Jeudi au lundi 11h/19h*		Saint-Paul
11	**K** 22	**Marché de la création** : Bd Richard-Lenoir entre rues Amelot et St-Sabin *Samedi 9h/19h*		Bastille
14	**N** 16	**Marché de la création** : Bd Edgar Quinet. *Dimanche 9h/19h30*		Edgar Quinet
15	**K** 11	**Village Suisse** : 78 avenue de Suffren - 54 avenue de La Motte-Piquet *Jeudi au lundi. 10h30/19h*		La Motte-P.Grenelle

GRANDS MAGASINS

Arr.	Plan	**Noms** / Adresse	Téléphone	Métro
1	**J** 19	**FNAC Forum** Forum des Halles,1-7 rue Pierre Lescot	01 40 41 40 00	**Les Halles** / Châtelet
1	**J** 18	**La Samaritaine** 19 rue de la Monnaie	01 40 41 20 20	Pont Neuf
1	**J** 17	**Virgin Louvre** Galerie Carrousel du Louvre, 99 rue de Rivoli	01 44 50 03 10	Palais Royal-Louvre
2	**H** 18	**Virgin Grands Boulevards** 5 boulevard Montmartre	01 40 13 72 13	Grands Boulevards
4	**K** 20	**BHV** 14 rue du Temple	01 42 74 90 00	Hôtel de Ville
4	**J** 20	**Printemps Design** Centre Pompidou, place G. Pompidou	01 44 78 15 78	Rambuteau
6	**L** 18	**FNAC Micro** 77-81 boulevard Saint-Germain	01 53 10 44 44	Cluny
6	**N** 17	**FNAC Junior** 19 rue Vavin	01 56 24 03 46	Vavin
6	**M** 16	**FNAC Montparnasse** 136 rue de Rennes	01 49 54 30 00	Montparn.-Bienve
7	**L** 16	**Le Bon Marché** 24 rue de Sèvres	01 44 39 80 00	Sèvres-Babylone
8	**H** 13	**FNAC Champs-Elysées** 74 avenue des Champs-Elysées	01 53 53 64 64	George V
8	**H** 13	**Virgin Champs-Elysées** 52-60 avenue des Champs-Élysées	01 49 53 50 00	F.-D.-Roosevelt
9	**G** 16	**FNAC Saint-Lazare** Passage du Havre, 109 rue Saint-Lazare	01 55 31 20 00	Saint-Lazare
9	**H** 17	**FNAC Opéra** 24 boulevard des Italiens	01 48 01 02 03	Opéra
9	**G** 17	**Galeries Lafayette** 40 boulevard Haussmann	01 42 82 34 56	Chaussée-d'Antin
9	**G** 17	**Lafayette Maison** 34 boulevard Haussmann	01 40 23 53 40	Chaussée-d'Antin
9	**G** 16	**Printemps-Haussmann** 64 boulevard Haussmann	01 42 82 50 00	Havre-Caumartin
12	**L** 22	**FNAC Musique** 4 place de la Bastille	01 43 42 04 04	Bastille
12	**P** 25	**FNAC Junior** Cour Saint-Emilion	01 44 73 01 58	Cour Saint-Emilion
12	**N** 23	**Virgin Gare de Lyon** Gare de Lyon, place Louis Armand	01 44 75 43 81	Gare de Lyon
13	**Q** 20	**FNAC Italie 2** Centre Commercial Italie 2 - 30 avenue d'Italie	01 58 10 30 30	Place d'Italie
13	**P** 23	**Jardinerie Truffaut** 85 quai de la Gare	01 53 60 84 50	Quai de la Gare
13	**Q** 20	**Printemps Italie 2** Centre Cial Italie 2 - 30 avenue d'Italie	01 40 78 17 17	Place d'Italie
15	**N** 16	**Galeries Lafayette** 22 rue du Départ	01 45 38 52 87	Montparn.-Bienve
15	**N** 15	**Virgin Montparnasse** Gare Montparnasse niveau A, Place Raoul Dautry	01 45 38 06 06	Montparn.-Bienve.
16	**I** 9	**FNAC Junior** 148 avenue Victor Hugo	01 45 05 90 60	Victor-Hugo
17	**F** 12	**FNAC Ternes** 26-30 avenue des Ternes	01 44 09 18 00	Ternes
17	**E** 12	**FNAC Junior** 155 rue de Courcelles	01 42 67 40 22	Péreire-Levallois
18	**E** 17	**Castorama** Centre Cial Les Arcades, 1-3 rue Caulaincourt	01 53 42 42 42	Place de Clichy
18	**E** 19	**Virgin Barbès** 15 boulevard Barbès	01 56 55 53 70	Barbès-Rochech.
19	**D** 23	**BHV** 119-127 avenue de Flandre	01 42 74 99 00	Crimée
20	**M** 27	**Castorama** 9-11 cours de Vincennes	01 55 25 14 14	Nation
20	**M** 27	**Printemps-Nation** 21-25 cours de Vincennes	01 43 71 12 41	Nation
92	**C** 2	**FNAC Junior** Centre Commercial Les Quatre Temps, Place des Miroirs 92092 La Défense	01 49 07 08 79	**A Grande Arche**
92	**B** 2	**FNAC La Défense-CNIT** 2 place de la Défense 92053 La Défense	01 40 90 40 90	**A Grande Arche**
92	**C** 2	**Virgin La Défense** Défense 4 92080 La Défense	01 49 67 02 60	**A Grande Arche**
94	**DK** 98	**Virgin Bercy** Centre Commercial Bercy 2, place de l'Europe 94228 Charenton-le-Pont	01 41 79 33 10	
5	**M** 19	**FNAC DVD** 71 boulevard Saint-Germain	01 44 41 31 50	Maubert Mutualité
6	**M** 15	**FNAC Vidéo** 99 rue du Cherche-Midi	01 42 22 20 10	Falguière
		Virgin La Défense Défense 3 - Galerie Ciale niveau 0	01 41 02 99 00	**A Grande Arche**

PARKINGS

Cars parks
Aparcamientos

Arr.	Plan	**Nom** / Adresse
10	F 20	**Abbeville** 5 rue d'Abbeville
11	I 22	**Alhambra** 50 rue de Malte
19	C 22	**Allan Automobiles** 156 rue d'Aubervilliers
8	I 12	**Alma-George V** Face aux 6 et 19 avenue George V
9	E 19	**Anvers** 41 boulevard Rochechouart
15	P 9	**Aquaboulevard** 4-6 rue Louis-Armand
18	C 19	**Ateliers Versigny** 12-14-16 rue Versigny
13	P 20	**AutoSur** 34 rue Abel Hovelacque
7	K 16	**Bac Montalembert** 9 rue Montalembert
18	E 20	**Barbès-Rochechouart** 104 boulevard de la Chapelle
3	K 21	**Barbette** 7 rue Barbette
12	M 22	**Bastille** 53 boulevard de la Bastille
4	K 20	**Baudoyer** Place Baudoyer (face au 44 rue de Rivoli)
3	J 20	**Beaubourg-l'Horloge** 31 rue Beaubourg
15	M 10	**Beaugrenelle** 16 rue Linois (Centre Commercial)
12	PO 24	**Bercy** Parc de bercy, boulevard de Bercy et rue de Bercy
12	P 24	**Bercy (quai)** (surface) sur le quai de Bercy
12	O 24	**Bercy auto train** 48 boulevard de Bercy
12	P 24	**Bercy Autocars** Parc de bercy (Sud-Ouest)
12	Q 25	**Bercy Saint-Emilion** 12 place des Vins de France
12	Q 25	**Bercy Terroirs** 40 avenue des Terroirs de France
8	G 15	**Bergson** Rue de Laborde (sous Square Marcel Pagnol)
8	H 13	**Berri - Ponthieu** 66 rue de Ponthieu
8	H 13	**Berri Washington** 5 rue de Berri
17	D 12	**Berthier** 122 boulevard Berthier
18	E 17	**Blanche** (surface, terre-plein) boulevard de Clichy
10	H 19	**Bonne Nouvelle** 28 boulevard de Bonne Nouvelle
15	N 13	**Bonvin Lecourbe** 28 rue François Bonvin
7	L 16	**Boucicaut** Angle rue Velpeau et rue de Babylone
13	S 19	**Boulevard Auguste Blanqui** (surface, terre-plein) entre rue de la Santé et rue Vergnaud
15	N 14	**Boulevard Pasteur** (surface, terre-plein) entre rue Falguière et rue du Dr Roux
2	H 18	**Bourse** Place de la Bourse
15	P 13	**Brancion** 21-25 rue Brancion
10	H 23	**Cambacauto** 83 rue du Faubourg du Temple
17	D 14	**Cardinet Autocars** 151 rue Cardinet (gare des Batignolles)
17	G 11	**Carnot** 14 bis avenue Carnot
1	J 17	**Carrousel du Louvre** Avenue du Général Lemonnier
10	G 20	**Central Park** 7 rue des Petites Écuries
2	I 19	**Champeaux** 32 rue Dussoubs
18	C 17	**Championnet** 203 rue Championnet
8	H 13	**Champs-Elysées** Face au 88 avenue des Champs Elysées
8	H 13	**Champs-Elysées Pierre Charron** 65 rue Pierre Charron
13	T 19	**Charléty Coubertin** 17 avenue Pierre de Coubertin
13	S 19	**Charléty Thomire** Rue Thomire
9	G 18	**Chauchat - Drouot** 12-14 rue Chauchat
19	B 25	**Cité des Sciences** Avenue Corentin Cariou / Boulevard Macdonald
15	O 9	**Citroën Cévennes** 37 rue Leblanc
18	E 17	**Clichy Montmartre** 9 rue Caulaincourt
8	I 15	**Place de la Concorde** 6 place de la Concorde - face Hôtel Crillon
8	I 15	**Concorde** (surface) Sud-Est place de la Concorde
15	N 10	**Convention** 98 rue de la Convention
17	E 12	**Courcelles 148** 148 rue de Courcelles
17	D 12	**Courcelles 210** 210 rue de Courcelles

PARKINGS

Arr.	Plan	**Nom** / Adresse
20	**M**27	**Cours de Vincennes** Cours de Vincennes
1	**J** 18	**Croix des Petits Champs** 14 rue de la Croix des Petits Champs
18	**D** 19	**Custine Automobiles** 48 bis rue Custine
18	**E** 18	**Dancourt** 5 rue Dancourt
12	**O** 26	**Danset** 103 rue Claude Decaen
12	**N** 24	**Daumesnil** 6 rue de Rambouillet
9	**F** 19	**Dru** 69 rue de Rochechouart
6	**L** 18	**Ecole de Médecine** 21 rue de l'Ecole de Médecine
9	**H** 16	**Edouard VII** Face au 15 rue Edouard VII
8	**H** 13	**Elysées 66** 49-51 rue de Ponthieu
10	**G** 21	**Est Parking** 20 passage des Récollets
8	**G** 12	**Etoile-Friedland** 31 avenue de Friedland
8	**G** 12	**Etoile-Wagram** 22 bis avenue de Wagram
10	**E** 20	**Euronord - Lariboisière** 1 bis rue Ambroise Paré
8	**E** 15	**Europe** 43 bis boulevard des Batignolles
15	**O** 14	**Falguière** 81 rue Falguière
12	**L** 23	**Faubourg Saint-Antoine** 82 bis Avenue Ledru Rollin
6	**N** 16	**FNAC-Rennes** 153 bis rue de Rennes
16	**G** 11	**Foch** 8 avenue Foch
1	**J** 19	**Forum des Halles Nord** Rue de Turbigo
1	**J** 19	**Forum des Halles Sud** Rue des Halles
8	**I** 13	**François Ier** Face au 24 rue François Ier
8	**H** 14	**Franklin Roosevelt** 47 avenue Franklin Roosevelt
10	**F** 20	**Franz Liszt** 6 place Franz Liszt
14	**O** 15	**Gaîté Montparnasse** 15 rue du Commandant René Mouchotte
16	**I** 10	**Galerie Saint-Didier** 37 rue Saint-Didier
18	**C** 19	**Garage Clignancourt** 120 rue de Clignancourt
3	**J** 21	**Garage de Bretagne** 14 rue de Bretagne
7	**L** 16	**Garage de l'Abbaye** 30 boulevard Raspail
10	**G** 19	**Garage de l'Exportation** 54 rue du Faubourg Poissonnière
15	**M** 11	**Garage de la Poste** 104 rue du Théâtre
5	**O** 21	**Garage de l'Essai** 6-8 rue de l'Essai
12	**M** 25	**Garage du Faubourg** 33 rue de Reuilly
17	**D** 15	**Garage Lemercier** 51 rue Lemercier
9	**E** 17	**Garage Mansart** 7 rue Mansart
16	**K** 10	**Garage Moderne** 19 rue de Passy
18	**C** 16	**Garage Neubauer** 162 rue Lamarck
10	**H** 21	**Garage Périer** 60 rue René Boulanger
10	**G** 21	**Garage Saint-Laurent** 52 ter rue des Vinaigriers
12	**N** 27	**Garage Saint-Mandé** 24-28 avenue de Saint-Mandé
13	**N** 22	**Gare d'Austerlitz Arrivée** (surface) 55 quai d'Austerlitz
13	**N** 22	**Gare d'Austerlitz Départ** (surface) cour des départs
12	**N** 23	**Gare de Lyon** 191 rue de Bercy
10	**F** 20	**Gare du Nord** Rue de Compiègne et rue de Maubeuge
5	**O** 20	**Geoffroy Saint-Hilaire** 15 rue Censier
8	**H** 12	**George V** Face au 103 avenue George V
3	**J** 20	**Georges Pompidou** Angle rue Beaubourg, rue Rambuteau
18	**E** 20	**Goutte d'Or** 10 rue de la Goutte d'Or
17	**E** 10	**Gouvion Saint-Cyr** 26 boulevard Gouvion Saint-Cyr
1	**J** 18	**Halles Garage** 10 bis rue de Bailleul
1	**K** 18	**Harlay - Pont-Neuf** Quai des Orfèvres
9	**G** 16	**Haussmann - C & A** 16 rue des Mathurins
9	**G** 16	**Haussmann - Printemps** 99 rue de Provence

PARKINGS

Arr.	Plan	**Nom** / Adresse
9	**G** 17	**Haussmann Galeries Lafayette** 95 bis rue de Provence
9	**G** 17	**Haussmann Mogador** 48 boulevard Haussmann
8	**G** 13	**Haussmann-Berri** 164 boulevard Haussmann
16	**I** 8	**Henri Martin 1 et 2** (surface, terre-pleins) av. Henri Martin
15	**K** 11	**Hilton Suffren** 18 avenue de Suffren
8	**G** 12	**Hoche** Face au 18 avenue Hoche
12	**N** 26	**Hôpital des Diaconesses** 20 rue du Sergent Bauchat
4	**K** 19	**Hôtel de Ville** 3 rue de la Tacherie
14	**S** 15	**Institut du Judo** 21-23 avenue de la Porte de Châtillon
7	**K** 14	**Invalides** Face au 23 rue de Constantine (sous l'esplanade)
13	**Q** 20	**Italie 2** 30 avenue d'Italie (Centre Commercial)
7	**L** 13	**Joffre - Ecole Militaire** 2 place Joffre
16	**I** 11	**Kleber Longchamp** 65 avenue Kleber
1	**J** 19	**La Belle Jardinière** 4 rue du Pont Neuf
7	**J** 14	**La Tour Maubourg Orsay** Contre allée du quai d'Orsay, angle rue Desgenettes
19	**A** 25	**La Villette** 13 boulevard de la Commanderie
19	**D** 26	**La Villette - Cité de la Musique** 211 avenue Jean Jaurès
5	**L** 19	**Lagrange** Face au 19 rue Lagrange
15	**N** 12	**Lecourbe Mairie du XVe** 143 rue Lecourbe
11	**L** 23	**Ledru-Rollin** 121 avenue Ledru-Rollin
4	**K** 20	**Lobau** Rue Lobau
1	**J** 18	**Louvre des Antiquaires** 1 rue Marengo
14	**R** 16	**LRG Automobiles** 19 bis rue Friant
4	**K** 19	**Lutèce** 1 place Louis Lépine - Boulevard du Palais
12	**N** 23	**Lyon Diderot** 198 rue de Bercy
17	**G** 11	**Mac-Mahon** 17 avenue Mac-Mahon
8	**H** 16	**Madeleine - Tronchet** Place de la Madeleine - face à la rue Tronchet
10	**G** 20	**Magenta - Alban Satragne** 107 Faubourg Saint-Denis
14	**Q** 16	**Maine Basch** 204 avenue du Maine
15	**O** 15	**Maine Parking** 50 avenue du Maine
17	**E** 15	**Mairie du XVIIe** 16 rue des Batignolles
8	**H** 15	**Malesherbes Anjou** 22-33 boulevard Malesherbes
8	**H** 12	**Marceau Etoile** 82 avenue Marceau
17	**D** 15	**Marché des Batignolles** 24 bis rue Brochant
6	**L** 17	**Marché Saint-Germain** 14 rue Lobineau
1	**I** 17	**Marché Saint-Honoré** 39 Place du Marché Saint-Honoré
12	**DG** 105	**Marigny Vincennes** face au 10 Cours Marigny (face Mairie de Vincennes)
20	**I** 24	**Maronites de Belleville** 20 boulevard de Belleville
8	**H** 14	**Matignon** 1 rue Rabelais
5	**M** 20	**Maubert Saint-Germain** Face au 39 boulevard St-Germain
9	**G** 19	**Mayran** 5 rue Mayran
6	**K** 18	**Mazarine** 27 rue Mazarine
20	**H** 27	**MEA** 27 rue Saint-Fargeau
12	**N** 23	**Méditerranée** 26-44 rue de Chalon (Gare de Lyon)
17	**F** 10	**Méridien Etoile** 9 rue Waldeck-Rousseau
9	**H** 17	**Meyerbeer Opéra** 3 rue de la Chaussée-d'Antin
9	**G** 19	**Montholon** 8 rue Rochambault
14	**O** 15	**Montparnasse 2 - Pasteur - Catalogne** Place des 5 Martyrs du Lycée Buffon
15	**O** 14	**Montparnasse 3 - Vaugirard - Autotrain** Rue du Cotentin
14	**O** 17	**Montparnasse Raspail** 120 bis boulevard du Montparnasse
7	**J** 16	**Musée d'Orsay** (surface) sur le quai Anatole France
1	**I** 16	**New York Garage** 38 rue du Mont Thabor
10	**F** 21	**Nord Parking** 3 rue de Dunkerque

PARKINGS

Arr.	Plan	**Nom** / Adresse
4	**K** 19	**Notre-Dame** Place du Parvis Notre-Dame
15	**M** 10	**Novotel Paris Tour Eiffel** 61 quai de Grenelle
11	**I** 23	**Oberkampf** 11 rue Ternaux
20	**G** 26	**Olivier Metra** 35-49 rue Olivier Metra
9	**H** 16	**Olympia-Caumartin** 7 rue Caumartin
12	**M** 23	**Opéra-Bastille** 34 rue de Lyon
12	**N** 23	**Parc Auto Météor** 54 quai de la rapée
15	**P** 10	**Parc des Expositions** B-C-E-F-R Porte de Versailles
12	**N** 23	**Parc Gare de Lyon** 193 rue de Bercy
10	**G** 21	**Paris Est I et Paris Est II** Cour du 11 Novembre
20	**K** 28	**Paris France Garage** 4 rue du Clos
20	**G** 28	**Paris France Garage** 211 avenue Gambetta
10	**G** 20	**Paris France Parking** 11 rue des petites écuries
9	**G** 18	**Parking 1er** 4 rue Buffault
19	**C** 23	**Parking 2000** 234 rue de Crimée
11	**L** 23	**Parking Capus Christian** 45 rue du Faubourg Saint-Antoine
19	**G** 27	**Parking des Anges** 293 bis rue de Belleville
14	**R** 16	**Parking du Midi** 36 rue Friant
20	**I** 29	**Parking Vinci Bagnolet** Av. de la Porte de Bagnolet, Av. Cartellier (Centre Commercial)
9	**G** 16	**Passage du Havre** 103-107 rue Saint-Lazare
16	**K** 9	**Passy** 78-80 rue de Passy
15	**O** 15	**Pasteur - Montparnasse 2** Rue du Pont des Cinq Martyrs
5	**O** 20	**Patriarches** Rue Daubenton
12	**M** 27	**Picpus Nation** Face au 96 boulevard de Picpus
19	**G** 26	**Place des Fêtes** 10-12 rue Compans
9	**F** 18	**Place Saint-Georges** 20 rue Clauzel
16	**H** 10	**Place Victor Hugo** 74 avenue Victor Hugo
16	**L** 9	**Pont de Grenelle** Avenue du Président Kennedy (face à la Maison de la Radio)
4	**L** 20	**Pont Marie** 48 rue de l'Hôtel de Ville
8	**H** 13	**Ponthieu Claridge** 60 rue de Ponthieu
16	**M** 6	**Porte d'Auteuil** Avenue du Général Sarrail
13	**T** 21	**Porte d'Italie** 8 avenue de la Porte d'Italie
14	**S** 16	**Porte d'Orléans** 1 rue de la Légion Etrangère
17	**E** 10	**Porte de Champerret - Yser** 10 boulevard de l'Yser
18	**A** 19	**Porte de Clignancourt** (surface) 30 avenue de la Porte Clignancourt
18	**B** 21	**Porte de la Chapelle** 56-58 boulevard Ney
19	**D** 26	**Porte de Pantin** (surface) avenue de la Porte de Pantin
16	**O** 5	**Porte de Saint-Cloud** Avenue de la Porte de Saint-Cloud
17	**B** 16	**Porte de Saint-Ouen** (surface) 17 avenue de la Porte de Saint-Ouen
15	**P** 10	**Porte de Versailles** Face au 39, boulevard Victor
17	**F** 10	**Porte des Ternes Autocars** Place du Général Koenig
17	**F** 10	**Porte Maillot** Place de la Porte Maillot
1	**I** 17	**Pyramides** Face au 15 rue des Pyramides
2	**I** 20	**Réaumur - Saint-Denis** 40 rue Dussoubs
18	**E** 16	**Rédélé Forest** 11 rue Forest
9	**H** 19	**Rex Atrium** 7 rue du Faubourg Poissonnière
19	**F** 27	**Robert Debré** 48 boulevard Serrurier
8	**H** 14	**Rond-Point des Champs-Elysées** Av. des Champs-Elysées - Av. Matignon
16	**M** 8	**Rossini** Angle rues Wilhem et Mirabeau
4	**L** 22	**Saint-Antoine** 16 rue Saint-Antoine
15	**M** 10	**Saint-Charles** 72 rue Saint-Charles
7	**K** 12	**Saint-Dominique Sédillot** 133 rue Saint-Dominique
2	**H** 20	**Sainte-Apolline** 17-21 rue Sainte-Apolline

PARKINGS

Cars parks
Aparcamientos

Arr.	Plan	**Nom** / Adresse
12	M25	**Saint-Eloi** 34-36 rue de Reuilly
1	J 19	**Saint-Eustache** Rue Coquillière
19	F 23	**Saint-Georges** 76 avenue Secretan
6	L 17	**Saint-Germain-des-Prés** Face au 171 boulevard Saint-Germain
1	J 18	**Saint-Germain-l'Auxerrois** Place du Louvre
14	P 17	**Saint-Jacques 1** (surface terre-plein) Boulevard Saint-Jacques
9	G 16	**Saint-Lazare** 29 rue de Londres
10	G 22	**Saint-Louis** avenue Claude Vellefaux, sous l'Hôpital Saint-Louis
3	I 20	**Saint-Martin** 253 rue Saint-Martin
4	K 19	**Saint-Martin Rivoli** Angle rue Saint-Bon et rue Pernelle
6	L 19	**Saint-Michel** Rue Hautefeuille
6	L 17	**Saint-Sulpice** Place Saint-Sulpice
1	J 19	**Sébastopol** 43 bis boulevard de Sébastopol
17	E 14	**Securitas** 40-42 rue Legendre
15	M13	**Ségur** (surface) avenue de Suffren / Boulevard Garibaldi
15	P 11	**SGGD** 374 rue de Vaugirard
5	M18	**Soufflot** 22 rue Soufflot (proche du Panthéon)
4	L 21	**Sully** 5 rue Agrippa d'Aubigné
20	H 27	**Télégraphe** 16 rue du Télégraphe
3	J 21	**Temple** 132 rue du Temple
17	F 11	**Ternes** 38 avenue des Ternes
13	P 23	**Tolbiac Bibliothèque** Rue Emile Durkheim
15	N 15	**Tour Montparnasse** 10 rue du Départ / 17 rue de l'Arrivée
9	F 17	**Trinité D'Estienne d'Orves** 10-12 rue Jean-Baptiste Pigalle
11	I 23	**Trois Bornes** 11 rue des Trois Bornes
3	I 21	**Turbigo - Fontaine** 21 rue des Fontaines du Temple
2	I 19	**Turbigo Saint-Denis** 149 rue Saint-Denis
3	J 22	**Turenne** 66 rue de Turenne
10	F 20	**Union S.C.O.P.** 12 rue de Rocroy
15	P 11	**Vaugirard 371** 371 rue de Vaugirard
1	I 16	**Vendôme** Place Vendôme
16	O 6	**Versailles Reynaud** 188 avenue de Versailles
16	I 9	**Victor Hugo Pompe** 120 avenue Victor Hugo
17	E 14	**Villiers** 14 avenue de Villiers
13	P 23	**Vincent Auriol Bibliothèque** 21 rue Abel Gance
13	O 21	**Vincent Auriol (uniquement à la journée entière)** 181 boulevard Vincent Auriol
10	E 20	**Vinci Park Services** 112 rue de Maubeuge
17	E 12	**Wagram Courcelles** 103 ter rue Jouffroy d'Abbans

LOCATION DE VOITURES

Cars rentals
Alquiler de vehiculos

Entreprise	Téléphone	Tarif	Entreprise	Téléphone	Tarif
ADA	0 825 169 169	*(0,15 euro/min)*	**Continental Rent**	01 43 48 60 60	
Avis	0 820 05 05 05	*(0,12 euro/min)*	**Europcar**	0 825 358 358	*(0,15 euro/min)*
Axeco	0 892 697 697	*(0,34 euro/min)*	**Hertz**	0 825 86 18 61	*(0,15 euro/min)*
Budget	0 825 00 35 64	*(0,15 euro/min)*	**Rent a Car**	0 891 700 200	*(0,22 euro/min)*
Citer	0 825 16 12 12	*(0,15 euro/min)*	**Sixt**	0 820 00 74 98	*(0,10 euro/min)*

Stationnement sur la voie publique

(Tarif en vigueur à la date d'impression de l'ouvrage)

ROTATIF HORAIRE

- 1€ de l'heure
- 2€ de l'heure
- 3€ de l'heure

RÉSIDENTIEL

0,5 € / jour (7 jours max.)
2,5 € / semaine

17e 18e 19e 9e 10e 8e 2e 3e 1er 20e 11e 16e 7e 4e 6e 5e 15e 12e 14e 13e

N

LISTE DES QUARTIERS
(par arrondissement)

Arr.	Quartier	Nom	Arr.	Quartier	Nom
1	**1**	St-Germain-l'Auxerrois	11	**41**	Folie Méricourt
1	**2**	Les Halles	11	**42**	Saint-Ambroise
1	**3**	Palais-Royal	11	**43**	Roquette
1	**4**	Place Vendôme	11	**44**	Sainte-Marguerite
2	**5**	Gaillon	12	**45**	Bel-Air
2	**6**	Vivienne	12	**46**	Picpus
2	**7**	Mail	12	**47**	Bercy
2	**8**	Bonne-Nouvelle	12	**48**	Quinze-Vingts
3	**9**	Arts-et-Métiers	13	**49**	Salpêtrière
3	**10**	Enfants-Rouges	13	**50**	Gare
3	**11**	Archives	13	**51**	Maison-Blanche
3	**12**	Sainte-Avoie	13	**52**	Croulebarbe
4	**13**	Saint-Merri	14	**53**	Montparnasse
4	**14**	Saint-Gervais	14	**54**	Montsouris
4	**15**	Arsenal	14	**55**	Petit-Montrouge
4	**16**	Notre-Dame	14	**56**	Plaisance
5	**17**	Saint-Victor	15	**57**	Saint-Lambert
5	**18**	Jardin des Plantes	15	**58**	Necker
5	**19**	Val de Grâce	15	**59**	Grenelle
5	**20**	Sorbonne	15	**60**	Javel
6	**21**	Monnaie	16	**61**	Auteuil
6	**22**	Odéon	16	**62**	Muette
6	**23**	Notre-Dame des Champs	16	**63**	Porte Dauphine
6	**24**	Saint-Germain-des-Prés	16	**64**	Chaillot
7	**25**	Saint-Thomas d'Aquin	17	**65**	Ternes
7	**26**	Invalides	17	**66**	Monceau
7	**27**	Ecole Militaire	17	**67**	Batignolles
7	**28**	Gros Caillou	17	**68**	Epinettes
8	**29**	Champs-Elysées	18	**69**	Grandes Carrières
8	**30**	Faubourg du Roule	18	**70**	Clignancourt
8	**31**	Madeleine	18	**71**	Goutte d'Or
8	**32**	Europe	18	**72**	La Chapelle
9	**33**	Saint-Georges	19	**73**	La Villette
9	**34**	Chaussée d'Antin	19	**74**	Pont de Flandre
9	**35**	Faubourg Montmartre	19	**75**	Amérique
9	**36**	Rochechouart	19	**76**	Combat
10	**37**	Saint-Vincent-de-Paul	20	**77**	Belleville
10	**38**	Porte Saint-Denis	20	**78**	Saint-Fargeau
10	**39**	Porte Saint-Martin	20	**79**	Père-Lachaise
10	**40**	Hôpital Saint-Louis	20	**80**	Charonne

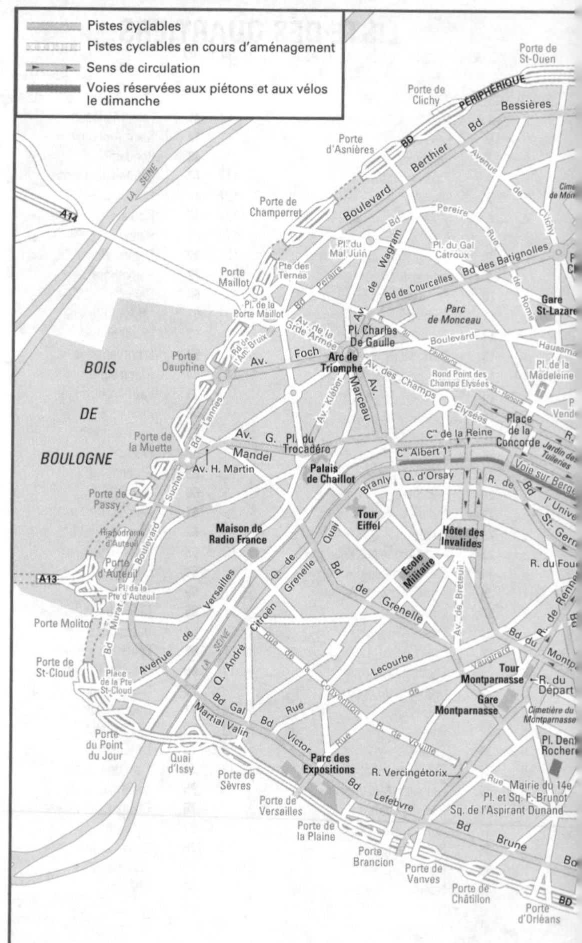
Pistes cyclables
Pistes cyclables en cours d'aménagement
Sens de circulation
Voies réservées aux piétons et aux vélos le dimanche
BOIS
DE
BOULOGNE
Porte de St-Ouen
Porte de Clichy
PÉRIPHÉRIQUE
Bessières
Porte d'Asnières
Bd Berthier
Porte de Champerret
Boulevard
Avenue de Clichy
Pereire
Pl. du Mal Juin
Pl. du Gal Catroux
Bd des Batignolles
Porte Maillot
Pte des Ternes
Pl. de la Porte Maillot
Av. de Wagram
Bd de Courcelles
Rue de Rome
Gare St-Lazare
Parc de Monceau
Av. de la Grde Armée
Pl. Charles De Gaulle
Boulevard Haussmann
Porte Dauphine
Av. Foch
Arc de Triomphe
Av. des Champs Elysées
Rond Point des Champs Elysées
Pl. de la Madeleine
Bd Lannes
Av. Kléber
Av. Marceau
Place de la Concorde
Porte de la Muette
Av. G. Mandel
Pl. du Trocadéro
Cs de la Reine
Cs Albert 1er
Jardin des Tuileries
Av. H. Martin
Palais de Chaillot
Q. d'Orsay
Voie sur Berge
Porte de Passy
Suchet
Branly
Tour Eiffel
Maison de Radio France
Hôtel des Invalides
R. du Four
Porte d'Auteuil
Boulevard
Quai
Q. de Grenelle
Bd de Grenelle
Ecole Militaire
Av. de Breteuil
A13
Pl. de la Pte d'Auteuil
Avenue de Versailles
Citroën
Porte Molitor
Bd Murat
LA SEINE
Rue de la Convention
Bd du Montparnasse
Porte de St-Cloud
Place de la Pte St-Cloud
Q. André
Lecourbe
Vaugirard
Tour Montparnasse
R. du Départ
Gare Montparnasse
Cimetière du Montparnasse
Bd Gal Martial Valin
Rue
R. de Vouillé
Porte du Point du Jour
Quai d'Issy
Bd Victor
Parc des Expositions
R. Vercingétorix
Pl. Denfert Rochereau
Porte de Sèvres
Bd Lefebvre
Mairie du 14e
Pl. et Sq. F. Brunot
Sq. de l'Aspirant Dunand
Porte de Versailles
Porte de la Plaine
Bd Brune
Porte Brancion
Porte de Vanves
Porte de Châtillon
Porte d'Orléans
A14
BD

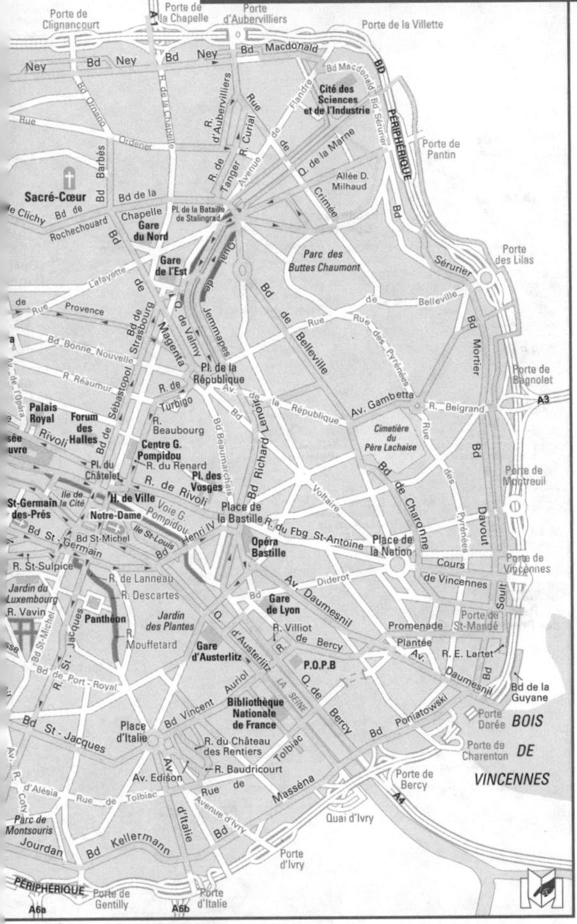
Porte de Clignancourt
Porte de la Chapelle
Porte d'Aubervilliers
Porte de la Villette
A1
Bd Ney
Bd Macdonald
BD PÉRIPHÉRIQUE
Bd Ornano
R. de la Chapelle
R. d'Aubervilliers
Rue Curial
Rue de Flandre
Cité des Sciences et de l'Industrie
Bd Sérurier
Rue Ordener
Q. de la Marne
Porte de Pantin
Bd Barbès
Sacré-Cœur
Bd de Clichy
Bd de Rochechouard
Bd de la Chapelle
R. de Tanger
Avenue
Allée D. Milhaud
Crimée
Pl. de la Bataille de Stalingrad
Gare du Nord
Gare de l'Est
Quai de Jemmapes
Parc des Buttes Chaumont
Porte des Lilas
Lafayette
Rue de Provence
Bd de Magenta
Bd de Strasbourg
Q. de Valmy
Bd de Belleville
Rue de Belleville
Rue des Pyrénées
Bd Mortier
Bd Bonne Nouvelle
Bd Sébastopol
Pl. de la République
R. Réaumur
Av. de l'Opéra
R. de Turbigo
Av. de la République
Av. Gambetta
R. Belgrand
Porte de Bagnolet
A3
Palais Royal
Forum des Halles
R. Beaubourg
Bd Beaumarchais
Bd Richard Lenoir
Cimetière du Père Lachaise
Rivoli
Bd de Sébastopol
Centre G. Pompidou
R. du Renard
Pl. du Châtelet
Pl. des Vosges
R. de Rivoli
Bd de Charonne
Porte de Montreuil
Ile de la Cité
H. de Ville
Voie G. Pompidou
Place de la Bastille
Voltaire
St-Germain des-Prés
Notre-Dame
Ile St-Louis
Bd Henri IV
R. du Fbg St-Antoine
Bd St-Germain
Bd St-Michel
Opéra Bastille
Place de la Nation
Bd Davout
R. St-Sulpice
Cours de Vincennes
Porte de Vincennes
Av. Diderot
R. de Lanneau
R. Descartes
Jardin du Luxembourg
R. Vavin
Panthéon
Jardin des Plantes
Gare de Lyon
Av. Daumesnil
Bd Soult
Porte de St-Mandé
R. Mouffetard
R. St-Jacques
Bd St-Michel
R. Villiot
Bd de Bercy
Promenade Plantée
Gare d'Austerlitz
Q. d'Austerlitz
R. E. Lartet
P.O.P.B
Bd de Port-Royal
LA SEINE
Q. de Bercy
Bd de la Guyane
Auriol
Bd Vincent Auriol
Bibliothèque Nationale de France
Bd Poniatowski
Porte Dorée
BOIS DE VINCENNES
Bd St-Jacques
Place d'Italie
R. du Château des Rentiers
Tolbiac
Porte de Charenton
Av. Edison
R. Baudricourt
Porte de Bercy
R. Coty
R. d'Alésia
Rue de Tolbiac
Bd Masséna
A4
Avenue d'Ivry
Quai d'Ivry
Parc de Montsouris
Av. d'Italie
Bd Jourdan
Bd Kellermann
Porte d'Ivry
PÉRIPHÉRIQUE
Porte de Gentilly
Porte d'Italie
A6a
A6b

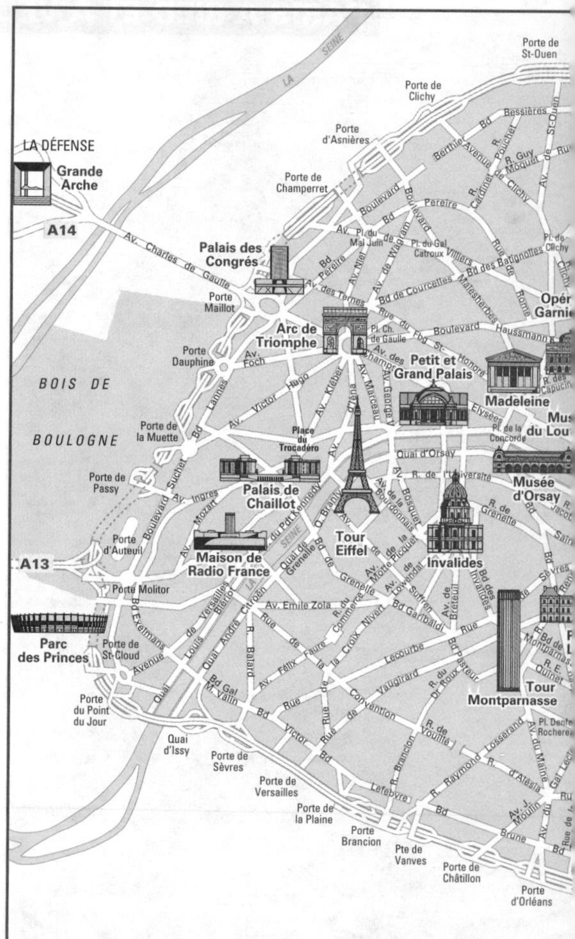
LA DÉFENSE
Grande Arche
A14
A13
Palais des Congrès
Arc de Triomphe
BOIS DE BOULOGNE
Palais de Chaillot
Maison de Radio France
Tour Eiffel
Invalides
Petit et Grand Palais
Madeleine
Musée d'Orsay
Tour Montparnasse
Parc des Princes
Porte de St-Ouen
Porte de Clichy
Porte d'Asnières
Porte de Champerret
Porte Maillot
Porte Dauphine
Porte de la Muette
Porte de Passy
Porte d'Auteuil
Porte Molitor
Porte de St-Cloud
Porte du Point du Jour
Quai d'Issy
Porte de Sèvres
Porte de Versailles
Porte de la Plaine
Porte Brancion
Pte de Vanves
Porte de Châtillon
Porte d'Orléans
Place du Trocadéro
Pl. Ch. de Gaulle
Pl. de la Concorde
Av. Charles de Gaulle
Av. Foch
Av. Victor Hugo
Av. Kléber
Av. d'Iéna
Av. Marceau
Av. des Champs Elysées
Quai d'Orsay
R. de l'Université
R. de Grenelle
Av. Emile Zola
Rue de Vaugirard
Rue Lecourbe
Rue de la Convention
Bd Victor
Bd Lefebvre
Bd Brune
Bd Garibaldi
Bd Pasteur
Bd des Invalides
Bd Exelmans
Bd Suchet
Bd Lannes
Bd Haussmann
Bd de Courcelles
Bd des Batignolles
Bd Pereire
Bd Berthier
Bd Bessières
Av. de Wagram
Av. de Clichy
Av. de St-Ouen
Rue de Rome
Malesherbes
Rue du Fbg St-Honoré
Av. des Ternes
Av. Niel
Av. Mozart
Av. Ingres
Av. de Versailles
Quai Louis Blériot
Quai André Citroën
R. Balard
Av. Félix Faure
Rue de la Croix Nivert
Av. de Suffren
Av. de Lowendal
Av. de Breteuil
Av. de la Motte Picquet
Av. de la Bourdonnais
R. Bosquet
Av. du Maine
R. d'Alésia
R. Raymond Losserand
R. de Vouillé
R. Brancion
Av. J. Moulin
Bd Gal M. Valin
LA SEINE

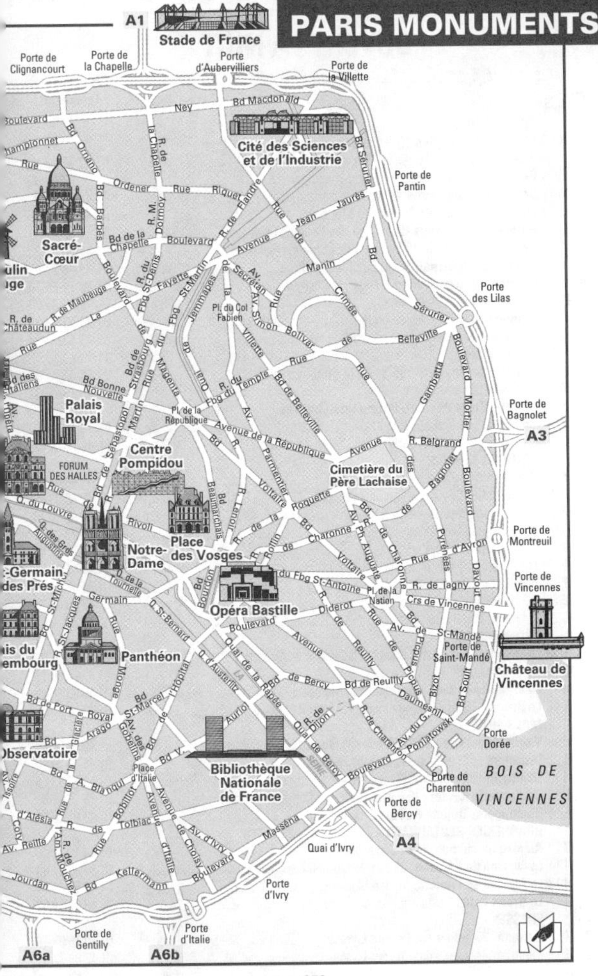
A1
Stade de France
Porte de Clignancourt
Porte de la Chapelle
Porte d'Aubervilliers
Porte de la Villette
Bd Macdonald
Ney
Cité des Sciences et de l'Industrie
Bd Sérurier
Porte de Pantin
Sacré-Cœur
Ordener
Riquet
Jean Jaurès
Rue de Crimée
Manin
Porte des Lilas
Pl. du Col Fabien
Belleville
Bd de la Chapelle
Bd Barbès
R. de Maubeuge
R. de Châteaudun
Palais Royal
Centre Pompidou
FORUM DES HALLES
Pl. de la République
Avenue de la République
Cimetière du Père Lachaise
R. Belgrand
Porte de Bagnolet
A3
Porte de Montreuil
Place des Vosges
Notre-Dame
Opéra Bastille
Pl. de la Nation
Crs de Vincennes
Porte de Vincennes
Porte de Saint-Mandé
Château de Vincennes
St-Germain-des Prés
Panthéon
Bd de Port Royal
Observatoire
Bibliothèque Nationale de France
Place d'Italie
Porte Dorée
Porte de Charenton
BOIS DE VINCENNES
Porte de Bercy
A4
Quai d'Ivry
Porte d'Ivry
Porte de Gentilly
Porte d'Italie
A6a
A6b

OUVERT LA NUIT

Arr.	Plan	Adresse	Jusqu'à :	Téléphone
		PHARMACIES		
4	**K** 19	**Châtelet-Les Halles** 10 Bd de Sébastopol (Dimanche et jours Fériés 9h-22h, autres 9h-24h)	0 h	01 42 72 03 23
4	**J** 19	**Pharmacie Première** 24 Bd de Sébastopol	2 h	01 48 87 62 30
6	**M** 17	**St-Germain-des-Prés** 45 rue Bonaparte	0 h	01 43 26 52 92
8	**H** 14	**Franklin-Roosevelt** 2 rue Jean Mermoz	2 h	01 43 59 86 55
8	**H** 13	**Galerie des Champs** 84 avenue des Champs Elyssées	24 / 24	01 45 62 02 41
8	**H** 13	**Drugstore Publicis** 133 avenue des Champs Elyssées	24 / 24	01 47 20 39 25
9	**E** 18	**Pharmacie Internationale** 5 place Pigalle	0 h ou 1 h	01 48 78 32 65
9	**E** 16	**Pharmacie Européenne** 6 Place de Clichy	24 / 24	01 48 74 65 18
11	**M** 26	**Nation** 13 place de la Nation	0 h	01 43 73 24 03
12	**O** 26	**Daumesnil** 6 place Félix Eboué	24 / 24	01 43 43 19 03
12	**M** 28	**Porte de Vincennes** 86 boulevard Soult	2 h	01 43 43 13 68
13	**R** 21	**Italie Tolbiac** 61 avenue d'Italie	2 h	01 44 24 19 72
14	**N** 16	**Pharmacie des Arts** 106 Bd du Montparnasse	23 h	01 43 35 44 88
15	**N** 11	**Centrale** 52 rue du Commerce	0 h	01 45 79 75 01
17	**F** 10	**Neuilly, Porte Maillot, Palais des Congrès** 2 place du Général Koening (du lundi au samedi)	23 h	01 45 74 31 10
18	**D** 19	**Barbès** 64 boulevard Barbès	2 h	01 46 06 02 61
		STATIONS SERVICE		
7	**K** 16	6 boulevard Raspail	24 / 24	01 45 48 43 12
13	**Q** 20	**Relais Italie** : 27 avenue Porte d'Italie	24 / 24	01 45 85 99 14
13	**P** 21	114 boulevard de l'Hôpital	24 / 24	01 47 07 18 18
15	**O** 8	Quai d'Issy-les-Moulineaux	24 / 24	01 53 78 05 00
15	**O** 15	47 boulevard de Vaugirard	24 / 24	01 43 21 37 42
17	**E** 10	3 boulevard de l'Yser (Porte de Champerret)	24 / 24	01 47 66 54 92
17	**F** 10	Place de la Porte Maillot	24 / 24	01 40 68 92 35
19	**E** 22	152 boulevard de la Villette	24 / 24	01 42 06 93 18
19	**C** 23	234 rue de Crimée	24 / 24	01 40 34 58 06
		CAFÉS-TABACS		
5	**L** 19	**La Favorite** : 3 boulevard Saint Michel (fermé le dimanche)	24 / 24	01 43 54 08 02
6	**M** 17	45 rue Bonaparte	24 / 24	01 43 26 00 11
8	**H** 12	**Le Week-end** : 3 rue Washington (uniquement le week-end)	24 / 24	01 45 63 45 49
14	**N** 16	**Le Brazza** : 86 Bd du Montparnasse (fermeture possible à 4 h)	24 / 24	01 43 35 42 65
		MAGASINS		
8	**H** 13	**Virgin Megastore** : 52/60 avenue des Champs Élysées	0 h	01 49 53 50 00
8	**H** 12	**Drugstore** : 133 avenue des Champs Élysées	2 h	01 44 43 79 00
8	**H** 13	**Monoprix** : 52 avenue des Champs Élysées	0 h	01 53 77 65 65
6	**L** 18	**Boulangerie Kayser** : 10 rue de l'ancienne Comédie	24 / 24	01 43 25 71 60
17	**E** 16	**Boulangerie Trojette Farida** : 2 rue Biot	2 h	01 43 87 68 84
		BRASSERIES-RESTAURANTS		
1	**J** 19	**Au pied de cochon** : 6 rue Coquillère	24 / 24	01 40 13 77 00
8	**I** 14	**La Maison de l'Alsace** : 39 avenue des Champs Élysées	24 / 24	01 53 93 97 00
8	**H** 13	**La Maison de l'Aubrac** : 37 rue Marbeuf	24 / 24	01 43 59 05 14
9	**H** 17	**Le Grand Café** : 4 boulevard des Capucines	24 / 24	01 43 12 19 00
		PRESSE		
8	**H** 13	**Kiosque** : 37 avenue des Champs Élysées	0 h	01 40 76 03 47
8	**H** 13	**Kiosque** : 44 avenue des Champs Élysées	0 h	01 42 89 32 51

LOCATION VÉLOS & ROLLERS

Arr.	Plan	**Nom** / Adresse		Métro
		LOCATION DE VÉLOS		
16	G 11	**Holiday Bikes (vélos et motos)** face au 1 bis Av. Foch	0 810 809 609	Charles de Gaulle
1	J 19	**Maison Roue Libre Les Halles** 1 rue Mondétour	01 44 76 86 43	Les Halles
4	L 22	**Maison Roue Libre Bastille** 37 boulevard Bourdon	01 42 71 54 54	Bastille
4	L 22	**Paris à Vélos c'est sympa** 22 rue Alphonse Baudin	01 48 87 60 01	Richard Lenoir
16	G 7	**Paris Cycle** Rond-point du Jardin d'Acclimatation	01 47 47 76 50	Porte Maillot
5	O 20	**Paris-Vélos - Rent a Bike** 4 rue du Fer à Moulin	01 43 37 59 22	Censier-Daubenton
5	L 20	**Sejem - Freescoot (vélos et scooters)** 63 Q. de la Tournelle	01 44 07 06 72	Maubert-Mutualité
1	H 16	**Décathlon Les 3 Quartiers** 23 Bd de la Madeleine	01 55 35 97 55	Madeleine
15	P 9	**Décathlon** 4-6 rue Louis Armand	01 45 58 60 45	Balard
19	D 24	**Cyclopouce** 38 bis rue de la Marne	01 42 41 76 98	Ourcq
12	M 24	**Vélo Services** 25 rue Crozatier	01 43 07 39 05	Reuilly-Diderot
8	G 12	**Décathlon Wagram** 26 avenue de Wagram	01 45 72 66 88	Ternes
10	G 21	**Allo Vélo** 20 rue Hauteville	01 40 35 36 36	Gare de l'Est
5	O 20	**Gepetto et Vélos** 46 rue Daubenton	01 43 37 16 17	Censier-Daubenton
5	M 20	**Gepetto et Vélos** 59 rue du Cardinal Lemoine	01 43 54 19 95	Cardinal Lemoine
4	J 20	**Mouvement Shop** 35 rue Quincampoix	01 44 59 67 44	Rambuteau
		D'avril à octobre :		
1	K 19	**Cyclobus Hôtel de Ville** 6 avenue Victoria		Hôtel de Ville
12	N 33	**Cyclobus Vincennes** Esplanade du Château de Vincennes		Ch. de Vincennes
16	M 6	**Cyclobus Porte d'Auteuil** Métro, sortie gare bus		Porte d'Auteuil
		Fédération Française de Cyclisme 5 rue de Rome Bâtiment Jean Monnet 93 Rosny-sous-Bois	01 49 35 69 00	
		LOCATION DE ROLLERS		
7	J 14	**Bike'N Rollers** 38 rue Fabert	01 45 50 38 27	Invalides
8	G 12	**Décathlon** 26 avenue de Wagram	01 45 72 66 88	Charles de Gaulle
1	H 16	**Decathlon (C. Cial les 3 Quartiers)** 17 Bd de la Madeleine	01 55 35 97 55	Madeleine
15	P 9	**Decathlon** 4 rue Louis Armand	01 45 58 60 45	Balard
4	L 22	**Nomades** 37 boulevard Bourdon	01 44 54 07 44	Bastille
11	I 23	**Ootini** 73 avenue de la République	01 43 38 89 63	Saint-Maur
15	N 13	**Capital Sports** 15 bis rue Blomet	01 53 69 06 63	Volontaires
5	M 19	**Rollercorps** 18 rue des Ecoles	01 43 25 67 61	Maubert-Mutualité
92	HC	**Sport West** 21 R. des Quatre Cheminées (Boulogne-Billancourt)	01 46 08 29 27	Marcel Sambat
4	L 22	**Vertical Line** 4 rue de la Bastille	01 42 74 70 00	Bastille
		PISTES DE ROLLERS		
4	L 22	**AB2H** 37 boulevard Bourdon	01 44 54 07 44	Bastille
94	HC	**Rollerparc** 10 rue Léon Geffroy (Vitry-sur-Seine)	01 47 18 19 19	Vitry-sur-Seine

TÉLÉPHONES D'URGENCES

Service	Téléphone
Accueil sans abri	115
Alcooliques anonymes	01 48 06 43 68
Appel d'Urgence Européen	112
Centre Anti-poison	01 40 05 48 48
Croix Rouge	0 820 16 17 18
Drogues Info Services	0 800 23 13 13
Ecoute Alcool	0 811 91 30 30
Ecoute Cannabis	0 811 91 20 20
Garde Médicale de Paris	01 42 72 88 88
Sida Info Service	0 800 840 800

Service	Téléphone
SOS Amitié	01 42 96 26 26
SOS Dentaire	01 43 37 51 00
SOS Enfance Maltraitée	119
SOS Médecins	01 47 07 77 77
SOS Viols	0 800 05 95 95
Police	17
Pompiers	18
SAMU	15
Urgences Médicales de Paris	01 53 94 94 94
Urgence Psychiatriques	01 45 65 30 00

PARIS
BANLIEUE

Renseignements
indispensables

© ÉDITIONS L'INDISPENSABLE 16-18 rue de l'Amiral-Mouchez 75014 Paris
Tél. : 01 45 65 48 48 www.massin.fr - Dépôt légal : EI-M03A08
Reproduction même partielle interdite. Modèle déposé. ISBN 978 2 707 20242 0
Imprimé par IME Baume-les-Dames

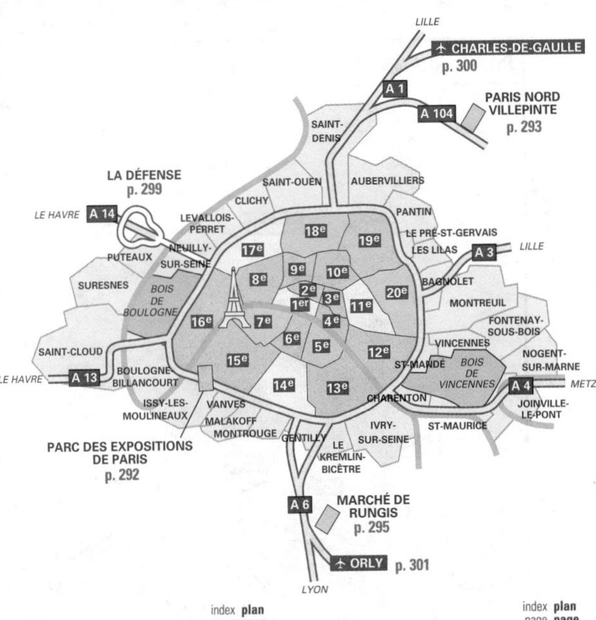

LILLE
CHARLES-DE-GAULLE
p. 300
A 1
A 104
PARIS NORD
VILLEPINTE
p. 293
SAINT-
DENIS
LA DÉFENSE
p. 299
SAINT-OUEN
AUBERVILLIERS
CLICHY
LE HAVRE
A 14
LEVALLOIS-
PERRET
PANTIN
18e
19e
LE PRÉ-ST-GERVAIS
17e
NEUILLY-
SUR-SEINE
LES LILAS
A 3
LILLE
PUTEAUX
9e
10e
8e
BAGNOLET
SURESNES
BOIS
DE
BOULOGNE
2e
3e
20e
1er
11e
MONTREUIL
16e
7e
4e
FONTENAY-
SOUS-BOIS
6e
5e
VINCENNES
SAINT-CLOUD
15e
12e
NOGENT-
SUR-MARNE
ST-MANDÉ
BOIS
DE
VINCENNES
LE HAVRE
A 13
BOULOGNE-
BILLANCOURT
14e
13e
A 4
METZ
CHARENTON
JOINVILLE-
LE-PONT
ISSY-LES-
MOULINEAUX
VANVES
MALAKOFF
MONTROUGE
IVRY-
SUR-SEINE
ST-MAURICE
GENTILLY
LE
KREMLIN-
BICÊTRE
PARC DES EXPOSITIONS
DE PARIS
p. 292
A 6
MARCHÉ DE
RUNGIS
p. 295
ORLY
p. 301
LYON

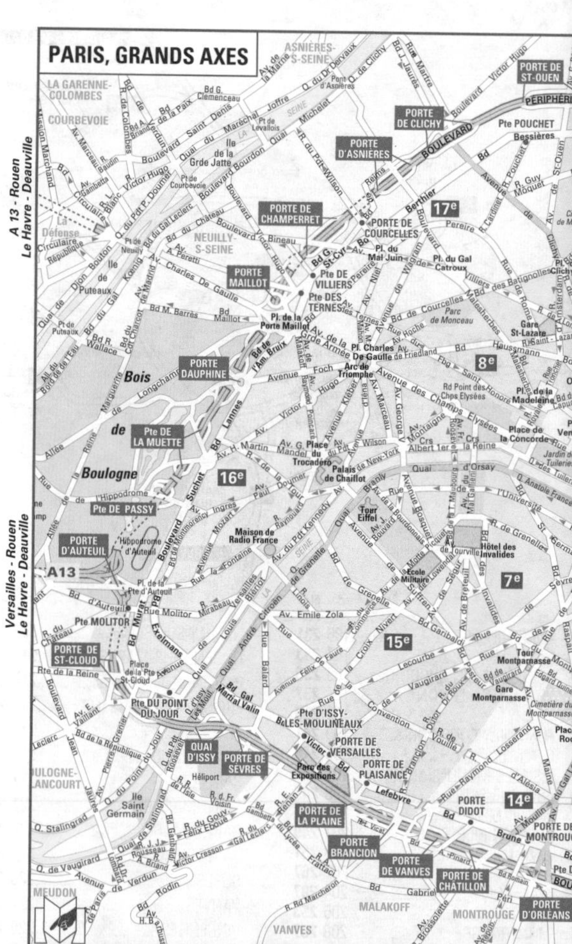

PARIS, GRANDS AXES
A 13 - Rouen
Le Havre - Deauville
Versailles - Rouen
Le Havre - Deauville
ASNIÈRES-S-SEINE
LA GARENNE-COLOMBES
COURBEVOIE
NEUILLY-S-SEINE
La Défense
Ile de Puteaux
Ile de la Grde Jatte
Bois de Boulogne
PORTE DE ST-OUEN
PORTE DE CLICHY
PORTE D'ASNIERES
PORTE DE CHAMPERRET
PORTE DE COURCELLES
PORTE MAILLOT
Pte DE VILLIERS
Pte DES TERNES
Pl. de la Porte Maillot
PORTE DAUPHINE
Pte DE LA MUETTE
Pte DE PASSY
PORTE D'AUTEUIL
Hippodrome d'Auteuil
A13
Pl. de la Pte d'Auteuil
Pte MOLITOR
PORTE DE ST-CLOUD
Place de la Pte St-Cloud
Pte DU POINT DU JOUR
QUAI D'ISSY
PORTE DE SÈVRES
Héliport
Pte D'ISSY-LES-MOULINEAUX
PORTE DE VERSAILLES
Parc des Expositions
PORTE DE PLAISANCE
PORTE DE LA PLAINE
PORTE BRANCION
PORTE DE VANVES
PORTE DE CHÂTILLON
PORTE DIDOT
PORTE DE MONTROUGE
PORTE D'ORLÉANS
Pte POUCHET
PÉRIPHÉRIQUE
BOULEVARD
17e
16e
15e
14e
8e
7e
Pl. Charles De Gaulle
Arc de Triomphe
Pl. du Gal Catroux
Pl. du Mal Juin
Parc de Monceau
Gare St-Lazare
Pl. de la Madeleine
Place de la Concorde
Jardin des Tuileries
Avenue des Champs Elysées
Rd Point des Chps Elysées
Place du Trocadéro
Palais de Chaillot
Tour Eiffel
Maison de Radio France
Hôtel des Invalides
Ecole Militaire
Tour Montparnasse
Gare Montparnasse
Cimetière du Montparnasse
Ile Saint Germain
Avenue Foch
Av. de la Grde Armée
Av. Emile Zola
Bd Garibaldi
Lecourbe
Vaugirard
Convention
Lefebvre
Bd Brune
Quai d'Orsay
SEINE
MEUDON
MALAKOFF
MONTROUGE
VANVES